GABLER WIRTSCHAFTS LEXIKON

GABLER WIRTSCHAFTS LEXIKON

12., vollständig neu bearbeitete
und erweiterte Auflage

C – F

GABLER

CIP-Kurztitelaufnahme der Deutschen Bibliothek

Gabler Wirtschafts-Lexikon. – Taschenbuch-Kassette mit 6 Bd. – Wiesbaden: Gabler
10. Aufl. u. d. T.: Gablers Wirtschafts-Lexikon
ISBN 3-409-30384-7

Bd. 2. C – F – 12., vollst. neu bearb. u. erw. Aufl., ungekürzte Wiedergabe d. zweibd. Orig.-Ausg. – 1988
ISBN 3-409-30334-0

Begründet und bis zur 10. Auflage herausgegeben
von Dr. Dr. h. c. Reinhold Sellien und Dr. Helmut Sellien

1. Auflage 1956
2. Auflage 1958
3. Auflage 1959
4. Auflage 1961
5. Auflage 1962
6. Auflage 1965
7. Auflage 1967
8. Auflage 1971
9. Auflage 1975
10. Auflage 1979
11. Auflage 1983
12. Auflage 1988

Ungekürzte Wiedergabe der zweibändigen Originalausgabe

Der Gabler Verlag ist ein Unternehmen der Verlagsgruppe Bertelsmann

Umschlaggestaltung: Schrimpf und Partner, Wiesbaden
Gesamtherstellung: Elsnerdruck, Berlin
Printed in Germany

2. Band · ISBN 3-409-30334-0
Taschenbuch-Kassette mit 6 Bänden · ISBN 3-409-30384-7

C

c, Vorsatz für →Zenti.

C. 1. *Begriff:* Prozentuale →Programmiersprache; Anfang der 70er Jahre von B. W. Kernighan und D. M. Ritchie in den Bell Laboratories (Tochtergesellschaft von AT&T) entwickelt. – 2. *Sprachelemente:* Ähnlichkeiten mit →Pascal, zusätzlich assemblernahe Sprachelemente (→Assembler). – 3. *Einsatzgebiete/Verbreitung:* Universell einsetzbar, v. a. in Zusammenhang mit dem Betriebssystem →Unix. Unix ist in C geschrieben. Hohe →Portabilität der →Programme, deshalb beliebte Sprache bei →Softwarehäusern. – 4. *Standardisierung:* Keine nationale oder internationale Norm; →De-facto-Standard: Sprachbeschreibung von Kernighan/Ritchie.

Cabotage, →Kabotage.

Cache (-Memory), →Pufferspeicher.

CACM, Central American Common Market, *Zentralamerikanischer Gemeinsamer Markt,* 1960 gegründeter wirtschaftlicher Zusammenschluß von →Costa Rica, →El Salvador, →Guatemala, →Honduras und →Nicaragua mit dem Ziel der Errichtung eines gemeinsamen Marktes in diesen Staaten. Vorstufe ist eine Zollunion. Liberalisierung des gegenseitigen Warenaustausches bereits weitgehend realisiert.

CAD, computer aided design. 1. *Begriff:* Computergestütztes (→Computersystem) Konstruieren, insbes. Unterstützung für Zeichnungserstellung und Entwurf von Bauteilen (→Teil), Schaltungen, technischen Systemen sowie für den Stücklistenaufbau. – 2. *Ziele:* a) Kosten- und Zeitersparnis durch Automatisierung der Konstruktuion und Zugriff auf genormte und bereits vorhandene Teile; b) Erleichterung von Konstruktionsänderungen. – Angestrebt wird eine *Integration von CAD* mit anderen Systemen der technischen Datenverarbeitung (→CAM, →CAP, →CAQ, →CAE) einerseits und den →computergestützten Administrationssystemen und →computergestützten Dispositionssystemen, insbes. →PPS-Systemen, andererseits; vgl. →CIM. – 3. *Prinzip:* Auf der Grundlage einer →Datenbank, in der Teile, vorgegebene Formen, technische Normen usw. enthalten sind, erlaubt das CAD-System dem →Benutzer, ein zu konstruierendes Objekt zusammenzusetzen. Eine gute graphische Unterstützung ist erforderlich (spezielle →Graphikbildschirme mit hoher →Auflösung; spezielle Eingabegeräte wie →Maus, →Lichtgriffel, →Graphiktablett). – 4. *Arten:* a) *2D-Geometrie-System:* zweidimensionale Darstellung in Ebenen; b) *3D-Geometrie-System:* dreidimensionale Darstellung mit Hilfe von Draht-, Flächen-, Volumenmodellen.

CAE, computer aided engineering. 1. *Begriff:* Computergestützte (→Computersystem) Ingenieurtätigkeiten, insbes. beim Produktentwurf. – 2. *Merkmale:* CAE beinhaltet die Funktionen des →CAD, die computergestützte Erzeugung und Simulation von Produktmodellen bzw. -prototypen, die Ermittlung der geeignetsten Betriebsmittel sowie der Aufstellung von Arbeitsplänen (→CAP). – 3. *Anwendung:* V. a. bei langlebigen Investitionsgütern (z. B. in der Flugzeug- und Automobilbranche oder im Maschinenbau) werden Berechnungen von Alternativen und dynamische, graphische Überprüfungen des Produktverhaltens (z. B. Schwingungsprüfung, Untersuchung des Deformationsverhaltens) durchgeführt.

Cafeteria-System. 1. *Begriff:* Konzept flexibler Entgeltgestaltung. Die Arbeitnehmer erhalten die Möglichkeit, sozial- und/oder übertarifliche Leistungen aus vorgegebenen Alternativen den persönlichen Bedürfnissen und Präferenzen entsprechend auszuwählen. – 2. *Ziel:* Neben der Individualisierung von Sozialleistungen, der erweiterten Selbstbestimmung am Arbeitsplatz und der Verbesserung der →corporate identity soll eine bessere Steuerung der Kosten der Soziaileistungen gewährleistet werden. – 3. *Formen:* Variabel wählbar sind z. B. die Arbeitszeit aus verschiedenen Alternativen, die Art der Bezahlung, die Form einer →Erfolgsbeteiligung, die Art der Sozialleistung (Zuschuß zur Lebensversicherung, Arbeitgeberdarlehen, zehn Stunden Tennisplatzbenutzung u. ä.). Der Arbeitnehmer kann sich somit aus einem Angebot an Sozialleistungen und übertariflichen Entgeltbestandteilen sein individuelles „Menü" zusammenstellen.

CAI, computer assisted instruction, ein am →Computer im →Dialogbetrieb ablaufendes Lernprogramm (→Programm). Im Rahmen der →künstlichen Intelligenz versucht man, solche Programme mit *intelligentem Verhalten* in dem Sinne auszustatten, daß sie das Basiswissen und die Lerngeschwindigkeit des jeweiligen →Benutzers feststellen und dementsprechend den Programmablauf kontinuierlich anpassen können *(ICAI, intelligent computer assisted instruction)*.

CAM, computer aided manufacturing. 1. *Begriff:* Computergestützte (→Computersystem) Steuerung und Überwachung der Produktion. – 2. *Ziel:* Kostensenkung durch Automatisierung des Fertigungsablaufs. – 3. *Aufgaben:* Entwicklung von Steuerungs- und Überwachungssystemen (z.B. NC-Programmierung) sowie Anwendung dieser System (z.B. automatische Maschinensteuerung, Abweichungskontrolle). – 4. *Teilaufgaben:* Steuerung von →NC-Anlage, →CNC-Anlage, →DNC-Anlage, computergestützten Transportsystemen (→fahrerloses Transportsystem), →flexiblen Fertigungssystemen, →Industrierobotern u.a.

Cambridge-Theorie der Verteilung. →Verteilungstheorie III 6.

Canardsche Steuerregel, auf N. F. Canard (1755–1833) zurückgehende These, daß bei alten Steuern Überwälzungsanpassungsvorgänge (→Überwälzung) abgeschlossen seien und die Steuerun alle gleichmäßig belasteten: „Alte Steuern, gute Steuern". Die C.St. wird als Argument für die Beibehaltung von althergebrachten Steuern in der Steuerreformdiskussion (→Steuerreform) gebraucht.

Candela (cd), Einheit der Lichtstärke (→gesetzliche Einheiten, Tabelle 1). C. ist die Lichtstärke in einer bestimmten Richtung einer Strahlungsquelle, die monochromatische Strahlung der Frequenz $540 \cdot 10^{12}$ Hertz aussendet und deren Strahlstärke in dieser Richtung (1/683) Watt durch Steradiant beträgt.

Cantillon, Richard, 1680–1734 (ermordet). Irischer, in Frankreich lebender Bankier und Nationalökonom. Von verschiedenen Autoren, z.B. von Jevons, als Begründer der Sozialökonomik bezeichnet. Weitere Forschungen auf dem Gebiet der Geld- und Außenhandelstheorie. – *Hauptwerk:* „Essai sur la nature du commerce en général". In diesem Werk gibt C. eine Analyse des Preismechanismus mit der Unterscheidung von →Marktpreis und →natürlichem Preis. C. erkannte die volkswirtschaftliche Bedeutung des Bodens für den Reichtum einer Nation (Einfluß auf die Physiokraten).

cap, *Höchstzinssatz, Maximalzinssatz,* ein Hedge-Instrument zur Absicherung gegen steigende Zinsen (→Hedging, →financial futures); seit 1983 auf den internationalen Finazmärkten eingesetzt und von zunehmender Bedeutung. Der C.-Verkäufer garantiert dem C.-Käufer (Schuldner) die Zahlung der Differenz zwischen dem vereinbarten c. und dem darüber hinausgehenden realen Marktzinssatz für ein variabel verzinsliches Finanzierungsinstrument. Der Schuldner begrenzt sein Zinsänderungsrisiko auf den c. Der C.-Verkäufer erhält bei Vertragsabschluß eine einmalige Prämie; diese ist im wesentlichen abhängig von der Höhe des c. (je höher um so billiger), dem aktuellen Marktzinssatz, der Laufzeit und der Volatilität (Schwankungsbreite) des →Referenzzinssatzes (z.B. Libor). – *Beispiel:* Ein C.-Käufer vereinbart mit einem C.-Verkäufer eine c. von 8%; steigt der tatsächliche Marktzinssatz auf 10%, so ersetzt der C.-Verkäufer dem C.-Käufer die Zinsdifferenz von 2%. – *Gegensatz:* →floor. – Vgl. auch →collar.

CAP, computer aided planning. 1. *Begriff:* Computergestützte (→Computersystem) Arbeitsplanung. – 2. *Aufgaben:* Erstellung von Arbeitsvorgaben im Dialog (→Dialogbetrieb), insbes. von Arbeitsgängen und Arbeitsplänen, z.B. mit Hilfe von Zeittabellen für Arbeitsschritte und Rüstvorgänge. Der Arbeitsplaner wird von dem CAP-System durch eine Erfahrungsdatenbank (→Datenbank), die z.B. typische Durchlaufzeiten und geeignete Betriebmittel enthält, und Möglichkeiten zur Fertigungssimulation unterstützt. – 3. *Ergebnisse:* Vorgabewerte im Rahmen eines Arbeitsplans (Bearbeitungs-, Rüst-, Übergangszeiten, Vorschläge für Betriebsmittelzuordnungen u.a.).

capital asset pricing model (CAPM), auf der →Portefeuilletheorie basierendes Modell des Kapitalmarkts. (Vgl. auch →Kapitalmarkttheorie).

I. Darstellung: 1. *Grundlagen:* Die Darstellung des Modells erfolgt graphisch anhand eines μ–σ–Koordinatensystems, wobei μ die erwartete Rendite und σ das Risiko einer Aktie bzw. eines Portefeuilles repräsentiert. – 2. Die *effiziente Linie* entspricht den μ–σ–Kombinationen, die ein Investor durch Mischung und Einbeziehung aller Aktien in sein Portefeuille erreichen kann (in der Abb. Sp. 1041 Linie AB). Wegen des risikomindernden Effekts der →Diversifikation halten alle rationalen Investoren Portefeuilles, die alle Aktien enthalten. Jeder Punkt der Linie AB repräsentiert eine andere Mischung dieser Aktien. – 3. *Kapitalmarktlinie (KML):* Die Möglichkeit, Gelder zum Satz i anzulegen und aufzunehmen, erweitert die Handlungsalternativen: Der Mischung jedes effizienten Portefeuilles mit der Anlage zum sicheren Zinssatz i entspricht eine Verbindungslinie von i zu jedem Punkt auf der effizienten Linie. Effizient ist dabei nur die Linie iM, alle anderen Kombinationen (z.B. die Mischung des effizienten Portefeuilles C mit der Anlage zu i) werden dominiert. Die Möglichkeit, Mittel zum Satz aufzunehmen und in das Portefeuille

M zu investieren, erlaubt es Investoren, Positionen auf der Linie zwischen M und dem als Verschuldungsgrenze angenommenen Punkt G einzunehmen. Kapitalmarktlinie ist die Linie iMG in untenstehender Abb.: Sie gibt sämtliche effizienten *μ–σ*–Kombinationen wieder. Von allen Aktienportefeuilles ist nur noch der Tangentialpunkt M, das *Marktportefeuille*, effizient, d. h. alle Investoren realisieren unabhängig von ihrer Risikoneigung das gleiche Portefeuille M. Die Risikoneigung bestimmt den Anteil des Marktportefeuilles am individuellen Gesamtportefeuille (→Separationstheorem)). Da die KML linear ansteigt, ist die erwartete bzw. geforderte Rendite $\bar{r}_j$ einer effizienten Position j linear abhängig vom übernommenen Risiko:

$$\bar{r}_j = i + \lambda' \cdot \sigma_j, \text{ wobei } \lambda' = \frac{\bar{r}_M - i}{\sigma_M}$$

(mit $\bar{r}_M$ = erwartete Rendite des Marktportefeuilles M; σ_M = Standardabweichung des Marktportefeuilles M; λ' = Zuwachs der erwarteten Rendite für eine übernommene Risikoeinheit. λ' wird als Marktpreis des Risikos für effiziente Positionen interpretiert.

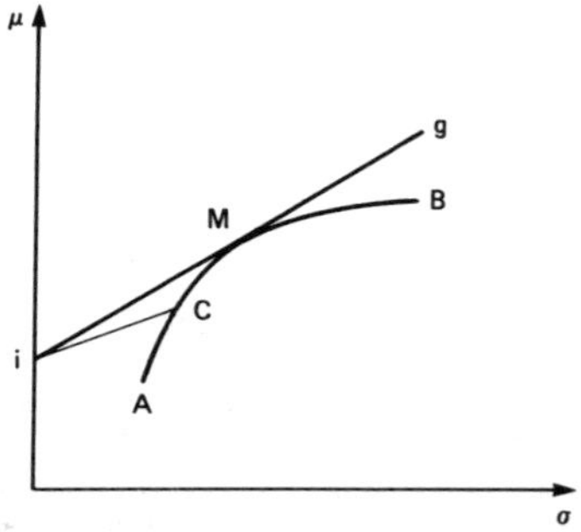

4. *Gleichgewichtsrendite einzelner Aktien:* Die erwartete bzw. geforderte Rendite einer einzelnen Aktie ist abhängig von ihrem Risikobeitrag zu dem von jedem rationalen Investor gehaltenen Marktportefeuille M. Dieser Risikobeitrag wird gemessen durch die Kovarianz der Renditen $\bar{r}_j$ und $\bar{r}_M$ *(Kovarianz-Risiko)*. Für die erwartete Rendite $\bar{r}_j$ gilt:

$$\bar{r}_j = i + (\bar{r}_M - i) \cdot p_j,$$

$$\text{wobei } \beta_j = \frac{\text{cov}(\tilde{r}_j, \tilde{r}_M)}{\sigma_M^2}$$

(mit P_j = Variabilität der Rendite $\tilde{r}_j$ in Abhängigkeit von der Rendite des Marktportefeuilles $\tilde{r}_M$); vgl. auch →Beta-Koeffizient, →charakteristische Linie.

II. Bedeutung: Von großer Bedeutung für die Bewertung von Aktien. – 1. Das Risiko wird explizit in Form einer marktdeterminierten, zusätzlich geforderten Rendite berücksichtigt. – a) Für die geforderte Rendite und damit (bei gegebenen zukünftigen Zahlungen) für den Wert der Aktie ist jedoch nicht deren Gesamtrisiko σ_j, sondern nur ihr Risikobeitrag zum Marktportefeuille M *(systematisches Risiko)* relevant. Rationale Investoren akzeptieren für eine Aktie mit negativer Kovarianz eine Rendite, die unter dem sicheren Anlagezinssatz i liegt; diese negative Risikoprämie wird entrichtet, weil die negative Kovarianz im Fall einer Aufnahme in das Portefeuille dazu führt, daß sich die Gesamtvarianz des Portefeuilles verringert (Risiko wird vernichtet). – b) Nicht bewertungsrelevant ist hingegen der Teil des Risikos von σ_j, der sich durch Diversifikation vernichten läßt *(unsystematisches Risiko)*, da dieses vom Investor selbst durch Portefeuillebildung beseitigt werden kann. – 2. In CAPM findet eine Abkehr von der isolierten Bewertung einer Aktie statt: Der Wert hängt von ihrem Risikobeitrag zum Portefeuille ab.

III. Kritik: Insbes. die Realitätferne einiger Annahmen. – 1. Die *Annahme homogener Erwartungen* bezüglich der erwarteten Renditen und der Varianzen ist notwendig, damit alle Investoren die gleiche KML und das gleiche Marktportefeuille errechnen. Die Annahme setzt jedoch voraus, daß alle Investoren den gleichen Zugang zu bewertungsrelevanten Informationen besitzen und diese mit dem gleichen Ergebnis auswerten. – 2. *Annahme der Durchführung der Bewertung einzelner Aktien* auf der Basis voll diversifizierter Portefeuilles seitens aller Investoren wird kritisiert. Die hohen Preise für einzelne Aktien machen es kleinen und mittleren Anlegern unmöglich, ein alle Titel umfassendes Marktportefeuille zu erwerben; ein alle Aktien umfassender Fonds existiert nicht.

capital flow, anglo-amerikanische Bezeichnung für Kapitalwanderungen (brutto oder netto) aus einer Industrie bzw. einem Wirtschaftsgebiet in andere.

captive, zu Unternehmen der versicherungsnehmenden Wirtschft gehörende bzw. mit ihnen verbundene Versicherungsgesellschaft, die ausschließlich die Versicherungen ihrer Anteilseigner zeichnet.

CAQ, computer aided quality assurance. 1. *Begriff:* Computerunterstützte (→Computersystem) Qualitätssicherung und -kontrolle. – 2. *Aufgaben:* Mengen-, Termin- und Qualitätsprüfungen; Ursachenermittlung bei Abweichungen durch Auswertung von Basisdaten und Gegensteuerung. – Dazu ist eine *Integration* der CAQ mit anderen Computersystemen im Fertigungsbereich, insbes. zur →Betriebsdatenerfassung und ggf. zur Außendienstverwaltung, erforderlich (vgl. →CIM). Durch die Computerunterstützung werden dabei die Möglichkeiten zur Vollerhebung und zur Verfeinerung statistischer Methoden verbessert.

CAR, contractors' all risks insurance, →Bauleistungsversicherung.

Caravan-Test, willkürliche Auswahl von Auskunftspersonen, vornehmlich auf Messen, Ausstellungen, bei der Verteilung von Warenproben usw. Der eigentliche Test bzw. die Befragung wird in einer mobilen Einrichtung (z.B. Wohnwagen) durchgeführt. Es wird keine repräsentative Auswahl erzielt. Daher ist die Gefahr eines →systematischen Fehlers sehr groß.

Cargo, *Frachtgut,* →Ladung eines Transportfahrzeugs.

CARICOM, →Karibische Gemeinschaft.

Carl Duisburg Gesellschaft e.V., Sitz in Köln. – *Aufgaben:* Berufliche Förderung von deutschen Nachwuchskräften durch Programme und Auslandsaufenthalte; projektgebundene Fortbildung von Fach- und Führungskräften aus Entwicklungsländern.

Carnet ATA (ATA = zusammengezogene Anfangsbuchstaben von „admission temporaire" und „temporary admission"), ein internationaler Zollpassierschein für bestimmte Waren sowohl bei der Ausfuhr als auch bei der Einfuhr einschl. der Wiedereinfuhr in diejenigen Länder, die das Verfahren übernommen haben. – Dem *internationalen Zollübereinkommen über das C.* für die vorübergehende Einfuhr vom 6.12.1965 (BGBl 1965 II 948) gehören an: alle europäischen Länder (außer DDR, UDSSR und Albanien); als außereuropäische Staaten: Australien, Elfenbeinküste, Hongkong, Iran, Israel, Japan, Kanada, Mauritius, Senegal, Sri Lanka, Südafrika, Südkorea, Türkei, USA, Zypern, Trinidad und Tobago. (C.-Verfahren kann aufgrund der fehlenden Benennung eines Zollbürgen in Trinidad und Tobago noch nicht angewandt werden). – *Anwendung:* Das C. kann für vorübergehend eingeführte zollpflichtige Warenmuster, Gegenstände der Berufsausrüstung sowie Ausstellungs- und Messegut und ggf. von einzelnen Staaten außerdem noch autonom zugelassene Waren verwendet werden. Der Inhaber eines C. ist von der Hinterlegung der Eingangsabgaben bzw. Stellung einer Sicherheit sowie von der Ausfertigung eines besonderen Zollpapiers bei jeder Ein- und Ausfuhr der Waren befreit. Er ist verpflichtet, die eingeführten Waren bis zum Ablauf der Gültigkeitsdauer des C. wieder auszuführen. In der Bundesrep. D. wird das C. von den →Industrie- und Handelskammern ausgegeben. Bürgender Verband ist der →Deutsche Industrie- und Handelstag.

Carnet TIR (TIR = transport international routier), ein internationaler Zollpassierschein für Transporte, bei denen Waren ohne Umladung (unter Zollverschluß) über eine oder mehrere Grenzen in mit TIR-Tafeln gekennzeichneten Straßenfahrzeugen oder Behältern von einer Abgangszollstelle in einem Land bis zu einer Bestimmungszollstelle in einem anderen Land befördert werden, sofern der Transport zumindest auf einem Teil der Strecke im Straßenverkehr erfolgt. Keine Sicherheitsleistung des C.-Inhabers wegen der von Spitzenverbänden der Fahrzeughalter gegenüber der Zollbehörde übernommenen Bürgschaft für die auf den beförderten Waren ruhenden Abgaben. Bestimmte Voraussetzungen, insbes. hinsichtlich Bauweise der Fahrzeuge und Behälter. Hauptvorteil ist bevorzugte Zollabfertigung (→Zollbehandlung) an den Grenzübergängen. – *Rechtsgrundlage:* TIR-Übereinkommen vom 14.11.1975 (BGBl 1979 II 446). – In der Bundesrep. D. ist Zollbürge der →Bundesverband des Deutschen Güterkraftverkehrs und die →Deutsche Transportbank GmbH. – Das Versandverfahren mit C. ist grundsätzlich *nicht anwendbar,* wenn der Transport innerhalb der Gemeinschaft beginnt und endet (Art. 7 Abs. 1 VersandVO).

carry back, →Verlustabzug.

Carryover-Effekt. 1. *Begriff:* Intertemporale Wirkungsübertragung beim Einsatz absatzpolitischer bzw. marketingpolitischer Instrumente, insbes. von Werbewirkungen. Führt zu Wirkungsverzögerungen: Ein Teil der Werbewirkung wird nicht im Zeitraum des Instrumenteneinsatzes, sondern erst in den Folgeperioden und in abnehmendem Umfang wirksam (vgl. auch →Werbewirkungsfunktion). – 2. *Arten:* a) *Direkter C.-E.:* Der Absatz des beworbenen Produktes wird in späteren Perioden von den Werbeanstrengungen in den vorgelagerten Perioden beeinflußt. Nur ein Teil der Werbung wird in der Periode des Werbeeinsatzes wirksam, der andere Teil erst in nachfolgenden Perioden. – b) *Indirekter C.-E.:* Der Absatz des beworbenen Produktes in späteren Perioden wird von dem durch die Werbung beeinflußten Absatz in der Durchführungsperiode mitbestimmt. Von Bedeutung für Verbrauchs- und Gebrauchsgüterwerbung. – Vgl. Abb. – Im ersten Fall kommt der C.-E. v.a. über Wiederholungskäufe zustande, im zweiten Fall sind Imitations- und Sättigungseffekte die wichtigsten Ursachen.

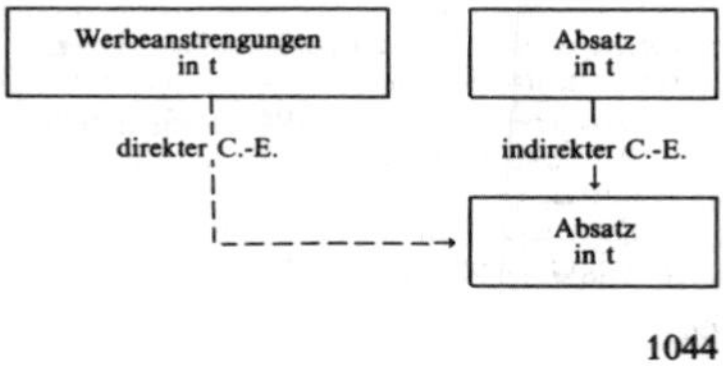

Cartoon-Test, →Bildenttäuschungstest.

case method, →Fall-Methode.

Cash- and Carry-Großhandel (CC), *Selbstbedienungsgroßhandel,* Betriebsform des Großhandels, (→Betriebsformen des Handels), in der nach dem Prinzip der Selbstbedienung ein großes Sortiment von Konsumgütern (v.a. Nahrungs- und Genußmittel) und – insbes. bei großflächigen Abhollagern – zusätzlich ein breites Sortiment an Non-food-Artikeln angeboten wird. Die Kunden (Einzelhändler, Gastwirte, Großverbraucher und sonstige gewerbliche Verwender) suchen die Waren aus, bringen sie zur Kasse, leisten Barzahlung und transportieren sie zum Ort der Verwendung. Wird der Umsatzanteil mit Letztverbrauchern (Konsumenten, Privatverbrauch der gewerblichen Kaufer) zu hoch, drohen wettbewerbsrechtliche Sanktionen. Kleinflächige CC-Großhandlungen sind teilweise in →Verbrauchermarkt oder ein →Selbstbedienungswarenhaus umgewandelt worden. Die Zahl der CC-Lager ist seit einigen Jahren rückläufig.

Cash-flow, *cash flow.* I. Begriff/Arten: 1. *Begriff:* Finanzielle Stromgröße, die den in einer Periode erfolgswirksam erwirtschafteten Zahlungsmittelüberschuß angeben soll. Er wird abgeleitet aus den Daten des →Jahresabschlusses, insbes. der →Gewinn- und Verlustrechnung. Der C.-f. ist Ausdruck (Indikator) der Innenfinanzierungskraft eines Unternehmens (→Innenfinanzierung). – 2. *Arten:* a) *net operating cash flow:* Mißt den Einzahlungsüberschuß aus den Produktions- und Absatztätigkeiten der Periode; b) *gesamter C.-f.:* Erfaßt daneben auch die durch Finanzierungsentscheidungen sowie durch Investitions- und Ausschüttungsentscheidungen ausgelösten Ein- und Auszahlungen.

II. Systematik der C.-f.-Analyse:

Netto-Umsatzerlöse
./. Materialaufwand
./. Löhne und Gehälter, einschl. soziale Abgaben
./. Steuern
./. Δ erforderliches Betriebskapital

---

net operating cash flow
./. Rückzahlung von Fremdmitteln
./. Zinszahlungen
\+ erhaltene Rückzahlungen aus Ausleihungen
\+ erhaltene Zinszahlungen, Dividendenzahlungen

---

vorläufig verfügbare Mittel für Ausschüttung und Investition
\+ Ausgabe von Aktien, Obligationen usw.
\+ Aufnahme anderer langfristiger Fremdmittel
./. Rückkauf von Obligationen
./. Tilgung von Fremdmitteln
./. Investitionsauszahlungen
\+ Verkauf von Gegenständen des Anlagevermögens
./. Dividendenzahlungen

---

gesamter Cash-flow
\+ Δ kurzfristige Verbindlichkeiten
./. Δ Wertpapiere des Umlaufvermögens, Forderungen an Banken usw.

Δ Kasse i.e.S.

III. Beurteilung: Die C.-f.-Analyse erlaubt genaue Analysen und gute Einsichten in die Aktivitäten von Unternehmen. Weil die C.-f.-Analyse aber historische finanzielle Daten verarbeitet, ist ihr prospektiver Aussagewert begrenzt.

Cash-flow-Analyse, →Cash-flow II, III.

Cash Management, elektronische Informationssysteme, die dem Finanzmanagement eines Konzerns einen aktuellen Überblick über sämtliche Konten – auch international – geben. Die Informationen umfassen insbes. Kontostände, Umsätze und einige Zusatzleistungen (u.a. →Devisen-Netting, Übermittlung von Zahlungsanweisungen, treasury workstation), die es dem Finanzmanagement ermöglichen, einzelne C.-M.-Informationen automatisiert anzuwählen und eine Konsolidierung der Daten auf dem PC selber durchzuführen. – *Bedeutung:* C.-M.-Systeme haben sich zu einem wesentlichen Instrument der Liquiditäts- und Rentabilitätssteuerung entwickelt und unterstützen die Kalkulation des Zinsänderungs- und Wechselkursrisikos. Ein Problem liegt darin, auch auf internationaler Ebene sämtliche Konten zusammenzufassen, da die Kombination unterschiedlicher C.-M.-Systeme erforderlich ist. Das C.-M. ist ein wesentlicher Bestandteil des →Management-Informationssystems.

cash on delivery (cod), *Barzahlung bei Lieferung,* →Handelsklausel in Kaufverträgen, nach der der Kaufpreis bei Übergabe der Ware, nicht der Dokumente, zu zahlen ist.

Cassel, Gustav, 1866–1945, schwedischer Nationalökonom. – *Bedeutung:* Wissenschaftlich bekannt durch seinen Versuch, die Preistheorie unter Verzicht auf jede Wertlehre allein auf dem Prinzip der →Knappheit aufzubauen. Geringe Anerkennung fand seine Wartetheorie des Zinses; allgemein anerkannt ist dagegen die Theorie der →Kaufkraftparitäten. – *Hauptwerke:* „The Nature and Necessity of Interests" 1903, „Theoretische Sozialökonomie" 1918, „The World's Monetary Problems" 1921.

Catering, Versorgung mit verzehrfertigen Speisen, die auf industrielle Weise vor- und zubereitet sind; beliefert werden bestimmte Einrichtungen (Kantinen, Krankenhäuser,

Altenheime, Mensen, Gefängnisse usw.) oder Personengruppen (z. B. alte Menschen in ihren Wohnungen).

CATS, certificates of accrual on treasury securities, seit 1983 am Markt gehandelte Anlagezertifikate auf amerikanische Staatsanleihen. Die ursprüngliche Anleihe wird in sog. Streifen mit unterschiedlichen Laufzeiten zerlegt. Der Emittent haftet nicht unmittelbar, sondern ein aus →treasury bonds (Staatsanleihen) bestehendes Sondervermögen. Für die Ausstellung von C. werden →straight bonds mit großem Emissionsvolumen und erstklassigen Emittenten bevorzugt.

Cayman-Inseln, →Großbritannien.

CB-Funk, privater Nahbereichsfunk für den Nachrichtenaustausch über kurze Entfernungen (→beweglicher Landfunk). CB-Geräte bedürfen der Genehmigung durch die Deutsche Bundespost. Je nach Bauart gebührenfrei oder geringe Gebühr.

CCC, Customs Cooperation Council, →Rat für die Zusammenarbeit auf dem Gebiete des Zollwesens (RZZ).

CC-Großhandlung, →Cash-and-Carry-Großhandel.

CCIO, Classification of Commodities by Industrial Origin, →Gütersystematik nach Herkunftsbereichen.

CCITT, Comité Consultatif International Télégraphique et Téléphonique, beratender Ausschuß der Internationalen Fernmeldeunion UIT; verabschiedet u.a. Empfehlungen für internationale Normen der Telekommunikation, die meist von den nationalen Postverwaltungen übernommen werden (z. B. →ISDN).

CD, Abk. für →certificate of deposit.

CDH, Abk. für →Centralvereinigung Deutscher Handelsvertreter- und Handelsmakler-Verbände.

CD-ROM, compact disc read only memory, Informationsspeicherung (→Daten, Texte, Bilder, graphische Darstellungen) nach dem von Compact Disc (CD) bekannten Musikaufzeichnungsverfahren. Die Information wird digital aufgezeichnet. Von der Masterplatte werden Kopien für die Benutzer hergestellt. Die auf der Platte gespeicherten Informationen können nicht gelöscht werden. – Für den Zugriff zu den Informationen braucht der Benutzer ein *„Player"-Gerät* (→Peripheriegeräte) mit Anschluß an einen Kleincomputer (z. B. Personalcomputer). – *Speicherkapazität:* bis zu 600 Mill. →Bytes je Seite, entspricht ca. 200000 Schreibmaschinenseiten DIN-A 4. – *Einsatz:* Verteilung statistischer Informationen (z. B. Datenbankinhalte, Verlagsverzeichnisse) an größeren Benutzerkreis. – *Bedeutung:* CD-ROM kann möglicherweise den Mikrofilm zurückdrängen.

CEA, Confédération Européenne de l'Agriculture, *European Confederation of Agriculture,* Verband der europäischen Landwirtschaft, gegründet 1948, Sitz: Paris. Spitzenverband von ca. 500 landwirtschaftlichen Verbänden aus 19 Ländern (Nachfolgeorganisation der *International Commission of Agriculture,* gegründet 1889, sowie der *International Confederation of Agriculture,* gegründet 1937). – *Ziele:* Vertretung und Schutz der Interessen der europäischen Landwirtschaft in wirtschaftlichen, sozialen und kulturellen Angelegenheiten; Fortentwicklung der Grundlagen der Landwirtschaft; Schutz und Unterstützung des unabhängigen landwirtschaftlichen Familienbetriebs. – Der CAE hat *beratenden Status* bei →FAO, →ECOSOC, →Europarat, →UNESCO, →ILO, →IAEA, →OECD, →EWG, →EFTA. – *Veröffentlichungen:* Manifestes de la CEA aux agriculteurs de l'Europe (1949, 1958); 75 années de travail en commun pour l'agriculture mondiale et européenne (1964); Charte sociale de l'agriculture européenne (1965).

CEAO, Communauté Économique de l'Afrique de l'Ouest, *West African Economic Community (WAEC),* westafrikanische Wirtschaftsgemeinschaft, errichtet 1974, Vorläufer: 1959 gegründete *Union Douanière Économique des États de l'Afrique de l'Ouest, UDEAO.* – Sitz in Quagadougou (Burkina Faso). – *Mitglieder:* Elfenbeinküste, Mali, Mauretanien, Niger, Burkina Faso, Senegal. Benin und Togo haben Beobachter-Status. – *Ziele:* Förderung einer kontinuierlichen und ausgewogenen Wirtschaftsentwicklung in den Mitgliedstaaten zum Zweck einer Verbesserung des Lebensstandards der Bevölkerung. – *Wichtigste Instrumente:* Gemeinschaftlicher Entwicklungsfonds, durch den Projekte in den Mitgliedstaaten initiiert und finanziert werden, sowie ein 1978 gegründeter Solidaritäts- und Entwicklungsfonds. – *Organe:* Konferenz der Staatsoberhäupter, Ministerrat, Generalsekretariat und Schiedsgerichtshof. – Vgl. auch →ECOWAS, →Franc-Zone.

CEDEAO, Communauté Économique des États de l'Afrique de l'Ouest, →ECOWAS.

CEDI, Abk. für →Confédération Européenne des Independants.

CEEP, Centre Européen des Entreprises Publiques, *Europäische Zentrale für öffentliche Wirtschaft,* Vertretung der europäischen öffentlichen Unternehmen gegenüber der EG. – Vgl. auch →öffentliche Unternehmen V.

Celler Kefauver Act, →Clayton Act.

CEMT, Conférence Européenne des Ministres des Transport, →ECMT.

CEN, Comité Européen de Normalisation, *Europäisches Kommittee für Normung,* privatrechtliche, gemeinnützige Vereinigung, Sitz in Brüssel. – *Mitglieder:* 16 (für die Bundesrep. D. das →Deutsche Institut für Normung e.V. (DIN)). – *Tätigkeit:* Europäische Normung (→europäische Normen).

CENELEC, Comité Européen de Normalisation Electronique, *Europäisches Kommittee für elektrotechnische Normung,* privatrechtliche, gemeinnützige Vereinigung; Sitz in Brüssel. – *Mitglieder:* 17 (für die Bundesrep. D. die deutsche Elektrotechnische Kommission im Deutschen Institut für Normung e.V. und Verein der Elektroingenieure). – *Tätigkeit:* Europäische Normung (→europäische Normen).

Census value added, →Nettoproduktion.

cental, angelsächsische Masseneinheit. 1 cental = 100 →pounds = 45,359237 kg.

Cento-Pakt, Central Treaty Organization, *Middle East Treaty Organization,* gegründet 1955 als *Bagdad-Pakt* zwischen den Regierungen des Iraks und der Türkei, seit 1958 Bündnis von Großbritannien, USA, Türkei, Iran und Pakistan als Vollmitglieder. Ursprünglich militärische Organisation, später Schwergewicht in den Bereichen der Wirtschaft, Technik, Verkehr, Erschließung von Rohstoffquellen und Gesundheitswesen. 1979 *aufgelöst.*

Central Bank of Ireland (Banc Ceannais na hEireann), Sitz in Dublin, 1942 als Zentralnotenbank gegr., betreibt alle Notenbankgeschäfte; Girokonten nur von Banken und öffentlichen Stellen. Das Kapital ist in der Hand des Staates.

Centrale Marketinggesellschaft der Deutschen Agrarwirtschaft mbH (CMA), Sitz in Bonn, zentrale Einrichtung der Wirtschaft zur Förderung des Absatzes und der Verwertung von Erzeugnissen der deutschen Land-, Forst- und Ernährungswirtschaft im In- und Ausland. Für gesamte deutsche Agrarwirtschaft tätig, darf kein eigenes erwerbswirtschaftliches Warengeschäft betreiben. – *Aufgaben:* Werbung im In- und Ausland; Durchführung von Messen und Ausstellungen und Verkaufsförderungsaktionen im In- und Ausland; Verbesserung der Markttransparenz und absatzwirtschaftlichen Leistungsfähigkeit der deutschen Agrarwirtschaft; Förderung der Verwendung von Herkunfts- und Qualitätszeichen sowie Entwicklung von Produkt- und Vertriebsprogrammen; Entwicklung von Marktstrategien und Förderung aller Bestrebungen zum marktgerechten Verhalten im In- und Ausland. – Die *Durchführung* der Aufgaben ist durch Richtlinien des →Absatzförderungsfonds geregelt, der auch die erforderlichen Mittel bereitstellt.

central processing unit (CPU), →Zentraleinheit.

Centralvereinigung Deutscher Handelsvertreter- und Handelsmakler-Verbände e.V. (CDH), Sitz in Köln. – *Aufgaben:* Beratung und Förderung der Mitglieder in allen Belangen ihrer beruflichen Tätigkeit.

Centre Européen des Entreprises Publiques, →CEEP.

Centronics-Schnittstelle, bekannteste und weltweit verwendete parallele →Schnittstelle. Parallel bedeutet, daß mehrere →Bits gleichzeitig übertragen werden; bei der C.-S. werden die Daten byteweise (→Byte) übertragen.

CEPT, Commission Européenne des Administrations des Postes et des Télécommunications, Verband der europäischen Postverwaltungen; gibt u.a. Empfehlungen zur Standardisierung der →Telekommunikation ab.

CERN, Organisation Européene (früher *Conseil Européen*) **pour la Recherche Nucléaire,** *European Organizations for Nuclear Research, Europäische Organisation für Kernforschung,* gegründet am 29.9.1954 aufgrund eines Beschlusses der Generalversammlung der UNESCO (1950) und einer von ihr angeregten Regierungskonferenz (1951); Sitz: Genf. – *Mitglieder:* Belgien, Dänemark, Frankreich, Bundesrep. D., Griechenland, Italien, Niederlande, Norwegen, Österreich, Schweden, Schweiz, Spanien, Großbritannien; Beobachter: Polen, Türkei, Jugoslawien. – *Organe:* a) Rat aus je zwei Vertretern der Mitgliedstaaten, b) Ausschüsse für Finanzen und Wissenschaftspolitik. – *Aktivitäten:* Zusammenarbeit der Mitgliedstaaten bei der wissenschftlichen Grundlagenforschung der Kernenergie. Sehr leistungsfähige internationale Forschungslaboratorien auf dem Gebiet der Teilchen hoher Energie. Die Forschungsergebnisse dürfen nicht militärischen Zwecken dienen und sollen veröffentlicht werden. – *Veröffentlichungen:* CERN Courrier (monatlich); Scientific Reports; Annual Reports.

certificate of deposit (CD), *Depositenzertifikat, Einlagenzertifikat.* 1. Verbriefte handelbare Einlage von Nicht-Banken bei Banken: Bestätigung einer Bank über eine Einlage, die nach einer bestimmten Frist (ein bis zwölf Monate) zuzüglich der festgesetzten Zinsen an den Inhaber des CD (→Inhaberpapier) zurückgezahlt wird. I.d.R. ab 100000 US-$. In der Bundesrep. D. von der Deutschen Bundesbank mit der Neuregelung der Mindestreserve zum 1.5.1986 zugelassen; sie unterliegen der →Mindestreserve. – *Übertragung:* Formlos durch Einigung und Übergabe. – *Bedeutung:* Internationales →Geldmarktpapier, v.a. in den USA und am Euromarkt; vgl. auch →Finanzinnovation. – 2. Sparbrief bzw. -obligation amerikanischer Banken mit einem im Vergleich zu 1. wesentlich geringeren Nennwert.

certificates of accrual on treasury securities, →CATS.

certificate to be final, →Handelsklausel in Kaufverträgen, mit der verlangt wird, daß die auf Veranlassung des Verkäufers von einer Behörde oder sonstigen unabhängigen Stellen ausgestellte Bescheinigung über die Warenqualität bei Abnahme der Ware vom Käufer anzuerkennen ist. Weitere Qualitätsprüfung geht nicht zu Lasten des Verkäufers.

CES-Funktion (CES = constant elasticity of substitution), 1961 von Arrow, Chenery, Minhas und Solow aus empirischer Beobachtung entwickelte substitutionale makroökonomische →Produktionsfunktion mit *konstanter*, je nach Volkswirtschaft, Industrie jedoch unterschiedlicher →Substitutionselastizität, die alle Werte von null bis unendlich aufweisen kann. – *Spezifiziert* lautet die CES-F.

$$Y = \gamma [\delta \cdot \bar{K}^{\varrho} + (1 - \delta) \cdot \bar{L}^{\varrho}] \frac{1}{\varrho}$$

(Y – Output, γ – Effizienzparameter, δ – Distributionsparameter, K – Kapitaleinsatz, L – Arbeitseinsatz, ϱ – Substitutionsparameter [ϱ = 1/6 – 1], σ – Substitutionselastizität). Die CES-F. in dieser Form ist linear homogen (→Cobb-Douglas-Funktion). Sie läßt sich durch →Isoquanten graphisch darstellen, wobei der Substitutionsparameter die Krümmung, der Distributionsparameter die Schiefe der Isoquanten bestimmt. – Als Spezialfälle enthält die CES-F. die Cobb-Douglas-Funktion, wenn σ = 1, und die Leontief-Funktion, wenn σ = 0. Die CES-F. stellt damit den allgemeinsten Fall der gängigen makroökonomischen Produktionsfunktionen dar.

Ceteris-paribus-Annahme, *Ceteris-paribus-Klausel*, Analyse eines Zusammenhangs unter der Annahme, daß sich nicht alle ökonomischen Variablen gleichzeitig ändern.

Ceylon, →Sri Lanka.

cf., →c. & f.

CFIE, Abk. für →Conseil des Fédérations Industrielles d'Europe.

CGB, Abk. für →Christlicher Gewerkschaftsbund Deutschlands.

chain, angelsächsische Längeneinheit. 1 chain = 22 →yards = 20,1168 m.

chain store, Laden in einer →freiwilligen Kette.

challenger, das als Ersatz in Erwägung gezogene Investitionsobjekt (zweite Alternative) bei →Ersatzinvestitionen. – *Gegensatz:* →defender.

change agent, Bezeichnung für den Berater im Prozeß der →Organisationsentwicklung. Abweichend vom klassischen Klient-Berater-Verhältnis bringt der c. a. sich in den Entwicklungsprozeß ein und beeinflußt diesen, indem er forciert, steuert, bremst usw. Der c. a. muß über die Techniken der Verhaltenssteuerung, soziale und fachliche Kompetenz verfügen.

Chaos-Theorie. 1. *Charakterisierung:* Mathematische Theorie dynamischer Systeme, die diese Systeme durch deterministische, nichtlineare Differenzen- oder Differentialgleichungen beschreibt. Wesentliches Charakteristikum chaotischer Systeme ist es, daß die Zeitpfade der Variablen äußerst *sensibel* auf Veränderungen der Anfangsbedingungen reagieren, bzw. bei nur geringfügigen Änderungen der Anfangsbedingungen ergeben sich nach einer gewissen Zeit vollständig unterschiedliche Zeitpfade (plastisch darzustellen am Beispiel eines Billardspiels, bei dem bereits geringfügige Unterschiede vom Abstoß zu vollständig „chaotischer" Bahnabweichung führen). – 2. *Bedeutung:* Die C.-T. steckt noch in den Anfängen. Vielversprechend für eine Anwendung erscheinen alle Gebiete, bei denen komplizierte Bewegungsvorgänge auftreten (z. B. Wind- und Meeresströmungen, Investitionsdynamik und Konjunkturentwicklung). Durch die C.-T. hofft man auf Einsichten in Phänomene, die mit den traditionellen Ansätzen nicht gewonnen werden konnten. Werden reale Systeme tatsächlich angemessen durch die C.-T. beschrieben, so bedeutet dies, daß *langfristige Vorhersagen prinzipiell unmöglich* sind; langfristig orientierte strategische Maßnahmen wären sinnlos.

chaotische Lagerung, Prinzip für die Einlagerung, bei dem den Lagerteilen (→Teil) nicht feste Lagerplätze zugeordnet sind, sondern beliebige, gerade nicht belegte Stellen. Das Lagerverwaltungssystem muß dazu eine Belegungsliste für die Lagerplätze und Lagerteile führen.

Charakter. 1. *Allgemein:* Gepräge, Merkmal, Grundbeschaffenheit eines Wesens infolge des *besonderen* Zusammenhangs (Struktur) der seelischen Richtkräfte (C.-Eigenschaften); im besonderen die Eigenart des Willens, also die Fähigkeit des entschiedenen, stetigen und gerichteten Wollens. – *Gegensatz:* charakterlos = schwankend. – 2. *Definitionen:* a) *Kant:* Eigenschaft des Willens, nach welcher das Subjekt sich selbst an bestimmte praktische Prinzipien bindet, die es sich durch seine eigene Vernunft unabänderlich vorgeschrieben hat. – b) *Herbart:* Das, was der Mensch eigentlich will. – c) *Scheler:* Einheit der Willensanlagen. – d) *Behavioristen* (→Psychologie): Summe aller Verhaltensweisen. – e) Für die Tiefenpsychologen: Die Gesamtheit aller Triebrichtungen und Leidenschaften. – f) *Rohracher:* Bleibende Eigenart eines Menschen, durch die er sich von anderen Menschen unterscheidet. – g) *Klages:* Persönliches Selbst eines Menschen, seine feststehende individuelle Form. – 3. *Zusammenfassend:* C., aus

Anlage und Umwelt immer neu werdend, ist die Grundlage allen menschlichen Handelns.

charakteristische Linie, →Regressionsgerade, die aus Vergangenheitswerten der →Rendite einer Aktie und der Rendite des Marktportefeuilles (→capital asset princing model) abgeleitet wird. Die Steigerung der c. L. wird durch den →Beta-Koeffizienten (*β*-Faktor) repräsentiert. Die c. L. einer Aktie zeigt die typische Reaktion ihrer Rendite in Abhängigkeit der Marktentwicklung.

Charakterologie, *Ausdruckskunde.* 1. *Teilgebiet* der →Psychologie mit der Aufgabe, den →Charakter einzelner Menschen mit wissenschaftlichen Methoden zu bestimmen. Da die allgemeine (naturwissenschaftlich ausgerichtete) Psychologie noch keine brauchbaren Voraussetzungen zur Begründung der C. geschaffen hat, stehen bis in die neuere Zeit nicht naturwissenschaftliche Methoden, sondern intuitive Erkenntnisse im Vordergrund: a) *L. Klages* „Grundlagen der Charakterkunde“ gilt als Vorkämpfer der modernen C. Er untescheidet: (1) Stoff des Charakters (verschiedene Begabungen und Fähigkeiten eines Menschen, wie Gedächtnis, Auffassungsvermögen, Scharfsinn, Willensstärke, Feinfühligkeit); (2) Artung des Charakters (Triebe und Triebfedern oder Interessen); (3) Gefüge des Charakters (Besonderheiten im Ablauf der psychischen Vorgänge, z. B. Ablenkbarkeit, Gehemmtheit, Unentschlossenheit, Sprunghaftigkeit). – b) *Ph. Lersch* („Aufbau des Charakters“) unterscheidet am Charakter: (1) endothymen Grund: Lebensgefühl, Selbstgefühl und Gegenwartsgefühle, aber auch die Strebungen; (2) personellen Oberbau, zu dem er den Willen und das Denken zählt. – c) *E. Rothacker* („Schichten der Persönlichkeit“) betont die „Schichtung“ des Charakters, er spricht von der „Es-Schicht“ und der „Person-“ oder „Ich-Schicht“. – d) Die Annahme unbewußter Schichten des Psychischen hat *S. Freud* schon 1895 ausgesprochen („Traumdeutung“); vgl. →Tiefenpsychologie. – e) Um rein empirische Erkenntnisse bemühen sich *gegenwärtig* drei Richtungen: (1) *Typenpsychologie,* (2) *Ausdruckskunde,* (3) *Verhaltens- und Leistungsbeobachtung.* – 2. Die Erkenntnisse der C. finden u. a. *Verwendung* in der →Arbeits- und Organisationspsychologie.

Chargenkalkulation, Sonderform der →Divisionskalkulation bzw. →Auftragsabrechnung bei →Chargenproduktion. Wegen der oft unterschiedlichen Qualität des Rohmaterial müssen die Chargen getrennt abgerechnet werden.

$$\text{Kosten je Ausbringungseinheit} = \frac{\text{Kosten der Charge}}{\text{Anzahl der Ausbringungseinheiten der Charge}}$$

Chargenproduktion, →diskontinuierliche Produktion.

charismatischer Führungsstil, →Führungsstil 10.

Charterpartie, Beweisurkunde über den Inhalt des →Chartervertrags (§ 557 HGB) im Seefrachtgeschäft, entsprechend dem Frachtbrief im Landfrachtgeschäft. Jede Partei erhält ein Exemplar der „carta partita“, der alten im Zickzack zerschnittenen Doppelurkunde. Maßgeblich für vereinheitlichte Ausarbeitung der C. ist die Baltic and International Maritime Conference (BIMCO).

Charterverkehr, Verkehr mit Fahrzeugen, insbes. Schiffen oder Flugzeugen, deren Kapazität ganz *(Vollcharter)* oder teilweise *(Teilcharter, Raumcharter)* für einen Einsatz, eine Folge von Einsätzen *(Reisecharter)* oder eine bestimmte Zeit *(Zeitcharter) mit Personal* gemietet oder gepachtet wurde. – *Ohne Personal:* Bare Boat Charter.

Chartervertrag, Frachtvertrag des Seefrachtgeschäfts. C. bezieht sich auf das Schiff im ganzen *(Vollcharter)*, auf einen verhältnismäßigen Teil *(Teilcharter)* oder auf einen bestimmten Raum des Schiffes *(Raumcharter)*. Beim C. schließt der Verfrachter mit einem oder wenigen Befrachtern ab, wobei er sich den individuellen Bedürfnissen der Gegenpartei anpassen muß. – Häufiger: →Stückgutvertrag. – *Außenwirtschaftsrecht:* 1. Vercharterung von Seeschiffen unter Bundesflagge an →Gebietsfremde aus Ländern, die der →Länderliste C angehören, ist genehmigungspflichtig (§ 44 I AWV). – 2. Das Chartern von Seeschiffen fremder Flagge ist genehmigungspflichtig, wenn der C. zwischen Gebietsansässigen und -fremden aus einem Land, das nicht auf der →Länderliste F 2 enthalten ist, abgeschlossen werden soll (§ 46 II AWV).

charts, →technische Aktienanalyse.

Checklistenverfahren, Methode zur systematischen Gestaltung von Entscheidungsprozessen. Alle entscheidungsrelevanten Faktoren werden übersichtlich in Listen zusammengestellt, in weiteren, ähnlichen Entscheidungsprozessen herangezogen und jeweils ergänzt und korrigiert. Durch Kumulation von Erfahrungen sollen Prüflisten entstehen, die alle für die Entscheidungssituation wesentlichen Faktoren enthalten. – *Problematisch* ist die Bestimmung der jeweiligen Faktor-Entscheidungsgewichte (vgl. →Nutzwertanalyse).

Chemikaliengesetz, Gesetz zum Schutz vor gefährlichen Stoffen vom 16. 9. 1980 (BGBl I 1718) mit späterer Änderung. – *Zweck:* Besserer Schutz vor den Wirkungen gefährlicher Stoffe und Zubereitungen. – *Inhalt:* Umfassende Regelung für die Herstellung und das Inverkehrbringen gefährlicher Stoffe. Vorschriften des allgemeinen Gesundheitsschutzes, Regelungen des Verbraucher-, des Arbeits- sowie des Umweltschutzes. – *Verstöße* sind Straftat oder Ordnungswidrigkeit. – *Ergänzende Verordnungen:* VO über Anmeldeunterlagen und Prüfnachweise vom 30.11.1981 (BGBl I 1234), VO zur Bestimmung der Anmeldestelle vom 2.12.1981 (BGBl I 1238) und VO über die Gefährlichkeitsmerkmale von Stoffen und Zubereitung nach dem C. vom 18.12.1981 (BGBl I 1487) sowie Chemikalien-AltstoffVO vom 2.12.1981 (BGBl I 1239) und VO über gefährliche Stoffe (Gefahrstoff-VO) vom 26.8.1986 (BGBl I 1470).

Chemische Industrie, Zweig des →Grundstoff- und Produktionsgütergewerbers. Produktion v.a. von anorganischen Chemikalien und Grundstoffen (z.B. Salzsäure, Schwefelsäure, Soda, Chlor, Natron, Düngemittel), organischen Chemikalien, Pharmazeutika, Mineralfarben und Teerfarbstoffen, chemisch-technischen Erzeugnissen (z.B. Linoleum, Dachpappe, Lacke, Anstrichmittel, Waschmittel), Kunststoffen (z.B. Kunstharze und plastische Massen) und Chemiefasern. Stark exportorientiert; Exportquote 1986: 42,1%.

Chemische Industrie

Jahr	Beschäftigte in 1000	Lohn- und Gehaltssumme	darunter Gehälter	Umsatz gesamt	darunter Auslandsumsatz	Nettoproduktionsindex 1980 = 100
		in Mill. DM				
1970	598	10708	5179	58247	16867	–
1971	591	11589	5785	61760	17738	–
1972	582	12407	6320	65372	19625	–
1973	589	14056	7171	75043	23909	–
1974	602	16357	8368	100168	34111	–
1975	584	16855	9070	90451	28063	–
1976	570	17993	9626	104085	34550	92,2
1977	571	19526	10612	108538	35646	93,7
1978	566	20398	11247	110611	37495	98,1
1979	560	21516	11878	126007	44277	103,2
1980	568	23053	12821	126475	47175	100
1981	565	24343	13735	138096	54887	99,8
1982	559	25235	14526	141557	56079	96,4
1983	549	25731	14930	153899	61443	103,4
1984	550	27030	15756	169719	71527	108,8
1985	557	28602	16763	178141	76692	111,1
1986	567	30201	17816	168527	70979	110,1

chemische Produktion, Elementartyp der Produktion (→Produktionstypen), der sich aus dem Merkmal der naturgegebenen Grundlagen der Prozeßtechnologie ergibt. – *Beispiel:* Herstellung von Amoniak zur Kunstdüngererzeugung. – Vgl. auch →biologische Produktion, →physikalische Produktion, →kernphysikalische Produktion.

Chicagoer Börsen. 1. *Chicagoer Effektenbörse (Midwest Stock Exchange):* Hat nur regionalen Charakter. – 2. *Chicagoer Produktenbörsen* (CBT = Chicago Board of Trade für Getreide; CME = Chicago Mercantile Exchange für Fleisch): Sie haben Weltbedeutung für Getreide, Sojabohnen und Fleisch. Am CBT findet ein lebhafter Handel in Anleihen-Terminkontrakten sowie in Optionen (calls und puts) auf Anleihen-Terminkontrakten statt. An der CME werden im „International Monetary Market" Terminkontrakte in Devisen, Schatzwechseln, Standard + Poors Aktienindices und Eurodollar, sowie Optionen auf diese Terminkontrakte gehandelt. – 3. *Chicagoer Optionsbörse* (Chicago Bord Options Exchange): Sie führte als erste Börse den Handel mit standardisierten Kaufoptionen ein (1973) und ist heute (mit großem Abstand) der führende Markt für den Handel in Optionen (calls). Seit 1977 werden an dieser Börse nun auch Verkaufsoptionen gehandelt (puts). Mit der Idee der Standardisierung hat der Optionshandel einen großen Aufschwung genommen. Standardisiert sind Kontraktgröße (1 Option = 100 Aktien), der Basispreis (bleibt unverändert während der Laufzeit) und das Verfalldatum (es gibt für die meisten Titel drei Verfalltermine im Abstand von drei Monaten, die gängisten Titel aber haben jeden Monat einen Verfalltermin. Verfalltermin für Aktienoptionen ist an der CBOE der dritte Freitag im Monat).

Chiffre-Anzeigen, Anzeigen in Zeitungen oder Zeitschriften, die den Namen des Anzeigenden nicht erkennen lassen. Dem Finanzamt gegenüber gibt es kein Chiffregeheimnis: Name und Anschrift des Aufgebenden sind dem Finanzamt auf Anforderung mitzuteilen (BStBl 1952 III, 52).

Chiffre-Briefe, Briefe (auch Karten), auf denen statt des Namens des Empfängers Ziffern, Buchstaben, einzelne Wörter (Chiffre) als Anschrift angegeben werden. Im Postverkehr nur gestattet bei →postlagernden Sendungen.

Chile, Republik an der Westküste Südamerikas. Erstreckt sich von N nach S über 4200 km Länge und etwa 150–200 km Breite in einem schmalen Streifen bis zur Insel Feuerland. – *Fläche:* 756945 km². – *Einwohner* (E): (1986, geschätzt) 12,4 Mill. (16,3 E/km²); jährliches Bevölkerungswachstum: 1,7%; 82% der Bevölkerung leben in Städten. – *Hauptstadt:* Santiago de Chile (Agglomeration 4,3 Mill. E); weitere Großstädte: Vina del Mar (299999 E), Valparaiso (267000 E), Concepcion (210000 E), Talcahuano (205000 E). Die Hafenstadt Punta Arenas an der Magellanstraße ist die südlichste Stadt der Welt. – C. beansprucht einen Sektor der →Antarktis zwischen 53° und 90° w.L. In einem durch Vermittlung des Vatikans abgeschlossenen Vertrag mit Argentinien erhielt C. 1984 die seit 100 Jahren umstrittenen Inseln Lenox, Picton und Nueva zugesprochen.

Staats- und Regierungsform: Das Parlament ist seit dem Staatsstreich von 1973 aufgelöst, oberstes Organ eine Militärjunta.

Alle Parteien seit 1977 verboten. – C. ist in 12 Regionen (Regiones) und in das hauptstädtische Gebiet (Region Metropolitana de Santiago) unterteilt. – *Amtssprache:* Spanisch.

Wirtschaft: *Landwirtschaft:* Überwiegend Großgrundbesitz mit Anbau von Weizen und Wein im großen Längstal in Mittelchile (besonders zwischen Vina del Mar und Puerto Montt). In der Viehwirtschaft dominieren Rinder und Schafhaltung. 19% der Erwerbspersonen waren 1981 in der Landwirtschaft tätig, Anteil am BIP (1983) 12%. – *Bergbau und Industrie:* C. ist v.a. Bergbaustaat und reich an Bodenschätzen: größter Kupfererzeuger der Erde (1984: 1,3 Mill. t), Buntmetallverhüttung (Chuquicamata, Potrerillos, El Teniente), Salpeter, Jod und Salze in der Atacama-Wüste. Reiche Lager an Schwefel in den vulkanischen Gebieten werden für den Eigenbedarf genutzt. Die Steinkohlevorkommen in Lota zählen zu den größten Südamerikas (z.Z. geringe Ausnutzung). Erdöl und Erdgas auf Feuerland. – Bei Concepcion Eisen- und Stahlindustrie, sonst Textil-, Zellstoff-, Papier- und Leichtindustrie. – *BSP:* (1985, geschätzt) 17230 Mill. US-$ (1440 US-$ je E). – *Öffentliche Auslandsverschuldung:* (1984) 62,9% – *Inflationsrate:* durchschnittlich 75,4% – *Export:* (1985) 3797 Mill. US-$, v.a. Bergbauprodukte, Metalle (insbes. Kupfer), Wolle, Holz, Obst, Wein. – *Import:* (1985) 2867 Mill. US-$, v.a. Maschinen, Fahrzeuge, industrielle Anlagen. – *Handelspartner:* USA, Brasilien, Japan, Bundesrep. D. – *Fremdenverkehr:* Während 1980 noch ca. 420000 Touristen, vorwiegend aus den Nachbarländern, C. besuchten, sank diese Zahl 1982 auf 263000.

Verkehr: Das *Eisenbahnnetz* umfaßt 9300 km, davon 8200 km in staatlichem Besitz; wichtig sind die Nord-Süd-Verbindung und einige transandine Bahnen. – Das *Straßennetz* umfaßt ca. 78000 km, darunter den 3400 km langen Abschnitt des Pan American Highway. – C. hat eine eigene *Luftverkehrsgesellschaft* LAN-CHILE. Neben dem internationalen *Flughafen* Pudahuel bei Santiago existieren 15 weitere Flughäfen. – Bedingt durch die geographische Lage und die Außenhandelsstruktur konzentrieren sich die Transporte bei der *Seeschiffahrt.* Die wichtigsten der insgesamt 80 *Häfen* sind: Valparaiso, Antofagasta, Puerto Montt, Iquique, San Antonio und Talcahuano sowie die Freihäfen von Arica und Punta Arenas. Der Güterumschlag in den Seehäfen belief sich (1982) auf 28,4 Mill. t.

Mitgliedschaften: UNO, ALADI, CCC, CIPEC, SELA, UNCTAD u.a.

Währung: 1 Chilenischer Peso (chil.$) = 100 Centavos.

China. I. Volksrepublik China *(VR China)*, Staat in Ost- und Zentralasien. – *Fläche:* 9,6 Mill. km². – *Einwohner* (E): (1986, geschätzt) 1050 Mill. (109,8 E/km²); bevölkerungsreichstes Land der Erde; Bevölkerungswachstum: durchschnittlich 1,4% – *Hauptstadt:* Beijing (Peking; 5,754 Mill. E, Agglomeration 9,4 Mill. E); weitere wichtige Städte: Shanghai (Agglomeration 12 Mill. E), Tianjin (Tientsin, 5,3 Mill. E), Shenyang (Schenjang, früher Mukden, 4,1 Mill. E), Wuhan (3,3 Mill. E), Guangzhou (Kanton; 3,2 Mill. E); insgesamt 50 Millionenstädte, davon 37 Städte mit 1–2 Mill. E, 13 Städte mit mehr als 2 Mill. E; 241 Städte haben 100000–1 Mill. E.

Staats- und Regierungsform: Seit 1.10.1949 sozialistisch-kommunistische Volksrepublik mit revidierter Verfassung vom Dezember 1982. *Verwaltungsgliederung:* 3 regierungsunmittelbare Städte (Stadtstaaten), 21 Provinzen, 5 autonome Gebiete. Die britische Kronkolonie →Hongkong wird am 1.7.1997 an die VR China übergeben werden. Für die portugiesische Enklave Macao ist Ähnliches geplant. – *Amtssprachen:* Chinesisch (Hochchinesisch) mit einer Vielzahl von Dialekten; in den autonomen Regionen: Tibetisch, Mongolisch; *Handelssprache:* Englisch. – Seit dem Tod von Mao-Tse-tung und dem Sturz der „Viererbande" 1976 wurde ein Reformkurs eingeschlagen. Kennzeichen hierfür sind z.B. Einführung des Eigenverantwortungssystems in der Landwirtschaft und die „Politik der Öffnung nach Außen" (Schaffung von vier Wirtschaftssonderzonen und die Öffnung von 14 Küstenstädten für ausländische Investitionen). Seit Januar 1978 gibt es eine Börse in Peking.

Wirtschaft: Die *Landwirtschaft* trägt mit (1984) 37% zum BIP bei. Bedingt durch geographische und klimatische Gegebenheiten (6 Klimazonen) regional sehr unterschiedliche Nutzung. 133 Mill. ha = 13,9% der Gesamtfläche für den Ackerbau geeignet, davon etwa ¼ künstlich bewässert. Der Mechanisierungsgrad von Düngemitteleinsatz (120,6 kg/ha) ist noch relativ gering. Die wichtigsten landwirtschaftlichen Produkte sind (1984): Reis (178,28 Mill. t), Weizen (87,82 Mill. t), Mais (73,41 Mill. t), Sojabohnen (9,7 Mill. t), Kartoffeln (28,48 Mill. t), Baumwolle (6,26 Mill. t), Ölsaaten (11,91 Mill. t), Zuckerrohr (39,51 Mill. t), Jute (1,49 Mill. t), Tee (0,41 Mill. t), Tabak (1,54 Mill. t). Im Süden ausgedehnte Seidenraupenzucht auf Maulbeerbäumen (0,3 Mill. t Seidenkokons), zusätzlich 50000 t Tussahseidenkokons); Obst (9,85 Mill. t). Das Einkommen der Bauern konnte 1979–83 nahezu verdoppelt werden. Bei Getreide ist der Selbstversorgungsgrad erreicht. – Die *Industrie* trägt mit 45% zum BIP bei. Rasche Entwicklung der Industrieproduktion: 1950–83 um das 56-fache gestiegen; durchschnittliche Jahreswachstumsrate: 12,6%. – *Bergbau und Bodenschätze:* C. zählt zu den Ländern mit großen Rohstoffvorräten: Wolfram, Antimon, Zinn, Magnesit, Graphit,

Quecksilber, Baryt, Molybdän, Vanadium, Titan, Gold, Phosphat, Seltenerdmetalle, Asbest, Uran, Kohle (ca. 700 Mrd. t). In der Bergbauproduktion an Platz 4 der Weltrangliste. Lagerstätten größtenteils unzureichend erschlossen. Ausbeutung mit veralteter Technik. Verhältnismäßig moderne Hüttenindustrie, ebenso Ausrüstungsindustrie für den Bergbau, Flugzeugbau, petrochemische Industrie, Kernenergie-Erzeugung, Raumfahrtindustrie, Computerherstellung u.a. moderne Industriebranchen. Leicht- und Schwerindustrieprodukte weisen relativ starke Zuwachsraten auf. – *BSP:* (1985, geschätzt) 318920 Mill. US-$ (320 US-$ je E). – *Öffentliche Auslandsverschuldung:* (1982) 12% des BSP. – *Inflationsrate:* (1984) 0,52%. – *Export:* (1985) 25,97 Mrd. US-$; 40% landwirtschaftliche Erzeugnisse: Tee, Seide, Sojabohnen, Häute, Felle, Federn, Tungöl; 60% Bergbau- und Industrieproduktion: Kohle, Koks, Erdöl (1985: 30 Mill. t), Eisenerz, Mangan, Wolfram, Antimon; Textilien, Maschinen, kunstgewerbliche Erzeugnisse. – *Import:* (1985) 34,34 Mrd. US-$, v.a. Technologie- und Komplettanlagen, Kommunikationseinrichtungen, Präzisionsmaschinen, Transportmittel, Chemikalien, Düngemittel, Walzwerkerzeugnisse, Flugzeuge, Holz. – *Wichtige Handelspartner:* Japan, USA, Hongkong, Bundesrep. D.

Verkehr: Hauptverkehrsträger ist die *Eisenbahn* mit einem Netz von (1984) 51741 km, davon 9671 km mehrspurig, ca. 2500 km völlig und ca. 1450 km z.T. elektrifiziert. Schwerpunkte des Eisenbahnnetzes liegen in den Ballungszentren im N und O. Bei der Erweiterung der Strecken geht es v.a. um Verbesserung der Verbindungen zwischen Kohlerevieren und Undustriezentren, bessere Anbindung der Industriegebiete im Hinterland an die Häfen im O, ferner um die verkehrsmäßige Erschließung des W. Mehrere Anschlüsse an die Transsib. Anschluß Tibets (Lhasa) an das nationale Eisenbahnnetz ist geplant. Länge des *Straßennetzes:* (1984) 926746 km, davon 725030 km mit festem Belag. Wichtigste *Wasserstraße* ist der Yangzikiang (Jangtsekiang) in O-W-Richtung, der bis Wuhan für Seeschiffe passierbar und durch den Großen Kanal (Kaiserkanal, 1782 km) mit Beijing verbunden ist. Weitere wichtige Flüsse sind der Hwaiho, Hwangho und das Perlflußsystem. Wichtige *Seehäfen:* Shanghai, Dalian, Qinhuangdao, Qingdao, Tianjin, Hungpu und Zhanjiang. Umschlagskapazitäten für den internationalen Handel z.T. unzureichend; Kapazitätsausweitung wird forciert. *Flugnetz:* Knotenpunkte sind Beijing, Shanghai und Guanzhou (Kanton). Staatliche *Fluggesellschaft* CAAC (Civil Aviation Administration of China) unterhält Verbindungen zu wichtigen internationalen Flughäfen.

Mitgliedschaften: UNO und UN-Sonderorganisationen (außer IAEA, ILO, GATT); Wirtschaftskommission für Asien/ESCAP u.a.

Währung: 1 Renminbi Yuan (RMB.Y) = 10 Jiao = 100 Fen.

II. Republik China: Vgl. →Taiwan.

Chinese-postman-Problem, *chinese postman's problem, Briefträgerproblem, Wegfolgeproblem,* Optimierungsproblem (→Zuordnungsproblem) des Operations Research, bei dem von einem gegebenen Straßennetz ausgegangen wird, in dem ein Briefträger jede Straße zur Postauslieferung einmal in beliebiger Richtung zu durchlaufen hat. Unproduktive Anschlußwege bei der Rundreise sind dabei nicht ausgeschlossen. Gesucht ist die kürzeste Auslieferungsroute. – *Darstellung:* Das Problem läßt sich als Diagramm eines →Graphen, bei dem jede Kante mindestens einmal zu durchlaufen ist, darstellen. – *Lösungsmethoden:* →heuristische Verfahren. – *Anwendung:* Probleme der Logistik (Routenplanung) und Produktionsplanung (Maschinenplanung) können mit dem C.-p.-P. identifiziert werden. – Vgl. auch →Travelling-salesman-Problem.

Chip, Halbleiterbaustein, dessen Schaltung auf einem Halbleiterkristallplättchen (i.a. Silizium) aufgebracht ist; ursprünglich nur das im Bausteingehäuse eingebaute Siliziumplättchen. Trotz der geringen Fläche des Plättchens von nur 10 bis 100 mm^2 werdern durch ein aufwendiges Herstellungsverfahren bis zu 100000 und mehr Logikverknüpfungs- und/oder Speicherfunktionen in einem C. integriert. – Vgl. auch →Chipkarte.

Chipkarte, Plastikkarte der Standardgröße $85{,}6 \times 54 \times 0{,}76$ mm mit den gleichen physikalischen Eigenschaften wie eine →Magnetstreifenkarte, wobei aber die Funktion der Datenspeicherung (→Datenorganisation, →Speicher) ganz oder teilweise durch einen implantierten →Chip übernommen wird. Sie kann außerdem (für weitere Funktionen) einen →Mikroprozessor enthalten. – Vgl. auch →kartengesteuerte Zahlungssysteme.

Chi-Quadrat-Test, →statistisches Testverfahren bei zwei Grundfragenstellungen. – 1. *Prüfung einer Hypothese über die Verteilung eines Merkmals, sog. Goodness-of-fit-Test* (z.B. Prüfung einer Hypothese über die →Anteilswerte p_i ($i = 1, ..., k$) der verschiedenen Kategorien eines →qualitativen Merkmals; Prüfung der Hypothese, die Verteilung eines →quantitativen Merkmals sei eine →Normalverteilung mit bestimmten →Parametern; in diesem Fall muß eine →Klassenbildung erfolgen). Gegenüberstellung der bei Gültigkeit der →Nullhypothese den einzelnen Kategorien oder →Klassen zukommenden erwarteten →Häufigkeiten $n\,p_i$ und der in einer Stichprobe des Umfanges n tatsächlich beobachteten Häufigkeiten n_i in Form der →Prüfgröße

$$\chi^2 = \sum \frac{(n_i - n\,p_i)^2}{n\,p_i}$$

Diese Prüfgröße hat bei Gültigkeit der Nullhypothese asymptotisch eine χ^2-Verteilung mit k-1 Freiheitsgraden (→Chi-Quadrat-Verteilung). *Voraussetzung:* großer Stichprobenumfang und Einhaltung gewisser Mindestbedingungen bezüglich der (erwarteten) Häufigkeiten in den einzelnen Gruppen. Das konkret errechnete χ^2 wird mit dem bei Gültigkeit der Verteilungshypothese und bei Beachtung eines vorgegebenen →Signifikanzniveaus maximal möglichen Wert χ^2 verglichen. Ist $\chi^2 > (\leq)\ \chi^2$, so ist die Verteilungshypothese (nicht) abzulehnen. Die Werte χ^2 sind Tabellen der χ^2-Verteilung zu entnehmen. – 2. *Prüfung einer Hypothese über den (Nicht)-Zusammenhang zweier Merkmale* (z. B. Prüfung des Zusammenhangs zwischen Alter und politischer Einstellung). Eine Stichprobe des Umfanges n liefert für jede Kombination von Ausprägungen der eide Merkmale müssen wieder in Kategorien oder Klassen zerlegt sein. Eine beiden Merkmale eine beobachtete Häufigkeit n_{ij} $(i = 1, \ldots, k;\ j = 1, \ldots, r)$ mit $\sum\sum n_{ij} = n$. Bei Gültigkeit der Hypothese des Nicht-Zusammenhanges sind für die jeweiligen Kombinationen (i, j) die Häufigkeiten $n_{i\cdot} \cdot n_{\cdot j}/n$ mit $n_{i\cdot} = \sum n_{ij}$ und $n_{\cdot j} = \sum n_{ij}$ zu erwarten. In einer geeigneten Tabelle (→Kontingenztabelle) berechnet man also die erwarteten Häufigkeiten, indem man die beiden zugehörigen Randhäufigkeiten $n_{i\cdot}$ und $n_{\cdot j}$ multipliziert und durch den Stichprobenumfang n teilt. Die Prüfgröße

$$\chi^2 = \sum_i \sum_j \frac{(n_{ij} - n_{i\cdot} \cdot n_{\cdot j}/n)^2}{n_{i\cdot} \cdot n_{\cdot j}/n}$$

ist asymptotisch χ^2-verteilt mit $(k-1) \cdot (r-1)$ Freiheitsgraden. Zur weiteren Durchführung des Testes vgl. oben 1.

Chi-Quadrat-Verteilung, stetige theoretische →Verteilung, die durch Helmert (1876) und Pearson (1900) als Prüfverteilung eingeführt wurde. Sind n →Zufallsvariablen χ_i $(i = 1, \ldots, n)$ stochastisch unabhängig und jeweils standardnormalverteilt (→Standardnormalverteilung), so ist die aus ihnen abgeleitete Zufallsvariable

$$\sum \chi_i^2$$

χ^2- verteilt mit n Freiheitsgraden. Die C.-Q.-V. hat einen →Parameter, die Anzahl n der Freiheitsgrade. Sie ist eingipflig und für kleine n stark linkssteil (→Schiefe). Mit steigender Anzahl der Freiheitsgrade nähert sie sich jedoch der →Normalverteilung und kann für größere n durch sie approximiert werden. Es gibt Tabellenwerke für →Quantile der χ^2-Verteilung. Ein Hauptanwendungsgebiet ist der →Chi-Quadrat-Test.

Chomage-Versicherung, Bezeichnung für →Betriebsunterbrechungsversicherung und →Mietverlustversicherung.

Christlicher Gewerkschaftbund Deutschlands (CGB), Bundesgeschäftsstelle mit Sitz in Bonn. – *Aufgaben:* Zusammenfassung aller deutschen christlichen Gewerkschaften; Bestimmung der Ziele des Bundes auf allen Gebieten gewerkschaftlicher Betätigung; Vertretung der Mitglieder auf nationaler und internationaler Ebene.

chronologisches Mittel, →arithmetisches Mittel, aufeinanderfolgende Werte einer →Zeitreihe von Beständen. Bezeichnet man beispielsweise mit $b_{t,I}; \ldots; b_{t,IV}$ den Bestand im Jahr t zum Ende des ersten,...,vierten Quartals, dann kann der Jahresdurchschnittsbestand durch das c. M.

$$\bar{b} = \frac{1}{4}\left(\frac{1}{2}\,b_{t-1,IV} + b_{t,I} + b_{t,II} + b_{t,III} + \frac{1}{2}\,b_{t,IV}\right),$$

also als geeignet gewogenes arithmetisches Mittel von Quartalsendbeständen, approximativ bestimmt werden.

Chunk, *Informationsklumpen,* Begriff aus der kognitiven Psychologie, der auch für die →künstliche Intelligenz Bedeutung erlangt hat. Der Begriff bezieht sich auf eine bestimmte Hypothese über die Beschaffenheit und Anordnung der elementaren Informationseinheiten des menschlichen Langzeitgedächtnisses: Ein C. des Gedächtnisnetzes besteht aus einem Symbol (z. B. „Hund") und einer mit diesem assoziativ verknüpften Gruppe verwandter Symbole (z. B. „hat Fell", „kann bellen", „es gibt verschiedene Rassen", „bekannt ist Lassie"), die automatisch zusammen mit diesem zentralen Symbol aktiviert werden. Die verwandten Symbole können jeweils selbst wieder zentrale Symbole kleinerer C. sein, wodurch *hierarchisch organisierte Ballungen* von C. entstehen. – Über die durch das zentrale Symbol eines C. repräsentierte Informationseinheit kann man jeweils zu den assoziierten Details gelangen und bei Bedarf auch diese Details analog weiter verfeinern. – Für die künstliche Intelligenz sind C. als eine *Art der →Wissensrepräsentation* von Interesse.

c. i., cost insurance, →c. & i.

cif, cost insurance freight (Kosten, Versicherung, Fracht) ... (benannter Bestimmungshafen), Vertragsformel entsprechend den →Incoterms.

I. Verpflichtungen des Verkäufers: 1. Lieferung der Ware gem. Kaufvertrag und zu vertragsgemäßer Beschaffung der Belege hierüber. – 2. Abschluß des Transportvertrags für die Ware auf eigene Rechnung, auf üblichem Weg, zu üblichen Bedingungen bis zum vereinbarten Bestimmungshafen sowie zur Übernahme der Fracht- und Ausladungskosten im Entladungshafen. – 3. Beschaffung der Ausfuhrbewilligung oder sonstiger amtlicher Bescheinigungen auf eigene Kosten und Gefahr. – 4. Verladung der Ware auf eigene Kosten zum vereinbarten Zeitpunkt oder innerhalb der vereinbarten (bzw. angemessenen) Frist im Verschiffungshafen und zur unverzüglichen Benachrichtigung des Käufers von der Verladung an Bord des Schiffes. – 5. Beschaffung einer übertragbaren Seeversicherungspolice gegen die durch den Vertrag bedingten Beförderungsgefahren, auf seine Kosten bei zuverlässigen Versicherungen oder Versicherungsgesellschaften, auf der Grundlage der →F. P. A.-Klausel. Die Versicherung ist, wenn möglich, in der Währung des Vertrages abzuschließen. Sie soll den cif-Preis zuzüglich 10% decken, nicht jedoch, sofern nichts anderes vereinbart ist, die besonderen Risiken, wie Diebstahl, Plünderung, Auslaufen, Bruch, Absplittern, Schiffsschweiß, Berührung mit anderen Ladungen u. ä., sondern lediglich das Transportrisiko und auf Verlangen des Käufers auf dessen Kosten die Versicherung gegen Kriegsgefahr (in der Vertragswährung), sofern dies möglich ist. – 6. Gefahrtragung bis zu dem Zeitpunkt, in dem die Ware im Verschiffungshafen tatsächlich die Reling des Schiffes überschritten hat, vorbehaltlich der Bestimmungen II 4. – 7. Unverzügliche Beschaffung a) eines begebbaren reinen Konnossements auf den vereinbarten Bestimmungshafen; b) einer Rechnung über die verschiffte Ware; c) des Versicherungsscheins bzw. eines von den Versicherern ausgestellten →Versicherungszertifikates. Das Konnossement muß aus einem vollständigen Satz von „An Bord-" (on board-) oder „verschifft-" (shipped-) Konnossementen bestehen. Lautet das Konnossement „empfangen zur Verschiffung" (received for shipment), so muß die Reederei zusätzlich einen unterschriebenen Vermerk darüber anbringen, daß sich die Ware tatsächlich an Bord befindet, unter einem Datum, daß innerhalb der für die Verschiffung vereinbarten Zeit liegt. – 8. Tragung der üblichen Verpackungskosten, sofern die Ware nicht nach Handelsbrauch verpackt verschifft wird. – 9. Tragung der Kosten der für Verladung der Ware erforderlichen Prüfungen (Qualitätsprüfung, Messen, Wiegen und Zählen). – 10. Übernahme sämtlicher für die Ware bis zu ihrer Verladung erhobenen Abgaben und Gebühren sowie der Steuern, Abgaben und Gebühren, die mit der Ausfuhr zusammenhängen, und der Kosten der zur Verbringung an Bord erforderlichen Formalitäten. – 11. Beschaffung von →Ursprungszeugnis sowie Konsulatsfaktura auf Verlangen und Kosten des Käufers – 12. Hilfeleistung auf Verlangen, Gefahr und Kosten des Käufers bei der Beschaffung aller im Verschiffungs- und/oder Ursprungsland sonst noch auszustellenden Dokumente, die der Käufer zur Einfuhr der Ware in das Bestimmungsland (und ggf. zur Durchfuhr durch ein drittes Land) benötigt.

II. Verpflichtung des Käufers: 1. Annahme der vom Verkäufer beschafften Dokumente, wenn sie mit dem Kaufvertrag übereinstimmen, sowie vertragsgemäße Zahlung des Preises. – 2. Annahme der Ware im vereinbarten Bestimmungshafen und mit Ausnahme von Fracht und Seeversicherung Tragung aller während des Seetransports bis zur Ankunft im Bestimmungshafen entstehenden Kosten sowie der Kosten für Löschung, Leichterung und Verbringung an Land, sofern diese nicht in der Fracht einbegriffen oder mit der Fracht erhoben worden sind; außerdem ggf. die Kosten einer Versicherung gegen Kriegsgefahr; vgl. I 5. (Beim Verkauf der Ware „cif landed" trägt Verkäufer die Kosten für Löschung, Leichterung und Verbringung an Land.) – 3. Gefahrtragung von dem Zeitpunkt an, in dem die Ware im Verschiffungshafen die Reling des Schiffes tatsächlich überschritten hat. – 4. Tragung von Mehrkosten und Gefahr, wenn er sich eine Frist für die Verschiffung der Ware und/oder die Wahl des Bestimmungshafens vorbehalten hat und nicht rechtzeitig seine Anweisungen erteilt. – 5. Übernahme der Kosten und Gebühren für die beschaffung von Ursprungszeugnis und Konsulatspapieren sowie für die Beschaffung sonstiger Dokumente. – 6. Beschaffung von Einfuhrbewilligungen, Bescheinigungen usw. auf eigene Rechnung und Gefahr. – Vgl. auch →cif-Agent, →cif-Geschäft, →cif-Kalkulation, →cif-Preis, →cif-Schutzversicherung, →c. &i.

cif-Agent, →Ausfuhragent mit Sitz im Käuferland, der die Produktion der von ihm vertretenen Firmen auf cif-Basis (→cif) anbietet. Er hat gewisse Vollmachten und Verantwortung bei der Berechnung der cif-Kosten, die er aufgrund der kostenmäßig feststehenden fob-Preise (→*fob*) übernimmt. – 1. *I. w. S.:* Vertritt einen oder mehrere überseeische Ablader (→Abladegeschäft). – 2. *I. e. S.:* In Hansestädten ansässige Vertreter überseeischer Exporteure.

cif airport ... (benannter Bestimmungshafen), Vertragsklausel entsprechend den →Incoterms (vgl. dort).

cifci, erweiterte cif-Klausel (→cif); vgl. →Incoterms 4 a) (3).

cif-Geschäft, Außenhandelsgeschäft, bei dem der Lieferant die Ware frei ausländischem Bestimmungshafen (→cif) anbietet. Er gewinnt damit Einfluß auf Verschiffung und Versicherung der Ware und kann daraus für sich und für die jeweilige nationale Seeschifffahrt und Versicherungswirtschaft Vorteile ziehen. Dem Käufer wird Arbeit und Risiko abgenommen, wodurch sich seine Importkalkulation vereinfacht.

cific, erweiterte cif-Klausel (→cif); vgl. →Incoterms 4 a) (3).

cif-Kalkulation, auf der →fob-Kalkulation aufgebaute Kalkulation unter kumulativer Zurechnung der Kosten für Seefracht und Seeversicherung. Vom →cif-Preis ausgehend, können rückläufig die Kosten für Seefracht und -versicherung abgesetzt werden, um festzustellen, ob der dadurch ermittelte fob-Preis noch lohnend ist. – Vgl. auch →Exportkalkulation.

cif-landed, erweiterte cif-Klausel (→cif); vgl. →Incoterms 4 a) (5).

cif-Preis, Preis frei ausländischem Empfangshafen gem. Auslegung der cif-Klausel (→cif) der Incoterms.

cif-Schutzversicherung, beim Kauf auf cif-Basis (→cif) Versicherung der Beförderungsgefahren. Der Verkäufer ist verpflichtet, auf eigene Kosten eine übertragbare Seeversicherungspolice gegen die durch den Vertrag bedingten Beförderungsgefahren bei zuverlässigen Versicherern auf der Grundlage der →F. P. A.-Klausel abzuschließen, in Höhe des cif-Preises zuzüglich 10%. Die Versicherung von Sonderrisiken muß zwischen Käufer und Verkäufer vereinbart werden. Entspricht der Versicherungsschutz nicht den Bedürfnissen des Käufers, dann kann dieser zusätzlich eine eigene cif-Sch. zu günstigen Bedingungen abschließen, die im Schadenfall so eintritt, als bestünde keine anderweitige Versicherung. Die von den cif-Versicherern erbrachte Leistung fällt an den cif-Schutzversicherer. – Vgl. auch →Exportschutzversicherung, →Transportversicherung.

cif&c, erweiterte cif-Klausel (→cif); vgl. →Incoterms 4 a) (2).

cif&i, erweiterte cif-Klausel (→cif); vgl. →Incoterms 4 a) (1).

cifw, erweiterte cif-Klausel (→cif); vgl. →Incoterms 4 a) (4).

CIIA, Abk. für →Commission Internationale des Industries Agricoles et Alimentaires.

CIM, computer integrated manufacturing, ein neueres Integrationskonzept für die Informationsverarbeitung in Produktionsunternehmen. – 1. *Begriff:* a) *Keine einheitliche Definition,* Anbieter auf dem Hardware- und Softwaremarkt legen CIM unterschiedlich aus: Die Definition wird häufig ihrem eigenen Produktspektrum angepaßt. – b) *Meist verwendete Definition:* Die computergestützte (→Computersystem) Integration der betriebswirtschaftlich orientierten Planungs- und Steuerungsfunktionen mit den primär technischen Funktionen in einem Fertigungsunternehmen; in der Aufbauorganisation vorrangig die Bereiche Produktion, Konstruktion, Materialwirtschaft und Beschaffung. – c) *Seltener verwendete, weiter gefaßte Definition:* Andere →betriebliche Informationssysteme (als die i. e. S. produktionswirtschaftlich orientierten) sowie Bürokommunikationssysteme werden eingeschlossen. – 2. *Zielgruppe:* Derzeit größere, zukünftig auch mittelgroße Fertigungsunternehmen. – 3. *Inhalte:* I. S. der Definition 1 b) vereinigt CIM die Produktionsplanung und -steuerung (→PPS-Systeme) einschl. der →Betriebsdatenerfassung mit →CAE, →CAM und →CAQ.

CIM				
PPS	CAE		CAM	CAQ
	CAD	CAP		

– 4. *Voraussetzung* für die konzeptionelle Integration ist die EDV-technische Integration der heterogenen →Computersysteme für die einzelnen CIM-Teilgebiete in einem *übergreifenden Gesamtsystem* auf der Grundlage eines →Netzes. Vgl. auch →Computerverbund, →MAP, →TOP. – Auf Grundlage der Integration muß die *Aktualität der Datenbasis* (Anpassung entsprechend dem Produktionsfortschritt, konsistente Verwaltung der Produktdaten mit Ausbaustufen, Versionen, Varianten usw.) und die *Bereitstellung relevanter, aktueller Daten* für die einzelnen Teilaufgaben im Fertigungsbereich stets gewährleistet sein. Dazu ist →Datenintegration auf Basis eines →verteilten Datenbanksystems erforderlich; heutige →Datenbanksysteme sind i. d. R. nicht in der Lage, die heterogenen Anforderungen aus den unterschiedlichen CIM-Teilbereichen zu erfüllen. – 5. *Ziele:* a) Verkürzung der Auftragsdurchlaufzeiten; b) Erhöhung der Flexibilität in der Fertigung; c) Verbesserung der Auftragsverfolgung (Information über den Auftragsstatus); d) Redundanzarmut bei der Datenhaltung. – 6. *Zusammenwirken der Teilbereiche:* Kundenaufträge bzw. das Produktionsprogramm kommen aus dem PPS-System. Soweit Änderungen gegenüber früheren Aufträgen bzw. Produktarten notwendig sind, werden diese im CAD- und CAP-Bereich vorgenommen. Ausgehend von den Produkt- und Auftragsdaten erfolgen die Bedarfsermittlung, Terminierung, Kapazitätseinlastung und Fertigung integriert und weitgehend automatisch. Es entsteht eine geschlossene Kette von Lagerung, Handhabung, Transport und Fertigung. – 7. *Realisierung:* Alle großen Computerhersteller streben die Umsetzung des CIM-Konzepts in ihren Produkten an. Eine vollständige CIM-Realisierung in einzelnen Unternehmen ist jedoch nicht vor Ende der 80er Jahre zu erwarten. – Für die weitere Zukunft wird auch die Einbindung von Kunden und Lieferanten über →WAN's (Wide area networks, vgl. auch →zwischenbetriebliche Integration der EDV) angestrebt.

CIOS, Comité International de l'Organisation Scientific, *International Comittee of Scientific Management,* 1927 gegründete internationale Organisation von z. Z. 40 nationalen Rationalisierungsorganisationen. Sie schuf mit dem „Internationalen Arbeitsamt" 1927 das „Internationale Rationalisierungs-Institut" in Genf und organisiert in dreijährigen Abständen „Weltkongresse", so 1972 erstmals in der Bundesrep. D. (München) den 16. Weltkongreß unter dem Motto „Der Beitrag der Unternehmensführung beim Aufbau der Welt von morgen". Der europäische Zweigverband der CIOS ist die 1953 gegründete CECIOS-Organisation (Conseil Européen du CIOS). Mitglied des CIOS ist das →Rationalisierungs-Kuratorium der Deutschen Wirtschaft (RKW).

c. i. p., freight carriage and insurance paid to, Lieferklausel der →Incoterms. Der Verkäufer bezahlt die Fracht für die Beförderung der Ware bis zum benannten Bestimmungsort. →Gefahrübergang bei Übergabe der Ware an den ersten Frachtführer. Besonders für den multimodalen und Containertransport sowie RoRo-Verkehr geeignet (Lieferklausel). Der Verkäufer hat eine Transportversicherung gegen die Gefahr des Untergangs oder Schäden an der Ware zu beschaffen, in Höhe des im Kaufvertrag vorgesehenen Preises zuzüglich 10%. Der Deckungsumfang ist zwischen Verkäufer und Käufer abzusprechen, andernfalls braucht der Verkäufer nur eine handelsübliche Versicherung zu nehmen (→Import-Schutzversicherung).

CIPEC, Conseil Intergouvernemental des Pays Exportateurs de Cuivre, *Intergovernmental Council of Copper Exporting Countries,* 1968 gegründete Organisation der Kupfer exportierenden Staaten; Sitz in Paris. – *Mitglieder:* Chile, Indonesien, Peru, Zambia, Zaire; assoziiert: Australien, Jugoslawien, Papua-Neuguinea. – *Ziele:* Koordination der nationalen Maßnahmen zur Förderung und Erhöhung der realen Gewinne aus Kupferexporten und Sicherstellung einer Grundlage für reale Vorausschätzungen der nationalen Exporteinnahmen. Harmonisierung der nationalen Produktions- und Marktpolitiken auf dem Kupfermarkt und Steigerung der Ressourcen für die wirtschaftliche und soziale Entwicklung in den Erzeugerländern in engem Einvernehmen mit den Verbraucherländern. – *Organe:* Ministerkonferenz mit jährlichen Tagungen; Exekutivausschuß, der monatlich tagt; ferner Ausschuß für Marktpolitik und Ständiges Sekretariat. – *Veröffentlichung:* CIPEC Quarterly Review.

circa-Klausel (ca.), →Handelsklausel in *Lieferungsverträgen,* nach der auch Lieferung mit einer geringfügigen (nach Geschäftszweigen verschiedenen) Abweichung in Menge, Preis oder Lieferzeit als →Erfüllung gilt. – Im *Schiffahrtsbrauch* bei einer Ladungsübernahme vorkommende Klausel, unter der ein dem jeweiligen Brauch entsprechendes Mehr oder Weniger des im →Frachtbrief, →Ladeschein oder →Konnossement angegebenen Maßes, Gewichtes oder der Menge der Frachtgüter verstanden wird (§ 656 HGB, § 63 BinnSchG); die Fracht ist mindestens für die geringste danach zulässige Menge zu zahlen.

circular flow, anglo-amerikanische Bezeichnung für die Zirkulation des Kapitals vom Zeitpunkt der Investition in produktive Unternehmen bis zum Zeitpunkt des Rückflusses zum Investor und seines neuen Einsatzes.

cisc, complex instruction set computer →Computer mit einem großen Satz von →Maschinenbefehlen (i. d. R. ca. dreihundert).

Ciskei, →Südafrika.

Clark, John Bates, 1847–1938, amerikanischer Nationalökonom. Hauptverdienst ist die Begründung der →Grenzproduktivitäts-Theorie, 50 Jahre vorher bereits von J. H. v. Thünen entworfen. C. verband mit der theoretischen Ableitung der Grenzproduktivitäts-Theorie eine (unhaltbare) Apologie der Einkommensverteilung im Kapitalismus, unhaltbar auch seine Unterscheidung von „true capital" und „capital goods". – *Hauptwerke:* „The Distribution of Wealth" 1899, „The Problem of Monopoly" 1904, „Essentials of Economic Theory" 1907.

classe distributive, Bezeichnung der Wirtschaftstheorie der →Physiokratie für die Grundeigentümer, die die Wertschöpfung, die sie von den Landwirten (→classe productive) als Pacht erhalten, durch Kauf von Nahrungsmitteln (von den Pächtern) und gewerblichen Gütern (→classe stérile) innerhalb der Gesamtwirtschaft weiterverteilen.

classe productive, Bezeichnung der Wirtschaftstheorie der →Physiokratie für die landwirtschaftlichen Pächter, die als einzige durch ihre Arbeit Werte schaffen könnten, da dieser Theorie zufolge ausschließlich der Boden einen physischen Nettoertrag erbringe.

classe stérile, Bezeichnung der Wirtschaftstheorie der →Physiokratie für die Handwerker, Händler und sonstigen Gewerbetreibenden, die dieser Theorie zufolge nur den Wert ihrer eigenen Arbeitskraft den von ihnen eingesetzten Gütern hinzufügen, ohne hierbei eine Wertschöpfung zu bewirken.

Classification of Commodities by Industrial Origin (CCIO), →Gütersystematik nach Herkunftsbereichen.

clausula miquel, Regelung der Rolle der →Matrikularbeiträge der Bundesstaaten an das Deutsche Reich; Defizite des Reichshaushalts sollten so lange durch Matrikularbeiträge der Bundesstaaten gedeckt werden, bis das Reich eigene Reichssteuern einführte. Zunächst von Bedeutung für den Norddeutschen Bund (1866). Die c.m. ging bei der Gründung des Deutschen Reiches (1871) in die Reichsverfassung ein; in praxi wurde die Vormacht der Länder bis zur →Erzbergerschen Finanzreform (1919/20) zementiert.

clausula rebus sic stantibus, Abrede, daß ein Vertrag nur so lange gelten soll, als sich nicht die zugrunde liegenden Verhältnisse tiefgreifend ändern. Auch ohne ausdrückliche Abmachung können infolge →Wegfalls der Geschäftsgrundlage vertragliche Verpflichtungen sich ändern oder wegfallen.

Clay-clay-Modell, →Wachstumstheorie III 2 c).

Clayton Act, 1914 in Ergänzung zum →Sherman Act verabschiedetes amerikanisches Antitrust-Gesetz mit dem Ziel, durch den Sherman Act nicht erfaßte Wettbewerbsbeschränkungen zu verbieten und somit die Monopolisierung im Ansatz zu unterbinden. – *Inhalt:* (1) Verbot kartellrechtlicher Vereinbarungen, z.B. ausschließlicher Bezugsbindungen; (2) Diskriminierungsverbot, 1936 durch den Robinson Patman Act verschärft; (3) Fusionsverbot, 1950 durch den Celler Kefauver Act verschärft. Vgl. auch →Antitrust-Gesetzgebung.

clean surplus concept, amerikanische Theorie über die richtige Zuordnung der neutralen Aufwendungen zu statement of income (Periodengewinn) bzw. zu statement of earned surplus (Veränderung des Gewinnvortrags). Die Vertreter der c.s.c. weisen die neutralen Posten im statement of income aus, so daß darin der „reine Nettoüberschuß", der verfügbare Unternehmergewinn, nach Abzug aller betrieblichen und neutralen Aufwände ausgewiesen wird (im Gegensatz zum Betriebsgewinn, den die Gegentheorie, die →current operating concept of net income, als Maßstab der Wirtschaftlichkeit herausstellen will, weil diese für die Beurteilung des Betriebes besser geeignet sei). – *Anwendung:* Das American Institut of Certified Public Accountants (AICPA) befürwortet die Anwendung des c.s.c. und sieht den Ausweis von Aufwandposten im statement of earned surplus nur in folgenden Ausnahmefällen vor: Auflösung von Reserven, Anlageverkäufe, Katastrophenverluste, Verlust eines erheblichen Teils des goodwills, Verluste aus Obligationen.

Clearing. 1. *Begriff:* Abrechnung aufgrund einer Vereinbarung; institutionell gesicherte Verrechnung (Saldierung) von gegenseitigen Forderungen und Verbindlichkeiten der C.teilnehmer; nur die Spitzenverträge werden durch Zahlung oder Kreditierung ausgeglichen. – 2. *Bereiche:* a) Im *binnenländischen* Zahlungsverkehr: V.a. C. zwischen Kreditinstituten (→Abrechnungsverkehr). – b) Im *zwischenstaatlichen Zahlungsverkehr:* C. zwischen den Zentralbanken, aber auch anderen Organisationen (z.B. Eisenbahnverwaltungen). – (1) *Multilaterales C.:* Periodische Aufrechnung von Forderungen und Verpflichtungen aus dem zwischenstaatlichen Waren- und Dienstleistungsverkehr zwischen mehreren Ländern über Verrechnungskonten (→Verrechnungsverkehr); die Salden werden entweder kreditiert (→Swing) oder in einer vereinbarten Währung (Gold und Devisen) ausgezahlt. Der Vorteil des C. liegt darin, daß auch bei geringen Devisenreserven umfangreicher Außenhandel zustande kommt. – (2) *Bilaterales C.:* Verrechnung der gegenseitigen Forderungen zweier Länder mit Devisenbewirtschaftung aufgrund bilateraler Verrechnungsabkommen (→Bilateralismus); seit dem Übergang zur freien Konvertierbarkeit der DM für Leistungstransaktionen (1958) in der Bundesrep. D. nicht vorhanden.

Clearingabkommen, →Zahlungsabkommen.

clearing bank, Banken in Großbritannien, die sämtlich Mitglieder des London Bankers' Clearing House sind, darunter die vier größten Filialbanken: Barclays Bank Ltd., Lloyds Bank Ltd., Midland Bank Ltd., National Westminster Bank Ltd. – *Aufgaben:* Entgegennahme von Einlagen und Gewährung von Krediten. Ausgleichung der bei ihnen eingereichten Schecks durch Aufrechnung.

clearinghouse, →financial futures.

Clique, v.a. unter Jugendlichen verbreitete Bezeichnung für →Gruppen, die sich in besonderer Weise abschließen (z.B. innerhalb einer Schulklasse). In Betrieben und Organisationen Bezeichnung für informelle Gruppenbildungen. C. können sich gegen den Schul-, Betriebs- oder Organisationszweck richten; daher rührt die manchmal auch abwertende bzw. nicht nur positive Verwendung des Begriffs.

closed bid, →Ausschreibungen, die keine Nachverhandlungsphase vorsehen.

closed shop, Unternehmen, in dem aufgrund Vereinbarung im →Tarifvertrag nur organisierte Arbeitnehmer (Gewerkschaftsmitglieder) eingestellt werden. In der Bundesrep. D. unzulässig im Hinblick auf die negative →Koalitionsfreiheit, die gem. Art. 9 III GG geschützt ist.

closed-shop-Betrieb, typische Organisationsform für den Betrieb eines →Rechenzentrums. Die →Benutzer erteilen *Aufträge* (→Job) an die →Arbeitsvorbereitung im Rechenzentrum. Diese plant die Aufträge ein und wickelt sie dann im →Stapelbetrieb autonom ab. Der Benutzer hat keinen Einfluß mehr auf die Durchführung und Abarbeitung.

Club of Rome, private Vereinigung von (1987) ca. 100 Persönlichkeiten aus mehr als 40 Ländern und Gruppierungen in 11 Ländern, gegründet 1968 in Rom, geführt von dem Italiener Aurelio Peccei. – *Anlaß* war eine gemeinsame Besorgnis hinsichtlich weltweiter Krisenerscheinungen, gegen die die Gesellschaften von heute mit ihren Attitüden, Werten, Interessen sowie Programmen und Institutionen schlecht gerüstet zu sein scheinen. – *Ziele:* Förderung des Verständnisses der vielfältigen aber unabhängigen Komponenten wirtschaftlicher, politischer, sozialer und natürlicher Art, die das globale System darstellen; Bewußtmachen des neuen Verständnisses bei Politikern und der Öffentlichkeit im weltweiten Rahmen; Förderung neuer politischer Initiativen und Maßnahmen; Identifizierung einer neuen Kategorie sozialer Probleme und Vermittlung der Sprache, Methoden und Kriterien einer erfolgversprechenden Lösung. – *Veröffentlichungen:* Berichte des Clubs von Rom: The Limits to Growth, 1972 (→Grenzen des Wachstums); Mankind at the Turning Point, 1974; Reshaping the International Order, 1976; Beyond the Age of Waste, 1978; Goals for Mankind, 1977; Energie: le compte à rebours, 1978; No Limits to Learning, 1979; Tiers Monde: Trois quarts du monde, 1980; Road Maps to the Future: Dialogue on Wealth and Welfare, 1980; L'impératif de coopération Nord-Sud – La synergie des mondes, 1981; One Hundred Pages for the Future, 1981; Microelectronics and Society for Better or Worse, 1982.

Clubtheorie, →ökonomische Theorie der Clubs.

Cluster. I. Statistik: Vgl. →Clusteranalyse.

II. Datenverarbeitung: Ein C. besteht aus mehreren →Datenendgeräten (i. a. →Bildschirmgeräte), die gemeinsam über eine Steuereinheit am →Host angeschlossen sind; auch als *Clustersystem* bezeichnet.

Clusteranalyse, in der Statistik zusammenfassende Bezeichnung für (ggf. auch heuristische) Verfahren, mit denen eine umfangreiche Menge von Elementen durch Bildung homogener Klassen, Gruppen oder „Cluster" in einem bestimmten Sinne optimal strukturiert werden soll. Die einzelnen Cluster sollen nur Elemente enthalten, die *„ähnlich"* sind. Elemente verschiedener Gruppen sollen möglichst „unähnlich" sein. Ähnlichkeit muß dabei in einem bestimmten Sinn definiert sein und gemessen werden können. Bei der C. werden insbes. hierarchische (agglomerative und divisive) Verfahren sowie Verfahren zur Verbesserung einer Anfangsgliederung unterschieden. Die *Beurteilung* von Lösungen in der C. erfolgt anhand der Clusteranzahl, der Clustergrößen, der Clusterhomogenität und der Plausibilität der Festlegung von Ähnlichkeit. – *Graphische Darstellung:* Vgl. →Dendrogramm.

Clustersystem, →Cluster II.

CMR-Versicherung, Abdeckung von Haftungsrisiken gem. dem Übereinkommen über den Beförderungsvertrag im internationalen Straßengüterverkehr (CMR = Convention relative au Contrat de transport international de Marchandises par Route). – Vgl. auch →Verkehrshaftungsversicherung.

CNC-Anlage, *computerized numerical control,* freiprogrammierbare (→Programmierung), rechnergesteuerte Werkzeugmaschine. Die Steuerung der Anlage wird direkt von einem →Computersystem (meist Mikrorechner) vorgenommen (anders: →NC-Anlage). Die Konturen des zu erzeugenden Werkstücks, die Achsen und die Werkzeuge der Anlage können im Programm beliebig festgelegt werden. – *Vorteile:* Höhere Flexibilität gegenüber NC-Anlagen, z. B. bei Wiederholung von Arbeitsabläufen; höhere Verarbeitungsgeschwindigkeit.

c/o, Abk. für „care of" (= per Adresse), verwendet v. a. im Postverkehr.

Coase-Theorem, Begriff der Allokationstheorie (→Wohlfahrtstheorie), insbes. der →Umwelt- und Ressourcenökonomik. – *Kernaussagen:* 1. *Wechselseitigkeit* (Reziprozität) *externer Effekte:* Üblicherweise werden →externe Effekte als die nicht über Marktpreise abgegoltenen Wirkungen einer Aktivität des Wirtschaftssubjekts A auf die Nutzenfunktion eines Wirtschaftssubjekts B definiert; auf die Einseitigkeit dieser Definition weist Coase hin. Wird nämlich die Aktivität von A zugunsten von B eingeschränkt, erleidet als Konsequenz der Knappheit von Gütern und Ressourcen A eine Nutzeneinbuße (externer Effekt) durch die Ausdehnung der Aktivität von B. Aufgrund der Wechselseitigkeit der externen Effekte muß daher bei der Antwort auf die Frage, ob und in welchem Ausmaß auftretende Externalitäten beseitigt werden sollen, eine Abwägung der wechselseitigen Nutzengewinne und -einbußen erfolgen; auch bei nichtmarktlichen Austauschbeziehungen sind die Opportunitätskosten alternativer Allokationssituationen zu berücksichtigen. – 2. Möglichkeit von Verhandlungslösungen zur *effizienten Korrektur von Externalitäten:* In bestimmten Fällen und unter bestimmten Voraussetzungen kann ein optimales Allokationsergebnis, eine optimale Korrektur auftretender Externalitäten, über Verhandlungen zwischen den beteiligten Wirtschaftssubjekten erreicht werden, Rationalverhalten der Wirtschaftssubjekte und Transaktionskosten von Null vorausgesetzt. In der an Coase anschließenden Literatur werden als weitere Voraussetzungen genannt: Wenige Beteiligte, keine Einkommenseffekte, vollkommene Konkurrenz, tauschfähige Verfügungsrechte. – *Fälle* (bestehender externer Effekte von A auf die Nutzenfunktion von B): *Fall 1:* B hat das Verfügungsrecht über die in Rede stehende Ressource und damit das Recht, von A die Unterlassung der Aktivität zu verlangen. A hat in diesem Fall für die von ihm verursachten negativen Wirkungen zu haften *(Haftungsregel)*. *Fall 2:* A erhält das Verfügungsrecht; er darf seine Aktivität aufrechterhalten. B ist gezwungen, A für eine Einschränkung oder Unterlassung seiner Aktivität zu kompensieren *(Laissez-faire-Regel)*. Unter den genannten Voraussetzungen kann in beiden Fällen durch Verhandlung der Beteiligten ein pareto-optimales Ergebnis erzielt werden. – 3. *Irrelevanz der Verteilung* von Verfügungs-/Eigentumsrechten für die Allokation; insbes. durch Mishan widerlegt. Die Vernachlässigung der unterschiedlichen Verteilungsfolgen von Haftungs- und Laissez-faire-Regel ist ein weiterer Ansatzpunkt für Kritik.

Cobb-Douglas-Funktion, von P. H. Cobb und Ch. W. Douglas entwickelte substitutionale makroökonomische →Produktionsfunktion der Form:

$$Y = L^{\alpha} \cdot K^{\beta}$$

(mit Y = Output, L = Arbeitseinsatz, K = Kapitaleinsatz, α = Elastizität des Outputs in bezug auf den Arbeitseinsatz [partielle Produktionselastizität der Arbeit], β = Elastizität in bezug auf den Kapitaleinsatz [partielle Produktionselastizität des Kapitals]. Ist die Summe der partiellen Produktionselastizitäten ($\alpha + \beta$) größer (kleiner, gleich) eins, weist die C.-D.-F. steigende (sinkende, konstante) →Skalenerträge auf. – Für den Fall *konstanter Skalenerträge* ($\alpha + \beta = 1$) gilt:

$$Y = L^{\alpha} \cdot K^{1-\alpha}$$

In dieser Form ist die C.-D.-F. linear-homogen, d.h. eine Erhöhung des Einsatzes von Arbeit und Kapital um jeweils γ-Prozent führt zu einer Erhöhung des Outputs von ebenfalls γ-Prozent (→Linearhomogenität). Sie weist eine konstante →Substitutionselastizität von eins auf, was impliziert, daß sich die →Isoquanten asymptotisch beiden Achsen nähern.

Cobol, *common business oriented language*. 1. *Begriff:* Prozedurale →Programmiersprache; 1959 von →CODASYL mit dem Ziel entwikkelt, Computeranwendungen in der kommerziellen und administrativen Datenverabeitung zu unterstützen. – 2. *Sprachelemente:* Zur Bearbeitung großer Datenmengen geeignet; konfortable Erstellung von Listen möglich; umfassende Unterstützung der Dateiorganisation (→Datenorganisation II); nicht geeignet für umfangreichere mathematische Berechnung. – 3. *Einsatzgebiete/Verbreitung:* In der →betrieblichen Datenverarbeitung und in der Verwaltung weltweit die verbreitetste Programmiersprache. – 4. *Standardisierung:* Genormt vom →ANSI 1968, 1974 und 1985; aktuelle DIN-Norm von 1986. Breite Akzeptanz des ANSI-Standards von 1974.

cobweb theorem, →Spinnwebtheorem.

COCOM, Coordinating Committee for Multilaterial Export Controls, *Coordinating Committee for East-West Trade Policy. Bedeutung:* Bereits 1949 in Paris gegründet, hat es erst seit Anfang der 80er Jahre aufgrund der technologischen und politischen Entwicklung, insbes. in den USA an Bedeutung gewonnen. Im COCOM arbeiten 16 Länder zusammen: Belgien, Bundesrep. D., Dänemark, Frankreich, Griechenland, Großbritannien, Italien, Japan, Kanada, Luxemburg, Niederlande, Norwegen, Potugal, Spanien, Türkei, USA. Die COCOM-Staaten sind nicht an internationale Beschlüsse gebunden; es bestehen keine Regierungsabkommen in bezug auf Organisation, Aufgabenregelung und Kompetenzen. – Das COCOM tritt als „informelles" Beratungsgremium einmal wöchentlich zusammen und faßt alle Beschlüsse einstimmig unter Geheimhaltung. Da die COCOM-Beschlüsse keine nationale Rechtskraft und -bindung haben, bedürfen sie einer Bestätigung durch die Mitgliedsregierungen. – *Ziele:* Kontrolle des Handels mit den COMECON-Staaten bzw. Staatshandelsländern (*→überwachungspflichtige Länder);* Abweichungen im Fall Jugoslawiens und der VR China; Festlegung einheitlicher Verfahren hierfür. – *Instrumente:* Aufstellung von Embargo-Listen, meist für drei Jahre gültig; Überprüfung und Entscheidung bezüglich Anträgen auf Ausnahmegenehmigungen (→COCOM-Ausnahmegenehmigungsverfahren), Überwachung über die Einhaltung der Beschlüsse.

COCOM-Ausnahmegenehmigungsverfahren. 1. *Allgemeine Ausnahmegenehmigung:* Ein COCOM-Mitgliedsland (→COCOM) kann eine „allgemeine Ausnahmegenehmigung" erhalten, wenn dieses Land vor Ausfuhr der einem Embargo unterliegenden Artikel die diesbezügliche Zustimmung der übrigen Mitgliedsländer einholt. Die Entscheidung muß einstimmig getroffen werden. – 2. *Administrative Ausnahmegenehmigung (Verwaltungsausnahme):* Für bestimmte Artikel, die einem Embargo unterliegen und in den →COCOM-Listen aufgeführt sind (technische Eigenschaften, die Grenzfälle darstellen, Indentität des Anwenders, Verwendungszweck), kann die Regierung des Ausfuhrlandes mittels eines administrativen Ausnahmeverfahrens die Verantwortung für die Ausfuhrfreigabe übernehmen. Der Vorgang ist dem COCOM anschließend in der von den Mitgliedsländern einzureichenden monatlichen Ausfuhrstatistik zu melden. – 3. *Ausnahmegenehmigung im Fall von minimalem Risiko, Wartungsverträgen und vorübergehender Ausfuhr* möglich.

COCOM-Listen, von einem →Embargo betroffene Artikel, d. h. Artikel, die nicht in →überwachungspflichtige Länder gem. COCOM exportiert werden dürfen. Die C.-L. werden i. d. R. alle vier Jahre, z. T. jährlich aktualisiert. – Zu unterscheiden sind drei Listen: *1. Liste:* Waffen und Munition, einschl. der Maschinen und Anlagen zur (Teil)-Herstellung *(Kriegswaffen-/Munitionsliste). 2. Liste:* Nukleartechnologie, Kernspaltungsstoffe und alle in der Kernkraftindustrie verwendeten Produkte, wie z. B. Kernkraftwerke, Meß- und Simulationsgeräte sowie Ersatzteile *(Atom-/Kernenergieliste). 3. Liste:* sonstige Waren strategischer Bedeutung *(„sensible" Technologien).* – Die Aufführung einzelner Waren in einer Kontroll-Liste besagt nicht, daß diesbezüglich ein generelles Exportverbot besteht. Damit ist lediglich die Pflicht des Exporteurs festgelegt, die entsprechende Exportkontrolle/Reexportkontrolle (→end user control) sicherzustellen und – soweit notwendig – die erforderlichen →Ausfuhrgenehmigungen rechtzeitig einzuholen. Es hängt dann letztlich von der Darstellung des einzelnen Falles und vom genauen Inhalt der zugrunde gelegten Vertragsvereinbarungen ab, ob einem Antrag auf Ausfuhrgenehmigung stattgegeben werden kann oder ob dem außenwirtschaftsrechtlich relevante Versagungsgründe entgegenstehen.

c.o.d., Abk. für →cash on delivery.

CODASYL, *conference on data systems languages,* amerikanische Organisation von Computerherstellern und -anwendern (→elektronische Datenverarbeitung); bekannt v. a. durch Federführung bei der Entwicklung der Programmiersprache →*Cobol* und durch Arbeiten über →*Datenbanksysteme* (z. B. →Netzwerkmodell, →Datenbeschreibungssprache, →Datenmanipulationssprache).

Code. 1. *Allgemein:* Vorschrift für die eindeutige Zuordnung der Zeichen eines Zeichenvorrats zu denjenigen eines anderen. – 2. *Elektronische Datenverarbeitung:* Vorschrift für die Darstellung von Informationen in einem Computer. – Vgl. auch →Binärcode. – 3. *Nachrichtenverkehr:* Telegrammschlüssel, nach Ländern und Branchenbedürfnissen differierend.

code inspection, *Schreibtischtest,* einfachste, aber oft wirkungsvolle Möglichkeit des →Testen eines Programms; der Text des Quellprogramms (→Programm) wird von dem Programmierer oder von jemandem, der zumindest die →Spezifikation und die Anforderungen an das Programm kennt, sehr gründlich gelesen und überprüft.

Codierung, *Kodierung,* Begriff der elektronischen Datenverarbeitung. Bei der →Programmentwicklung Vorgang der Überführung des →Algorithmus und der Datenvereinbarungen (→Programm 3 a)) in die Programmiersprache. Es wird ein Quellprogramm (→Programm 3 a)) erzeugt, das dem →Computer ermöglichen soll, das zugrundeliegende Problem zu lösen.

cognitive science, Forschungsgebiet mit interdisziplinärem Charakter, das sich insbes. auf Teilbereiche der →künstlichen Intelligenz, der kognitiven Psychologie und der Linguistik erstreckt. – *Gegenstand* der c. s. ist die Untersuchung kognitiver Prozesse beim Menschen. Man versucht u. a., menschliche Denkprozesse auf einem →Computer zu simulieren, um daraus wiederum Rückschlüsse auf den Menschen zu ziehen.

coinciders →Konjunkturindikatoren 2 a).

Colbert, Jean Baptiste, Marquis de Seignelay 1619–83, französischer Staatsmann unter Ludwig XIV. Finanzintendant seit 1661, 1665 Generalkontrolleur (Innen-, Finanz-, Bau- und Marineminister). C. setzte in Frankreich die merkantilistische Wirtschaftpolitk durch, der er zugleich eine besondere Ausprägung gab (→Colbertismus). – Vgl. auch →Merkantilismus.

Colbertismus, von *Colbert* unter Ludwig XIV. in Frankreich ausgeprägte Form des →Merkantilismus.

collar, ein Hedge-Instrument (→Hedging, →financial futures), aus einer Kombination von →cap und →floor bestehend. Ein Cap-Käufer verkauft im Gegenzug zum Cap-Kauf ein Floor, um die Prämie für den c. zum Teil zu finanzieren. Bei einem angenommenen starken Anstieg des Marktzinsniveaus wird jedoch der Cap-Kauf relativ teuer; die Prämie aus dem Floor-Verkauf relativ gering. Dennoch besteht über eine inkongruente Laufzeitstruktur von Cap und floor die Möglichkeit eines relativen Prämienausgleichs. – *Beispiel:* aktueller Marktzins (LIBOR) 5,5%; in 24 Monaten erwarteter Marktzins 9,0%; Kreditsumme: 50 Mill. US-$; Cap 7,5% zu einer Prämie 2% der Kreditsumme (für 2 Jahre); Floor 6,0% zu einer Prämie von 0,3% bei 2 Jahren oder 1,2% bei 4 Jahren von 50 Mill. US-$. Für den Cap-Käufer besteht die Möglichkeit, die Cap-Prämie über 1 Mill. US-$ durch Verkauf eines fristenkongruenten Floor über 0,15 Mill. US-$ (0,3% von 50 Mill. US$) oder durch den Verkauf eines fristenkongruenten Floor über 0,6 Mill. US-$ (1,2% von 50 Mill. US-$) zu finanzieren.

collect on delivery, im Luftfrachtgeschäft gebäuchliche Zahlungsklausel, durch die die Luftverkehrsgesellschaft ermächtigt wird, den Rechnungsbetrag für die Sendung und den Frachtbetrag für die Luftbeförderung beim Empfänger der Sendung einzuziehen. Möglich dort, wo in der Ratentabelle hinter dem Bestimmungsort angegeben. Ausnahmen oder Besonderheiten sind entsprechend gekennzeichnet. Ausgenommen sind Sammelsendungen, Zeitunge und Zeitschriften, lebende Tiere, verderbliche Güter und Sendungen, deren Warenwert unter den Beförderungskosten liegt.

Colombo-Plan, *Colombo Plan for Cooperative Economic Development in South and South-East Asia,* 1950 von sieben Staaten des Commonwealth zur Förderung der technischen und wirtschaftlichen Entwicklung und zur Steigerung des Lebensstandards geschaffenes Instrument; Sitz: Colombo. – *Mitglieder* (1987: 26) sind 20 Entwicklungsländer in Süd- und Ost-Asien sowie sechs Geberländer. – *Ziel:* Förderung der wirtschaftlichen und sozialen Entwicklung in den Nehmerländern. Wichtigste Geberländer sind die USA (80% der aufgebrachten Mittel), Japan und Großbritannien. – *Aktivitäten:* Unterstützung wird in zwei Formen gewährt. a) Kapitalhilfe in Form von nichtrückzahlungspflichtigen Unterstützungen und Anleihen für nationale Entwicklungsvorhaben; Warenlieferungen einschl. Getreide, Düngemittel, Verbrauchsgüter; Lieferung von Investitionsgütern. b) Technische Hilfeleistung durch Experten- und Technikerdienste, Studienplätze im Ausland und Transfer von Hochtechnologie. 1950 sind den Nehmerländern Hilfen im Wert von 68,34 Mrd. US-$ zugeflossen. – An den jährlichen *Sitzungen* des als *Organ* des C.-P. fungierenden Konsultativkomitees nehmen u.a. teil: Weltbank, ESCAP, ILO, FAO, WHO, UNESCO, UNDP und die EG als beratende Beobachter. – *Veröffentlichungen:* The C.P. Newsletter (monatlich); Proceedings and Conclusions of the Consultative Committee; Annual Report of the C.P. Council; The C.P.: What It Is, How It Works, 1983.

COM, →computer output microforms.

COMECON, Council for Mutual Economic Assistance, *Rat für gegenseitige Wirtschaftshilfe (RGW),* Wirtschaftsgemeinschaft osteuropäischer Staaten, gegründet 1949, Sitz: Moskau. – *Mitglieder:* Bulgarien, DDR (seit 1950), Kuba (seit 1972), Polen, Rumänien, UdSSR, Ungarn, Vietnam (seit 1978), Mongolische Volksrepublik, Tschechoslowakei; Albanien (seit 1962 praktisch ausgeschieden); Nord-Korea (Beobachter). Seit 17.9.1964 eine Art von Assoziierungsvertrag mit Jugoslawien, der Zusammenarbeit auf bestimmten Gebieten vorsieht. Vereinbarungen zur Zusammenarbeit bestehen mit Finnland, dem Irak und Mexiko; seit 1974 Kontakte zu diesem Zweck auch zur EG. – *Entstehung:* Das C. entstand als Gegenstück zur OECD, nachdem die UdSSR und ihre Satelliten die Teilnahme am Marschall-Plan abgelehnt hatten. – *Ziele:* Verflechtung der Volkswirtschaften des Ostblocks, insbes. zur Rationalisierung und Optimierung der industriellen Produktion. Förderung des zwischenstaatlichen Austauschs von Rohstoffen, Lebensmitteln und Investitionsgütern sowie des Austauschs wirtschaftlicher und technischer Erfahrungen. Das C. hat außerdem entscheidende Vollmachten bei der gesamten Planung der Investitionspolitik seiner Mitgliedsländer. Als gemeinsame Finanzinstitute bestehen die Internationale Bank für wirtschaftliche Zusammenarbeit und die Internationale Investitionsbank; ferner zahlreiche internationale Wirtschaftverbände als Instrumente einer verbesserten Zusammenarbeit für spezielle Bereiche (u.a. Computertechnologie). – *Organisation:* Neben den Gipfelkonferenzen (als nichtständiges Organ) fungiert der Rat als oberstes ständiges Organ unter wechselndem Vorsitz. Exekutivkomitee mit Planungsausschuß (seit 1962), ständiges Sekretariat in Moskau, Ausschüsse für gemeinschaftliche Planungen und für wissenschaftliche und technische Kooperation. Ständige Kommissionen für zahlreiche Sachgebiete, z.B. Außenhandel, Finanz- und Währungsfragen, Energie. – *Tätigkeit:* 1963 Abkommen über die Multilateralisierung des Verrechnungssystems auf der Basis Transferrubel als bedeutsamer Schritt zu einer mehr marktwirtschaftlichen Gestaltung des Zahlungsverkehrs. Wichtigste Instrumente der wirtschaftlichen Zusammenarbeit sind die koordinierten Fünfjahrespläne der Mitgliedsländer. 1975 wurde ein Plan über multilaterale Integrationsmaßnahmen für gemeinsame Projekte und zur Lösung wichtiger wissenschaftlicher und technologischer Probleme beschlossen (Finanzvolumen: ca. 9 Mrd. Transferrubel). Wichtigstes Entwicklungsinstrument ist das umfassende Programm für die Weiterentwicklung und Verbesserung der Zusammenarbeit und zur Entwicklung der sozialistischen wirtschaftlichen Integration der Mitgliedstaaten, das einen Planungszeitraum bis 1990 umfaßt. Die Verwirklichung der Programmziele erfolgt in langfristigen Sonderprogrammen auf den relevanten Gebieten: Energie, Erdöl, Rohstoffe; Landwirtschaft- und Nahrungsmittelindustrie; Mechanisierung; bedarfsgerechter Ausbau der Konsumgüterindustrien; Entwicklung der Verkehrsverbindungen. Schwerpunkte der fachlichen Zusammenarbeit sind ferner Forschung, Verbreitung und Auswertung technischen Wissens, Normung (1964 Ständiges Institut für Normung gegründet). – *Veröffentlichungen:* Comprehensive Programme for the Further Expansion and Improvement of Cooperation and the Development of Socialist Economic Integration by Member Countries; Statistical Yearbook of the C. Member Countries; Gesellschaftliche Zusammenarbeit der Mitgliedstaaten des RGW (russisch), Economic Co-operation of the C. Member Countries (monatlich).

Comité Consultatif International Télégraphique et Téléphonique, →CCITT.

Comité Européen de Normalisation, →CEN.

Comité Européen de Normalisation Electrotechnique, →CENELEC.

Comité Européen pour le Progrès Économique et Social, CEPES, *European Committee for Economic and Social Progress, Europäische Vereinigung für wirtschaftliche und soziale Entwicklung,* 1952 in Paris gegründete Vereinigung von Wirtschaftlern und Wissenschaftlern, die sich mit den Problemen der europäischen Zusammenarbeit auf wirtschaftlichem und sozialem Gebiet befaßt. – *Mitgliedsländer:* Belgien, Frankreich, Italien, Luxemburg, die Niederlande und die Bundesrep. D.

Comité Maritime International, Vereinigung, die sich seit 1897 mit Kongressen , Gesetzentwürfen, Musterformularen Verdienste um die internationale Regelung seehandelsrechtlicher Fragen erworben hat.

commercial, →Fernsehspot, →Funkspot.

commercial bank, US-amerikanische Bank, die hauptsächlich das kurz- und mittelfristige Kredit- und Einlagengeschäft tätigt sowie den Zahlungsverkehr abwickelt. Wertpapiergeschäfte sind ihnen durch den →Glass Steagall Act untersagt. – *Gegensatz:* →investment bank. – Vgl. auch →money center bank, →Regionalbank 3.

commercial letter of credit (CLC), *Handelskreditbrief,* Sonderform des →Akkreditivs; besonders in anglo-amerikanischen Ländern bevorzugtes Instrument zur Finanzierung des internationalen Handels. Unterscheidet sich vom Dokumentenakkreditiv (→Akkreditiv II 1 b) hinsichtlich Avisierung und Benutzbarkeit: CLC ist nicht an eine Bank, sondern an den Begünstigten (Verkäufer der Ware) adressiert; er ist i. d. R. bei der ausstellenden ausländischen Bank zahlbar, jedoch ist er meist bei allen Banken negoziierbar (→Negoziierungskredit). Der CLC enthält die →bona-fide-Klausel.

commercial paper, vorwiegend in den USA gebräuchliche Form ungesicherter →Geldmarktpapiere, die hauptsächlich von erstklassigen Industrieunternehmen und Finanzierungsgesellschaften ausgestellt werden, mit einer Laufzeit zwischen einem und neun Monaten (i. d. R. ein bis zwei Monate). Plazierung am Markt erfolgt direkt oder über Händler.

Commerzbank AG, Sitz in Düsseldorf. *Entwicklung:* 1870 unter der Firma „Commerz- und Disconto-Bank" in Hamburg gegründet. Nachdem sich der Schwerpunkt ihres Geschäfts anfangs auf Hamburg und hier besonders auf das Auslandsgeschäft konzentriert hatte, begann die Bank im Jahre 1904 mit dem Ausbau eines nationalen Geschäftsstellennetzes, und zwar zunächst in Berlin durch Übernahme der Berliner Bank. 1920 übernahm sie die Mitteldeutsche Privatbank in Magdeburg mit über 100 Filialen, wobei sie ihren Namen in „Commerz- und Privat- Bank" änderte. 1929 wurde die Mitteldeutsche Creditbank mit Sitz in Frankfurt angegliedert. 1932 brachte der 1867 gegründete Barmer Bank-Verein Hinsberg, Fischer & Comp. sein bedeutendes westdeutsches Geschäft in die Commerz- und Privat-Bank ein. Damit verfügte das Institut, das seit 1940 nur noch kurz „Commerzbank" firmierte, zeitweilig über ein Netz von mehr als 400 Geschäftsstellen, von denen ein großer Teil durch die Abtrennung der mittel- und ostdeutschen Gebiete verlorengegangen ist. Die nach dem Krieg im Zuge der Entflechtung entstandenen Nachfolgeinstitute Commerzbank-Bankverein AG, Düsseldorf, Commerz- und Credit-Bank AG, Frankfurt (Main), sowie Commerz- und Disconto-Bank AG, Hamburg, vereinigten sich mit Wirkung vom 1. 7. 1958 wieder unter dem alten Namen. – *Heutige Bedeutung:* Die Commerzbank AG, deren Zentrale sich seit Anfang der 70er Jahre in Frankfurt befindet (regionale Hauptverwaltungen am juristischen Sitz Düsseldorf sowie in Hamburg), verfügt über ein Netz von rund 800 Geschäftsstellen im Inland und 13 Auslandsfilialen. Hinzu kommen 60 Geschäftsstellen des Tochterinstituts Berliner Commerzbank AG in Berlin (West). An 16 Plätzen in aller Welt unterhält sie Auslandsrepräsentanzen. Insgesamt ist die Commerzbank durch 70 internationale Stützpunkte und Beteiligungen in 30 Ländern präsent. Für die 70er Jahre charakteristisch ist die Hinwendung zum Privatkundengeschäft sowie die verstärkte Pflege der längerfristigen Finanzierung. In diesem Zusammenhang ist die 1971/72 erfolgte Übernahme qualifizierter Mehrheitsbeteiligungen an zwei namhaften (1974 fusionierten) Realkreditinstituten – RHEIN-HYP Rheinische Hypothekenbank und Westdeutsche Bodenkreditanstalt – hervorzuheben. – Ihre internationale Organisation hat die Commerzbank nicht nur durch die eigenen Auslandsstützpunkte gestärkt, sondern auch durch die Kooperationsverträge mit dem Crédit Lyonnais, Paris (1970) und dem Banco di Roma, Rom (1971). Dieser „Europartners-Gruppe" schloß sich 1973 der Banco Hispano Americano, Madrid an. Wichtigstes Gemeinschaftsinstitut ist die als Investmentbank amerikanischen Typs arbeitende EuroPartners Securities Corporation in New York. An den Euromärkten operiert die Commerzbank u. a. über die unter ihrer Mitwirkung 1967 gegründete International Commercial Bank in London sowie v. a. über das seit 1969 in Luxemburg arbeitende Tochterinstitut, die Commerzbank International S.A. Der weitere Ausbau des internationalen Stützpunktnetzes erfolgt v.a. im Rahmen der „Globalisierung" des Bankgeschäfts. Hierzu gehört eine stärkere Einschaltung in den Bereich der „Investment Banking". Wichtige Eckpfeiler dieser Strategie sind die Commerzbank (South East Asia) Ltd. in Singapur (1979), die Commerzbank (Schweiz) AG (1985) und die Commerz Securities (Japan) Co., Ltd. mit Sitz in Hongkong und Filiale in Tokio (1986).

Commission Européenne des Administrations des Postes et des Télécommunications, →CEPT.

Commission Internationale des Industries Agricoles et Alimentaires (CIIA), *International Commission for Food Industries, Internationale Kommission der Lebensmittelindustrie,* 1934 gegründete Nachfolgeorganisation der 1905 eingesetzten internationalen Kommission auf diesem Gebiet sowie des Ständigen internationalen Büros für analytische Chemie der menschlichen und tierischen Ernährung (PIBAC); Sitz: Paris. – *Mitglieder:* Bundesrep. D., Frankreich, Italien, Laos, Griechenland, Madagaskar, Mexiko, Niederlande, Spanien, Tunesien, Ungarn. – *Tätigkeiten:* Führung eines Dokumentationszentrums der landwirtschaftliche Erzeugnisse verarbeitenden Industrien (CDIUPA), Veranstaltung von Kongressen und Symposien. – *Veröffentlichungen:* Food and Agricultures Industries; Liaison Bulletins; Proceedings of Congresses and Symposia.

Committee for European Economic Cooperation, Gründungsausschuß von 1947 zur Errichtung der 1948 geschaffenen Organization for European Economic Cooperation (→OEEC).

commodity approach, güterbezogene Betrachtungsweise des →Marketing. Es werden spezifische Marketingkonzepte für unterschiedliche Gütertypen entwickelt.

Commodity Classification for Transport Statistics in Europe (CSTE), →Internationales Güterverzeichnis für die Verkehrsstatistik in Europa.

commodity-terms of trade, eines der Konzepte der →terms of trade, definiert als die Relation des Export- zum Importgüterpreisindex (ausgedrückt als Indexveränderung). Üblicherweise sind c.-t.o.t. gemeint, wenn ohne nähere Erläuterungen von *terms of trade* die Rede ist (vgl. etwa →Verelendungswachstum, →Optimalzoll). – Die *Aussagefähigkeit* bezüglich der Entwicklung der Vorteilhaftigkeit des Außenhandels ist beschränkt: Abgesehen davon, daß in dem c.-t.-o.-t.-Index die Veränderung der Güterqualität und der Export- und Importgüterstrukturen nicht berücksichtigt wird, bedeutet ein Rückgang des c.-t.-o.-t.-Index selbst im 2 Güter-Modell nicht in jedem Fall eine Verschlechterung der Wohlfahrtsposition: Sinkt z.B. der Preis des Exportgutes aufgrund von technischem Fortschritt (Zunahme der Faktorproduktivität), dann verschlechtern sich zwar ceteris paribus die c.-t.o.t., die Wohlfahrt des Landes kann sich aber trotzdem verbessern, wenn die Preissenkung geringer ist als die Produktivitätszunahme. – *Kehrwert:* net barter-terms of trade.

common pool problem, →Nutzungsrechte an natürlichen Ressourcen.

common property ressources, →Allmenderessourcen, →Property-rights-Theorie.

commonsense reasoning, Begriff der →künstlichen Intelligenz für den Bereich des *Allgemeinwissens,* insbes. des Wissens über allgemeine Problemlösungsverfahren („gesunder Menschenverstand"). Aufgrund des Umfangs ist es sehr schwer, Allgemeinwissen in ein →wissensbasiertes System abzubilden.

common shares, englische Bezeichnung für →Stammaktie. C.sh. und comon stock werden heute synonym verwendet.

common stock, amerikanische Bezeichnung für →Stammaktie. C.st. und comon share werden heute synonym verwendet.

Commonwealth. I. Commonwealth of Australia, der Australische Bund. Vgl. →Australien.

II. British Commonwealth of Nations, Verband unabhängiger, gleichberechtigter Staaten ohne eigene Völkerrechtssubjektivität. *Gründung:* Basiert auf dem ehemaligen *Britischen Empire,* formalisiert am 31.12.1931 durch Statut von Westminster. – *Mitglieder:* Vereinigtes Königreich von Großbritannien und Nordirland, Antigua und Barbuda, Australien, Bahamas, Bangladesch, Barbados, Belize, Botswana, Brunei, Dominica, Fidschi, Gambia, Ghana, Grenada, Guyana, Indien, Jamaika, Kanada, Kenia, Kiribati, Lesotho, Malawi, Malaysia, Malediven, Malta, Mauritius, Nauru, Neuseeland, Nigeria, Papua-Neuguinea, Salomonen, Sambia, Seschellen, Sierra Leone, Simbabwe, Singapur, Sri Lanka, Swasiland, Tansania, Tonga, Trinidad und Tobago, Tuvalu, Vanuatu, Westsamoa, Zypern. – *Ziele:* Förderung der Zusammenarbeit. C. versteht sich als politische Gemeinschaft (symbolisches Oberhaupt: Königin von England). Außer Kanada gehören alle Mitglieder zum Sterlingblock. – *Aktivitäten:* Die Ministerpräsidenten der Mitglieder treten i.d.R. alle vier Jahre zusammen *(C. Conference).* Wichtige Konferenzen: Ottawa 1932 (→Ottawa-Abkommen); Colombo 1950 (→Colombo Plan); 1964 Beschluß zur Errichtung eines gemeinsamen Sekretariats in London; 1971 C.-Fonds für technische Zusammenarbeit; 1985 Gipfelkonferenz in Nassau erörterte Südafrika-Politik (keine Einigung über Sofortmaßnahmen).

Commonwealth of Australia, →Commonwealth I.

Commonwealth-Präferenzen, System von →Präferenzzöllen (Vorzugszöllen), die sich Großbritannien und die Commonwealth-Länder (→Commonwealth II) im gegenseitigen Handelsverkehr gewährten und das den engen Zusammenschluß der Commonwealth-Staaten zu einem einheitlichen Wirtschaftsraum bewirken sollte; nur noch historisch bedeutungsvoll. Der Beitritt Großbritanniens zur EG, v.a. die Übernahme des →Gemeinsamen Zolltarifs, führte zu einem allgemeinen Abbau der britischen Präferenzen, an deren Stelle die Zollsätze des Gemeinsamen Zolltarifs traten. Soweit Commonwealth-Mitglieder dem AKP-EWG-Abkommen von Lomé von 1975 beigetreten sind oder zu den „Überseeischen Ländern und Gebieten" gehören, werden bei der Einfuhr nach Großbritannien auf ihre Erzeugnisse die für diese Ländergruppen vorgesehenen Zollbegünstigungen angewendet.

competitive bidding, →Ausschreibung.

compiler, →Systemprogramm, das ein in einer höheren →Programmiersprache formuliertes *Quellprogramm* (→Programm) in ein „äquivalentes" Zielprogramm übersetzt (→Übersetzer), das i.a. in einer maschinenorientierten Programmiersprache formuliert ist *(Maschinenprogramm)*. – Vgl. auch →Interpreter.

complex instruction set computer, →CISC.

complex man, →Menschenbilder 1.

comprehensive tax base, Begriff aus der modernen steuertheoretischen Diskussion. Möglichst breite Besteuerungsbasis, sowohl bei der →Einkommensbesteuerung als auch bei der →Ausgabensteuer. Wesentlich vom →Schanz-Haig-Simons-Ansatz bestimmtes Konzept.

Comptroller of the Corrency, US-amerikanische Bankaufsichtsbehöre. – *Aufgaben:* Dem C.o.t.C. obliegt der Erlaß von Bestimmungen; er beaufsichtigt und überprüft →national banks; er ist, wie der Board of Governors, für die Zulassung, Filialgründung und Fusion von national banks zuständig. – Der C.o.t.C. ist eine weitgehend selbständige Abteilung des US-amerikanischen Schatzamtes.

Computer, aus dem Englischen übernommene Bezeichnung (to compute = rechnen), die in der DIN-Norm 44300 als Synonym für →Datenverarbeitungssystem aufgeführt ist und in der Praxis häufig verwendet wird. – Vgl. auch →Computersystem, →Rechnergruppen, →Rechner.

computer aided design, →CAD.

computer aided engineering, →CAE.

computer aided manufacturing, →CAM.

computer aided planning, →CAP.

computer aided quality assurance, →CAQ.

computer assisted instruction, →CAI.

Computerbetrug, spezieller Tatbestand des →Betruges. Tathandlung: Beeinflussung des Ergebnisses eines Datenverarbeitungsvorgangs durch unrichtige Gestaltung des Programms, durch Verwendung unrichtiger oder unvollständiger Daten oder sonst durch unbefugte Einwirkung auf den Ablauf; auch unberechtigtes Abheben von Geld an einem ec-Geldautomaten mittels fremder ec-Scheckkarte und Eingabe der fremden Identifikationszahl. – *Strafe:* Freiheitsstrafe bis zu fünf Jahren oder Geldstrafe; Versuch ist strafbar (§ 263a StGB).

Computer-Generationen, nicht eindeutige Abgrenzung von Entwicklungsstufen bei →Computern nach überwiegend technischen Merkmalen. I.a. werden folgende Entwicklungsstufen unterschieden: (1) *Erste C.-G.:* Röhrenrechner. (2) *Zweite C.-G.:* Transistorcomputer. (3) *Dritte C.-G.:* Nutzung der *integrierten Schaltkreistechnik*, die die Zusammenfassung von Transistoren und Widerständen zu komplexeren Schaltelementen (Schaltgruppen, Schalttafeln) ermöglicht. Die erreichte Integrationsdichte wird als MSI (Medium Scale Integration) bezeichnet. Weitere Merkmale dieser Generation sind der *Bau von Computerfamilien* und der erstmalige *Einsatz von →Betriebssystemen*. Die Weiterentwicklung der Integrationstechnik (→LSI, später →VLSI, →ULSI) und die Entwicklung von Speicherchips (→Speicher, →Chip) leiten schließlich den Übergang zur 4. Generation ein. (4) *Vierte C.-G.:* I.a. alle heute eingesetzten Computer. Allerdings wird verstärkt in Richtung einer *neuen Generation* gearbeitet (vgl. auch →fifth generation computer project).

computergestützte Anlagenbuchhaltung, verselbständigte Nebenbuchhaltung der →computergestützten Finanzbuchhaltung. C.A. beinhaltet: (1) die Abschreibungsrechnung einschl. kalkulatorischer Abschreibungen, (2) die Zugangs- und Abgangsrechnung und (3) die Erstellung der Vermögensübersicht (Anlagenspiegel). – Vgl. auch →Anlagenbuchhaltung.

computergestützte Datenerhebung, Methode der →Befragung, bei der Daten direkt über eine Tastatur in ein Computersystem eingegeben werden. Neben der Einsparung von Kosten für den Interviewerstab ist das Ziel der c.D., eine schnelle und methodisch einwandfreie Datenerhebung zu gewährleisten. Eine Weiterentwicklung stellt das →Bildschirmbefragungssystem dar.

computergestützte Finanzbuchhaltung. 1. *Begriff:* →Computergestütztes Administrationssystem (→Computersystem) zur Verwaltung und Darstellung der finanziellen Beziehungen einer Unternehmung mit ihrer Umwelt, insbes. der Geschäftsvorfälle sowie deren Buchung auf den Geschäftskonten. Traditionelles Anwendungsgebiet der →betrieblichen Datenverarbeitung mit Massenverarbeitung und hohem Standardisierungsgrad, daher starke Rationalisierungsvorteile. – 2. *Teilbereiche:* a) *Hauptbuchhaltung:* Kreditoren-, Debitorenbuchhaltung, Zahlungsabwicklung, Liquiditätsplanung, Rechnungsprüfung, Sachkontenbuchhaltung sowie die Ermittlung von Jahresabschluß, Steuern und die Berichtserstellung. Komfortable Systeme ermöglichen auch Mandantenführung und Konzernkonsolidierung. – b) *Nebenbuchhaltungen:* Insbes. →computergestützte Anlagenbuchhaltung, →computergestützte Lohn- und Gehaltsabrechnung, Materialbuchführung. Es besteht die Tendenz, zusätzliche Nebenbuchhaltungen aufzubauen und lediglich verdichtete Sammelbuchungen automatisch an die Hauptbuchführung weiterzuleiten, begründet im zunehmenden →Dialogbetrieb und Dezentralisierung der Datenverarbeitung. *Voraussetzung:* →Datenintegration bezüglich der Teilgebiete auf Basis eines →Datenbanksystems; dies gilt ebenso für die Verbindung zu anderen Anwendungskreisen, z. B. zur →computergestützten Kosten- und Leistungsrechnung.

computergestützte Kosten- und Leistungsrechnung. 1. *Begriff:* In der →betrieblichen Datenverarbeitung ein →Softwaresystem für die Teilgebiete Kostenartenrechnung, Kostenstellenrechnung, Kostenträgerstückrechnung (Vor-, Nachkalkulation) und Kostenträgerzeitrechnung (Betriebsergebnisrechnung). – 2. *Aufbau:* Die c. K.-u. L. ist ein Funktionskreis, der mit wenigen Ausnahmen keine Daten an andere liefert, selbst jedoch zahlreiche Daten von anderen Bereichen (→computergestützte Lohn- und Gehaltsabrechnung. Materialwirtschaft: →PPS-System III; →computergestützte Anlagenbuchhaltung usw.) bezieht. Verschiedene neuere, aber aufwendige Ansätze zur →Kostenrechnung (→Einzelkostenrechnung, →Deckungsbeitragsrechnung) konnten erst mit Computerunterstützung (→Computersystem), insbes. durch den Einsatz von →Datenbanksystemen realisiert werden. – 3. *Endziel:* Aufbau eines Kosteninformationssystems.

computergestützte Lohn- und Gehaltsabrechnung, in der →betrieblichen Datenverarbeitung ein →Softwaresystem für die Verwaltung von →Stammdaten der Mitarbeiter, Brutto- und Nettolohnberechnung (einschl. Kranken-, Sozialversicherung, Steuern) sowie Betriebsrentenabrechnung (→Pensionsrückstellungen). Die c. L. -u. G. ist eine Nebenbuchhaltung der →computergestützten Finanzbuchhaltung; sie kann Bestandteil eines →Personalinformationssystems sein.

computergestütztes Administrationssystem, in der →betrieblichen Datenverarbeitung ein →Softwaresystem, dessen Aufgaben vor allem die Verwaltung und Verarbeitung von Massendaten (→Daten) und die rationelle Erledigung von Routineaufgaben sind; typische Einsatzgebiete z. B. im Rechnungswesen (Finanzbuchhaltung, Fakturierung usw.), Materialwirtschaft (Lagerbestandführung usw.).

computergestütztes Dispositionssystem, in der →betrieblichen Datenverarbeitung ein →Softwaresystem, dem neben der Verwaltung und Verarbeitung von Massendaten (→Daten) und der rationellen Erledigung von Routineaufgaben auch dispositive Aufgaben zukommen: (1) Fällen von Routineentscheidungen in wohldefinierten Situationen, die vorhersehbar und automatisierbar sind und immer wiederkehren, z. B. Berechnung einer Bestellmenge; (2) Vorbereitung von Entscheidungen durch Ermittlung und Bereitstellung von Entscheidungsgrundlagen für einen menschlichen Entscheidungsträger.

computergestütztes Planungssystem, in der betrieblichen Datenverarbeitung ein →Softwaresystem zur Unterstützung von Planungsprozessen in schlecht strukturierten oder komplexen Problemsituationen auf der Basis von Planungsmodellen (→Modellbank). C. P. ermitteln insbes. Planalternativen und liefern Vorgaben für Administrationssysteme (→computergestütztes Administrationssystem) und Dispositionssysteme (→computergestütztes Dispositionssystem). C. P. stehen in enger Verbindung mit dem Einsatz von →Datenbanksystemen und →Planungssprachen. – Vgl. auch →computergestützte Unternehmensplanung.

computergestütztes Reisebuchungssystem, computergestütztes (→Computersystem) Informations- und Buchungssystem für Reisebüros, Reiseveranstalter und Verkehrsbetriebe zur Erfassung von Kunden und Leistungen, zur Informationsabfrage und zur Verrechnung der Leistungen. Ein c. R. unterstützt Buchungen und Abfragen sowie interne Aufgaben der angeschlossenen Betriebe (z. B. Fakturierung, Finanzbuchhaltung). In der Bundesrep. D. ist v. a. das System →START verbreitet.

computergestütztes Transportsystem, →fahrerloses Transportsystem.

computergestütztes Versicherungsinformationssystem, computergestütztes (→Computersystem) System für Versicherungsbetriebe zur Unterstützung von Sachbearbeitertätigkeiten (z. B. Antrags-, Schadensfallbearbeitung, →Textverarbeitung), zur Vermögensdisposition (z. B. Wertpapieranlagen, Hypotheken, Grundstücke) und Außendienststeuerung. Die Verbindung zwischen Außenstellen, Bezirksdirektionen und Zentrale erfolgt über →Rechnernetze; im kleineren Rahmen wird für den Außendienst auch →Bildschirmtext eingesetzt.

computergestütztes Warenwirtschaftssystem. 1. *Begriff:* Computergestütztes System zur artikelgenauen mengen- und wertmäßigen Warenverfolgung in →Handelsbetrieben. – 2. *Voraussetzung:* Die artikelgenaue Erfassung aller Warendaten bei Bestellung und Wareneingang mittels →mobiler Datenerfassung und bei Warenausgang mittels →Registrierkassen oder →Kassenterminals; bei letzteren ist insbes. die Dateneingabe mittels →Scanner möglich. – 3. *Aufgaben:* Steuerung von Bestellung, Wareneingang, Lagerung, Verkauf und Disposition; zusätzlich werden für andere Funktionskreise (Finanzbuchhaltung, Inventur, →Führungsinformationssystem, Statistik u. a.) Informationen zur Verfügung gestellt. – 4. *Anwendungsbereiche:* a) in *Großhandelsunternehmen:* Auftragsabwicklung und Fakturierung mit der Verwaltung von Kunden- und Debitorendaten; b) im *Einzelhandel:* die Identifikation der Warenbewegungen und Bestände (Läger, Kassen), ggf. die Verbindung zwischen einer Zentrale und den Filialen.

computergestützte Textverarbeitung, *automatisierte Textverarbeitung, programmierte Textverarbeitung* →Textverarbeitung, die von einem →Computer unterstützt wird. Die Texte werden am Bildschirm erstellt, korrigiert und (bei Bedarf) ausgedruckt. Viele T.programme bieten neben der komfortablen Erstellung und Korrektur von Texten noch Zusatzfunktionen wie Rechtschreibhilfe, Silbentrennung, Einbeziehung von Tabellenkalkulation (→Tabellenkalkulationssystem), Präsentationsgraphik, usw. – Bis zu Beginn der 80er Jahre wurde automatisierte T. allgemein als ein von der eigentlichen →Datenverarbeitung (vgl. auch →elektronische Datenverarbeitung) getrennter Bereich eingestuft; inzwischen wurde diese Unterscheidung aufgegeben. Das besondere Anforderungsprofil der T. (flimmerfreier Bildschirm, hochwertige →Tastatur, →Drucker mit hoher Schriftqualität, usw. berücksichtigen insbes. speziell für die T. konzipierte →Computersysteme *(T.-systeme)*.

computergestützte Unternehmensplanung. 1. *Begriff:* In der →betrieblichen Datenverarbeitung die integrierte Planung des Produktions-, Finanz-, Absatz-, Beschaffungs- und Personalbereichs unter Berücksichtigung der Unternehmensziele. Die Integration kann auf der Basis einer sukzessiven Planung oder einer simultanen Planung erfolgen, es werden Einzel- und Gesamtplan aufgestellt. – 2. *Datenbasis:* Verdichtete Informationen (→Führungsinformationssystem) aus →Administrationssystemen und Dispositionssystemen. – 3. *Methodische Grundlagen:* →Simulationsmodelle, Optimierungsmodelle (z. B. →lineare Optimierung) u. a. – 4. *Werkzeuge:* Für die Unternehmensplanung werden z. T. spezielle →*Planungssprachen,* →Methodenbanken, auf Mikrorechnern auch →*Tabellenkalkulationssysteme,* eingesetzt. In komplexen Systemen werden auch Time-Sharing-Dienste (→time sharing), externe →Datenbanken und →Mikro-Mainframe-Kopplung genutzt.

computer integrated manufacuring, →CIM.

Computerkonferenz, →Telekonferenzsystem 2 c).

Computer-Mißbrauch-Versicherung, Versicherungsschutz des Arbeitgebers vor den Folgen eines Vertrauensmißbrauchs seiner Mitarbeiter durch Programm-Manipulation oder durch Unterdrückung, Verändern oder Einschieben von Datenträgern. Außerdem trägt die C.-M.-V. die Kosten der Wiederherstellung bei einer vorsätzlichen Schädigung des Versicherungsnehmers durch Löschen von Daten, Beschädigen, Zerstören oder Beiseiteschaffen von Datenträgern, Programmen und Datenverarbeitungsanlagen.

computer network, →Rechenwerk.

computer output microforms (COM), *computer out on microfilms,* Kombination von →Computer und →Mikrofilm, →Off-line-Verfahren der Datenausgabe und Datenspeicherung auf Microfilm. Die vom Computer auf Magnetschichtdatenträger (z. B. Magnetband) geschriebenen Ausgabedaten werden in einem speziellen, von einer →Zentraleinheit gesteuerten System in mehreren Schriftarten mit Groß- und Kleinbuchstaben automatisch auf Mikrofilm übertragen. Die →Daten erscheinen als Texte oder Formularinhalte auf dem Mikrofilm u. U. auch als grafische Darstellungen. Die mikroverfilmten Seiten können über Lesegeräte (DIN A 4) gelesen werden. Bei verschiedenen Systemen ist die schnelle Anfertigung von Papierkopien möglich. – Wesentliche *Elemente* des Verfilmungssystems sind neben der Steuereinheit (Zentraleinheit) Magnetbandgerät, Eingabetastatur für Kopieranweisungen (z. B. Anzahl der Kopien je Seite), Zeichenspeicher, Zeichengenerator, Zeichengeber (Bildröhre), Formulardia-Einrichtung, Kamerasteuerung, Kamera, Entwicklungs- und Kopiereinrichtung.

computer output on microfilms, →computer output microforms.

computerprogramm, →Programm.

Computersabotage, spezieller Tatbestand der →Sachbeschädigung. C. begeht, wer eine

Datenverarbeitung, die für einen fremden Betrieb, ein fremdes Unternehmen oder eine Behörde von wesentlicher Bedeutung ist, durch bestimmte Sabotagehandlungen an einer →Datenverarbeitungsanlage oder einem →Datenträger sowie auch durch bloße Datenveränderung stört. Die Sabotagehandlungen können in der Zerstörung, Beschädigung, Unbrauchbarmachung, Beseitigung und Veränderung einer Datenverarbeitungsanlage oder eines Datenträgers bestehen (§ 303 b StGB). – *Strafe:* Freiheitsstrafe bis zu fünf Jahren oder Geldstrafe. →*Versuch* ist strafbar.

computer science, →Informatik.

Computerspionage, →Wirtschaftsspionage.

Computersystem, →Konfiguration der →Hardware eines bestimmten →Computers sowie die zugehörige →Software.

Computerverbund (-system), *Rechnerverbund (-system), multicomputer network.* 1. *Begriff:* Zusammenschluß von mindestens zwei autonomen →Computern über Datenübertragungswege zu einem System, in dem die zusammengeschlossenen Computer ohne manuelle Eingriffe miteinander kommunizieren können. C. bezieht sich im Gegensatz zum →Rechnernetz primär auf die organisatorischen (und nicht auf die technischen) Aspekte eines solchen Zusammenschlusses. – 2. *Formen:* a) *Anwendungsverbund:* →Anwendungsprogramme verschiedener Datenverarbeitungssysteme kommunizieren miteinander; b) *Datenverbund:* Alle Daten im Gesamtsystem können allen Benutzern zugänglich gemacht werden, und insbes. können →Datenbanken physisch getrennt gespeichert werden (→Speicher); c) *Funktionsverbund:* Jedes im System vorhandene Programm und jede Gerätefunktion (z. B. von speziellen Druckern) kann von jedem Benutzer genutzt werden; d) *Lastverbund (Kapazitätsverbund):* Die Aufträge (→Job) werden je nach Auslastung und Ausstattung auf die verbundenen Computer verteilt, um eine optimale Kapazitätsausnutzung des Gesamtsystems zu erreichen; e) *Sicherheitsverbund (Verfügbarkeitsverbund):* →Terminals eines gestörten Computers können auf einen anderen Computer des Systems umgeschaltet werden, über den die Programme und Datenbestände des gestörten Computers verfügbar sind.

Computervision, *Vision,* Teilgebiet der →künstlichen Intelligenz, das sich mit der Entwicklung bildverstehender Systeme, d. h. mit dem Erkennen von Obkjekten auf Bildern und der inhaltlichen Auswertung von Bildern durch den →Computer beschäftigt.

Conféderation Européene des Indépendants (CEDI), *Europaverband der Selbständigen,* europäische Interessenvertretung der Selbständigen, der Klein- und Mittelbetriebe, der freien Berufe und des übrigen Gewerbes. – In der Bundesrep. D. vertreten durch den *Conféderation Européenne des Indépendants Bundesverband Deutschland e. V.* in Bexbach.

Conféderation Européenne des Indépendants Bundesverband Deutschland e. V., →Conféderation Européenne des Indépendants.

Conférence Européenne des Ministres des Transports (CEMT), →ECMT.

Conference on Data Systems Languages, →CODASYL.

Congress of Industrial Organizations (CIO), großer amerikanischer Gewerkschaftsverband. Die CIO entstand 1938, als acht Gewerkschaften unter Führung von J. L. Lewis aus der →American Federation of Labour (AFL) ausgeschlossen wurden, weil sie entgegen deren Politik auch die Arbeiter in Massenproduktiosbetrieben, die kein bestimmtes Handwerk erlernt hatten, gewerkschaftlich zu organisieren begannen. Trotz zwischen beiden Gruppen bestehenden Meinungsverschiedenheiten gingen sie bei Verhandlungen mit Arbeitgebern meist gemeinsam vor. – 1955 Zusammenschluß mit der AFL.

conjoint measurement, *Verbundmessung,* Verfahren der →Interdependenzanalyse, formal eine Verallgemeinerung der →multidimensionalen Skalierung. Unter der Voraussetzung der Fähigkeit der Testpersonen, Präferenzurteile (→Ranking) abzugeben, werden den Versuchspersonen Kombinationen verschiedener Merkmalausprägungen von Objekten präsentiert, die sie nach ihren Präferenzen in eine Rangfolge oder Skala bringen sollen (z. B. ein Buch mit Ledereinband, als Paperback, in grün, rot oder blau, in verschiedenen DIN-Formaten usw.). – *Ziel:* Zerlegung der Gesamturteile über Merkmalskombinationen in der Weise, daß auf das Gewicht oder den Nutzen der einzelnen Merkmalsausprägungen geschlossen werden kann. – *Problem der Datenerhebung:* Bei z. B. nur fünf Merkmalen eines Objektes mit jeweils drei möglichen Ausprägungen ergeben sich bereits 243 Kombinationen, die in eine Rangordnung gebracht werden müssen. Deshalb werden statt voller faktorieller Designs bei Problemen realistischer Größenordnung stets fraktionelle faktorielle Designs (unvollständige Designs) benutzt.

Conseil des Fédérations Industrielles d'Europe (CFIE), *Council of European Industrial Federations (CEIF), Rat der Europäischen Industrieverbände (REI),* Spitzengremium der Industrieverbände aus den in europäischen Vereinigungen zusammengeschlossenen Ländern; Sitz: Paris; vertrat die Interessen der Industrie der Gesamtheit der Länder oder auch der einzelnen Länder gegenüber →Europarat, Montanunion (→EGKS) und →EG. Tätigkeit bis auf Öffentlichkeitsarbeit in Europa praktisch eingestellt.

Conseil Européen pour la Recherche Nucléaire, →CERN.

Conseil Intergouvernemental des Pays Exportateurs de Cuivre, →CIPEC.

consideration, →Führungsverhalten.

Consols, festverzinsliche Wertpapiere mit unendlicher Laufzeit; ein theoretischer Begriff, der in der →Liquiditätspräferenztheorie verwendet wird.

Constantins-Methode, →SD/CD-Methode.

constitutum possessorium, →Besitzkonstitut.

Consulting Engineers, beratende Ingenieursfirmen, insbes. im →Anlagengeschäft bzw. Systemgeschäft von wichtiger Funktion. C. E. *entstehen* aus Ingenieurfirmen, verselbständigten Ingenieurabteilungen von Betreiber- und Anlagenanbieterunternehmungen und Vertriebsunternehmungen (Handelsunternehmungen, Produktionsverbindungshandel) des Investitionsgütersektors; letztere erlangen durch das Lösen von Verkettungs- und Schnittstellenproblemen ergänzend zum vorhandenen Abwicklungs-Know-how erhebliches technischen Know-how. – *Funktionen:* (1) Auf *Nachfragerseite:* Planungs- und Projektierungsleistungen, Steuerung von Beschaffungsaktivitäten (Ausschreibungen, Lieferantenauswahl) und/oder Überwachung der gesamten Projektabwicklung; i. d. R. sehr großer Einfluß der C. E. auf den Kaufprozeß. (2) Auf *Anbieterseite:* Anbieter von Anlagen, im wesentlichen ohne eigene Lieferinteressen für Hardware; ihre Leistungsschwerpunkte liegen in der Projektierung, Abwicklung und im Bereich der Verfahrenstechnologie. (3) *Zwischen beiden Marktseiten* als Mittler.

consumer jury method, *Verbraucherjurymethode, Mustertest,* Verfahren zur Vorausschätzung der potentiellen Wirksamkeit eines Werbemittels bzw. -entwurfs. Einer Gruppe von Verbrauchern wird das Werbemittel zur Beurteilung präsentiert. Mögliche *Beurteilungsverfahren:* a) Verfahren der Rangordnung, b) Verfahren der Punktbewertung, c) Verfahren des Paarvergleichs.

Container, *Behälter,* genormtes, dauerhaftes Transportgefäß im Güterverkehr (→Containerverkehr), das leicht zu be- und entladen, sicher zu verschließen und mit Inhalt zwischen verschiedenen Transportmitteln als →Ladeeinheit umzuschlagen ist (→kombinierter Verkehr). Größte Bedeutung haben heute die universell einsetzbaren Übersee- und die Binnen-C. – 1. *Übersee-C., ISO-C., Trans-C.:* Für den Transport mit Schiffen, Schienen- und Straßenfahrzeugen weltweit verbreitet. Der Standardtyp nach den Normen der ISO ist ein spritzwasserdichter Stahlkasten mit Stirnwandtür, der gefüllt mindestens sechsfach stapelbar ist. Er hat genormte Eckbeschläge zur Befestigung auf Transportmitteln und als Angriffpunkte für Umschlagsgeräte und Außenmaße bei Höhe und Breite von je 8 Fuß (= 243,8 cm). Neben C. von 40 Fuß (= 1219,2 cm) Länge und 30480 kg zulässigem Bruttogewicht werden überwiegend 20-Fuß-C. (605,8 cm, 20320 kg) eingesetzt. Spezialausführungen dieser C. sind z. B. Thermal-C. und Tank-C. – 2. *Binnen-C, DB-C.:* Entwicklungen der →Deutschen Bundesbahn, angepaßt dem innereuropäischen Schienen- und Straßenverkehr und der Füllung mit →Paletten des europäischen Palettenpools durch leichte Veränderungen der Außen- und Innenmaße bei Einhaltung der ISO-Normen für Längen und Eckbeschläge.

Containerverkehr, Güterverkehr unter ausschließlicher Verwendung von →Containern als →Ladeeinheiten. *Wichtigste Systemkomponenten* des C. sind spezielle Containerschiffe. Containertragwagen der Eisenbahnen und Containerchassis (Sattelauflieger) für Sattelzüge sowie Containerbrücken, -kräne und -stapler für den Umschlag in Container-Terminals der Schiffahrtshäfen und der Güterbahnhöfe. Deneben werden auch universelle Transport- und Umschlagsmittel eingesetzt. C. der Deutschen Bundesbahn durch deren Tochtergesellschaft *Transfracht GmbH* als Mitglied der internationalen Intercontainer Gesellschaft zur Abwicklung der Containertransporte europäischer Eisenbahnen.

contractors' all risks insurance, →Bauleistungsversicherung.

contractual joint venture, →Ad-hoc-Kooperation.

contribution margin, →Deckungsbeitrag.

controllable costs, →kontrollierbare Kosten.

controlled ad awareness technique, Methode der Werbemittelforschung, die versucht, graduelle Ausprägungen des Erinnerungsvermögens dadurch festzustellen, daß Testpersonen Anzeigen identifizieren sollen, die sich hinter mehreren teiltransparenten Folien befinden. Es wird angenommen, daß sich die Anzeige der Testperson um so mehr eingeprägt hat, je weniger Folien er zur Identifikation entfernen muß.

Controller, ein zuerst in amerikanischen, heute auch in deutschen Unternehmungen anzutreffender Funktionsträger, i. d. R. Mitglied der obersten Unternehmungsführung, Verantwortlicher für die betriebliche Informationswirtschaft. – *Aufgaben:* Mitwirkung bei der Erarbeitung von Unternehmenszielen sowie einer strategischen Unternehmensplanung; laufende gesamtzielorientierte vertikale, horizontale und zeitliche Koordination des Datenflusses zur Planung, entsprechende Koordination der Auswertungen des Datenmaterials insbes. aus dem Rechnungswesen zur Kontrolle des Betriebsgeschehens (mit dem Schwerpunkt der Kontrolle der Zielerreichungsgrade), Berichtswesen, Investitions- und Wirtschaftlichkeitsberechnungen, z. T. auch Steuerwesen. Vgl. auch →Controlling. – *Sonderform:* →Divisionscontroller.

Controlling. I. Ursprung: Seinen Ursprung nahm das C. in den *USA*. Erste C.-Stellen wurden schon gegen Ende des letzten Jahrhunderts eingerichtet. Wenngleich anfangs noch sehr eng mit Finanzierungsfragen verbunden (C. und treasuring werden häufig als zwei Unterfunktionen des financial management aufgefaßt), stand bereits zu dieser Zeit die Lösung der mit wachsender Unternehmensgröße verstärkt auftretenden Koordinations- und Abstimmungsprobleme im Vordergrund. 1931 wurde in den USA das Controller Institut of America gegründet, das 1962 (umbenannt in *Financial Executives Institute*) schon ca. 5000 Mitglieder aufwies. – Während sich das C. in den USA schon früh durchsetzte, wurde es in der *Bundesrep. D.* erst Anfang der 70er Jahre, insbes. durch die Arbeit von A. *Deyhle* (der 1971 die Controller-Akademie gründete), stärker bekannt. Mittlerweile findet sich C. in Großunternehmen durchweg institutionalisiert, während Mittel- und insbes. Kleinunternehmen diesbezüglich noch einen Nachholbedarf aufweisen.

II. Traditionelles Controllingverständnis: Das traditionelle Verständnis der Aufgaben des C. wird in der *Aufgabendefinition des Financial Executives Institute* deutlich: (1) *Planung:* Diese beinhaltet die Aufstellung, Koordinierung und Realisationsunterstützung von Gewinn-, Kosten-, Produktions-, Absatz- und Beschaffungs- sowie Investitionsplänen. Wesentlicher Schwerpunkt kommt dabei der Integration der einzelnen Teilpläne zu. (2) *Berichterstattung und Interpretation:* Hierunter subsumiert z. B. die Durchführung von Abweichungsanalysen, die Erstellung von Standardberichten (z. B. monatliche Erfolgsrechnung) und Sonderauswertungen (z. B. Beurteilung von Investitionsvorhaben) sowie das Management des zugrundeliegenden Informationssystems. (3) *Bewertung und Beratung:* Das C. soll mit der Wahrnehmung dieser Teilaufgabe (eng gefaßt) den ausführenden Abteilungen helfen, die vereinbarten Zielgrößen (z. B. Absatzziffern, Kostenbudgets) zu erreichen. Weit gefaßt wird C. in dieser Funkton zu einer Art innerbetrieblicher Unternehmensberatung. (4) *Steuerangelegenheiten.* (5) *Berichterstattung an staatliche Stellen.* (6) *Sicherung des Vermögens* durch innerbetriebliche Kontrollen als weitere Aufgabenbereiche haben im Unterschied zu den Teilaufgaben (1) bis (3) einen völlig abweichenden Funktionsschwerpunkt. Hier stehen keine Fragen der Koordinierung und Steuerung, sondern der Kontrolle und Erfüllung gesetzlicher Anforderungen im Vordergrund. (7) Volkswirtschaftliche Untersuchungen schließlich weisen auf *strategische Aufgaben* des C. hin. – Da für die überwiegende Zahl der aufgeführten Aufgaben ein ausgebautes Informationssystem erforderlich ist, für dessen Konzipierung und Durchführung das C. Verantwortung trägt, läßt sich in vielen Unternehmen kaum eine Grenze zwischen *C. und innerbetrieblichem Rechnungswesen* ziehen. Häufig erfolgte nur eine Umbenennung der entsprechenden Abteilungen.

III. Aktuelles Controllingverständnis: Zunehmend wird C. als eine *Subfunktion der Unternehmensführung* betrachtet, die zwar keine eigenständigen Führungsentscheidungen trifft, diese jedoch umfassend vorbereitet und ihre Durchsetzung unterstützt. Aus dieser Sichtweise resultieren mehrere, sich zum Teil überschneidende *Konsequenzen:* (1) Das C. geht weit über Entwurf, Durchführung und Auswertung des innerbetrieblichen Rechnungswesens hinaus. Zwar sind detaillierte, wirklichkeitsnahe Kosten- und Erlösinformationen für eine Vielzahl von C.-Aufgaben erforderlich, aber schon im Rahmen der Informationsversorgung werden auch *zusätzliche Daten* benötigt (z. B. qualitative Einschätzungen der Marktentwicklung, Nachfrageverbunde). Zudem ist die Bereitstellung von Informationen nur ein kleiner Ausschnitt der Führungsunterstützungsaufgabe. – (2) Das C. ist nicht nur für Entwurf und Implementierung von Planungs-, Steuerungs-, Kontroll- und diesen zugrundeliegenden Informationssystemen verantwortlich, sondern auch dafür, daß die von diesem System gelieferten Daten *von den Empfängern zieladäquat verwendet* werden. C. setzt damit schon vor der Koordinierung von Teilplanungen bei der Aufstellung der zunächst isolierten Pläne an. Z. B. ist es Aufgabe des Vertriebscontrolling, die von einer →Einzelkostenrechnung gelieferten, differenzierten und von ungeübtem Personal schwer interpretierbaren Kosteninformationen (z. B. →Deckungsbeiträge für einzelne Produkte und →Deckungsbudgets) zu erläutern und damit ihre praktische Umsetzbarkeit zu erleichtern. Nicht nur die Produktion, sondern auch der Vertrieb von Informationen ist Aufgabe des C. *(Controller als „Zahlenverkäufer")*. – (3) Das C. muß als Führungsunterstützung *Prinzipien der Unternehmensführung beachten.* Dies bedeutet die Abkehr von einem in der Praxis häufig vorfindbaren Verständnis des C. als Kontrollinstanz zugunsten einer Beratungs-, Anregungs-, Unterstützungs- und Motivationsaufgabe. – (4) Die Führungsfunktion beschränkt sich nicht auf den operativen Bereich, sondern muß auch eine *strategische*

Komponente beinhalten. Der zunächst dominierenden koordinierenden Abstimmung operativer Prozesse durch das C. tritt deshalb zunehmend die Funktion des C. als „Vordenker“, als Institution der strategischen Unternehmensplanung an die Seite („*Controller als Navigator*“) – Vgl. auch →operative Frühaufklärung, →strategische Frühaufklärung. – (5) Der Begriff des C. ist weiter gefaßt als der Begriff der →*internen Revision* (vgl. dort 2).

IV. EDV-Anwendung: Vgl. →Controlling-Informationssystem.

V. Organisation: Wenngleich die C.-Funktion grundsätzlich von jeder leitenden Stelle im Unternehmen wahrgenommen werden sollte, bedarf es aufgrund des komplexen Aufgabenfeldes einer *eigenständigen Controllingorganisation.* In größeren Unternehmen ist diese durch ein Nebeneinander einer Reihe von dezentralen C.-Stellen (u.a. Funktionscontroller wie Vertriebs-, Sparten-, Projekt- und ggf. Regionalcontroller) und eines diese unterstützenden und für Grundsatzfragen zuständigen *Zentralbereichs C.* gekennzeichnet, wobei man diesen meist der ersten oder zweiten Führungsebene zugeordnet hat. Für die Kompetenz der dezentralen C.-Stellen finden sich schließlich in der Praxis unterschiedliche Lösungen, die von einer reinen Stabsfunktion über Mehrfachkompetenzen im Rahmen von →Matrixorganisationen bis hin zu Linienkompetenzen (→Stab-Linienorganisation) reichen.

VI. Einsatzbereiche: Traditioneller Einsatzbereich des C. sind *große erwerbswirtschaftliche Industrie- und Dienstleistungsbetriebe,* für die erheblicher dispositiver Koordinierungsbedarf, steigende Dynamik des Wettbewerbs, schnellere technische Entwicklung und kürzere Produktlebenszyklen die Notwendigkeit einer C.-Organisation begründen. Da diese Faktoren zunehmend auch für mittelständische Unternehmen relevant werden, wird man das C. verstärkt *auch im Mittelstand* zu verankern haben. Schließlich finden sich erste Ansätze für die Einführung des C. in *öffentlichen Unternehmen und Verwaltungen,* in denen die Erreichung von Rationalisierungseffekten im Vordergrund steht.

Literatur: Deyhle, A., Controller-Handbuch, Bd. 1–8, 2. Aufl., Gauting 1980; Horvath, P., Controlling, 2. Aufl., München 1986; Mann, R., Praxis strategisches Controlling, 3. Aufl., Landsberg 1983; Mann, R./Mayer, E., Der Controlling-Berater, Loseblatt, Freiburg; Mayer, E., Controlling-Konzepte, 2. Aufl., Wiesbaden 1987; Serfling, K., Controlling, Stuttgart 1983; Weber, J., Ausgewählte Aspekte des Controlling in öffentlichen Institutionen, in: Zeitschrift für öffentliche und gemeinwirtschaftliche Unternehmen, 1983, S. 438–461.

Prof. Dr. Jürgen Weber

Controlling-Führungskonzeption. I. Charakterisierung: Controlling integriert →Rechnungswesen und →Unternehmensplanung in ein ganzheitlich orientiertes Führungskonzept mit einer dokumentationsfähigen (1) *Zielformulierung* (abhängig vom Vorstellungsvermögen und der Zielvereinbarung des operativen und strategischen Managements), (2) *Zielsteuerung* (abhängig vom Entscheidungsvermögen des operativen und strategischen Managements) sowie (3) *Zielerfüllung* (abhängig vom Umsetzungsvermögen des operativen Managements und seiner Mitarbeiter) innerhalb eines sich selbst steuernden Regelkreises. (Vgl. Übersicht Sp. 1097/1098, Abb. 1).

II. Controller-Werkzeugkasten: Operative Controlling-Werkzeuge verlieren am Zeithorizont ihre Wirkung, strategische Controlling-Werkzeuge entfalten sie jenseits des Zeithorizontes. Strategische Werkzeuge befähigen das strategische Management, früher als die mit traditionellen Instrumenten des Rechnungswesens ausgerüsteten Wettbewerber, jenseits des klassischen Prognosehorizonts von drei Jahren, die sich ankündigenden Nachfrageänderungen, Umweltprobleme, Ressourcenbeschränkungen und den Wandel heute noch gültiger Technologien – wenn auch nur in Bandbreiten und Tendenzen – zu erkennen, wie z. B. die Ablösung der Hebelmechanik durch die Elektronik, die Schlüsselrolle der Roboter, Biotechnik und Telekommunikation für die technologische Zukunft unseres Landes. – Das C.-F. liefert im *operativen Bereich* Steuerungshilfen für Aktionspläne, die sich in einem vorwärts rollierenden Planungszeitraum innerhalb eines Zeithorizontes von 12–36 Monaten realisieren lassen, wenn Prognosen und Wirtschaftswirklichkeit sich innerhalb einer Bandbreite decken. Der operative Controlling-Werkzeugkasten dient dem Controller zu aktiven Gewinnsteuerung, Ermittlung und Beseitigung von operativen Erfolgsengpässen im Beschaffungs-, Fertigungs-, Absatz- und Verwaltungsbereich. Wenn man z. B. Gold durch Palladium, angelernte Mitarbeiter durch Fachkräfte ersetzt; das manuell geführte Rechnungswesen auf ein EDV-gestütztes umstellt, das Wachstum des Fixkostenblocks bremst, von der Umsatz- auf die Nutzenprovision umsteigt, die nur verkaufte Deckungsbeiträge honoriert, den Übergang von den mechanischen zu den biologischen Ingenieurwissenschaften vollzieht.

1. *Operative Werkzeuge (System Elmar Mayer):* Der in der Abb. 2 Sp. 1097/1098 dargestellte operative Werkzeugkasten entspricht in seiner systematisierten Form als Überblick der Wirtschaftswirklichkeit. In ihr sind die *Erfolgsrechnung, Erfolgsanalyse* und *Erfolgsplanung* eng miteinander vernetzt. Die Ist-Erfahrungs-tatbestände beeinflussen natürlich die Planungsvorstellungen. – a) Der Aufbau einer *Erfolgsrechnung* im Controlling benötigt neben der Vollkostenrechnung immer eine maßgeschneiderte Deckungsbeitragsrechnung. Nur sie ist in der Lage, den Erfolgsbeitrag von Artikeln, Sparten und Sortimenten

Übersicht: Controlling – Führungskonzeption

Abbildung 1: Controlling als Führungskonzept

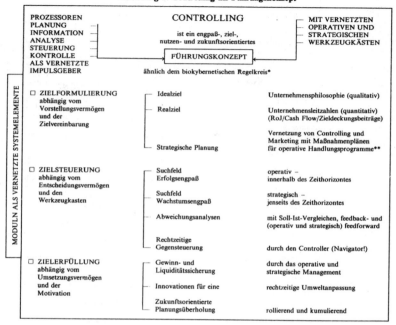

PROZESSOREN
PLANUNG
INFORMATION
ANALYSE
STEUERUNG
KONTROLLE
ALS VERNETZTE
IMPULSGEBER

CONTROLLING

ist ein engpaß-, ziel-, nutzen- und zukunftsorientiertes

FÜHRUNGSKONZEPT

ähnlich dem biokybernetischen Regelkreis*

MIT VERNETZTEN
OPERATIVEN UND
STRATEGISCHEN
WERKZEUGKÄSTEN

MODULN ALS VERNETZTE SYSTEMELEMENTE

☐ ZIELFORMULIERUNG abhängig vom Vorstellungsvermögen und der Zielvereinbarung	Idealziel	Unternehmensphilosophie (qualitativ)
	Realziel	Unternehmensleitzahlen (quantitativ) (RoJ/Cash Flow/Zieldeckungsbeiträge)
	Strategische Planung	Vernetzung von Controlling und Marketing mit Maßnahmenplänen für operative Handlungsprogramme**
☐ ZIELSTEUERUNG abhängig vom Entscheidungsvermögen und den Werkzeugkasten	Suchfeld Erfolgsengpaß	operativ – innerhalb des Zeithorizontes
	Suchfeld Wachstumsengpaß	strategisch – jenseits des Zeithorizontes
	Abweichungsanalysen	mit Soll-Ist-Vergleichen, feedback- und (operativ und strategisch) feedforward
	Rechtzeitige Gegensteuerung	durch den Controller (Navigator!)
☐ ZIELERFÜLLUNG abhängig vom Umsetzungsvermögen und der Motivation	Gewinn- und Liquiditätssicherung	durch das operative und strategische Management
	Innovationen für eine	rechtzeitige Umweltanpassung
	Zukunftsorientierte Planungsüberholung	rollierend und kumulierend

Abbildung 2: Operativer Werkzeugkasten

GEWINN- UND LIQUIDÄTSSICHERUNG Operativer Werkzeugkasten *System Elmar Mayer*	ZIELFORMULIERUNG ZIELSTEUERUNG ZIELERFÜLLUNG zukunftsorientiertes Denken in Wirkungsketten und Wirkungsnetzen	EXISTENZ- UND LIQUIDITÄTSSICHERUNG Strategischer Werkzeugkasten *System Rudolf Mann*
Suchfeld Erfolgsengpaß * Mit Zeithorizont		Suchfeld Wachstumsengpaß * ohne Zeithorizont
OPERATIVE PLANUNG Mittel- und kurzfristig	MIT SOLL-IST-VERGLEICHEN	STRATEGISCHE PLANUNG im Managementteam mit Moderation
● Erfolgsrechnungen • ● Erfolgsanalysen ● Erfolgsplanungen ● Erfolgssteuerungen ● Erfolgskontrollen ● Erfolgsengpässe ● Erfolgsmotivation **Schwachstellen und Organisationsanalysen, Kostenspar- und Innovationsprogramme, Wirtschaftlichkeitsrechnungen und Verkaufssteuerung mit Hilfe der Deckungsbeitragsrechnung**	■ Zielformulierung abhängig vom Vorstellungsvermögen ■ Zielsteuerung abhängig vom Entscheidungsvermögen ■ Zielerfüllung abhängig vom Umsetzungsvermögen	☐ Potential- und Engpaßanalyse ☐ Qualitative und quantitative Zielformulierung (Leitbild) ☐ Wachstumskonzept ☐ Produkt-Markt-Strategien mit Portfolio ☐ Funktionsstrategien ☐ Umsetzung in Projekte und Maßnahmen ☐ Fünf-Jahres-Eckwerte für Cash und Ergebnis ☐ Prämissen und Risiken im strategischen Soll-Ist-Vergleich
● Grenz- und Schwellenwerte erkennen und berücksichtigen **Mindestlosgrösse Mindestverkaufsmenge Mindestpreis**	■ Feedforward-Denken im biokybernetisch orientierten Regelkreis ■ Strategischer Soll-Ist-Vergleich als Vergleich von Wollen und Können	
OPERATIVES MANAGEMENT	STRATEGISCHE PLANUNG & STRATEGISCHES CONTROLLING = STRATEGISCHES MANAGEMENT	

(Unternehmen) zu ermitteln, in der Auftragsfertigung überwiegend zurückschauend, in der Marktfertigung vorausschauend. Spätestens bei der Ergänzung der für die Vollbeschäftigung altbewährten Vollkostenrechnung stellt sich die Frage nach dem Deckungsbeitragsverfahren, der Kostenauflösung und verursachungsgerechten Kostenzurechnung. Sie ist abhägig davon, ob das Unternehmen eine (1) reine Auftragsfertigung (Einzelfertigung), (2) reine Marktfertigung (Massenfertigung) oder (3) eine Mischform fährt, (4) ein Sachleistungs- oder Dienstleistungsunternehmen oder beides gemeinsam ist. – Die Grenzplankostenrechnung und die stufenweise Plan-Fixkostendeckungsrechnung ermitteln ihre Grenzkostensätze über Bezugsgrößenwahlen. Die Deckungsbeitragsrechnung auf Einzelkostenbasis ersetzt die Kostenauflösung durch eine systematische Kostenzurechnung analog dem Verursachungs- und Identitätsprinzip. Die Deckungsbeitragsrechnung auf Einzelkostenbasis hat sich für Dienstleistungsunternehmen mit hohem Bereitschaftskostenanteil genauso bewährt, wie die Grenzplankostenrechnung für Sachleistungsunternehmen mit höheren Grenzkostenanteilen. Die Deckungsbeitragsrechnung auf Einzelkostenbasis eignet sich ebenfalls für mittelständische Sachleistungsunternehmen, wenn auf eine innerbetriebliche Leistungsverrechnung verzichtet werden kann oder hohe Bereitschaftskostenanteile Bezugsgrößenwahlen (z. B. über Zeiten und/oder Mengengrößen) beeinträchtigen. – b) *Erfolgsanalysen* erstellen aus den Artikel-, Sparten- und Sortimentsdeckungsbeiträgen der Erfolgsrechnung der abgelaufenen Planperiode Rangfolgen in DM- und Prozentwerten. Sie fließen in die Erfolgsplanung ein. Die Erfolgsplanung gibt mit Hilfe der hochgerechneten Planmengen und Planpreise für Artikel, Sparten und Sortimente Zieldeckungsbeiträge vor, die sich an den Unternehmensleitzahlen für die Rentabilitäts- und Gewinnsicherung ausrichten. – c) Eine *Erfolgssteuerung* für aktive Gewinnerzielung benötigt eine dekkungsbeitragsorientierte Verkaufsprovision. Sie veranlaßt den Außendienstmitarbeiter, Artikel mit hohen Deckungsbeiträgen bevorzugt zu verkaufen und nicht kalkulierte Rabatte möglichst abzublocken, da sie sein Provisionseinkommen vollproportional mindern. Bei reiner Marktfertigung (wie z. B. im Konsumgüterbereich) verstärkt eine Kundendeckungsbeitragsrechnung die Erfolgssteuerung wesentlich, da sie die Kunden in förderungswürdige und nicht förderungswürdige differenzieren kann. – d) *Erfolgskontrollen* über Soll-Ist-Vergleiche und Kennzahlen (Solldeckungsbeiträge) sind im Feedbacksystem mit der Erfolgssteuerung vernetzt. Wenn es der Geschäftsleitung gelingt, eine im Monat Mai aufgetretene Soll-Ist-Abweichung bis zum Ende der Planperiode auszugleichen, hat sie erfolgswirksam gegengesteuert. Im Controlling-Führungskonzept beschränkt sich die Erfolgssteuerung nicht auf eine Gegensteuerung beim Auftauchen von Soll-Ist-Abweichungen, sondern strebt nach einer rechtzeitigen Gegensteuerung, d. h. Kurzarbeit wird nicht erst angemeldet, wenn die Mitarbeiter in der Fertigung die knappen Aufträge „zeitlich strecken", sondern wenn die auf den Arbeitstag heruntergebrochene Kapazitätsbelegung vier Wochen im voraus für eine Sparte fehlende Beschäftigung anzeigt. Die rechtzeitige Anmeldung der Kurzarbeit mindert die Leerkosten, erlaubt aber auch einen früheren Start in die Vollbeschäfitugng als die Mitbewerber (Feedforward-System)). – e) *Erfolgsengpässe:* Soll-Ist-Vergleiche von Umsätzen und Dekkungsbeiträgen für Artikel, Sparten und Sortimente machen über die Ursachenforschung die Erfolgsengpässe sichtbar. Wenn sie sich nicht beseitigen lassen, bewirkt das Feedbacksystem im Regelkreis eine Änderung der Zielformulierung und damit automatisch auch der Plandaten. – f) Eine *Erfolgsmotivation* durch finanzielle Anreize und Identifikation mit der dokumentationsfähigen Unternehmensphilosophie ist ohne freiwillige Anerkennung der Fachkompetenz des operativen und strategischen Managements nicht realisierbar. Erst wenn Fachkompetenz, Persönlichkeitsprofil und ein möglichst konfliktfreier Führungsstil sich in den Unternehmern und Führungspersönlichkeiten kumulieren, bejahen die Mitarbeiter aller Ebenen die im Konsens verabschiedete Unternehmensphilosophie „bessere Engpaßproblemlösungen und besseren Service als die Mitbewerber zu liefern". – g) *Grenz- oder Schwellenwertüberschreitungen* verursachen in den Gewässern und Wäldern Systemzerstörungen durch nicht kontrollierte Abwässer- und Luftverschmutzungen. Grenz- oder Schwellenwertüberschreitungen durch die Nichtbeachtung von (1) Mindestlosgrößen, (2) Mindestverkaufsmengen und/oder (3) Mindestpreisen verursachen langsam und in der Vollbeschäftigung – solange es beim Gesamtkostenverfahren unter dem Strich noch stimmt – zunächst unbemerkt irreparable Schäden in der Form von Gewinnminderungen. Ein Unternehmen, das seine *Mindestlosgrößen* nicht kennt oder beachtet, verzichtet auf die Nutzung von Degressionseffekten bei Rüstkosten, Lagerkosten, auf Vorteile in der Fertigungssteuerung usw. *Mindestverkaufsmengen* sollen wenigstens die Grenzkosten des verkauften Artikels, seine auftragsfixen Kosten und Teile des Solldeckungsbeitrages erwirtschaften, sonst blockieren Sie unbemerkt die Zielerfüllung. Sie kann dadurch um 20% bis 30% schrumpfen und das Unternehmen in das Verlustfeld ziehen. *Mindestpreise,* identisch mit Preisuntergrenzen, sind unbedingt durch Marginaldeckungsbeiträge, die der Vollkostendeckung entsprechen, abzusichern. Wenn der Wettbewerb oder die Rezession Mindestpreise erzwingen, weiß der Controller, welche Deckungsbeitragsverluste auszugleichen sind.

2. *Strategische Werkzeuge (System Rudolf Mann):* a) *Potential- und Engpaßanalysen* dienen der Ermittlung der Ausgangssituation in einem Unternehmen. Die Potentialanalyse zeigt die spezifischen Stärken eines Unternehmens im Vergleich zu den Wettbewerbern. Ein gutes Strategie-Konzept sichert, daß Strategien und Maßnahmen durch die Potentiale in Richtung auf die Zielsetzung geleitet werden. Die Potentiale übernehmen damit die Funktion eines Energieverstärkers, sie erhöhen den Wirkungsgrad der Maßnahmen, ohne daß mehr Kraft oder Aufwand dazu notwendig ist. Die Engpaßanalyse wird durch die Strategische Bilanz ermittelt. Der Strategische Engpaß zeigt, was in einem Unternehmen am stärksten die Nutzug der Potentiale verhindert. Wenn der richtige Engpaß gefunden ist, löst das „Automatismen" aus, d.h. viele damit in Zusammenhang stehende Probleme werden automatisch gelöst oder zumindest gemindert. – b) *Qualitative und quantitative Zielformulierungen* zeigen, wo ein Unternehmen hin will. Das qualitative Ziel, das wir auch Leitbild nennen, zeigt, was ein Unternehmen will und was es nicht will, wozu es da ist und wozu nicht. Es soll klar und präzise, aber möglichst eng in der Form einer Zielvereinbarung formuliert werden, damit es eine Filterfunktion erfüllt, um strategiefreundliche von strategieschädlichen Entscheidungen klar trennen zu können. Die quantitative Zielsetzung zeigt, was quantitativ, d.h. in Zahlen meßbar, im mittelfristigen Zeitraum erreicht werden soll. Neben Renditezielen (z.B. Kapital- oder Umsatzrendite) gehören zur quantiative Zielsetzung Marktziele (z.B. über Marktanteile und Distribution) und Leistungsziele (z.B. Gemeinkosten vom Umsatz, Produktivität etc.). Damit ist die quantitative Zielsetzung nicht eine Mono-Zielsetzung, sondern ein Zielbündel, das in einer Zielhierarchie die Prioritäten definiert und das mittelfristig nachweisbar durch das Strategiekonzept erreicht werden muß. – c) Das *Wachstumskonzept* zeigt, wo sich das Unternehmen hin entwickeln will und kann. In Zeiten der Stagnation muß gegenüber einem quantitativen Wachstumsziel die qualitative Alternative dargestellt werden, die eine Erhöhung der Wertschöpfung bei gleichem Mengenvolumen ermöglicht. Auch die Fragen einer Konzentrations- oder Deviersifikations-Strategie gehören zu diesem Punkt. Für die Beurteilung der Unternehmenssituation ist es wichtig zu wissen, ob die Unternehmung gerade in oder vor einer Wachstumsschwelle steht, die erst überwunden werden muß, bevor es mit dem quantitativen Wachstum weitergehen kann. – d) *Produktion-Markt-Strategien mit Portfolio* machen deutlich, wo die derzeitigen Artikel bzw. Artikelgruppen in einer strategischen Betrachtung stehen und wo man hin will. Das Portfolio zeigt typische Norm-Strategien, die „normalerweise" funktionieren, für die es aber Ausnahmen gibt. Das Portfolio ist damit keine Formel für richtige oder falsche Strategien, sondern nur ein Instrument, um systematische Fragen über die Artikelpolitik und die zukünftigen Strategien aufzubereiten. – e) *Funktionsstrategien* sind der Produkt-Markt-Strategie untergeordnet. Es sind die Strategien der Funktionsbereiche im Unternehmen, die gefahren werden müssen, um die Produkt-Markt-Strategien zu erfüllen. Hierher gehören z.B. Finanzierungsstrategien, Kostenstrategien, Investitions- und Innovationsstrategien, Personalstrategien. – f) *Die Umsetzung in Projekte und Maßnahmen* legt fest, wie die Strategien konkret erfüllt werden können und müssen. Es ist die Brücke zur operativen Eckwert-Planung, die zahlenmäßig zeigt, was bei den Strategien herauskommen soll. Maßnahmen und Projekte sind so konkret zu formulieren, daß man sowohl terminlich als auch kostenmäßig ein Kontrollinstrument in der Hand hat, das später steuernd in den Strategischen Soll-Ist-Vergleich eingreift. – g) *Fünf-Jahres-Eckwert-Planung für Cash und Ergebnis* zeigen in den wesentlichen Zahlen eine Ergebnisrechnung (üblicherweise verwendet man maximal 10–15 Zeilen, d.h. eine Zusammenfassung insbes. im Kostenbereich), wie sich die Strategie zahlenmäßig auswirken soll. Eine Eckwert-Planung ist das operative Gerüst, das erlaubt, daß die Strategische Planung mit der operativen Jahres- und Mittelfrist-Planung abgeglichen werden kann, um zu erkennen, ob man bereits im ersten Jahr einen richtigen Schritt in bezug auf die strategische Zielsetzung erreicht. – h) *Prämissen und Risiken im Strategischen Soll-Ist-Vergleich* zeigen auf, wovon die Strategie abhängig ist. Dabei sind die Prämissen externe Voraussetzungen, daß die Strategie funktioniert – und Risikofaktoren interne, z.B. der Ausschluß von Havarien, wie das Gelingen von geplanten Produktinnovationen und ähnliche Bedingungen. Diese Prämissen und Risikofaktoren fließen in den Strategischen Soll-Ist-Vergleich, der monatlich durchzuführen ist. Damit ist der Strategische Soll-Ist-Vergleich ein einfaches Check-Programm, um monatlich zu überprüfen, ob sich das Unternehmen auf dem Weg der Strategischen Leitlinie befindet. Er enthält die Zeit-, Kosten- und Ergebnisentwicklungen von Projekten und Maßnahmen, die Überprüfung der Gültigkeit der Prämissen und Risikofaktoren sowie die operative Ergebnisentwicklung im Hinblick auf die Jahresplanung, diese wiederum im Hinblick auf die Strategische Eckwertplanung.

Literatur: Mann, R./Mayer, E. (Hrsg.), Der Controlling-Berater, Loseblatt, Freiburg i. Br.; Mayer, E. (Hrsg.), Controlling-Konzepte: Perspektiven für die 90er Jahre, 2. Aufl., Wiesbaden 1987

Prof. Dr. Elmar Mayer

Controlling-Informationssystem. 1. *Begriff:* →Führungsinformationssystem bezüglich →Controlling mit dem vorrangigen Ziel der schnellen und genauen Ergebnisdarstellung und der Deckung des strategischen Informationsbedarfs: – 2. *Umfang:* Ein vollständiges C.-I. umfaßt sämtliche Unternehmensbereiche; es schließt v.a. das Kosten- und Erfolgs-, Finanz- und Investitions-, Beschaffungs-, Produktions-, Logistik- und Absatzcontrolling ein. – 3. *Aufbau:* Kennzahlensystem, Instrumente zu dessen Aufbereitung und umfassende Datenbasis in einer →Datenbank auf der Grundlage der Administrations- und Dispositionssysteme (→computergestütztes Administrationssystem, →computergestütztes Dispositionssystem).

Controllingmanagementorganisation, →Funktionsmanagementorganisation.

convenience goods, (problemlose) Güter des täglichen Bedarfs, die der Konsument möglichst rasch in der Nähe seiner Wohnung oder seines Arbeitsplatzes einkaufen möchte (→Verbrauchsgüter), z.B. Brötchen, Milch, Zigaretten, Zeitungen. – *Gegensatz:* →shopping goods, →speciality goods.

convenience store, Betriebsform vornehmlich des US-Einzelhandels (→Betriebsformen des Handels), vergleichbar dem deutschen →Nachbarschaftsgeschäft. Weitere typische Merkmale in den USA: Angebot eines „Carry-out-food-Sortiments" (z.B. Fertigmahlzeiten, Salate, Snacks), besonders lange Öffnungszeiten (bis 23.00 Uhr) sowie in gewissem Umfang Kreditgewährung an Stammkunden.

convertible bond, in *Großbritannien* und *USA* seit langem gebräuchliche industrielle Wandelschuldverschreibung, deren Inhaber das Recht haben, sie von einem bestimmten Termin ab jederzeit in →Aktien der Gesellschaft umzutauschen. – In *Deutschland* als →Wandelschuldverschreibungen in den 20er Jahren eingeführt und in §221 AktG geregelt.

convertible floating rate notes, Form der →floating rate notes, bei denen ein Wandlungsrecht in straight bonds (bzw. Eurobonds) besteht, wenn ein im voraus festgelegter Umstand eintritt.

Coombs-Skalierung, *Unfolding-Technik,* Verfahren zur Erfassung von →Einstellung. Aus Urteilen zu →Items werden Schlüsse über die Position der Auskunftspersonen und der Objekte aus einem Merkmalskontinuum gezogen.

Coordinating Committee for East-West Trade Policy, →COCOM.

Coordinating Committee for Multilaterial Export Controls, →COCOM.

COPICS, Communications Oriented Production Information and Control System, bekanntes →PPS-System von IBM, das die Terminologie und den Aufbau anderer PPS-Systeme stark beeinflußt hat.

Coping. 1. *Begriff:* Handlungen einer Person, die darauf abzielen, die als bedrohlich empfundene →Belastung einer Situation (z.B. Streß) zu beenden. – 2. *Strategien:* Die Person versucht, die Belastungsquelle selbst zu beseitigen, sich der Beanspruchung zu entziehen (→Fehlzeiten) oder sich durch eine Veränderung der Wahrnehmung und Bewertung der Situation auf subjektivem Weg (z.B. Bagatellisierung der Situation) den Gegebenheiten anzupassen. Subjektive Anpassung an die Situation ist wahrscheinlich, wenn die Person über keinerlei →Situationskontrolle verfügt. Da die c.-Versuche zugleich auf der kognitiven, motorischen und physiologischen Ebene (Adrenalinausschüttung) ablaufen, können sich anhaltende und intensive Beanspruchungen mit psychosomatischen Reaktionen verbinden.

Coprozessor, →Hilfsprozessor.

Copyright, amerikanische Bezeichnung für →Urheberrecht an Werken der Literatur, Tonkunst, bildenden Kunst und Fotografie zur Erlangung des Urheberrechtsschutzes in den USA. C. unterliegt bestimmten Formvorschriften, u.a. erforderlich: Vermerk „copyright" mit Jahresangabe der ersten Veröffentlichung und Namen des Berechtigten auf der Titel- und ersten Textseite von Druckschriften sowie Antrag an *Register of Copyrights,* Copyright Office, *Library of Congress, Washington 25,* D.C., USA.

Copy-Strategie, *Kreativ-Strategie.* 1. *Festlegung* der Werbung und der →Zielgruppen (Positionierung). Voraussetzung ist die Planung des →Werbeziels. – 2. *Kreative Umsetzung* der Werbestrategie, im wesentlichen bestehend aus: a) detaillierter Zielgruppenanalyse, b) Produktversprechen (Formulierung des Produktnutzens), c) Begründung des Versprechens für die Zielgruppe durch glaubwürdige, verständliche Argumentation, d) Festlegung von Stil und Ausstrahlung der Werbung. – Vgl. auch →Werbekampagne, →Werbeplanung.

Copy-Test, →psychologisches Testverfahren, bei dem den Befragten ein konkreter veröffentlichter Text vorgelegt wird; in der Werbeforschung (→Werbeerfolgsprognosen, →Werbeerfolgskontrolle) z.B. der Text einer Anzeige; in der Medienforschung eine vollständige oder ausgedünnte Zeitung oder Zeitschrift. Die Befragten geben anhand der originalen Texte an, was sie gesehen, gelesen, überflogen oder nicht gesehen haben. C.-T. werden als →Pretests und als →Posttests durchgeführt.

CORELAP, →innerbetriebliche Standortplanung.

corner, →Schwänze.

corporate behavior, Verhalten eines Unternehmens nach innen (Mitarbeiter) und außen (Kunden, Öffentlichkeit usw.), problematischer Teil der →corporate identity. Zu unterscheiden sind drei *Verhaltensbereiche:* a) instrumentales Unternehmensverhalten, z. B. Preispolitik, Führungsstil; b) Personenverhalten: Verhalten der im Unternehmen tätigen Personen untereinander sowie das Verhalten dieser Personen zu Außenstehenden; c) Medienverhalten des Unternehmens, abhängig von der politischen und ethischen Grundhaltung des Unternehmens, evtl. auch von gesetzlichen Restriktionen; es umfaßt alle Formen der Kommunikationspolitik, z. B. Stil der Öffentlichkeitsarbeit, Verhältnis zu Journalisten, Werbestil, Auswahl der Werbemedien.

corporate communication, Kommunikationsstrategie, die durch eine ganzheitliche Betrachtung aller nach innen und außen gerichteten kommunikativen Aktivitäten eines Unternehmens ein klar strukturiertes Vorstellungsbild von der Unternehmung (corporate image) in der Öffentlichkeit und bei den Mitarbeitern des Unternehmens erreichen will. Element der →corporate identity.

corporate design, visuelles Erscheinungsbild eines Unternehmens im Rahmen und zur Unterstützung der von der →corporate identity vorgegebenen Ziele. C.d. soll das Unternehmen nach innen und außen als Einheit erscheinen lassen, insbes. durch formale Gestaltungskonstanten, z. B. Firmenzeichen (→Logo), Typographie, Hausfarbe usw. In Gestaltungsrichtlinien („Design-Bibeln") wird festgelegt, wie diese Gestaltungskonstanten in unterschiedlichen Anwendungsbereichen einzusetzen sind, z. B. Briefbögen, Innenarchitektur, Produkt- und Verpakkungsgestaltung und Anzeigen.

corporate identity, das nach innen und außen kommunizierte Erscheinungsbild (Selbstdarstellung und Verhaltensweise) einer Unternehmung als Ausdruck einer in die Unternehmensstrategie integrierten Kommunikationsstrategie. Die c. i. ist Ausdruck der Unternehmensphilosophie und/oder des →Unternehmensleitbildes (vgl. auch →Unternehmenskultur). – Das realisierte Ergebnis einer c. i.-Strategie ist das *corporate image*. – *Elemente:* (1) →corporate behavior, (2) →corporate communication und (3) →corporate design.

corporate image, →corporate identity.

Costa Rica, präsidiale Republik in Mittelamerika, im N von Nicaragua, im SO von Panama begrenzt; im O Atlantik, im W Pazifik. – *Fläche:* 50 700 km². – *Einwohner* (E): (1985, geschätzt) 2,49 Mill. (49,1 E/km²); jährlicher Bevölkerungszuwachs: 2,8%. – *Hauptstadt:* San José (245 370 E); weitere wichtige Städte: Puntarenas (47 851 E); Limon (43 148 E). – C. R. *gliedert* sich in sieben Privincias (Provinzen), unterteilt in Cantones (Kantone), weiter unterteilt in Distriktos (Distrikte). – *Amtssprache:* Spanisch.

Wirtschaft: *Landwirtschaft:* Die wirtschaftliche Bedeutung besiert auf dem Anbau und Export von Kaffee (1985: 125 000 t), Kakao, Bananen, Sisal. C. R. ist zu mehr als 2/3 bewaldet (Edelhölzer wie Zeder, Mahagoni, Eben- und Rosenholz), jedoch wird dieser Holzreichtum z. Zt. noch nicht ausgenutzt. 28% der erwerbstätigen Bevölkerung in der Landwirtschaft tätig. Anteil am BSP 25% (1984). – *Bodenschätze* (noch kaum erschlossen): Gold, Silber, Mangan. *Industrielle Bedeutung* gering; *BSP:* (1985, geschätzt) 3340 Mill. US-$ (1290 US-$ je E). – *Öffentliche Auslandsverschuldung:* (1984) 104,2% des BSP. – *Inflationsrate:* Durchschnittlich 24,1%. – *Export:* (1985) 989 Mill. US-$, v. a. Agrarprodukte (65%, insbes. Kaffee und Bananen), Textilien, Fleisch, Holz. – *Import:* (1985) 1098 Mill. US-$, v. a. Investitionsgüter, Nahrungsmittel, Brennstoffe. – *Handelspartner:* USA, Japan, Guatemala, El Salvador, Bundesrep. D.

Verkehr: Die Hauptstadt ist durch *Eisenbahnlinien* mit den Hafenstädten Limon am Atlantik und Puntarenas am Pazifik verbunden. – Das auf C. entfallende Teilstück des Pan American Highway hat eine Länge von 688 km und ist vollständig asphaltiert. – Internationaler *Flughafen* in Juan Santamariía, 16 km von San José entfernt. Anschluß über Mexiko und Panama an das interamerikanische *Flugnetz*. –Wichtigste *Häfen:* Puerto Limon am Atlantik (Bananen-, Kaffee-, Fleischausfuhr) und Puntarenas am Pazifik (Kaffee-Export).

Mitgliedschaften: UNO, ALADI, CCC, CIPEC, SELA, UNCTAD u. a.

Währung: 1 Costa-Rica Colón (C) = 100 Centimos (c).

cost averaging, Ausdruck der Anlagenberatung, der besagen soll, daß derjenige, der regelmäßig den gleichen Anlage*betrag* investiert, bei im Zeitverlauf sich ändernden Preisen ein besseres Ergebnis erzielt als derjenige, der stets die gleiche *Zahl* von Anteilen anlegt.

Cost-Benefit-Analysis, →Kosten-Nutzen-Analyse.

Cost-constraint-Analyse, Technik, mit der die Widerstände (constraints), die bei der Implementierung eines Planes oder einer Strategie bei den Betroffenen auftreten könnten, schon in der Planungs- bzw. Analysephase berücksichtigt werden können. Die C.-c.-A. umfaßt die Ermittlung der potentiellen Widerstände gegen eine bestimmte Alternative, die Bewertung der Kosten der Überwindung bzw. Neutralisierung dieser Widerstände sowie die Einschätzung des möglichen Nutzens der Überwindung bzw. Neutralisierung. Sie kann damit zu einer Veränderung in der Reihenfolge der präferierten Alternativen führen.

Cost-plus-System, →Kost-Plus-System.

cost-push inflation, →Inflation IV 2 b) (2).

COTIF, Convention relative aux transports internationaux ferroviaires, →Übereinkommen über den internationalen Eisenbahnverkehr.

Coulomb (c), →gesetzliche Einheiten, Tabelle 1.

Council for Mutual Economic Assistance, →COMECON.

countervailling-credit, →Gegenakkreditiv.

countervailling power, →gegengewichtige Marktmacht.

country rating, →Länderrating.

Coupon, →Kupon.

Coupontest, Instrument der →Werbeerfolgskontrolle, bei dem Werbemittel (in erster Linie →Anzeigen, →Direct Mailings) mit Coupons ausgestattet werden. Anzahl und räumliche Verteilung der Rücksendungen ermöglicht Schlüsse über Werbeerfolg, z.B. über →Reichweite und Streuung; Zurechnung zu einzelnen Werbeträgern (→Media) wird durch differenzierte Kennzeichnung der Coupons ermöglicht. – Bekanntestes *Verfahren:* Bestellung unter Bezugnahme auf Werbemittel (→*BuBaW-Verfahren*). – Vgl. auch →Anfragenkontrolltest.

Cournot, Antoine Augustin, 1801–1877. Französischer Mathematiker und Nationalökonom. – *Bedeutung:* Begründer der mathematischen Wirtschaftstheorie durch seine mathematische Behandlung der Beziehungen zwischen Nachfrage, Angebot und Preis. Entwickelte die Theorie des Konkurrenz- und Monopol-Preises sowie eine Dyopol-Theorie (→Cournotscher Punkt). C. erkannte die Bedeutung der Wahrscheinlichkeitsrechnung für die Statistik. – *Hauptwerk:* „Recherches sur les Principes Mathématiques de la Théorie des Richesses" 1838.

Cournot-Nash-Gleichgewicht, →Nash-Gleichgewicht.

Cournotsche Kurve, Verbindungslinie mehrerer →Cournotscher Punkte, deren Lage sich mit Variationen der Nachfrage- und Grenzkostenkurve einer Unternehmung verändert. Erfolgen diese Variationen kontinuierlich, so lassen sich die zugehörigen Cournotschen Punkte zur C.K. verbinden; diese gibt an, wie sich der jeweils gewinnmaximale Preis und die zugehörige Absatzmenge als Folge von Nachfrage- und Kostenverschiebungen verändern. Von einer Angebotskurve im →Monopol kann in diesem Zusammenhang nur gesprochen werden, wenn sich die Nachfragekurve parallel verschiebt. In anderen Fällen können sich für eine bestimmte Absatzmenge verschiedene gewinnmaximale Preise ergeben; eine eindeutige Zuordnung von Preisen und Mengen ist dann nicht möglich.

Cournotscher Punkt, gewinnmaximale Preis-Mengen-Kombination auf der →Preis-Absatz-Funktion eines Monopolisten (→Monopol). In der Theorie der Unternehmung wird oft unterstellt, daß die Kurve der Durchschnittskosten K/x einen u-förmigen Verlauf besitzt und daß die Grenzkosten dK/dx von einer bestimmten Ausbringungsmenge an zunehmen. Das Gewinnmaximum des Monopolisten wird durch die Gleichheit von Grenzerlös dR/dx und Grenzkosten dK/dx im steigenden Ast der Grenzkostenkurve bestimmt. Der Monopolist setzt deshalb den Preis p* und produziert die Menge x*. Der zugehörige Punkt C auf der Preis-Absatz-Funktion ist der C.P.

Cournotsches Dyopol, oligopolistisches Mengenmodell, in dem zwei Anbieter autonome Mengenstrategie betreiben, d.h., der einzelne Anbieter geht davon aus, daß durch Änderung seiner Angebotsmenge keine Reaktion des anderen Anbieters bewirkt wird. Die Lösung des Modells liegt im Schnittpunkt der Reaktionslinien (→Reaktionsfunktion). Im C. D. wird der oligopolistischen Interdependenz keine Rechnung getragen.

Courtage, *Kurtage.* 1. *Börsenwesen:* Gebühr, die der Börsenmakler für die Vermittlung der Börsengeschäfte erhält. – a) Ihre Höhe ist für den →*Kursmakler* einheitlich festgesetzt, meist in Prozent oder Promille des Kurswerts, seltener in festem Satz je Stück. Die C. ist nach Effektengattungen (Staatspapiere, sonstige Obligationen, Dividendenpapiere), z.T. auch nach der Höhe des Kurswerts oder nach der Art des Geschäfts gestaffelt. In der Bundesrep. D. beträgt der Satz für Aktien 0,1%, bei festverzinslichen Wertpapieren maximal 0,75% des Kurswerts. – b) Für *freie Makler* bestehen meist keine festen C.-Sätze, sie werden von Fall zu Fall vereinbart und fallen gelegentlich sogar ganz weg (franko C.). – Die Bank stellt die an den Makler entrichtete C. dem Kunden in Rechnung. – 2. *Versicherungswesen:* Gebühr, die ein →Versicherungsmakler für die einem →Versicherer zugeführten Geschäfte erhält; richtet sich gewohnheitsrechtlich allein gegen den Versicherer.

Coverage-Fehler, bei statistischen →Erhebungen der →Fehler, der dadurch entsteht, daß die →Grundgesamtheit, auf die sich die Untersuchung richtet (*Zielgesamtheit*), und die Gesamtheit, welche erhoben wird (*Erhebungsgesamtheit*), nicht deckungsgleich sind; also der Fehler, der durch eine falsche Abgrenzung der Grundgesamtheit zustandekommt (→Adäquation).

Covering, Ausschaltung des Risikos, das bei offenen Devisenpositionen aus der Ungewißheit über die zukünftige Entwicklung des Devisenkurses resultiert, durch Abschluß eines Devisentermingeschäfts. – Vgl. auch →Hedging, →Kurssicherung.

CPC, Central Product Classification, *Zentrale Gütersystematik der Vereinten Nationen.* Die CPC soll bis 1990 in ihrer endgültigen Fassung vorliegen und wird als umfassende internationale Systematik aller Waren und Dienstleistungen die von 1976 stammende veraltete →ICGS ersetzen. Die CPC, in der die Güter nach dem Kriterium der industriellen Herkunft gegliedert sind, soll gleichzeitig als Hauptbindeglied für die Verknüpfung der internationalen Wirtschaftszweig- und Gütersystematiken dienen, wodurch eine überschneidungsfreie Zuordnung von produktions- und handelsstatistischen Güterkategorien zu den einzelnen Wirtschaftszweigen ermöglicht wird und somit die Voraussetzungen für einen direkten Vergleich zwischen Produktions- und Handelsdaten geschaffen werden sollen. In enger Zusammenarbeit zwischen den Statistischen Ämtern der UN und der EG wird zur Definition der Wirtschaftszweige in der →Allgemeinen Systematik der Wirtschaftszweige in den EG (NACE) eine Zentrale Gütersystematik der EG (CPC/COM) entwickelt.

CPM, critical path method, spezielle Netzplantechnik, die Vorgangspfeilnetzpläne (→Netzplan) verwendet. Sämtliche dargestellten Ablaufbeziehungen sind →Normalfolgen mit Mindestabständen der Zeitdauer Null.

cps, characters per second, Zeichen pro Sekunde. Maß für die Schreibgeschwindigkeit eines (Zeichen-) →Druckers.

CPU, central processing unit, →Zentraleinheit.

CRAFT, →innerbetriebliche Standortplanung IV.

Crash, Name für eine Phase in kommerziellen Softwarepaketen zur Lösung von Problemen der →linearen Optimierung, in der mit Hilfe gewisser effizienter Techniken eine erste zulässige Basislösung erzeugt wird.

crawling peg, *movable peg,* in einem System →fester Wechselkurse Orientierung von Paritätsänderungen durch die Währungsbehörden an der Entwicklung eines bestimmten Index (z. B. Divergenz der Inflationsraten zwischen In- und Ausland). Die betreffende Regelung wird öffentlich bekannt gemacht, um eine verläßliche Basis für Wechselkurserwartungen zu geben und Devisenspekulation entgegenzuwirken. Der Übergang zum c. p. wurde Ende der 60er und Anfang der 70er Jahre als Möglichkeit zur Rettung des Bretton-Woods-Systems (→Bretton-Woods-Abkommen) diskutiert.

Credit-scoring-Verfahren, mathematisch-statistisch fundiertes Verfahren zur →Kreditwürdigkeitsprüfung und Risikofrüherkennung im Kreditgeschäft; angewandt im privaten Konsumenten- und im Unternehmenskreditgeschäft. Es werden die Unterschiede zwischen guten und schlechten Kreditnehmern auf der Basis von Merkmalen wie z. B. Soziodemographika, Vermögensinformationen und Bilanzdaten analysiert. Die Merkmalsausprägungen werden bewertet und gewichtet zu einem Gesamtpunktwert (Scoringwert) aufaddiert (Punkteadditionsverfahren). Die Annahme/Ablehnungsentscheidung des Kreditantrages erfolgt durch Festlegung eines Trennwertes (cutoff score). – C.-s.-V. wurden in den USA entwickelt; seit Mitte der 70er Jahre auch in der Bundesrep. D. bei Kreditkartengesellschaften, Konsumentenkreditinstituten, Versandhandel und einigen Sparkassen angewandt.

creeping commitment, Terminus aus dem →Investitionsgütermarketing. Bei komplexen organisationalen Beschaffungsprozessen sind mit fortschreitender Prozeßdauer die jeweiligen Entscheidungen durch vorhergehende Entscheidungen in früheren Phasen des Beschaffungsprozesses (→Kaufphasen) zunehmend eingeschränkt.

critical incident technique (CIT), halbstandardisiertes Verfahren zur empirischen Analyse des (Arbeits-)Verhaltens; von Flanagan 1954 erstmal vorgestellt. Grundidee ist es, bestimmte Verhaltensweisen (bzw. „kritische Ereignisse") als besonders erfolgreich oder nichterfolgreich im Hinblick auf ein bestimmtes Ziel zu klassifizieren. Dazu wird die zu befragende Person aufgefordert, aus dem eigenen Erlebnisbereich über wichtige, „kritische" Ereignisse in der Vergangenheit zu berichten. – *Anwendung* u. a. bei der Untersuchung von Arbeitsplätzen und von Graden der →Arbeitszufriedenheit. – Vgl. auch →Arbeitsgestaltung, →Arbeits- und Organisationspsychologie.

critical path method, →CPM.

Cross-Default-Klausel, →Default-Klausel.

Cross-Impact-Analyse, *Interaktionsanalyse,* quantitative Mehtode der →Zukunftsforschung, die Wechselwirkungen zwischen den relevanten Faktoren, Trends, Ereignissen usw. eines bestimmten Problemfeldes (Interaktionseffekte) aufzeigt und damit Verständnis für Zusammenhänge schaffen soll. *Ziel* ist die Indentifikation möglicher Kettenreaktionen im Problemfeld als Basis für die Bildung von

Szenarien (→Szenario-Technik). – *Darstellungsmittel:* →Cross-Impact-Matrix.

Cross-Impact-Matrix, Darstellungsmittel im Rahmen der →Cross-Impact-Analyse. – *Vorgehensweise:* In der Kopfzeile und -spalte werden die ausgewählten Ereignisse (meist in chronologischer Reihenfolge ihres Eintretens geordnet) eingetragen. Dann werden die isolierten und konditionalen Wahrscheinlichkeiten, z.B. mit Hilfe der →Delphi-Technik, geschätzt. – *Beispiel:* Vgl. untenstehende Abb.

cross license, →Lizenzvergabe.

cross rate, *Kreuzkurs.* 1. *Begriff:* Paritätsabrechnung zweier Währungen unter Bezugnahme auf die offizielle Parität zwecks Feststellung des echten Wertes einer Währung im Vergleich zur offiziellen, d.h. amtlich festgesetzten Parität. – 2. *Beispiel:* Offizieller Kurs für den Dollar: 4 Franken, für das Pfund Sterling: 10 Franken; das Pfund müßte mit 2,5 Dollar bewertet sein. Kann dagegen das Pfund am Devisenmarkt schon mit 8 Franken gekauft werden, dann wäre die echte Relation (c.r.) von Dollar zu Pfund Sterling nicht 1:2,5, sondern 1:2. – 3. *Bedeutung:* Unter normalen Währungsverhältnissen spielt die c.r. keine Rolle, weil die offiziellen Valutanotierungen in den verschiedenen Ländern mit der Bewertung durch den Devisenmarkt übereinstimmen.

cross selling, Verkaufsbemühungen von Banken gegenüber solchen Kunden, die nur einen Teil des Leistungsprogramms der jeweiligen Bank in Anspruch nehmen, um diese Kunden für die Nutzung weiterer Bankdienstleistungen zu gewinnen.

crowding out, Begriff der Finanzwissenschaft, speziell der Analyse allokativer Wirkungen der →öffentlichen Kreditaufnahme; Hypothese, die besagt, daß durch eine kreditfinanzierte Ausweitung der Staatsnachfrage private Nachfrage in gleichem oder vergrößertem Umfang verdrängt wird. Damit wird die expansive Wirkung eines →deficit spending in Frage gestellt. – *Wirkungsverläufe:* 1. *Direct c.o.:* Die durch Schuldaufnahme finanzierte Staatsausgabe substituiert unmittelbar eine entsprechende private Ausgabe. – 2. *Expectations c.o.:* Die Privaten reagieren auf das staatliche Defizit mit einer Veränderung ihrer Ertrags- und Zinserwartung, damit zusammenhängend nimmt die private Investitionsneigung ab. – 3. *Transactions c.o., Price c.o.* und *portfolio c.o.* ergeben sich aus der verschuldungsbedingten Veränderung von Transmissionsgrößen wie Zinssätzen, Vermögen, Preisen.

CRP, Abk. für →C. Rudolf Poensgen-Stiftung e.V. zur Fortbildung von Führungskräften der Wirtschaft.

C. Rudolf Poensgen-Stiftung e.V. zur Fortbildung von Führungskräften der Wirtschaft (CRP), Sitz in Düsseldorf. – *Aufgabe:* Fortbildung von oberen Führungskräften; Entwicklung von unternehmerischen Fähigkeiten (Vermittlung von praktischen Erfahrungen); Vermittlung von Führungswissen.

CSMA/CD, carrier sense multiple access/collision detection, häufig (z.B bei →Ethernet) bei der Bus-Topologie (→Netzwerktopologie) verwendetes →Zugangsverfahren. – *Vorgehensweise* der Netzstationen (→Netz, →Datenstationen), die →Daten senden wollen: Nach Feststellung, daß der Übertragungs-

Wenn dies passiert → ... ist die Wirkung auf diese Ereignisse wie in den Feldern eingetragen

	A	B	C
Isolierte Wahrscheinlichkeit	0,50	0,45	0,20
Ereignis A: Bildung separatistischer Regierung in Quebec	–	0,90	0,20
Ereignis B: Politische Abspaltung Quebecs von Kanada	0,99	–	0,50
Ereignis C: Gleiches Pro-Kopf-Einkommen in Quebec wie in Ontario	0,20	0,20	—

Beispiel: Wenn Quebec sich auf das gleich hohe Pro-Kopf-Einkommen wie Ontario steigern könnte, so würde die Wahrscheinlichkeit einer separatistischen Regierung in Quebec von 0,5 auf 0,2 zurückfallen.

kanal frei ist, wird mit der Sendung begonnen. Während der Sendung überprüft der Sender, ob Kollisionen seiner Sendung mit anderen stattfinden. Ist dies der Fall, beendet er sofort die Sendung. Nach Verstreichen einer zufallsgesteuerten Zeitspanne überprüft er, ob der Kanal frei ist, und beginnt ggf. erneut mit der Sendung.

CSTE, Commodity Classification for Transport Statistics in Europe, →Internationales Güterverzeichnis für die Verkehrsstatistik.

Cuba, →Kuba.

cubic foot, angelsächsische Volumeneinheit. 1 cubic foot = 28,3168 l.

cubic inch, angelsächsische Volumeneinheit. 1 cubic inch = 16,3871 cm^3.

cubic yard, angelsächsische Volumeneinheit. 1 cubic yard = 0,764555 m^3.

culpa in contrahendo →Verschulden beim Vertragsschluß.

c.&f., cost & freight, *cf.* (= Kosten und Fracht) ... (benannter Bestimmungshafen), Vertragsklausel entsprechend den →Incoterms.

I. Verpflichtungen des Verkäufers: 1. Lieferung der Ware in Übereinstimmung mit dem Kaufvertrag unter gleichzeitiger Beschaffung aller vertragsgemäßen Belege. – 2. Abschluß des Vertrags für den Warentransport auf eigene Rechnung auf dem üblichen Weg zu den üblichen Bedingungen bis zum vereinbarten Bestimmungshafen sowie Übernahme der Fracht- und Ausladungskosten im Entladungshafen. – 3. Beschaffung der Ausfuhrbewilligung oder sonstiger amtlicher Bescheinigungen, die für die Ausfuhr der Ware erforderlich sind, auf eigene Kosten und Gefahr. – 4. Verladung der Ware auf eigene Kosten zum vereinbarten Zeitpunkt bzw. innerhalb der vereinbarten Frist oder, falls weder ein Zeitpunkt noch eine Frist vereinbart wurde, innerhalb einer angemessenen Frist an Bord des Schiffes im Verschiffungshafen und unverzügliche Benachrichtigung des Käufers. – 5. Tragung aller Gefahren für die Ware bis zu dem Zeitpunkt, in dem sie im Verschiffungshafen die Reling des Schiffes tatsächlich überschritten hat. – 6. Beschaffung eines reinen begebbaren Konossements für den vereinbarten Bestimmungshafen sowie einer Rechnung über die verschiffte Ware auf eigene Kosten. – 7. Bereitstellung der üblichen Verpackung der Ware, sofern es nicht Handelsbrauch ist, die Ware unverpackt zu verschiffen. – 8. Übernahme der durch die Verladung der Ware bedingten Prüfungskosten (betrifft Qualität, Messen, Wiegen und Zählen). – 9. Übernahme der für die Ware bis zu ihrer Verladung erhobenen Abgaben und Gebühren, einschl. von Steuern, Abgaben und Gebühren, die mit der Ausfuhr zusammenhängen, sowie der Kosten der zur Verbringung an Bord erforderlichen Formalitäten. – 10. Beschaffung von Ursprungszeugnis sowie Konsulatsfaktura auf Verlangen und Kosten des Käufers. – 11. Hilfeleistung bei der Beschaffung aller im Verschiffungs- und/oder Ursprungsland auszustellenden Dokumente, die der Käufer zur Einfuhr der Ware in das Bestimmungsland (und ggf. zur Durchfuhr durch ein drittes Land) benötigt, auf Verlangen, Gefahr und Kosten des Käufers.

II. Verpflichtungen des Käufers: 1. Übernahme der vom Verkäufer beschafften Dokumente bei ihrer Einreichung, wenn sie mit dem Kaufvertrag übereinstimmen, und Zahlung des vereinbarten Preises. – 2. Abnahme der Ware im vereinbarten Bestimmungshafen und Übernahme aller während des Seetransportes bis zur Ankunft im Bestimmungshafen entstehenden Kosten mit Ausnahme der Fracht, auch der Kosten für Löschung, Leichterung und Verbringung an Land, sofern diese nicht in der Fracht einbegriffen sind oder nicht von der Schiffahrtsgesellschaft zusammen mit der Fracht erhoben worden sind. – 3. Tragung des Risikos für alle Gefahren von dem Zeitpunkt an, in dem die Ware im Verschiffungshafen die Reling des Schiffes tatsächlich überschritten hat. – 4. Tragung der Mehrkosten und des Risikos, falls er sich eine Frist für die Verschiffung der Ware und/oder die Wahl des Bestimmungshafens vorbehalten hat und nicht rechtzeitig seine Anweisungen erteilt, vorausgesetzt, daß die für den Käufer bestimmte Ware abgesondert oder auf irgendeine andere Art kenntlich gemacht ist. – 5. Übernahme von Kosten und Gebühren für die Beschaffung des Ursprungszeugnisses und der Konsulatspapiere und für Beschaffung der Dokumente unter I 11. – 6. Zahlung der Zollgebühren und aller sonstigen bei der Einfuhr zu entrichtenden Abgaben. – 7. Beschaffung auf eigene Rechnung und Geahr von Einfuhrbewilligungen, Bescheinigungen oder dgl.

c.&i., cost & insurance, *ci.* (= Kosten und Versicherung), eine wenig gebräuchliche Sonderform der cif-Klausel (→cif), wonach der Verkäufer außer den Verpflichtungen bei →fob-Lieferungen den Abschluß der Versicherung bis zum Empfangshafen übernimmt, während die Frachtkosten vom Käufer zu tragen sind.

Curie, veraltete Einheit der Aktivitäten einer radioaktiven Substanz. Eine Aktivität von 1 C. bedeutet 3,7 – alpunkt 10^{10} Kernumwandlungen in einer Sekunde. 1 Curie = 3,7 – alpunkt 10^{10} →Becquerel.

currency futures, →financial futures.

Currency-Theorie, Geldtheorie, nach der Banknoten nur aufgrund voller Golddeckung

(Goldumlaufwährung; →Goldwährungen) ausgegeben werden dürften, weil durch den Goldwährungsmechanismus der Zahlungsmittelbedarf eines Landes am besten reguliert werde. Die Ausgabe von Banknoten erhöht die Geldmenge und löst inflationistische Tendenzen aus. Nach Auseinandersetzung mit den Vertretern der →Banking-Theorie wurde C.-T. in England durch die Peelsche Bankakte (1844) verwirklicht, bis 1931 das Pfund vom Gold abgelöst wurde.

current operating concept of net income, Gegentheorie zum →clean surplus concept über die richtige Zuordnung der neutralen Aufwendungen zum Periodengewinn (statement of income) oder zur Veränderung des Gewinnvortrags (statement of earned surplus). Erstrebt wird der Ausweis des reinen Betriebsergebnisses als Ausdruck der Wirtschaftlichkeit im statement of income; alle neutralen Posten sollen aus ihm ferngehalten und im statement of earned surplus ausgewiesen werden. – Das American Institute of Certified Public Accountants (AICPA) hat sich mit Vorbehalt einiger Ausnahmefälle, wie Auflösung der Reserven, Katastrophenverluste u.a., gegen diese Theorie ausgesprochen und das clean surplus concept befürwortet.

current ratio, →Liquiditätsgrad I 3.

Curriculum, systematische Darstellung des beabsichtigten Unterrichts über einen bestimmten Zeitraum als konsistentes System mit mehreren Bereichen zum Zweck der optimalen Vorbereitung, Verwirklichung und Evaluation des Unterrichts (Frey). – *Relevante Elemente:* a) *i.w.S.:* Lernziele, Lerninhalte, Prozeßmerkmale des Lernens; b) *i.e.S.:* Lernziele und -inhalte. – *Abgrenzung zum herkömmlichen Lehrplan:* Mit dem C.-Begriff wird der Anspruch betont, Planungsentscheidungen für Unterricht unter Einbeziehung wissenschaftlicher Erkenntnisse und Verfahren zu begründen, insbes. Ziele und Inhalte im Hinblick auf den Erwerb von →Qualifikationen zur Bewältigung gegenwärtiger und zukünftiger Lebenssituationen zu rechtfertigen und schließlich Entscheidungen über C. in demokratischen Konsensbildungsprozessen zu legitimieren (Robinsohn). Entgegen diesem weitgehenden Anspruch wird C. in der Praxis häufig synonym für →Lehrplan, Lehrgang, Richtlinie oder auch einzelne Stundenvorbereitungen verwendet. – Vgl. auch →wirtschaftsberufliche Curriculumentwicklung.

Cursor, *Schreibmarke,* aktuelle Position auf einem →Bildschirm, z.B. die Position, an der das nächste eingetippte Zeichen erscheint. Wird i.a. durch Blinken o.ä. angezeigt.

customizing, Anpassung der →Standardsoftware an kundenindividuelle Anforderungen; Voraussetzung: →Modularität der Software.

Customs Co-operation Council (CCC), →Rat für die Zusammenarbeit auf dem Gebiete des Zollwesens.

customs invoice, →Zollfaktura.

cutting-plane-Verfahren, →Schnittebenenverfahren.

cutoff point, →cuttoff rate.

cutoff rate, *cutoff point,* Begriff der Investitionsrechnung für die von der Unternehmensleitung gewünschte effektive Mindestverzinsung für Investitionsobjekte, die realisiert werden sollen. – Vgl. auch →Ertragsrate.

cutoff score, →Credit-scoring-Verfahren.

cyclical budgeting, *zyklischer Budgetausgleich,* Konzept des Ausgleichs des →Budgets, nach dem dieser nicht jährlich, sondern über einen bestimmten Zeitraum (z.B. über einen Konjunkturzyklus) hinweg erfolgen sollte. Notwendig bei →antizyklischer Wirtschaftspolitik.

Cypern, →Zypern.

D

d/a, Abk. für →documents against acceptance.

DAC, Development Assistance Committee, Ausschuß für Entwicklungshilfe, Sonderorgan der →OECD, seit 1961. – *Mitglieder:* Australien, Belgien, Bundesrep. D., Dänemark, Finnland, Frankreich, Großbritannien, Italien, Japan, Kanada, Neuseeland, Niederlande, Norwegen, Österreich, Schweden, Schweiz, USA und die Kommission der EG. – *Aufgabe:* Koordinierung und Intensivierung der Entwicklungshilfe der westlichen Industrieländer. Die insgesamt Entwicklungsländern von Seiten der DAC-Länder zugeflossenen Ressourcen betrugen (1984) ca. 83,7 Mrd. US-$ (1,06% des durchschnittlichen Bruttosozialprodukts der DAC-Staaten 1984). Die Zuwachsrate von real 4% gegenüber 1983 (1,1 Mrd. US-$) kommt wegen des beschleunigten Wachstums des Bruttosozialprodukts in dem ausgewiesenen Prozentanteil praktisch nicht zum Ausdruck. Indikator für den nationalen Beitrag zur internationalen Entwicklungshilfe ist dessen Anteil am Bruttosozialprodukt (BSP) eines Landes: Belgien 1984 mit 4,88% des BSP an der Spitze der Geberländer, Bundesrep. D. mit 1,06% an 9. Stelle, USA mit 0,78% an 13. Stelle. Die durchschnittliche Zuwachsrate auf dem Gebiet der Entwicklungshilfe betrug für die Gesamtheit der DAC-Geberländer 1970–84: real 3,6% – Wichtige *Veröffentlichungen:* Development Co-operation, Efforts and Policies of the Members of the DAC (jährlich – Ausgabe zum 25-jährigen Bestehen des DAC: Twenty-five Years of Development Co-operation, Paris 1985; deutschsprachige Ausgabe: Zusammenarbeit im Dienst der Entwicklung, Politik und Leistungen der Mitglieder des Ausschusses für Entwicklungshilfe). – Vgl. auch →Entwicklungsländer.

Dachfonds, Investmentgesellschaften, die statt Aktien oder Renten Investmentzertifikate anderer Fonds kaufen und hierüber Anteile ausgeben. In den USA seit 1931, in der Bundesrep. D. durch Aufsichtsgesetz für Auslandsfonds seit 1969 verboten, weil Zusammensetzung des Vermögens der D. zu unübersichtlich.

Dachgesellschaft, →Holding-Gesellschaft.

Dachmarke, →Produktfamilie.

DAG, Abk. für →Deutsche Angestellten-Gewerkschaft.

Dahome, →Benin.

daisy wheel, →Typenrad.

Damnum, *Darlehensabgeld.* 1. *Begriff:* Unterschiedsbetrag zwischen dem Nennbetrag eines Darlehens oder einer Forderung (Rückzahlungsbetrag) und dem tatsächlich and den Darlehensnehmer gezahlten Betrag (Verfügungsbetrag). Häufig im Hypothekenverkehr (bei Wechseln: →Diskont). Höhe des D. abhängig von der Lage des Kapitalmarkts und dem Rang der Hypothek. – 2. *Buchung:* Das D. bei aufgenommenem Darlehen darf in der Handelsbilanz zusammen mit einem evtl. →Agio unter den Rechnungsabgrenzungsposten aktiviert werden und ist dann während der Laufzeit des Darlehens planmäßig abzuschreiben (vgl. §250 III HGB), z.B. Kassakonto 196000 und Rechnungsabgrenzung 4000 an Hypothekenkonto 200000, gesonderter Ausweis oder Angabe im Anhang erforderlich (§268 VI HGB). – 3. *Steuerliche Behandlung:* a) D. im *außerbetrieblichen Bereich* ist beim Darlehensnehmer im Jahr der Darlehensaufnahme sofort als →Werbungskosten abziehbar. Beim Darlehensgeber gehört das D. als Einnahme zu den →Einkünften aus Kapitalvermögen. – b) D. im *betrieblichen Bereich* ist als Rechnungsabgrenzungsposten zu bilanzieren (→Rechnungsabgrenzung) und entsprechend der Laufzeit des Darlehens gewinnmindernd oder -erhöhend aufzulösen.

Dämon, in der →künstlichen Intelligenz ein →Programm, das im Hintergrund abläuft, nicht vom →Benutzer selbst aufgerufen wurde und nicht von ihm beeinflußt werden kann. – *Verwendung:* a) in →wissensbasierten Systemen, insbes. bei →Frames; b) bei →Systemarchitekturen nach dem →blackboard model.

Dampferzeugung, *Kosten der D.,* Behandlung in der Kostenrechnung: Als →sekundäre Kostenart erfaßt (zusammengesetzt u.a. aus Kosten für Brennstoffe, Abschreibungen und Zinsen für Anlagen, Personalkosten für Bedienung und Pflege der Maschinen) und auf einer entsprechenden →Hilfskostenstelle gesammelt. Ist die D.anlage mit einer Anlage zur Erzeugung elektrischer Energie verbunden, so werden die anfallenden Kosten auf einer gemeinsamen Hilfskostenstelle gesammelt.

Dänemark, Königreich, liegt zwischen der Nord- und Ostsee, grenzt im S an die Bundesrep. D. – *Fläche:* 43075 km². – *Einwohner* (E): (1986, geschätzt) 5,120 Mill. (119 E/km²). 85% der Bevölkerung leben in Städten. – *Hauptstadt:* Kopenhagen (Kobenhavn; Stadt: 633412 E; Metropolitan-Area, Huvudstadsomradet: 1358450 E); weitere wichtige Städte: Arhus (252071 E), Odense (171468 E). – D. besteht aus der Halbinsel Jütland, und vielen hundert Inseln in der Ostsee; die Außenbesitzung →Grönland ist seit 1953 gleichberechtigte Provinz. D. ist administrativ in 14 Ämter mit 54 Polizeikreisen *gegliedert.* – Parlamentarische, demokratische Monarchie. – *Amtssprache:* Dänisch.

Wirtschaft: *Landwirtschaft:* Sehr fruchtbare Böden durch eiszeitliche Ablagerungen. Ca. ¾ der Gesamtfläche wird landwirtschaftlich genutzt. Haupterzeugnisse (1984): Gerste (6,1 Mill. t), Roggen (608000 t), Kartoffeln (1,1 Mill. t), Zuckerrüben (3,6 Mill. t); Milchwirtschaft und Viehzucht von Bedeutung. – *Fischfang* (Dorsch, Scholle, Aal) in der Nordsee in den letzten Jahren annähernd konstant (1984: 1,8 Mill. t; damit größtes Volumen in der EG). 7% der Erwerbspersonen in der Landwirtschaft tätig; Anteil am BIP (1984) 4%. – *Industrie:* Hauptsächlich Verarbeitung von landwirtschaftlichen Produkten (Molkereien, Konservenfabriken, Mühlen); ferner Schiffbau. – Arm an Bodenschätzen. – *BSP:* (1985, geschätzt) 57330 Mill. US-$ (11240 US-$ je E). – *Öffentliche Auslandsverschuldung:* (1984) 36% des BSP. – *Inflationsrate:* Durchschnittlich 9,5% – *Export:* (1986) 21101 Mill. US-$, v.a. landwirtschaftliche Erzeugnisse (30%), Industriegüter (60%), Maschinen. – *Import:* (1986) 22855 Mill. US-$, v.a. industrielle Fertigwaren, Brennstoffe. – *Handelspartner:* EG, Schweden, Norwegen, Finnland.

Verkehr: D. ist Durchgangsland, v.a. in Nord-Süd-Richtung; ca. 5300 km *Eisenbahnlinien.* – 60000 km gut ausgebaute *Straßen.* – Mehrere *Fährverbindungen* für Eisenbahn und Straßenverkehr nach Schweden, Norwegen und Straßenverkehr nach Schweden, Norwegen und Deutschland. – Kopenhagen ist der bedeutendste dänische *Seehafen.* – Gemeinsam mit Norwegen und Schweden betreibt D. die *Luftverkehrsgesellschaft* Scandinavian Airlines System (SAS).

Mitgliedschaften: UNO, BIZ, CCC, ECE, ESA, EWS, IEA, NATO, OECD, UNCTAD u.a.; Europarat, Nordischer Rat.

Währung: 1 Dänische Krone (dkr) = 100 Øre.

Dänische Nationalbank (Danmarks Nationalbank), Sitz in Kopenhagen, Zentralnotenbank Dänemarks. 1818 gegr. Ursprünglich private Aktienbank, seit 1936 autonomes Institut unter staatlicher Aufsicht. Die Vorschriften über Notendeckung und Noteneinlösung sind suspendiert. Neben der Notenemission sind der D.N. die meisten Bankgeschäfte gestattet. D.N. übernimmt keine Bankgeschäfte mit Privat- oder Firmenkunden.

Dantzig-Regel, Vorschrift zur Auswahl der Pivotvariablen im Rahmen des →primalen Simplexalgorithmus, benannt nach G. B. Dantzig. Bei Maximierungssystemen ist eine Nichtbasisvariable x_q mit $a_{oq} \leqq a_{oj}$ für j = 1,2,...,n und bei Minimierungssystemen eine Nichtbasisvariable x_q mit $a_{oq} \geqq a_{oj}$ für j = 1,2,...,n zur neuen Basisvariablen zu bestimmen.

Darlegung, zollrechtlicher Begriff für beschaugerechte Vorführung des →Zollguts durch den →Zollbeteiligten zum Zwecke der ordnungsmäßigen Vornahme der →Zollabfertigung (z.B. durch Öffnen der Packstücke, Entfernen der Umschließungen). Der Zollbeteiligte hat auf zollamtliche Anweisung selbst oder durch andere auf seine Kosten und Gefahr die erforderliche Hilfe zur Ermittlung der Menge und Beschaffenheit des Zollguts (→Zollbeschau), z.B. durch Verbringen der Ware zur Waage, zu leisten. Ist Personal für diese Hilfe zollamtlich bestellt, kann die →Zollstelle dieses auf Kosten des Zollbeteiligten in Anspruch nehmen, soweit es zweckmäßig und dem Zollbeteiligten zumutbar ist. Der Zollbeteiligte hat ohne Entschädigung jede erforderliche Prüfung des Zollguts und in dem notwendigen Umfang auch die Entnahme von Mustern und Proben zu dulden. Kommt er den Verpflichtungen nicht nach, weist die Zollstelle den →Zollantrag zurück (§16 I–VI ZG). Die Zollabfertigungsbeamten dürfen sich an den zur D. erforderlichen Handlungen nicht beteiligen. Das schließt jedoch nicht aus, daß sie gegenüber hilfsbedürftigen Personen die im Verkehr übliche Hilfsbereitschaft zeigen.

Darlehen, *Darlehn.* I. Begriff: 1. *Bankbetriebliche Praxis:* →Buchkredit, bei dem der Kreditbetrag in einer Summe bereitgestellt wird und die Rückzahlung in festgelegten Raten oder in einer Summe am Ende der Laufzeit erfolgt. - 2. *Rechtlich:* Hingabe von Geld oder anderen →vertretbaren Sachen mit der Vereinbarung, daß der Empfänger Sachen gleicher Art, Güte und Menge zurückzugeben habe (§607 I BGB). – 3. In der *Praxis* häufig synonym für →Kredit verwandt.

II. Formen: Verzinsliche und zinslose D. (zur Rückerstattung vgl. IV; vgl. auch →Darlehenszinsen). – *Sonderform:* →partiarisches Darlehen.

III. Entstehung/Anwendung: 1. D. kommt zustande formlos (aber →Schuldschein üblich) durch die Hingabe bzw. den Empfang des Geldes oder der Sachen (Realvertrag), häufig durch Stehenlassen der Gewinnanteile von OHG-Gesellschaftern oder Kommanditisten. – Vgl. auch →Darlehensversprechen. – 2. Durch nachträgliche Vereinbarung kann auch *eine andere Forderung in ein D. umgewandelt* werden (→Vereinbarungsdarlehen). – 3. *D.aufnahme durch Handlungsbevollmächtigten:* Dieser darf D. für seine Firma nur auf besondere Ermächtigung hin aufnehmen (§ 54 II HGB). – 4. *Leistung des stillen Gesellschafters* (→Einlage): Kein D. (auch kein partiarisches D.), da ihm ein fester Zins nicht zusteht und er möglicherweise seinen Anspruch auf das Kapital wegen der Verlustbeteiligung verliert. – 5. *Angewandt* beim Real- und Personalkredit.

IV. Rückerstattung: 1. *Verzinsliches D.:* Ist für die Rückzahlung eines verzinslichen D. oder die Kündigung *keine Zeit* bestimmt, so kann jeder Teil mit einmonatiger, bei D. von mehr als 300 DM dreimonatiger Frist kündigen (§ 609 BGB). Ist bei einem D. für einen *bestimmten Zeitraum* jedoch ein *fester Zinssatz* bestimmt, so kann dieses nur unter gewissen Voraussetzungen gekündigt werden (§ 609 a BGB).– 2. *Zinsloses D.:* Dieses kann der Schuldner auch ohne Kündigung zurückzahlen. – 3. *Außerordentliche Kündigung:* Ein D. kann jederzeit aus wichtigem Grund (z. B. Verzug des Schuldners mit Zins- und Tilgungsraten, Gefährdung der gestellten Sicherheiten, schuldhafte Zerrüttung eines bei Vertragsabschluß vorhandenen Vertrauensverhältnisses, dringender Eigenbedarf des Gläubigers, falsche Darstellung der Tatsachen nach Vertragsabschluß, aber vor D.auszahlung) gekündigt werden. Kann durch Vereinbarung der Parteien nicht ausgeschlossen bzw. beschränkt werden.

V. Steuerliche Behandlung: 1. *Steuerbilanz:* a) D. gehören zum →notwendigen Betriebsvermögen, wenn für Hingabe betriebliche Interessen maßgebend. D. sind mit den →Anschaffungskosten, ggf. mit dem niedrigeren Teilwert anzusetzen (§ 6 I Nr. 2 EStG). Vgl. →Kapitalforderungen II 2. – b) Empfangene D. sind notwendige Betriebsschulden, wenn die D.aufnahme betrieblich veranlaßt ist. Sie sind mit dem Rückzahlungsbetrag anzusetzen, der i. d. R. dem Nennbetrag entspricht oder dem höheren →Teilwert. – c) Zur Behandlung des Unterschieds von Auszahlungs- und Nennbetrag vgl. →Damnum. – d) Steuerermäßigung bei Berlin-D.: Vgl. →Förderung der Wirtschaft von Berlin (West). – 2. Nach dem *Bewertungsgesetz* gelten für die Bewertung von D. die allgemeinen Grundsätze. Vgl. →Kapitalforderungen III, →Schulden. – 3. *Einkommensteuer:* Die verzinsliche Hingabe von D. führt zu →Einkünften aus Kapitalvermögen. – 4. *Körperschaftsteuer:* Die Hingabe von D. an Gesellschafter zu besonders günstigen Bedingungen kann →verdeckte Gewinnausschüttung sein. – 5. *Gewerbesteuer:* a) Empfangene D. im Rahmen eines Gewerbebetriebes: →Dauerschuld. b) Grundsätzlich keine Steuerpflicht bei Ausleihen von Privatvermögen gegen Zinsen. – 6. *Gesellschaftsteuer:* Die Hingabe von D. an Kapitalgesellschaften durch Gesellschafter zu besonders günstigen Bedingungen kann insbes. als freiwillige Leistung eine steuerbare Kapitalzuführung darstellen. – 7. *Umsatzsteuer:* Vgl. →Bankumsätze.

Darlehensabgeld, →Damnum.

Darlehensfinanzierung, zusammenfassende Bezeichnung für die Formen der Kapitalbeschaffung durch Aufnahme von →Darlehen von externen Kapitalgebern (→Fremdfinanzierung).

Darlehenshypothek, häufigste Form der →Verkehrshypothek, dient der Sicherung einer Forderung aus →Darlehen. Die D. wird im →Grundbuch vielfach auch als solche bezeichnet, obwohl Angabe des Schuldgrundes für die persönliche Forderung nicht erforderlich ist. Ist bei der D. die Erteilung des →Hpothekenbriefes ausgeschlossen, kann der Grundstückseigentümer – wenn die Hingabe des Darlehens unterblieben ist – binnen eines Monats seit Eintragung der D. die Eintragung eines →Widerspruchs beantragen, der →gutgläubigen →Erwerb der D. durch Dritte rückwirkend ausschließt (§ 1139 BGB). – Vgl. auch →Hypothek.

Darlehensversprechen, Vertrag, durch den sich ein Teil zur Hingabe eines →Darlehens an den anderen Teil verpflichtet. Der Darlehensgeber kann das D. vor Hingabe des Darlehens widerrufen bei wesentlicher Verschlechterung in den Vermögensverhältnissen des anderen Teils, die den Anspruch auf Rückerstattung gefährdet (§ 610 BGB). – Vgl. auch →Krediteröffnungsvertrag.

Darlehenszinsen, Preis für die befristete Überlassung eines →Darlehens, zu entrichten jeweils am Ende eines Jahres oder bei der früheren Rückzahlung (§ 608 BGB). – *Höhe* der D. unterliegt freier Vereinbarung der Parteien. Gibt ein Kaufmann in Ausübung seines Handelsgewerbes ein Darlehen, so kann er auch ohne besondere Abrede 5% Zinsen verlangen (§§ 354 II, 352 HGB). Sind mehr als 6% vereinbart, so kann der Schuldner i. a. nach sechs Monaten das Darlehen mit einer Frist von sechs Monaten kündigen (§ 247 BGB). – Vgl. auch →Zinswucher, →Zins.

DARPA-Netz, →ARPA-Netz.

Darstellungseinheit, statistische Einheit, auf welche bei statistischen Erhebungen die Entwicklung des →Tabellenprogramms und die Erhebungsmerkmale (→Merkmal) auszurichten sind. Bei wirtschafts- und sozialstatistischen Erhebungen sind die D. nicht immer identisch mit der →Erhebungseinheit, entweder weil ihre Erfassung technisch nicht unmittelbar möglich ist (Einzelpersonen in einer stark mobilen Bevölkerung) oder weil mit einer Zählung die Verwirklichung mehrerer Konzepte angestrebt wird, weshalb das →Erhebungsgegenstand so umfassend definiert werden muß, wie es für die Aufbereitung nach mehreren Gesichtspunkten erforderlich ist. – *Beispiel:* Die Erhebungseinheit Wohnung enthält die Aufbereitungseinheiten Haushalt, Familie und Person; jede von diesen kann, nach demographischen oder sozioökonomischen Merkmalen aufbereitet, zur D. werden.

Daseinsvorsorge, Begriff zur Kennzeichnung der wachsenden Tätigkeit von Staat und Gemeinden zur Versorgung der Bevölkerung und der Wirtschaft mit lebenswichtigen Gütern, v.a. Strom, Gas und Wasser. Zur Aufgabenabgrenzung öffentlicher Verwaltungen und Unternehmen zu unscharf. D. bezieht sich v.a. auf den Funktionswandel der öffentlichen Verwaltung von der Ordnungsverwaltung zur Leistungsverwaltung (→Verwaltung).

Database/Datacommunication-System, →Datenbank-/Datenkommunikationssystem.

data definition language (DDL), →Datenbeschreibungssprache.

data description language (DDL), →Datenbeschreibungssprache.

data dictionary (DD), Sammlung von „Daten über Daten". Ein d.d. dient der computergestützten →Dokumentation des →konzeptionellen Schemas, des →internen Schemas und/oder der externen Schemata (→externes Schema) eines →Datenbanksystems.

Datapost, Beförderungsdienst der Deutschen Bundespost im Bundesgebiet *(Datapost-Inland)* sowie international *(Datapost-Ausland)*.

data processing, →Datenverarbeitung.

data processing system, →Datenverarbeitungssystem, →elektronische Datenverarbeitungsanlage.

data terminal equipment, →Datenendeinrichtung.

Datei. I. Elektronische Datenverarbeitung: Menge von →Daten, die nach einem Ordnungskriterium, das sie als zusammengehörend kennzeichnet, in maschinell lesbaren externen →Speichern gespeichert sind (z.B. Kontostände aus der Kontokorrentbuchhaltung nach Kontenbezeichnung, Lagerbestände nach Artikelbezeichnungen); auch als *file* bezeichnet. – Zu *unterscheiden* sind: →Bewegungsdatei und →Stammdatei. – Vgl. auch →Dateifortschreibung, →Datenorganisation II.

II. Bundesdatenschutzgesetz: Nach gleichartigen Merkmalen aufgebaute Datensammlung, die nach bestimmten (h.M.: mindestens zwei) Merkmalen erfaßt und geordnet und nach anderen bestimmten (h.M.: mindestens zwei) Merkmalen umgeordnet und ausgewertet werden kann. Akten und Aktensammlungen sind nur dann D., wenn sie mit Hilfe automatisierter Verfahren umgeordnet und ausgewertet werden können. – Vgl. auch →Datenschutz.

Dateiaufbereiter, →Editor.

Dateifortschreibung. 1. *Begriff:* in der →betrieblichen Datenverarbeitung ein Vorgang, bei dem eine →Stammdatei mit Hilfe einer →Bewegungsdatei aktualisiert wird. – 2. *Voraussetzung:* Beide Dateien besitzen einen gemeinsamen Ordnungsbegriff; Beispiel: die Artikelnummer, wenn eine Lagerbestandskartei (Stammdatei) mit Hilfe einer Lagerbewegungsdatei fortgeschrieben werden soll.

Dateiorganisation, →Datenorganisation II.

Dateizugriff, →Datenorganisation.

Datel, *data telecommunications/data telephone/data telegraph,* internationale Bezeichnung für die Verwendung von →Fernmeldewegen für die Übertragung von Daten. – Vgl. auch →Datel-Dienste.

Datel-Dienste, Sammelbezeichnung für Dienste der Deutschen Bundespost zur Übertragung von Daten über →Fernsprechnetz, →Telexnetz, →Datexnetz, →Direktrufnetz, →internationale Mietleitung. Vgl. im einzelnen →Bildschirmtext, →Datex-L, →Datex-P, →ISDN, →Kommunikationsdienst, →Telebox, →Telefax, →Teletex, →Telex.

Daten. I. Wirtschaftstheorie: Bezeichnung für volkswirtschaftliche Gegebenheiten, die den Wirtschaftsablauf beeinflussen, ohne von diesem selbst – zumindest unmittelbar und kurzfristig – beeinflußt zu werden. Diese D. sind teils einzelwirtschaftlicher, teils gesamtwirtschaftlicher Natur (volkswirtschaftlicher Datenkranz von →Eucken). – In der →*Theorie der quantitativen Wirtschaftspolitik* diejenigen Größen, die weder direkt noch indirekt durch den wirtschaftspolitischen Entscheidungsträger beeinflußt werden können.

II. Ökonometrie: Beobachtete Merkmalsausprägungen und Merkmalsdimensionen einer Untersuchungseinheit (→Merkmal, →Ausprägung). In ökonometrischen Studien zur Untersuchung eines ökonomischen Objekts ist nur ein Teil der charakterisierenden Eigenschaften dieses Objektes von Belang. – Die ökonometrischen D. werden durch die Beobachtung, das Festhalten, das Ablegen und das Verwahren der Realisationen der Merkmalsausprägungen *gewonnen* und nutzbar gemacht. – Man *unterscheidet* die ökonometrischen D. hinsichtlich der Skalierung des

Merkmals und der Datenerhebung. – Die D. können *aus Zeitreihen- oder Querschnittserhebungen stammen:* In Querschnittserhebungen werden Beobachtungen verschiedener Einzelobjekte zu einem bestimmten Zeitpunkt gesammelt; in Zeitreihenerhebungen werden die Beobachtungen des gleichen Objekts über mehrere Perioden zusammengetragen.

III. Elektronische Datenverarbeitung: 1. *Begriff:* Zum Zweck der Verarbeitung zusammengefaßte Zeichen, die aufgrund bekannter oder unterstellter Abmachungen Informationen (d.h. Angaben über Sachverhalte und Vorgänge) darstellen. – 2. *Arten:* a) *Formatierte D.:* D., die in einer für manuelle Interpretation besonders geeigneten, fest vereinbarten Form aufgezeichnet sind. b) *Unformatierte D.:* D., die nicht in der unter a) genannten Form aufgezeichnet sind; insbes. Text. D., die in schriftlicher Form vorliegen (vgl. auch →Textverarbeitung). – 3. *Darstellungsweise:* a) →*Analoge Darstellung.* b) →*Digitale Darstellung;* überwiegend in →binärer Darstellung (vgl. auch →Binärcodes, →ASCII(-Code), →EBCDIC). – Vgl. auch →Datei, →Datenbank, →Datenelement, →Datenmodell, →Bus, →Datenorganisation, →Datenstruktur.

Datenabstraktion, →Modularisierungsprinzip, bei dem ein Modul eine abstrakte Datenstruktur oder einen abstrakten Datentyp implementiert (→*datenorientiertes Modul*). Die →*Abstraktion* besteht darin, daß von der tatsächlichen Repräsentation der Daten innerhalb des Moduls abstrahiert wird.

Datenanalyse, *statische Datenanalyse,* Bezeichnung für statistische Methoden, mit welchen aus vorliegenden Einzeldaten verwertbare Globalinformationen gewonnen und tabellarisch oder graphisch dokumentiert werden. – 1. *Deskriptive D.:* Liegt eine *Totalerhebung* vor, so beschränkt sich die D. darauf, die in den Einzeldaten enthaltene Information mit geeigneten Methoden *zu straffen und zu verdichten;* sie hat ausschließlich den Charakter der Deskription (→deskriptive Statistik). Beispielsweise gehört in diesem Fall zur D. die Errechnung von →Mittelwerten, →Streuungsmaßen, →Konzentrationsmaßen oder die Zusammenstellung von Tabellen zur Veranschaulichung der Datenstruktur oder von Beziehungen zwischen den beteiligten Variablen. – 2. *Inferentielle Datenanalyse:* Bei einer *Stichprobenerhebung* (→Stichprobe) liegt der Schwerpunkt der D. auf der *Übertragung der Stichprobenbefunde auf die →Grundgesamtheit* im Wege der →Punktschätzung, →Intervallschätzung oder →Hypothesenprüfung, also auf den Methoden der →Inferenzstatistik. Zur D. gehört in diesem Fall z.B. die Angabe qualifizierter Punktschätzwerte oder die Angabe von Konfidenzintervallen für Parameter der Grundgesamtheit. – 3. Neuerdings wird, basierend auf einer grundlegenden Arbeit von J. Tukey (1977), neben der deskriptiven und inferentiellen die *explorative D.* unterschieden. Dabei wird die verfügbare Datenmenge systematisch oder versuchsweise reduziert und umgestaltet mit der Absicht, Strukturen in den Daten oder einfache und überschaubare Zusammenhänge hervortreten zu lassen oder auf diese Weise erst zu entdekken. – 4. Bei der D. ist allgemein zwischen *univariater, bivariater und multivariater D.* zu unterscheiden, je nachdem, ob eine Variable oder die Beziehungen zwischen zwei oder mehreren beteiligten Variablen im Vordergrund stehen (vgl. auch →univariate Analyseverfahren, →bivariate Analyseverfahren, →multivariate Analyseverfahren).

Datenanschlußgerät, →Datenübertragungseinrichtung.

Datenausgabe, Ausgabe von →Daten aus einem Datenverarbeitungssystem. Die D. kann auf verschiedene →Datenträger erfolgen oder über →Datenstationen als Schriftbild oder in grafischer Form oder mit Hilfe von Sprachausgabe-Einrichtungen als gesprochenes Wort abgewickelt werden. – Vgl. auch →Datenendgerät.

Datenbank, *Dokumentationsbank,* i.a. große, in →Dateien in einem →Computer gespeicherte und von einem →Datenbankmanagementsystem verwaltete Menge von →Daten. Vgl. auch →externe Datenbank. – Zur *Datenbankorganisation* vgl. →Datenorganisation IV.

Datenbankabfrage, *Datenbankanfrage, query,* von einem Benutzer in einer vom →Datenbankmanagementsystem zur Verfügung gestellten →Datenmanipulationssprache oder →Abfragesprache formulierte Anfrage an eine →Datenbank.

Datenbankabfragesprache, →Abfragesprache.

Datenbankadministrator. 1. *Begriff:* Berufsbild in der →betrieblichen Datenverarbeitung. Dem D. obliegt die Organisation der Daten eines Unternehmens in einem →Datenbanksystem. – 2. *Aufgaben:* a) Entwicklung und Pflege des →konzeptionellen Datenmodells und des →konzeptionellen Schemas in Zusammenarbeit mit den betrieblichen Fachabteilungen; b) Entwicklung und Pflege des →internen Schemas; c) Abstimmung der externen Schemata (→externes Schema) mit dem konzeptionellen Schema; d) evtl Auswahl des →Datenbanksystems und der Datenbanksprachen (→Datenbeschreibungssprache, →Datenmanipulationssprache, →Abfragesprache), Verwaltung des →data dictionary, Beratung der →Systemprogrammierer und →Anwendungsprogrammierer.

Datenbankanfrage, →Datenbankabfrage.

Datenbank-/Datenkommunikationssystem, *DB/DC-System, Database/Datacommunication-System,* →Datenbanksystem, das im Transaktionsbetrieb (→Transaktion, →aktionsorientierte Datenverarbeitung) unter einem →TP-Monitor abläuft; i.d.R. ist ein Datenbanksystem unter verschiedenen TP-Monitoren ablauffähig.

Datenbankmanagementsystem (DBMS), *Datenbankverwaltungssystem,* der Teil eines →Datenbanksystems, der zur Verwaltung der Daten der →Datenbank dient. – *Bestandteile:* a) Ein *Programmsystem* (→Programm), das Methoden und Werkzeuge zur Einrichtung und Pflege der Datenbank beinhaltet und alle von den →Anwendungsprogrammen verlangten Zugriffe (Lesen, Ändern, Hinzufügen, Löschen von Daten) auf der Datenbank ausführt, wobei →Datensicherheit und →Datenschutz gewährleistet sein müssen. b) *Weitere Funktionen* können zur Verfügung gestellt werden, z.B. Abrechnung der Leistungsinanspruchnahme durch die Benutzer, Restauration einer zerstörten Datenbank.

Datenbankorganisation, →Datenorganisation IV.

Datenbanksystem, →*Datenbank* und das zugehörige →*Datenbankmanagementsystem.* Durch ein D. wird eine i.a. von mehreren →Programmen und/oder →Endbenutzern verwendete Menge von →Daten unter eine zentrale Kontrolle gestellt, die für Probleme der Datenspeicherung und →Datenorganisation zuständig ist. – Die *Verantwortlichkeit* für ein größeres D. liegt i.d.R. bei einem →Datenbankadministrator.

Datenbankverwaltungssystem, →Datenbankmanagementsystem.

Datenbeschreibungssprache, *Datendefinitionssprache, data description language, data definition language (DDL),* eine Sprache, die zur Beschreibung der Struktur einer →Datenbank aus der Sicht des →konzeptionellen Datenmodells, →externen Datenmodells oder →internen Datenmodells dient. Zu einem →Datenbankmanagementsystem gehört stets eine D. – Es existieren Sprachen, die die Funktionen einer →Datenmanipulationssprache und einer D. in sich vereinigen, z.B. →SQL.

Datenbus, →Bus.

Datendefinitionssprache, →Datenbeschreibungssprache.

Datenelement, *skalares Element,* Begriff der elektronischen Datenverarbeitung. Bei der →Programmentwicklung ein Datum, das einen →Datentyp besitzt und nicht weiter unterteilt wird. – Vgl. auch →Daten, →Datenstruktur.

Datenendeinrichtung (DEE), *data terminal equipment (DTE),* nach DIN 44302 funktionelle Einheit einer →Datenstation. Dient zum Senden und/oder Empfangen von Daten. – *Bestandteile:* a) →Zentraleinheit oder →Datenendgerät, b) Fernbetriebseinheit (zur Ablaufsteuerung der →Datenübertragung) und c) Synchronisiereinheit (zur zeitlichen Abstimmung der kommunizierenden D.). – DEE bedürfen der Genehmigung der →Deutschen Bundespost.

Datenendgerät, *Datenendstation, Terminals.*

I. Allgemeines: Durch die Datenübertragung ist es möglich geworden, →Daten an einem anderen Ort als der eigentlichen Verarbeitung und Speicherung zu erfassen oder auszugeben, ohne sie mit Hilfe von →Datenträgern physisch transportieren zu müssen. Geräte für die Datenerfassung, -eingabe, -abfrage und -ausgabe (evtl. auch für die Datenspeicherung), die von der →Zentraleinheit räumlich entfernt aufgestellt, aber mit ihr durch Übertragungsleitungen (speziell Fernmeldewege) verbunden sind oder verbunden (angeschaltet) werden können, werden unter dem Sammelbegriff D. zusammengefaßt. – Es gibt eine *Vielfalt von D.,* die sich in Aufbau, Funktionsweise und Leistungsvermögen voneinander unterscheiden und ihrer aufgabenorientierten technischen Auslegung entsprechend eine oder mehrere Funktionen erfüllen können: a) *„Nichtintelligente" D.* beschränken sich auf die Eingabe und/oder Ausgabe von Daten über →Bildschirm und →Tastatur bzw. auf das reine Umsetzen von Daten auf Datenträger und umgekehrt. b) *„Intelligente" D.,* d.h. D. mit eigener Verarbeitungs- und Speicher-Kapazität, üben u.a. Prüf- und Steuerungsfunktionen für die Datenerfassung, die Datenübertragung und die Datenausgabe aus und entlasten dadurch die Zentraleinheit des Datenverarbeitungssystems. Im Grenzfall weisen sie alle Leistungsmerkmale eines →Computers auf.

II. Funktionen: 1. *Datenerfassung* bzw. *-eingabe:* Vorwiegend über →Bildschirmgeräte, Geräte der →optischen Zeichenerkennung. – 2. *Datenausgabe:* Vorwiegend über Bildschirmgeräte, →Drucker, Funktionsanzeigen.

III. Einsatz: In den Datenverarbeitungssystemen aller Branchen und in allen Funktionsbereichen im →Teilhaberbetrieb oder im →Teilnehmerbetrieb, z.B. a) in der *Industrie* für die Erfassung und Überwachung des Produktionsfortschritts, für Fertigungssteuerung, für Lagerbestandserfassung, für Auftragserfassung und Auslieferungsanweisung (vgl. auch →PPS-System); b) im *Einzelhandel* an Stelle der herkömmlichen Registrierkassen, für die Auftragseingabe durch Vertreter; c) bei *Banken* als Schalterquittungsmaschinen, als Abfragegeräte für Kontenstände und für die Umsatzdirektverbuchung anderer Abteilungen, als Ausgabegerät bei der Kundenberatung; d) für *Führungskräfte* zur Abfrage (→Datenbankabfrage) von Leistungsdaten aus →Datenbanken, für Planungs- und Steuerungsaufgaben („What-if-Fragen" bei Modelldurchrechnung und Simulationen).

Datenendstation, →Datenendgerät.

Datenerfassung. 1. *Begriff:* Übertragung von →Daten auf maschinell lesbare →Datenträger, ggf. (z. B. beim Dialogbetrieb) zugleich Direkteingabe der Daten in das EDV-System zur sofortigen Verarbeitung oder Speicherung. D. soll ereignisnah erfolgen und den Datensicherheits- und Datenschutzanforderungen entsprechen (→Datenschutz, →Datensicherung). D.-Methode, Datenträger und Datenerfassungsgeräte bestimmen die Art der D. – 2. *D.-Methoden:* a) zentrale D. (zentrale Erfassungsstelle); b) dezentrale D. (Erfassung jeweils am Ursprungsort der Daten, z. B. Fachabteilung; c) →Online (-Betrieb) für →Stapelbetrieb oder →Echtzeitbetrieb mit →Datenübertragung zur Datenverarbeitungsanlage; d) →Offline (-Betrieb) (Erfassung und spätere Stapelverarbeitung der Daten); e) automatische D. (Erfassung über Meßgeräte auf Datenträger oder unmittelbare Weitergabe an die Datenverarbeitungsanlage zur Verarbeitung). – 3. *Möglichkeit der D. am Verkaufspunkt:* Heute ist mit Hilfe der Scanner-Technologie (→Scanner) die artikelgenaue D. an den Kassen des Einzelhandels möglich (vgl. auch →point of sale). Man erhält warenwirtschaftliche Kennzahlen u. a. über die Lagerumschlagsgeschwindigkeit bzw. -häufigkeit, die Bruttonutzungshäufigkeit und den durchschnittlichen Lagerbestand; die Durchführung von Paneluntersuchungen (→Panel) wird vereinfacht. – Vgl. auch →Datenanalyse, →Erhebung.

Datenerfassungsgeräte, in der elektronischen Datenverarbeitung Sammelbegriff für alle Geräte zur →Datenerfassung: Einzelgeräte, selbständige Einheiten mit Eingabe-, Steuer- und Ausgabeteil; Sammelsystem, bestehend aus mehreren Erfassungsplätzen, einer (Steuer-)Zentraleinheit und einem Ausgabeteil für die Erstellung („Beschriftung") eines gemeinsamen Datenträgers.

Datenerfassungsverordnung (DEVO), Regelung von Einzelheiten über die Meldungen der Versicherungspflichtigen in der Kranken-, Renten- und Arbeitslosenversicherung. – 1. *Gesetzliche Grundlage:* Zweite DEVO v. 29.5.1980 (BGBl I 593), die die erste DEVO v. 24.11.1972 (BGBl I 2159) ersetzt. – 2. *Meldepflicht:* Arbeitgeber und Entleiher von Arbeitnehmern haben an die jeweils zuständige Krankenkasse bzw. Ersatzkasse Meldungen auf vorgesehenen Vordrucken vorzunehmen; sie umfassen außer den persönlichen Daten des Versicherten v. a. Art sowie Beginn und Ende der Beschäftigung und Entgelthöhe. a) Der *Beginn* jeder versicherungspflichtigen Beschäftigung muß innerhalb zwei Wochen und ihr *Ende* binnen sechs Wochen gemeldet werden. – b) Bis zum 31. März eines Jahres haben die Arbeitgeber zudem jeden am 31. Dezember des Vorjahres Beschäftigten zu melden *(Jahresmeldung)*. – c) Jede *Veränderung* im Beschäftigungs- oder Versicherungsverhältnis, die für die Versicherungs- oder Beitragspflicht von Bedeutung ist, ist zu melden. – 3. *Überwachung:* Die Träger der Krankenversicherung haben für die rechtzeitige, vollständige und richtige Meldung zu sorgen. Die zweite DEVO regelt außerdem Einzelheiten über die Datenstelle, Datenspeicherung und Führung des Versicherungskontos in der Rentenversicherung. – 4. *Versicherungsverlauf:* Versicherten, die das 45. Lebensjahr vollendet haben und für die ein Konto beim Rentenversicherungsträger geführt wird, ist alle sechs Jahre ein Versicherungsverlauf über die gespeicherten Beitrags-, Ersatz- und Ausfallzeiten zu übersenden.

Datenerhebung, →Erhebung.

Datenfernübertragung, Datenübertragung über Fernmeldewege (Leitungswege, Funkstrecken): a) vom Ort der →Datenerfassung zum Ort der →elektronischen Datenverarbeitung (von der →Datenstation zur →Zentraleinheit); b) vom Ort der Datenverarbeitung zum Ort der Datenausgabe oder der Datenspeicherung (von der Zentraleinheit zur Datenstation oder zur →Datei bzw. →Datenbank); c) automatische Weitergabe der Daten von einer Datenverarbeitungsanlage an eine andere (von Zentraleinheit zu Zentraleinheit bzw. an die →peripheren Geräte des anderen, entfernt stehenden Systems). – Vgl. auch →Datenübertragung.

Datenfernverarbeitung, elektronische Verarbeitung von →Daten, die an einem vom Verarbeitungsort (→Rechenzentrum, DV-System) entfernten Ort entstanden, erfaßt und auf Fernmeldewegen zur Verarbeitung übertragen worden sind (→Datenübertragung). Die Verarbeitungsergebnisse werden an die anliefernde Stelle zurückübertragen. D. kann Realzeitverarbeitung (→Echtzeitbetrieb) oder →Stapelbetrieb sein.

Datenfluß, Ablauf der Datenweitergabe oder -veränderung in einem System oder Programm mit geschlossener Folge von Verarbeitungs- oder Übertragungsvorgängen.

Datenflußplan, *Blockdiagramm, Flußdiagramm.* 1. *Begriff:* Graphisches Hilfsmittel zur Darstellung des Datenflusses bei der Bearbeitung einer Aufgabe mit →elektronischer Datenverarbeitung. Der D. gibt an, welche Stellen die →Daten durchlaufen, d. h., welche

→Datenträger benutzt werden, von welchen →Programmen die Daten bearbeitet werden und welche Art der Bearbeitung vorgenommen wird. – 2. *Darstellungsform:* Symbole (Rechtecke, Rauten u.a.), die durch Ablauflinien miteinander verbunden werden. – 3. *Verwendung:* Bei größeren Aufgaben in der →betrieblichen Datenverarbeitung, v.a. bei der →Systemanalyse. – 4. *Standardisierung:* Genormt in den DIN-Normen 44300 und 66001.

Datengruppe, →Record.

Datenintegration. 1. *Begriff:* Integration von →Daten mehrerer betrieblicher Funktionsbereiche mit dem Ziele, dieselben Daten unmittelbar für verschiedene Aufgaben nutzbar zu machen. – 2. *Vorteile:* Vermeidung von →Datenredundanz, Inkonsistenz der Daten (→Datenintegrität) und →Bridge-Programmen. Bildung von →Vorgangsketten möglich. – 3. *Voraussetzung:* Datenbankorganisation (→Datenorganisation IV). – Vgl. auch →computergestützte Finanzbuchhaltung.

Datenintegrität, *Datenkonsistenz,* in der Datenbankorganisation (→Datenorganisation IV) die Korrektheit der gespeicherten Daten i.S. einer widerspruchsfreien und vollständigen Abbildung der relevanten Aspekte des erfaßten Realitätsausschnitts.

Datenkapsel, →datenorientiertes Modul.

Datenkonsistenz, →Datenintegrität.

Datenmanipulationssprache, *data manipulation language (DML).* 1. *Begriff:* Sprache zum Abfragen, Einfügen, Ändern und Löschen der Daten eines →Datenbanksystems; sie wird dem →Benutzer vom →Datenbankmanagementsystem zur Verfügung gestellt. – 2. *Arten:* a) Die in eine andere →Programmiersprache integrierte D., auch als *host language* bezeichnet, und *eigenständige D.*. b) *Prozedurale D.* (vgl. auch →Programmiersprache II): Der Benutzer muß über die Struktur der →Datenbank informiert sein, um Daten manipulieren zu können. c) *Deskriptive D.:* Der Benutzer muß nur die Art der Manipulation angeben. – 3. Viele Sprachen vereinigen die Funktionen einer →Datenbeschreibungssprache und einer D. in sich, z.B. →SQL.

Datenmodell. 1. *Begriff:* In der →Datenorganisation Modell der zu beschreibenden und verarbeitenden →Daten eines Anwendungsbereichs (z.B. Daten des Produktionsbereichs, des Rechnungswesens oder die Gesamtheit der Unternehmensdaten) und ihrer Beziehungen zueinander. – 2. *Verwendungsformen:* a) →internes Datenmodell; b) →konzeptionelles Datenmodell; c) →externes Datenmodell. – 3. *Wichtigste Arten:* a) →hierarchisches Datenmodell; b) →Netzwerkmodell; c) →Relationenmodell.

Datennetz, →Netz.

Datenorganisation. I. Begriff/Formen: D. bezeichnet i.w.S. alle Verfahren zur Anordnung und zum Wiederauffinden von →Daten. I.a. wird der Begriff heute auf die →elektronische Datenverarbeitung bezogen. – *Formen:* Dateiorganisation (vgl. II und III) und Datenbankorganisation (vgl. IV).

II. Dateiorganisation *(konventionelle D.):* 1. *Begriff:* Unter Dateiorganisation faßt man die Methoden und Prinzipien zur Strukturierung einer →Datei, insbes. zur Anordnung der Datensätze (→Datensatz) und zum Wiederauffinden der Datensätze zusammen. – 2. *Aspekte:* a) Die *Zugriffsform* gibt an, in welcher Reihenfolge man die Datensätze einer Datei ansprechen (lesen oder schreiben) kann. – (1) *Sequentieller Zugriff (fortlaufender Zugriff)* bedeutet, daß die Datensätze nur in einer bestimmten Reihenfolge angesprochen werden können. Diese ist entweder durch einen auf- bzw. absteigenden →Schlüssel definiert oder durch den →Datenträger vorgegeben (z.B. ist bei einem →Magnetband nur sequentieller Zugriff möglich). – (2) *Direkter Zugriff (wahlfreier Zugriff, random access)* liegt vor, wenn die Sätze einer Datei in beliebiger Reihenfolge über ihre Schlüssel angesprochen werden können. Voraussetzung hierfür ist, daß die Datei auf einem Datenträger mit direkter →Adressierung (z.B. →Magnetplattenspeicher, →Diskette) residiert. – b) Die *Speicherungsform* definiert die Anordnung der Datensätze in der Datei. – (1) Bei *sequentieller Speicherung (fortlaufender Speicherung)* sind die Datensätze hintereinander fortlaufend angeordnet und können auch nur in dieser Reihenfolge wieder bereitgestellt werden. – (2) Bei *index-sequentieller Speicherung* werden die Datensätze nach folgendem Prinzip zu Blöcken zusammengefaßt: Innerhalb eines Blocks sind die Sätze nach ihren Schlüsseln sequentiell geordnet. Für jeden Block ist in einer Indextabelle der größte Schlüsselwert festgehalten. Soll nun auf einen bestimmten Satz zugegriffen werden, kann über die Indextabelle der richtige Datenblock identifiziert und dann (sequentiell) durchsucht werden. Auf die Indextabelle selbst wird meist das gleiche Prinzip analog angewendet; dies führt zu mehrstufigen Indextabellen. – Realisierungen der index-sequentiellen Speicherung als Dateiorganisationsform sind in der →betrieblichen Datenverarbeitung unter dem Namen ISAM (index sequential access method) bzw. in fortgeschrittener Form als VSAM (virtual sequent access method) bekannt. – (3) Der *gestreut direkten Speicherung* liegt ein sehr einfaches Dateimodell zugrunde: die Sätze einer Datei sind fortlaufend numeriert und können über die Satznummer angesprochen werden. Für jede mögliche Satznummer ist ein Speicherbereich von der Größe eines Datensatzes vorgesehen, unabhängig davon, ob tatsächlich ein Datensatz mit der Nummer existiert oder nicht. – (4) *Gestreut indirekte Speicherung* bedeutet, daß nicht für jede denkbare Satznummer Platz für einen Datensatz reserviert wird, sondern mit Hilfe eines Umrechnungsverfahrens (Hash-Funktion) nur für die tatsächlich vorkommenden →Ordnungsbegriffe Positionen in der Datei berechnet und Speicherplatz für die Sätze reserviert werden. – c) Die *Verarbeitungsform* wird manchmal als zusätzlicher Aspekt herangezogen; i.e.S. ist sie jedoch nicht der D., sondern eher der Verarbeitungstechnik zuzurechnen. – Aus der Sicht des →Benutzers wird danach (1) *sortierte Verarbeitung* der Datensätze in der Reihenfolge ihrer Ordnungsbegriffe und (2) *unsortierte Verarbeitung* unterschieden. – 3. *Zusammenhänge zwischen Speicherungsform und Zugriffsform:* Die Speicherungsform setzt Restriktionen für die Zugriffsform. Bei sequentieller Speicherung ist nur sequentieller Zugriff möglich; bei index-sequentieller oder gestreuter Speicherung ist sowohl direkter als auch sequentieller Zugriff möglich. – 4. *Einsatzschwerpunkte:* a) *Sequentielle Speicherung* wird v.a. dann eingesetzt, wenn große Datenbestände nach Ordnungsbegriffen sortiert zu verarbeiten sind; dies erfolgt häufig in Form der →Dateifortschreibung. – b) *Index-sequentielle Speicherung* ist in der →betrieblichen Datenverarbeitung die häufigste Organisationsform, wenn sowohl sequentieller Zugriff als auch direkter Zugriff zu Datensätzen aufgrund eines Schlüssels (z.B. aufgrund einer klassifizierenden Artikelnummer) erforderlich ist. – c) *Gestreut direkte Speicherung* ist eine sehr effiziente Organisationsform, wenn direkter Zugriff benötigt wird und das Anwendungsproblem Ordnungsbegriffe vorgibt, die fortlaufende Nummern sind, oder wenn der →Programmierer im →Anwendungsprogramm selbst die Zuordnung zwischen Ordnungsbegriffen (z.B. Artikelnummern) und Satznummern vornimmt und verwaltet; sonst ist die gestreut direkte Speicherung u.U. sehr ineffizient. – d) *Gestreut indirekte Speicherung* kommt weniger zum Einsatz, da der in der →betrieblichen Datenverarbeitung häufig benötigte sequentielle Zugriff umständlicher als bei den anderen Speicherungsformen realisiert werden muß. – 5. *Terminologie:* Vereinfachend wird „Dateiorganisationsform" oft mit „Speicherungsform" gleichgesetzt, z.B. in kommerziellen →Programmiersprachen (→Cobol).

III. Probleme der Dateiorganisation: 1. Dateien werden i.d.R. aus den Anforderungen der sie verarbeitenden →Programme heraus organisiert; daher besteht eine enge *Kopplung zwischen Dateien und Programmen.* Als Folge müssen bei Änderungen der Dateiorganisation auch die Programme geändert weerden (→Softwarewartung). – 2. Aufgrund der engen Datei-Programm-Kopplung können *verschiedene Programme,* die teilweise die gleichen Daten benötigen, dieselben Dateien nicht unmittelbar verarbeiten; Daten müssen vielmehr erst in eine für das andere Programm geeignete Form umgesetzt werden. Wenn beispielsweise ein Programm zwei Daten, die bereits in einer sequentiell organisierten Datei für Programm 1 existieren, in einer anderen Reihenfolge als Programm 1 benötigt, so muß durch →Sortieren eine neue Datei erzeugt werden. – 3. →*Datenredundanz:* Die gleichen Daten sind in jeweils für spezifische Programme adäquater Form *mehrfach* vorhanden. – 4. *Datenkonsistenz* (→Datenintegrität): Aufgrund der Redundanz und der jeweils isolierten Betrachtung der einzelnen Dateien ist die Widerspruchsfreiheit und Vollständigkeit der Daten nicht gesichert.

IV. Datenbankorganisation: 1. *Grundidee:* Daten sind eine wichtige Ressource eines Unternehmens. Sie sollen deshalb auch für neue →Anwendungsprogramme und Auswertungen möglichst flexibel verfügbar und nicht starr an einzelne Programme gekoppelt sein. Alle relevanten Unternehmensdaten werden in einem zentralen „Pool" aufbewahrt und für die verschiedenen Programme bzw. →Endbenutzer in der jeweils geeigneten Form (→Datensicht) bereitgestellt. – 2. *Voraussetzungen:* Im Idealfall sollte zur Gewährleistung der Flexibilität, insbes. der physischen und logischen →Datenunabhängigkeit, eine strikte Trennung von drei Ebenen, der internen, konzeptionellen und externen Ebene (→internes Schema, →konzeptionelles Schema, →externes Schema) eingehalten werden. Daten werden auf den drei Ebenen getrennt in →Datenmodellen abgebildet. Für die Koordination der Datenmodelle ist ein →Datenbankadministrator zuständig. – 3. *Realisierung:* Die Datenmodelle werden mit →Datenbeschreibungssprachen formuliert. Zum Eintragen von Daten in die Datenbank und zur Bearbeitung der Daten dienen →Datenmanipulationssprachen, zur Benutzung der Datenbank durch →Endbenutzer, v.a. für ad-hoc-Abfragen und -Auswertungen, auch →Abfragesprachen. – 4. *Vorteil:* Organisation der Daten in einem →Datenbanksystem ist eine wesentliche Voraussetzung für den aus der →Datenintegration und →Funktionsintegration resultierenden Nutzen.

Literatur: Bastian, M., Datenbanksysteme, Königstein/Ts. 1982; Bradley, J., File and Data Base Technique, New York, Chicago 1982; Dittmann, E. L., Datenunabhängigkeit beim Entwurf von Datenbanksystemen, Darmstadt 1977; Gillner, R., Datenbanken auf Arbeitsplatzrechnern, München 1984; Grill, E., Relationale Datenbanken, 2. Aufl., München 1984; Hansen, H. R., Wirtschaftsinformatik I, 5. Aufl., Stuttgart 1986, Kap. 3.2; Martin, J., Einführung in die Datenbanktechnik, München 1981; Quiel, G., Datenbanksysteme, 2. Aufl., Köln-Braunsfeld 1983; Schlageter, G./Stucky, W., Datenbanksysteme: Konzepte und Modelle, 2. Aufl., Stuttgart 1983, Stahlknecht, P., Einführung in die Wirtschaftsinformatik, 2. Aufl., Berlin (West) 1985, Kap. 5; Zehnder, C. A., Informationssysteme und Datenbanken, Stuttgart 1985.

Prof. Dr. Karl Kurbel

datenorientiertes Modul, *Datenkapsel,* ein →Modul, das nach dem Datenabstraktionsprinzip (→Datenabstraktion) gebildet wird. Das Modul verbirgt im Innern die Realisierung eines →abstrakten Datentyps oder einer →abstrakten Datenstruktur (Abkapselung der Daten i. S. des →information hiding). Zur Benutzung des d. M. werden →Zugriffsoperationen zur Verfügung gestellt. – *Gegensatz:* →funktionsorientiertes Modul.

Datenrate, *Datentransferrate, Datenübertragungsrate,* Anzahl der in einer Zeiteinheit (i. d. R. Sekunde) übertragenen →Daten zwischen →Zentraleinheit und →Peripheriegeräten.

Datenreduktion, Komprimierung des Datenmaterials einer Erhebung mittels systematischer Methoden auf wenige aussagekräftige Größen. Dam damit zwangsläufig verbundenen objektiven Informationsverlust steht die Erhöhung des subjektiven Informationsgehaltes gegenüber. – *Verwendete Methoden:* Einfache Tabellierungen der Daten, Bildung von Maßzahlen (z. B. Mittelwerte, Quoten, Indexzahlen) bis hin zu den multivariaten Analysetechniken (→multivariate Analysemethoden). – Vgl. auch →Datenanalyse.

Datenredundanz. 1. *Begriff:* In der →*Datenorganisation* das mehrfache Führen der gleichen →Daten. – 2. *Folgen:* Mehrfachaufwand, Konsistenz der Daten (→Datenintegrität) nicht gewährleistet; Abstimmungsprobleme, da Änderungen an verschiedenen Stellen (z. B. in mehreren →Dateien) zur gleichen Zeit durchgeführt werden müssen. – 3. D. in *kontrolliertem* Umfang wird häufig *eingeplant,* um z. B. bei Verlust von Daten die Rekonstruktion zu ermöglichen oder zur Verbesserung der →Performance.

Datensammelsystem, →Datenerfassungsgeräte.

Datensatz, in der →*Datenorganisation* eine Zusammenfassung von Daten, die zu einem Objekt gehören und in einer →Datei abgelegt sind, z. B. Artikelnummer, Bezeichnung, Verkaufspreis und Lagerbestand zu einem bestimmten Artikel. Als →Datenstruktur betrachtet stellt ein D. i. a. einen →*Record* dar.

Datenschutz. I. Allgemein: 1. *I. e. S.:* Schutz von Daten, insbes. →personenbezogener Daten, vor Mißbrauch. – *Rechtsgrundlage:* Bundesdatenschutzgesetz (BDSG) vom 27.1.1977 (BGBl I 201) mit späteren Änderungen sowie Landesgesetze. – *Inhalt:* (1) *Aufgabe* ist es, durch den Schutz personenbezogener Daten vor Mißbrauch bei ihrer Speicherung, Übermittlung, Veränderung und Löschung (Datenverarbeitung) der Beeinträchtigung schutzwürdiger Belange der Betroffenen entgegenzuwirken. (2) *Zugang* zu den sich auf die Person des einzelnen Bürgers beziehenden Daten ist nur bei Einwilligung des Betroffenen oder bei Freigabe durch den Gesetzgeber gestattet. (3) *Betroffener* hat ein Recht auf Auskunft, Berichtigung, Sperrung und Löschung der über seine Person gespeicherten Daten. (4) Den bei der Datenverarbeitung beschäftigten Personen ist es untersagt, geschützte personenbezogene Daten unbefugt zu verarbeiten, bekanntzugeben, zugänglich zu machen oder sonst zu nutzen *(Datengeheimnis).* (5) *Technische* und *organisatorische Maßnahmen* sind zu treffen, um die Ausführung des D. zu gewährleisten. (6) Es ist ein *Datenschutzbeauftragter* (→Beauftragter für den Datenschutz; →Bundesbeauftragter für den Datenschutz) zu bestellen, der die Einhaltung des D. überwacht und sicherzustellen hat. – 2. *I. w. S.:* Schutz vor Verlusten von Daten. Realisiert wird der D. durch die →Datensicherheit.

II. Strafbestimmungen: 1. *Zuwiderhandlungen i. S. des Bundesdatenschutzgesetzes* werden als Straftat mit Freiheitsstrafen bis zu zwei Jahren oder mit Geldstrafe oder als Ordnungswidrigkeit mit Geldbußen bis zu 50000 DM geahndet. – 2. Das *unbefugte Verschaffen von Daten,* die nicht für den Betreffenden bestimmt und gegen unberechtigten Zugang besonders gesichert sind, für sich oder einen anderen ist strafbar. Strafe: Freiheitsstrafe bis zu drei Jahren oder Geldstrafe (§ 202a StGB). – 3. Strafbar macht sich ferner, wer *rechtswidrig Daten löscht,* unterdrückt, unbrauchbar macht oder verändert (§ 303a StGB). Auch der →Versuch ist strafbar. Strafe: Freiheitsstrafe bis zu zwei Jahren oder Geldstrafe – 4. Strafbar macht sich, wer eine *Datenverarbeitung, die für einen fremden Betrieb, ein fremdes Unternehmen oder eine Behörde von Bedeutung ist,* dadurch *stört,* daß er eine Tat nach § 303a StGB begeht oder eine Datenverarbeitungsanlage oder einen Datenträger zerstört, beschädigt, unbrauchbar macht, beseitigt oder verändert (§ 303a StGB). Auch der →Versuch ist strafbar. Strafe: Freiheitsstrafe bis zu fünf Jahren oder Geldstrafe. – 5. Erfaßt wird hiervon i. d. R. nicht das *„Hacking“,* da sich hierbei grundsätzlich nur der Zugang (ohne Zugriff auf die Daten selbst) unbefugt verschafft wird.

III. Arbeitsrecht: Vgl. →Personalakte, →technische Überwachungseinrichtung.

Datenschutzbeauftragter, →Beauftragter für den Datenschutz, →Bundesbeauftragter für den Datenschutz.

Datensicherheit, in der →betrieblichen Datenverarbeitung alle technischen und organisatorischen (auch softwaretechnischen; →Software) Maßnahmen zum Schutz von →Daten vor Verfälschung, Zerstörung und unzulässiger Weitergabe. – *Ziel:* Gewährleistung der jederzeitigen Vollständigkeit und Korrektheit aller Daten. – Vgl. auch →Datenschutz, →Datensicherung.

Datensicherung. 1. Synonym für →*Datensicherheit*. – 2. Organisatorische Bezeichnung für das *Erzeugen einer oder mehrerer Kopien* gespeicherter Daten (evtl. auch Programme) auf einem →externen Speicher, um sich vor dem Verlust der Daten (Programme) zu schützen; z.T. werden zu diesem Zweck spezielle Speichergeräte (z.B. →Streamer) eingesetzt. – 3. *Methoden zur D.:* →Drei-Generationen-Prinzip, →Vater-Sohn-Prinzip.

Datensicht, *Sicht, view.* 1. *Begriff:* In der →Datenorganisation die Art und Weise, wie sich Daten für ein →Programm oder einen →Benutzer darstellen. – 2. *Arten* in der *Datenbankorganisation* (→Datenorganisation IV): a) *Externe D.:* Die Sicht auf die Daten, wie sie sich für den Programmierer eines →Anwendungsprogramms bzw. einen →Endbenutzer darstellen. b) *Globale logische D.:* Der Überblick über alle Daten und ihre Beziehungen, wie sie der →Datenbankadministrator sieht. c) *Interne D.:* Die interne Darstellung und Anordnung der Daten auf den →Datenträgern. – Die externe D. wird als D. i.e.S. bezeichnet; daher auch synonym für →externes Schema.

Datensichtgerät, →Bildschirmgerät.

Datenspeicherung, →Daten, →Datenorganisation, →Speicher.

Datenstation, nach DIN 44302 ein Gerät, das →Daten senden (Datenquelle) und/oder Daten empfangen (Datensenke) kann, d.h. eine Dateneinrichtung am Ende eines Übertragungsweges. – *Bestandteile:* →Datenendeinrichtung und →Datenübertragungseinrichtung.

Datenstruktur. 1. *Begriff:* Bei der →Programmentwicklung Zusammenfassung von →Datenelementen und/oder Datenstrukturen, die in einem logischen Zusammenhang stehen, zu einer größeren Einheit unter einem gemeinsamen Namen. – 2. *Typen:* a) *Standard-D. (elementare D.):* in einer →Programmiersprache bereits vordefinierte D., wichtigste Formen: →Array, →Record, →Datei; b) →*abstrakte Datenstruktur* (*höhere D.*).

Datenterminal, →Datenendgerät.

Datenträger, in der elektronischen Datenverarbeitung jedes Medium, das →Daten in maschinell lesbarer Form „trägt" bzw. dafür geeignet ist. Die Daten sind auf oder in dem D. (z.B. auf magnetisierbaren D. wie einer →Diskette oder einer →Magnetstreifenkarte) in einem bestimmten →Code „gespeichert". Häufig werden D. als sog. Datenzwischenträger zur schnellen maschinellen Dateneingabe (oder Datenausgabe) eingesetzt. – Vgl. auch →Datenträgeraustausch.

Datenträgeraustausch, Weitergabe von Datenaufzeichnungen durch Transport von Datenaufzeichnungen auf Magnetband, Magnetplatte, Diskette (→Datenträger).

Datentransferrate, →Datenrate.

Datentyp. 1. *Begriff:* Zentrales Konzept in der →Informatik, insbes. bei der →Programmentwicklung. D. gibt an, von welcher Art die →Daten sind, die mit ihm beschrieben werden (→Datenvereinbarung), und welche Operationen auf diesen ausgeführt werden können. – *Keine einheitliche Definition; häufigste:* Der D. bestimmt die Menge von Werten, die eine →Variable, ein →Ausdruck oder eine →Funktion annehmen kann bzw. zu der eine →Konstante gehört. – 2. *Arten:* a) →Standarddatentyp; b) →strukturierter Datentyp; c) →abstrakter Datentyp.

Datentypist, Berufsbild in der elektronischen Datenverarbeitung. Der D. überträgt nach Anweisung manuell →Daten in maschinell lesbare →Datenträger, prüft und korrigiert die Übertragung.

Datenübermittlungsverordnung (DÜVO), gesetzliche Grundlage zur Führung der Gehalts- oder Lohnkonten der Arbeitnehmer mittels EDV-Anlagen und zur Abgabe der Meldungen über das Beschäftigungsverhältnis auf maschinell verwertbaren Datenträgern (Magnetbändern) ohne die in der →Datenerfassungsverordnung vorgesehenen Belege. Auch die Meldungen der beitragslosen Zeiten sind auf Magnetband zu übermitteln. – *Rechtsgrundlage:* 2. DÜVO vom 29.5.1980 (BGBl I 616), geändert durch die VO vom 21.3.1984 (BGBl I 482).

Datenübertragung. 1. *Begriff:* Transport der →Daten vom Ort der Erfassung zum Ort der Verarbeitung oder Speicherung bzw. von dort zum Empfänger (von den →Peripheriegeräten zur →Zentraleinheit und umgekehrt). Auch Datenaustausch zwischen Zentraleinheiten. I.e.S. wird unter D. der Datentransport über Übertragungsleitungen oder auf dem Funkweg (z.B. über Fernmeldesatelliten) verstanden. – Vgl. auch →Datenfernübertragung. – 2. *Arten:* a) →asynchrone Datenübertragung; b) →synchrone Datenübertragung. – 3. *Zweck:* Ist der schnelle Austausch von Daten zwischen zwei oder mehreren räumlich voneinander getrennt aufgestellten EDV-Komponenten (→Hardware). Hierbei kann es sich um →Peripheriegeräte (für Datenerfassung und/oder Datenausgabe, sonstige Datensende- und Datenempfangseinrichtungen, periphere Speichereinheiten oder um →Zentraleinheiten) handeln. Sender und Empfänger (zentrale und periphere Einheiten) müssen nicht dauernd über Datenübertragungswege miteinander verbunden bzw. dauernd angeschaltet sein. Abhängig von der Art der Übertragungswege braucht eine Verbindung erst bei Sendebeginn aufgebaut (eingeschaltet, im Wählverkehr gewählt) zu werden. Mit Hilfe der D. werden aus den in →Datenbanken bereitgestellten Daten Antworten auf Anfragen über Terminals oder über andere Ausgabeeinheiten dem Anfragenden zugeleitet (→Dialogbetrieb). – 4. Die D. wird weiter an *Bedeutung gewinnen*. Sie ermöglicht Computernutzung am Arbeitsplatz (→distributed data processing). D. ist eine der Voraussetzungen für eine Reihe von Datenverarbeitungsverfahren (z. B. →Echtzeitbetrieb) und sie ist eines der auslösenden Momente für neue Formen der innerbetrieblichen Organisation (z. B. Zusammenfassung bislang arbeitsteiliger Vorgänge). D. verlangt besondere Maßnahmen für →Datensicherung und →Datenschutz. – 5. D. in der *Bundesrep. D.* außerhalb eines privaten Areals nur über Datenübertragungswege der Deutschen Bundespost, die dazu verschiedene Dienste (→IDN, →ISDN, →DATEX-L, →DATEX-P) anbietet. Private Datenübertragungsnetze entweder im privaten Areal als firmen- oder institutionseigenes Netz oder unter Nutzung der Datenübertragungsdienste der Bundespost, z. B. über festgeschaltete Verbindungen (Direktrufnetz); vgl. →Transdata, →SNA, →lokales Netz.

Datenübertragungseinheit, →Vorrechner.

Datenübertragungseinrichtung (DÜE), Gerät zur Anpassung digitaler Signale zwischen einer →Datenendeinrichtung und →Fernmeldeweg. Im Telefon- und Breitbandnetz als →Modem (vgl. im einzelnen dort), im Datex- und Direktrufnetz als *Datenanschlußgerät* bezeichnet.

Datenübertragungskanal, in der elektronischen Datenverarbeitung Bezeichnung für: a) Übertragungsweg für →Daten, →Maschinenbefehle und Steuersignale zwischen den Elementen der →Elektronischen Datenverarbeitungsanlage, zwischen →Zentraleinheit und →peripheren Geräten oder zwischen →Arbeitsspeicher und →Rechenwerk; vgl. auch →Bus, →Multiplexkanal; b) Steuereinheit für die Steuerung der →Datenübertragung (Verbindungsaufbau, Überwachung, Fehlererkennung, Fehlerkorrektur usw.).

Datenunabhängigkeit, Zielsetzung bei der →Datenorganisation. – *Arten:* 1. *Logische D.:* Die globale logische Struktur der →Daten (Beziehungen zwischen den Daten) soll unabhängig von den →Anwendungsprogrammen organisiert werden, so daß logische Änderungen der Daten möglichst keine Auswirkungen auf die benutzenden Programme haben. – 2. *Physische D.:* Die physische Organisation der Daten (z. B. Speicherungsformen, →Datenträger) soll möglichst ohne Auswirkungen auf die globale logische Struktur der Daten und auf die Anwendungsprogramme geändert werden können.

Datenveränderung, spezieller Tatbestand der →Sachbeschädigung. Danach macht sich strafbar, wer rechtswidrig →Daten löscht, unterdrückt, unbrauchbar macht oder verändert. – *Strafe:* Freiheitsstrafe bis zu zwei Jahren oder Geldstrafe. – *Versuch* ist strafbar (§ 303 a StGB).

Datenverarbeitung, *data processing*. 1. *Allgemeines:* Jegliche Art der Zuordnung, Sortierung, Aufbereitung, Verknüpfung usw. von →Daten. D. kann ausschließlich manuell oder unter Einsatz technischer Hilfsmittel erfolgen. Bei der D. mit maschinellen Hilfsmitteln wird der maschinelle Verarbeitungsprozeß entweder vom Menschen gesteuert (z. B. Rechnen mit Tischrechenmaschine) oder von einem in der Maschine selbst gespeicherten →Programm (automatisierte Datenverarbeitung). Nach dem Grad der Perfektion der technischen Hilfsmittel unterscheidet man *mechanische D., elektro-mechanische D.* und →*elektronische Datenverarbeitung*. – 2. D. i. S. des *Bundesdatenschutzgesetzes* ist personenbezogene D. Sie umfaßt vier Phasen: Speichern, Übermitteln, Verändern und Löschen der Daten. Das dabei angewendete Verfahren ist unerheblich. D. im Sinne dieses Gesetzes liegt auch dann vor, wenn bei einer datenverarbeitenden Stelle nicht alle vier Phasen realisiert werden. – Vgl. auch →Service-Rechenzentrum, →distributed data processing, →Datenorganisation.

Datenverarbeitung außer Haus, →Service-Rechenzentrum.

Datenverarbeitungsberufe, →EDV-Organisator, →Informationsmanager, →Operator, →Programmierer, →Systemanalytiker, →Datentypist.

Datenverarbeitungssystem, *Computer, Rechner, Rechenanlage, Rechensystem, (elektronische) Datenverarbeitungsanlage, data processing system,* nach DIN-Norm 44300 eine Funktionseinheit zur Verarbeitung von →Daten, wobei als Verarbeitung die Durchführung mathematischer, umformender, übertragender oder speichernder Operationen definiert ist. – In der Praxis werden meist die Begriffe Computer, Rechner sowie manchmal elektronische Datenverarbeitungsanlage (EDVA) verwendet. – Vgl. auch →Rechnergruppen, →elektronische Datenverarbeitungsanlage.

Datenvereinbarung, bei der →Programmentwicklung die Festlegung der →Datentypen und →Datenstrukturen für ein →Programm; i. e. S. deren Formulierung mit den Ausdrucksmitteln einer →Programmiersprache bei der →Codierung.

Datenverschlüsselung, Verfahren der →Datensicherheit mit speziellen Geräten (→Hardware) und spezieller →Software. Die Verschlüsselungsgeräte werden an beiden Enden der Übertragungsleitungen eingefügt. Verschlüsselung der →Daten erfolgt während der →Datenübertragung. Die Daten können auch verschlüsselt auf →Datenträgern gespeichert und aufbewahrt werden.

DATEV, Datenverarbeitungsorganisation für die Angehörigen der steuerberatenden Berufe in der Rechtsform einer eingetragenen Genossenschaft; Sitz in Nürnberg. D. verfügt über das größte berufsständische Rechen- und Servicezentrum (→Rechenzentrum) in Europa. D. bearbeitet dort u.a. Finanzbuchhaltung, Kostenstellenrechnung, Mahnwesen, Lohnbuchhaltung und Bilanzerstellung für die Klienten der über 26000 Mitglieder und verfügt darüber hinaus über eine Steuerrechts-Datenbank. Die Datenkommunikation mit den speziell ausgestatteten →Datenstationen der Mitglieder erfolgt über öffentliche →Netze.

DATEX, *data exchange service,* Datenübertragungsdienste bzw. -netze der Deutschen Bundespost über digitales Wählnetz. – Vgl. auch →Datenübertragung, →DATEX-P, →DATEX-L, →ISDN.

DATEX-L, Abk. für *Datenaustausch (data exchange) mit Leitungsvermittlung.* – 1. Dienst der Deutschen Bundespost (→Kommunikationsdienst) für die *protokollunabhängige Übertragung* von digitalen (→digitale Darstellung) Daten zwischen Computern mit hoher Übertragungsgeschwindigkeit und -güte, der über das Datex-L-Netz (vgl. 2.) realisiert wird. Entsprechend der möglichen Übertragungsraten weiter in „Teildienste" unterteilt. Datenübertragungen zwischen Anschlüssen aus unterschiedlichen Teildiensten sind nicht möglich. Datex-L200 und Datex-L300 bieten allerdings den Zugang zu anderen Netzen (→DATEX-P (Netz), →Tymnet-Netz u.a.). – 2. Von der Deutschen Bundespost aufgebautes →*Netz für die Übermittlung digitaler Daten* über große Entfernungen. Grundgedanke bei der Einrichtung des Netzes war es, die Möglichkeit zu schaffen, von einer →Datenendeinrichtung alle anderen an dem Netz angeschlossenen Endeinrichtungen anwählen zu können und Gebühren nur für die Dauer der Verbindung zahlen zu müssen. Diese Wahlfreiheit zu allen angeschlossenen Teilnehmern wird über die *Leitungsvermittlung* realisiert: Bei dieser Vermittlungsart wird in den Knoten (Datenvermittlungsstellen) des Netzes für die Dauer der Verbindung eine Leitung durchgeschaltet, die für die gesamte Dauer der Kommunikation exklusiv reserviert bleibt. Das Netz gestattet asynchrone Duplex-Verbindungen (→asynchrone Datenübertragung) von 300 bit/s sowie synchrone Duplex-Verbindungen (→synchrone Datenübertragung) von 2400, 4800, 9600 bit/s und 64 kbit/s. Es übt selbst keinerlei Einfluß auf die Struktur der zu übertragenden Informationen (Darstellungs-, Übermittlungsverfahren, Code usw.) aus, d.h.. es muß eine diesbezügliche Absprache zwischen den kommunizierenden Endgeräten erfolgen. Über das Datex-L-Netz wird u.a. der Datex-L-Dienst (vgl. 1.) und der →Teletex-Dienst abgewickelt. Es ist heute im →IDN integriert.

DATEX-P, Abk. für *Datenaustausch (data exchange) mit Paketvermittlung.* – 1. Dienst der Deutschen Bundespost für die *Übertragung von digitalen Daten* (→digitale Darstellung) zwischen →Datenendeinrichtungen (mit möglicherweise unterschiedlichen Datenübertragungsraten) mit sehr hoher Übertragungsgeschwindigkeit und -güte (extrem niedrige Fehlerrate; →Kommunikationsdienst). Wird über das Datex-P-Netz (vgl. 2) realisiert; verschiedene Anschlußmöglichkeiten sind möglich. Informationsmengenabhängige Gebührenverrechnung. – 2. *Netz für die Übertragung digitaler Daten* über große Entfernungen. Es ermöglicht die Kommunikation von Datenendeinrichtungen unterschiedlichster Datenübertragungsraten. Die Knoten (Datenvermittlungsstellen; →Knotenrechner) des Netzes werden durch Vermittlungsrechner mit gepufferten Leitungsein- und -ausgängen repräsentiert, die fest untereinander verbunden sind. Der Anschluß der Anwender erfolgt über eigens für diesen Zweck verlegte Leitungen (Hauptanschlüsse), über das Fernsprechnetz mit Hilfe eines →Modems oder eines →Akustikkopplers oder über das →DATEX-L (Netz). – Die Verbindung zweier Kommunikationspartner basiert auf dem Prinzip der *Paketvermittlung:* Die zu übertragende Nachricht wird in genormte Pakete verlegt und paketweise an einen oder möglicherweise verschiedene Vermittlungsrechner gesendet. Dort werden die Datenpakete zwischengespeichert und dann ggf. über andere Netzknoten und mit anderen Übertragungsgeschwindigkeiten an den gewünschten Adressaten weitergeleitet. – Die *Gebühren* für die auf diese Art realisierten (virtuellen) Verbindungen sind nicht entfernungsabhängig sondern mengenorientiert. Der Anschluß von Datenendeinrichtungen, die nicht „paketorientiert" arbeiten können, ist z.T. möglich (über sog. →PAD). Das Netz gestattet Hauptanschlüssen Übertragungsgeschwindigkeiten von 2400, 4800, 9600 bit/s und 48 kbit/s bei synchroner Übertragung. Genutzt wird es u.a. für den Datex-P-Dienst und den Bildschirmtext-Dienst (→Bildschirmtext). Es bietet Zugangsmöglichkeiten zu einer Reihe von Netzen (z.B. →Tymnet-Netz) und ist selbst Grundlage einer Vielzahl von Netzen (z.B. →DFN). D. ist im →IDN integriert.

Dato-Wechsel, auf eine bestimmte Zeit nach Ausstellung (z.B. drei Monate a dato) zahlbar gestellter Wechsel. – *Anders:* →Tagwechsel.

Datumswechsel, →Tagwechsel.

Dauerakte, Teil der Arbeitspapiere (→Jahresabschlußprüfung), der für wiederkehrende

Prüfungen relevant ist. Die in der D. enthaltenen Unterlagen sollten aktualisiert sein.

Dauerauftrag. 1. *Bankverkehr:* D. für Überweisungen (meist auf besonderem Formular) regelmäßig wiederkehrender Zahlungen (z. B. Mieten, Versicherungsprämien). Die Bank haftet für termingerechte Erfüllung des D. – 2. *Postgiroverkehr:* D. für Zahlungen, die in gleichbleibenden Zeitabständen und über denselben Betrag für denselben Empfänger zu leisten sind. Einmaliger Auftrag auf Dauerüberweisung oder Dauerscheck auf entsprechendem Formblatt, auch Sammeldaueraufträge.

Dauerfristverlängerung, Begriff des Umsatzsteuerrechts. Auf Antrag verbunden mit der Vorauszahlung von ¼ der Summe der Vorauszahlungen des Vorjahres wird gem. §§ 46–48 UStDV die Abgabefrist für die monatlichen →Umsatzsteuervoranmeldungen um einen Monat verlängert und die Fälligkeit der USt-Vorauszahlungen entsprechend hinausgeschoben. D. wird von vielen Unternehmen v. a. aus abrechnungstechnischen Gründen in Anspruch genommen.

Dauernutzungsrecht, →dingliches Recht auf Nutzung eines Grundstücks. – *Ähnlich:* →Dauerwohnrecht.

Dauerqualität, zeitlicher Gesichtspunkt der →Qualität. Zeitraum, in dem ein Anlagegut (z. B. Werkzeugmaschine) die geforderte →funktionale Qualität und die →Integralqualität ohne wesentliche Beeinträchtigungen aufweist.

Dauerrente, →Verletztenrente, festgesetzt spätestens mit Ablauf von zwei Jahren nach dem Unfall unter Berücksichtigung der Anpassung und Gewöhnung an die Unfallfolgen und aller persönlichen Verhältnisse des Verletzten, u. U. als Ablösung einer in der ersten Zeit nach dem Unfall gewährten vorläufigen Rente, die jederzeit abgeändert werden kann. *Neufestsetzung* der D. nur, wenn eine wesentliche Veränderung eingetreten ist, und nur in Zeiträumen von mindestens einem Jahr (§§ 622, 1585 RVO).

Dauerschuld. I. Begriff: 1. Als D. gilt eine Schuld (echte Verbindlichkeit), die wirtschaftlich mit der Gründung oder dem Erwerb des Betriebs oder eines Teilbetriebs oder eines Anteils am Betrieb oder mit einer Erweiterung oder Verbesserung des Betriebs zusammenhängt oder sonstwie der nicht nur vorübergehenden Verstärkung des Betriebskapitals dient (§ 8 Nr. 1 GewStG); also geliehenes Kapital, das für längere Zeit dem Betrieb dient. – *Beispiele:* a) Schulden mit einer Laufzeit von mehr als einem Jahr, insbes. Darlehen, Bankkredite; b) Hypothekenschulden, ausgenommen Sicherungshypotheken; c) Teilschuldverschreibungen (Anleihen, Obligationen); d) Wechselkredite u. U., wenn auf Grund vorheriger Vereinbarung immer wieder Prolongationen erfolgen; e) jahrelang stehenbleibende, an sich kurzfristige Schuld (z. B. von Gesellschaftern einer Kapitalgesellschaft nicht abgehobene Gewinnanteile); f) eine kurzfristige Schuld, wenn der Schuldner sie trotz Drängens des Gläubigers nicht zurückzahlt; auch →Steuerschulden, die ein Jahr nach der ersten Zahlungsaufforderung noch nicht gezahlt sind; g) ferner: Anleihen, Bankschulden, (Bankkredite), Geschäftsguthaben der Genossen, Umstellungsgrundschulden, Warenschulden. – 2. *Kontokorrentschulden* sind i. a. keine D., sondern laufende Schulden; jedoch D. insoweit, als ein bestimmter Mindestkredit dem Unternehmen dauernd gewidmet ist (Mindestbetrag, der während des gesamten Wirtschaftsjahres bestanden hat); die an insgesamt sieben Tagen bestehenden niedrigsten – auch positiven – Kontostände sind außer acht zu lassen (Abschn. 47 VIII GewStR). – *Beispiele*: Die acht niedrigsten Kontostände lauten: (1) + 20000; (2) – 10000; (3) – 30000; (4) – 35000; (5) – 40000; (6) – 50000; (7) – 60000; (8) – 70000. Als Mindestkredit und damit als D. ist der Betrag von 70000 DM anzusetzen.

II. Gewerbesteuerliche Behandlung: 1. In den steuerpflichtigen →*Gewerbeertrag* ist die Hälfte der im Veranlagungszeitraum gezahlten D.zinsen einzubeziehen (§ 8 Nr. 1 GewStG); →Hinzurechnungen zum Gewinn. – 2. In das steuerpflichtige →*Gewerbekapital* sind neben dem →Einheitswert des gewerblichen Betriebs u. a. 50% der D. einzubeziehen. (§ 12 II Nr. 1 GewStG), soweit sie 50000 DM übersteigen; →Hinzurechnungen zum Einheitswert.

Dauerschuldverhältnis, Vertragsverhältnis, bei dem die geschuldete Leistung in einem dauernden Verhalten oder in wiederkehrenden, sich über einen längeren Zeitraum erstreckenden Einzelleistungen besteht, z. B. →Miete, →Pacht, →Landpacht, →Leihe, →Darlehen, →Dienstverträge, →Gesellschaftsverträge, →Versicherungsverträge und →Schiedsverträge sowie als Sonderform der →Sukzessivlieferungsvertrag.

Dauerschuldzinsen, Zinsen für Schulden, die wirtschaftlich mit Gründung, Erwerb, Erweiterung oder Verbesserung eines Betriebs zusammenhängen und nicht nur vorübergehend zur Verstärkung des Betriebskapitals dienen. D. sind zur Ermittlung des →Gewerbeertrags dem Gewinn eines Gewerbebetriebs zur Hälfte hinzuzurechnen (§ 8 Nr. 1 GewStG), →Dauerschuld II 1.

Dauerwerbung, →Außenwerbung.

Dauerwerkzeuge, im Gegensatz zu kurzfristig verwendeten →Werkzeugen in der Kostenrechnung wie →Anlagen zu behandeln.

Dauerwohnrecht. 1. *Begriff:* Zur Belebung des Wohnungsbaus auf dem Wohnungseigentumsgesetz (→Wohnungseigentum) beruhende, durch Eintragung ins Grundbuch entstehende Belastung eines Grundstücks, die dazu berechtigt, eine bestimmte abgeschlossene Wohnung in dem auf dem Grundstück errichteten oder zu errichtenden Gebäude unter Ausschluß des Eigentümers zu bewohnen oder sonst zu nutzen (z. B. zu vermieten). – Entsprechend bei anderen Räumen →Dauernutzungsrecht. – Das D. darf nicht verwechselt werden mit dem Wohnungsrecht als →beschränkt persönliche Dienstbarkeit nach § 1093 BGB; im Gegensatz zu diesem ist es veräußerlich und vererblich. – 2. *Anwendung:* Mit Hilfe des D. kann u. a. dem Genossen einer Baugenossenschaft, verbunden mit seinem Geschäftsanteil, ein →dingliches Recht auf eine Wohnung gesichert werden. Es kann auch zur Sicherung des Mieterdarlehens usw. dienen. – 3. *Grundsteuerliche Behandlung:* Begründet i. a. keine Grundsteuerpflicht.

DAV, Abk. für →Deutscher Arbeitnehmer-Verband.

Dawes-Anleihe, →Dawes-Plan.

Dawes-Plan, 1924 von einem Ausschuß (Vorsitzender Dawes) der Reparationskommission zur Regelung deutscher Reparationszahlungen aufgestellter und von Alliierten und Deutschen angenommener Plan über Art der Aufbringung und Höhe der Reparationszahlungen (bis zu 2,5 Mrd. GM im Jahr, ohne Festsetzung der Gesamtschuldsumme). Zahlungen wurden durch Belastung der Reichsbahn und Industrie sowie durch Verpfändung gewisser Zoll- und Steuereinnahmen gesichert. – Deutschland erhielt eine Anleihe *(Dawes-Anleihe)* von 960 Mill. GM, die etwa zur Hälfte in den USA und Europa aufgelegt und mit 7% verzinst wurde; Dienst der Anleihe (Verzinsung und Amortisation) wurde nach Vereinbarung der →Londoner Schuldenkonferenz von 1952 wiederaufgenommen. – Die Undurchführbarkeit des D. erwies sich trotz des die Transferschwierigkeiten überdeckenden Zustroms ausländischen Kapitals, als sich die Weltwirtschaftslage verschlechterte. Der D. wurde 1930 durch den →*Young-Plan* abgelöst.

DB, Abk. für →Deutsche Bundesbahn.

dBASE, weitverbreitetes →Datenbanksystem für →Personal Computer. *Hersteller:* Ashton-Tate (USA). *Versionen:* ältere: dBASE II; neuere: dBASE III und dBASE III plus.

DBB, Abk. für →Deutscher Beamtenbund.

DB-Container, →Container.

DB/DC-System, Kurzbezeichnung für →Datenbank-/Datenkommunikationssystem.

DBGM, *Deutsches Bundesgebrauchsmuster,* verkehrsübliche Bezeichnung auf einem Gegenstand, der unter Gebrauchsmusterschutz steht (→Gebrauchsmuster).

DBMS, Abk. für →Datenbankmanagementsystem.

DBP. 1. Abk. für Deutsches Bundespatent (→Patent). – 2. Abk. für →Deutsche Bundespost.

DBPa, Abk. für Deutsches Bundespatent angemeldet; darf werbemäßig erst nach der Bekanntmachung der Patentanmeldung verwendet werden (→Patent).

DB2, bekanntes, von IBM entwickeltes relationales (→Relationenmodell) →Datenbanksystem; seit 1983 für größere →Computer (→Rechnergruppen) verfügbar; →Abfragesprache ist →SQL.

d/c. 1. Abk. für →delivery clause. – 2. Abk. für →deviation clause.

DD, Abk. für →data dictionary.

DDL, Abk. für data description language bzw. data definition language. Vgl. →Datenbeschreibungssprache.

DDP, Abk. für →distributed data processing.

DDT, *Dichlordiphenyltrichloräthan,* Mittel zur Ungezieferbekämpfung. Nach dem Gesetz über den Verkehr mit DDT vom 1. 8. 1972 (BGBl I 1385) ist es grundsätzlich verboten, DDT und DDT-Zubereitungen herzustellen, einzuführen, auszuführen, in den Verkehr zu bringen, zu erwerben und anzuwenden. Das →Bundesgesundheitsamt kann Ausnahmen zulassen. – *Zuwiderhandlungen* werden als Ordnungswidrigkeit mit Geldbuße geahndet.

Deadlock, Zustand bei der elektronischen Datenverarbeitung, bei dem sich zwei ablaufende Prozesse gegenseitig blockieren. Ein →Betriebssystem oder ein →Datenbanksystem sollte so konzipiert sein, daß kein D. auftreten kann.

Dealer, →Jobber.

debenture. 1. Sammelbezeichnung für ungesicherte, langfristige Verbindlichkeiten. – 2. Amerikanische Bezeichnung für ungesicherte, meist auf den Inhaber lautende Schuldverschreibungen (→Inhaberschuldverschreibungen). – 3. Englische Bezeichnung für meist gesicherte Schuldverschreibungen.

Debet, linke Seite eines Kontos; andere Bezeichnung für →Soll. – *Gegensatz:* →Kredit.

Debetsaldo, *Sollsaldo,* ein auf der Habenseite bei Abschluß eines Kontos ausgewiesener Betrag, der das Konto im Falle des Überwiegens der Sollposten über die Habenposten ausgleicht und der bei Kontokorrent-Konten gleichzeitig anzeigt, wieviel der betreffende

Kunde od. Geschäftspartner nach Aufrechnung aller Last- und Gutschriften schuldet.

Debitoren, in der Buchführung gebrauchter Ausdruck für Warenschuldner oder Kunden, die die Waren vom Lieferer auf Kredit beziehen (→Schuldner). – 1. In der *Bilanz* zu aktivieren im Umlaufvermögen: „Forderungen und Leistungen". Saldierung mit →Kreditoren oder Habenposten innerhalb der Debitoren verboten. – 2. In der *Buchhaltung* werden die D. belastet für die ihnen auf Kredit gelieferten Waren und erkannt für ihre Zahlungen. Das D.-Konto ist ein Sachkonto, Sammelkonto für alle D.; die Einzelbeträge stehem im →Kontokorrent, das als Buch (Nebenbuch) oder Kundenkartei geführt werden kann. – Vgl. auch →Offene-Posten-Buchführung, →Delkredere.

Debitorenprobe, prüfungstechnische Formel zur Verprobung der Richtigkeit der Ergebnisse der Buchführung für die →Istversteuerung des Umsatzes und als Schätzungsunterlage bei nicht ordnungsmäßiger Buchführung.

Ansatz:

	Warenausgang lt. Warenverkaufskonto
+	Erlöse aus Hilfsgeschäften
+	Einnahmen aus abgeschriebenen Forderungen des Vorjahres
+	Eigenverbrauch
+	Debitoren zu Beginn des Jahres
./.	Debitoren zum Schluß des Jahres
=	Isteinnahmen

Vom Warenausgang zu kürzen sind ggf. Retouren, Nachlässe, Rabatte, Skonti u.ä. Posten. Kundenwechsel und Schecks werden dem Debitorenbestand hinzugerechnet.

Debitorenwagnis, kalkulatorisches Wagnis (→Wagnisse), durch dessen Verrechnung der Betrieb eine Selbstversicherung gegen das nicht fremdversicherte Risiko von Forderungsausfällen erreicht. Die nach Erfahrungssätzen gebildeten D.-kosten werden zumeist den Finanzierungskosten zugeschlagen. – Vgl. auch →Delkredere.

Debitorenziehung, →Bankziehung.

Debt Management. 1. *Begriff* der Finanzwissenschaft für Maßnahmen, die den stabilisierungspolitischen, allokativen und fiskalischen Zielen staatlicher →Schuldenpolitik dienen. I. e. S. Maßnahmen der Schuldenstrukturpolitik, d. h. für Veränderungen in der Zusammensetzung der öffentlichen Schuld. I. w. S. auch Schuldniveauvariationen. – 2. *Aufgaben:* Bewegliche Anpassung von Umfang, Konditionen und Fristigkeitsstruktur der öffentlichen Schuld an die Gegebenheiten der Geld- und Kapitalmärkte; Abstimmung der schuldenpolitischen Maßnahmen mit denen der Geldpolitik, insbes. der Offenmarktpolitik (→monetäre Theorie und Politik).

Debugger, →Systemprogramm zur Suche von Laufzeitfehlern (Fehler bei der Programmausführung) in einem →Programm. Es gibt detaillierte Auskunft über einen aufgetretenen Fehler, z. B. die Art des Fehlers, die Stelle im Programm, welchen Wert zu diesem Zeitpunkt die →Variablen des Programms besitzen, wie die Aufrufstruktur der →Unterprogramme beschaffen ist usw. Mit einem D. läßt sich auch der Programmablauf kontrollieren, indem z. B. das Programm an einer bestimmten Stelle unterbrochen wird usw.

Decision-Calculus-Modelle, auf einem von Little (1970) entwickelten Konzept eines Informations- und Entscheidungssystems basierende Modelle. Angestrebt wird eine vereinfachte Nachbildung menschlichen Entscheidungsverhaltens; zugrunde gelegte Modellanforderungen sind entsprechend: Einfachheit, Benutzersicherheit, Anpassungsfähigkeit, Vollständigkeit, Kontrollierbarkeit und Kommunikationsfreundlichkeit.

decision lag, →lag II 2 b) (4).

decision making unit (DMU), →Buying-Center.

decision support system (DSS), *Entscheidungsunterstützungssystem (EUS).* 1. *Begriff:* Computergestütztes Planungs- und Informationssystem (→computergestütztes Planungssystem, →Führungsinformationssystem), das der Entscheidungsvorbereitung auf den Führungsebenen dient. – 2. *Anwendungsbereiche:* V. a. bei schlecht strukturierbaren Problemen eines betrieblichen Funktionskreises, z. B. Werbebudgetplanung, Cash-flow-Planung – 3. *Merkmale:* leichte Handhabbarkeit; Benutzung im →Dialogbetrieb; einfache Durchführung von Alternativrechnungen und Simulationen; Berücksichtigung von Modellvarianten und -änderungen. – 4. *Hilfsmittel:* einfache →Datenbanken; Zugriff auf umfassende →externe Datenbanken, →Planungssprachen u. a. – *Anders:* →Informationssysteme.

Deckname, rechtlich zulässiges Auftreten unter einem anderen als dem Familiennamen in Fällen der Teilnahme am Kunstleben u. ä. – *Rechtsvorschriften:* Vgl. →Pseudonym.

Deckung. I. Geld- und Währungspolitik: Bereithaltung von Mitteln seitens der →Notenbank zur Notendeckung, d. h. zur jederzeitigen Einlösung zurückströmender Banknoten. Um der Notenbank die Möglichkeit konjunkturpolitischer Einflußnahme zu geben, wurden →Staatspapiere und lombardfähige →Wertpapiere als vollwertige

Deckungsmittel zugelassen (→bankmäßige Deckung des Notenumlaufs). – Keine Bestimmungen über die Notendeckung im BBankG.

II. Finanzwissenschaft: Bezüglich Ausgabendeckung durch staatliche Kreditaufnahme bestehen Deckungsgrundsätze (→Deckungsgrundsätze II).

III. Bankwesen: 1. *Börsengeschäft:* Käufe zur Abdeckung vorangegangener Blanko-(Leer-)Verkäufe, v.a. bei Options- und Termingeschäften. – 2. *Zahlungsverkehr:* D. eines Schecks oder Wechsels, d.h. einem ausgestellten →Scheck oder →Wechsel stehen ausreichende Geldmittel gegenüber; vgl. →Scheckbetrug, →Wechselbetrug.

IV. Kostenrechnung: Ältere von H. Peiser (1919) geprägte Bezeichnung für →Deckungsbeitrag, die von Beste, Hax, Schmalenbach und anfangs auch Riebel übernommen wurde.

Deckungsbedarf, zur Aufstellung des →Deckungsbudgets ermittelter Betrag; vom erwarteten Aufwand (→aufwandorientiertes Deckungsbudget) oder von den erwarteten Ausgaben und Auszahlungen (→finanzorientiertes Deckungsbudget) ausgehend. In bezug auf die Periode umfaßt er als „Basisschicht" den Aufwand (bzw. Ausgaben und Auszahlungen) für Aktivitäten, die der Planungsperiode und den voll eingeschlossenen Unterperioden eindeutig zurechenbar sind. Es handelt sich v.a. um →Bereitschaftskosten; zusätzlich sind →Leistungskosten zu berücksichtigen, die nicht in den Deckungsbeiträgen der abgesetzten Leistungen bzw. Kundenaufträgen saldiert sind. – Der *für mehrere Perioden gemeinsame D.* wird der Periode als →Deckungslast zugeteilt.

Deckungsbeitrag, neuere Bezeichnung für die in Grenzkostenrechnungen (Differenzkostenrechnungen) ermittelten Bruttogewinne. – *Begriffsinterpretationen:* 1. *D. i. S. der Grenzplankostenrechnung:* Vgl. →Grenzplankostenrechnung. – 2. *Überschuß der Einzelerlöse über die Einzelkosten einer Bezugsgröße:* D. gibt an, wieviel das Bezugsobjekt unter den jeweiligen Bedingungen zur Deckung der Gemeinkosten *und* zum Totalerfolg beiträgt. Nur wenn die Zurechnung der Erlöse und der Kosten nach dem →Identitätsprinzip erfolgt, zeigt der D. die entscheidungsrelevanten Erfolgsänderungen unter den gegebenen Bedingungen oder Erwartungen auf. Der Stückbeitrag gibt an, um wieviel sich der Erfolg ändert, wenn unter gleichbleibenden Bedingungen eine Leistungseinheit hinzukommt oder wegfällt. – Zur Beurteilung der Erfolgswirkungen komplexer Entscheidungen bedarf es eines *sequentiellen, mehrstufigen oder mehrdimensionalen Vorgehens* (→Deckungsbeitragsrechnung). Eine mehrphasige Erlösrealisation macht ein entsprechendes Fortschreiben des auszuweisenden D. bis zum endgültig realisierten (nach Zahlungseingang und Ablauf aller Gewährleistungsansprüche) erforderlich. – Wird die zeitliche Verteilung der Zahlungsströme der zurechenbaren Erlöse und Kosten berücksichtigt, erhält man den →*Liquiditätsbeitrag*. – *D. bzw. Stückbeitrag als Beurteilungskriterium für alternative Leistungen:* Die Höhe des Stückbeitrags ist grundsätzlich nicht für die Beurteilung alternativer Leistungen geeignet, es sei denn, daß sich diese im Verhältnis 1:1 ersetzen und die verfügbare oder nachgefragte Menge Engpaß ist. Liegt nur ein Engpaß vor, sind die „spezifischen" oder →engpaßbezogenen Deckungsbeiträge ein Maß für die Ergiebigkeit der Engpaßnutzung und daher für den Rang im Programm maßgeblich. Bei mehreren Engpässen ist die Anwendung der mathematischen Programmierung geboten. Negative D. sollten nur in Sonderfällen bei Leistungsverbund oder in vorübergehenden Ausnahmesituationen in Kauf genommen werden. Weil sich über die erforderliche Höhe der D. einer Leistung oder sonstigen Aktivität keine zwingende Aussage machen läßt, ist zur Sicherung des kalkulatorischen Ausgleichs die Vorgabe von →*Deckungsbudgets* geboten. – Jede *Aufspaltung eines D.*, etwa auf die Komponenten eines Produkts, die bei der Erstellung beteiligten Produktionsfaktoren oder -prozesse und Funktionsbereiche führt zu willkürlichen Ergebnissen. Dagegen ist die Zusammenfassung der D. untergeordneter Bezugsobjekte zur Abdeckung ihrer Gemeinkosten und der Ermittlung des D. eines übergeordneten, komplexeren Bezugsobjekts problemlos, wenn sie sachgerecht erfolgt. – 3. *Weitere Begriffsbedeutungen:* Zunehmend wird der Begriff D. auch für die Bezeichnung anderer Bruttogewinne in Anspruch genommen, z.B. für die Übersetzung von contribution, marginal income, (variable) gross margin sowie für das Grenzergebnis der Grenzplankostenrechnung. Dabei wird D. als Differenz von Erlös und den als variabel (proportional) angesehenen Kosten eines Produkts ermittelt. Die Summe aller D. dient zur Deckung der →fixen Kosten und darüber hinaus zur Erzielung des Gesamtgewinns einer Periode.

Deckungsbeitragsanalyse, →Bruttogewinnanalyse.

Deckungsbeitragsrechnung, *Betriebsergebnisrechnung*. I. Begriff: 1. *Ursprüngl.: I.w.S.:* Bezeichnung für das von Riebel konzipierte „Rechnen mit Einzelkosten und Deckungsbeiträgen", i.e.S. für die darin enthaltene mehrstufige, zeitlich fortschreitende und vieldimensionale differenzierte Erfolgsdifferenz-Rechnungen (bei statischer Betrachtung) und -änderungsrechnungen (bei dynamischer Betrachtung), auf Grundlage relativer →Einzelkosten(-ausgaben) und Einzelerlöse. – 2. *I.w.S.:* Sammelbezeichnung für verschiedene Arten von Bruttoerfolgsrechnungen, auch die nur auf einer Trennung zwischen fixen und variablen Kosten in bezug auf den Beschäftigungsgrad beruhenden. – Vgl. auch →Direct Costing, →Grenzplankostenrechnung, →Grenzkostenrechnung, →Fixkostendeckungsrechnung.

II. Relative Deckungsbeitragsrechnung *(D. im ursprünglichen Sinne):* 1. *Ziel:* Die relative D. ist primär entscheidungsorientiert; sie dient v. a. zur (1) Vorkalkulation und Kontrolle der Erfolgswirkungen beliebiger, auch komplexer Handlungsalternativen; (2) auftrags-, projekt-, periodenbezogenen und periodenübergreifenden Erfolgsplanung für beliebig abzugrenzende sachlich-zeitliche Bereiche; (3) Verzahnung mit der Finanzplanung; (4) vieldimensionalen, mehrstufigen und sequentiellen Erfolgsquellenanalyse und der Entscheidungskontrolle. Demgemäß sind die Entscheidungen für bestimmte Maßnahmen die eigentlichen Kalkulationsobjekte (→entscheidungsorientiertes Rechnungswesen). – 2. *Grundlagen:* a) Relativierung und Präzisierung der *Unterscheidung* zwischen →Einzelkosten und →Gemeinkosten (Erlöse usw.) aufgrund der Zurechenbarkeit nach dem →Identitätsprinzip. Danach lassen sich Erlöse und Kosten zur Ermittlung des Deckungsbeitrags eines Bezugsobjekts nur dann eindeutig gegenüberstellen („zurechnen", identifizieren), wenn sie auf einen identischen dispositiven Ursprung zurückgeführt werden können. Somit wird es ermöglicht, alle Kosten (Erlöse usw.) bei einem bestimmten →Bezugsobjekt als dessen →originäre Einzelkosten (-erlöse usw.) auszuweisen. Echte Gemeinkosten (-erlöse usw.) betreffen das betrachtete Objekt und andere gemeinsam, sie werden durch „übergeordnete" Entscheidungen (Maßnahmen) ausgelöst und sind einem in der Hierarchie übergeordneten Bezugsobjekt als dessen Einzelkosten (-erlöse usw.) zurechenbar. Demgemäß sind echte Gemeinkosten aus den Deckungsbeiträgen der untergeordneten Maßnahmen gemeinsam abzudecken. – b) Auch die *Unterscheidung* zwischen →fixen Kosten und →variablen Kosten (Erlösen usw.) wird relativ in bezug auf jede Art von Aktionsparametern und Einflußgrößen angewandt. Zu dem wird zwischen Abhängigkeit und →Disponierbarkeit unterschieden. Zusätzlich werden dabei Quantengrößen (bei Unteilbarkeiten), irreversible zeitliche Bin-

Beispiele für alternative Wege zum Aufbau von Bezugsobjekthierarchien für mehrstufige Deckungsbeitragsrechnungen

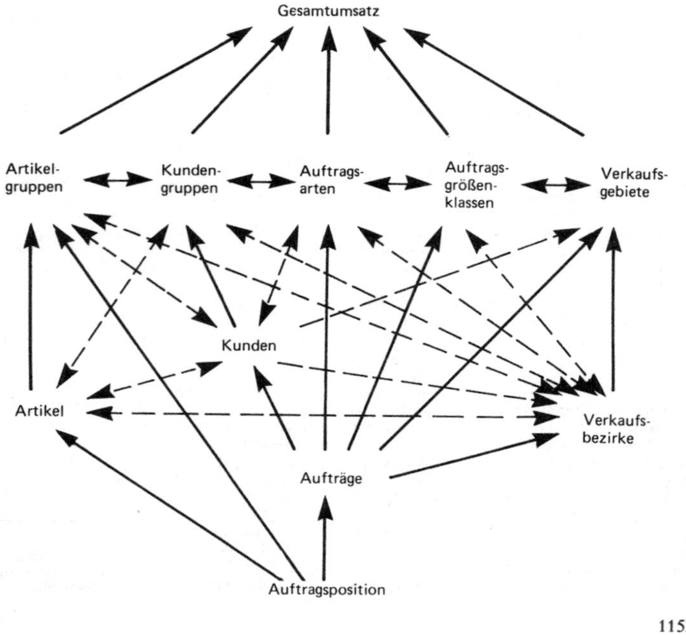

dungen, Dispositionsvorläufe, Kündigungs- und Zahlungstermine und Vordispositionen ausgewiesen. In einer →Grundrechnung (Datenbank) werden die multidimensional gekennzeichneten Informationselemente für beliebige Verknüpfungen und Auswertungen gespeichert. – 3. *Mehrstufige D.:* Durch problemadäquates Zusammenfassen der Deckungsbeiträge der spezielleren, untergeordneten Bezugsobjekte (z. B. Leistungseinheiten oder Aufträge; →Auftragsbeitrag) können schrittweise die jeweils gemeinsamen Kosten bzw. Ausgaben abgedeckt werden, um so die *Deckungsbeiträge übergeordneter Untersuchungs- und Entscheidungsobjekte* zu ermitteln (Beispiele für alternative Wege zum Aufbau von Bezugsobjekthierarchien für mehrstufige D. vgl. Abb. Sp. 1151/1152). Hierbei handelt es sich grundsätzlich um standardisierte →Zweckrechnungen oder individuelle →Sonderrechnungen, weil es von den Fragestellungen (unter Beachtung der Situation, Betriebs- und Marktgegebenheiten) abhängt, welche Bezugsobjekte, Erlöskategorien und abzudeckenden Kostenkategorien einzubeziehen sind und wie die Deckungshierarchie aufgebaut wird. Bei der Abb. Sp. 1154 steht die Differenzierung nach Geschäftsarten, Auslieferungswegen und Artikeln im Vordergrund. →Gemeinerlöse (→Erlösverbundenheit) fließen in der Bezugsobjekthierarchie erst auf der Stufe des originären Bezugsobjekts, dem sie als Einzelerlös zuzuordnen sind, zu. – Für die Beurteilung komplexer Zusammenhänge müssen *mehrere Deckungshierarchien und -sequenzen aus unterschiedlichen „Sichten"* nebeneinander analysiert und verknüpfend interpretiert werden. Vom Sachbezug her kann auf Absatz-, Beschaffungsmärkte (bzw. -aktivitäten), bestimmte Betriebsbereiche oder die Nutzung bestimmter Potentiale (z. B. einer Investition oder Rohstoffpartie) und deren Kombinationen (oder Verknüpfungen) abgestellt werden. Dabei sind statische oder dynamisch-sequentielle, objekt- oder projektbezogene Betrachtungen innerhalb einer Periode (Periodenhierarchie) und periodenübergreifend oder periodenunabhängig im Zeitablauf möglich. Die Periodenrechnung endet mit dem →Periodenbeitrag, der in die überjährige →Zeitablaufrechnung übernommen werden kann, z. B. um ex-post die Amortisation der Periodengemeinausgaben bzw. -kosten zu verfolgen oder ex-ante die Möglichkeiten der Finanzierung von Investitionsvorhaben aus Periodenbeiträgen abzuschätzen. – Um die Erwirtschaftung ausreichender Deckungsbeiträge in den Abrechnungsperioden planen und kontrollieren zu können sind (in Abstimmung mit der längerfristigen Finanzplanung) für das gesamte Unternehmen und die selbständig im Absatzmarkt operierenden Verantwortungsbereiche →*Deckungsbudgets* vorzugeben. Deren Abdeckung durch die erwarteten, fakturierten oder realisierten

Stufenweise Ermittlung des Periodenbeitrags bei gemischten Aufträgen

Geschäftsarten →	Streckengeschäft		Lagergeschäft					
Versandart →			Selbstabh.		Eigenzust.		Fremdtransp.	
Artikelgruppen →	a	b	a	b	a	b	a	b
Bruttoerlöse	....	....	....	....	....	....	....	....
./. Rabatte	....	....	....	....	....	....	....	....
Nettoerlöse	....	....	....	....	....	....	....	....
./. Skonti	....	....	....	....	....	....	....	....
„Bar"erlöse	....	....	....	....	....	....	....	....
./. umsatzwertabhängige EK	....	....	....	....	....	....	....	....
./. mengenabhängige EK	....	....	....	....	....	....	....	....
ARTIKELGRUPPEN-UMSATZBEITRÄGE	Σ		Σ		Σ		Σ	
./. Fremdfrachten							....	
./. Versandverpackung			....		....		....	
./. sonstige Kosten der Auftragsbearbeitung	....		....		....		....	
AUFTRAGSBEITRÄGE DER ARTIKELGRUPPEN	....		....		....		....	
./. Toureneinzelkosten					....			
DECKUNGSBEITRAG ÜBER SPEZIFISCHE LEISTUNGSKOSTEN	....		....		....		....	
./. Perioden-EK Fuhrpark					....			
PERIODENBEITRÄGE EIGENZUSTELLUNG					....			
			Σ					
./. Perioden-EK Lagergeschäft: Warenannahme			....					
Lager			....					
Expedition			....					
./. Perioden-EK Streckengesch.	....							
PERIODENBEITRÄGE DER GESCHÄFTSARTEN	....		....					
	Σ							
./. gemeinsame Ersparnis aus empfangenen Gesamtumsatzrabatten usw.	....							
./. gemeinsame Perioden-EK	....							
GEMEINSAMER PERIODENBEITRAG	....							

Quelle: Riebel, P., Einzelkosten- und Deckungsbeitragsordnung, 5. Aufl., 1985, Wiesbaden, S. 406 und 408.

Auftragsbeiträge ist laufend zu verfolgen und führt zu einer kontinuierlichen Erfolgsrechnung innerhalb der Budgetperiode, die i. d. R. nicht unter zwölf Monaten oder einer Saison liegen sollte. – Eine volle Realisierung der D. auf Basis relativer Einzelkosten wird erst durch die *neuere Entwicklung der relationalen Datenbanken* in Verbindung mit Methodenbanken, Benutzerführungs-, Auskunfts- und Expertensystemen ermöglicht.

III. D. als Sammelbegriff für verschiedene Bruttoerfolgsrechnungsarten: D. in diesem Sinne schließt als zweiten Grundtyp die auf der Trennung der Gesamtkosten in fixe und proportionale in bezug auf die Beschäftigung beruhenden Systeme ein, wie →Direct Costing, →Grenzplankostenrechnung, →Grenzkostenrechnungen, →Fixkostendeckungsrechnung. Diesen sind folgende *Prämissen* gemeinsam: a) Allein relevante Einflußgröße ist die Ausbringung bzw. Beschäftigung, alle anderen werden als konstant im Rahmen der als fix oder proportional deklarierten Kosten vorgegeben oder als vernachlässigbar angesehen. b) Sämtliche Kosten lassen sich eindeutig in fixe und proportionale in bezug auf die Ausbringung/Beschäftigung trennen. c) Die als proportional angesehenen Kosten sind den Leistungsarten und -einheiten eindeutig zurechenbar. d) Die Erlöse sind mengenproportional und den Leistungsarten und -einheiten eindeutig zuzurechnen. e) Die fixen Kosten sind konstant und der Periode eindeutig zurechenbar. Diese stark simplifizierenden Prämissen sind wenig wirklichkeitsnah und allenfalls innerhalb eines begrenzten Sachbereichs und Zeitintervalls für Näherungsrechnungen brauchbar. Wegen der Mißachtung der →Disponierbarkeit und →Zurechenbarkeit sind die proportionalen Kosten nur selten mit den für („kurzfristige") Entscheidungen relevanten Kosten identisch. Das gilt ganz besonders bei Beschaffungs-, Produktions-, und Absatzverbundenheit (→Ausgabenverbundenheit, →Erlösverbundenheit). – Eine stufenweise Deckung der fixen Kosten bietet zwar einen besseren Einblick in die Erfolgsstruktur, doch sind in den einzelnen Fixkostenblöcken *nicht abbaubare →sunk costs* enthalten. Zudem stoßen D., die auf *andere Differenzierungen als nach Produkten* (Kostenträgern) abstellen, etwa nach Kunden und Kundengruppen, Auftragsgrößen und -arten, Absatzwegen und -gebieten auf kaum überwindbare Schwierigkeiten, zumal das Problem der Zurechenbarkeit von Erlösen und die Notwendigkeit eines Ausbaus der Erlös- und Vertriebskostenrechnung nicht gesehen wird. – *Vorgeschlagene Weiterentwicklungen* gehen in Richtung des ersten Typs (relative D.), z. B. Abstellen auf abbaubare Fixkosten (Seicht; Reichmann/Scholl), Berücksichtigung zusätzlicher Einflußgrößen und Ausbau der Erlösrechnung in Periodenerfolgsmodellen (Laßmann), Berücksichtigung der Kuppelproduktion und mehrerer Fristigkeitsgrade in der Grenzplankostenrechnung (Kilger).

Literatur: H. H. Böhm/F. Wille: Deckungsbeitragsrechnung, Grenzpreisrechnung und Optimierung, 6. Aufl. München 1977; K. Chmielewicz (Hrsg.), Entwicklungslinien der Kosten- und Erlösrechnung, Stuttgart 1983; S. Hummel/W. Männel, Kostenrechnung, Bd. 1, 4 Aufl., Wiesbaden 1986, Bd. 2, 3. Aufl., 1982; W. Kilger, Flexible Plankostenrechnung und Deckungsbeitragsrechnung, 8. Aufl., Wiesbaden, 1981; J. Kloock/G. Sieben/T. Schildbach, Kosten- und Leistungsrechnung, 3. Aufl., Düsseldorf 1984; S. Menrad, Rechnungswesen, Göttingen 1978; P. Riebel, Kosten und Preise, 2. Aufl. Opladen 1972, jetzt: Gabler, Wiesbaden); ders., Ansätze und Entwicklungen des Rechnens mit relativen Einzelkosten und Deckungsbeiträgen, in: Kostenrechnungspraxis 1984, S. 173–178 und S. 215–220; ders., Einzelkosten- und Deckungsbeitragsrechnung, 5. Aufl., Wiesbaden 1985; P. Riebel/W. Sinzig: Zur Realisierung der Einzelkosten- und Deckungsbeitragsrechnung mit einer relationalen Datenbank, in: ZfbF 1981, S. 457–489; G. Scherrer, Kostenrechnung, Stuttgart – New York 1983; G. Seicht, Moderne Kosten- und Leistungsrechnung, 4. Aufl., Wien 1984; M. Schweitzer/H. U. Küpper, Systeme der Kostenrechnung, 4. Aufl., Landsberg a. Lech 1986; W. Sinzig, Datenbankorientiertes Rechnungswesen, 2. Aufl., Berlin – Heidelberg – New York – Tokyo 1985.

Prof. Dr. Paul Riebel

Deckungsbudget. 1. *Begriff:* Periodenbezogener →Soll-Deckungsbeitrag. – 2. *Zweck:* Ausrichtung der Einzelentscheidungen auf die langfristigen Gesamtziele. – 3. *Grundkonzept/Realisierung:* a) Das *Gesamt-D.* umfaßt alle finanziellen Mittel, die in einer Periode (i. d. R. Geschäftsjahr, Sommer-/Wintersaison) durch die Auftragsbeiträge der abgesetzten Leistungen gemeinsam erwirtschaftet werden sollen. Es wird aus der mehrjährigen Gesamtplanung (in Abstimmung mit der Sach- und Jahresabschlußplanung) abgeleitet. Über den für die Planungsperiode spezifischen →Deckungsbedarf hinaus werden →Deckungslasten für die mit periodenübergreifenden Aktivitäten verbundenen Zahlungsverpflichtungen und eine eventuelle Erhöhung der Kassenhaltung als Ziel für den „Periodenbeitrag" im Rahmen eines mehrperiodigen Planungs- und Ausgleichsprozesses vorgegeben. Zudem soll es flexible „realistische" Angebotspolitik (Preispolitik) ermöglichen. Der Plan-Ist-Vergleich kann kontinuierlich in Verbindung mit dem Auftragseingang und der Fakturierung vorgenommen werden und dient als Frühwarnsystem. – b) *Aufteilung/Untergliederung:* Die Untergliederung des D. nach Zahlungsgesichtspunkten erlaubt eine Verzahnung mit der Liquiditätsplanung (→finanzorientiertes Deckungsbudget), die Untergliederung nach Aufwandsgesichtspunkten eine kontinuierliche Erfolgsrechnung und frühzeitige Abschätzung des Jahreserfolgs (→aufwandorientiertes D.); zu den Beziehungen zwischen aufwands- und finanzorientierten D. vgl. Abb. Sp. 1157/1158. Eine Aufteilung des Gesamt-D. auf Erfolgsbereiche erfolgt nach unternehmenspolitischen Gesichtspunkten unter Berücksichtigung der Tragfähigkeit. Wegen des kalkulatorischen Ausgleichs sollte eine zu starke Parzellierung vermieden werden.

Beziehungen zwischen aufwands- und finanzorientiertem Deckungsbudget

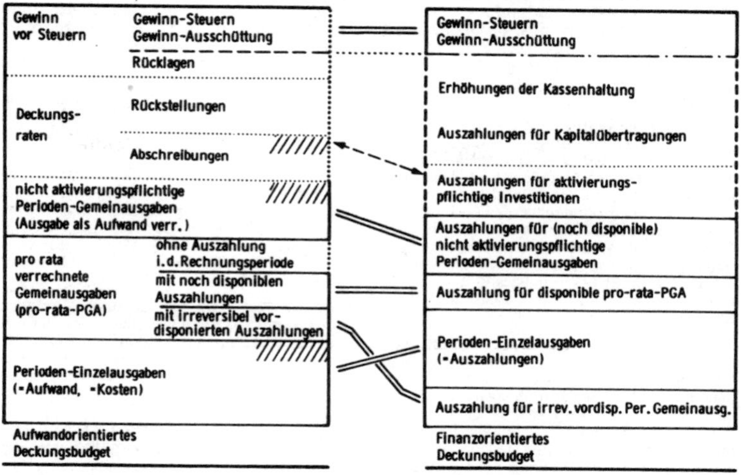

Legende: ═══ grundsätzlich identische Positionen (v. kleinen Abweichungen abgesehen)
//// Schwerpunkte einer materiellen Bilanzpolitik vor Jahresabschluß („aktive Jahresabschlußpolitik")

Quelle: Riebel, P., Einzelkosten- und Deckungsbeitragsrechnung, 5. Aufl. 1985, Wiesbaden, S. 488.

deckungsfähige Wertpapiere, Wertpapiere (i. d. R. festverzinsliche), die eine Notenbank zur Regelung des Geldmarktes am offenen Markt (→Offenmarktpolitik) kaufen und verkaufen darf.

Deckungsfähigkeit, Ausnahme vom Haushaltsgrundsatz der qualitativen Spezialität (→Haushaltsgrundsätze 6 a)). Sachverwandte Haushaltstitel können im →Haushaltsplan als einseitig oder gegenseitig deckungsfähig erklärt werden, d. h. die üblicherweise verbotene Übertragung von Haushaltsmitteln von einem Titel auf einen anderen wird ausnahmsweise gestattet.

Deckungsgeschäft. I. H a n d e l s k a u f: Infolge →Nichterfüllung der Verpflichtung eines Vertragsteils vorgenommenes Geschäft des Vertragpartners. Beim Verkäufer ist es ein Deckungsverkauf, beim Käufer ein Deckungseinkauf. – Beim Handelskauf kann das D. bei der *Berechnung des Schadenersatzes* nur zugrunde gelegt werden, wenn es sofort nach Ablauf der Lieferungsfrist mit Hilfe von öffentlich ermächtigten Handelsmaklern oder durch öffentliche Versteigerung erfolgt; es besteht Benachrichtigungspflicht. Bei Versteigerung können Käufer und Verkäufer mitbieten (§ 376 HGB). – Bei →*Annahmeverzug des Käufers* besteht auch Möglichkeit des →Selbsthilfeverkaufs.

II. K o m m i s s i o n s g e s c h ä f t: Vom Kommissionär beim →Selbsteintritt aus Anlaß der Kommission mit einem Dritten abgeschlossenes Geschäft zur Erfüllung der Verpflichtung aus dem Selbsteintritt. Wenn der Kommissionär bei Anwendung pflichtgemäßer Sorgfalt die Kommission zu einem günstigeren Preise ausführen konnte, darf er dem Kommittenten nur diesen in Rechnung stellen (§ 401 I HGB).

III. B ö r s e n g e s c h ä f t: Geschäft, das dem Ausgleich (Deckung) der aus einem früheren Geschäft herrührenden Verpflichtungen dient, z. B. der Blankoverkauf eines Wertpapiers wird, möglichst wenn der Kurs zurückgegangen ist, durch einen Terminkauf des gleichen Papiers gedeckt.

Deckungsgrad. 1. *Bilanzielle Kennzahl:* Verhältnis von kurzfristigem Umlaufkapital zu kurzfristigen Verbindlichkeiten; Berechnung unter Berücksichtigung des Zeitfaktors. a) Quotient aus Geldwerten und kurzfristigen Verbindlichkeiten; b) Quotient aus Geldwerten, einschl. kurzfristigen Forderungen und kurzfristigen Verbindlichkeiten; c) Quotient aus Geldwerten, einschl. kurzfristigen Forderungen und Warenbeständen, und kurzfristigen Verbindlichkeiten. – Vgl. auch →Liquiditätsgrad. – 2. *Kostenrechnerische Kennzahl:*

kennzeichnet den Grad der Deckung eines bestimmten Kostenvolumens durch Erlöse. a) Quotient aus →Erlösen und →Vollkosten eines bestimmten Produkts; b) Quotient aus dem →Deckungsbeitrag eines Produkts und dessen →Nettoerlös (eine spezielle Ausprägung dieser Bedeutung ist die →Handelsspanne).

Deckungsgrundsatz. I. Zwangsversteigerungsrecht: 1. Bei der Zwangsversteigerung von Grundstücken bleiben dem Recht des →betreibenden Gläubigers im Rang vorgehende Rechte bestehen und müssen vom →Ersteher übernommen werden (→Übernahmegrundsatz). Die Sicherung der vorgehenden Rechte erfordert, daß nur ein Gebot zugelassen wird, das diese Rechte sowie die Verfahrenskosten deckt (→geringstes Gebot). Ist es nicht erreicht, kann der →Zuschlag nicht erteilt werden.

II. Finanzwissenschaft: 1. *Begriff:* Grundsatz hinsichtlich Bedingungen und Umfang staatlicher Verschuldung (→öffentliche Kreditaufnahme) zur Ausgabendeckung; auch als *Verschuldungsregel* bezeichnet. – 2. *Grundlagen:* Politisch-psychologische Argumente für die Verschuldung stellen v.a. darauf ab, daß eine Steuererhebung oder -erhöhung technisch nicht möglich oder politisch nicht tragbar oder durchsetzbar sein könne; ökonomische Argumente leiten sich aus den wirtschaftlichen Wirkungen alternativer Finanzierungsmöglichkeiten her. – 3. *Arten:* a) *Traditionelle (objektbezogene) D.:* Es werden →ordentliche Ausgaben und →außerordentliche Ausgaben unterschieden; Abgrenzungskriterien sind die Plan- und Vorhersehbarkeit der Ausgaben und der Beitrag zur staatlichen Kapitalbildung. Schuldaufnahme ist danach zur Überbrückung unvorhersehbarer, kurzfristig auftretender Bedarfe sowie für die Finanzierung von die staatliche Leistungsfähigkeit steigernden Investitionen zu vertreten (self liquidating projects). Geht auf die Schuldtheorie von A. Wagner zurück. – b) *Neuere D.:* Mit der Entwicklung einer stabilisierungsorientierten Finanzpolitik wurde auch die staatliche →Schuldenpolitik verstärkt unter konjunkturpolitischen Aspekten betrachtet; sie ergeben sich damit aus der Frage, welche Art und Höhe öffentlicher Verschuldung der jeweiligen konjunkturellen Situation angemessen ist *(situationsbezogene Verschuldungsregeln).* Das Konzept des zyklischen Budgetausgleichs folgt der Theorie der antizyklischen Finanzpolitik: Die Schuldaufnahme in der Rezession wird in der Hochkonjunktur wieder ausgeglichen. Prognose- und Diagnoseprobleme hinsichtlich des Konjunkturverlaufs sowie die Trägheit politischer Entscheidungsprozesse bergen die Gefahr von Fehlsteuerungen. – 4. *D. im bundesdeutschen Recht:* Unter dem Einfluß der →fiscal policy keynesianischer Prägung fand auch in der bundesdeutschen Finanzverfassung ein Wechsel von objekt- zu teilweise situationsbezogenen D. statt. Art. 109 GG verlangt eine Ausrichtung der Haushaltswirtschaft von Bund und Ländern an den Erfordernissen des gesamtwirtschaftlichen Gleichgewichts. Art. 115 GG gestattet ein situationsbedingtes Abweichen von den im selben Art. festgelegten →Verschuldungsgrenzen; einfachgesetzliche D. finden sich in den §§6 III, 19 Stabilitätsgesetz und §13 HGrG. – Vgl. auch →Stabilitätsgesetz.

Deckungskapital, in der Lebensversicherung der Teil der →Deckungsrückstellung, der auf den einzelnen Vertrag entfällt. Das D. bestimmt üblicherweise die Höhe des →Rückkaufswertes. Durch §77 VAG besonderer Schutz des D., selbst für den Fall des Konkurses des Versicherers.

Deckungslast, der für mehrere Perioden gemeinsame →Deckungsbedarf, der Periode zugeteilt. Die Zuteilung erfolgt nach unternehmenspolitischen Gesichtspunkten in einem mehrperiodigen Planungs- und Ausgleichsprozeß. Zu berücksichtigen sind: a) Disponierbarkeit der periodenspezifischen Aktivitäten; b) Verkettung des erwarteten Deckungsbedarfs und der Deckungsmöglichkeiten der Folgeperioden.

Deckungsprinzip, →Tragfähigkeitsprinzip.

Deckungspunkt, →Break-even-Punkt.

Deckungspunktanalyse, →Break-even-Analyse.

Deckungsrate, der einer Periode als →Dekkungsbudget vorgegebene Teil von →Periodengemeinkosten, der über die →Periodeneinzelkosten hinaus erwirtschaftet werden muß.

Deckungsrechnung, ältere von H. Peiser (1919) geprägte Bezeichnung für →Deckungsbeitragsrechnung, die von Beste, Hax, Schmalenbach und anfangs auch Riebel übernommen wurde.

Deckungsrelation, das für die Bemessung von →Ausgleichszuweisungen im Finanzausgleich maßgebliche Verhältnis zwischen →Finanzkraft und →Finanzbedarf öffentlicher Aufgabenträger.

Deckungsrücklage, →Deckungsrückstellung.

Deckungsrückstellung, unzutreffend auch *Deckungsrücklage* oder *Prämienreserve;* eine →Rückstellung des Versicherungsunternehmens, keine →Rücklage. Die D. wird gebildet durch die verzinsliche Ansammlung eines Teils der Prämien und dient dazu, unter Berücksichtigung der zu erwartenden Prämieneinnahmen, die künftigen Versicherungsleistungen zu garantieren. Vorkommen u.a. in der Lebensversicherung, aber auch in der Kranken-, Unfall- und Haftpflichtversicherung. Die D. bestimmt die Höhe des erforderlichen →Deckungsstocks. Als Rentenreserve sichert sie in Höhe der nötigen →Barwerte die künftigen Rentenverpflichtungen (Haftpflicht-, Unfall- und Lebensversicherung). Wünschen Versicherungsnehmer gleichbleibende Prämien, obwohl wegen des sich ändernden Risikos (z. B. altersabhängige Prämien) von Jahr zu Jahr steigende Prämien erhoben werden müßten, ist das möglich, indem in den ersten Jahren die zu zahlende Prämie höher und später niedriger ist als die „natürliche"; z. B. Krankenversicherung, mehrjährige Risikoversicherung mit gleichbleibender Summe (→Lebensversicherung II 1). Die verzinslich angesammelte Differenz der ersten Jahre, die D., deckt den Fehlbetrag der letzten Jahre. Bei Versicherungen auf den Todes- und Erlebensfall (→Lebensversicherung II 3 und 4) und Unfallversicherungen mit Prämienrückgewähr dient die D. v. a. der Ansammlung des im Erlebensfall fälligen Kapitals; bei Rentenversicherungen mit aufgeschobenem Rentenbeginn der Ansammlung des beim Rentenbeginn erforderlichen Barwertes. – Vgl. auch →Deckungskapital.

Deckungssatz, von Riebel geprägter Begriff, auf Leistungseinheiten oder andere Maßgrößen (z. B. Inanspruchnahme von Engpässen) abstellender →Soll-Deckungsbeitrag, der in Form von Fest-, Richt-, Mindest-, Höchst- oder Margensätzen bei Preisforderungen berücksichtigt werden soll.

Deckungsspanne, im System des →Direct Costing häufig verwandter Begriff für →Deckungsbeitrag.

Deckungsstock, *Prämienreservefonds,* Summe der zur Deckung der →Deckungsrückstellungen aller Versicherten eines Versicherers erforderlichen Vermögenswerte. Der D. wird getrennt verwaltet, ein Treuhänder überwacht die Einhaltung der strengen aufsichtsrechtlich vorgeschriebenen Vermögensanlage-Richtlinien.

deckungsstockfähige Wertpapiere, Wertpapiere, die zur Anlage des von den Versicherungsunternehmen zu bildenden →Deckungsstocks zugelassen sind (§§ 66 ff. VAG).

Deckungsstockfähigkeit, Fähigkeit von Unternehmen, durch ihre bisherige und künftig zu erwartende Entwicklung die vertraglich vereinbarte Verzinsung und Tilgung eines →Schuldscheindarlehens zu gewährleisten, das durch erstrangige →Grundpfandrechte gesichert sein muß.

Deckungsumsatz, Begriff der Break-even-Analyse für denjenigen Umsatz, bei dem gerade Vollkostendeckung eintritt (Deckung der →fixen Kosten und →variablen Kosten). – *Ermittlung des D.:* Vgl. →Break-even-Analyse.

Deckungsvorgabe, →Soll-Deckungsbeitrag.

Deckungszeitpunkt, Begriff der →Break-even-Analyse für den Zeitpunkt im Ablauf der Planungsperiode, zu dem die kumulierten →Deckungsbeiträge erstmals die kumulierten →fixen Kosten übersteigen.

Deckungszusage. 1. *Allgemein:* Vereinbarung von vorläufigem Versicherungsschutz vor Abschluß des Versicherungsvertrages und Zahlung der Erstprämie. Die vorläufige Dekkung endet, wenn der endgültige Versichungsvertrag abgeschlossen wird oder sich die Vertragsverhandlungen endgültig zerschlagen, spätestens an dem in der D. genannten Tag. – 2. *Kraftverkehrsversicherung:* Die D. ist unbefristet, kann jedoch vom Versicherer mit einwöchiger Frist gekündigt werden. – *Anders:* →Versicherungsbestätigung. – Vgl. auch →Kraftverkehrsversicherung II 5, IV 1.

Decoder, Gerät zur Codierung und Decodierung von →Daten. Der D. wird integriert in die →Schnittstellen zwischen zwei Datenstationen, die verschiedene Darstellungscodes (→Code) benutzen und Daten austauschen wollen. – *Beispiel:* Btx-Decoder (CEPT-Decoder, →Bildschirmtext), der Daten entsprechend dem CEPT-Standard (→CEPT) codiert und decodiert.

Decort, →Dekort.

Découvert, →Leerverkauf.

DED, Abk. für →Deutscher Entwicklungsdienst.

Deduktion, logisches Verfahren der Ableitung von weniger allgemeinen aus allgemeineren Aussagen (→Axiom, →Theorem). Aus →Prämissen oder als allgemeingültig erkannten Tatbeständen werden Konklusionen deduziert. – Innerhalb der →Realwissenschaften kommt die deduktive Methode in dem Sinn zur *Anwendung,* daß aus allgemeinen Sätzen besondere Sätze abgeleitet und empirisch überprüft werden. – *Gegensatz:* →Induktion.

Deduktionssysteme, ein →Computersystem (i. e. S. ein →Softwaresystem), das aufbauend auf einer vorgegebenen Menge von Axiomen Schlüsse ziehen kann (z. B., um Beweise für mathematische Sätze zu entwickeln). D. sind ein Anwendungsfeld der →künstlichen Intelligenz.

deduktives Datenbanksystem, ein um eine Menge von →Regeln erweitertes →Datenbanksystem. Die Hinzunahme der Regeln ermöglicht die Bearbeitung komplexer →Datenbankabfragen und/oder die Abfrage von Wissen aus dem System, das aus der →Datenbank allein nicht ableitbar ist.

DEE, Abk. für →Datenendeinrichtung.

deep discount bond, →Anleihe mit einer unter dem Kapitalmarktzins zum Emissionszeitpunkt liegenden für die gesamte Laufzeit (i. d. R. 25–30 Jahre) festen Nominalverzinsung (Unterverzinsung). Die Unterverzinsung wird durch ein →Disagio ausgeglichen; bestimmt durch die Differenz zwischen Emissionsrendite und Nominalzins sowie durch die Anleihelaufzeit: Der Ausgabekurs ist umso niedriger, je länger die Laufzeit und je geringer der Nominalzins im Vergleich zur Emissionsrendite ist. D. d. b. weisen die Merkmale von →straight bonds und →Abzinsungspapieren auf.

De-Facto-Standard. 1. *D.-F.-St. i. w. S.:* ein nicht von einer offiziellen Standardisierungsorganisation definierter Standard, der gleichwohl weitgehend eingehalten wird. – 2. *D.-F.-St. i. e. S.* (auf dem Hardware- und Softwaremarkt): Produkte, die in einer bestimmten Ausprägung weite Verbreitung besitzen; z. B. gilt die Beschreibung der Programmiersprache →C von Kernighan/Ritchie als D.-F.-St., da kein offizieller Standard existiert. – 3. Häufig *Schlagwort* der Anbieter in der Werbung, oft synonym zu →Industriestandard.

Default-Klausel. 1. *Begriff:* Kündigungsmöglichkeit für den Kreditgeber (Gläubigerbank) gegenüber säumigen Schuldnern von Kredit- und Anleiheverträgen am Euromarkt nach anglo-amerikanischem Vertragsrecht. – 2. *Kündigungsgründe:* Nichtzahlung fälliger Beträge wie Tilgung, Zinsen, Provisionen und sonstiger Forderungen binnen kurzer Frist, Unrichtigkeit der im Vertrag vom Kreditnehmer gemachten Zusicherungen in wesentlichen Punkten bzw. Nichterfüllung sonstiger Vertragspflichten (u. a. vertragswidrige Verwendung der Kreditmittel); schwerwiegende Änderung der wirtschaftlichen Verhältnisse des Kreditnehmers; Rücknahme von für die Kreditgewährung wesentlichen staatlichen Genehmigungen oder Lizenzen. – 3. *Cross-Default-Klausel:* Kündigungsmöglichkeit, wenn der Kreditnehmer seinen Zahlungsverpflichtungen gegenüber Dritten bei Fälligkeit nicht nachkommt. Meist werden auch Tochterunternehmen u. a. verbundene Unternehmen einbezogen sowie andere Formen nicht erfüllter Verpflichtungen, z. B. aus Bürgschaften und Garantien.

defender, das zu ersetzende, bereits vorhandene Investitionsobjekt (erste Alternative) bei →Ersatzinvestitionen. Zu klären ist die Frage, ob in einem bestimmten Kalkulationszeitpunkt der d. durch ein anderes Investitionsobjekt (→challenger) zu ersetzen ist.

Defensivzeichen, *Abwehrzeichen,* Zeichen, die nicht zur Benutzung bestimmt sind, sondern zum Schutz eines wirklich benutzten Hauptzeichens vor Gegenzeichen eingetragen werden. D. sind wegen der weiten Auslegung der →Verwechslungsgefahr überflüssig, sie verstoßen gegen § 1 WZG. Vgl. →Warenzeichenrecht.

deferred payment credit, →Auszahlungskredit.

deficit spending. I. Begriff: Überschuß der Ausgaben über die Einnahmen der öffentlichen Haushalte (Haushaltsfehlbetrag), um einen expansiven Effekt im Zustand der Unterbeschäftigung zu erzielen. Der Begriff d. s. ist eng mit der →fiscal policy in der Tradition keynesianisch orientierter antizyklischer →Finanzpolitik verbunden und bezeichnet einen aus dieser Theorie oft gefolgerten Imperativ für den Finanzpolitiker, mittels Verschuldung (→öffentliche Kreditaufnahme) Ausgaben- bzw. Konjunkturprogramme zu finanzieren.

II. Arten: 1. *Defizit durch lineare oder selektive Steuersatzsenkung (deficit without spending)* bei konstantem Ausgabevolumen; geringer expansiver Effekt, da der →Steuermultiplikator relativ klein ist und nicht gewährleistet ist, daß die Erhöhung des verfügbaren Einkommens zu einer entsprechenden Erhöhung der kaufkräftigen Nachfrage führt. – 2. *Defizit durch Ausgabenerhöhung* bei unveränderten Steuersätzen; starker expansiver Effekt wegen des relativ hohen →Staatsausgabenmultiplikators, genauere Wirkungskenntnis, da expansive Wirkung nicht vom Verhalten der Nichtunternehmer abhängt. – 3. *Defizit durch gleichzeitige Ausgabenerhöhung und Einnahmensenkung;* sehr starker expansiver Effekt durch hohen Multiplikator, verursacht durch eine Erhöhung des verfügbaren Einkommens.

III. Defizitfinanzierung: Grundsätzlich sind alle Verschuldungsformen der öffentlichen Hand zugänglich; die Gläubiger reichen von ausländischen Staaten über ausländische „Private" bis hin zu inländischen „Privaten" (z. B. Banken, Versicherungen) oder der Notenbank. – *Hypothesen:* 1. →*crowding out:* Kritik an der Verschuldung bei den Privaten im Inland; es wird davon ausgegangen, daß kein zusätzlicher Effekt hervorgerufen wird, wenn mit der staatlichen Inanspruchnahme der Kapitalmärkte in annähernd gleichem Ausmaß die private Nachfrage zurückgedrängt wird. – 2. *Idle money:* Es wird davon ausgegangen, daß besonders in rezessiven Konjunkturphasen genug Geld in den Kapitalmärkten vorhanden ist. Eine Verschuldung bei der Notenbank könnte insofern sinnvoll erscheinen, weil keine Geldmengenverringerung im privaten Sektor erfolgt. Die Inflationsgefahr ist sehr gering, da die unterbeschäftigte Wirtschaft über genügend Kapazitätsreserven zur Befriedigung der steigenden Nachfrage verfügt. Im Aufschwung ist jedoch die teilweise Stillegung der erhöhten Geldmenge durch Budgetüberschüsse nötig. In der Bundesrep. D. rechtlich nicht vorgesehen (bis auf eine relativ geringe Summe); theoretisch (der Bundesbank würde die Steuerung der

Geldmenge wesentlich erschwert, falls der Bund sich beliebig bei der Bundesbank verschulden könnte) und politisch (mittel- oder langfristig könnte die Tendenz entstehen, politische Bedarfe über einen dann doch inflatorischen Notendruck zu finanzieren) problematisch.

deficit without spending, →deficit spending II 1.

Definition, Festlegung der Bedeutung von in den Wissenschaften verwendeten Begriffen *(Nominaldefinition)*. In logischer Hinsicht eine sich aus zwei Gliedern zusammensetzende Verknüpfungsformel bzw. Gleichung. Der zu definierende Begriff wird als *Definiendum,* die ihn definierenden Worte werden als *Definiens* bezeichnet. Dabei wird angenommen, daß die Bedeutung des Definiens bekannt ist; das Definiendum wird als synonym festgelegt. – Eine *fehlerhafte Begriffsbestimmung* wird als →Tautologie bezeichnet, wenn das Definiendum als Bestandteil des Definiens auftaucht. – Für Nominaldefinitionen gilt, daß sie mehr oder weniger *zweckmäßig,* nicht jedoch wahr oder falsch sein können. Überholt ist die Auffassung, mit Hilfe von D. könnten grundlegende Eigenschaften bzw. das Wesen der Realität (→Essentialismus) erfaßt werden *(Realdefinition)*.

Definition des Geschäfts, Ansatz nach Abell. Erweiterung der Abgrenzungsproblematik des →strategischen Geschäftsfelds (enge Produkt/Markt-Orientierung). Zu berücksichtigen sind die drei Dimensionen: potentielle Nachfragesektoren, Funktionserfüllung und verwendete Technologien. Eine vertiefende Definition erfolgt über das Kaufverhalten der Abnehmer, den Ressourcenbedarf und die vorhandenen Fähigkeiten sowie die Kostensituation.

Defizit. 1. Begriff aus der *Theorie der öffentlichen Haushalte* für den die laufenden Einnahmen übersteigenden Betrag der Ausgaben; →deficit spending. – 2. Begriff des *Rechnungswesens* für den Fehlbetrag, der sich auf einem Kassenkonto ergibt (Kassendefizit); →Kassenmanko.

Deflation. I. Begriff: Kumulative Abwärtsbewegung der wirtschaftlichen Aktivität, die mit einem Verfall der Güter- und Faktorpreise verbunden ist. Wie die →Inflation wird auch die D. von einer Disproportionalität zwischen Güter- und Geldkreislauf begleitet.

II. Ursachen: Die deflatorische Lücke (Überschuß des gesamtwirtschaftlichen Angebots bei kostendeckenden Preisen über die gesamtwirtschaftliche kaufkräftige Nachfrage) kann durch verschiedene Faktoren ausgelöst werden: 1. *Außenwirtschaftliche Faktoren:* a) Rückgang der Auslandsnachfrage als Folge dortiger Wachtumsverlangsamungen. b) Überbewertung der eigenen Währung; hat →Kreditrestriktionen zur Sicherung der Devisenreserven zur Folge, die ihrerseits zu einem Rückgang der inländischen Nachfrage führen; c) Abwertung des Auslandes; d) protektionistische Maßnahmen der Handelspartner. – 2. *Binnenwirtschaftliche Faktoren:* a) Allgemeine Abschwächung der wirtschaftlichen Aktivität als Folge pessimistischer Beurteilungen der zukünfitgen Entwicklung. b) Bildung eines Budgetüberschusses oder Kürzung der Staatsausgaben.

III. Wirkungen: Der Preis- und Lohnverfall führt zu Gewinn- und Einkommenssenkungen, die wiederum weitere Nachfragerückgänge auslösen. Der Realwert bestehender Verbindlichkeiten erhöht sich im Gegensatz zur Inflation, wodurch wirtschaftliche Zusammenbrüche beschleunigt werden. Fallen die Preise und Löhne stärker als im Ausland, können sich die Exporte erhöhen, so daß ein Teil des inländischen Nachfrageausfalls kompensiert wird.

IV. Anti-Deflationspolitik: Nach dem 2. Weltkrieg konnte eine D. nicht mehr beobachtet werden. Die D. der Weltwirtschaftskrise wurde infolge unzureichender wirtschaftstheoretischer Kenntnisse mit den falschen Maßnahmen – nämlich Budgetkürzungen, Lohn- und Preiskontrollen sowie Abwertungen (→Beggar-my-neighbour-Politik) – bekämpft. →Keynes wies mit seiner →Beschäftigungstheorie den richtigen Weg zur Bekämpfung der D.: Expansion der Staatsausgaben, Senkung der Steuereinnahmen (→deficit spending) und Vergrößerung der Geldmenge (→billiges Geld). Grenzen dieser Politik ergeben sich aus den außenwirtschaftlichen Verflechtungen.

deflatorische Lücke, →Deflation.

Defraudation, →Unterschlagung.

DEG, Abk. für →Deutsche Finanzierungsgesellschaft für Beteilungen in Entwicklungsländern GmbH.

Degenerationsphase, *Niedergangsphase,* letzte Phase des →Lebenszyklus eines Produkts. – *Auslösende Faktoren:* Technischer Fortschritt mit der Folge der Veralterung des Produkts, stark auftretende Substitutionsgüter mit besserer Bedürfnisbefriedigung der Käufer, Bedürfniswandel u. ä. m.

Degression. I. Kostentheorie: Eine von E. Schmalenbach beschriebene Erscheinung des Verhaltens von Kosten bei Beschäftigungsschwankungen. – 1. *Gesamtkostendegression:* Die →Grenzkosten liegen unter den →Durchschnittskosten:

$$\frac{dK}{dx} < \frac{K}{x}.$$

Die →Grenzkosten fallen mit zunehmender Ausbringung (→Skalenertrag) (Walther). – 2. *Stückkostendegression (Größendegression):* Mit zunehmender Ausbringung sinken die Stückkosten, da sich die fixen Kosten auf eine größere Menge verteilen. Die Grenzkosten sind konstant oder sinken (→Gesetz der Massenproduktion). – 3. *Auflagendegression:* Mit wachsender Seriengröße sinken die auf eine Produkteinheit entfallenden Rüstkosten. – Vgl. auch →Kostenverlauf.

II. Finanzwissenschaft: Vgl. →Steuerdegression.

Degressionsschwelle, Begriff der Kostentheorie für den →Beschäftigungsgrad, bei dem die →Stückkosten ihr Minimum erreichen und gleich den →Grenzkosten sind.

degressive Abschreibung. I. Begriff: Abschreibungsmethode (→Abschreibung), mit der Anpassung des Buchwertes eines Anlagegegenstandes an seinen jeweiligen Gebrauchswert erreicht werden soll, im Hinblick darauf, daß der Veräußerungswert eines gebrauchten Gegenstandes in den ersten Nutzungsjahren schneller sinkt als in späteren (z.B. Kraftfahrzeuge). Man unterscheidet die *arithmetisch* d.A. *(digitale A.)* von der häufiger angewendeten *geometrisch* d.A. *(Buchwertabschreibung)*. Dabei wird der Abschreibungssatz (in %) nach der betriebsgewöhnlichen Nutzungsdauer festgelegt und die Abschreibung jeweils vom →Restwert des letzten Jahres berechnet. Der am Ende der Abschreibungsperiode verbleibende restliche Buchwert wird im letzten Jahr mit abgeschrieben. Die *Entsprechungsverhältnisse* von linearer und geometrisch d.A. gehen aus der obenstehenden Jahrestabelle hervor.

betriebsgewöhnliche Nutzungsdauer Jahre	lineare Absetzung % der Anschaffungs- oder Herstellungskosten	degressive Absetzung % des Buchwertes
1	100,00	100,000
2	50,00	75,00
3	33,33	59,18
4	25,00	50,00
5	20,00	43,77
6	16,66	39,16
7	14,28	35,59
8	12,50	32,71
9	11,11	30,32
10	10,00	28,31
11	9,09	26,59
12	8,33	25,09
13	7,69	23,78
14	7,14	22,61
15	6,66	21,57
16	6,25	20,63
17	5,88	19,78
18	5,55	19,00
19	5,26	18,30
20	5,00	17,65
21	4,76	17,05
22	4,54	16,49
23	4,34	15,97
24	4,16	15,49
25	4,00	15,04
30	3,33	13,18
40	2,50	10,63

II. Steuerrecht: Die geometrische A., degressive →Absetzung für Abnutzung (AfA) ist an Stelle der üblichen linearen (in gleichmäßigen Jahresbeträgen) zulässig bei beweglichen abnutzbaren Wirtschaftsgütern des Anlagevermögens; allerdings darf der auf den jeweiligen →Buchwert (Restwert) anzuwendende Abschreibungsprozentsatz höchstens das 3-fache des bei der AfA in gleichen

Betriebsgewöhnl. Nutzungsdauer (Jahre)	Hundertsätze für die degressive Absetzung nach dem Buchwert (Monatstabelle)											
	1	2	3	4	5	6	7	8	9	10	11	12
1	25,09	43,88	57,96	68,51	76,41	82,33	86,76	90,08	92,57	94,44	95,83	100,00
2	10,91	20,63	29,29	37,00	43,88	50,00	55,45	60,31	64,64	68,50	71,94	75,00
3	7,20	13,87	20,07	25,82	31,16	36,11	49,71	44,98	48,93	52,61	56,02	59,18
4	5,61	10,91	15,91	20,63	25,09	29,29	33,26	37,01	40,54	43,88	47,03	50,00
5	4,68	9,15	13,41	17,46	21,33	25,02	28,53	31,88	35,07	38,11	41,01	43,77
6	4,06	7,95	11,68	15,26	18,70	22,00	25,16	28,19	31,11	33,90	36,58	39,16
7	3,60	7,07	10,41	13,64	16,75	19,74	22,63	25,42	28,10	30,69	33,18	35,59
8	3,25	6,39	9,43	12,37	15,22	17,97	20,64	23,21	25,71	28,12	30,46	32,71
9	2,96	5,84	8,63	11,34	13,97	16,52	19,00	21,40	23,73	25,99	28,18	30,32
10	2,73	5,39	7,98	10,50	12,94	15,32	17,64	19,89	22,08	24,21	26,28	28,31
11	2,54	5,02	7,44	9,79	12,09	14,32	16,50	18,63	20,70	22,71	24,68	25,09
12	2,38	4,70	6,97	9,18	11,35	13,46	15,52	17,53	19,49	21,40	23,28	26,59
13	2,24	4,43	6,56	8,66	10,70	12,70	14,65	16,56	18,43	20,26	22,04	23,78
14	2,11	4,18	6,21	8,19	10,13	12,03	13,89	15,71	17,50	19,24	20,95	22,61
15	2,00	3,97	5,89	7,78	9,62	11,44	13,21	14,95	16,65	18,32	19,96	21,57
16	1,91	3,78	5,61	7,41	9,18	10,91	12,61	14,27	15,91	17,51	19,08	20,63
17	1,82	3,61	5,36	7,09	8,78	10,44	12,07	13,67	15,24	16,79	18,30	19,78
18	1,74	3,45	5,13	6,79	8,41	10,00	11,57	13,11	14,63	16,11	17,57	19,00
19	1,67	3,32	4,93	6,52	8,08	9,62	11,13	12,61	14,07	15,51	16,92	18,30
20	1,61	3,19	4,74	6,27	7,78	9,26	10,71	12,15	13,56	14,94	16,31	17,65
21	1,54	3,06	4,56	6,04	7,49	8,92	10,32	11,71	13,07	14,41	15,74	17,05
22	1,49	2,96	4,40	5,83	7,23	8,61	9,98	11,32	12,64	13,94	15,22	16,49
23	1,44	2,86	4,26	5,64	7,00	8,34	9,66	10,96	12,24	13,50	14,75	15,97
24	1,39	2,76	4,12	5,46	6,77	8,07	9,35	10,61	11,86	13,08	14,29	15,49
25	1,35	2,68	3,99	5,29	6,57	7,83	9,07	10,30	11,51	12,70	13,88	15,04
30	1,17	2,33	3,48	4,61	5,72	6,83	7,92	9,00	10,07	11,12	12,16	13,18
40	0,93	1,86	2,77	3,68	4,58	5,47	6,35	7,22	8,09	8,95	9,80	10,63

Jahresbeträgen (→lineare Abschreibung) in Betracht kommenden Höchstsatzes betragen und 30% nicht übersteigen (§ 7 II EStG). Die degressiven A. sind nicht nur nach Jahren, sondern auch nach Monaten auf die Nutzungszeiten zu verteilen, und zwar nach einer Monatstabelle (vgl. untenstehende Tabelle). Beispiel zur Anwendung d. Monatstabelle: Eine Maschine ist am 2.5.1984 zum Preis von 80000,- DM angeschafft worden, betriebsgewöhnliche Nutzungsdauer 15 Jahre. Am 1.7.1986 wird die Maschine zum Preis von 50000,- DM verkauft. Geometrisch degressive Absetzungen für die einzelnen Nutzungszeiten:

Anschaffungskosten 2.5.1984	DM 80 000,–
AfA für 8 Monate 14,95% von DM 80 000,–	DM 11 800,–
Bilanzwert 31.12.1984	DM 68 200,–
Buchwert 1.1.1985	DM 68 200,–
AfA für 1 Jahr 21,57% von DM 68 200,–	DM 14 710,–
Bilanzwert 31.12.1985	DM 53 490,–
Buchwert 1.1.1986	DM 53 490,–
AfA für 6 Monate 11,44% von DM 53 490,–	DM 6 119,–
	DM 47 371,–
Verkaufspreis	DM 50 000,–
Steuerpflichtiger Veräußerungs-Gewinn	DM 2 629,–

Aus Vereinfachungsgründen ist zugelassen, daß für in der ersten Hälfte eines Wirtschaftsjahres angeschaffte Anlagegüter der volle AfA-Betrag und für in der zweiten Hälfte eines Wirtschaftsjahres angeschaffte Wirtschaftsgüter der halbe AfA-Betrag abgesetzt werden kann.

degressive Kosten, *unterproportionale Kosten,* fallende Kosten (→Gesamtkosten, →Durchschnittskosten, →Stückkosten) in Abhängigkeit von der Beschäftigung: Die Kosten steigen in geringerem Maße als die Kosteneinflußgröße Beschäftigung. – Vgl. auch →Degression I.

degressiver Akkord, vorwiegend in den USA entwickelte Sonderform des →Akkordlohns, bei der der Stundenlohn in Abhängigkeit vom Leistungsgrad degressiv verläuft. – *Grundgedanke:* Arbeitgeber und -nehmer sollen sich den Ertrag der Mehrleistungen untereinander aufteilen (Teilungslöhne); Schutz der Arbeiter vor Überanstrengung. Am *bekanntesten:* →Rowan-Lohn. – *Gegensatz:* →progressiver Akkord.

DEGT, Abk. für →Deutscher Eisenbahn-Gütertarif.

Dehnungspuffer, →Vorgangspuffer.

Deka, (d a), Vorsatz für das Zehnfache (10^1fache) der Einheit. Vgl. →gesetzliche Einheiten, Tabelle 2.

Dekagramm, (d a g), Gewichtseinheit von 10 Gramm. In Österreich gebräuchlich.

Dekartellierung, *Dekartellisierung,* Auflösung wirtschaftlicher Unternehmenszusammenschlüsse, die auf Wettbewerbsbeschränkungen ausgerichtet sind. – Die 1945 durch das →Potsdamer Abkommen eingeführte D. sollte die übermäßige Konzentration der Wirtschaftsmacht, insbes. durch Kartelle, Syndikate, Trusts und andere monopolistische Abreden vernichten. – *Ziel* der D. war die →Entflechtung, die vollständige Dezentralisierung der deutschen Industrie (→Dekonzentration) sowie die Verringerung ihrer Wettbewerbsfähigkeit auf den Weltmärkten. – *Grundsatz* der D. war das →Kartellverbot; es wurde jedoch durch eine „Rule of Reason" abgeschwächt. Der Verbotsgrundsatz wurde 1957 durch das →Kartellgesetz übernommen. – Vgl. auch →Entflechtung.

Dekartellisierung, →Dekartellierung.

Deklaration. 1. *Außenhandelsgeschäft:* Gegenüber den Außenhandels- und Zollbehörden von Außenhandelskaufleuten abzugebende Meldung über Einzelheiten des geplanten oder abzuwickelnden Geschäfts. D. sind meist formgebunden (z. B. →Ausfuhrerklärung, i. d. R. →Zollanmeldung). – 2. *Frachtgeschäft:* Wertangabe, nach der ggf. der Schadenersatz zu bemessen ist.

Deklarationsprotest, →Wechselprotest, bei dem Inhaber und Protestgegner identisch sind, z. B. wenn der Wechselgläubiger gleichzeitig Domiziliat, Notadressat oder Ehrenannehmer ist.

deklarative Programmiersprache, →Programmiersprache II 2a).

deklarative Wissensrepräsentation, grundlegende Form der →Wissensrepräsentation. Kriterium: Wissen wird nur „passiv" beschrieben; d.h., es werden keine Angaben über die Art und Weise gemacht, wie das repräsentierte Wissen im Rahmen einer Problemlösung angewendet werden kann. →logische Wissensrepräsentation. – *Gegensatz:* →prozedurale Wissensrepräsentation.

Dekomposition. I. Vorgehensweise: Zerlegung eines linearen Optimierungsproblems mit dünn besetzter Koeffizientenmatrix (→dünn besetzte Matrix) in ein Haupt- und mehrere Teilprobleme. Man versucht (sofern möglich), das Optimierungsproblem durch Vertauschen der Reihenfolge von Restriktionen und/oder von Variablen auf die Form (unter Verwendung der Matrizenschreibweise und Vernachlässigung der NN-Restriktionen) zu bringen:

$$\left(\begin{array}{c|cccc} 1 & a_0^1 & a_0^2 & \cdots & a_0^p \\ \hline 0^0 & A^1 & A^2 & \cdots & A^p \\ 0^1 & D^1 & & & \\ 0^2 & & D^2 & & \\ \cdot & & & \ddots & \\ \cdot & & & & \\ 0^p & & & & D^p \end{array}\right) \cdot \begin{pmatrix} x_0 \\ x^1 \\ x^2 \\ \cdot \\ \cdot \\ x^p \end{pmatrix} = \begin{pmatrix} a_{00} \\ b^0 \\ b^1 \\ b^2 \\ \cdot \\ \cdot \\ b^p \end{pmatrix}$$

$x_0 \longrightarrow \text{Max!}$

$A^1, A^2, \ldots, A^p, D^1, D^2, \ldots, D^p$ sind gewisse Matrizen, $a_0^1, a_0^2, \ldots, a_0^p, x^1, x^2, \ldots, x^p, b^0, b^1, \ldots, b^p$ gewisse Vektoren und $0^0, 0^1, 0^2, \ldots, 0^p$ entsprechende nur aus Nullen bestehende Vektoren.

1. *Hauptproblem:* Die →Nichtnegativitätsrestriktionen werden nicht aufgeführt.

$$\left(\begin{array}{c|cccc} 1 & a_0^1 & a_0^2 & \cdots & a_0^p \\ \hline 0^0 & A^1 & A^2 & \cdots & A^p \end{array}\right) \cdot \begin{pmatrix} x_0 \\ x^1 \\ x^2 \\ \vdots \\ x^p \end{pmatrix} = \begin{pmatrix} a_{00} \\ \hline b^0 \end{pmatrix}$$

$x_0 \longrightarrow \text{Max!}$

2. *K-tes Teilproblem:*

$$\left(\begin{array}{c|c} 1 & a_0^k \\ \hline 0 & D^k \end{array}\right) \cdot \begin{pmatrix} x_0^k \\ \hline x^k \end{pmatrix} = \begin{pmatrix} a_{00}^k \\ \hline k^k \end{pmatrix}$$

$x_0 \longrightarrow \text{Max!}$

II. Lösung: Eine →optimale Lösung kann dadurch bestimmt werden, indem die „kleinen" Teilprobleme unabhängig voneinander optimal gelöst werden (z. B. mit einer →Simplexmethode). Daraus wird eine Lösung des gesamten Problems konstruiert, die anhand des Hauptproblems überprüft wird. Sofern erforderlich, werden geeignete Modifikationen an den Teilproblemen vorgenommen, diese erneut gelöst usw. bis eine optimale Lösung gefunden ist bzw. feststeht, daß keine derartige Lösung existiert. Durch diese Vorgehensweise wird es möglich, auch große lineare Optimierungsprobleme zu lösen, die für sich genommen die Speicherkapazität der Rechenanlage überfordern könnten.

Dekompositionsverfahren, Verfahren, das bei der Lösung großer linearer Optimierungsprobleme von der Möglichkeit (sofern sie existiert) der →Dekomposition Gebrauch macht.

Dekonzentration, *Dezentralisation,* Sonderform einer Auflösung der durch →Unternehmungszusammenschluß (vgl. auch →Konzentration) entstandenen Machtgruppen im Kredit- und Bankwesen durch alliiertes Besatzungsrecht nach 1945. Die D. im deutschen Bankwesen betraf die Auflösung der drei Filialgroßbanken Deutsche Bank, Dresdner Bank und Commerzbank durch die Alliierten. – 1. *D. von 1947:* Durch die 1947 erlassenen Militärregierungs-Bestimmungen über die D. wurden die Filialnetze der drei Großbanken entsprechend den Grenzen der elf Länder in sog. Nachfolgeinstitute aufgespalten. – 2. *Neuordnung von 1952:* Geregelt durch das Gesetz über den Niederlassungsbereich von Kreditinstituten vom 29. 3. 1952. Das Bundesgebiet wurde in drei Bankbereiche gegliedert. Die je Bezirk gegründeten Geschäftsbanken in der Rechtsform der AG oder KGaA (also nur Großbanken) durften Niederlassungen oder Bankbeteiligungen von beherrschendem Einfluß nur in einem der drei Bezirke unterhalten. – 3. *Rekonzentration von 1957:* Durch das Gesetz zur Aufhebung der Beschränkung des Niederlassungsbereiches von Kreditinstituten vom 24. 12. 1956 (BGBl I 1973) entfielen alle einschränkenden Bestimmungen.

Dekort. 1. Zahlungsabzug für mangelhafte Ware. – 2. Kassaskonto im Großhandel. – 3. Rabatt im Auslandsgeschäft, den der Exporteur erhält, dem der Lieferer die Rechnung zu Listenpreisen ausstellt.

Delegation. 1. *Öffentliches Recht:* Übertragung der Zuständigkeit zur Wahrnehmung bestimmter hoheitlicher Befugnisse auf einen anderen Rechtsträger, z. B. kann nach Art. 60 III GG der Bundespräsident seine Befugnisse auf dem Gebiet des Begnadigungsrechts auf andere Behörden übertragen. – 2. *Betriebsorganisation:* Übertragung von →Kompetenz (und →Verantwortung) auf hierarchisch nachgeordnete →organisatorische Einheiten, auch als *Kompetenzdelegation* bezeichnet. – Vgl. auch →Strukturierung.

Delegationsbereich, *Kompetenzbereich,* Bereich, der einer →organisatorischen Einheit auf Grund der →Delegation zugewiesen worden ist.

Delikt, →unerlaubte Handlung.

Deliktsfähigkeit, Fähigkeit, sich durch das Begehen einer →unerlaubten Handlung schadenersatzpflichtig zu machen. Neben der →Geschäftsfähigkeit Teil der →Handlungsfähigkeit. – 1. *Beschränkte D.:* zwischen 7 und 18 Jahren, soweit die zur Erkenntnis der Verantwortlichkeit erforderliche Einsicht gegeben ist (§ 828 BGB). – 2. *Volle D.:* mit Vollendung des 18. Lebensjahres.

delivery clause (d/c), →Handelsklausel, in zwischenstaatlichen Kaufverträgen, mit der der Wareneigentümer dem Frachtführer bzw. Gewahrsamsinhaber Anweisungen erteilt, unter welchen Bedingungen die Auslieferung zu erfolgen hat; zugleich in der →delivery order eine Aufforderung, die Ware einer genau bezeichneten Person oder Firma auszuhändigen. – Vgl. auch →deviation clause.

delivery order (d/o), die (meist formgebundene) Aufforderung des Wareneigentümers an den Lagerhalter oder Frachtführer, eine Ware an die in der d/o bezeichnete berechtigte Person oder Firma auszuhändigen, ggf. gebunden an besondere Bedingungen (→Zahlungsbedingungen).

delivery-Problem, →Vehicle-routing-Problem.

delivery verification certificate, →Lieferbescheinigung.

Delkredere. I. Handelsrecht: Gewährleistung für den Eingang einer Forderung. Die dem →Kommissionär gegenüber dem →Kommittenten bzw. dem →Handelsvertreter gegenüber seinem Geschäftsherrn obliegende unmittelbare persönliche Haftung für die Verbindlichkeiten des Vertragsgenossen aus dem von ihm abgeschlossenen Geschäft. *D.-Haftung* nur bei ausdrücklicher Übernahme des D. (Handelsvertreter: →Schriftform). – Mit Abschluß des Geschäfts entsteht ein Anspruch auf *besondere Vergütung* (→Delkredereprovision).

II. Rechnungswesen: Wertberichtigungen für voraussichtliche Ausfälle bei Forderungen. – 1. *Einzelwertberichtigung:* Nach dem Prinzip der →Einzelbewertung ist das individuelle Ausfallrisiko grundsätzlich für jede einzelne Forderung zu bestimmen. Wertberichtigungen dieser Art ergeben sich aus der Kenntnis der individuellen Lage des einzelnen Schuldners. Uneinbringliche Forderungen sind auf den →Erinnerungswert abzuschreiben. Zweifelhafte Forderungen sind mit ihrem wahrscheinlichen Wert, d.h. dem erwarteten Geldeingang anzusetzen. – 2. *Pauschalwertberichtigung:* a) Bei größerem Forderungsbestand – v.a. mit vielen kleinen Forderungen – kann das individuelle Ausfallrisiko aus Vereinfachungsgründen auch pauschal berücksichtigt werden. – b) Wegen des allgemeinen Ausfallrisikos (z.B. unvorhersehbare Schwierigkeiten von Schuldnern mit bisher guter Bonität) kann der Forderungsbestand nur pauschal wertberichtigt werden. – 3. Einzelwertberichtigungen können nur *aktivisch abgesetzt* werden; gleiches gilt für Pauschalwertberichtigungen zumindest für Kapitalgesellschaften. – 4. *Steuerliche Berücksichtigung:* Der voraussichtliche Ausfall von Forderungen wird durch Aktivierung der Debitoren mit dem niedrigeren →Teilwert berücksichtigt.

Delkrederegeschäft, Form des →Fremdgeschäfts im Handel: Übernahme des Delkredere (der Ausfallbürgschaft) für alle Einkäufe der Mitglieder durch das →Einkaufskontor des Großhandels bzw. die Zentrale einer →kooperativen Gruppe. Zentrale Regulierung aller Einkäufe (→Zentralregulierungsgeschäft) unmittelbar nach Rechnungszugang, v.a. um das Skonto auszunutzen. – *Vorteile für den Lieferanten:* Prompte Zahlung, kein Risiko des Ausfalls einzelner Forderungen. – *Gegenleistung:* Delkredereprovision.

Delkredereprovision. 1. *Inlandsgeschäft:* Zusätzliche Vergütung auf welche der Handelsvertreter i.a. bei Übernahme des →Delkredere Anspruch hat (§ 86b HGB). Ist Höhe der D. nicht besonders vereinbart, gilt der übliche Satz (in entsprechender Anwendung von § 87b HGB). – 2. *Auslandsgeschäft:* Die dem Kommissionär oder Agenten auf Grund besonderer Vereinbarung zu zahlende Provision für die Gewährleistung des Eingang von Forderungen, i.d.R. 25% Aufschlag zur Verkaufsprovision, kann aber auch in dieser enthalten sein (§ 394 II HGB).

Delkredererisiko, *Inkassorisiko,* das →Wagnis der Einbringlichkeit von Forderungen, besonders hoch im Außenhandel wegen der unterschiedlichen Rechtsverhältnisse in den verschiedenen Ländern. Die Lieferanten schützen sich entweder durch harte Zahlungsbedingungen (→Incoterms) oder vergewissern sich zuvor über die →Bonität der Kunden. Oft trägt der Ausfuhragent das D., soweit dies vertraglich vereinbart wurde.

Delkredereversicherung, →Warenkreditversicherung.

Delphi-Technik. *Delphi-Methode, Delphi-Verfahren.* 1. *Begriff:* Form der →Expertenbefragung, in den 40er Jahren von der RAND-Corporation entwickelt. – 2. *Ziel/Nutzen:* Zusammenführung und Analyse von Expertenmeinungen. Ihr Nutzen ist primär heuristischer Natur. – 3. *Ablauf:* Experten werden in mehreren Durchgängen zu einer komplexen Problemstellung einzeln befragt. Die Gesamtergebnisse jedes Durchgangs werden dabei zu Beginn des folgenden Durchgangs jedem der beteiligten Experten zur Kenntnis gegeben. Unterschiedliche Beurteilungen von Eintrittswahrscheinlichkeiten möglicher Ereignisse in der Zukunft werden miteinander konfrontiert. – Mit der Zeit ergibt sich eine Konvergenz und Verengung des Bereichs der durch die Experten abgegebenen Schätzwerte, da die „überzeugendsten" Argumente langfristig in dem Kreis der Befragten diffundieren sollten. Oft konvergieren die Meinungen auch zu polarisierenden Standpunkten. – 4. *Annahmen:* Experten kennen die Zukunft besser als andere; mehrere Experten prognostizieren nicht schlechter als ein einzelner. – 5. *Probleme:* Unklar ist, ob die Meinung, gegen die die Gruppe konvergiert, einen tiefgründig reflektierten Konsens oder nur das Ergebnis der Tendenz darstellt, daß sich die weniger Überzeugten den stärker Überzeugten anpassen. Es lassen sich Tendenzen feststellen, daß Befragte sich in Richtung der Allgemeinheit korrigieren. – 6. *Anwendung:* Insbes. zur Unterstützung der →Szenario-Technik.

demand-pull inflation, →Inflation IV 2a).

demand-shift inflation, →Inflation IV 2a).

Demarkationsvertrag, *Abgrenzungsvertrag.* 1. *Allgemein:* Vertrag, der die Interessengebiete zweier oder mehrerer nach den gleichen Zielen strebender Subjekte abgrenzt (z.B. beim →Gebietskartell). – 2. *Bei Energie- und Wasserversorgungsunternehmen:* Vertrag zwischen Versorgungsbetrieben zur Abgrenzung und Aufteilung von Versorgungsgebieten für leitungsgebundene Energie- und Wasserversorgung. Er regelt die Abgrenzung zwischen den Versorgungsbetrieben und den Gemeinden. Ausnahmen zugunsten von Sonderabnehmern können enthalten sein. Durch den D. entstehende Einschränkungen werden durch Abgrenzungsentschädigungen ausgeglichen. – Der Vertrag ist nach § 103 I GWB vom Kartellverbot freigestellt (→Kartellgesetz IX 1.) Die rechtliche Zulässigkeit von D. als wettbewerbshemmende Maßnahme geht von einem →natürlichen Monopol bei leitungsgebundener Versorgungswirtschaft aus.

Demigrossist, *Halbgrossist,* Unternehmer des →Großhandels, der auch en détail an Letztverbraucher verkauft, z.B. Baustoffgroßhändler mit angegliedertem Baumarkt, manche Cash-and-Carry-Großhandlungen. Wegen möglicher Verbrauchertäuschung, wie Nichteinhaltung der Preisauszeichnungsverpflichtung (mit/ohne Mehrwertsteuer) oder Einhaltung des Ladenschlußgersetzes, wettbewerbsrechtlich umstritten. – Vgl. auch →direkter Vertrieb, →Beziehungshandel.

Demographie, *Bevölkerungswissenschaft,* die Wissenschaft von den Zusammenhängen und Gesetzmäßigkeiten des „Bevölkerungsvorganges", d.h. der durch Sterblichkeit, Geburten und Wanderungen bewirkten Veränderungen des Bevölkerungsbestandes sowie der „Bevölkerungsstruktur" in verschiedenen Zeiten, Ländern, Wirtschafts- und Gesellschaftsordnungen. Grundlage der →Bevölkerungspolitik.

I. Bevölkerungstheorien: 1. Bevölkerungstheorien *im Rahmen der Staatslehre,* ohne empirische Überprüfung: a) Staatslehren der griechischen Philosophen Platon und Aristoteles mit ideologisch begründeten Ratschlägen für eine stabile Einwohnerzahl bei stationärem, also gleichbleibendem Altersaufbau. Diese Ordnung biete alle Voraussetzungen für eine erfolgreiche politische Führung durch die Aristokratie im Interesse des Staatswohls. – b) Staatsphilosophien im Mittelalter auf Basis christlicher Dogmen (Augustinus, Thomas von Aquino): zwar weisen die consilia evangelica (Keuschheit, Armut und Gehorsam) für Auserwählte den Weg zu Seligkeit. Die Anpassung der Bevölkerung an die jeweiligen Ressourcen soll jedoch auf dem Sakrament der Ehe (also auch der Institution der Familie) beruhen. Diese christliche Fortpflanzungsethik wird durch die strenge Wirtschaftsverfassung realisiert: Gewannen- und Zunftordnung.

2. Analytische Theorien *im Rahmen der politischen Arithmetik:* Aus Kirchenbüchern erstellte Sterblichkeitslisten der (überwiegend ortsgebundenen) Einwohner von Städten und Bezirken lassen Gesetzmäßigkeiten der Bevölkerungsbewegung erkennen; diese werden arithmetisch analysiert: a) John Graunt: „Bills of Mortality" (Altersgestaffelte Absterbeordnung, 1662). b) William Petty: „Essays in political arithmetics" (mit Berechnung der Überlebenswahrscheinlichkeiten, 1663). c) Edmond Halley: „An Estimate of the Degrees of Mortality of Mankind ..." (Aufstellung einer Sterbetafel aufgrund der durch Kaspar Neumann im Stadtarchiv von Breslau aufgezeichneten Geburten und Sterberaten der Einwohner nach ihrem Geschlecht, 1693). d) Johann Peter Süßmilch: „Die göttliche Ordnung in den Veränderungen des menschlichen Geschlechts, aus der Geburt, dem Tode und der Fortpflanzung derselben erwiesen" (Erweiterung des Datenmaterials zur Ergänzung und Erläuterung der statistisch-methodischen Analyse von Sterbetafeln, 1741).

3. *Malthusianismus:* Formulierung des „Bevölkerungsgesetzes", unter dem Einfluß der Aufklärungsphilosophie durch Th. R. Malthus: „Essay on the Principle of Population" (1798); 2. erw. u. veränderte Aufl.: „An Essay on the Principle of Population or a View of the past and present Effects on human Happiness ..." (1803); deutsch von V. Dorn (1905): (1) Die Bevölkerung ist notwendig durch die Subsistenzmittel begrenzt. (2) Die Bevölkerung wächst unabwendbar da, wo sich die Subsistenzmittel vermehren, es sei denn, sie werde durch mächtige und offenkundige Hemmnisse („checks") daran gehindert. Ohne diese würde die Bevölkerung im geometrischen Verhältnis zunehmen. (3) Eine Vermehrung der Subsistenzmittel kann bestenfalls in arithmetischer Folge bewirkt werden. Der Tendenz einer ungehemmten Vermehrung ist präventiv durch „moral restraint" (Verhütung entstehenden Lebens) entgegenzuwirken, wenn sie nicht durch „Laster" (Prostitution, Abtreibung u.ä.) oder die Vernichtung von Menschenleben durch Hunger, Seuchen, Krieg usw. gebrochen werden soll.

4. *Kritik und Ergänzung der Malthus-Thesen:* a) *Klassische Nationalökonomie:* Gleichsetzung von „Bevölkerung" mit dem Produktionsfaktor „Arbeit", u.a. bei Adam Smith (1776), David Ricardo (1821), James St. Mill (1848). Ablehnung der Tendenz unbegrenzten Bevölkerungswachstums mit der Begründung marktwirtschaftlicher Selbstregulierung über

Angebot und Nachfrage nach Arbeitskräften.

b) *Neoklassische Schule:* (1) *Einwendungen gegen die These vom geometrischen Bevölkerungswachstum:* Adolph Wagner, „Theoretische Sozialökonomie ..." (1907) mit Einführung der Begriffe Unter- bzw. Übervölkerung in bezug auf den jeweils verfügbaren „Nahrungsspielraum"; Karl Kautsky, „Der Einfluß der Volksvermehrung auf den Fortschritt der Gesellschaft" (1910); Siegfried Budge, „Das Malthussche Bevölkerungsgesetz und die theoretische Nationalökonomie der letzten Jahrzehnte" (1912); Ladislaus von Bortkiewicz, „Bevölkerungswesen" (1919), – (2) Kritik an der *These vom abnehmenden Ertragszuwachs:* Dank technischem Fortschritt in der gewerblichen Produktion und Ausbau der weltwirtschaftlichen Verflechtungen ist sogar bei steigendem Lebenshaltungsniveau eine dauerhafte Vermehrung der Bevölkerung möglich: Franz Oppenheimer, „Das Bevölkerungsgesetz des Th. R. Malthus und die neuere Nationalökonomie" (1901); Adolph Wagner, s.o. (1907); Paul Mombert, „Bevölkerungslehre" (1929); Roderich von Ungern-Sternberg mit Hermann Schubnell, „Grundriß der Bevölkerungswissenschaft" (1950); Alfred Sauvy, „Théorie Générale de la Population" (1963) mit einer ökonometrischen Festlegung von Grenzen des Bevölkerungsoptimums.

c) *Sozialistische Autoren:* (1) *Utopischer Sozialismus* (Wegbereiter der 1. Aufl. des „Essay"): z.B. Thomas More, Pierre J. Proudhon und Charles Fourier: Die herrschende Gesellschaftsordnung führt zur Verelendung der werktätigen Bevölkerung (Eigentum ist Diebstahl!). Die Verteilung des Sozialprodukts auf Kapital und Arbeit und damit zwischen Familiengröße und Subsidien ist durch Sozialreformen gerechter zu gestalten. – (2) Der *„wissenschaftliche" Sozialismus,* begründet durch R. Rodbertus-Jagetzow (Gesetz der fallenden Lohnquote; Theorie der Unterkonsumtion (1842 bzw. 1850): Das Walten eines Bevölkerungsgesetzes wird bestritten, zumal von Karl Marx (Das Kapital/I; 1876): Sogar in der kapitalistischen Wirtschaftsordnung ergebe sich ein Gleichgewicht zwischen Bevölkerungswachstum und Sozialprodukt über die Reproduktionskosten des Faktors Arbeit. In der klassenlosen Gesellschaft werde der „Mehrwert" faktorgerecht verteilt, so daß hier keine „industrielle Reservearmee" entstehen könne; die Bevölkerung wachse entsprechend dem Güterzuwachs (vgl. Heinrich Soetbeer, „Die Stellung der Sozialisten zur Malthusschen Bevölkerungslehre", 1896). – (3) Im *postmarxistischen Schrifttum* (Lenin, Stalin sowie bei zahlreichen Demographen der Dritten Welt) gilt eine hohe Bevölkerungsdichte als Voraussetzung wirtschaftlicher Prosperität und des technischen Fortschritts. Verelendung sei nicht durch Bevölkerungswachstum, sondern durch den Imperialismus bedingt; Familienplanung werde sich durch Arbeitsbeschaffung und Anhebung des Lebensstandards durchsetzen.

5. *Beiträge nicht-ökonomischer Disziplinen zur Bevölkerungstheorie:* a) *Mathematische Ansätze zur Bestimmung des Bevölkerungswachstums:* Lambert A. J. Quetelet („Sur l'homme et le Développement de ses facultés", 1835) hatte angeregt, die seit Beginn des 19. Jahrhunderts verfügbaren amtlichen Bevölkerungsstatistiken mittels mathematischer Techniken auszuwerten, um die Hypothese zu prüfen, daß dem Bevölkerungswachstum – ceteris paribus – Grenzen gesetzt seien. Dies führte zur Aufdeckung der „Logistique" durch Pierre-François Verhulst („Recherches mathématiques sur la loi d'accroissement de la population", 1845 und 1847). Die „logistische Funktion" ergibt sich aus rasch steigenden Zuwachsraten für äquidistante Perioden bis zu einem Grenzwert, von dem aus sie sich durch immanente Widerstände im Verhältnis Periodenzuwachs/Gesamtbevölkerung verlangsamen, ökonomisch, biologisch oder ökologisch wirksam sein können. – Die gleiche Wachstumsfunktion wurde wiederentdeckt durch Raymond Pearl und Lowell J. Reed („On the Rate of Growth of the Population of the United States since 1790 and its mathematical representation", 1940). Der von ihnen gewählte Algorithmus läßt sich auf einen höheren Grenzwert umformulieren, wenn sich der Nahrungsmittelspielraum für die Ausgangsbevölkerung erweitert.

b) *Beiträge der Biologie zur Bevölkerungstheorie:* Zur Erklärung unterschiedlicher Fertilität einzelner Völker, Rassen und sozialer Schichten ist das „biologische Vermehrungsprinzip" herangezogen worden. Es beruht auf Feststellungen Henry A. Spencers („A Theory of Population from the General Law of Fertility", 1852, sowie „The Principles of Biology", 1867): Bei Mensch und Tier führe eine vom Zentralnervensystem her gesteuerte Fähigkeit der Arterhaltung zu vermehrter oder geminderter Fruchtbarkeit je Periode (Antagonismus zwischen der Individuation der Arten!). Andererseits wird das Bevölkerungswachstum zwischen Völkern und sozialen Schichten aus einer inversen Beziehung zwischen Ernährungsweise und Fertilität erklärt, so bei Thomas Doubleday, „The true Law of Population, shown to be connected with the Food of the People" (1841), Alfred Elster, „Sozialbiologie, Bevölkerungswissenschaft und Gesellschaftshygiene" (1933), Ilse Schwidetzki, „Grundzüge der Völkerbiologie" (1950); später auf breitem empirischem Datenmaterial: Josua de Castro, „The Geography of Hunger" (1952), Samuel Coontz, „Population Theories and the Economic Interpretation" (1957).

c) *Gesellschaftspolitische Beiträge zur Bevölkerungstheorie:* Gelehrte der wissenschaftlichen Sozialpolitik und der Soziologie haben sich, angeregt durch das sozialistische Schrifttum, mit den in den Industriestaaten auftretenden Folgen des „demographischen Übergangs" („demographic transition"; →Übergangstheorie) befaßt: Rückgang der Geburtenraten sowie der Kinderzahl je Familie; Heraufsetzung des Heiratsalters, Zunahme von Ehescheidungen bei rückläufiger Sterblichkeit. Als auslösend gilt die (aus den veränderten sozio-ökonomischen Lebensbedingungen der Industriegesellschaft resultierende) Individualisation von Mann und Frau; sie werde verursacht durch (1) die mit der Verstädterung einhergehende soziale Mobilität, (2) die für die soziale Stellung und das Lebenseinkommen bedeutsame Anhebung des Bildungsniveaus (Ausbau des beruflichen Bildungswesens), (3) das breitere Angebot außerfamiliärer Freizeitaktivitäten (Sport, Politik, kulturelle Veranstaltungen usw.); vgl. u. a. Lujo von Brentano, „Die Malthussche Lehre und die Bevölkerungsbewegung" (1909), „Die Schrecken des überwiegenden Industriestaates" (1910), Alfred Landry, „La révolution démographique – Études et essays sur les problèmes de la population" (1934), Richard R. Kuczinsky, „The International Decline of Fertility" (1938). Auch wird auf die veränderte Stellung der Frau in Familie und Gesellschaft hingewiesen sowie auf die Durchlässigkeit sozialer Schichten für befähigte und gut ausgebildete, aufstiegswillige Männer und Frauen; beides wirke auf die Stabilität der Ehen und auf die Familiengröße zurück. Gestützt auf die weltweit verbesserten Bevölkerungsstatistiken weise die Auslese- und Siebungswirkung dieses Prozesses hin: Gerhard Mackenroth, „Bevölkerungslehre, Theorie, Soziologie und Statistik der Bevölkerung" (1953), weitergeführt durch Karl Martin Bolte, Dieter Knappe, Josef Schmidt, „Bevölkerung" (1980). Das gegensätzliche Fortpflanzungsverhalten in Agrarstaaten und Schwellenländern wurde bei Frank Lorimer festgestellt: „Culture and Human Fertility" (1958) sowie vom World Fertility Survey (WFS).

d) *Historisch und geographisch orientierte Untersuchungen:* Wenn auch nicht primär auf einen Beitrag zur Bevölkerungstheorie abgestellt, haben empirisch fundierte Forschungsarbeiten von Historikern und Geographen zur Ergänzung der Demographie beigetragen: (1) *Zur Bevölkerungsgeschichte:* UN, „The Determinants and Consequences of Populations Trends" (1950, 2. Aufl. 1973, jeweils Kap. II: History of Population Growth), Karl Davis, „The World's demographic Transition (1945), Ernst Kirsten, Wolfgang Buchholz, Wolfgang Köllmann, „Raum und Bevölkerung in der Weltgeschichte" („Bevölkerungs-Ploetz"; 1956), Mackenroth, a. a. O. (S. 109–224). – (2) *Zur Anthropogeographie:* Friedrich Burgdörfer, „Weltbevölkerungsatlas, Verteilung der Bevölkerung der Erde um das Jahr 1950 nach den Ergebnissen der ersten Weltbevölkerungszählung" (1954). Fachwissenschaftliche Untersuchungen i. e. S. befassen sich mit wirtschaftsgeographisch oder agrarökonomisch begründeten Hypothesen zur empirischen Überprüfung der ökonomischen Theorien über ein „Bevölkerungsoptimum": Die Untersuchungen beziehen sich nicht auf den abstrakten (durch Technik und Welthandel beliebig zu erweiternden) Nahrungsspielraum, sondern auf die „terrestrische" Bevölkerungskapazität im Sinne von Fr. Ratzel, „Anthropogeographie – Die geographische Verteilung der Menschen" (1891). Sie kommen zu höchst unterschiedlichen Resultaten, selbst wenn sie von einheitlich bestimmten Ausmaßen an ertragsfähigen oder nutzbar zu machenden Böden der Erdoberfläche ausgehen; denn es bleibt ungeklärt, auf welches Niveau des Existenzminimums bei Lebensmitteln, Kleidung, Wohnung sowie technisch-kulturellem Entwicklungsstand der Produktionsmittel die Berechnung abgestellt wird. Eine kritische Darstellung dieser Untersuchungen liefert Kurt Scharlau, „Bevölkerungswachstum und Nahrungsspielraum, Geschichte, Methoden und Probleme der Tragfähigkeitsuntersuchungen" (1953). Er unterscheidet: (a) Autoren, deren Berechnungen ausschließlich auf die geographische Fläche beschränkt sind – allenfalls die Bodenqualität berücksichtigen: G. Ravenstein, „Lands of the Globe still available for European Settlement" (1891), Kurt Ballod, „Wieviel Menschen kann die Erde ernähren?" (1912), Alfred Penck, „Das Hauptproblem der physischen Anthropogeographie" (1925), W. Hollstein, „Eine Bonitierung der Erde auf landwirtschaftlicher und bodenkundlicher Grundlage" (1938); (b) Untersuchungen, die über das ernährungsphysiologische Problem hinausgehen und das Niveau der Lebenshaltung, die technische Ausstattung sowie die güter- und verkehrswirtschaftliche Verflechtung einzelner Staats- und Wirtschaftsräume in die Berechnungen einbeziehen, wie Alfred Sauvy, „Le faux problème de la population mondiale" (1949), Gerhard Isenberg, „Tragfähigkeit und Wirtschaftsstruktur" (1953). Deren Arbeiten waren vorweggenommen durch Ernst Wagemann, „Menschenzahl und Völkerschicksal – Eine Lehre von den optimalen Dimensionen gesellschaftlicher Gebilde" (1948). In weitgehender Übereinstimmung mit Theorien von Corrado Gini und Frank W. Notestein, die ein zyklisches Bevölkerungswachstum für einzelne Völker annehmen, entwickelt Wagemann das „demodynamische Alternationsgesetz": Sobald bestimmte Schwellen der Bevölkerungsdichte überschritten werden, schlägt Übervölkerung in Untervölkerung um (und umgekehrt), wobei sich wegen der „Siedlungsspannung" eine Fortentwicklung der Produktionstechniken und der gesellschaftlichen Organisationsformen vollzieht.

II. Bevölkerungsstatistik: Die durch Zuwachs oder Abnahme erkennbaren Veränderungen werden durch die Erhebung statistischen Datenmaterials und dessen methodische Auswertung in ihrem Ausmaß quantifiziert. In dieser Form lassen sich die Veränderungen analysieren und sind überdies geeignet, demographische Hypothesen über die Veränderungen zu testen. Außerdem lassen sie sich als Ausgangsmaterial für →Bevölkerungsvorausrechnung (Bevölkerungsprognosen und Bevölkerungsprojektionen) nutzen.

1. *Statistik als Datenmaterial:* Seit Beginn des 19. Jahrhunderts sind in allen Industriestaaten wie in den von ihnen beeinflußten Entwicklungsländern Staatliche Statistische Ämter errichtet worden, die tabellarische Nachweisungen über Veränderungen in der Einwohnerschaft, im Außenhandel und im Finanzwesen aufzustellen hatten. Seither liefert diese →amtliche Statistik periodisch (jährlich oder auch monatlich) Zahlen über den Bevölkerungsbestand sowie über dessen Veränderungen durch Zu- oder Abwanderung, Geburten und Sterbefälle. a) *Datengewinnung als Querschnittserhebung* zu bestimmten Zeitpunkten mittels →Volkszählung oder →Mikrozensus. Darzustellen sind (1) die *regionale* Verteilung der Bewohner im Staatsraum auf administrative Gebietseinheiten, wie Bezirke, Kreise, Städte, Dörfer; (2) die *sozialbiologische* Gliederung der Bevölkerung nach Alter und Geschlecht und Familienstand; (3) die *sozioökonomische* Gliederung der Bevölkerung nach Erwerbsbeteiligung, Einkommensarten und -klassen, Ausbildungsstand, Muttersprache und Konfession. b) *Sekundärstatistische Datengewinnung* durch →Fortschreibung aus Kirchenregistern, Einwohnerkarten und →Surveys zur Erfassung von Veränderungen im Bestand und Struktur durch Bevölkerungsbewegungen im Zeitablauf: (1) *Mechanische Bestandsveränderungen* durch →Außenwanderung und →Binnenwanderung; (2) *biologische Veränderungen* über Geburten (→Fertilitätsmaße) und Sterbefälle (→Mortalitätsmaße, →Sterbeziffern, →Sterbetafeln); (3) *sozialbiologische Vorgänge,* wie Eheschließung (→Heiratshäufigkeit) sowie Auflösung durch Tod, gerichtliche Scheidung oder Nichtigkeitserklärung. Diese nach dem Heiratsalter der Frau und der Ehedauer aufzubereitenden Daten dienen als Grundlage für die →Familienstatistik und bieten Aufschlüsse für die →Familienpolitik.

2. *Statistik als Methode (Demographie i.e.S.):* a) *Terminologische Vorarbeiten:* (1) Die Vergleichbarkeit bevölkerungsstatistischer Tabellenwerte ist dadurch gefährdet, daß die Bezeichnungen für demographische Fakten und Vorgänge selbst unter Fachleuten nicht einheitlich sind. Diesem Sachverhalt haben zuerst die Herausgeber des „Handwörterbuchs der Staatswissenschaften" (4. Aufl. 1926) durch Auflistung eindeutiger Definitionen abzuhelfen versucht. Nach 1945 hat die UN Population Division ein „Multilingual Dictionary for Demographers" (Englisch/Französisch/Spanisch) herausgegeben; deutsch von Wilhelm Winkler, „Mehrsprachiges demographisches Wörterbuch" (1960). In französischer Sprache veröffentlichte Roland Pressat ein „Dictionnaire de Démographie" (1979). – (2) Folgen muß die *Adäquation* zwischen demographischem Begriff und statistisch erfaßbarem Tatbestand: Aus den innerhalb der Staaten und erst recht im zwischenstaatlichen Bereich bestehenden Abweichungen zwischen volkstümlichen und fachwissenschaftlichen Bezeichnungen erwächst eine Fülle von Fehlermöglichkeiten, die nur durch sorgfältige Genauigkeitskontrollen aufzudekken sind. Dies wurde bereits in den ersten umfassenden Lehrbüchern beispielhaft erläutert: Georg von Mayr, „Statistik als Gesellschaftslehre", 2. Band (1926), Wilhelm Winkler, „Gesellschaftsstatistik/Bevölkerungsstatistik" (1948). – Die weitere Bearbeitung des Datenmaterials ist nur sinnvoll, wenn durch Plausibilitätskontrollen die Übereinstimmung zwischen Erhebungskonzept und erhobenen Angaben weitestgehend abgesichert ist. – b) *Auswertung der Arbeitstabellen:* (1) Die Interpretation wird rechnerisch vorbereitet, sodann verbal kommentiert: hierbei herrscht (bei Bestandserhebungen überwiegt) die Berechnung von Beziehungszahlen und Wachstumsraten, bei Fortschreibungszahlen die Aufstellung von Zeitreihen. (2) Durch Bezugsrechnung zwischen Daten der Bevölkerungsbewegung auf Teilgesamtheiten der Bestandserhebungen (z.B. auf Altersklassen) werden relative Häufigkeiten ermittelt, die im weiteren Verlauf als Erwartungswerte in die Analyse eingehen. – (3) Aus Fortschreibungstabellen werden zeitliche Mittelwerte berechnet (Ehedauer, Verweildauer, Lebensdauer usw.). – c) *Analytische Auswertung:* Die Berechnung von Erwartungswerten aus den relativen Häufigkeiten des erfaßten Datenmaterials, die mit „Wahrscheinlichkeiten" gleichgesetzt werden, führt zur „Vertafelung". Es wird unterstellt, daß die Ereignisse aus den Fortschreibungsgesamtheiten auf hinreichend stabile Teilgesamtheiten des Ausgangsbestands bezogen werden dürfen, z.B. bei Sterbetafeln, Heiratstafeln, Fruchtbarkeitstafeln.

3. *Demometrie* (besser: *Mathematische Bevölkerungsforschung*): Beabsichtigt ist eine von den realen Gegebenheiten abstrahierende Darstellung von Bestands- oder Ereignisgesamtheiten in Form von „Modellen". Diese sollen dazu dienen, die tatsächlich statistisch ermittelten Tabellenwerte zu messen, wie etwa mit dem Modell der →stabilen Bevölkerung,

der →stationären Bevölkerung, des →logistischen Trends als Wachstumspfad der Bevölkerung. Die Schwierigkeiten der Demometrie überschreiten die oben (I 1, I 5) geschilderten rein mathematischen Vorgehensweisen insoweit, als die Berechnungen auf Parametern beruhen, die aus Querschnittserhebungen zum Zeitpunkt t' abgeleitet werden und auf solche Gesamtheiten bezogen werden müssen, die aus Längsschnitterhebungen von Zeiträumen t''', t'' gewonnen sind. – Dennoch sind demometrische Ansätze zur Analyse und Projektion dann unerläßlich, wenn es gilt, Lücken in vorhandenen Zeitreihen aufzufüllen oder repräsentativ erhobene Werte auf eine unvollständige Gesamtheit hochzurechnen.

Literatur: (soweit nicht bereits erwähnt): 1. *Methodische Standardwerke:* Caldwell, John C., The failure of theories of social and economic change to explain demographic change: Puzzle of modernisation or westernization, Canberra 1980; ders., Theory of fertility decline, London 1982; Coale, Ansley J., The Growth and Structure of Human Populations, Princeton 1972; ders. (mit Paul Demeny), Regional Model Life Tables and Stable Population, ebd. 1966; Esenwein-Rothe, Ingeborg, Einführung in die Demographie. Bevölkerungsstruktur und Bevölkerungsprozeß aus der Sicht der Statistik, Wiesbaden 1982; Feichtinger, Gustav, Bevölkerungsstatistik, Berlin (West) 1973; ders. Stochastische Modelle demographischer Prozesse, Berlin (West) 1981; ders., Demographische Analyse und populationsdynamische Prozesse, Wien 1979; Henry, Louis, Démographie – Analyse et Modèles, Paris 1972; Keyfitz, Nathan, mit W. Flieger, Population. Facts and Methods in Demography. A mathematical Investigation, Princeton 1972; Keyfitz, Nathan, Mathematical Demography – A Bibliographical Essay, in: Population Index, Vol. 42, 1976; Lengsfeld, Wolfgang, mit Ivar Cornelius, Bibliographie deutschsprachiger bevölkerungswissenschaftlicher Literatur 1966–1975, Wiesbaden 1979; Pressat, Roland, L'Analyse Démographique – Méthodes, Résultats, Applications, Paris 1961, 4. Aufl. 1983; ders., Démographie statistique, Paris 1972; ders., Les Méthodes en Démographie, Paris 1981; Shryock, Henry S., mit Jacob S. Siegel, The Methods and Materials of Demography, Washington 1969. – 2. *International wichtigste Fachzeitschriften:* Population Index, Hrsg.: Office of Population Research, Princeton, seit 1934; Demography, Hrsg.: Donald J. Bogue, David Glass u. a., London, seit 1964; Population, Revue Bisemestrielle de l'Institut National d'Etudes Démographiques, Paris, seit 1945; Population Studies, Hrsg.: Population Investigation Commission, London School of Economics, London, seit 1946; Milbank Memorial Fund, Quarterly, New York, seit 1922; Zeitschrift für Bevölkerungsforschung, Wiesbaden, seit 1975.

Prof. Dr. Dr. h. c. Ingeborg Esenwein-Rothe

Demokratie, Staatsform, bei der alle Staatsgewalt von der Gesamtheit des Volkes ausgeht. – 1. Der durch Abstimmung ermittelte *Mehrheitswille* gilt als Entscheidung der Gesamtheit. Es ist nicht unbedingt allgemeine Zustimmung zu jeder einzelnen Entscheidung erforderlich. – 2. Gesetzgebendes und regierungsbildendes *Organ* des Volkswillens ist die Volksvertretung (Parlament). Die demokratische Willensbildung bei den →Wahlen zur Volksvertretung wird wesentlich durch die politischen →Parteien beeinflußt. – 3. *Grundlage* der D. ist die Freiheit und Gleichheit jedes einzelnen.

demokratischer Führungsstil, →Führungsstil II 4.

demokratischer Zentralismus, Organisationsprinzip des →Marxismus-Leninismus; von Lenin ursprünglich für den Aufbau und die Leitung der russischen kommunistischen Partei eingeführt, wurde es nach der kommunistischen Machtergreifung in Rußland 1917 auch auf Staat und Wirtschaft übertragen. Es gilt heute in allen sozialistischen Staaten. – 1. Der *parteiinterne d. Z.* beinhaltet: a) *Wahl der Parteiorgane* von unten nach oben (primär akklamatorische Bestätigung der Personalvorschläge übergeordneter Parteiinstanzen); b) *regelmäßige Berichterstattung* gegenüber der wählenden Instanz; c) *Verbindlichkeit der Direktiven* übergeordneter Parteiorgane, *straffe Parteidisziplin* und *Unterordnung der Minderheit* unter die Mehrheit. Der d. Z. dient somit der zentralistischen Ausrichtung einer Kaderpartei als der „Partei neuen Typus" (Lenin). – 2. *Im staatlichen Bereich* steht der d. Z. ebenfalls für einen *hierarchischen Aufbau* mit zentraler Leitung durch die obersten Staatsorgane unter unmittelbarem Einfluß der kommunistischen Partei (bei enger personeller Verflechtung). Die Leiter der jeweiligen staatlichen (aber auch der wirtschaftlichen) Hierarchieebene werden von der übergeordneten Instanz eingesetzt und sind ihr gegenüber verantwortlich. Zur möglichst effizienten Verwirklichung der zentralen politischen Ziele sind die regionalen Staatsorgane mit „operativen" Entscheidungsrechten ausgestattet. – 3. *Im wirtschaftlichen Bereich* manifestiert sich der d. Z. in der *zentralen staatlichen Leitung und Planung* der wirtschaftlichen Prozesse unter Einbeziehung der Betriebe und der Beschäftigten im Interesse der Erfüllung der zentralen Planziele (→staatssozialistische Zentralplanwirtschaft).

Demometrie, mathematische Bevölkerungsforschung, mathematisch exakte Formulierung bevölkerungsstatistischer Maßzahlen; Aufstellung von demographischen Modellen der verschiedensten Art (→Sterbetafeln, →Fruchtbarkeitstafeln, Heiratstafeln, →Bevölkerungsmodelle). Enge Verbindungen zur →Bevölkerungsökonomik. – *Vertreter:* Winkler, Feichtinger. – Vgl. →Demographie II 4.

Demonstrationseffekt, in der Konsumtheorie dasjenige Verhalten der Konsumenten, das sich an den Konsumgewohnheiten bestimmter Gruppen oder Individuen ausrichtet. – Vgl. auch →internationaler Demonstrationseffekt.

Demonstrationsstreik. Streik während der Arbeitszeit, um auf soziale Mißstände hinzuweisen. D. sind unzulässig. Vgl. →Streik II 2c.

Demontage, Abbau und Entnahme von industriellen Produktionsmitteln. In Deutschland zu Reparationszwecken nach dem 2. Weltkrieg durch die Besatzungsmächte angeordneter Abbau von Maschinen und Industrieanlagen nach dem Potsdamer Abkommen vom 2. 8. 1945 und dem Industrieplan des Alliierten Kontrollrats vom 28. 3. 1946 zum Zwecke der

Beschränkung der deutschen Industriekapazität auf 50% des Standes von 1938. Insgesamt waren rund 1800 Industriebetriebe zur D. vorgesehen. Der Wert der deutschen Industrieanlagen wurde gegenüber dem Stande von 1936 (45 Mrd.) um etwa 15 Mrd. RM vermindert. Die Produktionskapazität wurde erheblich gesenkt. – 1950 wurde die D. in der Bundesrep. D. *eingestellt*. – Vgl. auch →Reparationsschädengesetz.

Demoskopie. 1. *Allgemein:* Ergründung der öffentlichen Meinung zum Zwecke der Beeinflussung der Gesellschaft oder der Kontrolle von Auswirkungen öffentlich wirkender Maßnahmen. – Vgl. auch →Meinungsforschung. – 2. *Methode der Marktforschung:* Vgl. →demoskopische Marktforschung. – *Gegensatz:* →Ökoskopie.

demoskopische Marktforschung, Form der →Marktforschung; empirische Untersuchung der Handlungssubjekte in ihrer Funktion als Marktteilnehmer (subjektbezogen). Das menschliche Verhalten wird als Ursache der Marktverhältnisse erforscht mittels persönlicher Befragung oder Beobachtung der Marktteilnehmer, d. h. durch Einbeziehung soziologischer, psychologischer und sozialpsychologischer Gesichtspunkte. – *Gegensatz:* →ökoskopische Marktforschung.

DEMV, Deutscher Einheitsmietvertrag, →Einheitsmietvertrag.

Dendral, eines der ersten →Expertensysteme; in der zweiten Hälfte der 60er Jahre entwikkelt. Es steht heute über das internationale →Tymnet-Netz allgemein zur Verfügung. – *Aufgabe* von D. ist die Interpretation und Analyse der Molekularstruktur von Fragmenten organischer Moleküle.

Dendrogramm, *Baumdiagramm* zur graphischen Darstellung der Clusterbildung bei Einsatz von →Clusteranalysen mit hierarchischen Techniken oder →AID-Verfahren.

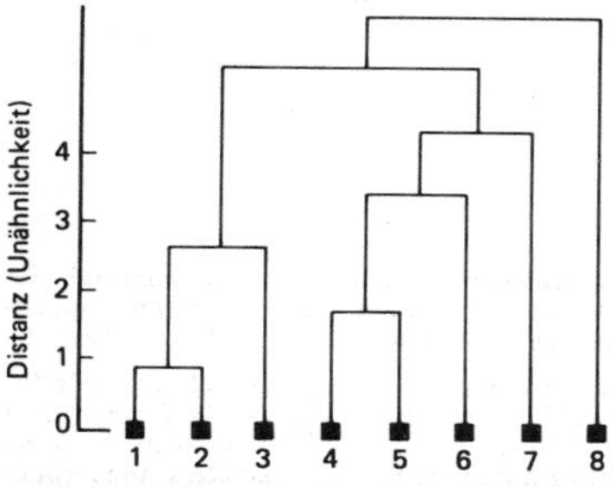

Auf jeder Stufe werden jeweils zwei Elemente oder Cluster vereinigt. Auf der ersten Stufe die Elemente 1 und 2, dann die Elemente 4 und 5, usw. Der Vorteil dieser Gruppenbildung besteht darin, daß man die Abstände der Gruppen, die zu einer neuen Gruppe zusammengefaßt werden, durch die vertikalen Linienzüge verdeutlichen kann.

Denktypen, →Vorstellungstypen.

Denomination, Form der →Kapitalherabsetzung (vgl. im einzelnen dort) bei der AG: Herabsetzung des Nennwertes der Aktien.

department store, →Warenhaus.

Dependencia-Theorie. I. Überblick: Verschiedene Entwicklungstheoretiker, die keinen geringen Einfluß auf die praktische entwicklungspolitische Diskussion haben, sehen die Unterentwicklung in Ländern der Dritten Welt in erster Linie als eine Folge ihrer Verflechtung in der Weltwirtschaft an. Demzufolge empfehlen sie den betreffenden Ländern eine restriktive bzw. protektionistische Außenwirtschaftspolitik bis hin zu einer Abkoppelung aus dem Weltmarkt. (Die radikalsten Vertreter und Hauptwortführer dieser Richtung (u. a. Amin, Cardoso, Frank, Furtado, Dos Santos, Senghaas und Sunkel) gehören der sog. *Dependencia-Schule* an.) Nach der D.-T. ist die Eingliederung von Entwicklungsländern in den „kapitalistischen" Weltmarkt eine durch „Kolonialismus", „Imperialismus" und „Neokolonialismus" erzwungene Einordnung, die mit „Ausbeutung" sowie mit der Entstehung von „Strukturdefekten" und „strukturellen Abhängigkeiten" verbunden ist. So steht auch bei dieser Theorie der Versuch, solche Phänomene zu erfassen und zu erklären, im Mittelpunkt der Analyse. – Die Beziehung von „Abhängigkeit", „Ausbeutung" und „Strukturdefekten" zur sozio-ökonomischen Entwicklung wird auf *zwei Ebenen* hergestellt: (1) durch das Werturteil, daß diese Phänomene für sich als Ausdruck der Unterentwicklung angesehen werden; (2) dadurch, daß versucht wird, aufzuzeigen, daß sie wesentliche Komponenten der sozio-ökonomischen Entwicklung, wie das wirtschaftliche Wachstum, negativ beeinflussen.

II. Szenarium einer „abhängigen" Entwicklung: 1. *Entwicklungsverlauf:* Selbstverständlich kann auch bei Vertretern der Dependencia-Richtung nicht unterstellt werden, daß sie einheitliche Entwicklungsverläufe bei allen Entwicklungsländern sehen, die intensive wirtschaftliche Verflechtungen mit den westlichen Industriestaaten haben. Dennoch lassen sich folgende *charakteristische Züge* für die von Dependencia-Vertretern beschriebenen Entwicklungsbilder feststellen: a) Nach einer direkten Ausplünderung, besonders in der frühen Kolonialzeit, waren die Entwicklungsländer weitgehend bis in die ersten Jahrzehnte unseres Jahrhunderts einer typischen *klassisichen internationalen Arbeitsteilung* unterworfen, bei der sie die *Funktion der Lieferanten* von in den Industriestaaten benötigten Rohstoffen und Agrarprodukten ausübten, während sie Fertigwaren aus diesen Ländern importiert haben. Entwicklung fand nur partiell statt, nämlich in den Bereichen bzw. Regionen, die jeweils für den Export produziert haben. Industrialisierung konnte kaum stattfinden; nicht zuletzt, weil die herrschenden Gruppen, denen die praktizierte Arbeitsteilung zugute kam, diese verteidigt haben und die Entwicklungsländer ohnehin im Wettbewerb mit den Industriestaaten unterlegen waren. D.h., daß langfristig sinnvolle industrielle Investitionen, die nach einer gewissen Reifezeit internationale Wettbewerbsfähigkeit hätten erlangen können, unterlassen wurden, da es kurzfristig billiger war, aus den Industriestaaten zu importieren (→Protektionismus). – b) Die mehr oder weniger *einseitige Ausrichtung der Entwicklungsländer auf Agrar- und Rohstoffexporte* hatte eine zunehmende Verschlechterung der →terms of trade für diese Länder zur Folge, welche einen Einkommenstransfer in die Industriestaaten ergibt (→Prebisch-Singer-These). – c) Die Verschlechterung der terms of trade, die Lockerung der internationalen Wirtschaftsbeziehungen im Zuge der Weltwirtschaftskrise gegen Ende der 20er Jahre und während des 2. Weltkrieges sowie die erfolgte Entkolonialisierungsbewegung nach dem Krieg, die Länder, die bis dahin ihre formale Unabhängigkeit nicht erlangt hatten, erfaßte, induzierten in einer Reihe von Entwicklungsländern eine *auf →Importsubstitution ausgerichtete „Teilindustrialisierung"*, deren Träger i.d.R. die nationale Bourgeoisie war. Die Importsubstitution ergab zwar eine neue „Reproduktionsdynamik", die sich zumindest teilweise aus dem Binnenmarkt entwickelt, bedeutete jedoch insgesamt betrachtet eine *zunehmende Abhängigkeit von den Industriestaaten;* denn sie verstärkte die Angewiesenheit auf Deviseneinnahmen, d.h. auf Exporte und Auslandskredite, um die benötigten Produktionsgüterimporte zu finanzieren, was wiederum die „technologische Abhängigkeit" förderte. – d) Um aus Engpässen der Importsubstitutionsstrategie herauszukommen, haben verschiedene Entwicklungsländer ihre Wirtschaft für *ausländische →Direktinvestitionen* geöffnet und versuchen nun durch *vielfältige Vergünstigungen* (wie steuerliche Vergünstigungen, Befreiung von Zöllen usw.) die ausländischen Investoren heranzuziehen. Das Eindringen ausländischen Kapitals im stärkeren Maße hat sich allerdings für die betreffenden Länder als folgenschwer gezeigt: Die *Auslandsverschuldung* wuchs weiter (→Auslandsverschuldung der Entwicklungsländer), die *finanzielle und technologische „Abhängigkeit"* nahmen weiter zu und die Einkommenskonzentration, gekoppelt mit einer *wachsenden Verelendung der Masse der Bevölkerung,* wurde noch extremer.

2. *Entwicklungsergebnis:* Die Masse der Bevölkerung bleibt randständig. Die kaufkräftige Nachfrage ist weitgehend auf eine *schmale einkommensstarke Minorität* konzentriert, die metropolitane (d.h. von den entwicklungsbestimmenden Industriestaaten übernommene) Konsummuster aufweist. Die betreffende Nachfrage wird entweder durch Importe befriedigt oder mit Hilfe eines lokalen Produktionsapparates, der sich auf metropolitane Maschinen und Technologien stützt. Die einzelnen Sektoren sind in sich zerklüftet. I.d.R. steht ein *moderner, exportorientierter bzw. für die einkommensstarke Nachfrage produzierender Subsektor,* der eine hohe Produktivität aufweist, neben einem *produktivitätsschwachen Sektor, in dem Güter für den Eigenbedarf bzw. Binnenmarkt,* die die Masse der Bevölkerung kaum erreichen, produziert werden. Dabei hängen die großen unterentwickelten Teile dieser Volkswirtschaften funktional von den fortgeschrittenen und weitgehend auf den „kapitalistischen" Weltmarkt hin orientierten Teilen ab, in dem Sinne, daß sie nach Bedürfnis auf Zeit „dynamisiert" oder „in Stagnation abgedrängt werden".

III. Hauptkomponenten einer „abhängigen" Entwicklung: Die Hauptkomponenten dieser Entwicklung sind, wie einleitend erwähnt wurde, Abhängigkeit, Strukturdefekte und Ausbeutung, die nicht nur selbst Ausdruck der Unterentwicklung sind, sondern auch negative Entwicklungswirkungen haben.

1. *Abhängigkeit:* Zur Charakterisierung der Abhängigkeit werden u.a. Phänomene hervorgehoben, wie der hohe Anteil ausländischer Investitionen (besonders im modernen Sektor), die Stützung der Industrialisierung auf Produktionsgüterimporte und ausländische Technologien, die Angewiesenheit des Absatzes auf Exportmärkte sowie eine hohe Auslandsverschuldung und damit eine finanzielle Abhängigkeit vom Ausland. Abhängigkeit wird aber auch umschrieben durch eine stärkere Ausrichtung der Produktion auf die Bedürfnisse des Auslandes als auf die Bedürfnisse der breiten Masse der eigenen Bevölkerung. Ferner wird sie allgemein interpretiert als Determinierung der Produktionsstrukturen bzw. Einschränkung des Entscheidungsspielraums von als „Peripherie-Ökonomien" bezeichneten Volkswirtschaften der Entwicklungsländer durch externe Faktoren oder als ungleiche Verteilung der Gewinne aus internationalen Wirtschaftsverflechtungen zuungunsten der Entwicklungsländer als Folge einer „asymmetrischen Interaktionsstruktur".

2. *Strukturdefekte:* In den Peripherie-Ökonomien bildet sich eine „strukturelle Heterogenität" heraus, die als Ausdruck von Strukturdefekten angesehen wird. Sie wird durch verschiedene Phänomene der Differenzierung

und der sozio-ökonomischen Ungleichheit umschrieben, wie ausgeprägte Ungleichheit der Einkommensverteilung, der Konsummuster, der Produktivität und Produktionstechnik. Die Interpretation der „strukturellen Heterogenität" als Ausdruck von Strukturdefekten wird nicht theoretisch klar abgeleitet. Der gemeinte Zusammenhang dürfte einmal darin zu sehen sein, daß zumindest bestimmte Komponenten der „strukturellen Heterogenität" als Ausdruck „sozialer Ungerechtigkeit" bewertet werden. Zum anderen mag der Zusammenhang gesehen werden in der von verschiedenen Dependencia-Theoretikern explizit oder implizit vermittelten Vorstellung, daß die „strukturelle Heterogenität" eine mangelhafte Integration der Masse der Bevölkerung in den Entwicklungsprozeß und damit auch eine unzulängliche Ausschöpfung des verfügbaren Entwicklungspotentials widerspiegelt.

3. *Ausbeutung:* Abgesehen von den offenen Formen kolonialistischer Ausbeutung der Kolonialepoche (wie etwa Zwangsaneignung und offener Ausplünderung) wird noch eine anhaltende, durch die ökonomischen Verflechtungen bedingte Ausbeutung gesehen. Hier wird die Ausbeutung in verschiedene Richtungen interpretiert: u.a. a) im Marx'schen Sinne: Aneignung des Mehrwerts; b) im Sinne der Imperialismustheorie: „ungleicher Tausch", wobei in erster Linie gemeint ist, daß die Arbeitskräfte in den Entwicklungsländern für vergleichbare Leistungen ein wesentlich geringeres Entgelt erhalten als die Arbeiter in den Industriestaaten; c) Benachteiligung bzw. Einkommenstransfer ins Ausland infolge einer Verschlechterung der terms of trade; d) als Transfer hoher Gewinne ins Ausland durch die ausländischen Investoren.

4. *Wirkungen auf das wirtschaftliche Wachstum:* Hinsichtlich der Wirkung auf zentrale Entwicklungskomponenten, wie das wirtschaftliche Wachstum, wird zwar versucht, manche negativen Aspekte aufzuzeigen, jedoch wird die Frage eines solchen Zusammenhangs als zweitrangig betrachtet. So schreibt z.B. Senghaas über die von ihm als Beispiel negativer Entwicklung beschriebene brasilianische Wirtschaft: „Die Produktivkraftentfaltung der brasilianischen Ökonomie ist ohne Zweifel eindrucksvoll. Zu Recht wird sie als eine Wachstumsökonomie bezeichnet. Doch die mit diesem Begriff assoziierten und prognostizierten Entwicklungseffekte sind bisher ausgeblieben, wenn man unter Entwicklung die produktive Eingliederung der Masse der Menschen in eine Ökonomie als Basis wenigstens der Befriedigung ihrer Grundbedürfnisse begreift" (1977, S. 152). An einer anderen Stelle verallgemeinert er seine Aussage und meint: „In der Regel besitzen die Länder der Dritten Welt ausgesprochene Wachstumsökonomien; jedoch konzentriert sich das Wachstum auf wenige Teilbereiche (die sogenannten Wachstumspole). Eine in die Breite gehende Binnenmarkterschließung findet kaum statt. Solche Ökonomien sind innerlich unausgewogen" (1978, S. 6). Bei dieser Position, in der das wirtschaftliche Wachstum für sich kaum noch als Problem angesehen wird, ist es nicht verwunderlich, daß kein geschlossenes Konzept geboten wird, das die Wirkung auf das wirtschaftliche Wachstum aufzeigt. Als Beleg für negative oder zumindest vermeintlich negative Wachstumseffekte können allerdings verschiedene Aussagen und Hinweise von Vertretern der D.-T. erachtet werden; insbes. a) der Hinweis auf Ausplünderung der Entwicklungsländer in der Kolonialzeit; b) der Hinweis auf Einkommensverluste durch Verschlechterung der terms of trade; c) die Aussage, daß die bewirkte „strukturelle Heterogenität" eine mangelhafte Ausnutzung der Produktivkräfte bedeutet; d) die negative Beurteilung ausländischer Direktinvestitionen der Industriestaaten in den Entwicklungsländern u.a. mit dem Hinweis darauf, daß die Weltmarktabhängigkeit dieser Investitionen die Empfindlichkeit der betreffenden Volkswirtschaft für Konjunkturschwankungen der Strukturwandlungen der internationalen Ökonomie erhöht; daß diese Investitionen eine Belastung der Zahlungsbilanz bedingen, weil sie Kapitalgüterimporte notwendig machen; daß sie aufgrund der dem ausländischen Kapital eingeräumten Vergünstigungen gesamtwirtschaftliche Verluste verursachen; und daß sie die einheimischen Gewerbe und Industrien aus dem Markt verdrängen.

IV. Beurteilung: Die Aussagen der D.-T. sind in verschiedener Hinsicht fragwürdig: Sie bauen weitgehend auf einseitiger Analyse und fragwürdigen Schlußfolgerungen auf, sind unzureichend untermauert und gehen von unscharfen bzw. nicht aussagefähigen Begriffen aus, die kaum eine sachliche Beurteilungsbasis bieten, geschweige die Ableitung strategischer Empfehlungen erlauben.

1. *Einseitigkeit der Analyse und Fragwürdigkeit der Schlußfolgerungen:* Dies zeigt sich auf vielfältige Weise: z.B. a) Bei der *Beurteilung von ausländischen Direktinvestitionen* werden die möglichen positiven Wirkungen wie positive Beschäftigungseffekte, direkte Wertschöpfungsbeiträge, Induzierung weiterer Investitionen und Technologietransfer ignoriert oder unbegründet in Frage gestellt. Die Argumente gegen Direktinvestitionen sind ferner oft nicht haltbar oder zeigen Nachteile auf, die bei einer rationalen Politik und der Anwendung angemessener Genehmigungskriterien vermieden werden können bzw. überhaupt nicht entstehen. (1) So ist es zwar richtig, daß die Direktinvestitionen (zumindest kurzfristig) *Importe von Produktionsgütern* bedingen; diese Importe können jedoch

kompensiert und überkompensiert werden bei Ausrichtung der Direktinvestitionen auf Export und Importsubstitution. Hinzu kommt, daß diese Importe langfristig tendenziell (infolge induzierter Produktion) zurückgehen dürften. (2) Daß in bestimmten Fällen die dem ausländischen Kapital eingeräumten Vergünstigungen zu einem *negativen gesamtwirtschaftlichen Ergebnis* führen, ist weniger den getätigten Investitionen als vielmehr der unzulänglichen Investitionspolitik der betreffenden Länder anzulasten. Eine rationale Wirtschaftspolitik wird dem ausländischen Kapital soche Vergünstigungen nicht einräumen. (3) Ähnliches gilt für das *Wettbewerbsargument:* So können bei den Genehmigungsentscheidungen die Interessen der einheimischen Gewerbe und schutzbedürftigen Industriebranchen berücksichtigt werden. Das heißt jedoch nicht, daß grundsätzlich keine Genehmigungen für Investitionen zu erteilen sind, die in Konkurrenz zu einheimischem Gewerbe und Industrien stehen. Es sollten vielmehr in jedem Einzelfall die möglichen Nachteile gegen die positiven Beiträge der jeweiligen Investition abgewogen werden. Dabei darf nicht vergessen werden, daß von einem bestimmten Reifestadium ab die Wettbewerbsvorteile gegenüber den Wettbewerbsnachteilen überwiegen dürften und daß die ausländischen Direktinvestitionen zur Konsolidierung der Wirtschaft und zur Erreichung dieses Stadiums beitragen, und zwar nicht zuletzt aufgrund der Komplementärwirkung dieser Investitionen, des Technologietransfers und der Lerneffekte, die sich durch sie ergeben. Eine stärkere Verflechtung der ausländischen Direktinvestitionen in die jeweilige Wirtschaft und Förderung der genannten positiven Wirkungen kann durch die verschiedenen Formen des →Joint Venture unterstützt werden.

b) Es werden unkritisch Meinungen übernommen, die die *Integration der Entwicklungsländer in den Weltmarkt* negativ beurteilen, ohne auf die Annahmen der betreffenden Theorien einzugehen und ihre Infragestellung in verschiedenen Untersuchungen zu berücksichtigen. Dies gilt z. B. für die Einbeziehung der →Prebisch-Singer-These über Verschlechterung der terms of trade und sich daraus ergebenden Einkommenstransfer oder Bhagwatis These des →Verelendungswachstums (Immiserizing Growth).

c) Aus fundierten Theorien, die Situationen aufzeigen, in denen der Freihandel für weniger entwickelte Staaten nachteilig sein kann, wie die von List, die auf die Verdrängung oder Behinderung der Entstehung von langfristig wettbewerbsfähigen Industrien abstellt (→Protektionismus), werden die falschen Schlußfolgerungen gezogen. Während diese Theorie *selektive temporäre Schutz- bzw. Erziehungszölle* für solche Industrien begründet, die potentiell einen komparativen Vorteil besitzen, jedoch kurzfristig diesen Vorteil (z. B. aufgrund fehlender Erfahrungen) nicht erlangen können, versuchen Dependencia-Vertreter das List-Argument für die Rechtfertigung einer breitangelegten extremen *Abschirmung* oder gar *Abkoppelung* in Anspruch zu nehmen.

2. *Unzureichende Untermauerung:* Dies ist bei verschiedenen Aussagen der D.-T. festzustellen, z. B. wird der vermeintliche negative Zusammenhang zwischen „struktureller Heterogenität“ und der Nutzung des Potentials an verfügbaren Produktivkräften analytisch kaum erklärt. Eine überzeugende Erklärung der Kernaussage der D.-T., daß eine durch ausgeprägte Ungleichheiten gekennzeichnete Entwicklung zur Verelendung der Masse der Bevölkerung führt, wird ebenfalls kaum geleistet. Hier gehen die Dependencia-Vertreter kaum über Myrdals Theorie der →Konter-Effekte hinaus. Oft wird sogar die Einbeziehung von Myrdal, der wohl die wichtigsten Beiträge über mögliche negative Zusammenhänge zwischen sozio-ökonomischen Ungleichheiten und wirtschaftlicher Entwicklung geliefert hat, versäumt. In diesem Zusammenhang zeigt sich eher wieder die Einseitigkeit der Analyse. Denn sozio-ökonomische Ungleichheiten sind nicht nur unvermeidbar, sondern können auch in verschiedener Weise entwicklungsfördernd sein, und zwar nicht nur, weil sie Produktions- und Innovationsanreize schaffen und der Kapitalbildung dienen können, sondern ebenso durch positive indirekte Wirkungen, wie etwa Induzierungseffekte im Sinne Hirschmans. Diese Entwicklungseffekte nutzen auch den unteren Einkommensgruppen, etwa durch positive Beschäftigungswirkungen sowie Steigerung der staatlichen Einnahmen und damit der Fähigkeit des Staates, Infrastruktur und Sozialpolitik zu finanzieren.

3. Die *unscharfe bzw. nicht aussagefähige Abgrenzung von Begriffen* und die daraus resultierende Schwierigkeit, zu fundierten Aussagen zu kommen, zeigt sich schon deutlich in den Kernbegriffen der D.-T., wie Ausbeutung, Abhängigkeit und strukturelle Heterogenität.

a) *„Ausbeutung“:* Soweit mit Ausbeutung die *Ausplünderung von Entwicklungsländern in der Kolonialzeit* und eine *nicht „rechtmäßige“ bzw. unter Zwang ausgeübte Aneignung von Ressourcen oder Produktion* von Entwicklungsländern gemeint ist, sind sowohl der Mechanismus wie auch die negativen Wirkungen der „Ausbeutung“ verständlich. Wenn *ausländische Mächte oder Unternehmen Politiker in Entwicklungsländern korrumpieren und dadurch Vergünstigungen zu Lasten dieser Länder* erlangen, ist ebenso der Tatbestand der Ausbeutung einleuchtend. Allerdings muß berücksichtigt werden, daß dies kein prinzipielles Problem der außenwirtschaftlichen Verflechtung, sondern ein solches des betreffenden politischen Systems, das nicht entwicklungsgerecht ist, darstellt. Ferner erscheint es gerechtfertigt, von Ausbeutung zu sprechen, wenn Entwicklungsländer *aufgrund einer unterlegenen Marktposition eine preisliche Benachteiligung* erfahren oder Geschäftskonditionen akzeptieren müssen, die der Gegenseite größere Vorteile einräumen. Und dies mag tatsächlich in gewissen Bereichen gegeben sein. Es darf aber nicht übersehen werden, daß die Konkurrenz unter den Industriestaaten die Möglichkeit einer solchen Benachteiligung stark beschränkt. Außerdem ist zu beachten, daß eine solche Benachteiligung nicht bedeutet, daß die außenwirtschaftliche Verflechtung negative Entwicklungswirkungen hat, sondern lediglich, daß hier eine ungleichmäßige Verteilung der Gewinne vorliegt. – Sieht man von den skizzierten Möglichkeiten der Ausbeutung ab und betrachtet die erwähnten im Rahmen der D.-T. häufig vertretenen Interpretationen, nämlich die Auslegung der Ausbeutung im Marx'schen Sinne, im Sinne der Imperialismus-Theorie, im Sinne eines durch Verschlechterung der terms of trade bedingten Einkommenstransfers oder einfach als Transfer hoher Gewinne, wird die beschränkte Aussagefähigkeit des Begriffes ersichtlich: (1) Soweit *Ausbeutung im Marx'schen Sinne* interpretiert wird, ist ihm jegliche Relevanz für die Feststellung einer Benachteiligung der Entwicklungsländer oder gar für die Erklärung der Unterentwicklung abzusprechen. Denn der Mehrwert wird überall, wo er in privaten Unternehmen entsteht, von den Investoren abgeschöpft, unabhängig davon, ob es sich um Entwicklungsländer oder Industriestaaten handelt. Damit drückt die „Ausbeutung" in diesem formalen Sinne kein spezifisches Problem der Entwicklungsländer oder deren Beziehung zu den Industriestaaten aus. – (2) Die Interpretation von *Ausbeutung als „ungleicher Tausch" im Sinn der Imperialismus-Theorie* ist ebenso unhaltbar, da sie u.a. den Abweichungen in der Qualifikation der Arbeiter, den Faktorkombinationen, den Transportkosten sowie nicht zuletzt in der infrastrukturellen Ausstattung und den sonstigen Rahmenbedingungen und ihrer Wirkung auf Produktivität und Produktpreise nicht Rechnung trägt. – c) Die Aussage, daß eine Verschlechterung der terms of trade *Ausbeutung im Sinne eines Einkommenstransfers bzw. Transfers von Produktivitätsgewinnen ins Ausland* bedeutet, ist irreführend. Daß Produktivitätsfortschritte durch ihre Preiswirkungen auch den Nachfragern Vorteile bringen (im Sinne einer Steigerung der Konsumentenrente), kann kaum ernsthaft als Ausbeutung der Produzenten angesehen werden; denn die Vorteile für die Nachfrager ergeben sich ja erst bei einer i.d.R. gewinnsteigernden Ausdehnung der Produktion auf der Produzentenseite (→Prebisch-Singer-These). – d) Schließlich ist auch weder die *Interpretation des Transfers hoher Gewinne als Ausbeutung* zulässig noch ist die Vorstellung begründet, daß hohe Gewinne ausländischer Investoren für die Entwicklungsländer grundsätzlich nachteilig sind. Hohe Gewinne können nur nachteilig sein, wenn sie den Investoren ungerechtfertigt zufließen, etwa durch Subventionen oder sonstige staatliche Eingriffe, die einen Einkommenstransfer zugunsten der Investoren ergeben. Solange ein Land für die eingesetzten einheimischen Faktoren Entgelte erzielt, die nicht unter den Opportunitätskosten liegen, und dort eine rationale Politik betrieben wird, ist die Erwirtschaftung hoher marktmäßiger Gewinne durch die Investoren für das betreffende Land nicht zuletzt deshalb vorteilhaft, weil dadurch weitere Investitionen angezogen werden und größere Beschäftigungs- und Induzierungs- bzw. Mobilisierungswirkungen erzielt werden können.

b) *„Abhängigkeit:* Soweit die Abhängigkeit einseitig im Sinne einer *Fremdbestimmung* gegeben ist, wie es etwa in der Kolonialzeit der Fall war, sind die negativen Wirkungen nachvollziehbar. Das gleiche gilte heute für eine durch *politischen oder militärischen Druck* ausgeübte Abhängigkeit, die gewisse Formen der Erpressung annimmt. – Die Charakterisierung der Abhängigkeit jedoch durch Phänomene wie die *Angewiesenheit auf ausländisches Kapital, ausländische Technologie, Produktionsgüterimporte und ausländische Absatzmärkte* kann kaum eine aussagefähige inhaltliche Ausfüllung des Begriffes bieten. Bedeutet diese Angewiesenheit, daß das Land durch den Kapital- und Technologiezufluß und die betreffenden Exporte und Importe profitiert, ist nicht einzusehen, wo das Problem dieser Abhängigkeit liegt. Wirken sich diese Geschäftsbeziehungen für das Land nachteilig aus, dann liegt ein irrationales Verhalten auf der Seite des Entwicklungslandes vor, das dem Geschäftspartner nicht angelastet werden kann. Ferner muß berücksichtigt werden, daß eine solche Umschreibung der Abhängigkeit der Ausdruck einer einseitigen Betrachtungsweise ist. Hier wird übersehen, daß die genannten Phänomene auch Kehrseiten haben, die eine *Abhängigkeit des jeweiligen Geschäftspartners* ergeben, womit die Beziehungen oft eher durch Interdependenz als durch einseitige Abhängigkeit bestimmt sein dürften. So mag ein hoher Anteil ausländischer Investitionen eine gewisse Abhängigkeit der Wirtschaft des Entwicklungslandes bedeuten; umgekehrt sind aber auch die Investoren abhängig, weil sie sich den Gesetzen des betreffenden Landes unterwerfen und durch ihre wirtschaftlichen Interessen an das Land gebunden sind. Ebenso kann die Angewiesenheit auf die Exportmärkte Abhängigkeit bedeuten. Die Abnehmer sind jedoch hier auch in gewisser Weise abhängig, wenn sie nicht auf die durch den Import realisierten Wohlfahrtsgewinne verzichten wollen. Ähnliches gilt für die Abhängigkeit von Produktionsgüterimporten, denn hier sind auch die Lieferanten abhängig, solange sie nicht auf Exportgewinne verzichten wollen. – Es mag in manchen Fällen zutreffen, daß im Rahmen einer marktbedingten, gegenseitigen Abhängigkeit das Entwicklungsland eine *größere Empfindlichkeit gegen Störungen in den wirtschaftlichen Beziehungen* aufweist und deshalb stärker unter Druck gesetzt werden kann. Dies kann sich v.a. ergeben, wenn kleine, wirtschaftlich schwache Entwicklungsländer ihre Exporte auf wenige oder gar einzelne Produkte (Monokulturen) konzentrieren und sich noch in ihren außenwirtschaftlichen Beziehungen auf wenige Länder ausrichten. Allerdings wäre hier der richtige Weg, solcher Abhängigkeit zu begegnen, nicht in der Reduzierung und Kontrolle der außenwirtschaftlichen Verflechtungen oder gar der Abkoppelung aus dem Weltmarkt zu sehen, wie manche Dependencia-Vertreter fordern, sondern in der *Diversifikation des Exportangebots* und der *Vermeidung einer Konzentration der wirtschaftlichen Beziehungen auf einzelne oder wenige Länder*. – Die Versuche einer allgemeinen Erfassung der Abhängigkeit durch Phänomene wie die *Stärke des Einflusses von Auslandsnachfrage und -angebot auf die Produktionsstruktur eines Landes* oder die *Verteilung der Integrationsgewinne* sind als kaum brauchbar anzusehen. Wer die Beeinflussung der Produktionsstruktur durch außenwirtschaftliche Verflechtungen ablehnt, müßte das Prinzip der Arbeitsteilung (→internationale Arbeitsteilung) und die dadurch ermöglichten Gewinne ablehnen. Arbeitsteilung bedeutet strukturelle Anpassung auf beiden Seiten. Dies für sich als Abhängigkeit im negativen Sinne zu interpretieren, wäre irreführend. Die Vorstellung, daß eine Gesellschaft (oder soziale Einheit), die in einer Beziehung den kleineren Gewinnanteil beansprucht, abhängig (oder abhängiger) sein soll, ist zwar denkbar, wenn die Aufteilung selbst eine Folge der Abhängigkeit ist. Soweit die Aufteilung sich jedoch durch freie wirtschaftliche Interaktionen ergibt, ist dieser Versuch einer inhaltlichen Ausfüllung des Abhängigkeitsbegriffes zumindest aus zwei Gründen in Frage zu stellen: (1) Die D.-T. bietet keine zwingende Begründung dafür, daß die Aufteilung in jedem Fall zuungunsten der Entwicklungsländer erfolgt oder erfolgen muß; (2) Es ist nicht einleuchtend, warum derjenige, der von einer Beziehung mehr profitiert, unbedingt weniger abhängig sein sollte, obwohl er bei Auflösung dieser Beziehung mehr zu verlieren hat.

c) *„Strukturelle Heterogenität“:* Das Beklagen einer „strukturellen Heterogenität“ impliziert das Erstreben einer „strukturellen Homogenität“; wie diese in der sozio-ökonomischen Realität aussehen kann, ist jedoch kaum vorstellbar. Daß die „strukturelle Heterogenität“ durch irgendwelche Phänomene der Differenzierung und der sozio-ökonomischen Ungleichheit umschrieben wird, ist für eine Aussage über die sozio-ökonomische Entwicklung wenig hilfreich. Phänomene der Differenzierung und Ungleichheit sind in jedem realen sozio-ökonomischen System vielfältig gegeben. Es kann auch kaum empirisch zuverlässig belegt werden, daß sie in den unterentwickelten Ökonomien stärker ausgeprägt sind als in den entwickelten. Außerdem ist es kaum denkbar, daß Entwicklung stattfinden kann, ohne daß einzelne Gruppen, Sektoren und Unternehmen einen (temporären) Vorsprung haben. Schon die begrenzte Kapitalverfügbarkeit, die beschränkte Teil- und Substituierbarkeit der Produktionsfaktoren und die Notwendigkeit der Nutzung der Größenvorteile bedingen Ungleichheiten in den Techniken, Produktivitäten und Faktorentgelten.

V. Fazit: Zusammenfassend kann festgestellt werden, daß die Erklärung der Unterentwicklung mit der Integration der Entwicklungsländer in den Weltmarkt unhaltbar ist und daß die von Dependencia-Vertretern angeführten Begründungen für eine extreme Abschirmung bzw. Abkoppelung nicht überzeugen. Es ist einzuräumen, daß die Wirtschaftsbeziehungen der Entwicklungsländer zu den Industriestaaten Interaktionen mit negativen Wirkungen für die Entwicklungsländer beinhalten können und daß die Entwicklungsländer die theoretisch möglichen Integrationsgewinne nicht voll realisiert haben. Die Forderungen nach breitangelegter Abschirmung oder gar Abkoppelung sind trotzdem nicht gerechtfertigt, weil die genannten Probleme keine immanenten Integrationsnachteile sind. Sie sind (im Gegenteil) durchaus im Rahmen einer *integrationsorientierten Politik* (die zeitlich beschränkte und dosierte Schutzmaßnahmen einschließen kann) zu bereinigen. Denn diese Probleme sind eher auf (1) die Vernachlässigung der Voraussetzungen für eine erfolgreiche internationale Integration auf der Entwicklungsländerseite sowie (2) die weitverbreiteten restriktiven Praktiken (nicht zuletzt auch auf der Seite der Industriestaaten) zurückzuführen. Schließlich darf nicht vergessen werden, daß die internationalen Wirtschaftsbeziehungen auch unter den gegebenen Bedingungen den Entwicklungsländern vielfältige Vorteile bringen, die von direkten Sozialproduktbeiträgen durch Nutzung der →absoluten Kostenvorteile und →komparativen Kostenvorteile, aber auch Verfügbarkeitsvorteile über positive Wirkungen der Einfuhr des knappen Faktors Kapital bis hin zu den verschiedenen dynamischen Integrationsvorteilen, wie Technologietransfer und der Mobilierung brachliegender Ressourcen, gehen.

Literatur: Amin, S., Die ungleiche Entwicklung, Hamburg 1975; Cardoso, F. H./Faletto, E., Abhängigkeit und Entwicklung in Lateinamerika, Frankfurt a. M. 1976; El-Shagi, E.-S., Weltwirtschaftliche Dissoziation zwischen Industrie- und Entwicklungsländern? Eine kritische Auseinandersetzung mit der These von Senghaas, in: List Forum, Bd. 10 (1979/80), Heft 2 (Juni 1979); Frank, A. G., Kapitalismus und Unterentwicklung in Lateinamerika, Frankfurt a. M. 1968; ders., Abhängige Akkumulation und Unterentwicklung, Frankfurt a.M. 1980; Senghaas, D. (Hrsg.), Imperialismus und strukturelle Gewalt, Analysen über abhängige Reproduktion, Frankfurt a.M. 1972; ders. (Hrsg.), Peripherer Kapitalismus, Analysen über Abhängigkeit und Unterentwicklung, Frankfurt a. M. 1974; ders., Weltwirtschaftsordnung und Entwicklungspolitik – Plädoyer für Dissoziation, Frankfurt a. M. 1977; ders., Gibt es eine entwicklungspolitische Alternative für die dritte Welt? in: Das Parlament, Bd. 7/78; Wöhlcke, M./ Wogau, P. v., Die neuere entwicklungstheoretische Diskussion, Eine einführende Darstellung und ausgewählte Bibliographie, Frankfurt a. M. 1977.

Prof. Dr. El-Shagi El-Shagi

Dependenzanalyse, Sammelbegriff für Verfahren der statistischen Datenanalyse, bei denen eine Partitionierung der Datenmatrix stattfindet. Ein Teil der Variablen wird anderen Variablen gegenübergestellt. Die Analyse zielt darauf ab, eine Abhängigkeit (Dependenz) einer oder mehrerer Größen von mehreren anderen Variablen zu analysieren. – *Gebräuchliche Verfahren:* →Varianzanalyse, →Regressionsanalyse, →Diskriminanzanalyse, →AID-Analyse. – *Gegensatz:* →Interdependenzanalyse.

Deport, *Terminabschlag, Kursabschlag.* 1. Bei *Wertpapiertermingeschäften:* Kursabschlag für die Prolongation von Termingeschäften für das Leihen der Stücke *(Deportgeschäft).* Der Baissier leiht sich die zur Erfüllung eines Verkaufs erforderlichen Stücke, um eine erwartete, aber noch nicht eingetretene Kursbesserung abwarten zu können. Wenn Stückmangel besteht, d.h. allgemein auf Baisse spekuliert wird, kann D. gewährt werden. Der Baissier gibt beim nächsten Termin die ausgeliehenen Stücke mit einem D. zurück. – 2. Bei einem *Devisentermingeschäft:* Absolute Differenz zwischen Kassakurs und niedrigerem Terminkurs. – *Beispiel:* Ein deutscher Exporteur verkauft am 1.7. (Kassakurs: 2,40 DM/1 US-$) eine auf Dollar lautende Forderung zum 30.9. zu einem Kurs von 2,30 DM/1 US-$ (Terminkurs); der D. beträgt 0,10 DM. – *Ähnlich:* →backwardation. – *Anders:* →Swapsatz. – 3. *Gegensatz:* →Report.

Deportgeschäft, →Deport.

Depositalschein, →Depotschein.

Depositalzinsen, Zinsen, die vom Anleiheschuldner für verspätet erhobene Beträge von verlosten oder gekündigten Pfandbriefen und Obligationen gezahlt werden. Ein Rechtsanspruch besteht nicht. Meist zahlt der Anleiheschuldner einen Teilbetrag derjenigen Zinsen, die er selbst aus der Anlage der nicht erhobenen Barbeträge in der Zwischenzeit erzielt hat.

Depositary Institutions Deregulation and Monetary Control Act, 1980 verabschiedetes, US-amerikanisches Bankengesetz, das bis 1986 die gesetzlich bis dahin vorgeschriebenen Höchstzinsgrenzen allmählich aufhob. Die den →thrift institutions gegenüber den →commercial banks gewährte Zinsdifferenz auf Einlagen wurde aufgehoben. Es erfolgt außerdem eine Gleichstellung bezüglich der Mindestreservevorschriften bis 1988. Das Gesetz stellt einen ersten Schritt zur Reform des durch den →Glass Steagall Act festgeschriebenen US-amerikanischen Trennbankensystems dar. – Vgl. auch →Deregulierung.

Depositen, →Einlagen III 2.

Depositengeschäft, →Einlagengeschäft.

Depositenversicherung, Einlagengarantie zum Schutz des Konteninhabers vor Verlusten. In USA durch die Banking Act von 1935 als dauernde Einrichtung eingeführt. In der Bundesrep. D. unüblich.

Depositenzertifikat, →certificate of deposit.

Depositionsklausel, Depositions- oder Antreffungsvermerk auf einer →Wechselabschrift oder auf der nicht zum Akzept versandten →Wechselausfertigung. Die D. gibt an, wo sich das Original bzw. Annahmeexemplar befindet. Diese müssen vom Verwahrer dem rechtmäßigen Inhaber der Ausfertigung bzw. Abschrift ausgehändigt werden. Wird die Aushändigung verweigert, so kann der Inhaber nur nach erfolgtem →Ausfolgungsprotest →Rückgriff nehmen (Art. 66 und 68 WG).

Depot. 1. *Allgemein:* Ort zur Aufbewahrung von Sachen. – 2. *Bankwesen:* a) Bezeichnung für die Depotabteilung. b) Die aufbewahrten Gegenstände selbst, die hinterlegten Wertpapiere (→Depotgeschäft).

Depotaktien, *Deponentenaktien,* die bei Banken zur Verwahrung und Verwaltung ins →Depot gegebenen Aktien, für die die Banken das Stimmrecht (→Depotstimmrecht) in eigenem Namen ausüben können.

Depotbuch, das nach § 14 DepotG bei Wertpapierverwahrungsgeschäften vom Verwahrer zu führende besondere Verwahrungsbuch. Das D. gehört zu den →Geschäftsbüchern eines Kaufmanns (§§ 238 ff. HGB). Es ist ein Personalverzeichnis (→Personendepot); in der Praxis wird gem. den Richtlinien für →Depotprüfung daneben ein →Sachdepot geführt. – Vgl. auch →Wertpapierverwahrung.

Depotgebühren, Entgelt für die Verwahrung und Verwaltung der Wertpapiere und anderer Depotgüter. – Vgl. →Depotgeschäft.

Depotgeschäft. I. Begriff: Die gewerbsmäßige Verwahrung und Verwaltung von Wertgegenständen, insbes. von Wertpapieren, durch einen Kaufmann, üblicherweise durch

Banken. Das D. ist →Bankgeschäft i.S. des KWG.

II. Rechtsgrundlagen: a) *Allgemein:* §§ 688 ff. BGB (→Verwahrungsvertrag). – b) *Wertpapierverwahrung:* Gesetz über die Verwahrung und Anschaffung von Wertpapieren (Depotgesetz – DepotG) vom 4.2.1937 (RGBl I 171) mit späteren Änderungen.

III. Depotarten: 1. a) *Reguläres Depot:* Depot, das voraussetzt, daß der Hinterleger die gleichen Stücke zurückerhält. – b) *Irreguläres Depot:* Die Rückgabe hat nur der Gattung nach zu erfolgen, wobei der Verwahrer das Eigentum an den hinterlegten Stücken erwirbt, meist in Verbindung mit einem Kreditgeschäft. – Beim D. ist das reguläre Depot das übliche. – 2. a) *Verschlossenes Depot:* Verwahrung in verschlossenen Behältnissen (z.B. von Geld, Kostbarkeiten, Wertpapieren). Die Bank hat keine Kenntnis vom Depotinhalt. Der Hinterleger erhält i.d.R. einen →Depotschein (Legitimationspapier nach § 808 BGB). Diese Geschäfte unterliegen nicht dem DepotG. – Davon ist der sog. *Stahlkammervertrag* (Safevertrag) zu unterscheiden, der kein Verwahrungsvertrag, sondern Mietvertrag ist. – b) *Offenes Depot:* Wertpapiere werden offen in Verwahrung gegeben. Die Bank übernimmt regelmäßig auch die Verwaltung dieser Papiere, insbes. die Einlösung der Dividenden- bzw. Zinsscheine, die Besorgung neuer Kuponbogen, Inkasso ausgelasteter Stücke, Wahrnehmung von Bezugsrechten, Ausübung des →Depotstimmrechts u.a. – Vgl. im einzelnen →Wertpapierverwahrung.

IV. Abwicklung: Das D. ist vielfach mit anderen Geschäften eng verknüpft. Ein Teil der im Depot befindlichen Effekten ist der Bank im Lombardgeschäft verpfändet. Auch das Lombard-Effektenkommissionsgeschäft ist meist mit dem D. verbunden, da der Kunde die für ihn gekauften Effekten verwahren und verwalten läßt.

Depotgesetz (DepotG), Gesetz über die Verwahrung und Anschaffung von Wertpapieren vom 4.2.1937 (RGBl I 171) mit späteren Änderungen, regelt die Wertpapierverwahrungs- und →Anschaffungsgeschäfte (→Depotgeschäfte) der Banken und dient dem Schutz der Kunden durch Erhaltung des Wertpapiereigentums im Verwahrungsgeschäft und schnelle Verschaffung im Anschaffungsgeschäft. – Pflichtverletzung des Verwahrers ist im DepotG verschiedentlich mit Strafe bedroht (z.B. →Depotunterschlagung). – Vgl. auch →Wertpapierverwahrung.

Depotprüfung, gemäß § 30 KWG i.d.R. jährlich vorzunehmende →Prüfung (→Wirtschaftsprüfung) bei Kreditinstituten, die das Effekten- oder Depotgeschäft betreiben, neben und unabhängig von der →Jahresabschlußprüfung durchzuführen. – *Prüfungsinhalte:* alle Teilbereiche des Depot- und Effektengeschäftes und ihre ordnungsmäßige Handhabung einschließlich der Gesetzentsprechung. Einhaltung des § 128 AktG über die Mitteilung durch Kreditinstitute und des § 135 AktG über die Ausübung des Stimmrechts durch Kreditinstitute. Über die Vornahme der Prüfung detaillierte Bestimmungen. – *Prüfer:* Das Bundesaufsichtsamt für das Kreditwesen bestellt i.d.R. den Depotprüfer (→Wirtschaftsprüfer, →Wirtschaftsprüfungsgesellschaften, die →Prüfungsstellen der Sparkassen- und Giroverbände und die genossenschaftlichen →Prüfungsverbände der Kreditgenossenschaften).

Depotschein, *Depositalschein,* beim verschlossenen Depot (→Depotgeschäft) übliche Bescheinigung einer Bank über in Verwahrung genommene Wertpapiere. Als D. wird auch das →Stückeverzeichnis bezeichnet. Die Herausgabe der deponierten Gegenstände erfolgt nur gegen Rückgabe des D. Der D. ist ein →hinkendes Inhaberpapier nach § 808 BGB.

Depotstimmrecht, *Bankenstimmrecht.*

I. Begriff: Die Ausübung des →Stimmrechts für fremde →Inhaberaktien in der →Hauptversammlung einer AG durch ein Kreditinstitut; namentlich das Stimmrecht für die von den Bankkunden in das →Depot gegebenen Aktien. Sonderregeln für Namensaktien § 135 VII AktG.

II. Zulässigkeit: 1. *Vollmacht:* Das D. darf nur ausgeübt werden, wenn das Kreditinstitut bevollmächtigt ist. Die Vollmacht bedarf der →Schriftform. Sie darf nur einem bestimmten Kreditinstitut und für längstens 15 Monate erteilt werden (§ 135 I, II AktG). – 2. *Weisungen:* In der eigenen Hauptversammlung darf das Kreditinstitut aufgrund der Vollmacht nur stimmen, soweit der Aktionär eine ausdrückliche Weisung zu den einzelnen Gegenständen der Tagesordnung erteilt hat (§ 135 I AktG). – 3. *Unterbevollmächtigung* oder Übertragung der Vollmacht – außer an Angestellte – ist nur gestattet, wenn a) in der Vollmacht vorgesehen und b) das Kreditinstitut am Ort der Hauptversammlung keine Niederlassung hat (§ 135 III AktG).

III. Verfahren: 1. Vor der Hauptversammlung hat das Kreditinstitut an den Aktionär die gesetzlich vorgeschriebenen *Mitteilungen* des Vorstandes (→Hauptversammlung V) *weiterzugeben* (§ 128 I AktG). – 2. Das Kreditinstitut hat dem Aktionär *eigene Vorschläge* für die Ausübung des Stimmrechts zu den einzelnen Gegenständen der Tagesordnung *mitzuteilen.* Bei den Vorschlägen hat sich das Kreditinstitut vom Interesse des Aktionärs leiten zu lassen. – 3. Der Aktionär ist um *Weisungen* zu bitten und darauf hinzuweisen, daß beim Fehlen von Weisungen das Stimmrecht entsprechend dem Vorschlag zu 2 ausgeübt werde. – 4. Ein *Formblatt* für etwaige Weisungen ist beizufügen (§ 128 II AktG).

IV. Stimmrechtsausübung: 1. *Im Namen* a) des Aktionärs (unter Benennung des Aktionärs); oder b) im Namen dessen, den es angeht. – 2. Nach den *Weisungen* des Aktionärs (III 3) oder (hilfsweise) nach den eigenen *Vorschlägen* (III 2). – 3. *Abweichung* nur zulässig, wenn das Kreditinstitut den Umständen nach annehmen darf, daß der Aktionär bei Kenntnis der Sachlage die Abweichung billigen würde (§ 135 V AktG). Die abweichende Stimmrechtsausübung ist dem Aktionär unter Angabe der Gründe mitzuteilen (§ 135 VII AktG).

V. Verpflichtung zur Auftragsannahme: 1. Ein Kreditinstitut ist verpflichtet, den *Auftrag* zur Stimmrechtsausübung *anzunehmen,* wenn es a) für den Aktionär Aktien der AG verwahrt und sich b) gegenüber anderen Aktionären zur Ausübung des Stimmrechts erboten hat. – 2. *Ablehnung* dann nur zulässig, wenn a) das Kreditinstitut am Ort der Hauptversammlung keine Niederlassung hat und b) der Aktionär Vollmachtsübertragung oder Unterbevollmächtigung (II 3) nicht gestattet (§ 135 X AktG).

VI. Aktionärsvereinigungen und sonstige geschäftsmäßig Handelnde: Das oben I bis IV Gesagte gilt sinngemäß (§ 135 IX AktG).

Depot-System, Zusammenarbeit zwischen einem Hersteller, z. B. einer Kosmetikfirma, und einem Einzelhändler in der Weise, daß der Einzelhändler verpflichtet wird, das gesamte Angebot des Herstellers als quasi dessen Außenstelle (Depot) zu führen. Der Einzelhändler wird als →Kommissionär tätig, er kauft und verkauft im eigenen Namen auf fremde Rechnung. Er trägt kein Warenrisiko und wird durch ein straffes Organisations- und effizientes Marketingsystem bei seinen Verkaufsbemühungen unterstützt. – Auch Händler, z. B. beim Absatz von Kaffee, bedienen sich des D.-S.

Depotunterschlagung. 1. *Begriff:* Rechtswidrige Verfügung des Verwahrers, Pfandgläubigers oder Kommissionärs über die im →Depotgeschäft anvertrauten Wertpapiere des eigenen oder fremden Vorteils wegen (§§ 34, 38 DepotG). Hilfstatbestand neben der →Unterschlagung bzw. →Untreue des StGB. – Strafe: Freiheitsstrafe bis zu fünf Jahren und Geldstrafe oder eine dieser Strafen. – 2. Bei *Schädigung von →Angehörigen* Strafverfolgung nur auf →Strafantrag (§ 36 DepotG). – 3. *Schwere D.* (§ 38 DepotG) liegt vor, wenn der Täter im Bewußtsein seiner Zahlungsunfähigkeit oder Überschuldung fremde in seinem Besitz befindliche Wertpapiere sich rechtswidrig zueignet, sofern er seine Zahlungen einstellt oder über sein Vermögen das Konkursverfahren eröffnet wird. – Strafe: Freiheitsstrafe nicht unter einem Jahr.

Depotvertrag, Vertrag über Verwahrung und Verwaltung von Wertpapieren (§§ 688 ff. BGB sowie DepotG). Der D. wird i. d. R. nicht gesondert abgeschlossen, die Allgemeinen Geschäftsbedingungen enthalten einen entsprechenden Passus. – Der D. unterliegt *nicht* der *Börsenumsatzsteuer,* selbst dann nicht, wenn der Verwahrer zur Teilnahme an der Hauptversammlung im eigenen Namen berechtigt ist.

Depotwechsel, →Sicherheitswechsel.

Depression, Niedergangsperiode im →Konjunkturzyklus (→Konjunkturphasen). Die D. folgt auf die Krise, d. h. auf den oberen Wendepunkt der wirtschaftlichen Wellenbewegung, und wird – nach Durchschreiten des Tiefpunktes – abgelöst durch die Phase der Erholung bzw. des allmählichen Aufschwungs. In der D. geht im Gegensatz zur Rezession das →Volkseinkommen in seiner Höhe absolut zurück. Starke D. wurden in den 80er und 90er Jahren des 19. Jh. und v. a. in den 30er Jahren des 20. Jh. verzeichnet; Folgen waren: Massenzusammenbrüche von Betrieben und damit verbunden hohe Arbeitslosigkeit, augenfällige soziale Übelstände, Zusammenbruch der internationalen Währungsordnung, Autarkiepolitik sowie verhängnisvolle Stärkung radikaler politischer Strömungen. – *Gegensatz:* →Prosperität, →Boom. – Vgl. auch →Krisentheorie II.

DEPT, Deutscher Eisenbahn-Personentarif, →Eisenbahn-Tarif.

Depth-first-Suche, *Tiefensuche,* Suchstrategie (→Suchen) beim Durchlaufen einer Hierarchie von Objekten oder →Regeln; ausgehend von einem Objekt bzw. einer Regel der höchsten Hierarchiestufe werden jeweils die unmittelbar darunterliegenden Objekte bzw. Regeln untersucht, dann die jeweils darunter liegenden Objekte bzw. Regeln usw. Auf diese Weise wird von oben nach unten jeweils ein gesamter Zweig des Hierarchiebaums bis zum Ende durchsucht. – In der →künstlichen Intelligenz ist die D.-f.-S. eine mögliche Strategie für eine →Inferenzmaschine. – *Gegensatz:* →Breadth-first-Suche.

Deputat, neben dem Barlohn gewährte, in Sachleistungen abgegoltene Gehalts- oder Lohnanteile in Form eines Naturallohns (z. B. Deputatkohle im Bergbau, Milch in der Landwirtschaft). – Steuerliche Behandlung: D. gehören als →Sachbezüge zu den einkommen- bzw. lohnsteuerpflichtigen Einkünften.

DER, Abk. für →Deutsches Reisebüro GmbH.

Deregulation, →Deregulierung.

Deregulierung, *Deregulation.* I. Allgemein: Nicht eindeutig definierter, aus der US-amerikanischen ordnungspolitischen Diskussion übernommener Begriff des Staates (Mindestpreise, Normen, Vorschriften usw.; →Regulierung), mit denen der Staat versucht, →Marktversagen zu korrigieren und/oder politische Zielsetzung gegen den Markt durchzusetzen. Begründet durch die These, daß die Effizienz der Marktwirtschaft durch ausufernde staatliche Regulierung eingeschränkt wird. – Vgl. auch →Privatisierung.

II. Verkehrswesen: Abschaffung bestehender Marktregulierungen, v.a. Preis- und Kapazitätsregulierungen.

III. Bankwesen: Aufhebung-, bzw. Aufweichung gesetzlicher und bankaufsichtlicher Reglementierungen von Trennbankensystemen. – In den *USA* durch den →Depositary Institutions Deregulation and Monetary Control Act und den →Garn St. Germain Act in einigen wesentlichen Punkten festgeschrieben. – In *Großbritannien* durch den Big Bang eingeleitet. (Vgl. →Londoner Börse). – In *Japan* dokumentiert in Zinsliberalisierung, Internationalisierung des Yen (Euro-Yen), Schaffung neuer Finanzmärkte (z.B. Markt für Yen-Bankakzepte) sowie in verbesserten Zugangsmöglichkeiten für Auslandsinstitute.

Dereliktion, *Eigentumsaufgabe,* Aufgabe des →Besitzes einer →beweglichen Sache durch den Eigentümer in der Absicht, auf das →Eigentum zu verzichten. Es entsteht eine →herrenlose Sache (§959 BGB). D. ist (im Gegensatz zur Aneignung) ein →Rechtsgeschäft. – Auch das Eigentum an einem *Grundstück* kann durch Verzichtserklärung gegenüber dem →Grundbuchamt und Eintragung des Verzichts im →Grundbuch aufgegeben werden (§928 BGB).

derivativer Firmenwert, →Firmenwert.

Der Wettbewerbsbeobachter – Verein zur Bekämpfung unlauteren Wettbewerbs gemäß §13 UWG e.V., Sitz in München. – *Aufgaben:* Bekämpfung unlauteren Wettbewerbs; Mitwirkung an der Gestaltung der Wettbewerbspolitik.

Design, →Produktgestaltung, →industrielle Formgebung.

Desinvestition, Rückgewinnung bzw. Freisetzung der in konkreten Vermögenswerten gebundenen finanziellen Mittel durch Verkauf, Liquidation und Aufgabe. Die D. ist die Umkehrung der →Investition. – Bei endlichen Investitionen setzt sich der Investitionsprozeß zusammen aus der Investitionsperiode und der Desinvestitionsperiode.

desk research, →Schreibtischforschung.

deskriptive Datenanalyse, →Datenanalyse 1.

deskriptive Statistik, *beschreibende Statistik,* der Teilbereich der statistischen Methoden, der nur die Beschreibung von →Gesamtheiten, insbes. durch Tabellen, Graphiken sowie durch Kennwerte wie →Mittelwerte und →Streuungsmaße, zum Gegenstand hat. Gewisser Gegensatz zur →Inferenzstatistik, deren Gegenstand die Übertragung von Befunden aus →Zufallsstichproben auf zugehörige →Grundgesamtheiten ist.

Desktop, neuartige →*Benutzeroberfläche* von →Softwareprodukten und →Betriebssystemen im PC-Bereich (→Personal Computer). Die einzelnen Funktionen werden nicht mehr durch Eintippen von →Kommandos oder durch bestimmte Tasten (-kombinationen) aufgerufen, sondern durch Ansteuern bestimmter Symbole auf dem Bildschirm mit dem →Cursor (komfortabel z.B. mit der →Maus). Die Bezeichnung D. für eine solche Benutzeroberfläche erklärt sich daher, daß ihre Art der Organisation von einem Schreibtischarbeitsplatz abgeleitet ist. – *Bekanntes Beispiel:* GEM (Grafics Environment Manager)-D. – Vgl. auch →Desktop-Publishing.

Desktop-Publishing. 1. *Begriff:* Erzeugung druckreifer Vorlagen für Veröffentlichungen und andere Druckerzeugnisse „am Schreibtisch" des Autors (→Desktop) mit Hilfe eines →Arbeitsplatzrechners und spezieller →Software. – 2. *Ablauf:* Aufbereitung der Vorlage am Bildschirm; Ausdruck i.a. über →Laserdrucker; Ausgabe der satzfertigen Vorlage auf →Diskette in einem Format, das von einem herkömmlichen Satzcomputer (→Satz III, →Computer) verarbeitet werden kann. – 3. *Vorteile:* V.a. Kosten- und Zeitersparnis; niedrige Investitions- und Herstellungskosten; einfache Handhabung; kurze Durchlaufzeiten für Korrektur, Layout und Umbruch.

Deszendenten, →Abkömmlinge.

Detailhandel, ältere Bezeichnung für den Handel in kleinen Mengen (en détail); →Einzelhandel.

Detailkollekteur, →Aufkaufhandel.

Detailplanung, →Feinplanung.

Determinismus, →Kausalität.

deterministische Disposition, →PPS-System II 3a).

deterministische Netzplantechnik, →Netzplantechnik III 3.

Detroit-Methode, im Rahmen der →Verkehrsplanung als →Wachstumsfaktorenmodell angewendete Methode, die im Gegensatz zur →Durchschnittsfaktormethode mit Hilfe einer multiplikativen Verknüpfung der

Zuwachsfaktoren der Verkehrserzeugung (unter Berücksichtigung des Durchschnittszuwachses über alle →Verkehrszellen) die zukünftige Verkehrsverteilung ermittelt.

DETT, Deutscher Eisenbahn-Tier-Tarif, →Eisenbahn-Tarif.

„Deutsch“, als →Firmenzusatz i. a. nur zulässig als Kennzeichnung der deutschen Zweigniederlassung eines ausländischen Unternehmens oder für bedeutendes Unternehmen mit lebhaften Auslandsbeziehungen.

Deutsche Angestellten-Gewerkschaft (DAG), gewerkschaftliche Einheitsorganisation der Angestellten, konfessionell und parteipolitisch unabhängig; Sitz in Hamburg. – *Gegliedert* nach Berufsgruppen (Kaufmännische Angestellte, Banken und Sparkassen, Versicherungen, Öffentlicher Dienst, Technische Angestellte und Beamte, Meister, Schiffahrt, Bergbau) zur Interessenvertretung der einzelnen Berufe; den fachlichen Interessen einzelner Mitglieder wird durch die Bildung von Fachgruppen Rechnung getragen. – *Organisatorische Gliederung:* Neun Landesverbände sowie Bezirke und Ortsgruppen. – *Führungsorgane:* a) Der alle vier Jahre stattfindende *Bundeskongreß,* der die Grundsätze der Gewerkschaftspolitik festlegt und über die Satzung beschließt. – b) Der neunköpfige *Bundesvorstand,* die Geschäftsführung, nimmt die wirtschaftlichen, sozialen und beruflichen Interessen der Mitglieder wahr bei der Gestaltung der Gehalts- und der übrigen Arbeitsbedingungen, insbes. durch den Abschluß von →Tarifverträgen, sowie bei der Einwirkung auf die Gesetzgebung und die gesamte Sozial- und Wirtschaftspolitik. – c) Der *Beirat,* zusammengesetzt aus den Berufsgruppen- und Landesverbandsleitern sowie dem Bundesjugendleiter und der Leiterin der Vorstandsabteilung ‚Weibliche Angestellte‘. – Die DAG ist *Mitglied* des Internationalen Bundes der Privatangestellten (IBP) in Genf, der dem Internationalen Bund der freien Gewerkschaften (IBFG) angeschlossen ist.

Deutsche Ausgleichsbank (DtA-Bank), Anstalt des öffentlichen Rechts; Sitz in Bonn. Aufgrund des Gesetzes zur Änderung des Gesetzes über die Lastenausgleichsbank vom 20.2.1986 (BGBl I 297) seit 1.3.1986 an die Stelle der →Lastenausgleichsbank (Bank für Vertriebene und Geschädigte) getreten. – *Anteilseigner:* Bund, →ERP-Sondervermögen und Sondervermögen →Ausgleichsfonds. – *Aufgaben:* Finanzierung von Maßnahmen des Bundes im wirtschaftsfördernden Bereich (v. a. für den gewerblichen Mittelstand und die freien Berufe), im sozialen Bereich, im Bereich des Umweltschutzes, zur wirtschaftlichen Eingliederung und Förderung der durch den Zweiten Weltkrieg und seine Folgen betroffenen Personen sowie heimatloser Ausländer und ausländischer Flüchtlinge; Tätigkeit im Rahmen des →Lastenausgleichs. – Die Weiterleitung der Mittel erfolgt grundsätzlich über die Geschäftsbanken. Die DAB kann neben der Kreditgewährung Garantien und Bürgschaften übernehmen (z. Z. von sehr großer Bedeutung). – *Mittelbeschaffung:* Aufnahme von Darlehen und Ausgabe von Inhaberschuldverschreibungen (*DAB-Anleihen*). – *Organe:* Verwaltungsrat (höchstens 23 Mitglieder, Vorsitzender und zwei Stellvertreter werden aus seiner Mitte gewählt), Vorstand und Anstaltsversammlung der Anteilseigner. – *Aufsicht:* Die DAB steht unter unmittelbarer Aufsicht der Bundesregierung, wahrgenommen vom Bundesminister des Innern im Einvernehmen mit dem Bundesminister der Finanzen.

Deutsche Außenhandelsbank AG, 1966 gegründetes, auf die bankmäßige Abwicklung des gesamten Außenhandels der DDR spezialisiertes Bankinstitut; Sitz in Berlin (Ost). Das Aktienkapital wird großenteils von der →Staatsbank der DDR, im übrigen von Außenhandelsorganisationen gehalten.

Deutsche Bank AG, Sitz in Frankfurt a. M.. – *Geschichtliche Entwicklung:* Am 10. März 1870 erteilte der König von Preußen die Konzession zur Gründung der Bank. Am 9. April desselben Jahres nahm sie in Berlin ihren Geschäftsbetrieb auf. Der Ausbau des Einlagengeschäftes, ein solides in- und ausländisches Emissions- und Gründungsgeschäft sowie eine systematische Förderung des industriellen Exports bildeten die Voraussetzung für eine stetige Aufwärtsentwicklung. 1875/76 übernahm sie zwei Kreditinstitute, den Berliner Bankverein und die Deutsche Union Bank und wurde damit die größte Bank in Deutschland. 1929 fusionierte die Deutsche Bank mit der Disconto-Gesellschaft, die bis 1937 unter dem Namen Deutsche Bank und Disconto-Gesellschaft firmierten. Auch die Deutsche Bank war nach dem Zweiten Weltkrieg von der Dezentralisierung betroffen; regionale Nachfolgegesellschaften mußten ausgegründet werden. Im Jahre 1957 wurden die drei 1952 gegründeten Nachfolgeinstitute, die Rheinisch-Westfälische Bank AG (später Deutsche Bank AG West), die Süddeutsche Bank AG und die Norddeutsche Bank AG wieder zur Deutschen Bank AG verschmolzen. – *Heutige Bedeutung:* Mit einem Grundkapital von 1623 Mill. DM, einer Bilanzsumme von 160 Mrd. (Konzern: 257 Mrd.) DM (Ende 1986) die größte deutsche Geschäftsbank. Die Bank hat ihren juristischen Sitz in Frankfurt/Main. Die Zentrale befindet sich in Frankfurt/Main und Düsseldorf. Die Bank verfügt in allen wirtschaftlich wichtigen Ländern der Erde über

Filialen, Tochtergesellschaften, Repräsentanzen, Vertretungen und Beteiligungen. Insgesamt betragen die eigenen Mittel 8,28 Mrd. DM. In den Konzernabschluß sind folgende Unternehmen einbezogen:

Inländische Kreditinstitute	in %
Deutsche Bank (Asia) AG, Hamburg	75%
Deutsche Bank Berlin AG, Berlin	100
Deutsche Bank Saar AG, Saarbrücken	69,2
Deutsche Centralbodenkredit-AG Berlin-Köln	88,7
Deutsche Gesellschaft für Fondsverwaltung mbH, Frankfurt am Main	100
DWS Deutsche Gesellschaft für Wertpapiersparen mbh, Frankfurt am Main	55,1
Deutsche Kreditbank für Baufinanzierung AG, Köln	100
Efgee Gesellschaft für Einkaufs-Finanzierung mbH, Düsseldorf	100
Frankfurter Hypothekenbank AG, Frankfurt am Main	91,9
Gefa Gesellschaft für Absatzfinanzierung mbH, Wuppertal	100
Handelsbank in Lübeck AG, Lübeck	58,0
Lübecker Hypothekenbank AG, Lübeck	75
Ausländische Tochterbanken und Finanzierungsgesellschaften	
Deutsche Bank Capital Corporation, New York	100
Deutsche Bank (Canada), Toronto	100
Deutsche Bank Compagnie Financière Luxembourg S.A., Luxemburg	100
Deutsche Bank (Suisse) S.A., Genf	99,9
DB U.K. Finance Ltd. London	99,9
Sonstige Unternehmen	
Deutsche Gesellschaft für Immobilien-Leasing mbH, Köln	95
Elektro-Export-Gesellschaft mbH, Nürnberg	100
Gefa-Leasing GmbH, Wuppertal	100
Hessische Immobilien-Verwaltungs-Gesellschaft mbH, Frankfurt am Main	100
Matura Vermögensverwaltung mbH, Düsseldorf	100
Süddeutsche Vermögensverwaltung GmbH, Frankfurt am Main	100
Trinitas Vermögensverwaltung GmbH, Frankfurt am Main	100

Deutsche Bibliothek, zentrale Archivbibliothek der Bundesrep. D.; rechtsfähige bundesunmittelbare Anstalt des öffentlichen Rechts mit Sitz in Frankfurt a. M. – 1. *Rechtsgrundlage:* Gesetz über die Deutsche Bibliothek vom 31.3.1969 (BGBl I 265) und PflichtstückVO vom 14.12.1982 (BGBl I 1739) mit späteren Änderungen. – 2. *Aufgabe:* Sammlung aller deutschsprachigen Druckwerke (Darstellungen in Schrift, Bild und Ton, die im Vervielfältigungsverfahren hergestellt und zur Verbreitung bestimmt sind), die nach dem 8.5.1945 verlegt wurden oder zwischen 1933 und 1945 von deutschsprachigen Emigranten vefaßt oder veröffentlicht wurden. – 3. *Ablieferungspflicht:* Von jedem verlegten oder hergestellten Druckwerk ist ein Pflichtstück vom Verleger unentgeltlich an die D.B. abzuliefern. – 4. *Benutzung:* Bestände stehen an Ort und Stelle gemäß der Benutzungsordnung der Allgemeinheit zur Verfügung. – Vgl. auch →Bundesarchiv.

deutsche Buchführung, Art der →doppelten Buchführung, (vgl. auch →Buchführung) entlastet (im Gegensatz zur →italienischen Buchführung) das Hauptbuch von der großen Zahl der Verkehrsbuchungen dadurch, daß die Übertragung in das →Hauptbuch nicht direkt und nicht für jede einzelne Buchung vorgenommen wird; es erfolgt nur periodisch (wöchentlich oder monatlich) eine Zusammenziehung und Ordnung aller gleichartigen Posten in einem Sammelbuch (Sammeljournal). Das Sammelbuch hat den Zweck, festzustellen, mit welchen Gesamtbeträgen jedes Hauptbuchkonto durch die Buchungen in den Grundbüchern belastet bzw. erkannt wird. Diese Summen werden auf die Hauptbuchkonten übertragen. Der Abschluß erfolgt im Hauptbuch.

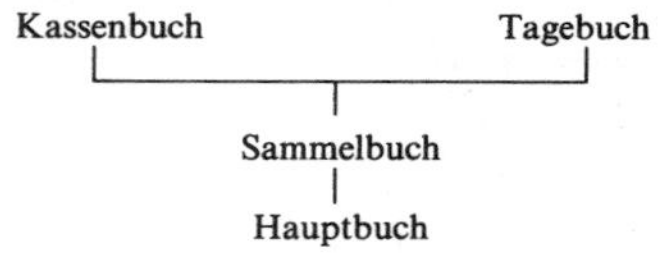

Richtet man für die Ein- und Verkaufsbuchungen im Kreditverkehr besondere Bücher ein, so entsteht die *erweiterte deutsche Buchhaltungsform.*

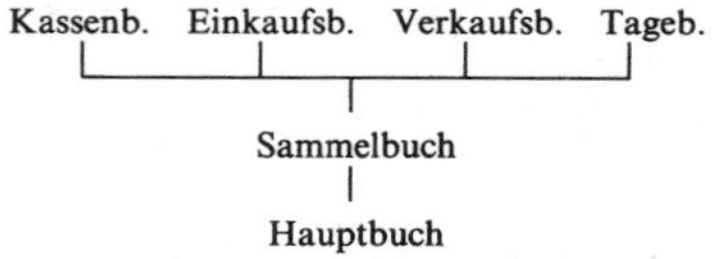

Deutsche Bundesbahn (DB). I. Rechtsstellung: Nicht rechtsfähiges →Sondervermögen des Bundes mit eigener Wirtschafts- und Rechnungsführung (§ 1 BbG). Im Gebiet der Bundesrep. D. Rechtsnachfolgerin der Deutschen Reichsbahn. Die DB kann – obwohl nicht rechtsfähig – im Rechtsverkehr unter eigenem Namen handeln, klagen und verklagt werden (§ 2 BbG). – *Rechtsgrundlage:* Bundesbahngesetz (BbG) vom 13.12.1951 (BGBl I 955) mit späteren Änderungen.

II. Organe: Verwaltungsrat und Vorstand. Der Vorstand leitet die Geschäfte der DB unter Bindung an Beschlüsse des Verwaltungsrats. Die Vorstandsmitglieder werden vom Bundesminister für Verkehr im Einvernehmen mit dem Verwaltungsrat vorgeschlagen und auf Beschluß der Bundesregierung vom Bundespräsidenten für mindestens zwei und höchstens fünf Jahre ernannt.

III. Organisation: Die DB ist nach Zentral- bzw. Spezialverwaltungen und vierstufig nach Regionen organisiert. – 1. *Zentralverwaltungsstruktur:* Die Zentralverwaltungseinheiten bestehen aus der Hauptverwaltung in Frankfurt a. M., nachgeordnet sind 18 Geschäftsbereiche Bahn/Bus, die Zentralabteilung für Betriebswirtschaft und Datenverarbeitung (Frankfurt a. M.), fünf Sozialverwaltungen, die Zentrale Verkaufsabteilung (Mainz) mit dem Werbeamt und den nachgeordneten Abrechnungsstellen für Personen-, Gepäck- und Expressgutverkehr, zwei Bundesbahn-Zentralämter (Minden, München), zwei Bundesbahn-Versuchsanstalten, die Zentralstelle für den Werkstättendienst (Mainz) mit 23 Ausbesserungswerken und die Zentrale Transportleistung. – 2. *Regionale Verwaltungsstruktur:* Gegliedert in zehn Bundesbahndirektionen (Essen, Frankfurt a. M., Hamburg, Hannover, Karlsruhe, München, Nürnberg, Saarbrücken, Stuttgart); nachgeordnet sind 51 Generalvertretungen, 100 Bundesbahn-Betriebsämter, 40 Bundesbahn-Maschinenämter und 10 Bundesbahn-Neubauämter. Die unterste Stufe bilden die selbständigen Verkehrsstellen.

IV. Kassen- und Rechnungswesen: 1. *Kassenwesen:* Vierstufig gegliedert. Der Zentralkasse sind Hauptkassen bei den Bundesbahndirektionen nachgeordnet und diesen wiederum Bezirkskassen bei den Generalvertretungen. Den Bezirkskassen unterstehen auf den unteren Ebenen die Verkehrskassen (Fahrkarten-, Gepäck-, Güter- und Abfertigungskassen). – 2. *Rechnungswesen:* Es ist nach betriebswirtschaftlichen Grundsätzen zu führen, wobei jederzeit die Finanzsituation feststellbar sein muß (§ 29 BbG); bestehend aus: →Wirtschaftsplan, Stellenplan, →Jahresabschluß, →Geschäftsbericht und →Kosten- und Leistungsrechnung. Die Kostenrechnung umfaßt Betriebskosten-, Zugkosten- und Zuglaufrechnung.

Deutsche Bundesbank. I. Institution: Mit dem Gesetz über die Deutsche Bundesbank (BBankG) vom 26. 7. 1957 gem. Art. 88 GG durch den Bund errichtete Währungs- und Notenbank der Bundesrep. D. als bundesunmittelbare juristische Person des öffentlichen Rechts. Ende 1985 betrugen das Grundkapital 290 Mill. DM, die Rücklagen 5,32 Mrd. DM. Die D. B., Sitz z. Z. in Frankfurt a. M., bildet mit ihren elf Hauptverwaltungen in den Ländern (einschl. West-Berlin), z. B. in Form der „Landeszentralbank in Schleswig-Holstein", bei ca. 200 Zweigstellen ein einstufiges Zentralbanksystem. Sie resultiert aus der Verschmelzung der →Bank deutscher Länder und der ehemals rechtlich selbständigen →Landeszentralbanken (zweistufiges Zentralbanksystem).

II. Aufgaben: Gem. § 3 BBankG reguliert die D. B. den Geldumlauf und die Kreditversorgung der Wirtschaft mit dem Ziel, die Währung zu sichern. Sie besorgt darüber hinaus als Clearing-Stelle die bankmäßige Abwicklung des Zahlungsverkehrs im Inland und mit dem Ausland. Gem. § 12 ist sie verpflichtet, unter Wahrung ihrer Aufgaben, die Wirtschaftspolitik der Bundesregierung zu unterstützen. Die D. B., die unabhängig von Weisungen der Regierung ist, erfüllt ihre Aufgaben bzw. verfolgt die Bundesbankziele mit Hilfe der Bundesbankinstrumente (vgl. →monetäre Theorie und Politik VII).

III. Organe: Die Organe der D. B. sind der Zentralbankrat, das Bundesbank-Direktorium und die Vorstände der Landeszentralbanken. – Der *Zentralbankrat* als oberstes Organ spiegelt den föderativen Aufbau wider; er besteht aus den Mitgliedern des Direktoriums und den elf Präsidenten der Landeszentralbanken (Ernennung durch den Bundespräsidenten nach Vorschlag über den Bundesrat seitens der jeweiligen Landesregierung). Er faßt die währungspolitischen Beschlüsse (v. a. über Höhe des Diskont- und Lombardsatzes, Struktur der Mindestreserven sowie Grundsätze der Offenmarktpolitik). – Das *Direktorium* als zentrales Exekutivorgan besteht aus dem Präsidenten der D. B., dem Vizepräsidenten und bis zu acht weiteren Mitgliedern (Ernennung durch den Bundespräsidenten nach Vorschlag der Bundesregierung). Es verwaltet die D. B. und führt die Beschlüsse des Zentralbankrates verantwortlich durch, es hat insbes. die Aufgaben der Geschäfte mit dem Bund und seinen Sondervermögen, mit den Banken, mit dem Ausland, am Devisenmarkt und am offenen Markt wahrzunehmen.

IV. Gewinn, Gewinnverwendung und -verteilung: Vgl. →Bundesbank-Gewinn.

Deutsche Bundespost (DBP). I. Rechtsstellung und Organe: →Sondervermögen des Bundes (§ 1 PVerwG). Obwohl nicht rechtsfähig, kann die DBP im Rechtsverkehr unter eigenem Namen handeln, klagen und verklagt werden (§ 4 PVerwG). Sie wird nach Maßgabe des § 2 PVerwG vom Bundesminister für das Post- und Fernmeldewesen unter Mitwirkung des →Verwaltungsrats der Deutschen Bundespost geleitet. – *Rechtsgrundlage:* Gesetz über die Verwaltung der Deutschen Bundespost (Postverwaltungsgesetz – PVerwG) vom 24. 7. 1953 (BGBl I 676).

II. Organisation: Dem Bundesminister für das Post- und Fernmeldewesen sind als Mittelbehörden nachgeordnet: 17 Oberpostdirektionen, die Landespostdirektion in Berlin (West) und fünf Zentralämter (→Posttechnisches Zentralamt, →Fernmeldetechnisches Zentralamt, →Sozialamt der Deutschen Bundespost, Zentralamt für Zulassung im Fernmeldewesen, Zentralstelle für Entwicklungen). Den Zentralämtern obliegt u. a. die Auswertung praktischer Erfahrungen und wissenschaftlicher Erkenntnisse zur Erarbeitung und Durchführung technischer und organisatorischer Verbesserungsvorschläge für das Post- und Fernmeldewesen. Den Oberpostdirektionen und der Landespostdirektion Berlin sind zugeordnet (31.12.1986): 15 Fernmelde-Zeugämter, ein Telegrafenamt, zwei Postsparkassenämter, 13 Postgiroämter, 108 Fernmeldeämter sowie 328 Postämter mit Verwaltungsdienst, 6336 ohne Verwaltungsdienst und 11000 Poststellen. Dem Ministerium direkt unterstellt sind die Fachhochschulen der DBP in Berlin (West) und Dieburg. – Zuständigkeit bezüglich Werbung obliegt der →Deutschen Postreklame GmbH.

III. Kassen- und Rechnungswesen: 1. *Kassenwesen:* Vierstufig gegliedert. Die Generalpostkasse (Zentralkasse) fungiert als Amtskasse des Bundesministeriums und rechnet mit den Oberpostkassen ab. Die Generalpostkasse unterhält ein Girokonto bei der →Deutschen Bundesbahn. Die Oberpostkassen sind Oberkassen auf der Ebene der Oberpostdirektionen. Diesen nachgeordnet sind die Hauptkassen, denen zwei Kassen zugeordnet sind. Zur Entlastung der Kassen werden Abrechnungsstellen gebildet (z. B. Buchungsstelle für Fernmeldegebühren). – 2. *Rechnungswesen:* Umfaßt Haushaltsplanung und Jahresrechnung im Rahmen einer kameralistischen Rechnungslegung (→Kameralistik). Daneben werden auf der Grundlage einer kaufmännischen doppelten Buchführung erstellt: a) Jahresabschluß (bestehend aus der Bilanz einschl. der Konsolidierung der Teilbilanzen des Post- und Fernmeldewesens, des Postgirovermögens, des Postsparkassenvermögens und der durchlaufenden Gelder sowie der Gewinn- und Verlustrechnung und einer Kapitalrechnung – Gegenüberstellung von Mittelherkunft und Mittelverwendung); b) Kosten- und Leistungsrechnung.

Deutsche Demokratische Republik (DDR), Staat in Mitteleuropa; Bezeichnung für den seit 1945 sowjetisch besetzten Teil Deutschlands, erteilt durch „Deutschen Volksrat" am 7.10.1949. – *Fläche:* 108333 km². – *Einwohner* (E): (1985) 16,6 Mill. (154 E/km²). – *Hauptstadt:* Berlin-Ost (1,20 Mill. E); weitere wichtige Städte: Leipzig (554595 E), Dresden (519860 E), Karl-Marx-Stadt (316361). – Die DDR gliedert sich in 15 Bezirke: Berlin, Cottbus, Dresden, Erfurt, Frankfurt (Oder), Gera, Halle, Karl-Marx-Stadt, Leipzig, Magdeburg, Neubrandenburg, Potsdam, Rostock, Schwerin, Suhl. Sie sind in insgesamt 28 Stadt- und 191 Landkreise unterteilt, die Kreise wiederum in 7553 Gemeinden. – *Amtssprache:* Deutsch.

Wirtschaft: Die DDR hatte (1984) mit 53,5% die höchste Erwerbsquote (Anteil der Erwerbstätigen an der Gesamtbevölkerung) der Erde. Es wurden 8,916 Mill. Erwerbstätige gezählt, davon 4,196 Mill. weiblich. – *Landwirtschaft:* Umwandlung der großen Landgüter (Mecklenburg, Pommern, Brandenburg, Sachsen-Anhalt) durch eine Bodenreform in Landwirtschaftliche Produktionsgenossenschaften (LPG). Von der landwirtschaftlichen Nutzfläche (6,22 Mill. ha) entfielen (1985) 4,7 Mill. ha auf Ackerland, 1,3 Mill. ha auf Wiesen und Weiden. Hauptanbauprodukte: Getreide (Neubrandenburg, Schwerin), Kartoffeln (Neubrandenburg, Schwerin, Potsdam, Halle), Zuckerrüben (Halle, Magdeburg). Viehbestand 1985: Rinder (5,8 Mill.), Schweine (12,9 Mill.), Schafe (2,6 Mill.). Die Zahl der Erwerbstätigen betrug (1985) 922014 (ohne Lehrlinge). – *Bodenschätze:* Braunkohlelager im Gebiet von Halle-Leipzig und in der Niederlausitz; Uranlager im Erzgebirge Vogtland und in Thüringen; Kaolin und Tonerde in Thüringen, Halle-Merseburg und Staßfurt. – Die *Industriewirtschaft* der DDR hat nach 1945 durch Demontage, Überführung der Grundstoff- und Produktionsmittelindustrie in Volkseigene Betriebe (VEB) sowie durch Reparation mehr eingebüßt als die westdeutsche Industrie. Die DDR hat ihre Stahlerzeugung besonders in Fürstenberg/Oder, Calbe, Thale, Maxhütte-Unterwellenborn, Riesa, Grödlitz ausgebaut (Produktion an Rohstahl 1985: 5,6 Mill. t). Die chemische Großindustrie (Leuna, Schkopau, Wolfen, Bitterfeld) und Kunststoffindustrien sind gut entwickelt. Erdölraffinierie und Chemiekombinat Schwedt/Oder. 1985 wurden u. a. in der DDR produziert: Rohbraunkohle (312 Mill. t), Elektroenergie (113,8 Mrd. kWh), Zement (11,6 Mill. t) Personenkraftwagen (210400 St.), Lastkraftwagen (45300 St.), Fernsehempfänger (668100 St.). – An dem *Nettoprodukt der Wirtschaftsbereiche* (1985: 248,1 Mrd. M) waren beteiligt (in Mrd. M): Land- und Forstwirtschaft (20,0), Bergbau, Energiewirtschaft, Verarbeitendes Gewerbe (174,5), Baugewerbe (14,7), Handel, Gaststättengewerbe (22,0), Verkehr- und Nachrichtenübermittlung (9,8), übrige Bereiche der materiellen Produktion (7,2). – *Anteil der Eigentumsformen* am Aufkommen des Nationaleinkommens 1985 (in %):

Wirtschaftsbereich	Sozialisierte Betriebe	Betriebe mit staatl. Beteil.	Private Betriebe
Land- und Forstwirtschaft	96,3	–	3,7
Bergbau, Energiewirtschaft, Verarbeitendes Gewerbe	97,7	–	2,3
Baugewerbe	94,1	–	5,9
Handel, Gaststättengewerbe	91,9	5,4	2,7
Verkehr und Nachrichtenübermittlung	98,3	0,9	0,8
Übrige Bereiche der materiellen Produktion	93,9	0,1	6,0

Unter den sozialistischen Ländern Ost- und Mitteleuropas hat die DDR den höchsten wirtschaftlichen Entwicklungsstand. – Wichtigste Leistungsschau: Leipziger Messe. – *Fremdenverkehr:* Überwiegend Binnenverkehr mit der Ausnahme von Berlin-Ost. – *BSP:* (1984, geschätzt) 145000 Mill. US-$ (8680 US-$ je E). – *Netto-West-Verschuldung:* (1985) 20 Mrd. US-$. – *Export:* (1985) 25268 Mill. US-$, v.a. Maschinen, Ausrüstungs- und Transportmittel, Rohstoffe und Metalle. – *Import:* (1985) 23433 Mill. US-$, v.a. Brennstoffe, Erdöl, Maschinen, Transportmittel. – *Handelspartner:* RWG-Länder (63%, darunter UdSSR 39%), westliche Industrieländer.

Verkehr: Das Verkehrsnetz ist engmaschig. Abgesehen von den Autobahnen und einigen Transitlinien der Eisenbahn wurden die Verkehrsanlagen in der Nachkriegszeit kaum modernisiert. Die Verkehrswege maßen (1984 in km): *Eisenbahn* (14226), *Autobahnen* (1818), *Staatsstraßen* (11258), *Bezirksstraßen* (34242), *Binnenwasserstraßen* (2319). 1984 waren 3,2 Mill. PkW, 355000 LkW und 1,3 Mill. Krafträder zugelassen. – Eigene *Fluggesellschaft* INTERFLUG GmbH; Auslandsflugverkehr von Berlin-Schönefeld, Dresden, Leipzig und Erfurt. – *Haupthafen:* Rostock.

Mitgliedschaften: UNO, ECE, IPU, UNCTAD, RGW; Warschauer Vertrag.

Währung: 1 Mark der DDR (M) = 100 Pfennig (Pf); nicht gültig im Innerdeutschen Handel und in anderen westlichen Außenhandelsbeziehungen.

Deutsche Einheits-ABC-Regeln, →ABC-Regeln.

Deutsche Eisenbahn-Reklame GmbH, Sitz in Kassel. Gesellschafter sind die →Deutsche Bundesbahn und die →Deutsche Verkehrs-Kreditbank. 1946 gegründet. – *Bezirksdirektionen:* Düsseldorf, Frankfurt a.M., Hamburg, Hannover, Karlsruhe, Kassel, Köln, München, Münster, Nürnberg, Saarbrücken, Stuttgart; *Vertretung:* Stiemke-Werbung in West-Berlin. – *Aufgabenschwerpunkte:* Vermittlung und Betreuung von Werbung im Bereich der Deutschen Bundesbahn (Lichtwerbung, Plakatwerbung, S-Bahn-Werbung, Bus-Werbung, Anzeigen, Lichtvitrinen, Druckschriftenaushang in Zügen usw.); Mitteilung der Deutschen Bundesbahn-Werbung.

Deutsche Finanzierungsgesellschaft für Beteiligungen in Entwicklungsländern GmbH (DEG), bundeseigenes Finanzierungsinstitut zur Unterstützung der Entwicklungsländer beim Aufbau ihrer Wirtschaft durch Förderung von Investitionen der deutschen Wirtschaft in Entwicklungsländern mit Schwerpunkt auf dem Auf- und Ausbau mittlerer Betriebe der gewerblichen Wirtschaft und Landwirtschaft ferner auch im rohstoffverarbeitenden Sektor (Rohstoffsicherungsprojekte) und im Entwicklungsbankenbereich (insbes. auch Unterstützung der Finanzierung von Klein- und Handwerksbetrieben in Entwicklungsländern). – Die DEG erwirbt Beteiligungen und gewährt beteiligungsähnliche Darlehen an gemeinschaftlichen Betriebsgründungen und -erweiterungen (→Joint Ventures) von deutschen und lokalen Unternehmern. Ferner bietet sie Beratungs- und Serviceleistungen (Projektberatung, Partnervermittlung, Finanzierungsvermittlung, Branchen- und Länderpromotion, Beschaffung von Investitions-Know-how).

Deutsche Forschungsgemeinschaft e.V. (DFG), Selbstverwaltungsorganisation der deutschen Wissenschaft; Sitz in Bonn. – *Aufgaben:* Finanzielle Förderung in allen Forschungsbereichen, Förderung der Zusammenarbeit unter den Forschern, Beratung der Parlamente und Regierungen in wissenschaftlichen Fragen, Pflege der Beziehungen zur Wissenschaft im Ausland, Nachwuchsförderung, Förderung des Bibliothekswesens und spezieller Hilfseinrichtungen der Forschung. – *Finanzierung* durch Bund, Länder und →Stifterverband für die Deutsche Wissenschaft. – *Organe:* u.a. Präsidium, Mitgliederversammlung (wissenschaftliche Hochschulen, Max-Planck-Gesellschaft und eine Reihe anderer wissenschaftlicher Gesellschaften), Senat (wissenschaftspolitisches Gremium), Kuratorium und Hauptausschuß (finanzielle Entscheidungen).

Deutsche Genossenschaftsbank (DG-Bank), Sitz in Frankfurt a. M.. Spitzeninstitut der genossenschaftlichen Bankengruppe in der Bundesrep. D. (Bilanzsumme 1985: 67,2 Mrd. DM). Körperschaft des öffentlichen Rechts. – 1. *Entwicklung:* Die DG-Bank ist Funktionsnachfolgerin der *Deutschen Zentralgenossenschaftskasse,* die aus der 1895 errichteten *Preußischen Central-Genossenschafts-Kasse* hervorging. Zur Förderung des gesamten Genossenschaftswesens, insbes. des genossenschaftlichen Personalkredits, durch Gesetz vom 11.5.1949 zunächst als *Deutsche Genossenschaftskasse* gegründet und durch Gesetz vom 22.12.1975 (BGBl I 3171) mit universeller Aufgabenstellung in DG Bank umgeändert. Beteiligt sind die genossenschaftlichen →Zentralbanken, die →Kreditgenossenschaften der Primärstufe, andere Genossenschaften und zu 1% Bund und Länder. – 2. *Aufgaben:* Als →Zentralbank Förderung des gesamten Genossenschaftswesens unter Wahrung des →Subsidiaritätsprinzips; Mitwirkung bei der Förderung der gemeinnützigen Wohnungswirtschaft. Bankgeschäfte aller Art, die unmittelbar oder mittelbar der Zweckerfüllung dienen. – 3. *Geschäftskreis:* Die DG Bank steht als universell und international arbeitende Geschäftsbank mit Emissionsrecht an der Spitze des Verbunds der Genossenschaftsbanken der Bundesrep. D. Sie operiert auf den

Finanzmärkten des In- und Auslands. Filialen, Repräsentanzen und Beteiligungen in den wichtigsten Finanzzentren der Welt. Internationale Kooperation mit westeuropäischen Schwesterinstituten in der UNICO Banking group, maßgebliche Beteiligung an der BEG Bank Europäischer Genossenschaften AG, Zürich. Tochtergesellschaften und Beteiligung an in- und ausländischen Banken und Nichtbanken zur Kompletierung des Dienstleistungsangebotes für den →genossenschaftlichen Verbund. – Vgl. auch →Genossenschaftswesen.

Deutsche Gesellschaft für Baurecht e.V., Sitz in Frankfurt a.M. – *Aufgaben:* Förderung des Baurechts im deutschen und internationalen Bereich; Beratung der gesetzgebenden Organe und Behörden in baurechtlichen Fragen sowie der Arbeitgeber und Arbeitnehmerverbände.

Deutsche Gesellschaft für Betriebswirtschaft (DGfB), gegr. 1936, Liquidation 1979 und Überführung der Aktivitäten in die mit der Schmalenbach-Gesellschaft zur Förderung der betriebswirtschaftlichen Forschung und Praxis e.V., Köln, gegründete übergreifende betriebswirtschaftliche Gesellschaft: →Schmalenbach-Gesellschaft – Deutsche Gesellschaft für Betriebswirtschaft e.V.

Deutsche Gesellschaft für Bevölkerungswissenschaft e.V., Sitz in Berlin. – *Aufgabe:* Förderung der Forschung auf den Gebieten der Bevölkerungswissenschaft; nationale und internationale Zusammenarbeit mit Vereinigungen bezüglich der Bevölkerungswissenschaft.

Deutsche Gesellschaft für Kommunikationsforschung – Internationale Vereinigung für Kommunikationswissenschaft, Sitz in München, Forschungszentrale in Köln. – *Aufgaben:* Förderung der systematischen Erforschung der Massenmedien in ihrer Wirkungsweise in Theorie und Praxis.

Deutsche Gesellschaft für Logistik e.V. (DGfL), Sitz in Dortmund. – *Aufgabe:* Förderung der wissenschaftlichen und angewandten Forschung auf dem Gebiet der Logistik, v.a. unter Berücksichtigung von Industrie, Handel und Dienstleistungen.

Deutsche Gesellschaft für Operations Research e.V. (DGOR), gemeinnützige Gesellschaft; Sitz in Bonn. 1971 durch Zusammenschluß der Deutschen Gesellschaft für Unternehmensforschung (DGU) und des Arbeitskreises Operational Research (AKOR) gegründet. – *Aufgabe:* Verbreitung des Operations Research in Wirtschaft, Wissenschaft und Verwaltung.

Deutsche Gesellschaft für Personalführung e.V. (DGFP), Fachorganisation für die betriebliche Personalpraxis; Sitz Düsseldorf; gegründet 1952. – *Aufgaben:* Unterstützung der Mitglieder in allen Fragen der betrieblichen Personalführung, Fortführung für qualifizierte Kräfte im Personalbereich sowie für Betriebsräte in einer angeschlossenen Akademie. – *Veröffentlichungen:* Monatliche Fachzeitschrift (Personalführung); Schriftenreihe.

Deutsche Gesellschaft für Publizistik- und Kommunikationswissenschaft, Sitz in Nürnberg. – *Aufgaben:* Förderung von Forschung und Lehre auf dem Gebiet der Publizistik- und Kommunikationswissenschaft; Zusammenarbeit mit Vereinigungen verwandter Studiengebiete sowie der publizistischen Praxis; Planung und Ausführung von Forschungsvorhaben.

Deutsche Gesellschaft für Qualität e.V. (DGQ), technisch-wissenschaftlicher Verein, Sitz in Frankfurt a.M. – *Aufgaben:* Förderung der wirtschaftlichen Sicherung der Qualität in allen Zweigen der Wirtschaft.

Deutsche Gesellschaft für Technische Zusammenarbeit GmbH (GTZ), bundeseigene Gesellschaft; Sitz in Eschborn. – *Aufgaben:* Planung, Durchführung und Kontrolle von Projekten in Entwicklungsländern; Beratung anderer Entwicklungshilfeorganisationen.

Deutsche Gesellschaft für Versicherungsmathematik – Deutscher Aktuarverein e.V., Sitz in Hamburg. – *Aufgaben:* Förderung der Versicherungsmathematik durch wissenschaftliche Schriften; Vereinheitlichung der wissenschaftlichen Ausbildung und Fortbildung von Versicherungsmathematikern gemäß entsprechender Aktuarkongresse.

Deutsche Gesellschaft für Völkerrecht, Sitz in Heidelberg. – *Aufgaben:* Förderung des Völkerrechts und des internationalen Privatrechts; Zusammenfassung von Praktikern, Theoretikern und Vertretern der als Hilfswissenschaften erheblichen Wissengebiete zu gemeinsamer Arbeit, insbes. auf Tagungen und Kommissionen.

Deutsche Gesellschaft für Wagniskapital (WFG), von bundesdeutschen Kreditinstituten getragene →Kapitalbeteiligungsgesellschaft, Sitz in Frankfurt a.M.; tätig seit 1975. – *Ziel:* Finanzielle Unterstützung mittelständischer Unternehmen. – Mittel der WFG werden *zur Verfügung gestellt für:* Gründung eines Unternehmens, Unterstützung eines neu gegründeten Unternehmens, Gründung einer Tochtergesellschaft im Ausland, Erschließung neuer Märkte im Ausland, Börsengang eines Unternehmens. Es werden Eigenkapital (Minderheitsbeteiligung), Managementberatung und Hilfe bei der Vermittlung von in- und ausländischen Partnern zur Verfügung gestellt.

Deutsche Girozentrale – Deutsche Kommunalbank (DGZ), Sitz in Berlin und Frankfurt a.M., gegr. 1918 als rechtlich unselbständige Bank des Deutschen Zentralgiroverbandes,

des späteren Deutschen Sparkassen- und Giroverbandes und Spitzeninstitut der öffentlichen Sparkassen und Kommunalbanken; durch Notverordnung vom 6.10.1931 wurde sie öffentlich-rechtliches Institut. Für ihre Verbindlichkeiten haftete der Deutsche Sparkassen- und Giroverband. Die DGZ stand nicht unmittelbar mit den einzelnen Sparkassen, Gemeinden und Gemeindeverbänden in Geschäftsverbindung, sondern nur mit den regionalen Girozentralen. – *Aufgaben:* Verwaltung der Liquiditätsreserven der Girozentralen (bzw. der Sparkassen); Pflege des Spargiroverkehrs, des Kommunalkredits und (in bestimmten Fällen) des Personalkredits. Kapital 30 Mill. RM, das sich im Besitz des Sparkassen- und Giroverbandes befand. – *Entwicklung:* Nach der Kapitulation zunächst geschlossen; 1949 als verlagertes Institut, Sitz in Düsseldorf, anerkannt, doch nur für das Neugeschäft im langfristigen Kommunalkredit zugelassen; es firmierte daher zunächst Deutsche Kommunalbank. Seit 1954 führt das Institut wieder den alten Namen. Auch in Berlin zum Neugeschäft zugelassen. 1965 wurde der Sitz von Düsseldorf nach Frankfurt a.M. verlegt. – Die DGZ wird vom Deutschen Sparkassen- und Giroverband – Körperschaft des öffentlichen Rechts –, Berlin, gewährleistet; an ihrem Kapital sind außerdem 11 regionale Girozentralen und die Sparkasse der Stadt Berlin-West beteiligt. – *Geschäft:* Die DGZ betreibt den Geld- und Devisenhandel, alle Arten des in- und ausländischen Kreditgeschäftes, das Wertpapieremissionsgeschäft, den Wertpapierhandel und die Wertpapierplazierung sowie das Auslandsemissionsgeschäft. – Die haftenden Mittel der Bank betrugen Ende 1986 620 Mill. DM; davon waren 410 Mill. DM Kapital und 210 Mill. DM satzungsmäßige Rücklagen. Die Bilanzsumme belief sich auf rd. 36,5 Mrd. DM.

Deutsche Kernreaktor-Versicherungsgemeinschaft (DKVG), Versicherungspool (→Pool III) der die Kernreaktor-Haftpflichtversicherung betreibenden Erst- und Rückversicherer, Sitz in Köln. Gemeinschaft des bürgerlichen Rechts, 1957 gegründet. Gemeinschaftszweck gem. Satzung i.d.F. vom 9.11.1979 ist die Gewährung von Versicherungsschutz gegen die mit der Errichtung und dem Betrieb von Kernreaktoren und ähnlichen Anlagen verbundenen Gefahren.

Deutsche Landwirtschafts-Gesellschaft e.V. (DLG), Sitz in Frankfurt a.M. – *Aufgaben:* Neutrale Überwachung der landwirtschaftlichen Betriebe sowie einwandfreie Unterbringung von Gästen in ländlichen Gegenden; Auszeichnung durch ein Gütezeichen.

Deutsche Liga für Internationales Wettbewerbsrecht e.V., Sitz in Bad Homburg. – *Aufgaben:* Förderung des Leistungswettbewerbs; Erforschung und Mitwirkung an der Vereinheitlichung des internationalen Wettbewerbsrechts.

Deutsche Lufthansa AG, als „Aktiengesellschaft für Luftverkehrsbedarf" am 6.1.1953 gegründet, am 6.8.1954 umbenannt. – *Hauptverwaltung* in Köln. – *Grundkapital:* 900 Mill. DM. – *Aktionäre:* 74,31% Bundesrep. D.; 2,25% Land Nordrhein-Westfalen, 1,75% Deutsche Bundespost; 0,85% Deutsche Bundesbahn; 3% Kreditanstalt für Wiederaufbau; 17,84% Privataktionäre. – *Tochtergesellschaften:* u.a. Condor Flugdienst GmbH, German Cargo Service, Lufthansa Service GmbH und Deutsche Lufthansa Selbstversicherungs-AG.

Deutsche Mark (DM), Währungseinheit in der Bundesrep. D., die durch →Währungsreform 1948 als gesetzliches Zahlungsmittel eingeführt wurde. Alleinausgaberecht hat die Deutsche Bundesbank (Zentralbank). Stückelung: Vgl. →Notenstückelung. – Ursprünglich wurde die *Parität* der DM in Gold bzw. US-Dollar festgelegt. Mit der Einführung des Europäischen Währungssystems (→EWS) wird der Wert der DM in bezug auf die Währungen der übrigen EWS-Teilnehmer über den →ECU bestimmt. Gegenüber den übrigen Währungen (z.B. US-$) bilden sich die Kurse frei auf dem Markt.

Deutsche Marketing-Vereinigung e.V. (DMV), Sitz in Düsseldorf. – *Aufgabe:* Information und berufliche Fort- und Weiterbildung des Marketing-Managements; Interessenvertretung der Mitglieder.

Deutsche Mathematiker-Vereinigung e.V., Sitz in Freiburg. – *Aufgaben:* Förderung der Mathematischen Wissenschaften; Interessenvertretung seiner Mitglieder.

deutsche Normen, *DIN-Normen,* vom →Deutschen Institut für Normung (DIN) aufgestellte und mit dem Zeichen DIN herausgegebene →Norm. DIN-Normen sind keine von Behörden oder Körperschaften öffentlichen Rechts erlassene Verordnungen, sondern ihrem Charakter nach Empfehlungen, deren Anwendung der Entscheidung des einzelnen unterliegt. Ihre Festlegungen sind am Stand der Wissenschaft und Technik orientiert und im Konsensverfahren von maßgeblichen Fachleuten erarbeitet. – Als d. N. können auch Normen, die in regionalen oder internationalen Normenorganisationen aufgestellt worden sind (z.B. europäische Normen als DIN-EN-Normen), aufgenommen werden.

Deutsche Notenbank, bis 1968 Zentralbank der Deutschen Demokratischen Republik; Sitz in Berlin (Ost). Sie wurde nach dem Vorbild der →Staatsbank der Union der Sozialistischen Sowjet-Republiken am 31.10.1951 errichtet. Aufgaben u.a.: Notenausgabe, Zahlungsausgleich mit dem Ausland, Organisation des internen Zahlungsverkehrs,

Kreditvergabe an zentrale Organisationen. 1968 wurden Zentralbank- und Geschäftsbankfunktion getrennt: Die →Staatsbank der DDR übernahm die Zentralbankfunktion, die Industrie- und Handelsbank der DDR die Geschäftsbankfunktionen im kurz- und langfristigen Bereich.

Deutsche Pfandbriefanstalt, Sitz in Wiesbaden. Aus der Preußischen Landespfandbriefanstalt hervorgegangenes und zum Neugeschäft zugelassenes, öffentlich-rechtliches Realkreditinstitut. Beteiligung des preußischen Staates ist auf die Bundesrep. D. übergegangen. – Vgl. auch →öffentliche Kreditinstitute.

Deutsche Postreklame GmbH, Sitz in Frankfurt a. M.. Gesellschafter ist die →Deutsche Bundespost. 1924 gegründet. – *Vertretungen:* Berlin (West), Bremen, Dortmund, Düsseldorf, Frankfurt a. M., Hamburg, Hannover, Karlsruhe, Köln, Mainz, München, Nürnberg, Stuttgart. – *Aufgabenschwerpunkte:* Durchführung von Wirtschaftswerbung, Herausgabe bzw. Verlegen von Verzeichnissen, Verkaufs- und Vermittlungstätigkeit mit Bezug auf Dienste und Einrichtungen der Deutschen Bundespost (einschl. Landespostdirektion Berlin) und wirtschaftliche Nutzung der Liegenschaften.

Deutscher, →Staatsangehörigkeit.

Deutscher Anwaltsverein e. V., Sitz in Bonn. – *Aufgaben:* Wahrung, Pflege und Förderung aller beruflichen und wirtschaftlichen Interessen der Rechtsanwaltschaft, insbes. durch Förderung von Rechtspflege und Gesetzgebung sowie durch Pflege des Gemeinsinns und des wissenschaftlichen Geistes der Rechtsanwaltschaft; Zusammenfassung aller Deutschen Rechtsanwälte.

Deutscher Arbeitnehmer-Verband (DAV), Gewerkschaft der freien und unabhängigen Arbeitnehmer und Arbeitnehmerinnen in Industrie, Handel, Gewerbe und im sonstigen öffentlichen und privaten Dienstleistungsbereich; Sitz in Marl. – *Aufgaben:* Interessenvertretung und -wahrnehmung der Mitglieder.

Deutscher Bäderverband, Sitz in Bonn. – *Aufgaben:* Förderung des gesamten deutschen Bäderwesens, Erhaltung der natürlichen Heilmittel des Bodens und des Klimas in der Bundesrep. D.; Unterstützung der bäderwissenschaftlichen Institutionen und Forschungen.

Deutscher Bankentag, im Abstand von etwa fünf Jahren vom →Bundesverband deutscher Banken durchgeführt als Begegnungsstätte der Repräsentanten der deutschen Banken mit Vertretern der Öffentlichkeit und als Forum zur Darlegung und Diskussion der Auffassungen der Banken zur Wirtschafts- und Kreditpolitik. Der XIV. und bislang letzte D. B. fand 1985 in Bonn statt.

Deutscher Bauernverband e. V., Sitz in Bonn. – *Aufgaben:* Wahrnehmung und Förderung der agrar-, wirtschafts-, rechts-, steuer-, sozial-, bildungs- und gesellschafts-politischen Interessen der in der Land- und Forstwirtschaft tätigen Menschen.

Deutscher Beamtenbund, Bund der Gewerkschaften des öffentlichen Dienstes, Sitz in Bonn. – *Aufgaben:* Beteiligung an der Vertretung allgemeiner Regelungen der beamtenrechtlichen Verhältnisse, Vertretung der Belange der Mitglieder; Stellungnahme zu allgemein gesellschaftspolitischen Fragen.

Deutscher Bundeswehr-Verband e. V., Sitz in Bonn. – *Aufgaben:* Wahrung der allgemeinen, ideellen, sozialen und beruflichen Interessen der Mitglieder (Berufssoldaten, Zeitsoldaten, Wehrpflichtige, ehemalige Soldaten) sowie ihrer Familienangehörigen und Hinterbliebenen.

Deutscher Einheitsmietvertrag, →Einheitsmietvertrag.

Deutscher Eisenbahn-Gütertarif (DEGT), →Eisenbahn-Tarif für Frachtgeschäfte von Eisenbahnen des öffentlichen Verkehrs. Enthält für die Beförderung maßgebende Bestimmungen sowie Angaben zur Berechnung der Beförderungspreise (→Tarifsatz nach Güterklassen) und der Gebühren für Nebenleistungen (Lagergeld i. a.): *Teil I:* a) *Abteilung A:* Eisenbahn-Verkehrs-Ordnung und Ausführungsbestimmungen, b) *Abteilung B:* Allgemeine Tarifvorschriften, Gütereinteilung und Nebengütertarif. – *Teil II: Heft A:* Frachtentafel und Frachtsatzzeiger für die regelrechten Tarifklassen; *Heft B:* Entfernungszeiger; *Heft C:* Allgemeine Bestimmungen für die Ausnahmetarife, Ausnahmetarifsammlung, Verzeichnis der Ausnahmetarife und Güterverzeichnis; *Heft D:* Bahnhofstarif; *Heft E:* Zuschlagfrachten; *Heft F:* Ortsfrachten und örtliche Gebühren; *Heft G:* Gemeinsames Heft für den Verkehr mit den nicht in den DEGT einbezogenen Bahnen des öffentlichen Verkehrs; *Heft H:* Besondere Bestimmungen für die auf schweizerischem Gebiet gelegenen Bahnhöfe der DB. – Vgl. auch →Tarifsystem.

Deutscher Eisenbahn-Personentarif (DEPT), →Eisenbahn-Tarif.

Deutscher Eisenbahn-Tier-Tarif (DETT), →Eisenbahn-Tarif.

Deutsche Rentenbank, Währungsbank zur Marktstabilisierung, errichtet am 15. 10. 1923 mit einem Kapital von 3,2 Mrd. Rentenmark. Das Kapital wurde durch Belastung von Grundstücken aufgebracht. Sie hat dem Reich und der Wirtschaft jeweils einen Kredit von 1,2 Mrd. Rentenmark bereitgestellt. Am 11. 10. 1924 endete ihre Tätigkeit durch das

Gesetz über die Liquidierung des Umlaufs an Rentenbankscheinen. Die Deutsche Rentenbank-Kreditanstalt übernahm die Aufgaben der D. R. bezüglich der Versorgung der Landwirtschaft mit Krediten. Nachfolgerin dieser beiden Banken ist die →Landwirtschaftliche Rentenbank.

Deutscher Entwicklungsdienst (DED), Sitz in Bonn-Bad Godesberg. Der DED ist einer der international größten Freiwilligendienste auf dem Gebiet der →Entwicklungshilfe; 1963 von der Bundesregierung gegründet.

Deutscher Erfinderverband e. V. (DEV), Sitz in Nürnberg. – *Aufgabe:* Mitwirkung an der Patentgesetzgebung auf nationaler und internationaler Ebene; Interessenvertretung der Mitglieder.

Deutscher Fremdenverkehrsverband e. V., Sitz in Bonn. – *Aufgaben:* Vertretung der Interessen der deutschen Fremdenverkehrsverbände und der Mitgliedsstädte; Koordinierung der Zusammenarbeit der Mitglieder; Öffentlichkeitsarbeit und Marketing auf Bundesebene; Förderung der Aus- und Fortbildung der im Fremdenverkehr tätigen Personen sowie der Forschung.

Deutscher Gebrauchs-Zolltarif (DGebrZT), Zusammenfassung der für die →Zollabfertigung maßgebenden Vorschriften und Verwaltungsbestimmungen, ruht auf dem →Gemeinsamen Zolltarif (GZT) und dem Deutschen Teil-Zolltarif (DTZT). In dieses Schema sind integriert die NIMEXE (Arbeitsgrundlage des Statistischen Amts der EG), das nationale Warenverzeichnis für die Außenhandelsstatistik, die →Einfuhrliste und der Einfuhrumsatzsteuertarif. Die so gebildeten Codelinien sind durch Codenummern automationsgerecht verschlüsselt. – *Teile: Teil I* enthält den Zolltarif. Zu jeder Tarifnummer und -unternummer (Tarifstelle) sind die Warennummer der Außenhandelsstatistik, der in Betracht kommende Satz der Einfuhrumsatzsteuer, der Zollsatz für Drittlandswaren sowie die „Besonderen Zollsätze" für Ursprungserzeugnisse aus Entwicklungsländern, Zypern, EFTA-Staaten und sonstigen Ländern, mit denen die EG durch Assoziierung- oder Präferenz-Abkommen verbunden ist, sowie für Waren aus der Türkei angegeben. – *Teil I* enthält ferner *Anhänge* mit befristeten Zollaussetzungen, Zollkontingenten, Teilbetragszöllen und Ausgleichsbeträgen für landwirtschaftliche Verarbeitungsprodukte, Abschöpfungen und Ausgleichsbeträgen Währung (→Ausgleichsbeträge 1) und eine Liste der begünstigten Entwicklungsländer. – *Teil II:* Listen der verbrauchsteuerpflichtigen Waren und der Pauschsätze, Verzeichnisse der Abfertigungsbeschränkungen und der Länder für die Außenhandelsstatistik. – *Teil IV:* Anweisungen zum Zolltarif und Vordrucke. – Die früher in *Teil III* enthaltenen Bestimmungen sind in die Vorschriftensammlung Bundesfinanzverwaltung (VSF) übernommen.

Deutscher Genossenschaftsring, seit 1927 Organisation zur Durchführung des bargeldlosen Zahlungsverkehrs der →Kreditgenossenschaften ähnlich wie der Spargiroverkehr. Die einzelnen Genossenschaften werden als *Ringstellen,* die →Zentralbanken als *Ringhauptstellen* bezeichnet. Spitzeninstitut ist die →*Deutsche Genossenschaftsbank (DG Bank).* Der D. G. führt auch den Scheck- und Wechselinkassoverkehr durch.

Deutscher Genossenschafts- und Raiffeisenverband e. V. (DGRV), Spitzenverband, zuständig für die Gesamtorganisation der genossenschaftlichen Banken und der ländlichen und gewerblichen Waren- und Dienstleistungsgenossenschaften. – 1. *Entstehung:* Der DGRV entstand 1972 aus dem Zusammenschluß des Deutschen Genossenschaftsverbandes (Schulze-Delitzsch) e. V. und des Deutschen Raiffeisenverbandes e. V. – 2. *Aufgaben:* Der DGRV vertritt die gemeinsamen wirtschafts-, rechts- und steuerpolitischen Interessen der (1985) 8800 angeschlossenen Genossenschaften. Er berät bei übergreifenden Fragen und ist Prüfungsverband für die zugehörigen Bundeszentralen, die regionalen Zentralgeschäftsstellen und die nachgeordneten Verbände (→Prüfungsverbände). – 3. *Organisation:* Drei Bundesverbände mit fachlich ausgerichteten Betreuungsaufgaben: a) →Bundesverband der Deutschen Volksbanken und Raiffeisenbaneken e. V. (BVR), b) →Deutscher Raiffeisenverband e.V. (DRV), c) →Zentralverband der genossenschaftlichen Großhandels-und Dienstleistungsunternehmen e.V. (ZENTGENO). Zusammenarbeit mit dem Gesamtverband gemeinnütziger Wohnungsunternehmen und dem Revisionsverband deutscher Konsumgenossenschaften im Freien Ausschuß der Deutschen Genossenschaftsverbände. – Vgl. auch →Genossenschaftswesen.

Deutscher Gewerkschaftsbund (DGB), Vereinigung von 17 Gewerkschaften, gegründet im Oktober 1949 in München. Sitz in Düsseldorf. – 1. *Zweck und Grundsätze:* Zusammenfassung aller →Gewerkschaften zu einer wirkungsvollen Einheit und Vertretung der gemeinsamen Interessen auf allen Gebieten, insbes. der Wirtschafts-, Sozial- und Kulturpolitik. Der Bund ist demokratisch aufgebaut. Seine Satzung legt die Unabhängigkeit gegenüber den Regierungen, Verwaltungen, Unternehmern, Konfessionen und politischen Parteien fest. Das Organisationsgebiet erstreckt sich auf das Gebiet der Bundesrep. D. einschl. Berlin (West). – 2. *Organe:* a) *Bundeskongreß,* bestehend aus den von den angeschlossenen Gewerkschaften gewählten Delegierten. Er tritt alle vier Jahre zusammen, legt u.a. die Gewerkschaftspolitik fest und beschließt Satzungsänderungen; b) *Bundesausschuß*, zweithöchstes Organ des DGB und oberstes Beschlußorgan in den Zeiten zwischen den Kongressen. Die Gewerkschaften sind entsprechend ihrer Mitgliederzahl in diesem Organ vertreten sowie die Mitglieder des Bundesvorstandes und die Vorsitzenden der DGB-Landesbezirke; c) *Bundesvorstand*, gewählt durch den Bundeskongreß, besteht aus den jeweiligen Vorsitzenden der Gewerkschaften und den Mitgliedern des Geschäftsführenden Bundesvorstandes. Neun hauptamtliche Mitglieder des Bundesvorstandes bilden den *Geschäftsführenden Bundesvorstand*. Er führt die Geschäfte des Bundes im Rahmen der vom Bundesvorstand beschlossenen Geschäftsordnung. Der Geschäftsbereich des Bundesvorstandes ist in Abteilungen gegliedert; d) *Revisionskommission* zur Überwachung der Kassenführung und zur Überprüfung der Jahresabrechnung, bestehend aus drei Personen, dürfen nicht Angestellte des Bundes sein. – *Regional* gliedert sich der DGB in neun Landesbezirke, die i.d.R. ein Bundesland umfassen. Die Landesbezirke sind in Kreise (222) unterteilt. Die DGB-Kreise stützen sich auf Zweigbüros (70) und auf Ortskartelle (1415). – 3. Der DGB ist *Mitgliedsorganisation* des Internationalen Bundes Freier Gewerkschaften (IBFG) mit Sitz in Brüssel. – 4. Folgende *Gewerkschaften* gehören dem DGB an: Industriegewerkschaft Bau, Steine, Erden; Industriegewerkschaft Bergbau und Energie; Industriegewerkschaft Chemie, Papier, Keramik; Industriegewerkschaft Druck und Papier; Gewerkschaft der Eisenbahner Deutschlands; Gewerkschaft Erziehung und Wissenschaft; Gewerkschaft Gartenbau, Land- und Forstwirtschaft; Gewerkschaft Handel, Banken und Versicherungen; Gewerkschaft Holz und Kuststoff; Gewerkschaft Kunst; Gewerkschaft Leder; Industriegewerkschaft Metall; Gewerkschaft Nahrung, Genuß, Gaststätten; Gewerkschaft Öffentliche Dienste, Transport und Verkehr; Gewerkschaft der Polizei (seit 1.3.1978); Deutsche Postgewerkschaft; Gewerkschaft Textil und Bekleidung. – Die DGB-Gewerkschaften sind nach dem *Prinzip der Einheitgewerkschaft* und dem *Prinzip der Industriegewerkschaft* aufgebaut.

Deutscher Handwerkskammertag (DHKT), Sitz in Bonn. Oberste Koordinierungsstelle für überfachliche Fragen in der Handwerksorganisation; Zusammenschluß aller →Handwerkskammern auf Bundesebene. Rechtsnatur des DHKT ist in der Handwerksordnung nicht gesondert geregelt. Der DHKT steht gemeinsam mit der →Bundesvereinigung der Fachverbände unter dem Dach des →Zentralverbands des Deutschen Handwerks. – Vgl. auch →Handwerksorganisation.

Deutscher Hotel- und Gaststättenverband e.V., Sitz in Bonn. – *Aufgaben:* Wahrnehmung der ideellen, beruflichen, wirtschaftlichen, sozial- und tarifpolitischen Belange des deutschen Hotel- und Gaststättengewerbes; Förderung der Berufsbildung in der wissenschaftlichen Forschungsarbeit auf diesen Gebieten.

Deutscher Industrie- und Handelstag (DIHT), Spitzenorganisation der 69 →Industrie- und Handelskammern (IHK) des Bundesgebietes und West-Berlins; Sitz in Bonn. – 1. *Entwicklung:* 1861 wurde der Allgemeine Deutsche Handelstag als Spitzenorganisation der Handelskammern und kaufmännischen Korporationen des Deutschen Bundes gegründet; bestand als DIHT bis zur Eingliederung in die Reichswirtschaftskammer durch Gesetz von 1934 und wurde am 27.10.1949 neu gegründet. Die in ihm zusammengeschlossenen IHK erhielten durch das Gesetz zur vorläufigen Regelung des Rechts der IHK vom 18.12.1956 ihre einheitliche Rechtsgrundlage. – 2. *Aufgaben:* a) Förderung und Sicherheit der Zusammenarbeit der Industrie- und Handelskammern; b) Wahrung und Durchsetzung der Belange der gewerblichen Wirtschaft gegenüber den Instanzen des Bundes und der Gesetzgebung; c) Repräsentation der deutschen Wirtschaft aller Stufen und Branchen und ihrer regionalen Gliederungen; d) Zusammenarbeit mit den Industrie- und Handelskammern des Auslandes, besonders mit den →Auslandshandelskammern. – 3. *Organe:* Mitgliederversammlung (Vollversammlung), deren Mitglieder alle 69 IHK sind; Vorstand, zusammengesetzt aus dem Präsidenten, der von der Vollversammlung jeweils für ein Jahr gewählt wird, und mindestens 21, höchstens 24 Mitgliedern; Präsident, der von der Vollversammlung jeweils für ein Jahr gewählt wird. – 4. *Geschäftsführung*, bestehend aus der Hauptgeschäftsführung und elf Abteilungen (I. Auslandshandelskammer, II. Absatzwirtschaft, III. Außenwirtschaft, IV. Verkehr, V. Finanzen und Steuern, VI. Recht, VII. Berufsbildung, VIII. Volkswirtschaft, IX. Information, X. Industrie, Strukturpolitik und Umweltschutz, XI. Weiterbildung).

Deutscher Interessenverband der Kapitalanleger e.V., Sitz in Berlin. – *Aufgaben:* Unentgeltliche Vertretung der ideellen und materiellen Interessen der Kapitalanleger; Achtung dafür, daß für Kapital und Beteiligungen nur mir lauteren Mitteln geworben wird; Verbesserung des gesetzlichen Schutzes von Kapitalanlegern.

Deutscher Juristentag e.V., Sitz in Bonn. – *Aufgaben:* Förderung der Entwicklung des Rechts sowie Hinweis auf Rechtsmißstände.

Deutscher Kommunikationsverband, früher: *Bund Deutscher Werbeberater (BDW)*, Sitz in

Bonn. – *Mitglieder* sind Fachleute aus den Bereichen Werbung, Öffentlichkeitsarbeit, Verkaufsförderung, Marketing, Marktforschung, Design und Medien. – *Aufgaben:* Bewußtmachung, Begründung und Durchsetzung von →Kommunikation als zentralem Steuerungsprozeß in Wirtschaft, Technik, Politik und Gesellschaft. – *Tätigkeiten:* Vertretung der Mitglieder nach außen, Beratung von Politik und Verwaltung, Zusammenarbeit mit Hochschulen, Universitäten usw. zur Verbesserung des Erkenntnistransfers, Förderung des beruflichen Nachwuchses und Information der Öffentlichkeit.

Deutscher Luftpool (DLP), Versicherungspool (→Pool III) der die →Luftfahrtversicherung betreibenden Erst- und Rückversicherer; Sitz in München. Gesellschaft des bürgerlichen Rechts; 1950 gegründet. Gemeinschaftszweck gem. Poolvertrag von 1.1.1985 ist die Rückversicherung von Luft- und Raumfahrtrisiken.

Deutscher Mieterbund e. V., Sitz in Köln. – *Aufgaben:* Bau-, Wohnungs- und Bodenwirtschaft sowie Miet-, Wohnungs- und Baurecht.

Deutscher Patienten-Schutzverbund e. V., Sitz in Bonn. – *Aufgaben:* Forschungsförderung auf dem Gebiet der gesundheitlichen Fehlbehandlung; Interessenwahrnehmung; Verbraucherberatung hinsichtlich pharmazeutischer Produkte und ärztlicher Leistungen.

Deutscher Raiffeisenverband e. V. (DRV), Sitz in Bonn. – *Aufgaben:* Förderung, Betreuung und Vertretung der fachlichen, wirtschaftlichen und wirtschaftspolitischen Interessen der Mitglieder; Errichtung und Verwaltung von Fonds zur Sicherung und Förderung der genossenschaftlichen Einrichtung.

Deutscher Richterbund, Sitz in Bonn. – *Aufgaben:* Wahrung der richterlichen Unabhängigkeit und der unparteiischen Rechtsprechung; Förderung der beruflichen und sozialen Belange der Richter und Staatsanwälte; Förderung der Gesetzgebung, der Rechtspflege und der Rechtswissenschaft.

Deutscher Schaustellerbund e. V., Sitz in Bonn. – *Aufgaben:* Organisatorische Erfassung aller selbständigen Schaustellervereine und -verbände innerhalb der Bundesrep. D. und West-Berlin; Sicherung und Verbesserung der rechtlichen und wirtschaftlichen Lage des deutschen Schaustellergewerbes.

Deutscher Schutzverband gegen Wirtschaftskriminalität e. V., Sitz in Bad Homburg. – *Aufgaben:* Bekämpfung von Straftaten in der Wirtschaft, insbes. das Bestechungs- und Schmiergeldunwesen, strafbare Werbung, den Kreditschwindel und Schwindelfirmen.

Deutsche Schutzvereinigung für Wertpapierbesitz e. V. (DSW), Sitz in Düsseldorf. – *Aufgaben:* Vertretung der schutzbedürftigen ideellen und materiellen Interessen der Wertpapierbesitzer; Erhaltung und Schutz des Privateigentums.

Deutscher Sozialrechtsverband e. V., Sitz in Essen. – *Aufgaben:* Pflege des Sozialrechts, insbes. durch Verstärkung des Kontaktes zwischen Wissenschaft und Praxis.

Deutscher Sparkassen- und Giroverband (DSGV), Spitzenverband der Sparkassenorganisation; Sitz in Bonn. Neu gegründet 1953; 1947 konstituierte Arbeitsgemeinschaft deutscher Sparkassen- und Giroverbände wurde umbenannt. Entstand 1924 aus der Verschmelzung des 1884 errichteten Deutschen Sparkassenverbandes und des 1916 gegründeten Deutschen Zentral-Giroverbandes. – Dem DSGV gehören zwölf regionale Sparkassen- und Giroverbände an sowie der Verband der deutschen freien öffentlichen Sparkassen. Wegen der engen Verbindung der Sparkassen mit den Kommunalverwaltungen sind im Vorstand des DSGV die kommunalen Spitzenverbände (Deutscher Städtetag, Deutscher Städtebund, Deutscher Landkreistag, Deutscher Gemeindetag) sowie der Vorsitzende des Verbandes öffentlicher Banken vertreten. Bei den regionalen Sparkassen und Giroverbänden bestehen organisatorisch selbständige Prüfstellen, denen die Prüfung der angeschlossenen Sparkassen obliegt.

Deutscher Städtetag, Hauptgeschäftsstelle in Köln, zugleich Federführung für die Bundesvereinigung der kommunalen Spitzenverbände, 1905 gegründeter Verband, 666 Mitgliedstädte (davon 91 kreisfrei, die anderen kreisangehörig). – *Aufgaben:* Erfahrungsaustausch und Vertretung gemeinsamer Belange gegenüber Parlament und Regierung.

Deutscher Steuerberaterverband e. V., Sitz in Bonn. – *Aufgaben:* Wahrung und Förderung der berufsständischen und berufspolitischen Interessen der Berufsangehörigen; Vertretung der Mitgliedsverbände gegenüber Behörden, öffentlichen und privaten Stellen; Zusammenarbeit mit in- und ausländischen Berufsorganisationen; Unterstützung bei der Gründung neuer Regionalverbände; Mitarbeit an der Fachgesetzgebung einschl. des Berufsrechts; Schulung der Berufsangehörigen; jährliche Durchführung des Deutschen Steuerberatertages.

Deutscher Teil-Zolltarif, →Gemeinsamer Zolltarif der EG.

Deutscher Transport-Versicherungs-Verband e. V. (DTV), Sitz in Hamburg. – *Aufgaben:* Unterstützung, Schutz und Förderung der mit dem Betrieb der Transportversicherung verbundenen Mitgliederinteressen.

Deutscher Verband der Patentingenieure und Patentassessoren e. V. (VPP), Sitz in

Kronberg. – *Aufgaben:* Vertretung der Interessen der Mitglieder; Förderung der fachlichen und beruflichen Weiterbildung der Mitglieder; Pflege von Kontakten zu Behörden und Verbänden mit gleicher oder ähnlicher Zielsetzung.

Deutscher Verband technisch-wissenschaftlicher Vereine (DVT), Zusammenschluß von 99 Vereinen und Verbänden aus Naturwissenschaft und Technik; Sitz in Düsseldorf. – *Aufgaben:* Behandlung gemeinsamer, den fachlichen Aufgabenkreis der einzelnen Vereine überschreitender Arbeiten und Aufgaben; v.a. Förderung der technischen Wissenschaften, Vereinheitlichung gemeinsamer technischer Grundlagen, Mitarbeit an der Gesetzgebung auf dem Gebiet der Technik und in Fragen der technischen Verwaltung.

Deutscher Verein für Internationales Seerecht, Sitz in Hamburg. – *Aufgabe:* Förderung der Entwicklung international einheitlicher Seerechtsordnungen durch Mitarbeit an nationaler und internationaler Vorbereitung und Ausarbeitung von völkerrechtlichen Verträgen.

Deutscher Verein für Versicherungswissenschaft e.V., Sitz in Berlin. – *Aufgaben:* Förderung der rechts-, wirtschafts- und naturwissenschaftlichen Disziplinen, die dem Versicherungswesen und seiner Entwicklung dienen, durch wissenschaftliche Veröffentlichungen und Tagungen.

Deutscher Verkehrssicherheitsrat e.V. (DVR), 1969 gegründete gemeinnützige Institution; Sitz in Bonn. – *Aufgaben:* Beschäftigung mit allen Fragen der Verkehrssicherheit, der Verkehrserziehung und -aufklärung sowie des Straßenverkehrsrechts; Herausgabe der Zeitschrift für Verkehrssicherheit und der Zeitschrift für Verkehrserziehung.

Deutscher Versicherungs-Schutzverein e.V. (DVS), Sitz in Bonn. – *Aufgaben:* Interessenvertretung der Versicherungsnehmer (insbes. versicherungsnehmende Wirtschaft) gegenüber Regierungs- und gesetzgebenden Stellen, Behörden, Versicherungsverbänden und -unternehmen; Behandlung von Fragen der Versicherung von Umwelthaftrisiken, Produkthaftpflichtversicherung und Dienstleistungsfreiheit im EG-Bereich.

Deutscher Werbefachverband e.V. (DWF), Dachverband der regionalen Werbefachverbände in der Bundesrep. D.; Sitz in Fellbach-Stuttgart. – *Aufgaben:* Koordination der überregionalen Interessen der Mitglieder; Zusammenarbeit mit dem Zentralausschuß der Werbewirtschaft (ZAW), Behörden und anderen marktwirtschaftlichen Organisationen; Förderung der beruflichen Fort- und Weiterbildung; Öffentlichkeitsarbeit; Interessenvertretung und -wahrnehmung der Mitglieder.

Deutscher Werberat, vom →Zentralausschuß der Werbewirtschaft (ZAW) gegründete Institution zur freiwilligen Selbstkontrolle in der Werbewirtschaft; Sitz in Bonn. – 1. *Mitglieder* nur durch ZAW gewählte Vertreter der Werbewirtschaft; dazu gehören neben dem Vorsitzenden vier Delegierte der werbungtreibenden Wirtschaft, drei Delegierte der werbungdurchführenden Wirtschaft, zwei Delegierte der Werbeagenturen und ein Delegierter der Werbeberufe. – 2. *Aufgaben:* Korrektur von Fehlerscheinungen und -entwicklungen in der Werbung gemäß den gesetzlichen Regelungen (z.B. UWG, Kartellgesetzgebung, Verbraucherschutzgesetze) sowie den Richtlinien des ZAW und des Internationalen →Werbekodex; insbes. (1) Behandlung von Einzelbeschwerden aus der Bevölkerung (Verbraucher, Politiker, Mitbewerber) zur Korrektur oder Verhinderung zweifelhafter Werbemaßnahmen, (2) Entwicklung von Verhaltensregeln und Entschließungen (Leitlinien) für die Werbung, (3) Information aller Gruppen der Werbewirtschaft über aktuelle Entwicklungen der Verbraucherpolitk, Rechtsprechung und eigenen Aktivitäten.

Deutsches Erzeugnis, zulässige Bezeichnung einer Ware, wenn die Eigenschaften oder Teile, die nach der Auffassung des Publikums ihren Wert ausmachen, auf einer deutschen Leistung beruhen. Verwendete Rohstoffe bzw. Halbfabrikate können grundsätzlich aus dem Ausland stammen. – *Verstoß* ist →irreführende Angabe (§§3, 4 UWG) und somit →unlauterer Wettbewerb.

Deutsches Forschungsnetz, →DFN.

Deutsches Handwerksinstitut (DHI), Forschungseinrichtung mit sieben Forschungsinstituten in verschiedenen deutschen Universitätsstädten; Sitz in München. – *Finanzielle Trägerschaft:* Öffentliche Hand (Bund und alle Bundesländer sowie →Deutscher Handwerskammertag). – *Forschungsgebiete* (und Sitz der zuständigen Institute): Volkswirtschaft (Göttingen), Betriebswirtschaft (München und Karlsruhe), Berufsausbildung (Köln), Technik (Hannover und Aachen), Recht (München). – *Aufgaben:* Wissenschaftliche Forschung in wirtschaftlicher, technischer, soziologischer, rechtlicher und kultureller Hinsicht; Förderung der Berufsausbildung; Entwicklung von Methoden der handwerklichen Forschung; Reihenuntersuchungen (→Betriebsvergleiche im Handwerk); Forschungsaufträge und Gutachten; praktische Gewerbeförderung in Verbindung mit der Handwerksorganisation (bis 1970 Abteilung praktische Gewerbeförderung des DHI mit Sitz in Bonn) sowie in Zusammenarbeit mit den Gewerbeförderungs- und Buchstellen; handwerkswissenschaftliche Veröffentlichungen („Beiträge zur Handwerksforschung", „Handwerkswirtschaftliche Reihe" usw.);

Einrichtung einer Bibliothek, eines Handwerksarchivs, einer Handwerksbibliographie; Vorlesungen, Vortragsreisen und wissenschaftliche Schulungs- und Fortbildungskurse; Förderung von Fachschulen des Handwerks usw.

Deutsches Hydrographisches Institut (DHI), Bundesbehörde im Geschäftsbereich des Bundesministers für Verkehr (BMV); Sitz in Hamburg. – *Aufgabe:* Erarbeitung der in der deutschen Seeschiffahrt benötigten Informationen.

Deutsche Siedlungs- und Landesrentenbank (DSL-Bank), bundesunmittelbare selbständige Anstalt; Sitz in Berlin (West)/Bonn. Hervorgegangen aus Zusammenschluß der Deutschen Landesrentenbank und der Deutschen Siedlungsbank gem. Gesetz vom 27.8.1965 (BGBl I 1965 I 1001) mit späteren Änderungen. – *Aufgabe:* Förderung der Neuordnung des ländlichen Raumes, insbes. der ländlichen Siedlung. Die Bank gewährt Darlehen und sonstige Finanzierungshilfen; hat das Recht, Rentenbriefe, Pfandbriefe, Kommunalobligationen und sonstige Schuldverschreibungen auszugeben, deren Erfüllung der Bund gewährleistet; sehr beschränktes Depositengeschäft (→Einlagengeschäft).

Deutsches Institut für Betriebswirtschaft e.V. (DIB), Sitz in Frankfurt a.M. – *Aufgaben:* Praxisbezogene Weiterbildung von Fach- und Führungskräften aus Wirtschaft und Verwaltung; Veröffentlichung neuer praxisbezogener Forschungsergebnisse; eigene Forschung.

Deutsches Institut für Entwicklungspolitik gemeinnützige Gesellschaft mbH (DIE), Sitz in Berlin. – *Aufgaben:* Forschung v.a. von Problemen der Entwicklungspolitik, der internationalen Handels-, Rohstoff- und Währungspolitik; Ausbildung; Beratungs- und Gutachteraufgaben.

Deutsches Institut für Normung e.V. (DIN), die für die →Normung zuständige nationale Normenorganisation in der Bundesrep. D. (einschl. Berlin-West); Sitz in Berlin. – 1. *Mitgliedschaft:* Möglich für Firmen oder Verbände sowie alle an der Normung interessierten Körperschaften, Behörden und Organisationen sein (1987 ca. 6000 Mitglieder); Einzelpersonen können nicht Mitglied werden. – 2. *Organisation:* Ca. 3600 Arbeitsausschüsse, nach fachlichen Gesichtspunkten zusammengefaßt in →Normenausschüssen. Ehren- und hauptamtliche Mitarbeiter. – 3. *Ergebnisse:* →Deutsche Normen (DIN-Normen), die zusammen das →Deutsche Normenwerk bilden. – 4. *Grundsätze:* (1) Freiwilligkeit, (2) Öffentlichkeit, (3) Beteiligung aller interessierten Kreise, (4) Einheitlichkeit und Widerspruchsfreiheit, (5) Sachbezogenheit, (6) Ausrichtung am Stand der Technik, (7) Ausrichtung an den wirtschaftlichen Gegebenheiten, (8) Ausrichtung am allgemeinen Nutzen, (9) Internationalität. – 5. *Publikationen:* DIN-Mitteilungen + elektronorm (monatlich erscheinende Zeitschrift); DIN-Katalog für technische Regeln (erscheint jährlich; monatlich mittels Ergänzungsheften aktualisiert); DIN-Taschenbücher; Beuth-Kommentare.

Deutsches Institut für Wirtschaftsforschung (DIW), seit 1941 Name für das →Institut für Konjunkturforschung; Sitz in Berlin (West). – *Hauptaufgaben:* Unabhängige →Wirtschaftsforschung, Veröffentlichung der Ergebnisse, Beratung von Verwaltung und Wirtschaft in der Bundesrep. D. (→Wirtschaftsforschungsinstitute). – *Arbeitsgebiete:* Grundlagenforschung an der Schnittstelle von Theorie und Empirie, Erstellung umfangreicher Datensätze (z.B vierteljährliche volkswirtschaftliche Gesamtrechnung); laufende Diagnose und Prognose des Wirtschaftablaufs im In- und Ausland; langfristige Prognose volkwirtschaftlicher Rahmendaten sowie spezieller Daten u.a. im Industrie, Energie-, Rohstoff- und Verkehrsbereich; Berlin-Forschung, Beobachtung und Analyse der ökonomischen Entwicklung der DDR und der östlichen Industrieländer. – *Veröffentlichungen:* Wochenbericht, Vierteljahreshefte zur Wirtschaftsforschung, Sonderhefte, Beiträge zur Strukturforschung.

Deutsches Institut zur Förderung des industriellen Führungsnachwuchses, Sitz in Köln. – *Aufgaben:* Weiterbildung von oberen Führungskräften v.a. im Rahmen der Baden-Badener Unternehmergespräche (dreiwöchige Seminare).

Deutsches Interlokales Privatrecht, Rechtsvorschriften, die bestimmen, welches Recht bei der Kollision von Gesetzen der Bundesrep. D. und der Deutschen Demokratischen Republik anzuwenden ist, früher auch als „Interzonales Recht" bezeichnet. Entscheidend ist nach der Rechtsprechung des Bundesgerichtshofs der →Erfüllungsort, d.h. i.d.R. der →Wohnsitz des Schuldners.

Deutsches Kreditabkommen, →Stillhalteabkommen.

Deutsches Lebensmittelbuch, nach dem →Lebensmittel- und Bedarfsgegenständegesetz eine Sammlung von Leitsätzen, in denen Herstellung, Beschaffenheit oder sonstige Merkmale von Lebensmitteln, die für die Verkehrsfähigkeit der Lebensmittel von Bedeutung sind, beschrieben werden. Die Leitsätze werden von der Deutschen Lebensmittelbuch-Kommission unter Berücksichtigung des von der Bundesregierung anerkannten internationalen Lebensmittelstandards beschlossen (§33 LMBGG).

deutsches Normenwerk, vom →Deutsches Institut für Normung (DIN) herausgegebene Gesamtheit der →deutschen Normen; umfaßt alle technischen Disziplinen. Es besteht ein enger Zusammenhang mit →internationalen Normen und →europäischen Normen.

Deutsches Patentamt (DPA), →Bundesoberbehörde im Geschäftsbereich des Bundesministers der Justiz (BMJ); Sitz in München, Zweigstelle in Berlin. 1949 entstandene Nachfolgebehörde des Reichspatentamtes. – *Aufgaben:* 1. *Gewerblicher Rechtsschutz:* Erteilung und Verwaltung gewerblicher Schutzrechte (Patente, Gebrauchsmuster, Warenzeichen, Dienstleistungsmarken und Geschmacksmuster) gem. Patentgesetz i. d. F. vom 16. 12. 1980 (BGBl 1981 I 1), Warenzeichengesetz i. d. F. vom 2. 1. 1968 (BGBl I 1, 29), Gesetz über die Eintragung von Dienstleistungsmarken vom 29. 1. 1979 (BGBl I 125), Gebrauchsmustergesetz i. d. F. vom 28. 8. 1986 (BGBl I 1455) und Geschmacksmustergesetz i. d. F. vom 18. 12. 1986 (BGBl I 2501); Führung der Patent-, Gebrauchsmuster-, Warenzeichen- und Geschmacksmusterrolle; Dokumentation und Vermittlung technischen Wissens. – 2. *Weitere Aufgaben:* Führung der Urheberrolle; Überwachung der Verwertungsgesellschaften nach dem Urheberrechtswahrnehmungsgesetz i.-d. F. vom 24. 6. 1985 (BGBl I 1137); Registrierung der Anmeldungen von mikroelektronischen Halbleitererzeugnissen (Mikro-Chips) nach dem Halbleiterschutzgesetz. – *Schiedsstellen:* Schiedsstelle nach dem Arbeitnehmererfindergesetz vom 25. 7. 1957 (BGBl I 756); Schiedsstelle nach dem Urheberrechtswahrnehmungsgesetz i. d. F. vom 24. 6. 1985 (BGBl I 1137).

Deutsches Reisebüro GmbH (DER), Reisebüro mit dem alleinigen Recht, Fahrausweise der Deutschen Bundesbahn außerhalb deren Bahnhöfe zu verkaufen und dieses Recht anderen Reisebüros zu übertragen. Gesellschafter sind Deutsche Bundesbahn (50,1%), Hapag-Lloyd AG (25,1%) u. a. Verkehrsunternehmungen.

deutsche Staatsangehörigkeit, →Staatsangehörigkeit.

Deutsche Statistische Gesellschaft, Sitz in Köln. – *Aufgaben:* Wissenschaftliche Erörterung von Fragen der theoretischen und praktischen Statistik; Durchführung von Jahresversammlungen, Ausschußtagungen, Kursen und Vorträgen; Herausgabe des „Allgemeinen Statistischen Archivs".

Deutsche Stiftung für internationale Entwicklung (DSE), 1959 gegründet; Sitz in Berlin (West). – *Aufgaben:* Vorbereitung deutscher Fachkräfte auf den Einsatz in Entwicklungsländern; Fortbildung von Fach- und Führungskräften aus Entwicklungsländern in der Bundesrep. D.

Deutsche Studiengesellschaft für Publizistik, Sitz in Stuttgart. – *Aufgabe:* Wissenschaftliche Erforschung der Probleme der Publizistik.

deutsches Vermögen im Ausland, Vermögenswerte aus der Zeit vor dem Zweiten Weltkrieg, deutscherseits auf etwa 16–20 Mrd. RM (Vorkriegswert) beziffert, ohne Patente, Firmennamen, Marken- und Warenzeichen sowie Urheberrechte (Wert mindestens weitere 15–18 Mrd. RM); die von der Bundesrep. D. angestrebte Anrechnung auf die deutschen Auslandsschulden fand keine Zustimmung. – *Verfügungsrechte der Eigentümer* seit 1945 in einzelnen Ländern verschieden, in einer Reihe von meist kleinen Staaten (wo oft erhebliche deutsche Werte investiert waren) freigegeben.

Deutsches Volksheimstättenwerk e. V., Sitz in Bonn. – *Aufgaben:* Verbesserung des Bau- und Bodenrechts, damit jeder Bürger die Möglichkeit erhält, zu angemessenen Bedingungen Eigentum an Haus und Grund zu erwerben, und daß er in diesem Eigentum geschützt wird.

Deutsches Wirtschaftswissenschaftliches Institut für Fremdenverkehr an der Universität München, Sitz in München. – *Aufgaben:* Forschung hinsichtlich Fremdenverkehrs unter wirtschaftlichen, verkehrspolitischen, kulturellen und soziologischen Aspekten.

Deutsche Transportbank GmbH, Spezialbank zur Zahlungsabwicklung, Kreditversorgung und Frachtstundung für Betriebe des Straßenverkehrs. Gesellschafter sind die Bundes-Zentralgenossenschaft Straßenverkehr e. V., die ihr angeschlossenen Straßenverkehrsgenossenschaften u. a. Organisationen des Straßenverkehrsgewerbes in der Bundesrep. D.

Deutsche und Schweizerische Schutzgemeinschaft für Auslandsgrundbesitz e. V., Sitz in Waldshut. – *Aufgabe:* Information und Beratung der Mitglieder hinsichtlich aller Fragen und Probleme zum Erwerb und Besitz von Auslandsimmobilien.

Deutsche Verbundgesellschaft e. V., Verbund der neun größten Elektrizitätsversorgungsunternehmen in der Bundesrep. D., Sitz in Heidelberg. – *Aufgaben:* Förderung des Ausbaus der Verbundwirtschaft; Stärkung der Zusammenarbeit der Verbundunternehmen untereinander sowie mit den übrigen Zweigen der Energiewirtschaft und den ausländischen Verbundunternehmen.

Deutsche Vereinigung für Finanzanalyse und Anlageberatung e. V. (DVFA), Sitz in Darmstadt. – *Aufgaben:* Erstellen von Finanz- und Wertpapieranalysen; Förderung des Verständnisses der Öffentlichkeit für Wertpapieranalysen und Anlageberatung; Zusammenarbeit mit ausländischen Vereinigungen.

Deutsche Vereinigung für gewerblichen Rechtsschutz und Urheberrecht e. V., Sitz in

Köln. – *Aufgaben:* Wissenschaftliche Fortbildung und der Ausbau des gewerblichen Rechtsschutzes und des Urheberrechts einschl. des Wettbewerbsrechts.

Deutsche Vereinigung für Internationales Steuerrecht (IFA), Deutsche Landesgruppe der International Fiscal Association (IFA), Den Haag, Niederlande. Sitz in Köln. – *Aufgaben:* Pflege des internationalen Steuerrechts.

Deutsche Vereinigung für Politische Wissenschaften (DVPW), Sitz in Hamburg. – *Aufgaben:* Entwicklung der Forschung und Lehre der Politischen Wissenschaften; Förderung der Praxis-Anwendung.

Deutsche Vereinigung für Vermögensberatung e. V. (DVV), Sitz in Bonn. – *Aufgaben:* Vertretung der Interessen des selbständigen Vermögensberaters; Mitwirken bei der Vorarbeit zu gesetzlichen Regelungen; Förderung des Berufs des Vermögensberaters; Mitwirken beim Ausbau des Verbraucherschutzes auf dem Gebiet der Vermögensberatung.

Deutsche Verkehrs-Kredit-Bank AG (DVKB), Sitz in Berlin (West). Hausbank der →Deutschen Bundesbahn (100%-ige Tochterunternehmung) zur Abwicklung ihrer laufenden finanzwirtschaftlichen Aufgaben, Förderung ihres Absatzes, z. B. durch Frachtstundung und Kreditvergabe an Kunden, sowie zur Wahrnehmung ihrer sonstigen bankmäßigen Geschäfte.

Deutsche Verkehrswacht, Sitz in Bonn. Am 24.12.1950 als Arbeitsgemeinschaft der Landesverkehrswachten (→Verkehrswacht) gegründete Selbsthilfeorganisation der Verkehrsinteressenten (früher Bundesverkehrswacht). – *Ziele:* Unfallverhütung und Verbesserung der Sicherheit im Straßenverkehr, Beratung der zuständigen Behörden, Wekkung des allgemeinen Verantwortungsgefühls. – *Ordentliche Mitglieder* können auch Vereinigungen, Körperschaften, Verbände und Organisationen sein, die an den aufgezeigten Zwekken interessiert sind und im ganzen Bundesgebiet arbeiten. – Der Bundesminister für Verkehr ist Schirmherr. – Der Bundespräsident hat 1958 die Stiftung eines *Ehrenzeichnens* genehmigt (BGBl 1968 I 768), das vom Präsidenten der D.V. aufgrund besonderer Verdienste um die Hebung der Verkehrssicherheit verliehen wird.

Deutsche Verkehrswissenschaftliche Gesellschaft (DVWG), Sitz in Bergisch-Gladbach. Institution mit regionaler Gliederung. – *Aufgaben:* Anregung und Förderung der Diskussion aktueller verkehrswirtschaftlicher Probleme durch Vortragsveranstaltungen und Veröffentlichungen; Betreuung der Zentralen Informationsstelle für Verkehr (ZIV), einer Dokumentationsinstitution für verkehrswissenschaftliche Literatur.

Deutsche Versicherungs-Anstalt, als Monopol-Versicherer im Bereich der DDR mit Ausnahme von Berlin (Ost) tätige staatliche (volkseigene) Versicherungsanstalt, die nahezu alle herkömmlichen Versicherungszweige betreibt.

Deutsche Volkswirtschaftliche Gesellschaft e. V., Sitz in Hamburg. 1946 gegründete, wirtschaftlich unabhängige Vereinigung. – *Ziele:* Überbrückung sozialer Gegensätze; Mitarbeit an der Lösung aktueller wirtschafts- und sozialpolitischer Probleme. – *Lehrtätigkeit:* Neutrale Unterrichtung und Weiterbildung unterer und mittlerer kaufmännischer und technischer Führungskräfte in Seminaren. Arbeitsgebiete: Betriebs- und volkswirtschaftliche Grundfragen, Arbeits- und Sozialrecht, Menschenkenntnis und -führung u. a. Methoden: Referat und Diskussion, praktische Fallmethode und Teamarbeit.

Deutsche Werbewissenschaftliche Gesellschaft e. V. (DWG), Sitz in Bonn. Gemeinnütziger Verein; knüpft an die Tradition der Gelehrtengesellschaft gleichen Namens von 1919 an. – *Mitgliedschaft:* Voraussetzung sind fachliche und berufliche Qualifikation sowie Unterstützung der Gesellschaftsziele. Derzeit ca. 110 Mitglieder aus Wissenschaft und Praxis. – *Aufgaben:* Vertretung und Förderung der Werbewissenschaft unter dem Leitsatz ‚Wissenschaftstransfer in die Praxis, Problemtransfer in die Wissenschaft". Ziel ist die Erhöhung der Werbewirksamkeit und die Vermeidung von Mißbrauch der Werbung in allen gesellschaftlichen Bereichen (→unlautere Werbung). – *Tätigkeitsbereich:* Durchführung einer jährlichen Tagung mit Teilnehmern aus Wissenschaft und Praxis; Herausgabe der wissenschaftlichen Zeitschrift „Werbeforschung & Praxis".

Deutschlandvertrag, der am 5.5.1955 in Kraft getretene Generalvertrag vom 26.5.1952 über die Beziehungen zwischen der Bundesrep. D. und den Mächten USA, Großbritannien und Frankreich. Weitgehende Rückgewinnung der Befugnis, die inneren und äußeren Angelegenheiten der Bundesrep. D. selbst zu regeln. – Vgl. auch →Truppenvertrag.

DEV, Abk. für →Deutscher Erfinderverband e. V.

Devalvation, →Abwertung.

Development Assistance Committee, →DAC.

development banks, →Entwicklungsbanken.

development corporations, →Entwicklungsbanken.

development finance companies, →Entwicklungsbanken.

deviation clause (d/c), Klausel in zwischenstaatlichen Kaufverträgen, nach der gewisse Abweichungen (Toleranzen) von den vereinbarten Waren zugestanden werden. – Vgl. auch →delivery clause.

Devisen. 1. *D.i.w.S.:* Ansprüche auf Zahlungen in fremder Währung an einem ausländischen Platz, meist in Form von Guthaben bei ausländischen Banken sowie von auf fremde Währung lautenden, im Ausland zahlbaren Schecks und Wechseln. – 2. *D.i.e.S.:* Bei ausländischen Banken gehaltene Guthaben; in diesem Sinn häufig in der Praxis des Devisenhandels verstanden. – 3. *Arten* (nach Fälligkeit): a) →Kassadevisen; b) →Termindevisen. – *Anders:* →Geldsorten.

Devisenablieferungspflicht, bei →Devisenbewirtschaftung Verpflichtung von Deviseninländern zur Devisenanmeldung und -ablieferung.

Devisenarbitrage, →Arbitrage I 2 b).

Devisenbewirtschaftung, *Devisenkontrolle, Devisenzwangswirtschaft.* 1. *Begriff:* Eine auf partielle oder totale Regelung der Verwendung der Deviseneinnahmen gerichtete Politik. D. impliziert stets eine mehr oder weniger ausgeprägte zentrale staatliche Lenkung des Außenhandels und ist i.d.R. in einem chronischen Devisenmangel begründet, bisweilen jedoch auch in handels- und/oder außenhandelsstrukturpolitischen Zielen. – *Gegensatz:* →Konvertibilität. – 2. *Hauptmerkmal* eines Systems der D. ist ein *Devisenmonopol* des Staates bzw. der Notenbank. Exporteure und sonstige Devisenanbieter müssen Deviseneinnahmen an den Staat abführen, der diese Importeuren zuteilt. Es kann zwischen totaler und partieller D. unterschieden werden, jedoch besteht bei partieller D. eine Tendenz zur Ausweitung. – 3. *Folgen:* Die erhofften positiven Wirkungen einer D. bleiben häufig aus bzw. sind mit erheblichen Nachteilen zu erkaufen: a) Einschränkung der →internationalen Arbeitsteilung; b) Verzerrung der internationalen Handelsströme sowie der →Wechselkurse und damit auch der Faktorallokation; c) Einschränkung der internationalen Kapitalverkehrsströme; d) Erfordernis eines großen administrativen Lenkungs- und Kontrollapparates.

Devisenbilanz, Teilbilanz der →Zahlungsbilanz, die die Veränderung der Währungsreserven der Zentralbank erfaßt. Hierzu zählen die Goldbestände (wertmäßig), Devisen und Sorten, die →Reserveposition beim IMF sowie →Sonderziehungsrechte.

Devisenbörse, →Börse III 3.

Devisengeschäft, →Devisenhandel.

Devisenhandel, *Devisengeschäft.* 1. *Begriff/Charakterisierung:* An- und Verkauf von ausländischem Buchgeld gegen inländisches Buchgeld oder andere →Devisen. Für die Abweichung der Kundengeschäfte wird täglich an den Devisenbörsen ein Kassakurs festgestellt; durch den Spitzenausgleich erfolgt in Frankfurt a.M. die Festlegung des amtlichen Mittelkurses. – Zur Ausnutzung von Kursdifferenzen an internationalen Devisenbörsen ist →Arbitrage möglich, meist im Eigenhandel der Kreditinstitute. – 2. *Zweck:* Abwicklung des internationalen Zahlungsverkehrs, Kurssicherung sowie Gewährung von Währungskrediten. – 3. *Formen:* a) →Devisenkassahandel; b) →Devisenterminhandel; c) Sonderform: Swapgeschäft (→Swap).

Deviseninland, →Wirtschaftsgebiet.

Devisenkassahandel. 1. *Begriff/Charakterisierung:* Form des →Devisenhandels, bei der die Geschäftserfüllung zum vereinbarten Kurs „zweitägig Valuta kompensiert" erfolgt. Der Vertragspartner kann somit am zweiten Werktag nach Vertragsabschluß über den gehandelten Betrag verfügen. – 2. *Zweck:* Vorwiegend zur Abwicklung des internationalen Zahlungsverkehrs. – *Gegensatz:* →Devisenterminhandel.

Devisenkonto, →Währungskonto.

Devisenkontrolle, →Devisenbewirtschaftung.

Devisenkurs, →Wechselkurs.

Devisenmonopol, →Devisenbewirtschaftung.

Devisenpensionsgeschäft, Verkauf eines Anspruchs auf einen in Titeln (z.B. →treasury bills) festgelegten Devisenbetrag der Deutschen Bundesbank (→Devisenreserven) für eine bestimmte Frist an eine Geschäftsbank; geldpolitisches Instrument (→monetäre Theorie und Politik) der Deutschen Bundesbank seit 1979. – *Wirkung:* die →Liquidität der Geschäftsbank sinkt. Der vereinbarte Kassakurs liegt unter dem gleichzeitig vereinbarten Terminkurs, so daß sich eine positive Rendite für die Geschäftsbank ergibt. Die Zinsen aus dem Titel fallen der Bundesbank zu. Eine Veränderung der Währungsreserven und eine Beeinflussung des →Wechselkurses sowie des ausländischen Geldmarktes erfolgt unmittelbar nicht. – *Anders:* Devisenswapgeschäft (→Swap, →Swappolitik).

Devisenquoten, im Rahmen der →Devisenbewirtschaftung vom Staat an Importeure zugeteilte Devisenbeträge, die nur für den Import bestimmter Produkte bzw. für Importe aus bestimmten Ländern verwendet werden dürfen.

Devisenreserve, *Währungsreserve.* 1. *Begriff:* a) *I.e.S.:* Bestand an internationalen liquiden Zahlungsmitteln in einer Volkswirtschaft; dazu *gehören:* Gold, Noten, Wechsel, kurzfristig fällige Guthaben bei ausländischen Banken, Verrechnungsguthaben und →Sonderziehungsrechte. b) *I.w.S.:* Liquide internationale

Zahlungsmittel der Zentralbank, der Geschäftsbanken und der Unternehmen. – 2. *Bedeutung:* Im System des →Multilateralismus sind alle Devisen gleichwertig, bei →Bilateralismus oder →Regionalismus müssen die D. nach Währungsräumen unterschieden werden; besondere Bedeutung kommt dann den Devisen der →harten Währungen zu, da sie überall verwendbar sind.

Devisenrestriktionen, alle staatlichen Maßnahmen, die auf eine teilweise oder völlige Regelung des Zahlungsverkehrs mit dem Ausland gerichtet sind und die →Konvertibilität berühren; z.B. Bewilligungspflicht von Auslandsanleihen und Kapitalexporten, Beschränkung des Erwerbs inländischer Wertpapiere durch Ausländer, Zuteilung von Reisedevisen. – Vgl. auch →Devisenbewirtschaftung.

Devisenspekulation, →internationale Devisenspekulation.

Devisenswap, →Swap.

Devisenswappolitik, →Swappolitik.

Devisenterminhandel. 1. *Begriff/Charakterisierung:* Form des →Devisenhandels. Die Erfüllung des Geschäftes erfolgt zum vereinbarten Termin (→Termingeschäft); der Kurs wird jedoch beim Abschluß des Geschäfts vereinbart. – 2. *Zweck:* Absicherung von Kursrisiken; Ermöglichung einer sicheren Kalkulationsbasis insbes. im internationalen Handel. – *Gegensatz:* →Devisenkassahandel.

Devisenwechsel, ein auf fremde Währung lautender im Ausland zahlbarer →Wechsel.

Devisenzwangswirtschaft, →Devisenbewirtschaftung.

Devotionalien, Gegenstände zur äußeren Anregung der Andacht, wie Heiligenbilder, Rosenkränze, Kerzen. Bei der Offenhaltung von Geschäften an Sonn- und Feiertagen (Ausnahmeregelung des Gesetzes über den Ladenschluß: →Ladenschlußzeiten) oft als „begünstigte" Gegenstände genannt.

Dezedenten, →Abkömmlinge.

dezentrales Lager, Lagerorganisation (→Lager), bei der gleiche Materialien oder Waren nicht an einem, sondern an verschiedenen Orten gelagert werden (vorzugsweise am Ort der Fertigungsstätten). – *Vorteile:* Kürzeste Transportwege zu den Werstätten; Stokkungen bei der Materialausgabe werden vermieden; genauere Disposition der Materialien in den Fertigungsbereichen (Werkstätten); Einsatz von Spezialgeräten und speziell ausgebildetem Personal möglich. – *Nachteile:* Verminderte Übersichtlichkeit der Lagerung, höhere Raum- und Verwaltungskosten. – *Gegensatz:* →Zentrallager.

dezentrales System, →Stand-alone-System.

Dezentralisation, Begriff der Organisationslehre: Die Verteilung von Teilaufgaben auf verschiedene →Stellen. – 1. *D. i.w.S.:* Aufteilung von Teilaufgaben auf mehrere Stellen, die in Hinblick auf eines der verschiedenen Merkmale einer →Aufgabe, z.B. Verrichtungsaspekt (→Verrichtungsprinzip), Objektaspekt (→Objektprinzip) oder räumlicher Aspekt, gleichartig sind. D. nach einem Kriterium ergibt zugleich eine Zentralisation nach einem der übrigen Aufgabenmerkmale. D. verhindert eine →Spezialisierung des für den Aufgabenkomplex zuständigen Handlungsträgers auf den der D. zugrundeliegenden Aufgabenaspekt. – 2. *D. i.e.S.:* Vgl. →Entscheidungsdezentralisation. – *Gegensatz:* →Zentralisation.

Dezi (d), Vorsatz für das Zehntel (10^{-1}-fache) der Einheit. Vgl. →gesetzliche Einheiten, Tabelle 2.

DFG, Abk. für →Deutsche Forschungsgemeinschaft. e.V.

DFN, Deutsches Forschungsnetz, überregionales flächendeckendes Rechnerverbundnetz (→Computerverbund, →Rechnernetz) für die Wissenschaft und Forschung in der Bundesrep. D. Das DFN ist als →offenes Netz konzipiert und soll bis 1988 vollständig aufgebaut werden. – Vgl. auch →EARN.

DGB, Abk. für →Deutscher Gewerkschaftsbund.

DG-Bank, →Deutsche Genossenschaftsbank.

DGebrZT, Abk. für →Deutscher Gebrauchs-Zolltarif.

DGfL, Abk. für →Deutsche Gesellschaft für Logistik e.V.

DGOR, Abk. für →Deutsche Gesellschaft für Operations Research e.V.

DGQ, Abk. für →Deutsche Gesellschaft für Qualität e.V.

DGRV, Abk. für →Deutscher Genossenschafts- und Raiffeisenverband e.V.

DHI, Abk. für →Deutsches Hydrographisches Institut.

Diagnose, →Situationsanalyse.

diagnostic lag, →lag II 2 b) (3).

Diagnostik, Lehre von der Erkennung des physischen und psychischen Zustands eines Individuums, auch die Fertigkeit, eine Diagnose zu stellen. – Handelt es sich um psychische Tatbestände, spricht man von →*Psychodiagnostik*.

diagonaler Finanzausgleich, →Parafiskus 1.

Diagramm, zeichnerische Darstellung statistischer Daten in verschiedener Bildform, deren Anwendung sich nach Inhalt und Zweck der

Bearbeitung richten soll. – Vgl. auch →graphische Darstellung.

Dialektik, im antiken Griechenland Bezeichnung für eine Argumentationslehre, wie vorgetragene Meinungen auf ihre Gründe zu prüfen sind. Später erfolgte Umdeutung zu einer *Entwicklungstheorie,* speziell in Form der *dialektischen Triade* von These, Antithese und Synthese. Im *Marxismus* wird D. zur Wissenschaft von allgemeinen Entwicklungsgesetzen innerhalb von Natur und Gesellschaft. – In der *Bundesrep. D.* hat die D.konzeption der →Frankfurter Schule größere Beachtung gefunden; beschränkt sich auf Analyse gesellschaftlicher Entwicklungen und Zusammenhänge.

dialektische Planung, Methode zur Unterstützung von Analyse- und Planungsprozessen, in denen es um schlecht-strukturierte Probleme geht, für die keine operationale Problemdefinition vorliegt und die aus ganz unterschiedlichen Blickwinkeln betrachtet werden können. Die d. P. kann dazu beitragen, die verschiedenen Sichtweisen explizit darzustellen und weiterzuentwickeln: Die einzelnen Argumentationen (z. B. von operativen Führungskräften) werden als „Thesen" aufgefaßt und systematisch mit „Antithesen" (die z. B. von den Planungsstäben formuliert werden) konfrontiert. Im Idealfall können dann „Synthesen" entwickelt werden, die die verschiedenen Sichtweisen berücksichtigen bzw. sich als nicht haltbar erweisende Aussagen eliminieren.

dialektischer Materialismus, allgemein-philosophische Grundage des →Marxismus zur Ableitung von Entwicklungsgesetzmäßigkeiten in Natur und Gesellschaft. Dialektik als Methode bedeutet Denken in Widersprüchen. – 1. *Hegel,* auf den sich Marx methodologisch beruft, geht davon aus, daß sich die menschliche Vernunft (das Bewußtsein) dialektisch fortschreitend weiterentwickelt: Jeder Begriff *These* impliziert seinen Widerspruch *(Gegenthese)* und beide verschmelzen zu einer höheren Wissensstufe *(Synthese),* die als neue These wiederum ihre Gegenthese hervorruft. Dieser fortschreitende Erkenntnisprozeß bestimmt Hegel zufolge das Denken und damit die Realität, die er aus der Natur des Geistes zu erklären versucht *(Idealismus).* – 2. Für *Marx* dagegen basieren alle geistigen und sozialen Erscheinungen auf der objektiven Realität, die für ihn allein die Materie sein kann *(Materialismus),* d. h. die Ideen und das Bewußtsein sind nur Reflexe der materiellen Wirkichkeit. Unter dem Materiellen versteht er die Gesamtheit aller objektiv-realen Dinge und Prozesse einschließlich der Beziehungen, Zusammenhänge und Verhältnisse in Natur und Gesellschaft. Wesentliches Merkmal dieses Materiebegriffs ist für Marx und Engels die *Bewegung* im Sinne fortschreitender dialektischer Veränderung, hervorgerufen durch die inneren Widersprüche und Spannungen. Aus der Spannung der Gegensätze und ihrer gegenseitigen Durchdringung wird die Entwicklung zu Neuem und Höherem abgeleitet *(„Einheit und ‚Kampf' der Gegensätze").* Sie wachsen so lange sukzessive an, bis sich die materielle Realität an einem bestimmten Punkt abrupt und radikal verändert *(„Übergang der Quantität in Qualität").* Die neue Qualität ruft jedoch entsprechend der dialektischen Grundthese ihren eigenen Widerspruch hervor *(„Negation der Negation").* – Da der Mensch durch seine Arbeit in ständigem Austausch mit der Natur steht und dabei gesellschaftliche („materielle") Beziehungen eingeht, gilt dieses materielle Bewegungsgesetz der marxistischen Theorie zufolge auch für die Entwicklung des Gesellschaftssystems (→historischer Materialismus).

Dialogbetrieb, *Dialogverarbeitung, interaktiver Betrieb,* in der elektronischen Datenverarbeitung. Betriebsart eines Computersystems, die durch den Datenaustausch (→Daten) zwischen dem Benutzer und dem System in der Art eines Dialogs gekennzeichnet ist.

Dialogkomponente, Bestandteil eines →Expertensystems, der die Kommunikation des Systems mit dem Benutzer abwickelt.

Dialogprogrammierung, *interaktive Programmierung,* computergestützte →Programmierung, Erstellung von Computerprogrammen (→Programm) mit Hilfe eines Teilnehmersystems. Erstellung eines Programms erfolgt im →Dialogbetrieb zwischen dem Programmierer und dem Computersystem (→elektronische Datenverarbeitungsanlage). – *Vorteile:* Spürbare Verkürzung und Vereinfachung des Programmierens, Anwendung ingenieurmäßiger Programmiertechniken, Erleichterung der Arbeit in der Testphase (→Testen), Programmwartung (Pflege, Weiterentwicklung, Anpassung der Programme an neue Tatbestände). Produktivität der Programmierer wird gesteigert.

Dialogsprache, früher gebräuchliche Bezeichnung für eine →Programmiersprache, mit deren Hilfe →Programme im →Dialogbetrieb entwickelt und ausgeführt werden konnten, z. B. →Basic, →APL. Da alle heutigen Programmiersprachen dialogfähig sind, besitzt der Begriff keine praktische Bedeutung mehr.

Dialogsystem, in der elektronischen Datenverarbeitung ein →Softwaresystem, das vom →Endbenutzer im →Dialogbetrieb eingesetzt wird.

Dialogverarbeitung, →Dialogbetrieb.

Diäten, Bezeichnung für die den Abgeordneten des Bundestages und der Länderparlamente gewährten →Aufwandsentschädigungen.

DIB, Abk. für →Deutsches Institut für Betriebswirtschaft e.V.

dichotomes Merkmal, →Merkmal, bei dem nur zwei Ausprägungen unterschieden werden, z.B. Geschlecht. – Vgl. auch →Dichotomisierung.

Dichotomie des Geldes, Zweiteilung von monetärem und realem Sektor einer Volkswirtschaft, also Trennung von Geld- und Werttheorie. Geldpolitische Maßnahmen bewirken nach den Vorstellungen klassischer Geldtheorien lediglich eine Änderung des Preisniveaus, nicht dagegen auch Veränderungen der wirtschaftlichen Aktivitäten, also der realen Sphäre. Diese Theorie impliziert die →Neutralität des Geldes. Sie ist überholt, in der neueren Theorie durch mannigfache monetäre Transmissionstheorien bzw. →Transmissionsmechanismen überwunden; doch wird sie als geldtheoretische Auffassung von grundlegender Bedeutung immer wieder diskutiert.

Dichotomisierung, in der Statistik Zerlegung einer →Gesamtheit in zwei Teilgesamtheiten mit Hilfe eines →Merkmals, bei dem nur zwei →Ausprägungen unterschieden werden; meist ist dieses Merkmal ursprünglich intensiver skaliert (→Skala). – *Beispiel:* D. einer Personengesamtheit mit Hilfe des Merkmals Alter in Personen im Alter von 15 bis 65 Jahren, Personen unter 15 oder über 65 Jahren.

Dichtefunktion, bei einer stetigen →Zufallsvariablen die Steigungsfunktion (1. Ableitung) der →Verteilungsfunktion.

dichtester Wert, →Modus.

Didaktik, →Wirtschaftsdidaktik.

didaktische Modelle, reduzierte und akzentuierte Abbilder von komplexer Unterrichtswirklichkeit, die in pragmatischer Absicht konstruiert werden, um die Unterrichtswirklichkeit erklären oder im Vorfeld konzipieren zu können. Es sind theoretisch konstruierte Gebilde, mit deren Hilfe komplexes Unterrichtsgeschehen in seiner Struktur, seinen Intentionen, seinem Ablauf und in seinen individuellen und gesellschaftlichen Implikationen als durchschaubares Beziehungsgefüge beschrieben (Explikationsmodelle) und geplant (Handlungsmodelle) werden kann (Salzmann). – Für die Unterrichtspraxis *bedeutsame Modelle:* 1. *Bildungstheoretisches Modell:* Strukturell gekennzeichnet v.a. durch die geisteswissenschaftlich-hermeneutische Ausrichtung und durch die Orientierung an der Auswahl und Konzentration von Bildungsinhalten (Weniger). Nach Klafki besteht ein unmittelbarer Zusammenhang von Bildungstheorie und Didaktik. – 2. *Lerntheoretisches Modell (Berliner Modell):* 1962 von Heimann entwickeltes Modell. Unterrichtlicher Lehr-Lern-Prozeß steht im Vordergrund. Der pädagogisch Handelnde hat für die Planung von Unterricht vier zentrale Entscheidungen zu treffen und zu begründen (Entscheidungsfelder): Intention, Thematik, Methodik und Medienwahl. Diesen Entscheidungen liegen anthropogene und sozio-kulturelle Bedingungsfaktoren zugrunde (Bedingungsfeld).

Diebstahl. I. Begriff: Wegnahme einer fremden →beweglichen Sache in der Absicht rechtswidriger Zueignung (→Vergehen). – 1. Eine Sache ist *fremd,* wenn sie nicht im *Alleineigentum* des Täters steht. – 2. Die Diebstahlshandlung besteht in dem *Wegnehmen,* dem Bruch fremden und der Begründung eigenen Gewahrsams (anders bei der →Unterschlagung). – 3. Die *Zueignungsabsicht* ist gegeben, wenn der Wille des Täters darauf gerichtet ist, die Sache ihrem wirtschaftlichen Wert nach für sich zu gewinnen und andere davon auszuschließen. – 4. *Strafe:* Freiheitsstrafe bis zu fünf Jahren. Auch der Versuch ist strafbar (§ 242 StGB).

II. Sonderformen: 1. *Besonders schwerer Fall,* wenn der D. unter bestimmten in § 243 StGB aufgeführten Voraussetzungen ausgeführt wird (→Einbruchdiebstahl) oder der auf frischer Tat ertappte Dieb Gewalt anwendet, um sich das Diebesgut zu sichern (räuberischer Diebstahl). Nur auf *Strafantrag* hin verfolgt wird der Haus- und Familiendiebstahl. – 2. Eine *Versicherung* deckt i.a. (anders: →Transportversicherung) das Risiko des gewöhnlichen D. nicht (→Einbruchdiebstahlversicherung).

Diehl, Karl, 1864–1943, Hauptvertreter der →sozialrechtlichen Schule. Nach D. sind alle wirtschaftlichen Institutionen zugleich Rechtsinstitutionen; Ablehnung der Eigengesetzlichkeit der Wirtschaft, diese wird vielmehr durch Machtverhältnisse entscheidend beeinflußt, weshalb eine zeitlos gültige Theorie nach D. nicht existieren kann. D. ergänzte die historische Richtung der Nationalökonomie durch Betonung des rechtlichen Faktors. – *Hauptwerk:* „Die sozialrechtliche Richtung in der Nationalökonomie" 1941.

dienendes Grundstück, →Grunddienstbarkeit.

Dienstalter, Gesamtheit aller geleisteten Dienstjahre zuzüglich der anrechenbaren Zeiten vor der Ernennung zum →Beamten. Grundlage für die Berechnung der Dienstbezüge (→Besoldung) und des →Ruhegehaltes.

Dienstanweisung, Hilfsmittel im Rahmen der Organisation, mit dem die Erledigung von solchen Geschäftsvorfällen im voraus genau festgelegt wird, die sich häufig wiederholen, so daß sich →Arbeitsanweisungen erübrigen. Meist schriftlich. Die D. enthält Bestimmung von Zuständigkeit, Termin und Form der Erledigung. – Vgl. auch →Weisung.

Dienstaufsicht, Recht und Pflicht des Dienstvorgesetzten, durch Überwachung, Belehrung, Anweisung, ggf. durch Bestrafung für die ordentliche Erfüllung der Amtsgeschäfte zu sorgen.

Dienstaufsichtsbeschwerde, ein formloser Rechtsbehelf, mit dem sich jedermann über das Verhalten einer Behörde bei der nächsthöheren Behörde desselben Verwaltungszweigs beschweren kann. – Die D. ist an *keine Frist* gebunden. – *Keine Kostenpflicht,* auch wenn sie erfolglos bleibt. – Im Unterschied zum →Widerspruch oder zur förmlichen →Beschwerde *kein Rechtsanspruch* darauf, daß die nächsthöhere Behörde in eine sachliche Prüfung eintritt und dem Beschwerdeführer einen Bescheid erteilt; jedoch i.d.R. Verfolgung der D., falls sie nicht offensichtlich unbegründet ist.

Dienstaufwandsentschädigung (an private Arbeitnehmer), im Sinne der Lohnsteuer grundsätzlich Teil des Arbeitslohnes. – Jedoch sind besondere Aufwendungen, die die Ausübung des Dienstes mit sich bringt, →Werbungskosten und als solche zu berücksichtigen, soweit sich ihre Trennung von den privaten Ausgaben leicht und einwandfrei durchführen läßt. – Sind die D. keine Werbungskosten, so werden sie als →Kosten der Lebensführung, die die wirtschaftliche und gesellschaftliche Stellung des Arbeitnehmers mit sich bringt, angesehen. – *Anders:* →Aufwandsentschädigung.

Dienstbarkeiten, *Servituten,* →dringliche Rechte an einer →Sache. Der Berechtigte darf eine fremde Sache in einem nach dem Inhalt der D. zu bestimmenden Umfang nutzen. D. sind: →Nießbrauch sowie (nur für Grundstücke in Betracht kommend) →beschränkte persönliche Dienstbarkeit und →Grunddienstbarkeiten.

Dienstbereitschaft, →Arbeitsbereitschaft.

Dienstbezüge, →Besoldung.

Dienstenthebung, Untersagung weiterer Amtstätigkeit. D. kann gegenüber einem →Beamten vorläufig ausgesprochen werden, wenn ein förmliches →Disziplinarverfahren gegen ihn eingeleitet ist (z. B. § 78 Bundesdisziplinarordnung).

Diensterfindung, →Arbeitnehmererfindung 3a).

Dienstgang, Begriff des Steuerrechts. Eine auf dienstliche Gründe zurückzuführende vorübergehende Tätigkeit des Arbeitnehmers an einem Ort, der weniger als 15 km von der regelmäßigen →Arbeitsstätte entfernt liegt. Ein D. liegt auch dann vor, wenn der Arbeitnehmer die auswärtige Tätigkeitsstätte von der Wohnung aus aufsucht und die Entfernung zwischen Wohnung und der auswärtigen Tätigkeitsstätte weniger als 15 km beträgt. – Steuerliche Behandlung der aus Anlaß des D. entstandenen und vom Arbeitgeber ersetzten *Kosten:* Vgl. →Reisekosten, →Mehraufwand bei auswärtiger Tätigkeit. – Vgl. auch →Dienstreise.

Dienstgeheimnis, →Betriebs- und Geschäftsgeheimnis I 1.

Dienstleistungen, *immaterielle Güter,* v.a. dadurch charakterisierte Güter, daß Produktion und Verbrauch zeitlich zusammenfallen. D. gelten allgemein als nicht übertragbar, nicht lagerfähig und nicht transportierbar. Typische D. sind Handels-, Verkehrs-, Bank- und Versicherungsleistungen, Leistungen des Gaststätten- und Beherbergungsgewerbes, der Wäschereien, Reinigungen, Friseure usw., der freien Berufe, der kulturellen Einrichtungen und Massenmedien, allgemeine Verwaltungsleistungen, Forschungsleistungen, Leistungen der öffentlichen Sicherheit sowie des Bildungs- und Gesundheitswesens. – *Gegensatz:* →Sachleistungen.

I. Außenhandel: Als →unsichtbarer Handel bzw. Einfuhren (Transportleistung, Fremdenverkehr u.a.) bezeichnet, je nachdem, ob es sich um aktive oder passive D. handelt. – Vgl. auch →Dienstleistungsbilanz, →Dienstleistungsverkehr.

II. Amtliche Statistik (institutionelle Abgrenzung): *I.e.S.* werden i.a. zu den D. gerechnet die Wirtschaftsabteilungen (6) Kreditinstitute und Versicherungsgewerbe, (7) Dienstleistungen, soweit von Unternehmen und freien Berufen erbracht, (8) Organisationen ohne Erwerbszweck und Private Haushalte, (9) Gebietskörperschaften und Sozialversicherung; *i.w.S.* auch die Wirtschaftsabteilungen (4) Handel sowie (5) Verkehr und Nachrichtenübermittelung der →Wirtschaftszweigsystematik. – Aber auch in den warenproduzierenden Bereichen hat ein Teil der Tätigkeiten Dienstleistungscharakter.

III. Größenordnung: D. i.e.S. waren 1985 mit 41% an der Bruttowertschöpfung beteiligt, D. i.w.S. mit 56%; Anteil der Erwerbstätigen i.e.S. 35%, i.w.S. 54%.

Dienstleistungsabkommen Teil des →Berliner Abkommens vom 3.2.1951, regelt den Dienstleistungsverkehr zwischen den Währungsgebieten der DM-West und DM-Ost. Dienstleistungsgeschäfte zwischen den beiden Währungsgebieten sind danach zulässig, soweit es sich dabei um Dienstleistungen handelt, die mit dem →Innerdeutschen Handel zusammenhängen.

Dienstleistungsausstattung, →Ausstattung II.

Dienstleistungsbetriebe, →Dienstleistungsunternehmen.

Dienstleistungsbilanz, *Bilanz des unsichtbaren Handels,* wertmäßige Gegenüberstellung der Aus- und Einfuhr von Dienst- und Faktorleistungen einer Volkswirtschaft in einer Periode. In der D. werden v.a. folgende *Positionen* erfaßt: Reiseverkehr, Transportleistungen, Versicherungen, Provisionen, Lizenzen, Patente, Kapitalerträge, Zahlungen im Zusammenhang mit der Stationierung ausländischer im Inland bzw. inländischer im Ausland. Die D. bildet mit der →Handelsbilanz und der →Übertragungsbilanz die →Leistungsbilanz, d.h., sie ist Teil der →Zahlungsbilanz.

Dienstleistungsbörse, →Börse III 2.

Dienstleistungskosten, durch Inanspruchnahme von Dienstleistungen hervorgerufene →Kosten. – *Wichtige Arten:* Versicherungskosten, →Rechts- und Beratungskosten, →Frachtkosten.

Dienstleistungsmarken, in die Zeichenrolle des →Deutschen Patentamtes eingetragene und von →Dienstleistungsbetrieben verwendete Kennzeichen. – Schutz nach →Warenzeichenrecht. – Vgl. auch →Marke II.

Dienstleistungsmarketing, Teilgebiet des →Marketing. D. befaßt sich mit den Bedingungen, Problemen und Strategien des →Marketing für immaterielle Wirtschaftsgüter (Dienste) als Hauptleistungen; identisch mit *Marketing für Dienstleistungsunternehmen* (z.B. Banken, Versicherungen und Beratungsunternehmen).

Dienstleistungsmarktforschung, →Marktforschung.

Dienstleistungsorientierung, in der Standorttheorie Kennzeichnung derjenigen Gewerbe- und Industriebetriebe, bei deren Standortwahl das Dienstleistungsangebot entscheidend ist.

Dienstleistungsunternehmen, *Dienstleistungsbetriebe, Dienstleistungsunternehmungen,* Unternehmen, die →Dienstleistungen erstellen und verkaufen. Sie gliedern sich in: 1. →Handelsunternehmen; 2. →Verkehrsbetriebe, einschl. des Fernverkehrs und des Transports von Gütern für fremde Rechnung: vielfach werden auch Betriebe der Nachrichtenübermittlung hierzu gerechnet; 3. →Banken; 4. →Versicherungsgesellschaften; 5. sonstige D, wie Gaststätten- und Beherbergungsgewerbe, Schneider, Friseure, Theater, Kinos, Schulen, Krankenhäuser, Wohnungsvermietungen, ferner die freien Berufe, wie Ärzte, selbständige Wirtschaftsprüfer, Kommissionäre, Makler, Agenten.

Dienstleistungsverkehr, Form des →Außenwirtschaftsverkehrs. Der D. bedarf grundsätzlich keiner Genehmigung (→Außenwirtschaftsgesetz IV). Ausnahmen sind in § 15ff. AWG geregelt.

Dienst nach Vorschrift, →öffentlicher Dienst 2.

Dienstordnung, Vorschriften der öffentlich-rechtlichen Krankenkassen, Berufsgenossenschaften und Seekassen für ihre nichtbeamteten Angestellten (§§ 351 ff., 690 ff., 978, 1147 RVO); autonomes Recht. Die Arbeitnehmer erhalten durch die D. weitgehend eine beamtenrechtliche Rechtsstellung, ohne daß sie dadurch öffentlich-rechtliche Bedienstete i.S. des Beamtenrechts werden. Ihr Rechtsverhältnis bleibt ein privatrechtlicher →Arbeitsvertrag.

Dienstpflichtverletzung, →Amtspflichtverletzung.

Dienstprogramm, Hilfsprogramm (→Programm) zur Abwicklung häufig vorkommender, anwendungsneutraler Aufgaben bei der Benutzung eines →Computers, z.B. →Binder, →Editor, →Lader, Sortierprogramme (→Sortieren), Testprogramme (→Testhilfen).

Dienstreise, Begriff des Steuerrechts. Eine auf dienstliche Gründe zurückzuführende vorübergehende Tätigkeit des Arbeitnehmers an einem Ort, der mindestens 15 km von seiner regelmäßigen →Arbeitsstätte entfernt liegt. Wird die D. von der Wohnung des Arbeitnehmers aus angetreten, dann muß die Mindestentfernung von 15 km auch von der Wohnung aus gegeben sein. Wird ein →Dienstgang mit einer D. oder umgekehrt verbunden, so gilt die auswärtige Tätigkeit insgesamt als D. – Steuerliche Behandlung der aus Anlaß der D. entstehenden und vom Arbeitgeber ersetzten *Kosten:* Vgl. →Reisekosten, →Mehraufwand bei auswärtiger Tätigkeit.

Dienststrafverfahren, →Disziplinarverfahren.

Dienstvereinbarung, Vertrag zwischen Dienststelle und →Personalrat im öffentlichen Dienst; entspricht der →Betriebsvereinbarung in der Privatwirtschaft.

Dienstverpflichtung, gem. Art. 12a GG zulässige Einschränkung der →Berufsfreiheit. – Männer können ab 18. Lebensjahr zum Dienst in Streitkräften, Bundesgrenzschutz oder im Zivilschutzverband verpflichtet werden. Kriegsdienstverweigerer haben →Zivildienst zu leisten. Im Verteidigungsfall ist Verpflichtung zu zivilen Dienstleistungen möglich. Kann der Bedarf nicht erfüllt werden, können auch Frauen vom 18. bis 55. Lebensjahr herangezogen werden.

Dienstverschaffung, Vertragsverhältnis zwischen Arbeitgeber und einem Dritten, wonach der Arbeitgeber einen Arbeitnehmer dem Dritten zur Verfügung stellt, ohne daß der Arbeitnehmer in den Betrieb des anderen eintritt oder ein unmittelbares Arbeitsverhältnis zwischen Arbeitnehmer und Drittem zu entstehen braucht. – *Beispiel:* Taxiunternehmer vermietet Wagen mit Fahrer. – Der zur Beschaffung Verpflichtete *haftet* dem Dienstberechtigten nur für die ordnungsgemäße Vermittlung, für Verschulden bei der Auswahl des zu beschaffenden Arbeitnehmers, nicht aber für dessen Verschuldung bei →Leiharbeitsverhältnis.

Dienstvertrag. I. Begriff: Eine schuldrechtliche Verpflichtung des Dienstnehmers, einem anderen (Dienstberechtigten) seine Arbeitskraft zur Verfügung zu stellen (§§ 611 ff. BGB). – *Abgrenzung zum →Werkvertrag:* Eine Arbeitsleistung, nicht ein durch Arbeitsleistung erzielter Erfolg wird versprochen.

II. Arten: 1. D. der *unselbständig* Tätigen Vgl. →Arbeitsvertrag. – 2. D. der *selbständig* Tätigen (z. B. Vertragsverhältnis des Rechtsanwalts mit seinem Klienten, das Verhältnis der freien Agenten, →Heimarbeiter und übrigen →arbeitnehmerähnlichen Personen zum Unternehmer): D. ist gekennzeichnet durch ein gewisses Maß persönlicher Freiheit gegenüber dem Auftraggeber (Dienstberechtigten), z. B. die Freiheit, Art und Weise der erforderlichen Arbeitsleistung zur Bestimmung und Arbeitszeit einzuteilen. Überwiegend Vertragsverhältnis von kurzer Dauer.

III. Inhalt: Ein D. kann über Dienstleistungen jeglicher Art abgeschlossen werden. Er bestimmt i. d. R. Art, Umfang, Ort und Zeitdauer der Dienstleistung sowie das Entgelt; Schriftform nicht erforderlich.

IV. Beendigung: Aus verschiedenen Gründen, z. B. durch Zeitablauf, Zweckerreichung, Aufhebungsvereinbarung oder →Kündigung, möglich. Kein →Kündigungsschutz des Dienstnehmers; ausgenommen sind manche arbeitnehmerähnliche Personen.

V. Prozessuales: Über Streitigkeiten entscheidet je nach dem Streitwert das zuständige →Amtsgericht oder →Landgericht. *Ausnahme:* a) für arbeitnehmerähnliche Personen ausschließliche Zuständigkeit der Arbeitsgerichte (§ 5 ArbGG); b) für Vorstandsmitglieder und Geschäftsführer, sofern arbeitsgerichtliche Zuständigkeit vertraglich vereinbart ist, desgleichen (§ 2 IV ArbGG).

Dienstweg, Begriff der Organisation für den meist starr vorgeschriebenen →Kommunikationsweg.

Dienstwohnung, →Werkwohnung.

Differential (dy), zu einer gegebenen →Funktion $y = f(x)$ und einer gegebenen Stelle x_0 das Produkt aus der →Ableitung $f'(x_0)$ und einer beliebigen Differenz $(x - x_0)$, die meist als klein angenommen und mit dx bezeichnet wird: $dy = f'(x_0) \cdot dx$. – Das D. bedeutet *geometrisch* die zu $(x - x_0)$ gehörige Höhendifferenz bis zur Tangente.

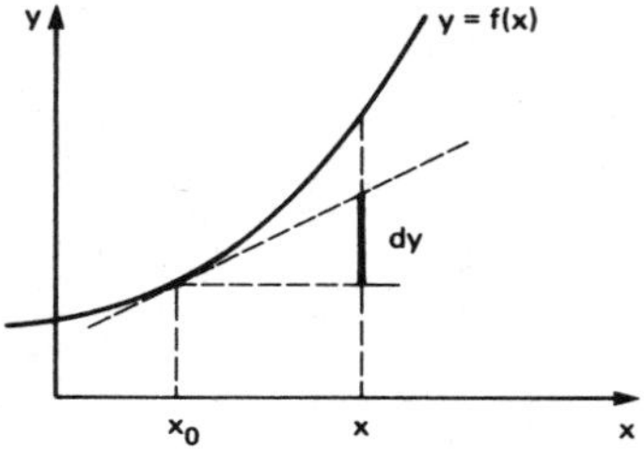

Differentialeinkommen, diejenigen →Einkommen, deren Entstehung analog der →Bodenrente erklärt werden kann aus unterschiedlichen Produktionskosten, die zu unterschiedlich hohen Einkommen führen; Sammelbezeichnung für →Grundrente und alle Arten von →Produzentenrenten. – Vgl. auch →Differentialrente.

Differentialgleichung, mathematisches Konzept zur Erfassung zeitlicher Abläufe, angewandt in der Volkswirtschaftslehre (v. a. in der →Konjunkturtheorie und →Wachstumstheorie). Im Gegensatz zur →Differenzengleichung wird die Zeit als Kontinuum mit infinitesimal kleiner Periodenlänge aufgefaßt (stetiges Zeitkonzept). – *Beispiel:*

$$\frac{dx}{dt} = \dot{x} = f(x)$$

mit $\dot{x}$ = Veränderung der Variablen x im Zeitpunkt t. – Eine D. n-ter *Ordnung* liegt vor, wenn in ihr die n-te Abteilung (nach der Zeit) vorkommt. – Vgl. auch →Differentialgleichungssystem.

Differentialgleichungsssystem, simultane Darstellung der gegenseitigen Beeinflussung von Variablen im Zeitablauf in Form zweier oder mehrerer →Differentialgleichungen. – *Beispiel:*

$$\dot{x}(t) = f(x(t), y(t))$$
$$\dot{y}(t) = g(x(t), y(t)),$$

mit x (t) bzw. y (t) = Wert der Variablen x und y im Zeitpunkt t. – *Anders:* →Differenzengleichungssystem.

Differentialkosten, Begriff der Wirtschaftstheorie zur Kennzeichnung der mit unterschiedlicher Proportion zwischen Faktoreinsatz und Ausbringung (Leistungsmengen) eintretenden Kostenunterschiede. – Vgl. auch →Differentialprinzip, →Differenzkosten, →Anpassung, →Kostenverlauf.

Differentiallohnsystem, *Differential-Stücklohnsystem,* von Taylor entwickelte Sonderform des →Akkordlohns, bei der der Stundenverdienst bis zur →Normalleistung weniger stark ansteigt als beim Proportionalakkord. Sobald die Normalleistung erreicht ist und überschritten wird, steigt er stärker an als beim Proportionalakkord und liegt über diesem. Dadurch erhält die Stundenlohnkurve beim Normalleistungsgrad einen Sprung. – *Beurteilung:* Durch die Differenzierung der Stücklohnsätze sollte erreicht werden, daß der Arbeiter zumindest die Normalleistung erbringt. Hoher Anreiz zur Mehrleistung; Gefahr der Qualitätsverschlechterung.

Differentialprinzip, Begriff der Betriebswirtschaftslehre, die sich von der Vorstellung gelöst hat, den Betrieb als eine in sich homogene Einheit aufzufassen. Man betrachtet nicht mehr die Kosten, die Kapazität, die Beschäftigung, das Kapital, die Arbeit an sich, sondern Kostenschichten, Kapazitätsschichten, Beschäftigungsschichten, Kapitalschichten, Arbeitsschichten usw., denn jede *Schicht* steht unter anderen Bedingungen und übt einen spezifischen Einfluß auf die Wirtschaftlichkeit des Betriebes aus. Eine Kapazitätsschicht über der optimalen →Betriebsgröße ist etwas anderes als die Schicht, die die optimale Betriebsgröße gerade herbeiführt. D. heißt also: Zerlegung des Betriebes in Schichten, um die wirtschaftlichkeitsbeeinflussenden Faktoren besser erkennen zu können. Dabei ist die letzte Schicht immer die wichtigste (→Grenzprinzip)

Differentialquotient, →Ableitung.

Differentialrente, Einkommen, das aufgrund unterschiedlicher Produktionskosten dem Produzenten mit den geringeren Produktionskosten zufließt. Die D. kann auf dem Rationalisierungsvorsprung eines Unternehmens gegenüber den anderen Unternehmen beruhen und besteht dann nur so lange, wie der Rationalisierungsvorsprung gehalten werden kann (dynamisches Einkommen). Können die eingesetzten →Produktionsfaktoren nicht beliebig vermehrt werden (z.B. der Boden in der Landwirtschaft), wird die D. als Dauereinkommen bezogen, wenn der Grenzproduzent (das ist der Produzent mit den höchsten Kosten) seine Kosten nicht senken kann und seine Güter noch am Markt gebraucht werden. Nur der Grenzproduzent bezieht keine D. Alle übrigen Hersteller beziehen eine Rente in Höhe der Kostendifferenz zum Grenzproduzenten. Das D.-Prinzip wurde erstmalig von Anderson und Ricardo vertreten. – Zur Bestimmung der *Höhe der D.* vgl. →Verteilungstheorie III. – Die →*Konsumentenrente* ist ebenfalls als D. erklärbar. – Die Übertragung auf die industrielle →*Produzentenrente* (vgl. auch →Quasirente) und auf die Konsumentenrente wurde durch Schäffle, Walker, Marshall vorgenommen.

Differential-Stücklohnsystem, →Differentiallohnsystem.

differentielle Inzidenz, Form der →Inzidenz. Die d.I. gibt die Einkommensverteilungsänderungen an, die bei der Substitution einer Einnahme-/Ausgabenposition durch einen anderen Einnahme- bzw. Ausgabenposten bei gleichbleibendem Aufkommen entstehen. Es werden alternative Finanzierungsarten oder Ausgabemöglichkeiten verglichen. Die realitätsferne Prämisse der →spezifischen Inzidenz einer einseitigen Ausgaben- oder Einnahmenänderung wird umgangen; im Gegensatz zur →Budgetinzidenz besteht die Einschränkung, nur eine Haushaltsseite zu betrachten.

Differenzarbitrage, →Arbitrage I 2a) und b).

Differenzen, Unterschiede zwischen buch- und Inventurbeständen, z.B. in der Kasse als Mehrbetrag oder als Kassenmanko, am häufigsten bei →Debitoren und →Kreditoren. Maßgeblich sind die inventurmäßig aufgenommenen Bestände. D. sind auszubuchen über Gewinn- und Verlustkonto. Eine Ursachenerklärung ist unbedingt anzustreben und ein Erfordernis der →Grundsätze ordnungsmäßiger Buchführung.

Differenzengleichung, mathematisches Konzept zur Erfassung zeitlicher Abläufe, angewandt in der Volkswirtschaftslehre (v.a. in der →Konjunkturtheorie und →Wachstumstheorie). Die Zeit wird in Intervalle endlicher Länge aufgeteilt (Perioden) und die Veränderungen der wirtschaftlichen Variablen in aufeinanderfolgenden Perioden betrachtet (diskretes Zeitkonzept). – *Beispiel:*

$$x_{t+1} - x_t = \Delta x_{t+1} = f(x_t),$$

mit x_t = Wert einer Variablen x in der Periode t. – Eine D. n-ter Ordnung liegt vor, wenn x_t auch von x_{t-n} bestimmt wird. – *Anders:* →Differentialgleichung.

Differenzengleichungssystem, simultane Darstellung der gegenseitigen Beeinflussung von Variablen im Zeitablauf in Form zweier oder mehrerer →Differentialgleichungen. – *Beispiel:*

$$\Delta x_{t+1} = f(x_t, y_t)$$
$$\Delta y_{t+1} = g(x_t, y_t)$$

mit x_t bzw. y_t = Wert der Variablen x und y in der Periode t. – *Anders:* →Differentialgleichungssystem.

Differenzerfolgsrechnung, →Erfolgsdifferenzrechnung.

Differenzgeschäft, *Spielgeschäft,* in der Bundesrep. D. nicht mehr ausführbares Börsentermingeschäft, bei dem ausdrücklich oder stillschweigend statt einer effektiven Erfüllung nur die Zahlung der aus dem Vertragskurs und dem Kurs des Erfüllungstages sich ergebenden Kursdifferenz an den gewinnenden Teil vereinbart ist. Nach § 764 BGB ist D. als Spiel anzusehen, eine *Verbindlichkeit* wird demnach dadurch nicht begründet. – Vgl. auch →Termingeschäfte.

differenzieren, Begriff der Mathematik: Berechnung bzw. Bildung der →Ableitung einer Funktion.

Differenzierung, →soziale Differenzierung.

Differenzierungsklausel, Klausel in →Tarifverträgen, die bezweckt, den nichtorganisierten Arbeitnehmern einen Anreiz zum Beitritt zur Gewerkschaft zu geben. D. wollen die tarifgebundenen Arbeitgeber verpflichten, den tarifgebundenen Arbeitnehmern höhere Leistungen zu gewähren als den nichttarifgebundenen. Nach der Rechtsprechung des BAG sind D. wegen Verstoßes gegen die negative →Koalitionsfreiheit (vgl. dort 4) unzulässig. – *Arten:* →Spannenklausel; →Tarifausschlußklausel. – Vgl. auch →Tarifautonomie.

Differenzinvestition, *Supplementinvestition, Komplementärinvestition,* fiktive →Investition beim Vergleich zweier oder mehrerer Investitionsobjekte mit unterschiedlichem Kapitaleinsatz und unterschiedlicher Lebensdauer zur Herstellung der Vergleichbarkeit der Alternativen.

Differenzkosten, im Rahmen der Trennung von →Grenzkosten und →Residualkosten gebräuchlicher Begriff für die Kosten einer zusätzlichen Produktionsschicht: Differenz zwischen den Gesamtkosten (K_1, K_2), zweier verschiedener Beschäftigungen (x_1, x_2), bezogen auf die Differenz der Beschäftigungen:

$$\frac{\Delta K}{\Delta x} = \frac{K_2 - K_1}{x_2 - x_1}$$

Graphisch sind D. gleich dem Anstieg der Sekante zweier verschiedener Punkte der Gesamtkostenkurve (Vgl. obenstehende Abbildung).

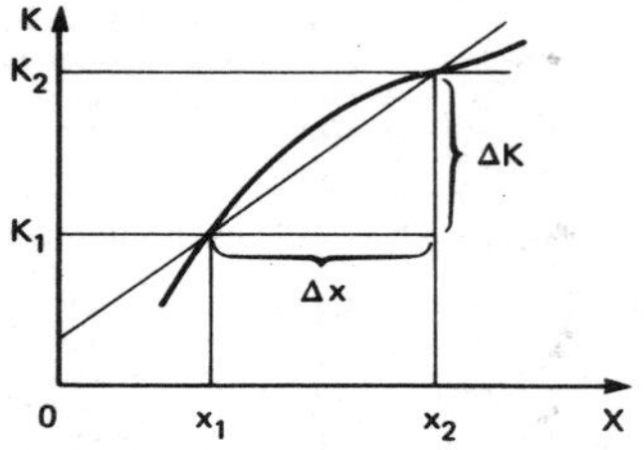

Differenzkostenrechnung, von Riebel geprägter Sammelbegriff für Kostenrechnungssysteme, in denen den Kostenträgern sowie oft auch anderen Bezugsobjekten nur die *zusätzlichen* Kosten zugerechnet werden. Spezifischere Bezeichnung als →Teilkostenrechnung, weil dieser Begriff auch die Handels- und Zinsspannenrechnung sowie „reduzierte Vollkostenrechnungen", in denen auf die Verteilung der Verwaltungs- und Vertriebsgemeinkosten verzichtet wird, einschließt.

Differenzmenge, zu zwei vorgegebenen →Mengen M_1 und M_2 die derjenigen Elemente, die zu M_1, aber nicht zu M_2 gehören; in Zeichen: $M_1 \setminus M_2$.

Beispiel: $\{1,2,3,4\} \setminus \{2,4,5\} = \{1,3\}$.

Diffusion, Ausbreitung innovativer Ideen, Produkte, Verfahren usw. (→Innovation) in sozialen Systemen im Zeitablauf durch persönliche und/oder unpersönliche Kommunikation. Der Diffusionsprozeß kann graphisch als Häufigkeitsverteilung der Erstkäufer über die Zeit dargestellt werden; auf der Basis relativer Übernahmezeitpunkte lassen sich verschiedene Adopterklassen (→Adoption) einteilen (vgl. auch →Lebenszyklus):

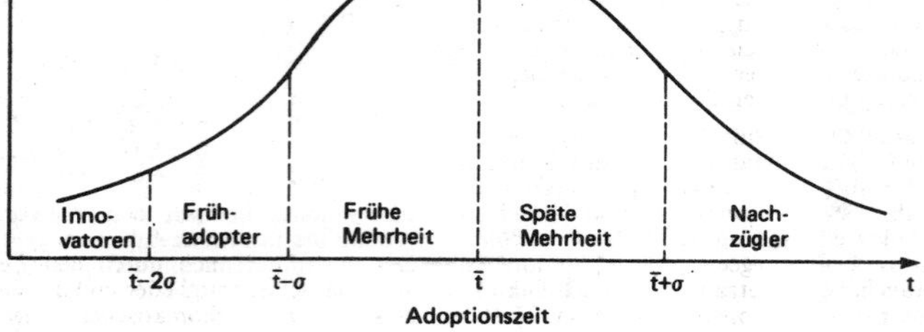

Das Diffusionsmodell gibt wichtige Hinweise für den Einsatz der →marketingpolitischen Instrumente (vgl. auch →Kaufverhalten, →Konsumentenverhalten).

Diffusionsindex, von W. C. Burns und F. Mitchell in den 40er Jahren für das →National Bureau of Economic Research (NBER) entwickelter →Konjunkturindikator (→Gesamtindikator). Der einfache D. mißt den prozentualen Anteil der in die Analyse einbezogenen Einzelreihen, die innerhalb des betrachteten Zeitraums gegenüber der entsprechenden Vorperiode gestiegen (gefallen) sind. Hat der D. einen Wert zwischen 50% und 100% (0% und 50%) befindet sich die Wirtschaft in einer allgemeinen Aufschwungphase (Abschwungphase).

digitale Abschreibung, →Abschreibung III 1 a) (1) 2), →degressive Abschreibung.

digitale Darstellung, Darstellung der →Daten durch endliche Zeichenfolgen, wobei die benutzten Zeichen aus einer (vereinbarten) endlichen Menge stammen. – *Form* der d. D.: →binäre Darstellung. – Vgl. auch →analoge Darstellung.

Digitalisiertablett, →Graphiktablett.

Digitalrechner, →Rechner, bei dem die Daten nicht in analogen physikalischen Größen, sondern in Bitkombinationen (→Bit) dargestellt werden (→digitale Darstellung). Die für die →betriebliche Datenverarbeitung eingesetzten elektronischen Datenverarbeitungsanlagen sind D. – *Gegensatz:* →Analogrechner. – Vgl. auch →Hybridrechner.

Digraph, endlicher, schlichter (→schlichter Graph), gerichteter →Graph. – Vgl. auch →bewerteter Digraph.

DIHT, Abk. für →Deutscher Industrie- und Handelstag.

Diktatur des Proletariats, im →Marxismus die Herrschaftsausübung der Arbeiterklasse über die →Bourgeoisie nach der revolutionären Beseitigung des Kapitalismus im →Sozialismus (→Klassentheorie).

Diktatzeichen, im Briefkopf neben Ort und Datum angegebene Buchstaben oder Ziffern, die den Namen des Ansagers und des Schreibers eines Briefes kennzeichnen, möglichst so gewählt, daß der Empfänger ihn daraus nicht erkennen kann; zu verbinden mit dem →Aktenzeichen oder →Abteilungszeichen im Interesse der sicheren Postverteilung.

Diktiergerät, Tonaufzeichnungsgerät, das im Frequenzbereich und mit speziellen Funktionen für die sicher verständliche, rationelle Eingabe, Wiedergewinnung und Abschrift von Diktaten ausgelegt ist. – *Arten:* a) *Bürodiktiergerät:* D., geeignet für stationären Gebrauch; mit Netzanschluß und Diktat-/Wiedergabe-Funktionen ausgestattet. b) *Reisediktiergerät:* D. mit Batteriebetrieb. c) *Diktiersystem* für die zentrale und kollektive Diktataufzeichnung in Verbindung mit dezentralen Sprechstellen (v.a. →Telefondiktieranlage).

Diktiersystem, →Diktiergerät c).

Dilemma der Kontrolle, eine Folge zweier unterschiedlicher Zielsetzungen der →Kontrolle. Einerseits soll sie die Einhaltung des Geplanten sichern; dies ist nur möglich, wenn mit den Planinhalten ein hohes Commitment bei allen Beteiligten verbunden wird. Andererseits können die Pläne aber auf Prämissen beruhen, die sich als falsch erweisen. – *Überwindung:* Die Möglichkeit der Planrevision muß in die Überlegungen miteinbezogen werden und im Bewußtsein der Mitarbeiter verankert sein; nur so kann die Kontrolle auch eine Lernfunktion erfüllen. Genau damit aber wird das notwendige Plankommitment wieder untergraben.

DIN, vom →Deutsches Institut für Normung e.V. (DIN) jedermann zum Kennzeichnen genormter Gegenstände freigestellter Name. Für die Anwendung des Verbandszeichens DIN gilt dessen Zeichensatzung. – Vgl. auch →deutsche Normen, →deutsches Normenwerk.

dinglicher Anspruch, zu unterscheiden vom →Forderungsrecht. Rechtsgrundlage des d. A. sind das Recht an der Sache (z.B. Recht des Eigentümers, Einwirkungen anderer auf die Sache zu verbieten) und der →dingliche Vertrag, während das Forderungsrecht das schuldrechtliche Rechtsgeschäft (z.B. Kauf) zur Grundlage hat.

dinglicher Arrest, vorläufiger Zugriff auf das Vermögen des Schuldners. – Vgl. auch →Arrest.

dinglicher Vertrag, →Einigung (Auflassung), z.B. zwischen Veräußerer und Erwerber, über Eigentumsübergang. – Vgl. auch →Konsensprinzip.

dingliches Recht, sind →Sachenrechte, weil sie die →Sache (das Ding) unmittelbar umfassen, gegen jedermann (jeden Dritten) wirken und von jedem respektiert werden müssen (→absolutes Recht).

dingliches Wohnrecht, →beschränkt persönliche Dienstbarkeit.

DIN-Normen, →deutsche Normen.

Dioptrie (dpt), Einheit des Brechwertes von optischen Systemen (→gesetzliche Einheiten, Tabelle 1). Der Brechwert ist gleich dem Kehrwert der Brennweite. 1 dpt = 1/m.

Diplomatengut, nach den Zollvorschriften Waren, die bei der Einfuhr zum persönlichen Ge- oder Verbrauch durch den Leiter, die diplomatischen Mitglieder und das Geschäftspersonal der diplomatischen Vertretungen oder deren Familienmitglieder in der Bundesrep. D. bestimmt sind. D. ist unter Voraussetzung der Gegenseitigkeit zollfrei, wenn die Waren unter der Anschrift einer der genannten Personen eingehen und bei der Abfertigung zum freien Verkehr eine mit Dienststempel versehene Erklärung des Leiters der Vertretung oder seines Stellvertreters nach vorgeschriebenem Muster vorgelegt wird. Kraftfahrzeuge als D. nur unter der Bedingung zollfrei, daß sie nicht vor Ablauf von zwei Jahren an nicht Begünstigte veräußert werden (§ 68 AZO). – Vgl. auch →Konsulargut.

Diplom-Geograph wirtschafts- und sozialwissenschaftlicher Richtung, →wirtschaftswissenschaftliche Studiengänge.

Diplom-Handelslehrer, →wirtschaftswissenschaftliche Studiengänge.

Diplom-Haushaltsökonom, →wirtschaftswissenschaftliche Studiengänge.

Diplom-Informatiker (Dipl.-Inf.), →Informatik.

Diplom-Ingenieur (Dipl.-Ing.), →wirtschaftswissenschaftliche Studiengänge.

Diplom-Kaufmann, →wirtschaftswissenschaftliche Studiengänge.

Diplom-Kooperationsökonom, →wirtschaftswissenschaftliche Studiengänge.

Diplom-Ökonom, →wirtschaftswissenschaftliche Studiengänge.

Diplom-Ökotrophologe, →wirtschaftswissenschaftliche Studiengänge.

Diplomprüfung, Hochschulprüfung als berufsqualifizierender Abschluß eines →Diplomstudiengangs, aufgrund dessen eine Hochschule den Diplomgrad mit Angabe der Fachrichtung oder des Studiengangs verleiht (§ 18 HRG). – 1. *Prüfung:* Die D. besteht aus zwei Teilen. Der *erste Teil* umfaßt die Anfertigung der Graduierungsarbeit. Bei der Meldung zur Prüfung benennt der Kandidat das Fachgebiet seiner Graduierungsarbeit und den für Betreuung und Bewertung der Arbeit gewünschten Hochschullehrer. Einige örtliche Prüfungsordnungen unterscheiden in diesem Zusammenhang zwischen Diplomarbeit mit vorgegebener Aufgabenstellung, Regelbearbeitungsdauer sechs Wochen, und freier wissenschaftlicher Arbeit mit freier Themenwahl, Regelbearbeitungsdauer sechs Monate. Der *zweite Teil* umfaßt i. d. R. eine Klausurarbeit von mindestens vierstündiger Dauer sowie eine mündliche Prüfung in jedem Prüfungsfach. – 2. *Beurkundung:* Über die bestandene D. wird ein Zeugnis ausgefertigt, das das Thema der Graduierungsarbeit, die einzelnen Noten sowie das Gesamtergebnis der D. enthält. Mit dem Zeugnis wird ein Diplom ausgehändigt, das die Verleihung des akademischen Grades beurkundet, der durch das Gesetz über die Führung akademischer Grade vom 7. 6. 1939 geschützt ist. – 3. Ein Kandidat kann sich in unmittelbarem Zusammenhang mit oder nach bestandener D. der Prüfung in *weiteren Fächern* (Zusatzfächern) unterziehen. – Vgl. →wirtschaftswissenschaftliche Studiengänge.

Diplom-Sozialökonom, →wirtschaftswissenschaftliche Studiengänge.

Diplom-Sozialwirt, →wirtschaftswissenschaftliche Studiengänge.

Diplom-Statistiker, →Statistik VI.

Diplomstudiengänge, →wirtschaftswissenschaftliche Studiengänge.

Diplom-Trophologe, →wirtschaftswissenschaftliche Studiengänge.

Diplom-Volkswirt, →wirtschaftswissenschaftliche Studiengänge.

Diplom-Volkswirt sozialwissenschaftliche Richtung, →wirtschaftswissenschaftliche Studiengänge.

Diplom-Wirtschaftsagraringenieur, →wirtschaftswissenschaftliche Studiengänge.

Diplom-Wirtschaftschemiker, →wirtschaftswissenschaftliche Studiengänge.

Diplom-Wirtschaftsinformatiker, →wirtschaftswissenschaftliche Studiengänge, →Wirtschaftsinformatik.

Diplom-Wirtschaftsingenieur, →wirtschaftswissenschaftliche Studiengänge.

Diplom-Wirtschaftsmathematiker, →wirtschaftswissenschaftliche Studiengänge.

Diplom-Wirtschaftspädagoge, →wirtschaftswissenschaftliche Studiengänge.

Diplom-Wirtschaftsphysiker, →wirtschaftswissenschaftliche Studiengänge.

direct costing, *variable costing, marginal costing, Proportionalkostenrechnung.*

I. Charakterisierung: Einfaches Teilkostenrechnungssystem (→Teilkostenrechnung), das in den 30er Jahren in den USA entwickelt wurde. Das d. c. basiert auf einer Spaltung der Kosten (→Kostenauflösung) in →fixe Kosten und →variable Kosten, wobei als Kosteneinflußgröße die →Beschäftigung herangezogen wird. Die variablen Kosten werden von den →Erlösen der Produkte abgezogen (→Deckungsspanne), die fixen Kosten in einer Summe in das →Betriebsergebnis übernommen. – Darstellung der Abrechnung:

Erlös eines Produkts
./. variable Kosten eines Produkts

= Deckungsspanne eines Produkts

Summe der Deckungsspannen aller Produkte
./. Fixkosten

= Periodengewinn

II. Aussagefähigkeit: 1. Das d.c. läßt unmittelbar die erfolgmäßigen Konsequenzen von Änderungen der Absatzmengen der Produkte erkennen. Anders als die →Vollkostenrechnung kann das D.C. damit wertvolle Informationen für *programmpolitische Entscheidungen* liefern. Negative Deckungsspannen legen es – es sind keine →Erlösverbundenheiten zu beachten – nahe, auf das betreffende Produkt zu verzichten, positive Deckungsspannen fordern dazu auf, das betreffende Produkt auch weiterhin anzubieten. – 2. *Grenzen der Aussagefähigkeit* resultieren insbes. aus der undifferenzierten Behandlung der fixen Kosten. Viele fixe Kosten lassen sich zwar nicht einer einzelnen Produkteinheit, aber einem Produkt insgesamt (→Produkteinzelkosten, z.B. Kosten einer Spezialmaschine, auf der nur ein einziges Erzeugnis gefertigt wird), einer Produktgruppe (Produktgruppeneinzelkosten, z.B. Kosten des Produktgruppenverantwortlichen im Vertrieb) oder einer Sparte (→Sparteneinzelkosten, z.B. Kosten des Spartenleiters) zurechnen. Eine derartige, z.B. von der →Fixkostendeckungsrechnung vorgenommene Zuordnung liefert eine bessere Informationsbasis für Programmentscheidungen.

direct costs. 1. Ursprüngliche, auch heutige amerikanische und englische Bezeichnung für →direkt erfaßte Kosten oder →Einzelkosten. – 2. Im →direct costing übliche Bezeichnung der „direkt zum Ausstoß proportionalen Kosten", gleichbedeutend mit →variablen Kosten in bezug auf die Beschäftigung; in Großbritannien auch als *marginal costs* bezeichnet.

direct mailing, werbliche Ansprache einer bestimmten →Zielgruppe, die auf der Basis einer Adressendatei (evtl. von →Adressenverlagen bezogen) selektiert wurde, d.h. durch adressierte Werbung per Brief mit (individualisiertem) Anschreiben, dem häufig ein Prospekt beigefügt wird *(direct mail)*. Bekannteste Form der →Direktwerbung. – Vgl. auch →Mediaplanung.

direct marketing, alle marktgerichteten Aktivitäten, die sich einstufiger (direkter) Kommunikation und/oder des →direkten Vertriebs bzw. des Versandhandels bedienen, um Zielgruppen in individueller Einzelansprache gezielt zu erreichen; ferner solche marktgerichteten Aktivitäten, die sich mehrstufiger Kommunikation mit der Absicht bedienen, einen direkten, individuellen Kontakt herzustellen.

direct numerical control, →DNC-Anlagen.

Direktabsatz, →direkter Vertrieb.

Direktanspruch, unmittelbarer Anspruch des geschädigten Dritten gegen den Kraftverkehrshaftpflichtversicherer, auch dann gegeben, wenn der Versicherer dem Versicherungsnehmer gegenüber ganz oder teilweise leistungsfrei ist (→Kraftverkehrsversicherung).

Direktausfuhr, *Direktexport,* Absatz von Produktionsunternehmungen auf ausländischen Märkten ohne Einschaltung von Exporthandelsbetrieben, auch der Geschäftsverkehr durch Reisende, Vertreter, Kommissionäre, Verkaufsagenturen, Zweigniederlassungen und Tochterunternehmungen sowie über Exportringe und Monopolverwaltungen. Hauptmerkmal ist die Möglichkeit zur unmittelbaren Einflußnahme auf das Absatzgeschehen in einem Auslandsmarkt, insbes. durch eigenständige, individuelle Kontaktanbahnung, Marktbearbeitung, Auftragsabwicklung und Kundenpflege. – Vgl. auch →Ausfuhr, →Ausfuhrhandel.

Direktbedarfsmatrix, →Gozinto-Graph.

direkte Abschreibung, →Abschreibung, bei der der Wertansatz des abzuschreibenden Anlagegutes auf der Vermögensseite der Bilanz direkt um den Abschreibungsbetrag vermindert wird. – *Gegensatz:* →indirekte Abschreibung.

direkte Beschaffung, Beschaffung von Waren, Rohstoffen, Dienstleistungen u.ä. unter Umgehung des branchenüblichen Handels bzw. Vermittlungsgewerbes zwecks Einsparung der →Handelsspannen bzw. Vermittlungsgebühren. – Vgl. auch →Beschaffung.

direkte Garantie, →Garantie.

direkte Kosten, →Einzelkosten, →direct costs, →variable Kosten.

direkte Preiselastizität der Nachfrage, relative Änderung der nachgefragten Menge nach einem Gut bei einer (infinitesimal) kleinen Änderung seines Preises (→Preiselastizität). – *Gegensatz:* →Kreuzpreiselastizität.

direkte Prüfung, →Prüfung.

direkter Absatz, →direkter Vertrieb.

direkt erfaßte Einzelkosten (-ausgaben, -erlöse), von Riebel geprägter Begriff. D.e.E. sind →Einzelkosten (-erlöse, -ausgaben), die direkt für die Bezugsobjekte erfaßt werden, denen sie nach dem →Identitätsprinzip eindeutig zurechenbar sind (→unechte Gemeinkosten).

direkter internationaler Preiszusammenhang, Erklärungsansatz für eine →importierte Inflation bei →festen Wechselkursen. Während die Einkommenstheorie und die Liquiditätstheorie des Inflationsimports auf der Annahme beruhen, daß bei einer im Ausland höheren Inflation als im Inland eine Aktivierung der →Leistungsbilanz erfolgt (normale Reaktion), wird mit der These d.i.P. eine Inflationsübertragung auch für den Fall einer *konstanten* oder sogar *defizitären Leistungsbilanz* zu erklären versucht: Ein Land mit intensiven Außenhandelsbeziehungen könne sich den Preiseinflüssen einer stärker inflationierenden Umwelt kaum entziehen, da

(1) die Preise importierter Güter steigen; (2) die Inlandspreise von Exportgütern steigen, weil im Weg der Güterarbitrage (d.h. die Bewegung homogener Güter auf verbundenen Märkten zu denjenigen mit den höheren Preisen) der Auslandsabsatz dieser Güter steigt, was die betreffenden inländischen Produzenten zu Preisanhebungen veranlaßt; (3) die Preise von Binnenhandelsgütern angehoben werden; soweit sie importierte Inputs enthalten. – Im Fall einer *passivierenden Leistungsbilanz* ist hinsichtlich dieses Erklärungsansatzes allerdings zu beachten, daß durch das Leistungsbilanzdefizit eine Reduktion des Volkseinkommens und der Gesamtnachfrage (Einkommenseffekt) und eine Verengung des Liquiditätsspielraums (Liquiditätseffekt) eintreten können, was eine Preis- bzw. Kostenüberwälzung erschwert.

direkter Schluß, →Inklusionsschluß.

direkter Vertrieb, *Direktabsatz, Direktvertrieb, Direktverkauf, Direktgeschäft, direkter Absatz.* 1. *Vertriebssystem,* bei dem der Verkauf von Herstellern und Großhändlern direkt an Letztverbraucher erfolgt: Die produzierten Güter gelangen ohne Einschaltung des Handels vom Produzenten unmittelbar zum Endnutzer. Marketingentscheidung im Rahmen der →Absatzwegepolitik. – Der Hinweis auf die Hersteller- und Großhändlereigenschaft (entscheidendes Werbeargument) ist gem. §6a VWG grundsätzlich verboten (unlauterer Wettbewerb). – 2. *Formen:* →Haustürgeschäfte durch den Erzeuger oder durch Haushaltsvertreter, →Fahrverkauf, Verkauf mittels eigener Stände auf →Wochenmärkten oder über eigene Einzelhandelsfilialgeschäfte (Fabrikfilialen; →Filiale), Verkauf vom Versandhandel. Vgl. auch →Verkaufsbüro, →Verkaufskontor, →Exportmusterlager. – 3. D. auch auf dem *„grauen Markt":* Einkauf der Konsumenten direkt beim Produzenten oder beim Cash-and-Carry-Großhändler zwecks Einsparung einer oder mehrerer →Handelsspannen (→Werkshandel, →Betriebshandel, →Belegschaftshandel, →Behördenhandel und →Beziehungshandel). – Vgl. auch →Demigrossist. – 4. Der d.V. an den Letztverbraucher unterliegt u.U. *gesundheits- und gewerbepolizeilichen Einschränkungen,* z.B. Verbot des d.V. von Arzneimitteln, des ambulanten Handels mit bestimmten Gegenständen; →Reisegewerbe. – *Gegensatz:* →indirekter Vertrieb.

direkter Zugriff, Ansteuerung einer gespeicherten Information ohne Durchsuchung eines Datenbestandes. Das Programm erkennt die benötigte Information an ihrer →Adresse. Er setzt Speichermedien mit einer Technik zur direkten Ansteuerung von Speicherplätzen voraus (→RAM).

direkte Steuern, Gruppe von Steuern nach der ältesten Steuereinteilung (→Steuerklassifikation). – *Einteilungskriterien:* 1. Nach der *Veranlagungs- oder Erhebungstechnik:* Erhebung und Veranlagung erfolgen formell durch →Steuerbescheid beim Steuerpflichtigen, der als Steuerträger vermutet wird; sie sind →Veranlagungssteuern. Kriterium von nur noch historischer Bedeutung. – 2. Nach der *Überwälzbarkeit:* Die Steuer soll nach dem Willen des Gesetzgebers vom Steuerschuldner wirtschaftlich getragen werden, keine →Überwälzung; sie sind *Tragsteuern.* Es wurde jedoch nachgewiesen, daß abhängig von der wirtschaftlichen Situation auch d. St. (z.B. Gewerbe- und Körperschaftsteuer) überwälzbar sind. – 3. Nach der steuerlichen *Leistungsfähigkeit:* Die steuerliche Leistungsfähigkeit wird unmittelbar erfaßt, wobei zwischen persönlicher (natürliche/juristische Person) und sachlicher (Gewerbebetrieb/Grundvermögen) Leistungsfähigkeit unterschieden wird, d.h. Besteuerung der Einkommenserzielung und des Ertrags, z.B. Einkommensteuer, Körperschaftsteuer, Vermögensteuer, Gewerbesteuer, Grundsteuer. – Wesentlich ist das Kriterium der Überwälzbarkeit, deren Ausmaß nur durch Einzeluntersuchungen, nicht durch allgemeine Überlegungen bestimmt werden kann. – *Gegensatz:* →indirekte Steuern.

direkte Tarife, Begriff aus dem Eisenbahnwesen. §6 AEG verpflichtet die öffentlichen Eisenbahnen, für die Beförderung von Personen und Gütern, die auf mehreren aneinander anschließenden Eisenbahnen des öffentlichen Verkehrs (Deutsche Bundesbahn, nicht bundeseigene Eisenbahnen) erfolgt, eine direkte Abfertigung einzurichten und durchgehende d.T. aufzustellen. – *Direkte internationale Tarife* im Eisenbahnverkehr zwischen den Mitgliedstaaten der Montanunion vom 21.3.1955.

Direktexport, →Direktausfuhr.

Direkt-Geld-Methode, Rangreihenverfahren (→Arbeitsbewertung II 1a)), bei dem die Beanspruchungshöhe durch einzelne Anforderungsarten direkt in Geld ausgedrückt wird. Geldlohnsätze werden auf die Anforderungsarten verteilt.

Direktgeschäft, →direkter Vertrieb.

Direktgutschrift, ein in der Lebensversicherung seit 1984 praktiziertes Verfahren der Überschußbeteiligung von Versicherungsnehmern (→Lebensversicherung V): Ein Teil des Jahresüberschusses wird den Versicherungsnehmern direkt gutgebracht, der verbleibende Rest wird der →Rückstellung für Beitragsrückerstattung zugeführt. – *Modelle:* a) *Modell A:* Die D. beträgt mindestens 1,5% des Versicherungsnehmerguthabens, bestehend aus der →Deckungsrückstellung und dem Überschußguthaben des Versicherungsnehmers. b) *Modell B:* Die D. beträgt mindestens

35% des für die Versicherungsnehmer bestimmten Jahresüberschusses; der laufende Überschußanteil setzt sich zusammen aus der D. des Geschäftsjahres und einem (gegenüber früher entsprechend verminderten) aus der Rückstellung für Beitragsrückerstattung entnommenen Überschußanteil, der bereits ein bis zwei Jahre zuvor verbindlich festgelegt worden ist.

Direktinvestitionen. I. Begriff: Form der →Auslandsinvestitionen. – 1. *Kennzeichen:* Kapitalexport durch Wirtschaftssubjekte eines Landes (vornehmlich private Unternehmen) in ein anderes Land mit dem Ziel, dort Immobilien zu erwerben, Betriebsstätten oder Tochterunternehmen zu errichten, ausländische Unternehmen zu erwerben oder sich an ihnen mit einem Anteil zu beteiligen, der einen entscheidenden Einfluß auf die Unternehmenspolitik gewährleistet. – *Gegensatz:* →Portfolioinvestitionen. – Vgl. auch →Joint Venture, →zwischenstaatliche Gemeinschaftsprojekte. – 2. *Entscheidungskriterien:* Steuervorteile im Ausland, Abweichungen in den Faktorpreisen sowie den wettbewerbsrechtlichen Vorschriften, unterschiedlich scharfe Umweltschutzpolitiken, Umgehung von Handelsschranken, Sicherung der Lieferung von Rohstoffen oder Vorprodukten, Erschließung oder Erhaltung von Absatzmärkten (vgl. auch →Kapitalflucht). Absicherung der politischen Risiken durch Garantien für Kapitalanlagen im Ausland.

II. Wirkungen: 1. Mögliche *positive Wirkungen für das Empfängerland* (insbes. in Entwicklungsländern): a) Milderung der Kapitalknappheit und dadurch Steigerung der Produktivität bzw. Beschäftigung sonstiger Produktionsverfahren; b) Wachstumsbeschleunigung durch Zunahme der gesamtwirtschaftlichen Investition (externe Investitionsfinanzierung); c) Entlastung der →Zahlungsbilanz; d) Beitrag zur Diversifizierung der Produktionsstruktur; e) positive Beschäftigungseffekte; f) Technologietransfer; g) Induzierung von Investitions- bzw. Produktionsaktivitäten in vor- und nachgelagerten Produktionsstufen. – 2. Mögliche *negative Wirkungen für das Empfängerland* (insbes. in Entwicklungsländern): a) Verdrängung einheimischer Produzenten; b) Wohlfahrtsverluste bzw. Einkommenstransfer zugunsten der Investoren durch übertriebene staatliche Vergünstigungen (z.B. unentgeltliche Gewährung von Infrastrukturleistungen, „Schutzrente“ im Weg einer Abschirmung des betreffenden Marktes durch Importzölle oder subventionierte Inputs und verbilligte Kredite).

III. Außenwirtschaftsrecht: 1. *Begriff:* Leistungen, die die Anlage von Vermögen zur Schaffung dauerhafter Wirtschaftsbeziehungen bezwecken. – 2. *Meldepflicht:* Nach §§ 55 I, 56 II AWV sind D. bis zum fünften Tag des auf den meldepflichtigen Vorgang folgenden Monats, in anderen Fällen bis zum 5.2. des folgenden Jahres über die zuständige Landeszentralbank bei der Deutschen Bundesbank zu melden, wenn im Einzelfall ein Wert von 20000 DM überschritten wird: (1) Gründung oder Erwerb eines Unternehmens; (2) Erwerb oder Errichtung von Zweigniederlassungen und Betriebsstätten; (3) Erwerb von Beteiligungen an Unternehmen (→Joint Venture); (4) Folgeinvestitionen in bezug auf (1) bis (3) durch Ausstattung durch Anlagemittel oder Zuschüsse sowie Gewährung von Darlehen. – Gem. § 56 I AWV ist der Gebietsansässige meldepflichtig, dem die Vermögensanlage zusteht oder in den Fällen des § 55 II AWV zustand. – 3. *Beschränkungen* der Kapitalausfuhr bzw. D. im Ausland: §§ 5, 7 und 22 AWG.

IV. Umfang:

D. der deutschen privaten Wirtschaft im Ausland

	1981	1982	1983	1984	1985
Bestand in Mrd. DM	101,9	109,2	123,5	145,6	147,8
Nettozuwachs in Mrd. DM	17,4	7,3	14,3	22,1	2,2
Zunahme in %	21	7	13	18	2

D. ausländischer Unternehmen in der Bundesrep. D.

	1981	1982	1983	1984	1985
Bestand in Mrd. DM	98,9	101,2	107,5	113,4	119,1
Nettozuwachs in Mrd. DM	5,0	2,2	6,3	5,9	5,8
Zunahme in %	5	2	6	5	5

Direktionsrecht, *Weisungsrecht.* 1. *Begriff:* Das durch den →Arbeitsvertrag vermittelte Recht des →Arbeitgebers, prinzipiell Art, Inhalt und Umfang der Arbeit sowie die Arbeitszeit der Arbeitnehmer zu bestimmen. – Die vom →Arbeitnehmer zu leistenden Dienste sind im →Arbeitsvertrag i.d.R. nur rahmenmäßig festgelegt. Der Arbeitgeber konkretisiert die Arbeitspflicht durch seine Weisungen; diese bestimmen den Inhalt der vertraglichen Arbeitspflicht (für →Handlungshilfen: § 121 I HGB), so daß es überflüssig ist, eine dem D. des Arbeitgebers entsprechende →Gehorsamspflicht des Arbeitnehmers anzunehmen. – 2. *Rechtsgrundlage:* § 315 BGB. – 3. *Grenzen:* Das D. des Arbeitgebers wird begrenzt durch das →Arbeitsschutzrecht, durch →Tarifverträge, den →Arbeitsvertrag und den allgemeinen Grundsatz der →Fürsorgepflicht des Arbeitgebers. Je weniger detailliert die Tätigkeit des Arbeitnehmers im Arbeitsvertrag umschrieben ist, um so weiter sind die Grenzen des D. – Soll dem Arbeitnehmer ein *Beschäftigungswechsel* (→Versetzung) auferlegt werden, der die einzelvertraglichen Grenzen des D. überschreitet, bedarf es einer →Änderungskündigung oder einer Änderung des Arbeitsvertrags. – In *Notfällen* kann das D. des Arbeitgebers den arbeitsvertraglichen Rahmen überschreiten. – 4. Folgt der Arbeitnehmer nicht den wirksamen Weisungen des Arbeitgebers, kann er sich wegen →*Arbeitsverweigerung* einer →Kündigung und evtl. einer →Schadenersatzpflicht aussetzen (vgl. auch →Vertragsbruch II).

Direktnachfragemodelle, im Rahmen der →Verkehrsplanung eingesetzte →Verkehrsmodelle zur simultanen Bestimmung von Verkehrserzeugung, Verkehrsverteilung sowie Verkehrsteilung. – Vgl. auch →Vier-Stufen-Algorithmus.

Direktor, in der Praxis verbreiteter, aber bezüglich des betroffenen Personenkreises uneinheitlich verwendeter Titel für bestimmte herausgehobene Mitglieder der →Führungshierarchie. Teils werden der Leiter der Unternehmung (→Generaldirektor), häufiger die Handlungsträger an der Spitze größerer →organisatorischer Teilbereiche als D. bezeichnet, wobei zusätzliche Abstufungen (z. B. Abteilungsdirektor) weitere Statusdifferenzierungen zum Ausdruck bringen können.

Direktorialprinzip, Verfahren der hierarchischen Willensbildung (→Hierarchie) in →organisatorischen Einheiten, in denen mehrere Handlungsträger zusammengefaßt sind. Entscheidungen, die die multipersonale organisatorische Einheit als Ganzes betreffen, werden allein von der →Singularinstanz an der Spitze des →organisatorischen Teilbereichs, der die restlichen zur Einheit gehörenden Handlungsträger hierarchisch untergeordnet sind, getroffen *(Direktorialsystem)*. – Vgl. auch →Willensbildung. – *Gegensatz:* →Kollegialprinzip.

Direktorialsystem, →Direktorialprinzip.

Direktrufnetz, öffentliches →Netz der Deutschen Bundespost für die Übertragung digitaler Daten (→digitale Darstellung), das Hauptanschlüsse für Direktruf (HfD) über festgeschaltete Leitungen (Standleitungen) miteinander verbindet. Es ermöglicht Übertragungsgeschwindigkeiten von 50 bit/s bis 48 kbit/s. Verbindungen (zwischen zwei HfD) können im Duplex-, Halbduplex- und Simplex-Betrieb (→duplex, →halbduplex, →simplex) ablaufen. – Vgl. auch →Datel-Dienste.

Direktverkauf, →direkter Vertrieb.

Direktverkehr. 1. *Bahnverkehr:* Vgl. →Eisenbahn-Tarif, →direkte Tarife. – 2. *Organisation:* Vgl. →Mehrliniensystem.

Direktversicherung. I. Charakterisierung: 1. *Begriff:* Lebensversicherungsvertrag (→Lebensversicherung) zwischen dem Arbeitgeber (Versicherungsnehmer) und der Versicherungsgesellschaft zugunsten des Arbeitnehmers (bzw. nach § 17 BetrAVG gleichgestrellten Personen; vgl. auch →Betriebsrentengesetz) und/oder dessen Hinterbliebenen. – 2. *Charakterisierung des Versicherungsverhältnisses:* Versicherte Person ist der Arbeitnehmer. Die Begünstigung (→Bezugsberechtigung) des Arbeitnehmers und/oder der Hinterbliebenen kann widerruflich oder unwiderruflich sein. Der Arbeitgeber behält die Gestaltungsrechte und ist zur Zahlung der Prämien verpflichtet; der Arbeitnehmer kann an der Prämienzahlung beteiligt werden, insoweit ist die Versicherung jedoch als Eigenvorsorge des Arbeitnehmers anzusehen (v. a. im Rahmen der steuerlichen Behandlung; eine Ausnahme bildet nur die Barlohnumwandlung, vgl. IV). – Ist der Arbeitnehmner der Versicherungsnehmer und der Arbeitgeber nur der Prämienzahler, so handelt es sich zwar um eine Zukunftssicherungsaufwendung für den Arbeitnehmer, jedoch nicht um eine D. i. S. des BetrAVG; solche Versicherungen werden als *„unechte" D.* bezeichnet. – 3. Von dem Versicherungsvertrag zwischen Unternehmen und Versicherungsgesellschaft zu trennen ist das *arbeitsrechtliche Innenverhältnis* zwischen Arbeitgeber und Arbeitnehmer *(Versicherungszusage)*.

II. Mitbestimmungsrecht: Das Mitbestimmungsrecht des Betriebsrats ist entsprechend dem Mitbestimmungsrecht bei der Direktzusage (→betriebliche Ruhegeldverpflichtung I).

III. Steuerliche Behandlung/Sozialversicherungspflicht: 1. *Beim Arbeitnehmer:* a) *Vor Fälligkeit:* Die Prämien sind grundsätzlich Arbeitslohn. Sie sind beim Arbeitnehmer lohnsteuerpflichtig und im Rahmen der →Beitragsbemessungsgrenzen sozialversicherungspflichtig. Kann der Arbeitnehmer den Zukunftssicherungsfreibetrag geltend machen (→Zukunftssicherung des Arbeitnehmers), so gilt das nur für den Prämienaufwand, der pro Jahr 312 DM überschreitet. Der lohnsteuerpflichtige Teil kann ggf. vom Arbeitnehmer im Rahmen der für ihn maßgebenden Höchstbeträge als →Vorsorgeaufwendung geltend gemacht werden. Übernimmt jedoch der Arbeitgeber neben der Prämienzahlung auch die Lohnsteuerschuld des Arbeitnehmers (z. B. →Pauschalierung der Lohnsteuer), so entfällt für den Arbeitnehmer grundsätzlich auch die entsprechende Beitragsbelastung der Sozialversicherung. Im Rahmen der Vermögensteuer gehören D. ohne Rücksicht auf die Art der Bezugsberechtigung zum sonstigen Vermögen des Arbeitnehmers. Rentenversicherungen sind von der Vermögensteuer befreit. Kapitalversicherungen zählen nur mit ⅔ der Summe der effektiv gezahlten Prämien oder dem Rückkaufswert zum sonstigen Vermögen, soweit die gegebenen Freibeträge überschritten werden. – b) *Nach Eintritt des Versicherungsfalles:* Kapitalleistungen fließen dem Arbeitnehmer bzw. den Hinterbliebenen üblicherweise lohnsteuer- bzw. einkommensteuerfrei zu. Lediglich dann, wenn eine nach dem 31.12.73 abgeschlossene D. nicht den Anforderungen des §10 2b EstG (Voraussetzung, um als Vorsorgeaufwendung zu gelten) entspricht, unterliegen die in der Versicherungsleistung enthaltenen rechnungsmäßigen und außerrechnungsmäßigen Zinsen der Kapitalertragsteuer (sie sind Einnahmen im Rahmen der Einkünfte aus Kapitalvermögen, §20 EStG). Rentenleistungen sind stets mit dem Ertragsanteil Einnahmen im Rahmen der sonstigen Einkünfte, §22 Nr. 1a EstG (→Rentenbesteuerung). Vermögensteuerbelastung fällt nicht an. Fließen die Leistungen dem Arbeitnehmer selbst zu, so gehören sie nicht zum erbschaftsteuerpflichtigen Erwerb, fließen sie den Hinterbliebenen zu, nur insoweit, wie sie die Angemessenheit überschreiten.

2. *Beim Arbeitgeber:* a) *Vor Fälligkeit:* Prämien sind abzugsfähige Betriebsausgaben. Im übrigen sind zwei Wege zu unterscheiden: Wird der Arbeitnehmer mit der Lohnsteuer belastet, führt das beim Arbeitgeber – soweit das Arbeitsentgelt des Arbeitnehmers die Beitragsbemessungsgrenzen noch nicht überschreitet – zu entsprechend höheren Arbeitgeberbeiträgen zur Sozialversicherung. Übernimmt dagegen der Arbeitgeber die durch die D. veranlaßte Lohnsteuer, kann er auch diesen Betrag als Betriebsausgaben geltend machen. Nutzt er in diesem Zusammenhang die Vorteile der Pauschalierung der Lohnsteuer gem. §40b EStG, mindert sich nicht nur die Steuerlast, darüber hinaus sind grundsätzlich gem. Arbeitsentgeltverordnung die direkt versteuerten D.sprämien kein sozialversicherungspflichtiges Arbeitsentgelt. In der Ertragsteuerbilanz des Arbeitgebers keine Aktivierung der Versicherung solange und soweit der Arbeitnehmer und/oder seine Hinterbliebenen begünstigt sind. Das gilt sogar dann, wenn der Arbeitgeber den Versicherungsanspruch abgetreten oder beliehen hat, sofern er sich schriftlich verpflichtet, den Bezugsberechtigten bei Eintritt des Versicherungsfalles so zu stellen, als ob die Abtretung oder Beleihung nicht erfolgt wäre. D. gehören im Rahmen der Vermögensteuer nicht zum Betriebsvermögen, somit entfällt jede Belastung dieser Art. – b) *Bei Fälligkeit:* Fließen die Leistungen dem Arbeitnehmer oder seinen Hinterbliebenen zu, hat das für den Arbeitgeber keine steuerliche Wirkung.

IV. Vor- und Nachteile: 1. *Vorteile:* Das Versicherungswagnis wird von der Versicherungsgesellschaft getragen. Bei entsprechender Vertragsgestaltung kann durch die versicherungsrechtliche Regelung das evtl. mit der Unverfallbarkeit zusammenhängende Nachfinanzierungsrisiko ausgeschlossen werden (vgl. →Betriebsrentengesetz II 1). Altersversorgung ohne Beitragspflicht beim PSVaG ist möglich (vgl. →Betriebsrentengesetz II 5), und zwar ohne Verlustrisiko für den Versorgungsanwärter. Außerdem entfallen für den Arbeitgeber Gutachten und Bilanzierungsprobleme. Er kann seine Lasten auf die Beitragszahlung während der Zeit der Betriebszugehörigkeit des Arbeitnehmers beschränken. Aus diesen Gründen eignet sich die D. insbes. für kleinere Unternehmen. Sie ist aber auch in größeren Unternehmen verbreitet, da Versicherungsverträge den individuellen Bedürfnissen leitender Angestellter oder einzelner Personen angepaßt werden können. Ferner kann die Versicherung beim Ausscheiden eines Arbeitnehmers aus dem Unternehmen leicht übertragen werden. Der neue Arbeitgeber oder der Arbeitnehmer selbst kann sie dann weiterführen. Darüber hinaus bietet die steuerliche Wirkung der D. Vorteile. Kapitalleistungen kann der Arbeitgeber durch den Zukunftssicherungsfreibetrag und die Möglichkeit der Pauschelierung der Lohnsteuer dem Arbeitnehmer oder seinen Hinterbliebenen ohne bzw. ohne wesentlichen Mehraufwand lohnsteuerfrei (sowohl während der Anwartschaft als auch bei Fälligkeit und Auszahlung) zukommen lassen. Die D. eignet sich daher insbes. für Kapitalversprechen. Dieses Vorteils wegen steht sie in mehrstufigen Systemen häufig neben Pensionszusagen (vgl. →betriebliche Altersversorgung II).

2. *Nachteile:* Das Vermögen zur Sicherstellung der Versorgungsansprüche wird beim Versicherungsunternehmen angesammelt (Liquiditätseinbuße für das Unternehmen). Es darf aber nicht übersehen werden, daß durch die Möglichkeit eines zinspflichtigen Policendarlehens eine ständige Finanzierungsreserve vorhanden ist. Außerdem können D.sprämien, soweit sie nicht von den Begünstigungen des Zukunftssicherungsfreibetrages oder der vom Arbeitgeber übernommenen pauschalen Lohnsteuer erfaßt werden, den Arbeitnehmer außerordentlich belasten; sie sind nämlich bereits während der Anwartschaftszeit lohnsteuer- und sozialabgabenpflichtiger Arbeitsentgelt (im Gegensatz zu →betrieblichen Ruhegeldverpflichtungen).

V. D. gegen Barlohnkürzung *(Barlohnumwandlung, Gehaltsumwandlung):* 1. *Wesen:* Der Unterschied zu den geschilderten D. besteht darin, daß der Arbeitgeber auf Veranlassung des Arbeitnehmers Barlohn in Versicherungslohn umwandelt und die Pauschalierung der Lohnsteuer nach §40b EStG nutzt (Zukunftssicherungsfreibetrag wird bei der Barlohnumwandlung nicht gewährt). Verpflichtet ist der Arbeitgeber dazu grundsätzlich nicht. Durch die Kürzung des Barlohns spart der Arbeitnehmer einerseits die mit dem Kürzungsbetrag verbundene Lohnsteuer in

Höhe des für ihn maßgeblichen Spitzensteuersatzes. Verwendet der Arbeitnehmer für die Barlohnumwandlung keine laufenden Bezüge, sondern Einmalzahlungen (z. B. Urlaubsgeld, Gratifikationen, Weihnachtsgeld und 13. Gehalt), fallen, insoweit wie das Arbeitsentgelt die Beitragsbemessungsgrenzen der Sozialversicherung noch nicht erreicht, auch die entsprechenden Beitragsanteile zur Sozialversicherung weg. Andererseits belastet jedoch der Arbeitgeber den Arbeitnehmer mit dem D.sbeitrag und meistens auch mit der vom Arbeitgeber abgeführten pauschalen Lohn- und Kirchensteuer. Der Vorteil für den Arbeitnehmer liegt darin, daß die Steuerbelastung des Barlohns grundsätzlich wesentlich höher ist als die pauschale Lohn- und Kirchensteuer (10% der Versicherungsprämie als pauschale Lohnsteuer und meistens 0,7% als pauschale Kirchensteuer). Diese Differenz führt zu einer beträchtlichen Minderung des effektiven Prämienaufwandes für die Lebensversicherung.

2. *Anwendung:* a) Wenn der Arbeitgeber nicht oder noch nicht zur Finanzierung einer betrieblichen Altersversorgung bereit ist. – b) Es besteht nur eine betriebliche Altersversorgung in Form von Direktzusagen (→betriebliche Ruhegeldverpflichtungen) und/oder →Unterstützungskassen. – c) Die Höchstbeträge für die Pauschalierung der Lohnsteuer nach §40b EStG sind mit D.sprämien und/ oder Zuwendungen zur →Pensionskasse noch nicht ausgeschöpft. In jedem Fall muß jedoch der Arbeitgeber zu einer entsprechenden Vereinbarung bereit sein. Wenn er die pauschale Lohn- und Kirchensteuer auf die Arbeitnehmer abwälzt, ist er bei klaren arbeitsrechtlichen Vereinbarungen und sachgemäßer Gestaltung der Barlohnumwandlung nur mit den Kosten der Abwicklung belastet.

3. *Probleme* können sich ergeben bei Umwandlung von Barlohn in Rentenversicherungen (durch die Anpassungsprüfungspflicht, vgl. →Betriebsrentengesetz II 4).

4. *Hinweise:* Dem Arbeitnehmer ist bei Barlohnumwandlung stets ein unwiderrufliches Bezugsrecht (→Bezugsberechtigung) einzuräumen. Besonders geeignet für die Umwandlung sind Sonderzahlungen (z. B. 13. Monatsgehalt).

Direktvertrieb, →direkter Vertrieb

Direktwerbeunternehmen, Unternehmen, die →Direktwerbung für Anbieter durchführen. Das Leistungsangebot der D. beinhaltet Kreativleistungen, Media-Mix-Überlegungen, Druckarbeiten und Versand (→Werbeagentur); Leistungen können einzeln oder als geschlossene Werbeaktion in Anspruch genommen werden.

Direktwerbung, alle Formen der individuellen, nicht persönlichen werblichen Kommunikation zwischen Anbieter und Nachfrager, vorrangig Werbebriefe, Prospekte, Kataloge. – *Anwendung:* Häufigste Form der D. ist das →direct mailing als gezielte, durch Post zugestellte, schriftliche Werbung. Zur Einzelumwerbung notwendige Adressen können durch →Adressenverlage bezogen oder durch Außendienstmitarbeiter oder Coupon-Anzeigen beschafft werden. Zunehmende Probleme durch Datenschutz. Wer keine D. empfangen möchte, kann sich kostenlos in die *„Robinson-Liste"* eintragen lassen (Ende 1985 ca. 72000 Bundesbürger). – *Vorteile* gegenüber der →Massenkommunikation: Individuelle Kommunikation, gezielte Ansprache bestimmter Marktsegmente (vgl. →Zielgruppen, →Streuverluste) u. a. – *Beurteilung:* D. kommt dem zunehmend kritischen Bewußtsein der Verbraucher entgegen: 89% der privaten Empfänger sehen in der D. Vorteile. – *Gesamtaufwendungen* für D. 1985 über 4 Mrd. DM. – Vgl. auch →Direktwerbeunternehmen.

Direktzugriffsspeicher, →RAM.

Direktzusage, →betriebliche Ruhegeldverpflichtung.

Dirigismus, interventionistische, marktinkonforme Eingriffe (→Interventionismus, →Marktkonformität), in privatwirtschaftlichen) Marktwirtschaften, die zur Erreichung gruppenbezogener, sektoraler oder struktureller wirtschaftspolitischer Ziele die Koordinationsfähigkeit des Marktwettbewerbs partiell oder total außer Kraft setzen. – *Beispiele:* (1) Staatliche Begrenzung oder Aufhebung der privaten Produktions-, Konsum- oder Investitionsentscheidungsautonomie und ihre Ersetzung durch bürokratische Allokations- und Verteilungsmechanismen (zentrale Investitionslenkung, quantitative Produktions- und Handelsbeschränkungen durch Kontingente, Devisenbewirtschaftung u. a.); (2) Aufhebung des Markt-Preis-Mechanismus durch Preisstopp, Preisüberwachung oder staatliche Preisfestsetzung; (3) ausgedehnte staatliche Ge- und Verbote im wirtschaftlichen Bereich. – Eine *wesentliche Gefahr* des D. besteht darin, daß aufgrund unvorhergesehener und staatlicherseits unerwünschter Ausweichreaktionen der privaten Wirtschaftssubjekte zunehmend weitere Folgeinterventionen durchgeführt werden müssen, sollen die wirtschaftspolitischen Ziele dennoch erreicht werden *(Ölflecktheorie)*. Zunehmender D. kann, wie die Erfahrungen zeigen, zum Entstehen einer →*Schattenwirtschaft* neben der offiziellen Lenkungswirtschaft führen.

Disagio. 1. *Begriff:* Spanne, um die der Preis oder Kurs hinter dem Nennwert eines Wertpapiers oder der Parität einer Geldsorte zurückbleibt. Aktien dürfen nicht mit D. ausgegeben werden (§9 AktG). – 2. *Bilanzielle Behandlung:* Handelsrechtlich ist Aktivierung (§156 AktG) möglich, gesonderter Ausweis vorgeschrieben, während der Rückzahlungszeit durch Abschreibungen zu tilgen; D. kann auch als Verlust des Kreditaufnahmejahres angesetzt werden. – *Gegensatz:* →Agio.

Disagiokonto. 1. *Begriff:* In der aktiven →Rechnungsabgrenzung für das bei der Ausgabe von Schuldverschreibungen oder Aufnahme von Hypotheken etwa entstehende Disagio zu bildendes Konto (§ 250 III HGB). – 2. *Bilanzielle Behandlung:* Vgl. →Damnum, →Disagio.

Discountgeschäft, *Diskontladen, Discountbetrieb, discount house, Discounter,* Betriebsform des Einzelhandels (→Betriebsformen des Handels). Angebot eines begrenzten Sortiments von Waren mit hoher Umschlagshäufigkeit ohne großen Aufwand für die Warenpräsentation mittels aggressiver Niedrigpreispolitik und möglichst weitgehender Selbstbedienung. Im Zug der →Dynamik der Betriebsformen finden laufend gegenseitige Anpassungsprozesse statt, so daß sich die einst klaren Unterschiede z. T. verwischen: Schnellimbißketten übertragen das Discountprinzip auf den Gastronomiesektor; Fachmärkte versuchen, Geschäftsprinzipien der D. zu übernehmen.

discount house. 1. *Einzelhandel:* Vgl. →Discountgeschäft. – 2. *Bankwesen:* Spezialbanken in Großbritannien, die sich hauptsächlich mit dem →Diskontgeschäft befassen. Die d. h. bilden den *discount market* (→Diskontmarkt).

disincentives, durch wirtschafts- oder finanzpolitische (insbes. steuerliche) Maßnahmen bewirkte Verringerung der (ökonomischen) Leistungsbereitschaft, die sich für die privaten Haushalte meist in einer Senkung des Arbeitsangebots und für die Unternehmen meist in einer Reduzierung der Investitionen äußert. Angenommene d. der Einkommensteuer könnten durch eine Tarifsenkung beseitigt werden und so zu neuem wirtschaftlichen Wachstum führen (→Grenzen der Besteuerung). – *Gegensatz:* →incentives.

disjunktives Optimierungsproblem, →separables Optimierungsproblem.

Diskette, *Floppy, Floppy Disk, flexible Magnetplatte,* Magnetplatte (→Magnetplattenspeicher) in handlicher Form. Die D. ist der am häufigsten verwendete →Datenträger bei Mikrorechnern (→Rechnergruppen), häufig einziges externes Speichermedium (→externer Speicher). – D. *besteht aus* einer flexiblen, runden Kunststoffplatte, die mit einer magnetisierbaren Schicht bedeckt und zum Schutz in einer quadratischen, biegsamen Hülle oder auch in einem Hartplastikgehäuse (bei 3,5-Zoll-D., s. u.) eingeschlossen ist; die Informationen werden durch Magnetisierung in konzentrischen Kreisspuren mit Hilfe des Schreib/Lesekopfs des →Diskettenlaufwerks aufgezeichnet. – *Ausführungen:* a) in den Standardgrößen 8 Zoll, 5,25 Zoll (Mini-D.) und 3,5 Zoll (Mikro-D.), b) für ein- oder doppelseitige Aufzeichnung (single sided, double sided) und c) mit unterschiedlichen Aufzeichnungsdichten (single, double, quad and high density). Als →*Industriestandard* gelten 5,25-Zoll-D. mit einer Speicherkapazität von 360 KB oder 1,2 MB, weil sie auf IBM PCs (IBM Personal Computer) und IBM-kompatiblen PCs (→Kompatibilität) verwendet werden.

Diskettenlaufwerk, Gerät zur externen Speicherung von →Daten auf →Diskette; v. a. bei Mikrocomputern (→Rechnergruppen) verwendet. Die Diskette wird in einen Schlitz des D. gesteckt; Daten werden mit Hilfe des Schreib-/Lesekopfs, der jeweils durch Drehung der Diskette positioniert wird, auf diese geschrieben bzw. von ihr gelesen.

Diskont. 1. *Begriff:* a) Zinsabzug bei noch nicht fälligen Zahlungen, insbes. beim Ankauf von →Wechseln für die Zeit vom Verkaufstag des Wechsels bis zum Fälligkeitstag; der Verkäufer des Wechsels erhält die um die Zinsen verkürzte Wechselsumme ausgezahlt. – b) Synonym für →Diskontsatz oder Diskontierung (→Diskontgeschäft). – 2. *Berechnung:* Vgl. →Wechselrechnung. – 3. *Umsatzsteuer:* Beim umsatzsteuerpflichtigen Leistungsentgelt ist i. d. R. der D. vom Wechselbetrag abzuziehen; wird der D. vom Wechselschuldner bezahlt, gehört er auch zum Leistungsentgelt. D.-Spesen (Wechselumlaufkosten) mindern nicht das steuerpflichtige Entgelt.

Diskontbanken, *Wechselbanken,* →Spezialbanken, die vornehmlich im →Diskontgeschäft tätig sind. In der Bundesrep. D. unbekannt; in Großbritannien als →discount houses von Bedeutung.

Diskonten, inländische Wechsel. – *Gegensatz:* →Devisen-Wechsel. – Vgl. auch →Privatdiskonten.

Diskontgeschäft, *(Wechsel-)Diskontierung.*

I. Charakterisierung: 1. *Begriff:* D. ist der Ankauf von noch nicht fälligen Wechseln und (seltener) Schecks unter Abzug der Zinsen (→Diskont) bis zum Fälligkeitstag und meist auch einer →Diskontprovision. Der anzurechnende Zinssatz (→Diskontsatz) richtet sich nach dem Notenbankdiskontsatz. – 2. *Rechtsgrundlagen:* Wechselgesetz vom 21.6.1933 (RGBl I 399) mit späteren Änderungen, Gesetz über die Deutsche Bundesbank (Bundesbankgesetz) vom 26.7.1957 (BGBl I 745), Allgemeine Geschäftsbedingungen der Banken. – 3. *Bedeutung:* Das D. ist *rechtlich* kein Darlehnsgeschäft, sondern ein Kauf. Es ist ein →Bankgeschäft im Sinn des KWG. – Das D. ist eines der wichtigsten *Aktivgeschäft* der Kreditinstitute; wegen der Wechselstrenge und der Haftung der Giranten ein sehr sicheres Kreditgeschäft. – *Angekauft* werden i.d.R. nur Wechsel mit einer Restlaufzeit von höchstens drei Monaten und guten Unterschriften (→Aussteller, →Akzeptant). →Warenwechsel (die auf einem Warengeschäft beruhen) werden den →Finanzwechseln (die erst Kredit schaffen) vorgezogen. Bei guten Wechseln (bankgirierten Warenwechseln) besteht die Möglichkeit der →Rediskontierung (Weiterverkauf an die Notenbank). Die Wechsel sind daher sehr liquide Mittel (→Liquidität). Meist diskontiert die Bank die von einem Kunden eingereichten Wechsel nur bis zum Höchstbetrage des ihm eingeräumten *Diskontkredits* (Wechselkontingent).

II. Einteilung: 1. a) *Wirtschaft-auf-Wirtschaft-Ziehungen:* Meist →Akzepte, seltener →Tratten; b) *Bank-auf-Wirtschaft-Ziehungen:* i.d.R. →Finanzwechsel; c) *Wirtschaft-auf-Bank-Ziehungen:* →Bankakzepte, meist Finanzwechsel; d) *Bank-auf-Bank-Ziehungen:* i.d.R. →Finanzwechsel. – 2. *Nach der Bonität:* a) gute, aber nicht zentralbankdiskontfähige Handelswechsel; b) zentralbankdiskontfähige Handelswechsel; c) bankgirierte Handelswechsel; d) →Privatdiskonten.

III. D. der Deutschen Bundesbank: Die Bundesbank kauft im Gegensatz zur Reichsbank nur von Kreditinstituten Wechsel an, und zwar akzeptierte Wechsel, die innerhalb von Monaten fällig, mit drei guten Unterschirften versehen und an einem →Bankplatz zahlbar sind. Indossamente an die Diskontbanken und an die Bundesbank dürfen keine Blankoindossamente sein. Über die Form der diskontfähigen Wechsel bestehen strenge Vorschriften (Grünes Heft). Die Bundesbank berechnet keine Provisionen.

Diskonthaus →discount house.

Diskontierung. 1. *Mathematik:* Vgl. →Abzinsung. – 2. *Bankwesen:* Vgl. → Diskontgeschäft.

Diskontierungsfaktor, →Abzinsungsfaktor.

diskontinuierliche Produktion, *Chargenproduktion,* Elementartyp der Produktion (→Produktionstypen), der sich aus dem Merkmal der Kontinuität des Materialflusses ergibt. Bei d.P. werden die Werkstoffe mit zeitlicher Unterbrechung in das Arbeitssystem eingegeben und partieweise be- und verarbeitet. Z.B. wird bei Chargenproduktion eine durch das Fassungsvermögen des Produktionsgefäßes nach oben begrenzte Werkstoffmenge (Charge) als Ganzes dem Betriebsmittel zugeführt und das Produkt nach Abschluß des Produktionsprozesses auf einmal entnommen. – *Beispiel:* Erschmelzung von Stahl im Elektroofen. – Vgl. auch →kontinuierliche Produktion, →Partieproduktion.

Diskontinuität, →strategische Frühaufklärung III 2.

Diskontkredit, →Diskontgeschäft, →Akzeptkredit.

Diskontmarkt, Markt für Wechselkredit (→Akzeptkredit). – Vgl. auch →Geldmarkt, →Privatdiskonten.

Diskontpolitik, →monetäre Theorie und Politik VI 2b).

Diskontprovision, Provisionen, die (außer dem Diskont) bei der Diskontierung von Wechseln vom Wechselbetrag zur Abgeltung der Arbeitsleistung der Bank abgezogen wird. D. war nach der inzwischen aufgehobenen Zinsverordnung weggefallen und kann jetzt wieder erhoben werden. In dem Pauschal →Diskontsatz der Privatbanken mit enthalten. – Vgl. auch →Wechselrechnung.

Diskontrechnung, →Wechselrechnung.

Diskontsatz, *Bankrate, Banksatz,* von der Zentralbank festgesetzter Zinssatz, mit dem sie im Rahmen der Diskontpolitik (→monetäre Theorie und Politik VI 2b)) einen in n-Tagen fällig werdenden und ihr heute zum Rediskont von einer Bank eingereichten Wechsel abdiskontiert. Mit dem D. ermittelt sie den DM-Betrag, den sie heute der Bank beim Kauf eines Wechsels für diesen zahlt. Der D. bestimmt die Kosten dieser Art der Zentralbankgeldbeschaffung für die Geschäftsbanken; er ist eine Art von Leitzinssatz für die Kredite (insbes. Wechselkredite) der Banken an Unternehmen und Haushalte (vgl. auch →Zinsstruktur). Der D. wird wegen der Signalfunktion relativ selten variiert. Er betrug seit 29.6.1984: 4,5, seit 16.8.1985: 4 und seit 7.3.1986: 3,5 v.H. p.a. – *Umsatzsteuerliche Behandlung der Diskontspesen:* Vgl. →Diskont 3. – Vgl. auch →Privatdiskonten, →flexibler Diskontsatz.

diskretes Merkmal, in der Statistik Bezeichnung für ein →Merkmal mit endlich vielen oder abzählbar unendlich vielen möglichen →Ausprägungen. D.M. können nominal, ordinal oder verhältnisskaliert sein (→Skala). – *Beispiele:* Familienstand; Schulnoten; Kinderzahlen von Familien; Einwohnerzahlen von Gemeinden. – *Gegensatz:* →stetiges Merkmal.

diskretionäre Finanzpolitik, am konjunkturellen Einzelfall orientierte →fiskal policy (antizyklische Finanzpolitik). Diskretionärer Mittel- bzw. Instrumenten-Einsatz (→diskretionärer Mitteleinsatz). – *Gegensatz:* →regelgebundene Finanzpolitik, →zyklusunabhängige Finanzpolitik.

diskretionärer Mitteleinsatz, fallweise Bestimmung von Mittelwahl und -dosierung. D.M. ermöglicht im Vergleich zum regelgebundenen Mitteleinsatz eine größere Flexibilität der Wirtschaftspolitik in der Handhabung veränderlicher Entscheidungsprobleme auf Kosten von Verzögerungen im Entscheidungsverfahren und geringeren Kontrollmöglichkeiten bezüglich der Angemessenheit wirtschaftspolitischer Entscheidungen. – *Gegensatz:* →regelgebundener Mitteleinsatz.

Diskriminanzanalyse, Komplex von Methoden in der →multivariaten Statistik zur Einteilung (Klassifikation) vorliegender Einheiten (Personen; Gegenstände) in zwei oder mehrere →Gesamtheiten nach Maßgabe der Werte mehrerer →metrischer Merkmale. Die Trennung der Einheiten erfolgt mit Hilfe einer Diskriminanzfunktion, in die die beobachteten Merkmale eingehen.

Diskriminierung. I. Internationale Wirtschaftsbeziehungen: Unterschiedliche Behandlung der einzelnen Partnerstaaten hinsichtlich des Waren-, Dienstleistungs- oder Kapitalverkehrs. D. liegt z. B. vor bei Abweichung von der →Meistbegünstigung, bei nach Währungsräumen oder Ländern unterschiedlichen Devisenbestimmungen, bei administrativen Differenzierungen, bei differenzierenden Verkehrstarifen und zahlreichen weiteren →nicht-tarifären Handelshemmnissen. Der Abbau von D. zählt zu den Zielen verschiedener internationaler Wirtschaftsorganisationen (→GATT, →OECD, →IMF).

II. Arbeitsrecht: Vgl. →job discrimination.

III. Kartellrecht: Tatbestandsmerkmal des →Diskriminierungsverbots; vgl. im einzelnen →Kartellgesetz V.

IV. Versicherungen: Im Zuge einer Reglementierung der Wirtschaft haben z. Z. 61 Staaten Gesetze erlassen, die Importeure und Exporteuere verpflichten, ihre Risiken, die überlicherweise über die →Transportversicherung oder Zweige der →technischen Versicherung gedeckt werden, nur im eigenen Land abzuschließen. Die D. soll den wettbewerbsfreien Aufbau der nationalen staatlichen oder privaten Versicherungswirtschaft fördern und/oder den Abfluß von Devisen ins Ausland verhindern. – *Maßnahmen:* (1) Verbot, Exporte außer Landes zu versichern; (2) Verbot, Importe außer Landes zu versichern; (3) Verbot, Lieferkonditionen zu vereinbaren, deren Konsequenz die Eindeckung einer Transportversicherung im Ausland wäre; (4) Zwang zur Entrichtung bestimmter Sondersteuern bzw. Sonderabgaben; (5) Verbot des Transfers von Versicherungsprämien.

Diskriminierungsverbot, Verbot unbilliger Behinderung sowie ohne Vorliegen sachlicher Gründe ungleicher Behandlung (Diskriminierung) der von marktbeherrschenden und -starken Unternehmen abhängigen Unternehmen durch diese (§ 26 II GWB). Ein allgemeines D. würde die Vertragsfreiheit in zu hohem Maß einschränken, daher die Voraussetzungen (marktbeherrschende Unternehmen, relative Marktmacht). – Vgl. auch →Kartellgesetz V.

Diskursmodell, →Konstruktivismus.

Dispache. 1. *D. i. e. S.:* Formgerechte Schadensfeststellung und -verteilung bei der →Havarie (§§ 727 ff. HGB). Berechnung des Anteils, den jeder Beteiligte (Schiff, Fracht und Ladung) an der Schadensvergütung zu tragen hat. Der Schiffer hat am Bestimmungs- oder Endort unverzüglich die Aufmachung der D. zu betreiben. Der *Vertreibungsplan,* aufgestellt von amtlichen Sachverständigen, *Dispacheuren,* die ständig oder für den einzelnen Fall ernannt werden, kann u. U. vom →Amtsgericht bestätigt oder berichtigt werden (§§ 149 ff. FGG). – 2. D. *i. w. S.:* Berechnung eines Versicherungsschades.

Disparität, relative →Konzentration.

Dispens, Bewilligung einer Ausnahme von einem öffentlich-rechtlichen Verbot. D. kann unter bestimmten Voraussetzungen von der zuständigen Verwaltungsbehörde erteilt werden, wenn einem Antrag auf Erteilung einer Erlaubnis Beschränkungen aufgrund gesetzlicher Bestimmungen entgegenstehen (z. B. →Baudispens).

Dispersion, →Streuung.

Displacement-Effekt, →Niveauverschiebungseffekt.

Display. 1. *Form der Warenauslage:* Beim *offenen D.* hat der Kunde unmittelbaren Zugriff zur Ware (→Selbstbedienung); bei *geschlossene D.* hat nur der Verkäufer Zugang zur Ware, um diese den Kunden zu präsentieren (→Fremdbedienung). – 2. Alle im Rahmen der →Verkaufsförderung eingesetzten *Verkaufshilfen,* wie Verkaufsständer, Regalstopper, Gondeln, Dekorationsmaterial.

Disponibilität, →Disponierbarkeit.

Disponierbarkeit, *Disponibilität, Steuerbarkeit, Beeinflußbarkeit.*

I. Begriff/Charakterisierung: D. gibt an, ob und mit welchen Beschränkungen konkrete Handlungsalternativen der alleinigen oder mitwirkenden Bestimmung (Steuerung, Beeinflussung) durch den Handelnden unterliegen (Riebel). Im →entscheidungsorientierten Rechnungswesen und →verantwortungsorientierten Rechnungswesen wichtige Kennzeichnung der Möglichkeiten, die Höhe einer bestimmten Ausgaben-, Kosten- oder Güterverbrauchsart, eines Ausstoßes oder Bestands im Hinblick auf ein bestimmtes →Bezugsobjekt in einem bestimmten Zeitpunkt oder Zeitraum durch konkretes Handeln zu beeinflussen. Der Dispositionsspielraum ist zu beschreiben durch die gegebenen *Beschränkungen:* (1) *interne Beschränkungen* können durch eigene frühere Entscheidungen und Maßnahmen oder diejenigen anderer Verantwortlicher im Rahmen der personell-zeitlichen Teilung des Entscheidungs- und Verantwortungsfeldes bedingt sein; (2) *externe Beschränkungen* können durch die Gegebenheiten der Natur (z. B. geologische Strukturen, Wasserstände, Wetter) oder des sozio-ökonomischen Umfeldes (z. B. Gesetzgebung und Rechtsprechung, Verhalten von Kunden, Lieferanten, Konkurrenten und Medien) bedingt sein. Vgl. auch →Kontrollierbarkeit.

II. Einschränkungen der D.: 1. *Zeitliche Begrenzungen:* Zeitliche Begrenzungen resultieren aus eigenen Entscheidungen (z. B. eingegangene vertragliche Bindungen), externen Auflagen (z. B. Kündigungsschutz) oder technisch-natürlichen Sachzwängen (z. B. jahreszeitlich bedingte Schwankungen, Prozeßdauer und -sequenzen). Viele an sich disponible Maßnahmen oder Einflußgrößen können nur innerhalb einer bestimmten Zeitspanne (z. B. steuerwirksame Investitionen) oder mit einer gewissen Mindestvorlaufzeit (Lieferzeit) in bezug auf den gewollten Wirkungsbeginn getroffen werden. Verbindlich getroffene Beschaffungsentscheidungen führen zu →*irreversiblen vordisponierten Ausgaben,* die weit in die Zukunft hinein belasten können, v. a. bei langfristigen Dienstleistungs- und Lieferverträgen, Arbeits- und Überlassungsverträgen. – Der Begriff →*sunk costs* sollte nach Riebel daher nicht auf Kosten vergangener Perioden (z. B. für Forschung und Entwicklung, Anlageninvestitionen) eingeschränkt werden, sondern grundsätzlich für alle „auf Verdacht" beschafften oder hergestellten Güter gelten. – Die *„Mindestdauer der Unveränderlichkeit"* (M. Layer) beginnt mit dem irreversiblen Vertragsabschluß; sie endet (je nach Fragestellung) bezüglich der objektbezogenen Ausgabenzuordnung mit dem Ablauf der Verfügbarkeit, bezüglich der Dispositionsmöglichkeit für eine automatische oder potentielle Verlängerung mit Ablauf der Kündigungs- bzw. Optionsfrist. Die Zeit erhält dadurch Quantencharakter in bezug auf die D. und →Zurechenbarkeit (Bindungsdauer, Bindungsintervall). Hinsichtlich Verwendungs- oder Nutzungsdispositionen während der Verfügungsdauer bestehen keine Begrenzungen, abgesehen von anderen zeitlichen Grenzen bezüglich des Einsatzes (z. B. Arbeitszeitbegrenzungen); die einzelnen Nutzungen sind „grenzausgabenlos" (D. Schneider). Dies gilt grundsätzlich auch bei Lieferverträgen mit festen Abnahmeverpflichtungen, Mindestabnahmemengen oder -entgelten, solange das Minimum nicht überschritten wird (→Ausgabenverbundenheit). – 2. *Quantenhafte Begrenzungen:* Quantenhafte Begrenzungen treten angebotsbedingt auf, wenn ein Gut (schlechthin oder um bestimmte Vorteile zu erreichen) nur in Mindest- oder Standardmengen (z. B. faß-, paletten-, kessel-, wagenweise) oder nur zu Mindestentgelten (→Ausgabenverbundenheit) beschafft werden kann. – *Beispiel:* Bei manchen Produktionsverfahren ist die Einsatz- bzw. Ausbringungsmenge nach unten oder oben begrenzt (z. B. Chargengröße); die Verwendungsentscheidungen sind beliebig dosierbar und „grenzausgabenlos". – 3. *Heterogene Kopplungen unterschiedlicher Güterarten im Rahmen eines Beschaffungs-, Produktions- oder Absatzverbundes:* Die Beschaffungs- oder Bereitstellungsdispositionen und die Verwendungsdispositionen können beeinträchtigt werden (→Ausgabenverbundenheit, →Erlösverbundenheit, →Gemeinausgaben, →Gemeinkosten, →Gemeinerlöse, →kumulative Gemeinkosten, →Kuppelprodukte, →verbundene Produktion). – 4. *Vordisponierte Abhängigkeiten:* a) *Intern vorbestimmte Abhängigkeiten:* Durch Entscheidungen über Produktgestaltung und -dimensionierung, Rezeptur, Stücklisten, Verfahrensbedingungen usw. werden spezifische Verbrauchsmengen (→Produktionskoeffizienten, →Verbrauchsfunktionen) vorgegeben, die die Beziehung zwischen Herstellungsmengen und planmäßigem Verbrauch fixieren. Bei unvollständiger Beherrschung oder wechselnden Einwirkungen natürlicher Faktoren (z. B. Wetter) sind diese stochastischer Art. Entsprechendes gilt für Verträge, in denen Entgelte an bestimmte Aktionsparameter der Produktion (z. B. laufstundenabhängige Maschinenmiete), des Vertriebs (z. B. umsatzwertproportionale Provisionen) oder Finanzbereichs (Zahl der Buchungsposten) geknüpft werden. Infolge dieser Vordispositionen ändern sich die Verbrauchsmengen bzw. Ausgaben und Kosten automatisch mit den entsprechenden Bezugsgrößen. – b) Entsprechendes gilt auch für *extern vorbestimmte Abhängigkeitsbeziehungen,* z. B. absatzmengenabhängige Verbrauchssteuern. – c) *Natürliche Einflußfaktoren* kommen erst über disponible oder vordisponierte Aktionsparameter zur Wirkung, z. B. die Luft- oder Wassertemperatur über die vordisponierte Prozeßtemperatur und die jeweils disponierte Durchsatzmenge.

III. D. und Rechnungswesen: Im entscheidungs- und verantwortungsorientierten Rechnungswesen ist zwischen automatischer Abhängigkeit von bestimmten (steuerbaren oder hinzunehmenden) Einflußgrößen und der D. in beliebiger oder quantengebundener Dosierbarkeit zu unterscheiden und nach den oben angeführten Bedingungen und Einschränkungen der D. zu differenzieren. Das geschieht in der →Grundrechnung nach dem Konzept der →Einzelkostenrechnung.

Disposition. 1. *Organisationslehre:* Die situationsabhängige Regelung eines Einzelfalls im Rahmen der dauerhaft und umfassend angelegten →Organisation (instrumentaler →Organisationsbegriff). Das Verhältnis von Organisation zu D. bestimmt den →Organisationsgrad. – *Gegensatz:* →Improvisation, →Ausnahmeregelung. – Vgl. auch →Dispositionsfähigkeit. – 2. *Recht:* Vgl. →Verfügung.

Dispositionsfähigkeit, Zielkriterium für die Messung der →organisatorischen Effizienz. Die durch die Organisation beeinflußte Fähigkeit einer Unternehmung, rechtzeitig auf Veränderungen im Entscheidungsfeld reagieren zu können.

Dispositionsfonds, *Verfügungssumme,* eine nach freiem Ermessen des Staatsoberhauptes, der Minister oder der Bürgermeister verwendbare Summe im Staats- und Gemeindehaushalt. – *Beispiel:* →Reptilienfonds.

Dispositionskartei, eine meist in Verbindung mit der Lagerbuchhaltung geführte Materialplanungskartei, die der Überwachung der Materialeindeckung (Minimal- und Maximaleindeckung) und →Lagerergänzung dient. In ihr werden für jede Materialart und für jedes Roh- und Fertigteil Anforderungen, Bestellungen und Vormerkungen über verfügbare Mengen übersichtlich aufgezeichnet: a) *Anforderungen* nach Prüfung und Genehmigung der Bedarfsmeldung durch die Materialplanung; b) *Bestellungen* der Einkaufsabteilung (Durchschlag); c) *Wareneingang* aufgrund eines durchlaufenden Wareneingangsscheins; d) *Warenausgänge* und Voranmeldungen von Materialverbrauch für bestimmte Aufträge.

Dispositionskredit, Kreditlinie, die den Privatkunden von Kreditinstituten i.d.R. stillschweigend in Höhe von bis zu drei Netto-Monatsghältern eingeräumt wird. – Vgl. auch →Überziehungskredit.

Dispositionsschein, spezieller Verpflichtungsschein eines Bankiers (§ 363 HGB), mit dem dieser sich als Aussteller Dritten gegenüber zur Leistung eines bestimmten Betrages verpflichtet.

Dispositionsstufe, in der Produktionsplanung und -steuerung die tiefste →Fertigungsstufe eines Teils, auf der das Teil in irgendeiner Erzeugungsstruktur (→PPS-System II 1a), →Stückliste) des Betriebs auftritt. D. verwendet man oft anstelle von Fertigungsstufen bei der deterministischen Bedarfsplanung (→PPS-System II 3a)), um die korrekte *zeitliche* Zuordnung von Lagerbeständen zu →Sekundärbedarfen zu gewährleisten.

dispositiver Faktor, nach E. Gutenberg Bezeichnung für denjenigen Produktionsfaktor, der die →Elementarfaktoren menschliche Arbeitskraft, →Betriebsmittel und →Werkstoffe kombiniert. Die Kombination der Elementarfaktoren erfolgt durch die Geschäftsführung, wobei diese sich als Hilfsmittel der Planung und Organisation bedient. Geschäftsleitung, Planung und Organisation bilden den d.F..

Disproportionalitätstheorien, →Konjunkturtheorien, die von der Auffassung ausgehen, daß die wirtschaftlichen Bewegungsvorgänge durch falsche Größenverhältnisse innerhalb der Wirtschaftsstruktur verursacht werden, wie z.B. zwischen den Produktionskapazitäten aufeinanderfolgender wie gleicher Produktionsstufen, zwischen Kapitalbildung und Produktionssektor, zwischen Produktion und Konsum. Die Disproportionalität verursacht i.d.R. Kapitalfehlleitung und damit Kapitalverlust; andererseits entstehen (im Fall produktionsmäßiger Disproportionalität) Engpässe, die eine rasche Vergrößerung des Sozialprodukts verhindern. – *Formen:* V.a. →Überinvestitionstheorien, →Überproduktionstheorien, →Unterkonsumtionstheorien.

Dissertation, wissenschaftliche Arbeit, Teil der →Promotion.

Dissoziation, →Dependencia-Theorie II.

Distanzfracht, Begriff aus dem Seehandelsrecht. Geht ein Schiff auf der Reise durch Zufall verloren, so endet der →Frachtvertrag. Werden die an Bord befindlichen Güter jedoch geborgen, so ist dafür die anteilige Fracht zu zahlen (§ 630 HGB); sie berechnet sich aus dem Verhältnis von zurückgelegtem zum ganzen Weg der vorgesehenen Reise. Weitere bei der Berechnung zu berücksichtigende Kriterien gibt § 631 HGB vor.

Distanzgeschäft, Form, in der ein Importeur seine Ware weiterverkaufen kann. Es handelt sich um einen Kaufvertrag, bei dem der Käufer die Ware i.d.R. nicht an Ort und Stelle besehen kann, sondern aufgrund eines Musters, eines Katalogs oder einer Standard-Qualität abschließt (anders: →Locogeschäft). Der Geschäftssitz des Käufers (Abnehmers) befindet sich nicht am Importplatz (anders: →Platzgeschäft). D. können sich auch als →Streckengeschäfte vollziehen bzw. als →Versendungsverkauf.

Distanzhandel, Handel nach dem Distanzprinzip: Bei räumlicher Trennung von Verkäufer und Käufer wird der Verkaufsprozeß über unpersönliche Kommunikationsmittel abgewickelt, z.B. beim →Zustellgroßhandel oder →Versandhandel.

Distanzhypothese, →AIDA-Regel.

Distanzscheck, →Scheck, bei dem Aussteller und bezogene Bank an verschiedenen Plätzen domizilieren. Für das →Inkasso ist wichtig, daß bei Inlandsschecks die achttägige Vorlegungsfrist des Art. 29 ScheckG beachtet wird.

Distanzwechsel, →Wechsel mit verschiedenem Ausstellungs- und Zahlungsort. – *Gegensatz:* →Platzwechsel.

distributed data processing (DDP), *verteilte Datenverarbeitung.* 1. *Begriff:* In der →betrieblichen Datenverarbeitung eine Verarbeitungsform, bei der logisch zusammengehörige Teilaufgaben auf mehrere Computer verteilt werden, die über ein →Netz miteinander kommunizieren. – 2. *Ziel:* Denzentralisierung betrieblicher Aufgaben, die am Entstehungsort unmittelbar und besser gelöst werden können, ohne daß eine zentrale Verarbeitung erforderlich ist. An unterschiedlichen Orten gespeicherte Daten werden ggf. auch anderen Rechnern zur Verfügung gestellt. – 3. *Einsatzbeispiele:* Banken und Sparkassen mit zahlreichen Filialen; Produktionsbetriebe mit dezentralen Fertigungsstätten und/oder Lägern.

distributierender Handel, Handelsbetriebe, die Waren in großen Mengen aufkaufen und in kleinen Mengen an ihre Kunden weitergeben (→Distribution). – *Gegensatz:* kollektierender Großhandel (→Aufkaufhandel).

Distribution. *Verteilung.* I. Betriebswirtschaftslehre: 1. *Gesamtwirtschaftlich:* Alle Aktivitäten und Absatzorgane, die der Verteilung der erzeugten Güter an die Endkäufer dienen. D. ist Verbindungsglied zwischen Produzenten und Nutzern der erstellten Leistungen. Entwickelt sich immer mehr zu einem umfassenden Güterkreislauf (Gebrauchtwaren werden über →Secondhandshops erneut verkauft; Industrie- und Hausmüll wird z.T. über →Recycling erneut genutzt); vgl. Übersicht Sp. 1281/1282. – 2. *Einzelwirtschaftlich:* Alle unternehmerischen Entscheidungen und Handlungen, die im Zusammenhang mit dem Weg eines Produktes zum Endkäufer stehen; Aktivitäten, um die Absatzleistungen im richtigen Zustand, zur rechten Zeit und am gewünschten Ort in der jeweils verlangten Menge verfügbar zu machen. – *Aufgabenkomplexe:* a) Wahl der zum Ziel führenden und der Marketingkonzeption entsprechenden D.skanäle (→Absatzwege) und der jeweiligen D.sorgane (vgl. auch →Absatzpolitik II 1). b) Physische D. der Produkte (die mit der Güterverteilung verbundenen Verpackungs-, Versand-, Transport-, Lager- und Lieferserviceprobleme); →Logistik.

II. Volkswirtschaftlehre: Verteilung von Einkommen (→Einkommensverteilung) und von Vermögen (→Vermögensverteilung); vgl. auch →Verteilungspolitik, →Verteilungstheorie.

Distributionsforschung, Teilgebiet der →Marketingforschung, das sich mit der Untersuchung der →Absatzwege beschäftigt. Hierzu zählen z.B. auch die Erfassung der Effizienz des Einsatzes verschiedener Formen von Außendienstmitarbeitern.

Distributionsfunktion des Preises, →Verteilungsfunktion des Preises.

Distributionskosten, *Vertriebskosten, Absatzkosten.*

I. Handel: 1. *Gesamtwirtschaftlich:* Die durch die Warenverteilung verursachten Kosten; also die aufaddierten Vertriebskosten sämtlicher an der Herstellung einer konsumreifen Ware beteiligten Produktionsunternehmen zuzüglich der Kosten sowie des Gewinnaufschlags der in den Absatzweg eingeschalteten Handelsunternehmen, der Absatzhelfer, der Handelsvermittler und der Marktveranstaltungen (→Distribution). – 2. *Einzelwirtschaftlich:* Betriebskosten des Konsumgüter distribuierenden Groß- und Einzelhandels einschl. deren Gewinnaufschlägen (→Distributionsspanne).

II. Verkehr: Die Kosten der akquisitorischen und physischen Distribution von Produkten. – 1. Kosten der *akquisitorischen Distribution* werden durch die Einrichtung und Nutzung betrieblicher Absatzwege und die Aktivitäten der Absatzorgane (Verkäufer) bei der Herstellung und Pflege von Kundenkontakten und der Gewinnung von Aufträgen verursacht. – 2. Kosten der *psychischen Distribution* (→Logistik-Kosten) entstehen durch die Transport-, Lagerungs-, Umschlags-, Verpackungs- u.a. logistischen Einrichtungen und Vorgänge zur Überführung der Güter vom Betrieb zu den Kunden unter Beachtung räumlicher und zeitlicher Bereitstellungsbedingungen.

Distributionslager, →Auslieferungslager.

Distributionslogistik, →Absatzlogistik.

Distributionsorgane, →Absatzpolitik II 1, →Distribution.

Distributionspolitik, alle einzelwirtschaftlichen Maßnahmen zur →Distribution der Güter. Teilbereich der Absatz-bzw. Marketingpolitik; vgl. →Absatzpolitik II 1, →Marketingpolitik.

Distributionsproblem, →Transportproblem.

Distributionsspanne, Differenz zwischen Einkaufspreis der Konsumenten und Verkaufspreis des Herstellers. – Vgl. auch →Distributionskosten.

Distributionstheorie, →Verteilungstheorie.

Distributionsweg, →Absatzweg.

Distributionswirtschaft. 1. Sämtliche *Institutionen,* die in die →Distribution von Waren eingeschaltet sind. – 2. Alle *Tätigkeiten* der Warendistribution. – Vgl. auch →Handel I.

disturbance lag, →lag II 2 b) (1).

Disziplinarbefugnis (des Arbeitgebers), →Betriebsbuße.

Disziplinargericht, zuständiges Gericht bei den Verfahren nach der Bundesdisziplinarordnung (→Disziplinarverfahren). D. sind das →Bundesdisziplinargericht in Frankfurt a.M. und das →Bundesverwaltungsgericht in Berlin (West).

Disziplinarverfahren, *Dienststrafverfahren,* besonderes Verfahren zur Ahndung von Dienstvergehen der →Beamten. – *Rechtsgrundlage:* Bundesdisziplinarordnung i.d.F. vom 1.10.1967 (BGBl I 751) mit späteren Änderungen. – Als *Disziplinarmaßnahmen* kommen in Betracht: Verweis, Geldbuße, Gehaltskürzung, Versetzung in ein Amt derselben Laufbahn mit geringerem Endgrundge-

Übersicht: Distribution – Beispiel des gesamtwirtschaftlichen Prozesses

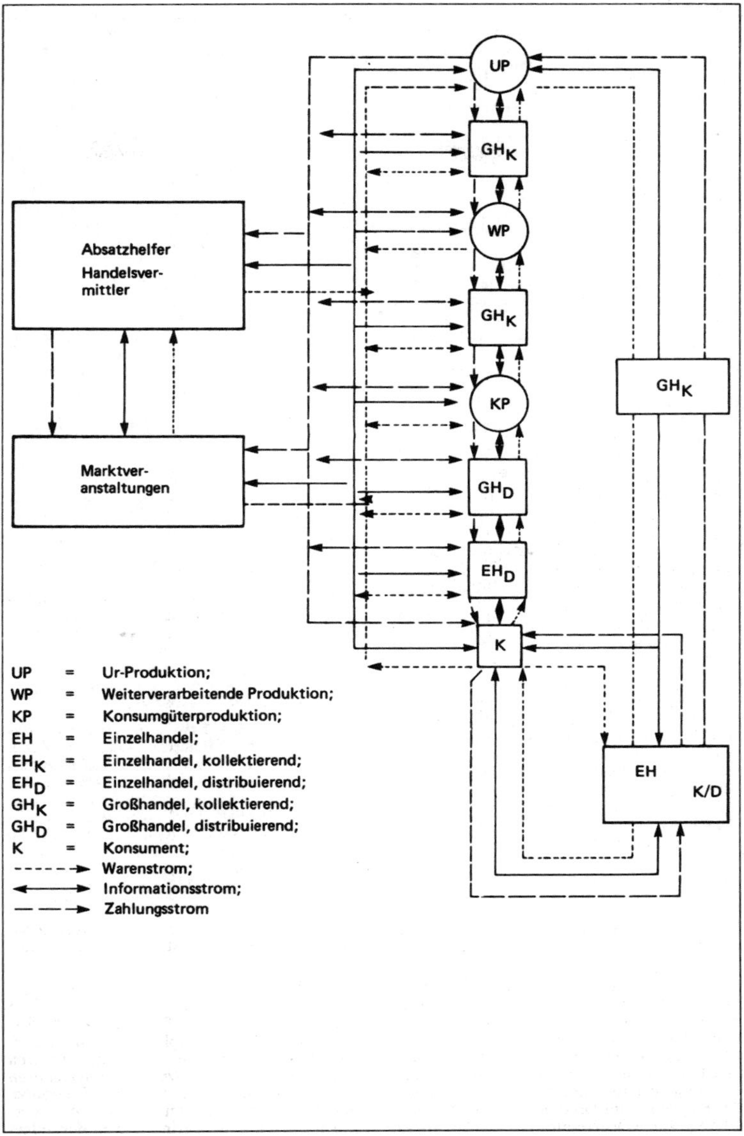

halt, Entfernung aus dem Dienst, Kürzung des Ruhegehalts und Aberkennung des Ruhegehalts. – *Disziplinarbefugnisse* werden von den zuständigen Behörden, Dienstvorgesetzten und →Disziplinargerichten ausgeübt. – *Rechtsmittel:* Gegen die Disziplinarverfügung steht dem Betroffenen Beschwerde an den Dienstvorgesetzten zu. Er kann auch das Bundesdisziplinargericht anrufen.

Diversifikation, *Diversifizierung.* 1. *Begriff:* Ausweitung des Produktprogramms auf – gegenüber dem bisherigen Angebot – andersartige Erzeugnisse, also auf neue Produktkategorien bzw. Produktgruppen. D. ist Mittel der Wachstums- und Risikenpolitik der Unternehmung (→Wachstumsstrategie). – *Gegensatz:* →Simplifikation. – 2. *Richtungen:* a) *Horizontale D.:* Ausdehnung des Absatzprogramms auf Produkte bzw. Produktgruppen auf der gleichen Wirtschaftsstufe. Bei *medialer D.* besteht ein sachlicher Zusammenhang zum bisherigen Programm; bei *lateraler D.* besteht kein sachlicher Zusammenhang zum bisherigen Programm, das Unternehmen dringt in fremde Marktbereiche ein. – b) *Vertikale D.:* Ausdehnung der Leistungstiefe des Programms; es werden Produkte der Vorstufe *(Vorstufen-D.)* oder der Nachstufe *(Nachstufen-D.)* einbezogen. – Vgl. auch →Wertschöpfungsstrategie.

Diversifizierung, →Diversifikation.

Diversifizierungsinvestition, →Investition zur Herbeiführung qualitativer Veränderungen im Absatzprogramm und/oder in der Absatzorganisation. – *Beispiele:* Einführung neuer Produktarten, Erschließung neuer Absatzmärkte.

Diversionskurvenverfahren, im Rahmen der →Verkehrsplanung verwendete Verkehrsmodelle zum Zweck der Verkehrsteilung und der Verkehrsumlegung (→Verkehrsteilungsmodelle, →Verkehrsumlegungsmodelle). Im Hinblick auf die Verkehrsmittelwahl stellen Diversionkurven den Modal Split v.a. in Abhängigkeit von Fahrtzeitdifferenzen verschiedener Verkehrsträger und -mittel dar; die zweidimensionale Betrachtung kann um die Einbeziehung zusätzlicher Einflußgrößen der Verkehrsmittelwahl (z.B. Einkommen, Pkw-Besitzer) erweitert werden. Für Zwecke der Routenwahl beschreiben Diversionskurven den Einfluß des Widerstandsverhältnisses verschiedener Routen auf das Verhältnis, in dem die Verkehrsmengen auf die verschiedenen Routen aufgeteilt werden. Solche Diversionskurven können nach dem Entropiekonzept entwickelt werden (→Entropie-Modelle).

Dividende. 1. *Begriff:* Der auf die einzelne →Aktie entfallende Anteil vom →Bilanzgewinn, meist in Prozenten des Nennwertes ausgedrückt. Die Satzung kann eine andere Form der Gewinnverteilung vorschreiben, insbes. Dividendenvorrechte für →Vorzugsaktien vorsehen. Die D. wird bei der AG aufgrund des →Jahresabschlusses i.d.R. vom Vorstand und Aufsichtsrat vorgeschlagen und von der Hauptversammlung beschlossen (anders: →Effektivverzinsung). – Vgl. auch →Gewinnverwendung und →Abschlagsdividende. – Bei der *GmbH* wird die D. meist wie bei der AG verteilt. – *Durchschnittsdividende* der börsennotierten Aktien in der Bundesrep. D. (ohne Banken und Versicherungen): 1982: 12,7%, 1981: 14,3%, 1972: 13,3%, 1967: 12,8%. – 2. Die *Zahlung* der D. erfolgt gegen Aushändigung des →Dividendenscheines oder seltener gegen Vorlage der Aktie. – 3. *Verjährung:* Vier Jahre, beginnend mit dem Schluß des Fälligkeitsjahres: längere Fristen zulässig. – 4. *Steuerliche Behandlung:* Vgl. →Gewinnausschüttung.

Dividendengarantie, die Gewährleistung einer Mindestdividende an die →Aktionäre durch Dritte, z.B. Staat oder Gemeinden. Auch bei den Interessengemeinschaften übernimmt eine AG zuweilen eine D. zugunsten der Aktionäre einer AG, die an der Interessengemeinschaft beteiligt ist. – D. für *eigene Aktionäre* ist verboten (§ 57 II AktG). – Vgl. auch →Aktienzinsen.

Dividendenkaptialerhöhung, →Schütt-aus-hol-zurück-Politik.

Dividendenkonto, Konto zur Buchung der Gewinnverteilung (→Dividende) bei Aktiengesellschaften; nach IKR Ergebnisausschüttungskonto. a) Der zur Verteilung vorgesehene Gewinn wird gebucht: Bilanzergebniskonto an Ergebnisausschüttungskonto. b) Die Dividendenausschüttungen werden gebucht: Ergebnisausschüttungskonto an Geldkonten. c) Ein Haben-Saldo im D. zeigt den Betrag der noch nicht abgehobenen Dividenden.

Dividendenpolitik, Erwägung der Verwaltung einer AG über die Bemessung der →Dividenden. Die AG ist meist bestrebt, eine möglichst gleichmäßige Dividende zu verteilen, um den Kurs stabil zu halten; sie wird hohe Gewinne günstiger Geschäftsjahre nicht voll ausschütten, sondern Reserven legen (meist stille), um in mageren Jahren die gewohnte Dividende aufrechterhalten zu können. Sie verschleiert tatsächliche Rentabilitätsveränderungen. – *Optimale Gestaltung der D.:* Vgl. →Residualtheorie.

Dividendenreserven, Rücklagen, die gebildet werden, um in schlechten Geschäftsjahren →Dividenden ausschütten zu können. Bei →Vorzugsdividenden und →Dividendengarantien meist andere Gewinnrücklagen i.S.v. § 266 HGB.

Dividendenschein, *Gewinnanteilschein, Kupon,* →Aktien beigefügte rechtlich selbständige Urkunden, die zum Bezug der →Dividende gegen Einlösung berechtigen. Zusammengestellt in einem D.-Bogen; der letzte

Abschnitt ist meist der →Erneuerungsschein. – Die D. sind →Inhaberpapiere im weiteren Sinne, nehmen jedoch wegen ihres zunächst unbestimmbaren Wertes erst nach Festsetzung der Dividende den Charakter von Handelsware an. – Mit dem *Verlust eines D.* geht auch das Recht unter; →Aufgebotsverfahren nicht möglich, der Anspruch wird aber durch Verlustanzeige an den Aussteller gewahrt, wenn der D. bis zum Ablauf der Vorlegefrist nicht anderweitig vorgelegt wird (§ 804 BGB). – Mit →Kraftloserklärung der Aktie erlischt auch der Anspruch aus den noch nicht fälligen D. (§ 72 II AktG). – Vgl. auch →Kupon.

Dividendenscheine-Inkasso, →Inkassogeschäft IV.

Dividendenthese, These, die besagt, daß der Marktwert eines Unternehmens nur von den künftigen Ausschüttungen (→Dividende) und der herrschenden Marktrendite (d. h. dem Satz, den Anleger alternativ erzielen können) abhängt (→Unternehmungsbewertung). – *Gegenthese:* →Gewinnthese.

Dividendenvorrecht, →Vorzugsaktie II 1.

Division. 1. *D. i. w. S.:* →Organisatorischer Teilbereich, der nach dem →Objektprinzip gebildet ist. – 2. *D. i. e. S.:* Synonym für →Sparte (vgl. dort 2).

Divisionalorganisation, *divisionale Organisationsstruktur, Divisionalisierung.* 1. *D. i. w. S.:* →Organisationsmodell, das nach dem →Objektprinzip gebildet ist. – *2. D. i. e. S.:* Synonym für →Spartenorganisation

Divisionscontroller, einer →Division zugeordneter →Controller. Zumeist besteht eine disziplinarische Zuordnung zum Leiter der Division, eine fachliche Zuordnung zum zentralen Controlling.

Divisionskalkulation, *Hasenkalkulation.* I. Begriff: Methode der Ermittlung der →Herstellkosten oder →Selbstkosten für die Leistungseinheit eines Produkts über die →Kalkulation der Periodenerzeugung bei Massen- oder Sortenfertigung.

II. Formen. 1. *Einstufige D.:* Erstreckt sich auf den gesamten Erzeugungsprozeß ohne Unterscheidung von Produktions- und Abrechnungsstufen. Sie ist anwendbar a) als einfache D. bei kontinuierlicher Fertigung eines einzigen Massenerzeugnisses; b) als mehrfache D. bei Fertigung mehrer Produkte nebeneinander, wenn die Möglichkeit laufender getrennter Kostenermittlung besteht und Beschäftigungsschwankungen unwesentlich sind. *Berechnung:*

$$\text{Kosten der Produktionseinheit} = \frac{\text{Gesamtkosten}}{\text{erzeugte Menge}}$$

I. a. werden die Gesamtkosten differenziert nach Werkstoff-, Fertigungs-, Verwaltungs- und Vertriebskosten; decken sich Absatz und Herstellung nicht, so müssen die Verwaltungs- und Vertriebskosten auf die abgesetzte Menge bezogen werden.

2. *Mehrstufige D.:* Anwendbar, wenn der Fertigungsprozeß durch nicht untereinander vergleichbare Stufenleistungen gekennzeichnet ist und/oder zwischen den Stufen Läger mit wechselndem Bestand eingeschaltet sind (Gewinnungs- und vertikal aufgebaute Betriebe, z. B. Ziegelei). Jede Abrechnungsstufe kalkuliert Stufenkosten für die jeweilige Stufenleistungsmenge. Die wechselnden Bestände der Zwischenläger und außerdem die Differenzen zwischen Einsatzmenge und Ausbringung innerhalb der Stufen müssen entsprechend berücksichtigt werden. Hierzu wurden verschiedene Rechenverfahren entwickelt, so die durchwälzende D., die über die sukzessive Kalkulation der Halbfabrikate zum Endpreis führt. – *Beispiel:* Vgl. untenstehende Abbildung.

3. *Äquivalenzziffernrechnung:* Anwendbar, wenn mit den gleichen Einrichtungen mehrere artverwandte Produkte gefertigt werden (z. B. Drähte, Bleche in verschiedenen Stärken). Durch →Äquivalenzziffern werden die Kostenunterschiede zwischen den artverwandten Produktvarianten berücksichtigt, so daß mit dem Kalkulationsprinzip der einfachen Divisionsrechnung die Kalkulation durchgeführt werden kann. Die Festlegung der Äquivalenzziffern, d. h. das zahlenmäßige Erfassen der unterschiedlichen Grade der Kostenverursachung, erweist sich stets als schwierig. Als Anhalt dienen qualitative oder quantitative Merkmale des Produkts, der Fertigungsweise, der benutzten Maschinen usw. in ihrem Ver-

	a Einsatzmenge	b Stufenausbringungsmenge	c Stufenkosten	d Kosten des Einsatzes a× (f der vorhergehenden Stufe)	e Stufengesamtkosten c+d	f Stufenproduktpreis e:b
I. Stufe ...	10	9	180	–	180	20
Zwischenlager I						
II. Stufe ...	12	10	80	240	320	32
Zwischenlager II						
III. Stufe ...	8	5	44	256	300	60
Zwischenlager III						
IV. Stufe ...	10	8	120	600	720	90 Endpreis

Sorte	Gewicht je Maßeinheit	daraus Äqu.-Ziff.	erzeugte Menge	Rechnungs-Einheiten *	Kosten je Sorte *	Kosten je Mengeneinheit **
1	2 kg	1	100	100	400	*4*
2	5 kg	2,5	100	250	1000	*10*
3	6 kg	3	300	900	3600	*12*
				1250 *	5000 *	

* 5000 : 1250 = 4 Kosten je Rechnungseinheit ** Kosten je Sorte, bezogen auf die erzeugte Menge

hältnis zu den Kosten. – *Beispiel:* 5000 DM Kosten sind auf drei Sorten Draht zu verteilen. Äquivalenzziffernbildung nach Gewicht je Maßeinheit: (vgl. obenstehende Tabelle). – Bei der Kalkulation von →Kuppelprodukten werden – als eine Kalkulationsmethode – die Äquivalenzziffern nach den Marktpreisen (→Tragfähigkeitsprinzip) ermittelt.

4. *Sonderformen:* →Chargenkalkulation, →Veredelungskalkulation, →Partialkostenrechnung.

DIX-Kooperation, →Ethernet.

DM-Eröffnungsbilanz, die nach den Vorschriften des DM-Bilanzgesetzes vom 21.8.1949 (Gesetz über die Eröffnungsbilanz in Deutscher Mark und die Kapitalneufestsetzung) und des DM-Bilanzergänzungsgesetzes vom 28.12.1950 sowie zahlreichen DurchfVO aufzustellende erste Bilanz nach der →Währungsreform. Einmalige Unterbrechung der Bilanzkontinuität. Koppelung mit →Vermögensbilanz. – *Sonderbestimmung für Saarland:* Bilanz zum 6.7.1959 nach DM-Bilanzgesetz für das Saarland vom 30.6.1959 (BGBl I 372), dessen wichtigste Bestimmungen dem DM-Bilanzgesetz der Bundesrep. D. gleichen. Keine direkte Koppelung mit Vermögensbilanz.

DML, data manipulation language, →Datenmanipulationssprache.

DMV, Abk. für →Deutsche Marketing-Vereinigung e.V.

DNC-Anlagen, *direct numerical control,* mehrere →NC-Anlagen, die mit einem →Computer (oft Minirechner, vgl. →Rechnergruppen) verbunden sind. Die Einzelanlagen können zentral mit →NC-Programmen versorgt und gesteuert werden. DNC-A. können als Vorstufe zu →flexiblen Produktionszellen und →flexiblen Produktionssystemen angesehen werden. – *Merkmale/Aufgaben:* Verwaltung und zeitgerechte Verteilung von Steuerinformationen an NC-Maschinen; Erfassung und Auswertung von Betriebs- und Meßdaten; Änderung von Steuerdaten. – Vgl. auch →CNC-Anlagen.

d/o, Abk. für →delivery order.

documents against acceptance (d/a), Form der →Zahlungsbedingungen im Welthandel, nach der der Käufer oder seine Bank verpflichtet ist, gegen Vorlage der →Dokumente die Kaufpreistratte des Verkäufers zu akzeptieren. – Vgl. auch →Remboursgeschäft, →documents against payment.

documents against payment (d/p), Form der →Zahlungsbedingungen im Welthandel, nach der der Käufer verpflichtet ist, bei Präsentation der →Dokumente Zahlung zu leisten, wogegen er durch ihren Erhalt die Sicherheit hat, daß die Ware tatsächlich versandt wurde. Da die Versanddokumente mittels Luftpost früher eintreffen als die Ware, ist die Zahlungsbedingung d/p praktisch eine Art der Vorauszahlung. Bankkredit nicht nötig, meist aber Einschaltung der Bank im Weg des →Remboursgeschäfts oder des Dokumentenakkreditivs (→Akkreditiv II 1b)). – Vgl. auch →documents against acceptance.

Dogit-Modell, in der →Verkehrsplanung verwendete Variante des →Logit-Modells. Die Grundannahme des Logit-Modells (das Verhältnis der Annahmewahrscheinlichkeiten zweier bestimmter Alternativen ist unabhängig von der Zahl weiterer Alternativen) widerspricht i.a. der Realität; die Veränderung der Anzahl der Alternativen i.d.R. auch zu veränderten Relationen der Annahmewahrscheinlichkeiten führen (z.B. Einführung einer zusätzlichen öPNV-Alternative). Im Rahmen des D.-M. werden daher die übrigen Alternativen mittels eines nicht-negativen Parameters explizit berücksichtigt und dadurch die einschränkende Grundannahme des Logit-Modells umgangen, gleichzeitig aber die leichte Handhabbarkeit dieses →Nutzenmaximierungsmodells in der Praxis der Verkehrsplanung erhalten. – Vgl. auch →Verkehrsmodelle, →Verkehrsteilungsmodelle, →Verkehrsumlegungsmodelle.

do-it-yourself banking, →in-house banking.

Doktor (Dr.), akademischer Grad, nur von Universitäten und Hochschulen durch die →Promotion verliehen.

I. Übersicht über die verschiedenen Doktortitel: *Dr. rer. agrar.* (rerum agrarium), D. der Bodenkultur – *Dr. cult.* (culturae), D. der Kulturwissenschaften – *Dr. e.h.* (ehrenhalber) oder *Dr. h.c.* (honoris causa), Ehrendoktor – *Dr.-Ing.,* D. der Ingenieurwissenschaften – *Dr. jur.* (iuris), D. der Rechte (Einzelheiten: →Promotion) – *Dr. jur. utr.* (iuris utriusque), D. beider Rechte – *Dr. jur. et rer. pol.* (iuris et rerum politicarum), D. der Rechts- und Staatswissenschaften – *Dr. med.* (medicinae), D. der Medizin – *Dr. med. dent.* (medicinae dentariae), D. der Zahnheilkunde – *Dr. med. vet.* (medicinae veterinariae), D. der Tierheilkunde – *Dr. rer. mont.* (rerum montensium), D. der Bergbauwissenschaften

– *Dr. oec. publ.* (oeconomiae publicae), D. der Staatswissenschaften – *Dr. phil.* (philosophiae), D. der Philosophie – *Dr. phil. nat.* (philosophiae naturalis), D. der Naturwissenschaften – *Dr. rer. nat.* (irerum naturalium), D. der Naturwissenschaften – *Dr. rer. oec.* (rerum oeconomicarum), D. der Staatswissenschaften – *Dr. rer. pol.* (rerum politicarum), D. der Staatswissenschaften (Einzelheiten: →Promotion) – *Dr. rer. techn.* (rerum technicarum), D. der technischen Wissenschaften – *Dr. sc. nat.* (scientarium naturalium), D. der Naturwissenschaften – *Dr. disc. pol.* (disciplinae politicae), D. der politischen Wissenschaften – *Dr. habil.* (habilitiert), im Zuge der nationalsozialistischen Hochschulreform eingeführte zusätzliche Bezeichnung für Doktoren, die die Lehrbefähigung an Hochschulen (venia legendi) erworben haben; ist seit 1945 nicht mehr gebräuchlich; statt dessen wird der Titel „Privatdozent" erworben und geführt.

II. Wettbewerbsrecht: „Dr." als Firmenzusatz erlaubt, wenn die →Firma durch den Inhaber des D.-Titels oder einen anderen Akademiker überwacht wird (→Firmenschutz). Andernfalls →unlauterer Wettbewerb. – Vgl. auch →geschäftliche Bezeichnungen.

Dokumentation, Begriff des →Software Engineerings. 1. *Phase* im →software life cycle: a) *Früher* Bestandteil des →Phasenmodells, der zwischen →Testen und →Softwareeinsatz eingeordnet wurde; d.h., die für den Einsatz wichtigen Dokumente entstanden erst kurz vor Inbetriebnahme eines Softwaresystems. Bei den →Programmierern meist unbeliebte Tätigkeit, deshalb mit geringer Priorität behandelt. – b) *Heute* vorherrschende Einschätzung: Die D. muß phasenübergreifend entwickelt und ständig aktualisiert werden. – 2. *Verschiedene Dokumente:* a) *I. w. S.:* Alle im Software life cycle entstehenden schriftlichen Ausarbeitungen (→Pflichtenheft, Funktionenmodell, →Datenmodell, →Spezifikationen usw.). – b) *I. e. S.:* Dokumente, die dem Auftraggeber übergeben werden, nicht einheitlich (z.B. →Benutzerhandbuch, →Tutorial, →Implementationsbeschreibung, Bedienerhandbuch für den →Operator). – *3. Formen:* Vgl. →Online-Dokumentation.

Dokumentationsbank, →Datenbank.

Dokumentationskette, →Transportkette 3.

Dokumente. I. Außenhandelsgeschäft: Über eine Warensendung ausgestellte Urkunden, deren ordnungsmäßiger Besitz zum Empfang des Versand- bzw. Verschiffungsgutes berechtigt. Zu den D. gehören insbes. →Rechnung, →Konsulatsfaktura, →Versicherungsschein bzw. Zertifikat, →Ausfuhrschein und →Konnossemente, ferner bahnamtlich abgestempelter Duplikat-(frachtbrief) oder Spediteurübernahmebescheinigung. – Vgl. auch →document against acceptance, →document against payment.

II. Elektronische Datenverarbeitung/Bürotechnik: In →Textsystem abgespeicherter Text.

Dokumente gegen Akzept, →documents against acceptance.

Dokumente gegen Kasse, →documents against payment.

Dokumenteninkasso, →Inkassogeschäft V.

Dokumententratte, im Außenhandelsgeschäft übliche Form der Sicherung des Rembourskredit (→Remboursgeschäft). Gegen die das Recht an der Ware verbriefenden Dokumente akzeptiert die Remboursbank die D., wodurch diese rediskontfähig wird.

Dollar ($), Währungseinheit, v.a. in den Vereinigten Staaten, Kanada, Australien und Äthiopien. – *Im Sprachgebrauch* i.d.R. US-D. gemeint.

Dollaranleihen, *Dollarbonds,* die auf US-$ lautenden deutschen Auslandsanleihen. Soweit sie als deutscher Besitz angemeldet wurden, wurden darüber *Dollarbondszertifikate* erteilt. – Vgl. auch →Auslandsbonds.

Dollarklausel, mögliche Klausel im Außenhandelsgeschäft, die nach Rechnungserteilung und Bezahlung der Ausfuhr nur in US-$ möglich ist. Entweder alle einzelnen Warenzahlungen *(reine D.)* oder nur die Überschüsse aus einem Abrechnungsverkehr *(abgeschwächte D.)* müssen in US-$ beglichen werden.

Dollar-Raum, alle Länder deren Währungen direkt (als Zahlungsmittel) oder indirekt (als Leitwährung oder als Verrechnungsbasis) mit dem Dollar verbunden sind: USA; in Mittel- und Südamerika: Belzie, El Salvador, Guatemala, Honduras, Nicaragua, Panama, Paraguay, Surinam und Venezuela (einschl. der Inseln Antigua und Barbuda, Bahamas, Barbados, Dominica, Grenada, Haiti, St. Christoph und Nevis, St. Lucia, St. Vincent, Trinidad und Tobago); in Afrika: Ägypten, Äthiopien, Libera; Arabische Staaten; Irak, Syrien sowie die Staaten der Golfregion (Bahrain, Dschibuti, Jemen, VR Jemen, Oman, Quatar, Saudi-Arabien, Vereinigte Arabische Emirate); Afghanistan, Laos, Hongkong, Singaur, Taiwan, Vietnam.

dolus, →Vorsatz; *dolus eventualis:* →bedingter Vorsatz.

domain expert, menschlicher Experte für ein Fachgebiet, dessen →Expertenwissen in die →Wissensbasis eines →Expertensystems für dieses Fachgebiet aufgenommen wird.

Domäne. I. Finanzwissenschaft/öffentliche Betriebswirtschaftslehre: Land- und forstwirtschaftlicher Grundbesitz der öffentlichen Hand, in der Rechtsform des →Regiebetriebes oder der

→Anstalt bewirtschaftet. D. waren im Mittelalter wichtigste Einnahmequelle der fürstlichen Schatzkammer, woraus die Gleichsetzung öffentlicher Wirtschaft mit *D.nwirtschaft* resultierte. D. als Quelle erwerbswirtschaftlicher Einkünfte seit Entwicklung des modernen Steuersystems von geringer Bedeutung. Heute ist der D.besitz größtenteils verpachtet oder wird als Lehr- und Versuchsgüter (Land-, Weinbau- und Forstwirtschaft) von der öffentlichen Hand bewirtschaftet.

II. Künstliche Intelligenz: Vgl. →Wissensdomäne.

Domänenwirtschaft, →Domäne I.

Domar-Modell, →Wachstumstheorie III 1 a).

domestic bonds, Sammelbegriff für →Anleihen, die von öffentlichen Stellen der USA (→treasury bonds) und privaten US-Schuldnern emittiert wurden.

Dominanzprinzip, allgemeingültiges →Entscheidungsprinzip: Unter mehreren zur Verfügung stehenden Handlungsalternativen wird eine Alternative einer anderen dann vorgezogen, wenn sie in jeder ihrer möglichen Konsequenzen zu einem Ergebnis führt, das zumindest nicht schlechter ist als das der anderen. Führen beide Alternativen in jeder möglichen Konsequenz zu einander entsprechenden Ergebnissen, so sind sie zueinander indifferent.

Dominica, *Dominikanischer Bund,* Staat im Karibischen Meer, nördlichste der Winwardinseln. – *Fläche:* 752 km². – *Einwohner* (E): (1985, geschätzt) 82500 (110 E/km²; an anderer Stelle: 76000 E). Über ⅔ der Bevölkerung sind Schwarze, die übrigen Mulatten und Kreolen; kleine weiße Minderheit. – *Hauptstadt:* Roseau (20000 E). – D. ist administrativ in zehn Verwaltungsbezirke unterteilt. – *Amtssprache:* Spanisch. – 1967 innere Selbstverwaltung als mit Großbritannien assoziierter Staat; am 3.11.1978 unabhängige Republik im Commonwealth.

Wirtschaft: Etwa ¼ der Fläche wird landwirtschaftlich genutzt. 50% der Erwerbstätigen sind in der *Landwirtschaft* beschäftigt. Hauptanbauprodukte sind Bananen, Kakao, Bohnen, Gewürze, Kokosnüsse. Viehhaltung dient der Eigenversorgung. Bei der Industrie kommt v.a. der Agrarerzeugnisse verarbeitenden Kleinindustrie (Kakao, Kopra, Speiseöl, Essenzen, Tabak) Bedeutung zu. – Wachsende Bedeutung hat der *Fremdenverkehr* (1982: 10500 Touristen; ca. 3% des BSP). – *BSP:* (1985, geschätzt) 90 Mill. US-$ (1160 US-$ je E). – *Export:* (1982) 22,9 Mill. US-$, v.a. Kakao, Kopra, Bananen, Kokosnüsse, Gemüse. – *Import:* (1982) 4,7 Mill. US-$, v.a. Nahrungsmittel und Industriegüter, – *Handelspartner:* Großbritannien (50%), karibische Nachbarn, USA.

Verkehr: Auf D. gibt es ca. 780 km feste *Straßen; kein Eisenbahnnetz. Hochssehafen* in Roseau, *internationaler Flughafen:* Mellville-Airport.

Mitgliedschaften: UNO, AKP, CARICOM, IPU, OAS, UNCTAD u.a.; Commonwealth.

Währung: 1 Ostkaribischer Dollar (EC$) = 100 Cents.

Dominikanische Republik, Republik im Ostteil der Insel →Haiti im Karbischen Meer. – *Fläche:* 48734 km². – *Einwohner* (E): (1985, geschätzt) 6,24 Mill. (128 E/km²; 55% der Bevölkerung leben in Städten; jährliches Bevölkerungswachstum: 2,4%. – *Hauptstadt:* Santo Domingo (1,5 Mill. E); weitere wichtige Städte: Santiago de los Caballeros (550372 E), San Francisco de Macoris (235544 E). – Die D.R. ist in 26 Provincias (Bezirke) und den Nationalen Distrikt *unterteilt.* Die Provinicias setzen sich aus Municipios (Gemeinden) zusammen. – *Amtssprache:* Spanisch.

Wirtschaft: *Landwirtschaft:* Haupterwerbszweig (49% der Erwerbstätigen, 18% des BIP); Anbau von Zuckerrohr, Kaffee, Kakao, Bananen, Reis; Viehwirtschaft basiert auf extensiver Weidewirtschaft; Fischfang nimmt an Bedeutung zu. – *Industrie:* Kleine bis mittlere Unternehmen, die landeseigene Agrarprodukte verarbeiten; an Bedeutung gewinnen Zement- und Baumaterialindustrie sowie die Rohstofförderung (Bauxit, Nickel, Steinsalz). – *BSP:* (1985, geschätzt) 5050 Mill. US-$ (810 US-$ je E). – *Öffentliche Auslandsverschuldung:* (1984) 50,3% des BSP. – *Inflationsrate:* durchschnittlich 9,0%. – *Export:* (1985) 741 Mill. US-$, v.a. Zucker (23%), Erze (15%), Kaffee (11%), Kakao. – *Import:* (1985) 1378 Mill. US-$, v.a. Erdöl und Erdölprodukte, Maschinen und Kraftfahrzeuge, Getreide. – *Handelspartner:* USA (50%), Venezuela, Mexiko, Japan, Bundesrep. D.

Verkehr: *Eisenbahnverkehr* dient ausschließlich dem Transport von Zuckerrohr und Bananen. – Gut ausgebautes *Straßennetz.* – Nationale *Fluggesellschaft; Flughäfen* in Punta, Caucedo bei Santo Domingo und Puerto Plata. – *Reger Schiffsverkehr* über die *Häfen* Santo Domingo und Puerto Plata.

Mitgliedschaften: UNO, SELA, UNCTAD u.a.

Währung: 1 Dominikanischer Peso (dom$) = 100 Centavos.

Domizil. 1. *Allgemein:* →Wohnsitz einer Person oder →Sitz eines Unternehmens. – 2. *Wechsel- und Scheckrecht:* Zahlstelle (eine Bank), bei der der Wechsel oder Scheck zahlbar gestellt ist (→Domizilwechsel).

Domizilhandel, Handel nach dem Domizilprinzip. Der Kaufvorgang findet am Standort (Wohnung, Domizil) des Käufers statt. – *Gegensatz:* →Residenzhandel.

Domizilwechsel, →Wechsel, der an einer besonderen Zahlstelle (Domizil), durchweg einer Bank, zahlbar gestellt ist. Der Domizilvermerk („Zahlbar bei ...") steht links unten auf dem Vordruck. Er bezieht sich nur auf die Zahlung der Wechselsumme. – *Vorlegungsverbot zur Annahme* ist beim D. unzulässig (Art. 22 II WG). – D. werden besonders dann *ausgestellt,* wenn der Bezogene nicht an einem Zentralbankplatz wohnt und der Wechsel zentralbankfähig sein soll (die Landeszentralbanken diskontieren nur Wechsel, die an einem Bankplatz zahlbar sind). Den Zahlungsort hat der Aussteller anzugeben, die Zahlstelle kann der Aussteller oder der Bezogene bezeichnen (Art. 27 WG). – Die Banken berechnen bei Zahlbarstellung eine Domizilprovision. – *Unechter D.:* Vgl. →Zahlstellenwechsel.

Donaukommission (CD), internationaler Zusammenschluß der Donauanliegerstaaten, errichtet 1949. – *Ziele:* Durchführung von Großprojekten zur Verbesserung der Donauschiffahrtsbedingungen, Entwicklung einheitlicher Navigationssysteme, Zollregelungen, gesundheitlicher Bestimmungen, Bereitstellung eines hydrometeorologischen Dienstes, Aufbau eienr Donaustatistik. – *Mitgliedstaaten:* Bulgarien, Jugoslawien, Rumänien, Tschechoslowakei, UdSSR, Ungarn, Österreich (seit 1960); die Bundesrep. D. beteiligt sich seit 1957 an den Arbeiten der CD. – *Veröffentlichungen:* Danube Maintenance; Basic Regulations of Navigation; Statistical Yearbook; Recommendations on Unified Rules for Sanitary, Veterinary, Plant Protection and Customs Control.

Doppelbelastung, →Doppelbesteuerung V 3.

Doppelbesteuerung. I. Begriff: D. ist gegeben, wenn mehrere selbständige Steuerhoheitsträger (Staaten) aufgrund desselben Steuertatbestandes dieselben Steuerpflichtigen für den gleichen Zeitraum zu einer gleichartigen Steuer heranziehen. *Definitionsmerkmale* sind somit: a) Erhebung der Steuer durch verschiedene Staaten sowie die vier Identitätsmerkmale, b) Steuerobjektidentität, c) Steuersubjektidentität im juristischen oder wirtschaftlichen Sinne, d) Zeitraumidentität und e) Steuerartenidentität.

II. Arten: 1. *Reale* oder *virtuelle* D.: a) Reale D. ist eine tatsächlich eintretende D.; b) virtuelle D. ist eine theoretisch mögliche, aber aufgrund der vorhandenen Steuergesetze und/oder ihrer Auslegung nicht real eintretende D. – 2. *Juristische* oder *wirtschaftliche* D.: a) Juristische D. liegt vor, wenn neben den unter I angeführten übrigen Merkmalen die Steuersubjektidentität im juristischen Sinne gegeben ist; b) wirtschaftliche D. tritt ein, wenn zwar keine Steuersubjektidentität im juristischen, wohl aber im wirtschaftlichen Sinne vorliegt (z.B. bilden die verschiedenen rechtlich selbständigen Gesellschaften eines Konzerns ein Steuersubjekt im wirtschaftlichen Sinne). – 3. *Formelle* oder *materielle* D.: a) Bei der formellen D. erstreckt sich die D. auf formelle Steuerpflichten; b) bei der materiellen D. dagegen auf die Erfüllung materieller Steuerpflichten.

III. Ursachen: 1. Die *Steueransprüche* der beteiligten Staaten *überschneiden* sich *objektiv,* da der juristisch oder wirtschaftlich identische Steuerpflichtige für den gleichen Zeitraum einer gleichartigen Besteuerung bezüglich des gleichen Steuerobjekts (z.B. Einkommen, Vermögen) unterliegt. Folgende *Kombinationen* von Steuerpflichten kommen vor: a) Staat X: unbeschränkte Steuerpflicht, Staat Y: beschränkte Steuerpflicht; b) Staat X: unbeschränkte Steuerpflicht, Staat Y: unbeschränkte Steuerpflicht; c) Staat X: beschränkte Steuerpflicht, Staat Y: beschränkte Steuerpflicht. Die Kombination a) tritt am häufigsten auf. – 2. Die Steueransprüche der beteiligten Staaten sind zwar so gegeneinander abgegrenzt, daß *Überschneidungen objektiv nicht* vorkommen, dennoch führen zur D.: a) Überschneidungen bei der Ermittlung der jedem Staat zustehenden Bemessungsgrundlagen (z.B. Einkommen, Vermögen) oder b) positive →Qualifikationskonflikte.

IV. Relevante Steuerarten: D. können prinzipiell bei allen Steuerarten vorkommen. – 1. Die Staatenpraxis zeigt aber, daß D. bei der Gruppe der →Verkehrsteuern selten sind, da sich hier eine Begrenzung des Steueranspruchs auf das eigene Staatsgebiet von vornherein anbietet. – 2. Dagegen sind D. bei den Steuern vom *Einkommen und Vermögen* der Regelfall. – 3. In der *Bundesrep. D.* gehören dazu: →Einkommensteuer, →Körperschaftsteuer, →Gewerbesteuer, →Vermögensteuer, →Erbschaftsteuer und Schenkungsteuer.

V. Ökonomische Wirkungen: 1. *Betriebswirtschaftlich* stellt die D. eine Rentabilitätsverschlechterung dar. Auslandsinvestitionen sind daher von vornherein durch die D. deutlich benachteiligt, so daß sie eine wesentlich höhere Ausgangsrentabilität aufweisen müssen als eine vergleichbare Inlandsinvestition. – 2. *Volkswirtschaftlich* wirkt die D. wettbewerbsverzerrend und hemmt die Mobilität der Produktionsfaktoren sowie die internationale Arbeitsteilung. Da die betriebswirtschaftlich notwendigen erhöhten Ausgangsrentabilitäten im Ausland häufig nicht gegeben sind, unterbleiben volkswirtschaftlich wünschenswerte Direktinvestitionen im Ausland. – 3. *Finanzwirtschaftlich* führt die D. bei kurzfristiger Betrachtung zu einer Erhaltung inländischer Besteuerungssubstanz. Langfristig überwiegen jedoch die negativen Aspekte in Form eines geringeren gesamtwirtschaftlichen Wachstums und damit geringeren besteuerungsfähigen Erträgen. Die Finanzwissenschaft unterscheidet von der D. die *Doppelbelastung* (besser: Mehrfachbelastung), d.h. die mehrfache steuerliche Belastung desselben Besteuerungsgutes durch verschiedene Steuerarten desselben Hoheitsträgers (Problematik des Steuersystems: Vermögensteuer und Vermögenserträge plus Einkommensteuer auf dieselben Erträge).

VI. Beurteilung/Konsequenzen: Die D. gehört zu den *wichtigsten Hemmnissen* einer internationalen wirtschaftlichen Betätigung. Da dies aus betriebswirtschaftlicher, volkswirtschaftlicher und finanzwirtschaftlicher Sicht gleichermaßen negativ zu beurteilen ist, haben nicht nur die Steuerpflichtigen, sondern auch die beteiligten Staaten ein elementares Interesse an der Vermeidung der D. durch geeignete Maßnahmen.

VII. Instrumente zur Vermeidung der D.: 1. *Unilaterale Maßnahmen:* Autonome Maßnahmen des →Wohnsitzstaates eines Steuersubjektes, die durch einseitigen Steuerverzicht dieses Staates eine D. im juristischen und/oder wirtschaftlichen Sinne vermeiden oder mildern. In der Bundesrep. D. unilaterale Maßnahmen bei allen relevanten Steuerarten. – 2. *Bilaterale Maßnahmen* sind Abkommen zur Vermeidung der D., die zwischen zwei selbständigen Staaten zur Vermeidung oder Milderung der D. abgeschlossen werden; vgl. →Doppelbesteuerungsabkommen. – 3. *Multilaterale Maßnahmen:* Doppelbesteuerungsabkommen, die nicht nur von zwei, sondern von einer Vielzahl von Staaten unterzeichnet werden. Multilaterale Abkommen sind bis heute wegen des schwierigen Interessenausgleichs und der unterschiedlichen Steuersysteme nicht in Kraft. Sowohl in der EG als auch in der OECD wird jedoch an der Vorbereitung gearbeitet.

VIII. Methoden zur Vermeidung der D.: 1. →Freistellungsmethoden mit verschiedenen Unterformen; 2. →Anrechnungsmethoden mit verschiedenen Unterformen; 3. →Pauschalierungsmethode; 4. →Abzugsmethode. – Vgl. im einzelnen →Methoden zur Vermeidung der Doppelbesteuerung.

Doppelbesteuerungsabkommen (DBA), Kurzbezeichnung für *Abkommen zur Vermeidung der Doppelbesteuerung.*

I. Begriff: Völkerrechtliche Verträge, die als *bilaterale* D. zwischen zwei Staaten (→Wohnsitzstaat und →Quellenstaat) oder als *multilaterale* Verträge zwischen mehr als zwei Staaten in der Absicht ausgehandelt werden, in einem gegenseitig geregelten System von *Steuerverzichten* die Steuerobjekte so gegeneinander abzugrenzen, daß eine Doppelbesteuerung im juristischen und/oder wirtschaftlichen Sinne (vgl. →Doppelbesteuerung II 2) weitgehend oder vollständig vermieden wird.

II. D. als nationales Recht: D. werden als völkerrechtliche Verträge gem. Art. 59 GG in nationales Recht transformiert. Sie sind dem einfachen nationalen (Bundes-)Recht gleichrangig, gehen ihm als Spezialnormen jedoch regelmäßig vor (vgl. §2 AO).

III. Geltungsbereich: 1. *Allgemeine D.* der Bundesrep. D. erstrecken sich i.d.R. auf die Einkommen-, Körperschafts-, Vermögen-, Gewerbe- und Grundsteuer. – 2. Daneben *Teilabkommen,* die sich bezüglich der unter 1. genannten Steuern auf die Vermeidung der Doppelbesteuerung bei Einkünften/Vermögen der Seeschiffahrt und/oder Luftfahrt erstrecken. – 3. Ferner *Spezialabkommen,* die sich auf die Erbschafts- und Schenkungsteuer erstrecken.

IV. Aufbau und Inhalt der von der Bundesrep. D. unterzeichneten D. sind i.d.R. sehr eng an die →OECD-Musterabkommen zur Vermeidung der Doppelbesteuerung angelehnt.

V. Bestehende D.: Am 1.1.1985 waren insgesamt 53 allgemeine D. (vgl. III 1) in Kraft mit: Ägypten, Argentinien, Australien, Belgien, Brasilien, Dänemark, Elfenbeinküste, Finnland, Frankreich, Griechenland, Großbritannien, Indien, Indonesien, Iran, Irland, Island, Israel, Italien, Jamaika, Japan, Kanada, Kenia, Süd-Korea, Liberia, Luxemburg, Malaysia, Malta, Marokko, Mauritius, Neuseeland, Niederlande, Norwegen, Österreich, Pakistan, Philippinen, Polen, Portugal, Rumänien, Sambia, Schweden, Schweiz, Singapur, Sowjetunion, Spanien, Sri Lanka, Rep. Südafrika, Thailand, Trinidad und Tobago, Tschechoslowakei, Tunesien, Ungarn, USA, Zypern.

Doppelgesellschaft, →Betriebsaufspaltung.

Doppelquittung, zweifache Empfangsbescheinigung für Zahlung, die durch einen Dritten für Rechnung eines anderen erfolgt. Durch Vermerk „Doppelt für einfach gültig" kenntlich gemacht.

doppelseitige Treuhandschaft, →Treuhandschaft.

Doppelsitz, doppelter →Sitz einer Handelsgesellschaft (einer juristischen Person), nach überwiegender Meinung in Rechtssprechung und Lehre in Ausnahmefällen möglich. Die Zweigniederlassungen betreffende Eintragungsmitteilungen müssen bei D. der Gesellschaft an die →Handelsregister beider Hauptsitzgerichte eingereicht werden.

doppelstöckige GmbH & Co. KG, eine →Kommanditgesellschaft, deren Komplementär eine →GmbH und Co. KG ist.

Doppeltarif, für jede Zollposition zwei Zollsätze enthaltender Zolltarif. – *Arten:* 1. *Maximal-* und *Minimaltarif:* Legt die Grenzen für die Zollpolitik der Regierung fest; Ausgangspunkt ist der Maximaltarif, dessen Zollsätze in Verhandlungen gegenüber einzelnen Ländern ermäßigt werden können, wobei der Minimaltarif die untere Grenze bildet. – 2. *Autonomer* und *Konventionaltarif:* Der Konventionaltarif gilt allgemein für Länder, mit denen Zoll- und Handelsabkommen bestehen, der autonome Tarif für die übrigen Handelspartner, Zollsätze können nur vom Parlament geändert werden. Durch das →GATT ist die Bedeutung dieses D. als handelspolitisches Instrument zurückgegangen (→Meistbegünstigung).

doppelte Buchführung, *Doppik,* heute fast ausschließlich verwendetes System der →Buchführung von kaufmännischen Unternehmungen mit den Grundsätzen: a) Jede durch einen Geschäftsvorfall ausgelöste und aufgrund eines →Beleges vorgenommene Buchung berührt mindestens zwei Konten, die im →Buchungssatz benannt werden. b) Die Ermittlung des Periodenerfolges geschieht zweimal: (1) durch die →Bilanz und (2) durch die →Gewinn- und Verlustrechnung. – Vgl. auch →Buchführung V 2.

doppelte Haushaltsführung, geschäftlich oder beruflich begründete Unterhaltung von zwei Wohnungen. – Nach *Einkommen- und Lohnsteuerrecht* berechtigt die d.H. zur Berücksichtigung von →Werbungskosten bei der Berechnung der Einkommen- und Lohnsteuer bei einem Arbeitnehmer, der außerhalb des Ortes wohnt und beschäftigt ist, an dem er einen eigenen Hausstand unterhält (§9 I Nr. 5 EStG). Werden die notwendigen →Mehraufwendungen (u.a. Fahrtkosten für Familienheimfahrten, Kosten der Unterbringung, Verpflegungsmehraufwand) durch den Arbeitgeber ersetzt, so gelten sie innerhalb gewisser Grenzen nicht als steuerpflichtiger →Arbeitslohn. Vgl. →Mehraufwand bei auswärtiger Tätigkeit II 2. – Entsprechende Sätze gelten für Gewerbetreibende und freie Berufe.

Doppelverdienerehe, neben →Haushaltsführungsehe und →Zuverdienstehe im →Familienrecht vorgesehenes Ehemodell. Beide →Ehegatten sind erwerbstätig und regeln die Haushaltsführung im gegenseitigen Einvernehmen. Wahl und Ausübung einer Erwerbstätigkeit sind so einzurichten, daß gemeinschaftliche Aufgaben wie die Haushaltsführung sachgerecht erledigt werden können (§1356 BGB).

Doppelversicherung, Form der →mehrfachen Versicherung. – 1. *Begriff:* Versicherung ein und desselben Interesses (Objekts) gegen die gleiche Gefahr bei mehreren Versicherern, wobei in der Schadenversicherung die Versicherungssummen zusammen den Versicherungswert übersteigen bzw. die Summe der Entschädigungen, die von jedem einzelnen Versicherer ohne Bestehen der anderen Versicherung zu zahlen wären, aus anderen Gründen den Gesamtschaden übersteigt. Im →Versicherungsfall haften die Versicherer gesamtschuldnerisch, der Versicherungsnehmer kann in der Schadenversicherung jedoch nicht mehr als den Betrag des Schadens verlangen. – 2. In *betrügerischer Absicht* genommene D. ist nichtig. Dem Versicherer steht jedoch die Prämie bis zum Schluß der Versicherungsperiode zu, in der er Kenntnis von der Nichtigkeit erlangt hat. – 3. Bei *unbeabsichtigter D.* kann der Versicherungsnehmer verlangen, daß der später geschlossene Vertrag aufgehoben oder die Versicherungssumme herabgesetzt wird; wurden die Versicherungen gleichzeitig oder im Einvernehmen der Versicherer geschlossen, so sind die Versicherungssummen verhältnismäßig herabzusetzen. – In verschiedenen Versicherungszweigen besondere *Usancen zur Beseitigung von D.,* für die Summenversicherung ohne Bedeutung.

Doppelwährungsanleihe, festverzinsliche →Anleihe, bei der Einzahlung sowie laufende Zinszahlungen in einer anderen Währung als die Rückzahlung erfolgen. *Zinssatz* liegt zwischen den für die jeweiligen reinen Währungsanleihen üblichen Zinssätzen; fehlende Anrechnung von Stückzinsen. *Kurs* hängt von der marktmäßigen Zins- und Wechselkursentwicklung ab; diese Risiken können durch *Kündigungsoptionen* vermindert werden: Kündigung a) durch den Anleihegläubiger (putoption), b) durch den Anleiheschuldner (calloption). – Neben D. läßt die Bundesbank auch Fremdwährungsanleihen mit einer Option auf D-Mark zu.

Doppelzentner (dz), veraltete Masseneinheit; keine →gesetzliche Einheit. 1 dz = 100 kg.

Doppik, Abk. für →doppelte Buchführung.

DORIS, Dornier-Recycling-Informationssystem, Dateisystem aus fünf Einzeldateien (Abfall-, Erzeuger-, Verwerter-, Technologie-, Einsatzbereich-Datei) für den Wirtschaftsraum Nordbaden/Nordwürttemberg zur Analyse technischer und wirtschaftlicher Möglichkeiten der Rückstandsverwertung. – Vgl. auch →Umweltinformationssystem, →Recycling.

Dornier-Recycling-Informationssystem, →DORIS.

Dotationen, im Rahmen des →Finanzausgleichs übliche geldliche Zuwendungen (Überweisungen) von übergeordneten an untergeordnete öffentliche Verbände und Kirchen, und zwar im Gegensatz zu →Subventionen und auch zu Zuweisungen ohne bestimmte Zweckbindung und in meist für längere Zeit festgesetzter Höhe.

Dotationskapital, Eigenkapital von Kreditinstituten des öffetnlichen Rechts i.S. von §10 Nr. 5 KWG. Das vom Gewährsträger eingezahlte D. und die Rücklagen bilden bei diesen Kreditinstituten das haftende Eigenkapital.

double factoral-terms of trade, *zweiseitiges faktorales Austauschverhältnis,* eines der Konzepte der →terms of trade, ermittelt durch Multiplikation der →commodity-terms of trade mit dem Quotienten aus den Indizes der Produktivität der in der Exportherstellung des Inlands und Auslands eingesetzten Produktionsfaktoren. – *Bedeutung:* Im Hinblick auf Änderungen oder Vorteilhaftigkeit des Außenhandels im Vergleich zum Ausland aussagefähiger als die commodity-terms of trade, aber auch mit gewissen Problemen behaftet (vgl. →single factoral-terms of trade). Ferner beeinträchtigt die Einbeziehung der ausländischen Produktivitätsentwicklung in die Berechnung die Aussage in bezug auf die Entwicklung der Vorteilhaftigkeit des Außenhandels für das betreffende Land; denn Produktivitätszunahmen im Ausland senken zunächst die nach dieser Methode berechneten d. f.-t. o. t., bedeuten aber nicht zwangsläufig, daß die Handelsvorteile zurückgegangen sind.

Dow-Jones Index, in den USA (seit 1897) berechneter, international maßgebender →Aktien-Index von 30 führenden Industrieaktien und weiteren typischen Werten.

Download. 1. *Elektronische Datenverarbeitung:* Die Übertragung von →Daten oder →Programmen von einem →Computer zu einer untergeordneten Hardware-Einheit, z. B. von einem Mainframe (→Rechnergruppen) zu einem Mikrorechner. – 2. *Bürokommunikation:* Die Übertragung von Informationen von einer Mailbox (→Schwarzes Brett) zu einem →Datenendgerät, von dem diese Informationen abgerufen werden, und ihrer dortigen Anzeige am →Bildschirm. – *Gegensatz:* →Upload.

Downsizing, Begriff der Betriebsinformatik. Prinzip für die Planung der Hardwareausstattung (→Hardware) eines Betriebs, das auf *Dezentralisierung* beruht. Anstelle von zentralisierten Lösungen auf der Basis großer →Mainframes werden in bestimmten Bereichen (z. B. Tochtergesellschaften, größere Fachabteilungen) dezentrale Lösungen mit Hilfe kleinerer →Computer (z. B. Abteilungscomputer oder →Arbeitsplatzrechner, vgl. →Rechnergruppen) realisiert. Diese werden mit den Mainframes verbunden (vgl. →Mikro-Mainframe-Kopplung, →Netz, →Computerverbund). – Die zentralen Mainframekapazitäten können dadurch verringert werden.

d/p, Abk. für →documents against payment.

DPA, Abk. für →Deutsches Patentamt.

Dr., Abk. für →Doktor.

drachm. 1. Englische Maßeinheit; 1 drachm = 3,88793 g. – 2. Englische Volumeneinheit; 1 fluid drachm = 3,55163 cm^3.

dram, Masseneinheit in Großbritannien. 1 dram = 1,7718452 g.

Draufgabe, *Draufgeld.* 1. Der beim Abschluß eines →Vertrages als Angeld entrichtete Betrag. D. muß auf die geschuldete Leistung angerechnet bzw. bei Erfüllung des Vertrages zurückgegeben werden. Sie gilt im Zweifel nicht als →Reugeld (§§ 336 ff. BGB). – 2. Im *Warengeschäft* die Gewichtsmenge, die als Zugabe zum vertraglichen Gewicht gewährt wird, während die *Dreingabe* in einem Preisabschlag in Höhe des Wertes des zu gewährenden Übergewichts besteht.

drawback, →Zollrückvergütung.

drawing authorisation, →Ziehungsermächtigung.

drawing rights, →Ziehungsrechte.

Dreiecksgeschäft. 1. *Allgemein:* Art des →Kompensationsgeschäftes. – *Beispiel:* Unternehmung A liefert bestimmte Güter an Unternehmung B.; Unternehmung B liefert andere Güter an Unternehmung C; Unternehmung C liefert wiederum andere Güter an Unternehmung A. Es entsteht ein geschlossener Güterkreislauf. – 2. *Internationaler Handelsverkehr:* Tauschgeschäft zwischen drei Ländern zur Umgehung handelspolitischer, devisenrechtlicher Schwierigkeiten oder Verbote (→Einfuhrbeschränkungen, →Einfuhrverbote, →Devisenbewirtschaftung).

Drei-Generationen-Prinzip, organisatorisches Prinzip für die →Datensicherung, bei dem von allen Datenbeständen die Sicherungskopien der drei letzten Sicherungsläufe (z. B. diese, letzte, vorletzte Woche) aufbewahrt und an unterschiedlichen Orten gelagert werden, so daß bei einem Datenverlust (durch fehlerhafte Bedienung, im Katastrophenfall o. ä.) verlorene Daten nur in beschränktem Umfang rekonstruiert oder neu erfaßt werden müssen. – Vgl. auch →Vater-Sohn-Prinzip.

Dreikontentheorie, →Buchhaltungstheorien II 3.

Dreimärkte-Barometer. 1. *Begriff:* a) *I. w. S.* Sammelbezeichnung für diejenigen →Mehrkurven-Barometer, die den Konjunkturverlauf aus der Folgebewegung von drei ökonomischen Mengen- oder Wertreihen zu erklären suchen. – b) *I. e. S.:* Registrierung der Preisbewegungen auf dem Effekten-, Waren- und Geldmarkt. – 2. *Darstellungsformen:* a) Auswahl einer repräsentativen Kurve für jeden Markt und deren Einzeichnung in ein gemeinsames Bild, z. B. Aktienkursniveau für den Effektenmarkt, Index reagibler Güterpreise für den Warenmarkt, Satz für Monatsgeld oder ein Druchschnittsgeldsatz für den Geldmarkt; b) jeder Markt wird (wie z. B. beim →Harvard-Barometer) durch mehrere Reihen repräsentiert, z. B.: Effektenmarkt durch bestimmte Aktien und Pfandbriefe; Warenmarkt durch Auktionspreise der Rohstoffe, Großhandelsnotierungen, Einzelhandelspreise; Geldmarkt durch den Satz für Warenwechsel und den Durchschnittsgeldsatz.

Dreimeilenzone, Dreiseemeilengebiet vor der Küste eines jeden Staates, gilt als dessen

Hoheitsgewässer aufgrund allgemeiner Übung (nicht: internationaler Abmachungen). Kabotage-Verkehr (→Kabotage) innerhalb dieser Zone meist der eigenen Flagge vorbehalten. – Einige Länder (Sowjetunion, Island, Peru u. a.) beanspruchen neuerdings erweiterte Zonen von 12–15 Meilen als Hoheitsbereich.

Dreingabe, gegensätzlicher Begriff von →Draufgabe.

Dreisatzrechnung, *Regeldetri,* anwendbar, wenn zwei Größen (z. B. Warenmenge und Preis) zueinander proportional sind. Sind drei Glieder bekannt, kann das unbekannte vierte Glied mittels D. berechnet werden.

Dreißigster, Begriff des Erbrechts. Verpflichtung des →Erben, Familienangehörigen des →Erblassers, die z. Z. des Todes des Erblassers zu dessen Hausstand gehört und von ihm Unterhalt bezogen haben, in den ersten 30 Tagen nach Eintritt des →Erbfalls in demselben Umfang wie zuvor →Unterhalt zu gewähren und die Benutzung der Wohnung und der Haushaltsgegenstände zu gestatten (§ 1969 BGB). – D. ist von der →Erbschaftsteuer befreit (§ 18 I Nr. 5 ErbStG).

„dreizehnter Buchungsmonat". 1. *Begriff:* Eine fiktive Verrechnungs-Periode, die nach Ablauf des Geschäftsjahres bei Vorhandensein einer kurzfristigen Erfolgsrechnung alle diejenigen Aufwendungen und Erträge sowie diejenigen Abschlußbuchungen aufnimmt, die erst bei den Vorarbeiten für den Jahreabschluß sicher bekannt oder feststellbar werden oder bei denen eine Änderung der im Zuge der kurzfristigen Erfolgsrechnung verwandten Standardwerte, Verrechnungspreise, Aufwand- und Ertragsschätzungen erforderlich wird. Würde man die „Nach-Jahresschluß"-Aufwendungen und -Erträge dem 12. Abrechnungsmonat (bzw. bei vierteljährlicher Erfolgsrechnung dem vierten Abrechnungsquartal) zurechnen, so würde das Erfolgsergebnis dieser letzten kurzfristigen Erfolgsperiode nicht mehr mit den Erfolgsergebnissen der vorhergehenden anderen Erfolgs-Kurzperioden vergleichbar sein, auch dann nicht, wenn der Geschäftsverlauf kontinuierlich wäre und nicht von Saisonschwankungen gestört würde. – Bezeichnung ist irreführend, da es sich nicht um einen „Monat" handelt, überhaupt keinen präzise abgegrenzten Zeitraum. – 2. Der „d. B." kann im wesentlichen zwei grundverschiedene *Aufgaben* erfüllen. – a) Er berücksichtigt am Jahresende sämtliche Korrekturen zu den im Verlauf des Jahres vorerst z. T. mit Schätzwerten verrechneten Positionen; damit können die kurzfristigen Erfolgsrechnungen des betreffenden Jahres in einer Art „Jahres-Hausbilanz" vervollständigt werden, die Zuverlässigkeit der kurzfristigen Erfolgsrechnung wird erhöht. – b) Die ursprünglich auf die Verfolgung von mehr innerbetrieblichen Kontrollzwecken gerichtete kurzfristige Erfolgsrechnung kann durch im „d. B." auch erfolgende bilanzpolitisch orientierte Umbuchungen, v. a. die Bewertung betreffend, zur offiziellen Jahresbilanz und -erfolgsrechnung weiterentwickelt werden.

Dreizeitenschätzung, →PERT.

Dresdner Bank AG, Sitz in Frankfurt a. M. *Entwicklung:* 1957 aus der Wiedervereinigùng der Rhein-Main Bank AG, Frankfurt a. M., der Rhein-Ruhr Bank AG, Düsseldorf, und der Hamburger Kreditbank AG, Hamburg, hervorgegangen, die seit 1952 als Nachfolgeinstitute der 1872 gegründeten Dresdner Bank bestanden. Die 1949 in West-Berlin errichtete Bank für Handel und Industrie Aktiengesellschaft wird als Tochtergesellschaft weitergeführt. – *Heutige Bedeutung:* Der Konzern verfügt im In- und Ausland über rund 1400 Stützpunkte, in denen rund 35000 Mitarbeiter beschäftigt sind. – *Ausländische Niederlassungen* werden unterhalten in London, Madrid, Barcelona, Mailand, New York, Chicago, Los Angeles, Hongkong, Singapur und Tokio. Neben Repräsentanzen in Athen, Beirut, Houston, Istanbul, Jakarta, Johannesburg, Kairo, London Manama, Melbourne, Miami, Moskau, New York, Osaka, Paris, Peking, Rom, Seoul, Sydney, Taipeh und Teheran bestehen Gemeinschaftsvertretungen zusammen in Asunción, Bogatá, Buenos Aires, Caracas, Ciudad de Guatemala, Lima, Mexico, Montevideo, La Paz, Quito, Rio de Janeiro, Santiago und São Paulo. – *Beteiligungsgesellschaften* (Stand vom 31. 12. 1981): Inländische Kreditinstitute: AKA Ausfuhrkredit-Gesellschaft mbH, Frankfurt a. M., Bank für Handel und Industrie AG, Berlin, Bankhaus Reuschel & Co., München, DEGI Deutsche Gesellschaft für Immobilienfonds mbH, Frankfurt a. M., Deutsch-Südamerikanische Bank AG, Hamburg, Deutsche Hypothekenbank Frankfurt-Bremen AG, Bremen, Deutsche Schiffahrtsbank AG, Bremen, Deutsche Schiffspfandbriefbank AG, Berlin, Deutscher Investment-Trust Gesellschaft für Wertpapieranlagen mbH, Frankfurt a. M., Diskont und Kredit AG, Düsseldorf, dresdnerbank investment management Kapitalanlagesellschaft mbH, Frankfurt a. M., Gesellschaft zur Finanzierung von Industrieanlagen mbH, Frankfurt a. M., Hypothekenbank in Hamburg AG, Hamburg, Leonberger Bausparkasse AG, Leonberg, Liquidations-Casse in Hamburg AG, Hamburg, Liquidationskasse für Zeitgeschäfte AG, München, Liquiditäts-Konsortialbank GmbH, Frankfurt a. M., Lombardkasse AG, Berlin, Norddeutsche Hypotheken- und Wechselbank AG, Hamburg, Oldenburgische Landesbank AG, Oldenburg (Oldb), Pfälzische Hypothekenbank AG, Ludwigshafen a. Rh., Privatdiskont-Aktiengesellschaft, Frankfurt a. M.. Ferner an regionalen Kassenvereinen (Wertpapiersammelbanken) und Kreditgarantiegemeinschaften beteiligt. Ausgewählte ausländische Kreditinstitute: Banque Venve Morin-Pons, Lyon, Compagnie Luxembourgeoise de la Dresdner Bank AG – Dresdner Bank International –, (CLB), Luxemburg, Dresdner Bank Canada-Banque, Dresdner du Canada Toronto, Dresdner Bank (Schweiz) AG, Zürich, Dresdner (South East Asia) Ltd., Singapur. – Grundkapital 1138 Mill. DM, Rücklagen 3,3 Mrd. DM, Bilanzsumme 105,4 Mrd. DM, Geschäftsvolumen 108 Mrd. DM, Konzernbilanzsumme 197 Mrd. DM, Zahl der Beschäftigten 28549 (Stand Ende 1986).

Dresdner VO, Bezeichnung für die Verordnung über die Führung eines Wareneingangsbuches vom 20.6.1935. – Vgl. auch →Wareneingangsbuch.

Dritte EG-Richtlinie, →EG-Richtlinien.

Dritte-Person-Technik, *third person technique,* →psychologisches Testverfahren, bei dem der Testperson unterschiedliche Interpretationen zulassende Situationen vorgegeben werden, für die sie die Reaktion Dritter zu erfinden hat. Es wird angenommen, daß die Testperson dabei ihre eigenen individuellen Einstellungen in die Situation hineinprojeziert (→projektive Verfahren).

Dritte Welt, →Entwicklungsländer.

drittfinanzierter Arbeitsvertrag, →Arbeitsvertrag, bei dem der Arbeitgeber die vollen Arbeitgeberpflichten gegenüber dem Arbeitnehmer übernimmt, aber die finanziellen Belastungen ausschließlich oder überwiegend von einem Dritten getragen werden. D.A. v.a. im Hochschul- und Forschungsbereich, wenn eine Förderungsinstitution die Personalkosten trägt. Oft liegt ein →befristetes Arbeitsverhältnis vor. Umstritten ist, ob die Streichung der Mittel zur →betriebsbedingten Kündigung berechtigt.

Drittpfändung, →Wertpapierverwahrung.

Drittschaden, Schaden, der einem Dritten entstanden ist, in dessen Interesse der an sich Ersatzberechtigte (z.B. bei →verdeckter Stellvertretung) gehandelt hat. – Während i.d.R. nur der unmittelbar Verletzte →Schadenersatz verlangen kann, ist insbes. beim Vertragsabschluß für fremde Rechnung (→Kommissionär, →Spediteur, →Frachtführer) i.a. der Vertragsschließende berechtigt, auch Ersatz des D. zu verlangen. Im übrigen berechtigt D. denjenigen, bei dem die haftungsbegründenden Voraussetzungen vorliegen, nur im Rahmen der Drittschadensliquidation zum Schadenersatz. Voraussetzung ist eine zufällige Schadensverlagerung aus der Sicht des Schädigers. Der unmittelbar Verletzte hat dann von demjenigen, der zur Drittschadensliquidation berechtigt ist, Anspruch auf Herausgabe und Abtretung des Anspruchs.

Drittschuldner, bei der Zwangsvollstreckung durch Forderungspfändung derjenige, der seinerseits dem Schuldner etwas schuldet, z.B. bei der Zwangsvollstreckung in die Lohnforderung des Schuldners der Arbeitgeber. – *Pfändung:* Zur →Pfändung der gegen den D. bestehenden Forderung des Schuldners erläßt das Amtsgericht auf Antrag des Gläubigers, wenn die sonstigen Voraussetzungen der Zwangsvollstreckung vorliegen, einen →Pfändungs- und Überweisungsbeschluß, der mit →Zustellung an den D. wirksam wird (§§ 829, 835 ZPO). Der D. darf dann an den Schuldner i.a. nicht mehr zahlen (bei →Lohnpfändung nur die pfändungsfreien Beträge), sonst muß er etwa gezahlte Beträge nochmals an den Gläubiger abführen. – Auf Verlangen des Gläubigers muß der D. binnen zwei Wochen nach Zustellung des Beschlusses auch über das Bestehen der Forderung und etwaige andere Pfändungen *Auskunft* geben (§ 840 ZPO); Verweigerung kann Pflicht zu →Schadenersatz nach sich ziehen).

Drittverwahrung. 1. *Begriff:* →Wertpapierverwahrung für einen anderen Verwahrer (Zwischenverwahrer), d.h. der Verwahrer vertraut die Papiere unter seinem Namen einem anderen (Drittverwahrer) zur Verwahrung an. Der Zwischenverwahrer haftet für eigenes Verschulden und Verschulden des Drittverwahrers bzw. bei vertraglichem Haftungsausschluß für sorgfältige Auswahl des Drittverwahrers (§ 3 DepotG). Die Papiere gelten kraft gesetzlicher Vermutung als Kundenwerte. Pfand- und Zurückbehaltungsrecht des Drittverwahrers ist beschränkt. Diese Fremdvermutung „wird beseitigt" durch die ausdrückliche und schriftliche Nachricht des Zwischenverwahrers, daß er Eigentümer sei (Eigenanzeige), oder wenn der Zwischenverwahrer keine Bank- oder Sparkassengeschäfte betreibt (§ 4 DepotG). – 2. *Depotbezeichnungen* für Drittverwahrer (gem. Depotrichtlinien): *Depot A (Eigendepot):* Für Wertpapiere, die Eigentum des Lokalbankiers sind, sowie solche fremden Papiere, die der Lokalbankier unbeschränkt verpfänden will (§ 12 IV DepG). Zu den im Eigentum des Lokalbankiers stehenden Papieren gehören auch die, bei denen das Eigentum auf ihn aufgrund einer Vereinbarung nach § 15 übergegangen ist, oder die er sich aufgrund einer Ermächtigung nach § 13 angeeignet hat. – *Depot B (Anderdepot):* Für Wertpapiere, die der Lokalbankier ausdrücklich „für Depot B" bestimmt, sowie wegen der Fremdvermutung für alle Wertpapiere, für deren Behandlung der Lokalbankier eine besondere Weisung nicht erteilt. Ein Pfandrecht an ihnen steht der Bank nur wegen derjenigen Forderungen zu, die „in bezug auf diese Papiere entstanden sind", einschl. der etwa nicht beglichenen Forderungen für den Anschaffungspreis. – *Depot C (Pfanddepot):*

Für Wertpapiere, die der Lokalbankier im Rahmen des § 12 II DepG in „üblicher Verpfändung" (praktisch selten) verpfänden will. Die Lokalbankiers nehmen gegen dieses Depot nur Rückkredit bis zur Höhe der von ihnen den Eigentümern der Wertpapiere ihrerseits insges. eingeräumten Kredite. Die Bankierkundschaft kann in Depot C auch eigene Wertpapiere einlegen (Marge), während die Entnahme von Krediten für sich selbst gegen Depot C den Lokalbankiers nicht gestattet ist. Wieviel der Lokalbankier selbst finanzieren will, bleibt ihm überlassen. – *Depot D (Sonderpfanddepot):* Für Wertpapiere, die der Lokalbankier nur im Rahmen des § 12 III DepG verpfänden will (beschränkte Verpfändung). Die Bank bezeichnet die einzelnen Kundendepots dieser Art nach Abrede mit dem Lokalbankier.

Drittwiderspruchsklage. 1. *Begriff:* Klage gegen die Zulässigkeit einzelner Vollstrekkungsakte mit dem Zweck – wie bei der Aussonderung im Konkus –, die →Zwangsvollstreckung in das Vermögen eines Dritten zu verhindern (§ 771 ZPO). D. steht jedem zu, der ein „die Veräußerung hinderndes Recht" an einem von der Zwangsvollstreckung betroffenen Gegenstand hat. – 2. *Klageberechtigt* sind i. d. R. der Eigentümer – auch bei Verkauf unter →Eigentums-Vorbehalt (der vollstreckende Gläubiger kann aber i. d. R. den Verkäufer durch Zahlung befriedigen) und bei →Sicherungsübereignung (strittig), i. a. auch der Inhaber anderer →dinglicher Rechte sowie der unmittelbare und mittelbare Besitzer; bei Treuhand-Verhältnissen kommt es darauf an, zu wessen Vermögen der Gegenstand wirtschaftlich gehört. Wer lediglich →Pfandrecht oder andere Vorzugsrechte hat, kann *nicht* D. erheben, sondern gesm. § 805 ZPO bevorzugte Befriedigung aus dem Erlös verlangen. – 3. Der *Antrag* ist bei D. darauf zu richten, die Zwangsvollstreckung in den betreffenden Gegenstand für unzulässig zu erklären. Um →Anerkenntnisurteil und ggf. nachteilige →Kostenentscheidung zu vermeiden, muß der Dritte den vollstreckenden Gläubiger vor →Klageerhebung unter Beifügung ausreichender Nachweise zur *Freigabe auffordern.* – 4. Örtlich *zuständig* ist das Gericht, in dessen Bezirk die Zwangsvollstrekkung betrieben wird; sachliche →Zuständigkeit richtet sich nach dem →Streitwert. Das Gericht kann bis zur Entscheidung →*Einstellung* der Zwangsvollstreckung gegen oder ohne →Sicherheitsleistung anordnen. – 5. In *dringenden Fällen* kann auch das Vollstrekkungsgericht *einstweilige* Einstellung der Vollstreckung anordnen (§ 769 ZPO).

Drive-in-stores, Ladengeschäfte, die dem Kraftfahrer das Aussteigen ersparen. Unter demselben Gesichtspunkt: *Drive-in-Banken* (mit einem Schalter auf dem Bürgersteig am Straßenrand, der außerhalb der Geschäftszeiten versenkt werden kann), *Drive-in-Restaurants* (v. a. in Verbindung mit Tankstellen) und *Drive-in-movies* (Kinos).

Drohung, Ausübung psychischen Zwangs, die beabsichtigte Erregung von Furcht vor einem künftigen Übel. (§§ 123, 124 BGB). Wer zur Abgabe einer →Willenserklärung durch die widerrechtliche D. eines anderen bestimmt worden ist, kann die Erklärung binnen eines Jahres seit dem Aufhören der Zwangslage anfechten (→Anfechtung). D. kann auch als →Nötigung oder →Erpressung *strafbar* sein.

droit moral, →Urheberpersönlichkeitsrechte; sie dienen in neuerem →Urheberrecht dem Schutz der geistigen und persönlichen Beziehungen des Urhebers zu seinem Werk neben den üblichen →Nutzungsrechten.

drop-lock floating rate notes, →floating rate notes mit einer Festverzinsung im Fall im voraus vereinbarter Umstände, z. B. Erreichung einer Mindestverzinsung.

Drop-out-Rate, →Panelsterblichkeit.

Droschke, *Taxi,* Personenkraftwagen, der auf öffentlichen Straßen oder Plätzen für den öffentlichen Verkehr bereitgehalten wird. Eine Form des →Gelegenheitsverkehrs. – Die *Unterhaltung* von D., die besonders gekennzeichnet sein müssen, bedarf der behördlichen Genehmigung, die für bestimmten Ort oder bestimmtes Gebiet erteilt wird (§ 47 PBefG). Beförderungspreise richten sich nach Beförderungstarif. – D. müssen mit Fahrpreisanzeiger *(Taxameteruhr)* sowie Sicherheitsgurten für Fahrgäste (§ 25 BoKraft) und können mit kugelsicherer Trennwand zum Schutz des Fahrers ausgestattet sein. – Der Fahrer benötigt besondere →Fahrerlaubnis (§ 15d StVZO), darf keine Fahrgäste anlocken, hat den kürzesten Fahrweg zu wählen und muß den Fahrpreis auf Verlangen quittieren. Einzelheiten: §§ 25 ff. BOKraft.

Druckaufbereitung, Herstellung des Druckbilds einer Nachricht. Funktion eines →Programms oder →Routine, mit der die vom System zur Ausgabe bereitgestellten Daten den gewünschten Aufbau erhalten.

Druckbehälter, →Behälter oder Rohranordnungen, die keine →Druckgasbehälter oder vom Geltungsbereich der DampfkesselVO erfaßte Dampfkessel sind und in denen durch die Betriebsweise ein Betriebsüberdruck herrscht oder entstehen kann, der entweder größer als 0,1 bar oder kleiner als −0,2 bar ist. Vgl. DruckbehälterVO vom 27. 2. 1980 (BGBl I 184).

Drucker, →Ausgabegerät eines Computers. – 1. *Typen nach dem Druckvorgang:* a) *Zeichen-D. (serieller D.):* D., der nacheinander einzelne Zeichen druckt; b) *Zeilen-D. (paralleler D., Schnell-D.):* D., der mehrere Zeichen bzw. ganze Zeilen auf einmal druckt; c) *Seiten-D.:*

D., der auf einmal ganze Seiten von Ausgabedaten (→Daten) auf Papier überträgt. – *Druckvorgang:* Bei Zeilen- und Seiten-D. werden die in die nächste Zeile bzw. auf die nächste Seite auszugebenden Zeichen in einen internen →Pufferspeicher des D. eingelesen und in einem Druckvorgang gedruckt. – 2. *Typen nach der Drucktechnik:* a) *mechanische D. (Impact-D.):* →Trommel-Drucker, →Typenrad-Drucker, →Kugelkopf-Drucker, →Ketten-Drucker, →Nadel-Drucker, →Matrix-Drucker; b) *nichtmechanische D. (Non-impact-D.):* →Tintenstrahl-Drucker, →Thermo-Drucker und Laser-Drucker. – Vgl. auch →Druckertreiber.

Druckereien und Vervielfältigungsgewerbe, Teil des →Verbrauchsgüter produzierenden Gewerbes, umfaßt Zeitungsdruckerei, Herstellung von Hoch-, Flach- und Tiefdruckerzeugnissen, Vervielfältigung, Licht- und Photopauserei.

Druckereien und Vervielfältigungsgewerbe

Jahr	Beschäftigte in 1000	Lohn- und Gehaltssumme	darunter Gehälter	Umsatz gesamt	darunter Auslandsumsatz	Nettoprod.-index 1980 = 100
		in Mill. DM				
1970	208	3185	814	9113	287	
1971	208	3513	920	9741	297	
1972	205	3771	1015	10549	347	
1973	203	4143	1127	11474	410	
1974	195	4377	1228	12465	435	
1975	181	4378	1271	12821	443	
1976	176	4691	1362	14335	557	84,5
1977	174	5112	1516	15636	586	88,6
1978	176	5505	1664	16742	623	92,4
1979	180	5973	1858	18838	928	99,0
1980	184	6478	2121	20657	1217	100
1981	181	6684	2308	21128	1348	97,8
1982	174	6729	2423	21409	1431	95,1
1983	165	6687	2445	21785	1372	94,4
1984	162	6754	2478	23117	1542	98,5
1985	162	7035	2594	24279	1785	100,1
1986	163	7310	2681	25217	1742	102,4

Druckertreiber, →Systemprogramm, das die Anpassung von Ausgabedaten (→Daten) aus der internen Darstellung (→Code) an den verfügbaren Zeichensatz eines bestimmten →Druckers vornimmt.

Druckgasgehälter, ortsbewegliche Behälter, die mit Druckgasen gefüllt und nach dem Füllen zur Entnahme der Druckgase an einen anderen Ort verbracht werden, wenn in ihnen bei 15 °C ein höherer Überdruck als 1 bar entstehen kann. – *Rechtliche Grundlage:* DruckbehälterVO vom 27.2.1980 (BGBl I 184).

Druckkündigung, →Kündigung eines Arbeitsverhältnisses, die der Arbeitgeber unter dem Einfluß eines Dritten (Belegschaft, Behörde, Kunden) ausspricht. Der Arbeitgeber darf nicht jedem Druck nachgeben, sondern ist aufgrund der →Fürsorgepflicht verpflichtet, erkennbar unangemessenen und ungerechtfertigten Forderungen einen zumutbaren Widerstand entgegenzusetzen. Bei einem unzulässigen Druck auf den Arbeitgeber kann dem Arbeitnehmer gegen den Dritten u.U. ein Schadenersatzanspruch (→Schadenersatz) zustehen.

Druckleistung, Geschwindigkeit, mit der ein →Drucker arbeitet, in verfahrenstypischen Einheiten. Wird beim Seitendrucker in Seiten/h, beim Zeilendrucker in Zeilen/min. und beim Zeichendrucker in Zeichen/sek. angegeben. – Zu *unterscheiden:* a) Nennleistung: Taktgeschwindigkeit bei gleichförmiger, ununterbrochener Druckausgabe; b) Realleistung: In einer bestimmten Anwendung ermittelter Erfahrungswert.

Drucksachen. I. Begriff: Vervielfältigungen in mehreren gleichen Stücken für den Postversand; ermäßigte *Beförderungsgebühren,* jedoch längere *Beförderungsdauer* als bei Briefen und Postkarten. – 1. *Zugelassen* sind a) Vervielfältigungen, die mittels Druck, Schablone oder Negativ (Fotografie, Fotokopie) hergestellt sind, sowie b) solche, die ohne Zwischenträger mit Druck einer Datenverarbeitungs-, Textverarbeitungsanlage oder mit Schreibmaschine (Durchschlag) hergestellt wurden. Vervielfältigungen unter b) müssen mindestens 20 Exemplare umfassen. – 2. *Nichtzugelassen* als D. sind Abschriften, Papierwaren (Kalender, Notizblöcke), Matritzen. – 3. *Erlaubte Nachtragungen* sind, außer innere Aufschrift, Ort und Tag der Absendung, innere Absenderangabe, Anrede, Druckfehlerberichtigungen, bis zu zehn Wörter. – 4. D. sind in *offener Umhüllung* oder als Streifbandsendung einzuliefern (verschlossene D. nur mit Genehmigungsvermerk).

II. Arten: 1. *Brief-D.:* Vermerk „Briefdrucksache" vorgeschrieben; nur im Inland zulässig. – 2. *Massen-D.:* D. gleichen Inahlts an größeren Empfängerkreis; Versand bei Übernahme von Vorarbeiten (Ordnen, Zählen, Verpacken, Ausfüllen der Einlieferungsliste) zu niedrigeren Gebühren. Beigabe von Proben und Werbeartikeln zulässig; vervielfältigte Ordnungs- bzw. Codierzeichen und Anrede dürfen voneinander abweichen; Mindestmengen bei der Einlieferung müssen beachtet werden. – 3. *D. zu ermäßigter Gebühr:* Nur im Ausland zulässig; Versand von Büchern, Notenblättern, Landkarten sowie Zeitungen, Zeitschriften durch Verleger; jedoch keine Kataloge, Werbeschriften; etwa vergleichbar mit der →Büchersendung im Inland.

Druckschriften. 1. *Begriff:* Alle Druckerzeugnisse sowie andere zur Verbreitung bestimmte Vervielfältigungen von Schriften und bildlichen Darstellungen mit oder ohne Schrift und von Musikalien mit oder ohne Text. – *Periodische Druckschriften*: Zeitungen oder Zeitschriften, die in ständiger, wenn auch unregelmäßiger Folge erscheinen. – 2. *Presserecht:* D. unterliegen dem →Presserecht und müssen grundsätzlich eine Herkunftsangabe enthalten (→Impressum). Das gilt nicht für die *harmlosen D.*: a) *amtliche D.*, soweit sie ausschließlich amtliche Mitteilungen enthalten, und b) die nur den *Zwecken* des *Gewerbes* und des *Verkehrs*, des *häuslichen* und *geselligen Lebens dienenden D.* (z. B. Vordrucke, Preislisten, Familienanzeigen). – 3. Die Verbreitung von D. *strafbaren Inhalts*, z. B. mit →Beleidigungen oder →irreführenden Angaben, wie die Veröffentlichung von D. unter Mißachtung der *Ordnungsvorschriften* des Presserechts sind nach allgemeinem Strafrecht, Wettbewerbsrecht oder Presserecht als strafbare Handlung mit Strafe bzw. als →Ordnungswidrigkeit mit →Geldbuße bedroht. – 4. Ablieferung eines →*Pflichtstückes* jeder D. an die →Deutsche Bibliothek.

Druckwerk, in einem →Drucker eingebautes Aggregat zur Druckdarstellung. – *Anders:* →Schreibwerk.

Drugstore, in den USA weitverbreitete Betriebsform des Einzelhandels (→Betriebsformen des Handels); →Nachbarschaftsgeschäfte, die neben Drogeriewaren auch Süßwaren, Bücher, Zeitungen, Zeitschriften, Schreibwaren, Spielzeug, Geschenkartikel sowie einfache Schmuckwaren führen. Zumeist mit Imbißecke bzw. Getränkebar. D. ist also eine Mischform aus →Gemischtwarenladen und →Kiosk.

DRV, Abk. für →Deutscher Raiffeisenverband e. V.

dry barrel, →Barrel.

dry pint, →pint.

dry quart, →quart.

Dschibuti, Republik in NO-Afrika, umgeben von Äthiopien und Somalia, am Bab el Mandeb gelegen. – *Fläche:* 21 783 km². – *Einwohner (E):* (1986, geschätzt) 46 000 (20,9 E/km²); 30% Nomaden; jährliches Bevölkerungswachstum: 4,4%. – *Hauptstadt:* Dschibuti (Djibouti; Agglomeration 220 000 E). – D. ist in vier Verwaltungsdistrikte *gegliedert:* Dschibuti, Dikhil, Ali Sabieh und Tadjoura. – *Amtssprachen:* Französisch, Arabisch.

W i r t s c h a f t : D. gehört zu den am wenigsten entwickelten Ländern (35% der Erwerbspersonen in der Landwirtschaft, Anteil am BSP 5%). Hauptzweig der *Landwirtschaft* ist die Viehwirtschaft; Anbau von Kaffee. – *BSP:* (1982, geschätzt) 200 Mill. US-$ (500 US-$ je E). – *Export:* (1981) 115 Mill US-$, v. a. Häute, Felle, Viehzuchtprodukte, Fisch, Kaffee. – *Import:* (1981) 207 Mill. US-$, v. a. Erdöl, Maschinen, Lebensmittel. – *Handelspartner:* Frankreich, Äthiopien, Italien, Japan, Jemen.

V e r k e h r : Haupteinnahmequelle sind Einkünfte aus dem *Hafen* Dschibuti, einem wichtigen Umschlagplatz (460 000 t pro Jahr) für die Länder der Region, insbes. Äthiopien. Der Hafen ist durch die *Dschibutibahn* mit dem benachbarten Äthiopien verbunden. – Zunehmende Bedeutung wird dem *Flughafen* Dschibuti beigemessen.

M i t g l i e d s c h a f t e n : UNO, AKP, OAU, OIC, UNCTAD u. a.; Arabische Liga.

W ä h r u n g : 1 Dschibuti Franc (FD) = 100 Centimes.

DSE, Abk. für →Deutsche Stiftung für internationale Entwicklung.

DSGV, Abk. für →Deutscher Sparkassen- und Giroverband.

DSL-Bank, →Deutsche Siedlungs- und Landesrentenbank.

DSS, Abk. für →decision support system.

DSW, Abk. für →Deutsche Schutzvereinigung für Wertpapierbesitz e. V.

DtA-Bank, Abk. für →Deutsche Ausgleichsbank.

DTE, data terminal equipment, →Datenendeinrichtung.

DTV, Abk. für →Deutscher Transport-Versicherungs-Verband e. V.

duale Degeneration, →duale Entartung.

duale Entartung, *duale Degeneration,* bei der Anwendung einer →Simplexmethode das Auftreten einer kanonischen Form des betrachteten linearen Optimierungssystems (→kanonisches lineares Optimierungssystem), bei der mindestens einer der modifizierten Zielkoeffizienten der Nichtbasisvariablen gleich Null ist. – *Anders:* →primale Entartung.

duale Finanzierung, Form der Finanzierung im öffentlichen Bereich, bei der mehrere Finanzierungsträger jeweils bestimmte Kostenarten finanzieren, z. B. bei Krankenhäusern, im Rettungswesen und bei Heimen. I. d. R. erfolgt eine D. derart, daß von den öffentlichen Haushalten die Investitionen finanziert werden und von den Leistungsabnehmern bzw. den Versicherungen die Kosten des laufenden Betriebs zu tragen sind.

duale Restriktion, →Dualitätstheorie der linearen Optimierung.

dualer Simplexalgorithmus. I. C h a r a k t e r i s i e r u n g : Iteratives Verfahren zur Bestimmung einer optimalen (Basis-)Lösung für dual zulässige kanonische lineare Optimierungssysteme (→dual zulässige kanonische

Form). – *Grundgedanke:* Analog zum →primalen Simplexalgorithmus wird zu dem betrachteten System, bei dem es sich um ein dual zulässiges, aber primal unzulässiges kanonisches lineares Optimierungssystem handeln muß, eine Folge dual zulässiger kanonischer Formen konstruiert, bis eine auch →primal zulässige kanonische Form gefunden ist oder man erkennt, daß keine optimale Lösung existiert. Mit dem Fortschreiten des Verfahrens weisen die kanonischen Formen Basislösungen aus, deren Zielwerte (sofern keine →duale Entartung auftritt) immer näher beim Zielwert der gesuchten optimalen Lösung liegen (sofern eine solche Lösung existiert). Allerdings sind sämtliche Basislösungen (mit Ausnahme der optimalen) unzulässig. – Das betrachtete System besitzt überhaupt keine →zulässige Lösung, wenn im Laufe der Anwendung des Verfahrens eine Gleichung G_i der Form

$$a_{i1}x_1 + a_{i2}x_2 + \ldots + a_{in}x_n = b_i < 0$$

und $a_{ij} \geqq 0$ für $j = 1, 2, \ldots, n$ auftritt (vgl. II. Schritt 2).

II. Algorithmus:
Anwendungsvoraussetzungen: Gegeben ist ein dual zulässiges kanonisches Maximierungssystem (Minimierungssystem) der Form:

(1) $x_0 + a_{01}x_1 + a_{02}x_2 + \ldots + a_{0n}x_n = b_0$

(2) $$\left\{\begin{array}{l} a_{11}x_1 + a_{12}x_2 + \ldots + a_{1n}x_n = b_1 \\ a_{21}x_1 + a_{22}x_2 + \ldots + a_{2n}x_n = b_2 \\ \cdot \\ \cdot \\ \cdot \\ a_{m1}x_1 + a_{m2}x_2 + \ldots + a_{mn}x_n = b_m \end{array}\right.$$

(3) $x_1, \quad x_2, \quad \ldots, \quad x_n \geqq 0$

(4) $x_0 \longrightarrow$ Max! oder $x_0 \longrightarrow$ Min!

mit

$$a_{0j} \geqq 0 \, (a_{0j} \leqq 0) \quad \text{für } j = 1, 2, \ldots, n.$$

(Die kanonische Form ist hier wegen der numerisch noch nicht spezifizierten Koeffizienten als solche nicht erkennbar.)

Anwendungsschritte:

(0.1) Markiere die Basisvariablen!

Schritt 1 (optimale Lösung):

(1.1) Gilt $b_i \geqq 0$ für alle $i = 1, 2, \ldots, m$?
JA: $\longrightarrow$ (5.2)!
NEIN: $\longrightarrow$ (2.1)!

Schritt 2 (keine zulässige Lösung):

(2.1) Gibt es eine Gleichung mit Index i mit $b_i < 0$ und $a_{ij} \geqq 0$ für alle $j = 1, 2, \ldots, n$?
JA: $\longrightarrow$ (5.1)!
NEIN: $\longrightarrow$ (3.1)!

Schritt 3 (Bestimmung des Pivotelementes):

(3.1) Wähle ein p mit $b_p < 0$!

(3.2) Wähle ein q mit $$\frac{a_{oq}}{a_{pq}} = \max\left(\frac{a_{oj}}{a_{pj}}, j = 1, 2, \ldots, n, a_{pj} < 0\right)$$
$$\left(\text{bzw. mit } \frac{a_{0q}}{a_{pq}} = \min\left(\frac{a_{0j}}{a_{pj}}, j = 1, 2, \ldots, n, a_{pj} < 0\right)\right)$$

Schritt 4 (dualer Simplexschritt):

(4.1) Setze
$$a_{ij} := a_{ij} - a_{ij}\frac{a_{pj}}{a_{pq}}$$
für $i = 0, 1, \ldots, m,$
$i \neq p, j = 1, 2, \ldots, n;$
$$b_i := b_i - a_{iq}\frac{b_p}{a_{pq}}$$
für $i = 0, 1, \ldots, m, i \neq p;$
$$a_{pj} := \frac{a_{pj}}{a_{pq}} \quad \text{für } j = 1, 2, \ldots, n;$$
$$b_p := \frac{b_p}{a_{pq}}\,!$$

(4.2) Markiere die neue Basisvariable!

(4.3) Lösche die Markierung der neuen Nichtbasisvariablen! $\longrightarrow$ (1.1)!

Endschritt:

(5.1) „Es existiert keine zulässige Lösung." $\longrightarrow$ (5.3)!

(5.2) „Es liegt eine primal und dual zulässige kanonische Form des betrachteten Optimierungssystems vor. Die ausgewiesene Basislösung ist eine optimale Lösung des Systems ((1), (2), (3), (4))."

(5.3) STOP!

III. Bedeutung: Dual, aber nicht primal zulässige kanonische Optimierungssysteme ergeben sich v.a. im Zusammenhang mit →postoptimalen Rechnungen, →Sensitivitätsanalysen, →parametrischer linearer Optimierung sowie bei der Lösung →ganzzahliger Optimierungsprobleme.

dualer Simplexschritt, →Simplexschritt 2b), →dualer Simplexalgorithmus.

duales Optimierungsproblem, →Dualitätstheorie der linearen Optimierung.

duales System. 1. *Begriff:* Für die Bundesrep. D. typische Form der beruflichen Erstausbildung Jugendlicher, die an zwei Lernorten mit unterschiedlichen rechtlichen und strukturellen Merkmalen durchgeführt wird. – 2. *Merkmale:* Inhaltlich-zeitliche Verknüpfung einer überwiegend fachpraktischen Ausbildung im Betrieb und/oder in einer überbetrieblichen Ausbildungsstätte (→betriebliche Ausbildung) mit einer fachtheoretisch-allgemeinen Bildung in der (Teilzeit-) Berufsschule. In Anpassung an die heutigen Anforderungen der beruflichen Ausbildung wird diese grundsätzliche Form der Ausbildungsorganisation in der Praxis häufig durchbrochen. Zur Ergänzung des Berufsschulunterrichts und zur Prüfungsvorbereitung wird vielfach ein innerbetrieblicher Zusatzunterricht erteilt. Zahlreiche Groß- und Mittelbetriebe besitzen Ausbildungsstätten, in denen sich große Teile der betrieblichen Ausbildung unabhängig vom Arbeitsprozeß vollziehen. Fehlende Einrichtungen innerhalb des Ausbildungsbetriebes werden durch Ausbildungsmaßnahmen an externen Ausbildungsstätten ersetzt (zeitweilige Ausbildung in fremden Betrieben, Besuch externer Kurse, Fernunterricht). – 3. *Rechtliche Regelungen:* Zweiteilung der Zuständigkeiten für die rechtliche Regelung der betrieblichen und schulischen Berufsausbildung: a) Die *Ausbildung in den Betrieben* wird bundeseinheitlich durch das →Berufsbildungsgesetz (BBiG) geregelt. b) Kultusminister und -senatoren der Länder sind für den *Unterricht am den berufsbildenden Schulen* zuständig; es werden vom Bund einheitliche →Ausbildungsordnungen erstellt, während die Länder gesondert schulische Rahmenlehrpläne erlassen. Der Kultusministerkonferenz der Länder (KMK) obliegt die Koordination der einzelnen Lehrpläne durch die Erarbeitung gemeinsamer Rahmenlehrpläne. – Die Durchführung der Berufsausbildung regeln, soweit detaillierte Vorschriften nicht bestehen, die *„zuständigen Stellen“*, z. B. Industrie- und Handelskammern, Handwerkskammern, Landwirtschaftskammern, Ärztekammern. Sie führen ein →Verzeichnis der Berufsausbildungsverhältnisse (Lehrlingsrolle), bilden Prüfungsausschüsse und erlassen Prüfungsordnungen für die Ausbildungsabschluß- und -zwischenprüfungen und stellen zur Beratung und Kontrolle der Ausbildungsbetriebe einen Ausbildungsberater. – 4. *Finanzierung:* Die öffentlichen und privaten Berufsschulen werden gemäß der Länderhoheit von diesen finanziert. I. d. R. werden die Personalkosten für die Lehrer an öffentlichen Berufsschulen von den Ländern getragen; der Schulträger (kreisfreie Städte, Landkreise) übernimmt die Sachkosten sowie die Kosten für das Verwaltungspersonal. Die anerkannten privaten Berufsschulen erhalten je nach Länderregelung Finanzhilfen zu den Sach- und Personalkosten. Die Ausbildungsbetriebe finanzieren die Kosten der betrieblichen Ausbildung (Ausbilder, Sachmittel) eigenständig (einzelbetriebliche Finanzierung). Die überbetrieblichen Ausbildungsstätten (z. B. →Lehrwerkstätten) werden zumeist durch Zuschüsse der Bundesanstalt für Arbeit, des Bundes sowie der jeweiligen Bundesländer finanziert. – 5. *Probleme:* Aufgrund der unterschiedlichen Zuständigkeiten bei der Planung und Durchführung der Berufsausbildung weichen die Ausbildungspläne für den schulischen und betrieblichen Teil der Ausbildung z. T. erheblich voneinander ab; zudem sind die betriebliche und schulische Ausbildung sachlich und zeitlich nur wenig aufeinander abgestimmt. Zur Behebung dieser Probleme wurde von der Kultusministerkonferenz der Länder ein Koordinierungsausschuß eingesetzt, der u. a. die Aufgabe hat, die Abstimmung der Ausbildungsordnungen und Rahmenlehrpläne vorzunehmen.

dualistisches Steuersystem, Sonderform des →pluralistischen Steuersystems.

dualistisches System, →Zweikreissystem.

Dualitätssätze. →Dualitätstheorie der linearen Optimierung II.

Dualitätstheorie der linearen Optimierung. I. Charakterisierung: Teilgebiet der →linearen Optimierung, bei dem jeweils bestimmte Paare von linearen Optimierungssystemen (Dualpaare) zueinander in Beziehung gesetzt und gewisse Aussagen über derartige Paare hergeleitet werden. – Gewöhnlich werden folgende *Dualpaare* betrachtet: Das jeweils zuerst betrachtete Optimierungssystem ((1′)–(4′)) bzw. ((1″)–(4″)) nennt man *primales System,* das zugehörige, d. h. dazu in Beziehung gesetzte Optimierungssystem ((1″)–(4″)) bzw. ((1′)–(4′)) (zugehöriges) *duales System.* – Das 1. und das 4. Dualpaar nennt man auch *symmetrisch*: Zu jeder →Strukturrestriktion (2′) bzw. (3″) des primalen Systems existiert genau eine →Nichtnegativitätsrestriktion (2″) bzw. (3′) im zugehörigen dualen System und umgekehrt.

II. Dualitätssätze: 1. *Existenzsatz:* In einem Dualpaar von linearen Optimierungssystemen haben beide Systeme nur dann →optimale Lösungen, wenn sie beide auch →zulässige Lösungen besitzen. – 2. *Dualitätssatz i. e. S.:* Ist für jedes lineare Optimierungssystem eines Dualpaares eine zulässige Lösung gegeben, so ist jede genau dann optimal bezüglich des betreffenden Systems, wenn beide den gleichen Zielwert besitzen. – 3. *Satz vom komplementären Schlupf:* Tritt bei einem symmetrischen Dualpaar von linearen Optimierungssystemen beim Einsetzen einer optimalen Lösung in eine Restriktion von ((2′), (3′)) bzw. von ((2″), (3″)) eine →Schlupfvariable auf (d. h. die betreffende Restriktion ist nicht als Gleichung erfüllt), so tritt beim Einsetzen einer optimalen Lösung in die zugehörige duale Restriktion aus ((2″), (3″)) bzw. aus ((2′), (3′)) kein Schlupf auf.

III. Ökonomische Bedeutung: Zwar werden in der Literatur verschiedentlich öko-

1. Dualpaar	
(1') $x_0 = \sum_{j=1}^{n} c_j x_j$	$y_0 = \sum_{i=1}^{m} b_i y_i$ (1'')
(2') $\sum_{j=1}^{n} a_{ij} x_j \leqq b_i$	$y_i \geqq 0$ (2'')
$i = 1, 2, \ldots, m$	$i = 1, 2, \ldots, m$
(3') $x_j \geqq 0$	$\sum_{i=1}^{m} a_{ij} y_i \geqq c_j$ (3'')
$j = 1, 2, \ldots, n$	$j = 1, 2, \ldots, n$
(4') $x_0 \longrightarrow$ Max!	$y_0 \longrightarrow$ Min! (4'')

2. Dualpaar	
(1') $x_0 = \sum_{j=1}^{n} c_j x_j$	$y_0 = \sum_{i=1}^{m} b_i y_i$ (1'')
(2') $\sum_{j=1}^{n} a_{ij} x_j \leqq b_i$	— (2'')
$i = 1, 2, \ldots, m$	
(3') $x_j \geqq 0$	$\sum_{i=1}^{m} a_{ij} y_i \geqq c_j$ (3'')
$j = 1, 2, \ldots, n$	$j = 1, 2, \ldots, n$
(4') $x_0 \longrightarrow$ Max!	$y_0 \longrightarrow$ Min! (4'')

3. Dualpaar	
(1') $x_0 = \sum_{j=1}^{n} c_j x_j$	$y_0 = \sum_{i=1}^{m} b_i y_i$ (1'')
(2') $\sum_{j=1}^{n} a_{ij} x_j \leqq b_i$	$y_i \geqq 0$ (2'')
$i = 1, 2, \ldots, m$	$i = 1, 2, \ldots, m$
(3')	$\sum_{i=1}^{m} a_{ij} y_i \geqq c_j$ (3'')
	$j = 1, 2, \ldots, n$
(4') $x_0 \longrightarrow$ Min!	$y_0 \longrightarrow$ Min! (4'')

4. Dualpaar	
(1') $x_0 = \sum_{j=1}^{n} c_j x_j$	$y_0 = \sum_{i=1}^{m} b_i y_i$ (1'')
(2') $\sum_{j=1}^{n} a_{ij} x_j \leqq b_i$	$y_i \geqq 0$ (2'')
$i = 1, 2, \ldots, m$	$i = 1, 2, \ldots, m$
(3') $x_j \geqq 0$	$\sum_{i=1}^{m} a_{ij} y_i \geqq c_j$ (3'')
$j = 1, 2, \ldots, n$	$j = 1, 2, \ldots, n$
(4') $x_0 \longrightarrow$ Min!	$y_0 \longrightarrow$ Max! (4'')

5. Dualpaar	
(1') $x_0 = \sum_{j=1}^{n} c_j x_j$	$y_0 = \sum_{i=1}^{m} b_i y_i$ (1'')
(2') $\sum_{j=1}^{m} a_{ij} x_j \leqq b_i$	— (2'')
$i = 1, 2, \ldots, m$	
(3') $x_j \geqq 0$	$\sum_{i=1}^{m} a_{ij} y_i \geqq c_j$ (3'')
$j = 1, 2, \ldots, n$	$j = 1, 2, \ldots, n$
(4') $x_0 \longrightarrow$ Min!	$y_0 \longrightarrow$ Max! (4'')

6. Dualpaar	
(1') $x_0 = \sum_{j=1}^{n} c_j x_j$	$y_0 = \sum_{i=1}^{m} b_i y_i$ (1'')
(2') $\sum_{j=1}^{n} a_{ij} x_j \leqq b_i$	$y_i \geqq 0$ (2'')
$i = 1, 2, \ldots, n$	$i = 1, 2, \ldots, m$
(3') —	$\sum_{i=1}^{m} a_{ij} y_i \geqq c_j$ (3'')
	$j = 1, 2, \ldots, n$
(4') $x_0 \longrightarrow$ Min!	$y_0 \longrightarrow$ Max! (4'')

nomische Interpretationen von Dualpaaren linearer Optimierungssysteme angegeben, jedoch sind derartige Interpretationen i.d.R. didaktischer Natur und weisen wegen der mangelnden Realitätsnähe ihrer impliziten Imformationsannahmen nur in seltenen Fällen einen direkten Anwendungsbezug auf. Die Erkenntnisse der Dualitätstheorie waren und sind jedoch von großer Bedeutung für die Entwicklung von Lösungsverfahren für lineare Optimierungsprobleme. Im Rahmen der →Spieltheorie können gewisse Fragestellungen mit Hilfe von bestimmten Dualpaaren von Optimierungssystemen untersucht werden.

Dualpaar, →Dualitätstheorie der linearen Optimierung.

dual zulässige kanonische Form, im Zusammenhang mit einem linearen Maximierungssystem (Minimierungssystem) in Normalform jede kanonische Form des betreffenden Systems (→kanonisches lineares Optimierungssystem), bei der die modifizierten Zielkoeffizienten alle größer (kleiner) oder gleich null sind. – *Anders:* →primal zulässige kanonische Form.

dubiose Forderungen, →zweifelhafte Forderungen.

DÜE, Abk. für →Datenübertragungseinrichtung.

Dulden oder Unterlassen, umsatzsteuerliche Behandlung: D.o.U. einer Handlung oder Dulden eines Zustandes durch einen Unternehmer im →Erhebungsgebiet gegen →Entgelt kann zu den der Umsatzsteuer unterliegenden Leistungen gehören. – *Beispiel:* Ein ausländischer Unternehmer duldet die Nutzung seines im Erhebungsgebiet geschützten Patents durch einen anderen Unternehmer gegen Entgelt.

Dumping. I. Begriff: Gem. Art. VI Abs. 1 des →GATT liegt D. vor, wenn Waren eines Landes unter ihrem „normalen Wert" auf den Markt eines anderen Landes gebracht werden. Keine D.tatbestände i. S. d. GATT stellen das →Valutadumping und das →Sozialdumping dar, da bei beiden der Tatbestand der Preisdiskriminierung nicht erfüllt ist, sondern lediglich Exportvorteile aufgrund einer günstigen Wechselkurs- bzw. Kostenkonstellation vorliegen. – 1. Als Anhaltspunkte für den *„normalen Wert"* gelten: a) der Preis des Gutes im exportierenden Land, b) wenn ein solcher Vergleichspreis nicht existiert, der höchste Preis dieses oder eines vergleichbaren Guts in Drittländern oder c) die Produktionskosten zuzüglich eines angemessenen Gewinnaufschlags. – 2. Der D.begriff beinhaltet eine *räumliche Preisdifferenzierung* zwischen Teilmärkten und setzt damit die Möglichkeit einer Marktteilung voraus. D. kann vorliegen, wenn durch Preisdifferenzierung monopolistische Spielräume aufgrund von zwischen dem Export- und dem Importland unterschiedlichen Nachfragebedingungen ausgenutzt werden und diese Strategie nicht durch Arbitrage zunichte gemacht wird. Beklagt wird mehr, daß ein Anbieter versucht, aus den Verkaufserlösen im Inland die fixen Kosten oder einen den prozentualen Anteil des Inlandsabsatzes an der Gesamtproduktion übersteigenden Teil davon zu decken, so daß die im Ausland erzielten Preise sich mehr nach den variablen Grenzkosten orientieren. – 3. D.praktiken können *begünstigt* werden durch staatliche →Exportsubventionen, Ausfuhrerstattungen, Ausfuhrprämien, Zins- und Frachtsubventionen u. a.

II. Beurteilung: 1. *Durch das Exportland:* Da D. im Sinne eines verbilligten Exportangebots für das Exportland einen Einkommenstransfer ins Ausland darstellt, ist dies nur sinnvoll, wenn damit die betreffenden Weltmarktgegebenheiten derart verändert werden, daß längerfristig nach Beendigung des D. eine Kompensation der anfänglichen Einbußen möglich wird. Dies ist nur denkbar, wenn lediglich *ein bestimmter Marktanteil* durch temporäre Preisherabsetzung erobert werden soll. D. mit dem Ziel, ein *weltweites Monopol* zu erlangen und dann die Preise stark heraufzusetzen, ist kaum realitätsnah. Denn die Weltnachfrage nach einzelnen Produkten ist i. d. R. zu groß, um von einem einzigen Anbieterland befriedigt werden zu können. Außerdem müssen nicht nur alle aktuellen, sondern insbes. auch alle potentiellen (d. h. zukünftig auftretenden) Konkurrenten ausgeschaltet werden. – 2. *Durch das Importland:* Das Importland könnte die Einfuhr von zu D.preisen angebotenen Gütern positiv bewerten, da sich seine →terms of trade und damit seine Versorgungssituation tendenziell verbessern; andererseits tritt eine Schädigung der importkonkurrierenden Produktionszweige ein. Entscheidend wird daher sein, ob mit einer Einfuhr zu D.preisen langfristig oder nur vorübergehend gerechnet werden kann. Handelt es sich um temporäres D., können Gegenmaßnahmen angezeigt sein, um Anpassungskosten zu verhindern. Besteht dagegen Aussicht auf *längerfristiges D.*, dürfte es sinnvoll sein, die Verdrängung zuzulassen und die freigesetzten Produktionsfaktoren in anderer Verwendung einzusetzen.

III. Gegenmaßnahme nach GATT: Die Erhebung von *Anti-D.-Zöllen.*

IV. Sonderfall: Gelegentlich wird auch von D. gesprochen, wenn im Ausland (aufgrund einer starken Marktmacht der betreffenden Unternehmen bzw. einer geringeren Preiselastizität der Nachfrage) höhere Preise angesetzt werden als im Inland. Dabei wird im Gegensatz zur Normalform von einem *reserve dumping* gesprochen.

Düngemittel, zulassungspflichtig nach Gesetz vom 15. 11. 1977 (BGBl I 2134). Vorschriften über Kennzeichnung und Verpackung: Verkehrsbeschränkungen können zulassungspflichtig erlassen werden. *Zuwiderhandlungen* werden als Ordnungswidrigkeit mit Geldbußen bis zu 30000 DM geahndet. – Über zugelassene D. vgl. DüngemittelVO vom 19. 12. 1977 (BGBl I 2845) mit späteren Änderungen.

Düngemittelstatistik, →Fachstatistik, zentral vom Statistischen Bundesamt durchgeführte monatliche Erhebung über Erzeugung, Einfuhr, Ausfuhr, Lieferung von Düngemitteln zum Verbrauch in der Landwirtschaft. Gliederung nach Absatzgebieten, Düngersorten und Nährstoffgehalt. Befragt werden Unternehmen (Erzeuger, Importeure), die Düngemittel erstmalig in den Verkehr bringen (Gesetz über eine D. vom 15. 11. 1977, BGBl I 2137). Veröffentlichung im Rahmen der →Statistik im Produzierenden Gewerbe (Fachserie 4, Reihe 8.2).

dünn besetzte Matrix, Matrix, die nur einen geringen Anteil von Null verschiedener Elemente aufweist; in diesem Fall besteht Möglichkeit der →Dekomposition. – Vgl. auch →mageres lineares Gleichungssystem.

Duopol, →Dyopol.

duplex, *vollduplex,* Art der →Datenübertragung, bei der gleichzeitig Daten in beide Richtungen über das Übertragungsmedium übertragen werden können. – *Gegensatz:* →simplex. – Vgl. auch →halbduplex.

Duplikat, Abschrift eines Dokuments, z. B. eines Frachtbriefes, auch eines Wechsels (→Wechselabschrift).

Duplikation, →Reichweitenüberschneidung.

Durbin-h-Test, Test zur Überprüfung der Hypothese fehlender →Autokorrelation erster

Ordnung der Störvariablen eines ökonometrischen Modells. Angerwandt, wenn sich unter den Regressoren verzögerte endogene Variablen befinden und aus diesem Grund der →Durbin-Watson-d-Test ungeeignet ist. Die Prüfgröße h ist unter der Hypothese fehlender Autokorrelation asymptomatisch normalverteilt mit Mittelwert Null und Standardabweichung Eins.

Durbin-Watson-d-Test, Test zur Überprüfung der Hypothese fehlender →Autokorrelation erster Ordnung der Störgrößen eines ökonometrischen Modells. Der Test besitzt eine Tendenz zum Nichterkennen der Autokorrelation, wenn sich unter den →Regressoren verzögerte →endogene Variablen befinden; in diesem Fall wird der →Durbin-h-Test vorgeschlagen. – Vgl. auch →Ökonometrie III.

Durchfuhr, Begriff des Außenwirtschaftsrechts: Die Beförderung von Sachen aus →fremden Wirtschaftsgebieten durch das →Wirtschaftsgebiet, ohne daß die Sachen in den freien Verkehr des Wirtschaftsgebietes gelangen (§ II, V AWG). – Vgl. auch →Transithandel, →Warendurchfuhr.

Durchführbarkeitsstudie, →Feasibility-Studie.

Durchfuhrberechtigungsschein, →Warendurchfuhr.

Durchfuhrhandel, →Transithandel.

Durchführungsbestimmungen, ein Gesetz ergänzende, vielfach aufgrund einer Ermächtigung des Gesetzes im Wege der →Verordnung erlassene Vorschriften.

Durchführungspflicht, →Tarifvertrag.

Durchführungsverzögerung, →lag II 2b) (5).

Durchfuhrzoll, der auf durchgeführte Waren (→Warendurchfuhr) aufgrund zollrechtlicher und -tariflicher Vorschriften erhobene →Zoll. D. ist gem. Art. V des GATT unzulässig. – Vgl. auch →Ausfuhrzoll, →Einfuhrzoll.

Durchgangsarzt. 1. Der von den →Versicherungsträgern der *gesetzlichen Unfallversicherung* zwecks Erzielung der bestmöglichen Heilergebnisse bei Unfallverletzten benannte Facharzt, den die Unfallverletzten vor der ersten Inanspruchnahme eines →Kassenarztes zu Rate ziehen sollen. Der D. prüft bei leichten oder anscheinend leichteren Verletzungen, ob durch eine allgemeinärztliche Behandlung der gleiche Erfolg wie bei Inanspruchnahme eines Facharztes erzielt werden kann. – Bei schweren Verletzungen: →Verletzungsartenverfahren. – 2. Ein von der *Berufsgenossenschaft* bzw. den Trägern der *Eigenunfallversicherung* (Bund, Länder, Gemeinden) ihren Mitgliedern ausdrücklich bezeichneter Arzt (meist Chirurg), dem alle Verletzten, auch solche mit scheinbar geringfügigen Verletzungen, vorzustellen sind, zur Entscheidung, ob die i.d.R. durch die Krankenkasse durchzuführende Krankenbehandlung ausreicht oder Krankenhausbehandlung erforderlich ist. Der Versicherte kann unter den D. im Bezirk frei wählen.

Durchgangsposten, →transitorische Posten der Rechnungsformabgrenzung.

Durchgangsverkehr, →Verkehrsstatistik.

Durchgriffshaftung, Begriff des Gesellschaftsrechts. Von Lehre und Rechtsprechung entwickelte Haftung von Gesellschaftern juristischer Personen (z.B. GmbH, GmbH und Co. KG) für Verbindlichkeiten der juristischen Person bei absichtlichem Mißbrauch der juristischen Person zur Haftungsbeschränkung, bei Verwendung der juristischen Person entgegen dem Zweck der Rechtsordnung oder wenn Festhalten an dem Grundsatz der rechtlichen Trennung zwischen Gesellschaft und Alleingesellschafter zu Ergebnissen führt, die Treu und Glauben (§ 242 BGB) widersprechen (z.B. Allleingesellschafter ruft Anschein persönlicher Haftung hervor, schiebt juristische Person vor, um Vorteile zu empfangen oder zu behalten, macht Gesellschaft zu seinem selbständigen Werkzeug). D. führt zur vollen persönlichen Haftung (vgl. BGHZ 20, 4; 22, 226; 54, 222; 61, 380).

durchlaufende Gelder, Begriff des Lohnsteuerrechts: Beträge, die ein Arbeitnehmer bei Ausübung seines Berufs von seinem Arbeitgeber zur Begleichung künftiger Aufwendungen für Rechnung des Arbeitgebers erhält. Die d. G. gehören nicht zum →Arbeitslohn; sie sind gem. § 3 Nr. 50 EStG steuerfrei. – Vgl. auch →Auslagenersatz.

durchlaufende Posten. I. Buchhaltung: Beträge, die zwar im Betrieb eingehen, jedoch in gleicher Höhe an einen Dritten weitergegeben werden, ohne den eigentlichen Betriebszweck zu berühren, z.B. einem Rechtsanwalt werden die für einen Mandanten eingeklagten Forderungsbeträge überwiesen, er gibt sie an seinen Mandanten weiter. D.P. gehen in die →Betriebsbuchhaltung nicht ein, sondern werden auf Kassen- oder Bankkonto abgefangen.

II. Umsatzsteuerliche Behandlung: D.P. sind nicht zum umsatzsteuerpflichtigen →Entgelt gehörende Beträge, die der →Unternehmer (offensichtlich) im Namen und für Rechnung eines anderen vereinnahmt oder verausgabt (§ 10 I UStG). Der Unternehmer hat auf Verlangen des Finanzamts Angaben über die bei ihm d.P. zu machen. – *Keine d.P.* sind z.B. Telefongebühren, die ein Vertreter von seinem Auftraggeber ersetzt erhält, da hier keine unmittelbaren Rechtsbeziehungen zwischen Auftraggeber und Kunden entstanden sind, sondern zwischen dem Vertreter und der Post.

durchlaufende Produktion, →stoffneutrale Produktion.

durchlaufender Kredit, *Treuhandkredit,* Ausleihung von zweckgebundenen Mitteln, die von der öffentlichen Hand oder sonstigen Stellen zur Verfügung gestellt werden und von den Kreditinstituten weitergeleitet und treuhänderisch verwaltet werden. Die Kreditinstitute haften für die d. K. nur treuhänderisch.

Durchlaufterminierung, →PPS-System II 6.

Durchlaufzeit, Zeitspanne, die bei der Produktion eines Gutes zwischen dem Beginn des ersten Arbeitsvorganges und dem Abschluß des letzten Arbeitsvorganges verstreicht. Die D. eines Auftrages setzt sich aus den Bearbeitungszeiten (einschl. Rüstzeiten), den Transportzeiten zu den Betriebsmitteln und den Wartezeiten vor den Betriebsmitteln zusammen. – Vgl. auch →Durchlaufzeitminimierung.

Durchlaufzeitminimierung, *Wartezeitminimierung,* Zeitziel der →Produktionsprozeßplanung, →Produktionsprozeßsteuerung und →Produktionsprozeßkontrolle. Durch die Minimierung der Zwischenlagerkosten angestrebt.

Durchschnitt, →arithmetisches Mittel, →Schnittmenge.

durchschnittliche Abweichung, in der Statistik ein →Streuungsmaß mit der Definition:

$$d = \frac{1}{n} \sum |x_i - m|.$$

Dabei ist n die Anzahl der Beobachtungswerte x_i und m ein →Mittelwert; Verwendung finden das →arithmetische Mittel und der →Median. Bei →Häufigkeitsverteilungen müssen die Abweichungen mit den entsprechenden Häufigkeiten gewichtet werden (→Gewichtung). Die d. A. wird selten verwendet, da sie wenige Eigenschaften im Sinne der →Inferenzstatistik hat.

durchschnittliche (mittlere) Verweildauer, in der →Verlaufsstatistik das →arithemtische Mittel der individuellen →Verweildauern der Elemente einer Beobachtungsgesamtheit. Die d. (m.) V. ist oft nicht berechenbar, weil die individuellen Verweildauern unbekannt sind. Ist die Beobachtungsgesamtheit geschlossen, sind also Anfangsbestand und Endbestand jeweils Null, so kann bei bekannter kumulierter →Zugangsfunktion und →Abgangsfunktion die d. (m.) V. als Quotient aus →Verweilfläche und Gesamtzugangsvolumen errechnet werden.

Durchschnittsätze. I. Einkommensteuer: Besondere Form der Ermittlung des Gewinns aus *Land- und Forstwirtschaft* (§ 13a EStG). – 1. *Voraussetzung* ist, daß der Steuerpflichtige nicht zur Führung von Büchern verpflichtet ist, der Ausgangswert mehr als Null, aber nicht mehrals 32000 DM beträgt und die Tierbestände bestimmte Relationen nicht überschreiten. – 2. Der *Durchschnittsatzgewinn* setzt sich zusammen aus a) dem Grundbetrag, b) dem Wert der Arbeitsleistung des Betriebsinhabers und seiner Angehörigen, c) den vereinnahmten Pachtzinsen, den nach § 13a VIII EStG gesondert zu ermittelnden Gewinnen und bestimmten Absetzungen (verausgabte Pachtzinsen, Schuldzinsen und dauernde Lasten). – 3. Zur Behandlung der *Wohnung des Betriebsinhabers* vgl. →Nutzungswert der Wohnung.

II. Umsatzsteuer: Vgl. →Vorsteuerabzug III.

Durchschnittsbeförderungsentgelt, →Beförderungsleistungen.

Durchschnittsbestand. I. Betriebswirtschaftslehre: 1. *Begriff:* Mittelwert einer Reihe von gemesssenen Beständen, insbes. von Waren und Materialien sowie Forderungen und Verbindlichkeiten. Wichtige Größen bei Bewertungen, Planungsarbeiten (Errechnung des →Kapitalbedarfs, der →Umschlagshäufigkeit bzw. →Umschlagsdauer usw.). – 2. *Berechnung:* a) Arithmetisches Mittel aus den Eckbeständen eines Gesamtzeitraumes:

$$DB = \frac{\text{Anfangsbestand} + \text{Endbestand}}{2};$$

oberflächliches Verfahren, führt zu falschen Ergebnissen, wenn die Zwischenbestände stark schwanken. – b) Arithmetisches Mittel aus den Eckbeständen gleich großer Teilzeiträume:

$$DB = \frac{\text{Summe der Teilzeit-Eckbestände}}{\text{Anzahl der Teilzeit-Eckbestände}};$$

Verfeinerung des Verfahrens zu a), kann jedoch ebenfalls zu falschen Ergebnissen führen. – c) Arithmetisches Mittel aus tatsächlichen Beständen zwischen den einzelnen Bestandsveränderungen:

$$DB = \frac{\text{Summe der Einzelbestände}}{\text{Anzahl der Einzelbestände}},$$

eine Verfeinerung der erstgenannten Verfahren, ebenfalls noch nicht fehlerfrei. – d) Gewogenes arithmetisches Mittel aller tatsächlichen Bestände:

$$DB = \frac{\text{Summe aller Produkte aus Teilzeitbeständen und Teilzeitraum}}{\text{Gesamtzeit}}$$

entspricht dem bei der Zinsberechnung üblichen Verfahren (Zinsstaffel; →Zinsrechnung) und liefert immer richtige Ergebnisse.

II. Statistik: In der →Verlaufsstatistik die Anzahl der Elemente, die während eines Beobachtungsintervalls $[t_I; t_{II}]$ durchschnittlich zum Bestand gehören. $\bar{b}$ läßt sich errechnen als Quotient aus der →Verweilfläche und der Länge $(t_{II} - t_I)$ des Beobachtungsintervalls.

Durchschnittsbesteuerung, →Vorsteuerabzug III.

Durchschnittsbewertung, *Durchschnittspreisrechnung.*

I. Handelsrecht: Verfahren der Ermittlung von →Durchschnittspreisen bei gleichartigen, beweglichen Vermögensgegenständen des Anlage- und Umlaufvermögens (§ 240 IV HGB), insbes. des →Vorratsvermögens zur Berücksichtigung von Zeit- und Kapitalgebundenheit bzw. Preis- und Wertänderungen der Lagervorräte und (bei Preissteigerung) Vermeidung der Bildung von Scheingewinnen und ihrer Besteuerung. Aus den zu unterschiedlichen Preisen erworbenen Waren wird entweder einmal zum Jahrsende ein Durchschnittswert gebildet oder es werden während des Jahres (z. B. vierteljährlich, bei jeder Preis- bzw. Lagerbestandsänderung) laufende Durchschnitte (gewichtet mit den jeweiligen Mengen) errechnet.

II. Steuerrecht: Die D. stellt ein geeignetes Schätzungsverfahren zur Bewertung vertretbarer Wirtschaftsgüter des Vorratsvermögens dar, bei denen die →Anschaffungskosten oder →Herstellungskosten wegen schwankender Einstandspreise im einzelnen nicht mehr einwandfrei feststellbar sind. Die Bewertung hat nach dem gewogenen Mittel der im Laufe des Wirtschaftsjahres erworbenen und ggf. zu Beginn des Wirtschaftsjahres vorhandenen Wirtschaftsgüter zu erfolgen.

Durchschnittserlös, Begriff der Kostentheorie für den auf die verkaufte Leistungseinheit durchschnittlich entfallenden Stückerlös.

$$D. = \frac{\text{Gesamterlös in Geldeinheiten}}{\text{Umsatz in Stück- bzw. Leistungseinheiten}}$$

Durchschnittsertrag, *Durchschnittsprodukt,* Verhältnis von Ausbringungsmenge x zur zugehörigen Produktionsfaktoreinsatzmenge r_j der Faktorart j:

$$e_j = \frac{x}{r_j}.$$

Reziproker Wert: →Produktionskoeffizienten.

Durchschnittsfaktormethode, →Wachstumsfaktorenmodell im Rahmen der →Verkehrsplanung, verwendet zur Ermittlung der zukünftigen Verkehrsverteilung. Die Zuwachsfaktoren der Verkehrserzeugung der Quellverkehrs- und der Zielverkehrszelle werden arithmetisch gemittelt und mit der Analyseverkehrsverteilung multiplikativ verknüpft. Anschließend erfolgt im Gesamtsystem der →Verkehrszellen eine iterative Ausgleichsrechnung, durch die die Summe der Quellverkehre mit der Summe der Zielverkehre abgestimmt wird.

Durchschnittskosten. 1. *Begriff:* D. sind die durchschnittlich auf eine Leistungseinheit entfallenden Gesamtkosten (→Kosten). Betrachtungsobjekt kann dabei ein einzelner →Auftrag, →Kostenplatz, eine einzelne Charge, →Serie oder →Kostenstelle, aber auch das Gesamtunternehmen sein. – 2. *Ermittlung:* Liegt nur *eine Leistungsart* vor, lassen sich die D. durch eine einfache Division ermitteln (→Divisionskalkulation). Werden *mehrere Leistungsarten* nebeneinander erstellt, muß man diese rechnerisch vergleichbar machen, etwa indem man die D. einer Beschäftigungseinheit (→Beschäftigung) ermittelt und damit die leistungsartspezifische Inanspruchnahme der Beschäftigung gewichtet. – 3. *Bedeutung:* Die Ermittlung von D., d. h. die gleichmäßige Belastung einzelner Kalkulationsobjekte, ist vom Grundsatz her das beherrschende Verteilungsprinzip der traditionellen →Vollkostenrechnung. Es findet sich in allen gebräuchlichen Kalkulationsverfahren (→Kalkulation) und Verfahren zur Verrechnung innerbetrieblicher Leistungen (→innerbetriebliche Leistungsverrechnung) wieder. Aufgrund der (vermeintlichen) „Gerechtigkeit“ der Kostenverteilung werden die Preise vieler öffentlicher Leistungen in Höhe der D. festgelegt. – 4. *Kritik:* Zur Ermittlung der D. werden neben →variablen Kosten (bzw. →Einzelkosten) auch →fixe Kosten (bzw. →Gemeinkosten) den einzelnen Leistungseinheiten zugerechnet. Dies bedeutet jedoch eine willkürliche Kostenschlüsselung (→Gemeinkostenschlüsselung).

Durchschnittskostendeckung, Grundsatz der langfristigen →Preispolitik, wonach die Preise für betriebliche Produkte stets so zu stellen sind, daß sie die zugehörigen →Durchschnittskosten je Einheit decken. Wegen der in solchen →Vollkosten enthaltenen, mit abnehmender Beschäftigung ansteigenden Anteile an →fixen Kosten verstärkt die Zielsetzung der D. häufig eine ohnehin vorhandene Unterbeschäftigung. Kurzfristig ist D. als Preispolitik vielfach durch andere preispolitische Ziele zu ersetzen. – Vgl. auch →Preisuntergrenze.

Durchschnittskurs, der für ein einzelnes →Wertpapier oder eine Devise aus den Notierungen eines Monats oder eines Jahres berechnete →Kurs; ein monatlicher D. wird auch von Steuerbehörden bekanntgegeben. Ein D. kann ferner für eine Anzahl von Wertpapieren oder sämtliche an einer Börse notierten Wertpapiere oder solche einer bestimmten Gattung für einen Stichtag berechnet werden; auf ein bestimmtes Vergleichsdatum (= 100) bezogen, ergibt sich ein →Kursindex. Bei Aktien ist die Berechnung eines D. schwieriger; ein richtiges Bild allenfalls durch einen gewogenen D. – Vgl. auch →Aktien-Index.

Durchschnittsleistung, auf empirischem Weg als Mittelwert gefundene →Arbeitsleistungen einer mehr oder weniger großen Gruppe von Arbeitnehmern oder eines Arbeitnehmers in einem bestimmten Zeitabschnitt auf dem gleichen Arbeitsplatz. Die D. schwankt je nach Zusammensetzung der Gruppe und der Dauer des gewählten Zeitabschnitts und ist als Basis zur Bestimmung von →Normalzeiten oder →Vorgabezeiten ungeeignet. – *Anders:* →Normalleistung.

Durchschnittspreis, Durchschnitt einer Vielzahl von Einstandspreisen; bei der Wertermittlung des Verbrauchs und Bestandes von bezogenen Rohstoffen und Hilfsmaterialien (→bezogene Teile) im Betrieb verwendet. – 1. *Bewertung* erfolgt nach dem durchschnittlichen Einstandspreis aller Anschaffungen, ohne Rücksicht darauf, aus welcher Anschaffung der jeweilige Verbrauch bzw. Bestand tatsächlich stammt. D. können als →Buchbestandspreise oder →Eingangsdurchschnittspreise ermittelt werden. – 2. In der *Kostenrechnung* wird aus Vereinfachungsgründen teilweise mit D. gearbeitet, z. B. zur Ermittlung eines einheitlichen Verrechnungspreises für Material bei schwankenden →Anschaffungskosten.

Durchschnittsprinzip, das in der Praxis am häufigsten anzutreffende →Kostenverteilungsprinzip. Die Kosten werden mittels einer Division gleichmäßig auf eine bestimmte Leistungsmenge (allgemein: Menge einer einzelnen Bezugsgröße) verteilt. – Vgl. auch →Durchschnittskosten.

Durchschnittsprodukt, →Durchschnittsertrag.

Durchschnittsspanne, durchschnittliche Höhe der →Handelsspanne. – 1. *Einzelbetriebliche D.* (→Betriebshandelsspanne; Berechnung vgl. dort): a) bezogen auf einen Artikel bei Spannenänderungen im *Zeitablauf;* b) bezogen auf die Spannen mehrerer Artikel (Artikelgruppen) oder Warengruppen (→Mischkalkulation). – 2. *Überbetriebliche D.:* Ermittlung in →Betriebsvergleichen, manchmal sogar für unterschiedliche →Betriebsformen oder ganze Handelsbranchen.

Durchschnittssteuersatz, Verhältnis zwischen Steuerbetrag und →Bemessungsgrundlage. Der D. bezeichnet somit die Belastung der gesamten Besteuerungsmenge. – Vgl. auch →Grenzsteuersatz, →Tarifformen.

Durchschnittstara, →wirkliche Tara b).

Durchschnittsvaluta, →mittlere Verfallzeit.

Durchschnittswert. I. Zollrecht: D. zur Vereinfachung der →Zollabfertigung für die Bemessung des Zollwertes bestimmter, üblicherweise im Rahmen von Kommissionsgeschäften eingeführter verderblicher Waren (Obst, Gemüse). – *Rechtsgrundlage:* VO verderbliche Waren Nr. 1577/81 v. 12.6.1981 (ABLEG Nr. L 154/26). – *Verfahren:* Die D. werden von der EG-Kommission für alle Mitgliedstaaten (zunächst außer Griechenland) für je zwei Wochen festgesetzt. Das Verfahren wird nur auf Antrag des Importeurs angewendet; der Antrag gilt für ein Kalenderjahr. Wechsel vom „Normal"-Zollwertfeststellungs- zum vereinfachten Verfahren während eines Kalenderjahres ist zulässig. Wechsel vom vereinfachten zum normalen Verfahren führt zum befristeten Ausschluß vom vereinfachten Verfahren.

II. Handels-/Steuerrecht: Vgl. →Durchschnittsbewertung.

Durchschreibebuchführung, Verfahren der doppelten →Buchführung, bei dem die Eintragungen auf dem Sachkonto oder Kontokorrentkonto und im Grundbuch (→Journal genannt) in einem Arbeitsgang mit Hilfe von Faltblättern oder auch selbstschreibenden Papieren in Durchschrift erfolgen. – Zu *unterscheiden:* a) *Manuelle D.:* Wie bei der Übertragungsbuchführung ein oder mehrere Journale. Es können zwei Blätter (Konto, Journal) oder mehr Blätter (z. B. Konto, Journal, Sammelkontoblatt) mit Zwischenlagen von Durchschreibpapier untereinander auf eine Platte mit Klemmechanik gelegt werden. – b) *Maschinelle D.:* Journal bzw. Journale, Haupt- und Kontokorrentbuch sind in lose Blätter aufgelöst (Loseblattbuchführung). Die Journalblätter werden nach Beschriftung in ein Loseblattbuch geheftet, die Sach- und Personen-Kontenkarten werden in Kästen aufbewahrt. Die Buchungsmaschinen sind aus den schreibenden Addiermaschinen entwikkelt, sie schreiben Volltext oder Kurzzeichen. – In steigendem Maße wird die D. durch *EDV-Buchführung* (→Buchführung VI 4) ersetzt; mit Hilfe der →Datenfernverarbeitung auch bei Kleinbetrieben.

durchstehende Versicherung, →Transportversicherung, →Versicherungsdauer.

Durchsuchung. 1. *Begriff:* Behördliches Suchen nach Personen, Sachen oder z. B. Beweismitteln wegen einer Straftat, v. a. in der Wohnung, in Geschäftsräumen oder anderen Räumen sowie Behältnissen (Haussuchung). Da Freiheit und Wohnung des einzelnen vom Grundgesetz geschützt werden, kann eine D. gegen oder ohne den Willen des Betroffenden nur bei Vorliegen gesetzlicher Voraussetzungen durch den Richter oder besonders ermächtigte Behörden angeordnet werden. – 2. Im *Strafprozeß:* Anordnung durch den Richter, bei Gefahr im Verzug durch Staatsanwaltschaft und besonders ermächtigte Polizeibeamte. – 3. In der *Zwangsvollstrekkung* ist der Gerichtsvollzieher befugt, die

Wohnung und die Behältnisse des Schuldner zu durchsuchen, soweit der Zweck der Vollstreckung dies erfordert (§758 ZPO). – 4. Nach der *Abgabeordnung* (§335) kann der Vollziehungsbeamte die Wohnung und Behältnisse des Schuldners durchsuchen, soweit dies der Zweck der Vollstreckung fordert. – 5. Im *Steuerstrafrecht* (§§433, 437 AO) können die →Finanzämter die D. anordnen. – 6. Im →Zollgrenzbezirk körperliche D. bei Verdacht, daß →Zollgut in oder unter der Kleidung verborgen ist, bei der nächsten Zollstelle oder einer anderen geeigneten Dienstelle, auf Schiffen oder in fahrenden Zügen auch in einem geeigneten Raum; dgl. wenn Waren im →Zollbinnenland gestellt oder zollamtlich behandelt werden, bei Vorliegen der gleichen Verdachtsgründe (§§71 III, 73 I ZG). Die Grundrechte nach Art. 2 II GG sind insoweit eingeschränkt. – Vgl. auch →Beschlagnahme, →Leibesvisitation.

duty-free shop, *tax-free shop,* Einzelhandelsgeschäft in →Zollausschlüssen (z.B. Freihäfen, Helgoland) und auf Flughäfen jenseits der Zollkontrolle. Es werden vornehmlich Waren verkauft, deren Einfuhr zwar grundsätzlich hohen Zöllen oder Verbrauchsteuern (Tabakwaren, Alkoholika, Kosmetika) unterliegt, die aber im nichtkommerziellen Reiseverkehr unterhalb bestimmter Mengen- oder Wertgrenzen zoll- und steuerfrei eingeführt werden können. Die Waren sind demgemäß gegenüber den Preisen im Zollgebiet verbilligt. – Das Prinzip des d.f.sh. wird auch beim Verkauf derartiger Waren auf *Schiffen* oder in *Flugzeugen* bei Reisen über die Zollgrenze genutzt *(„Butterfahrten“).* – Nach Auffassung des Europäischen Gerichtshofs ist der zoll- und steuerfreie Warenverkehr innerhalb der Zollgrenzen der EG *unzulässig;* tatsächliche Folgerungen aus dieser Rechtssprechung sind aus politischen Gründen bisher nicht gezogen worden.

DVFA, Abk. für →Deutsche Vereinigung für Finanzanalyse und Anlageberatung.

DVFA-Formel, von der →Deutschen Vereinigung für Finanzanalyse und Anlageberatung (DVFA) entwickeltes Verfahren, das ausgehend von bilanziellem Jahresüberschuß durch Korrekturen v.a. der außerordentlichen und periodenfremden Aufwendungen und Erträge den erwirtschafteten Gewinn aufzeigen soll.

DVKB, Abk. für →Deutsche Verkehrs-Kredit-Bank AG.

DVPW, Abk. für →Deutsche Vereinigung für Politische Wissenschaften.

DVR, Abk. für →Deutscher Verkehrssicherheitsrat e.V.

DVS, Abk. für →Deutscher Versicherungs-Schutzverband e.V.

DVT, Abk. für →Deutscher Verband technisch-wissenschaftlicher Vereine.

DVV, Abk. für →Deutsche Vereinigung für Vermögensberatung.

DVWG, Abk. für →Deutsche Verkehrswissenschaftliche Gesellschaft.

DWF, Abk. für →Deutscher Werbefachverband e.V.

DWG, Abk. für →Deutsche Werbewissenschaftliche Gesellschaft.

dwt, Kurzzeichen für →penny weight.

Dynamik der Betriebsformen im Handel. 1. *Begriff:* Anpassung etablierter und Herausbildung neuer →Betriebsformen des Handels, wegen Veränderungen der gesellschaftlichen, ökonomischen und wettbewerblichen Umweltbedingungen. – 2. *Zwei Phasen* der Entwicklung neuer Betiebsformen: a) *Erste Phase:* Pionierunternehmer entwerfen das *neue Konzept* mit dem Ziel der Leistungssteigerung und Rationalisierung der Warendistribution durch neuartige Kombination handelsbetrieblicher Einsatzfaktoren (→Produktionsfaktoren des Handels). Wichtige Ansatzpunkte: Gezielte Sortimentsbegrenzung auf Waren mit hohem Lagerumschlag, Auffinden preisgünstiger Bezugsmöglichkeiten, drastische Reduzierung bzw. vollständiger Verzicht auf Kundendienstleistungen, starke Verminderung des Peronsaleinsatzes, funktionelle Bauweise bei einfacher Ladenausstattung, rationeller Einsatz der übrigen Betriebsmittel (Kasse, Lager, Fuhrpark, usw.). Dies ermöglicht den Pionierunternehmern so stark ermäßigte Preise, daß wegen der davon ausgehenden Anziehungskraft auf den Einsatz teurer Werbemittel verzichtet werden kann. – b) *Zweite Phase: Wandel der Ziele* bei den Pionierunternehmern: Schrittweises →trading up aus Furcht, die vornehmlich auf niedrigen Preisen beruhende Anziehungskraft könne nachlassen. Dadurch entsteht unmittelbare Konkurrenzsituation zu den etablierten Betriebsformen, die sich im Zug des →trading down angepaßt und manche Elemente der neuen Betriebsformen kopiert haben. Damit eröffnet der Markt wieder Chancen für das Vordringen neuer, preisaggressiver Betriebsformen. – *Beispiel:* Die Abfolge des Eindringens von →Supermärkten, →Discountgeschäften, →Verbrauchermärkten, →Selbstbedienungswarenhäusern, →Fachmärkten.

dynamische Analyse, Untersuchung und Erklärung ökonomischer Prozesse im Zeitablauf bzw. des Übergangs von einem Zustand eines ökonomischen Systems in einen anderen. – *Gegensatz:* →statische Analyse, →komparativ-statische Analyse.

dynamische Bilanztheorie, →Bilanztheorien II.

dynamische Einkommen, Einkommen, die nicht im Zustand des wirtschaftlichen →Gleichgewichts anfallen. Dazu gehören: Pioniergewinn, Marktlagengewinn (→Unternehmergewinn) und die bei monopolitischer Konkurrenz anfallenden Gewinne (Monopolgewinne). – *Gegensatz:* →statische Einkommen.

dynamische Lebensversicherung, *Zuwachsversicherung,* Form der →Lebensversicherung (vgl. dort II 7c)), bei der Versicherungsschutz und Versorgungsprämie laufend automatisch der Entwicklung der Einkommen angepaßt werden. – *Formen der Beitragsdynamik: 1. Maßstab:* Höchstbeitrag in der Angestelltenversicherung: a) Beitragssteigerung jährlich um gleichen Prozentsatz wie Höchstbeitrag der Angestelltenversicherung, b) Beitragssteigerung jährlich um die DM-Erhöhung des Höchstbeitrags der Angestelltenversicherung. – *2. Maßstab:* Fester Prozentsatz: a) Beitragserhöhung jährlich um einen bestimmten Prozentsatz des Vorjahresbeitrags; b) Beitragserhöhung um einen bestimmten Prozentsatz des Anfangsbeitrags. Der zusätzliche Versicherungsschutz hängt vom erreichten Alter des Versicherten und der Restlaufzeit des Vertrags ab.

dynamische Makroökonomik. 1. *Begriff:* Analyse der zeitlichen Entwicklung makroökonomischer Größen, wie Realeinkommen, Beschäftigung, Preise, Löhne, in Form einer diskreten Betrachtungsweise (formal folgen Differenzgleichungsmodelle) oder einer kontinuierlichen Betrachtungsweise (Differentialgleichungsmodelle). Notwendige Ergänzung der statischen bzw. komparativ-statischen Analyse. – 2. *Formen:* a) Die *neoklassiche Dynamik* unterstellt schnelle Preisflexibilität, so daß in Expansions- und Kontraktionsphasen die Preis- den Mengeneffekten vorangehen. – b) Die *Keynessche Dynamik* kehrt die Abfolge zumindest für die Kontraktionsphase um, die Mengen- eilen den Preiseffekten voran. Dadurch besteht die Gefahr →kumulativer Kontraktionen und anhaltender →Stabilisierungskrisen. – c) Die *Ungleichgewichtsökonomik* erweitert die dynamische Analyse nochmals, indem sie Anpassungsprozesse nicht nur auf dem Weg von Gleichgewicht zu Gleichgewicht untersucht. Es kann vielmehr zu Quasigleichgewichten kommen. – d) Schließlich geben einiger Vertreter der *postkeynesianischen Ökonomik* die Gleichgewichtsorientierung der Dynamik völlig auf und betrachten den langfristigen Trend als Abfolge temporärer, kurzfristiger Gleichgewichte, Ungleichgewichte oder Quasigleichgewichte.

dynamische Muskelarbeit, rascher Wechsel von Kontraktion und Erschlaffung der Muskeln. D.M. ist weniger ermüdend als die →statische Muskelarbeit wegen besserer Durchblutung.

dynamische Optimierung, *dynamische Programmierung.* 1. *Begriff:* Verfahren des →Operations Research, das mehrstufige Entscheidungsprozesse in eine rekursive Form überführt. Hierbei werden parallel stufenweise Teillösungen gebildet, die dann ausgeschieden werden, wenn sie nicht eindeutig zu einer besseren Lösung führen als eine bereits vorhandene Teillösung. Damit wird die simultane Optimierung eines Prozesses, der von mehreren Parametern abhängig ist, auf die rekursive Optimierung jeweils nur eines Parameters zurückgeführt. – 2. *Vorgehensweise:* Der zu optimierende Prozeß sei abhängig von n Parametern. Legt man von einigen dieser Parameter die Werte im voraus fest, so liefert die passende Wahl der restlichen ein bedingtes Optimum, dessen Wert von den festgelegten Parametern abhängt. Es ergibt sich somit eine Hierarchie von Optima, je nachdem wie viele der Parameter festgelegt sind. In Stufe 0 der Hierarchie sind alle Parameter frei; in Stufe n sind alle Parameter festgelegt. Zunächst werden die bedingten Optima der höchsten Stufe bestimmt; ein Parameter wird freigegeben. Unter denjenigen Optima der höchsten Stufe, für die alle übrigen Parameter die gleichen festen Werte besitzen, wird das günstigste ausgewählt und stellt das bedingte Optimum der nächst-niedrigeren Stufe dar. Entsprechend werden stufenweise alle weiteren Parameter freigegeben. Auf der Stufe 0 wird so das Gesamtoptimum gefunden. – 3. *Anwendung:* Im Vordergrund der Anwendungen stehen Lagerhaltungs- und Produktionsprobleme, die in zeitlicher Abhängigkeit stufenweise über den Planungszeitraum gerechnet werden müssen.

dynamische Programmierung, →dynamische Optimierung.

dynamische Rente, bei den Beratungen um die Rentenreform aufgekommener Begriff, der besagt, daß eine Rente nicht ein für allemal in einem bestimmten Betrag festgelegt wird, sondern sich automatisch an die Entwicklung des →Sozialprodukts anpassen soll. Da die Entwicklung des Sozialprodukts mit der Entwicklung der Löhne und Preise verbunden ist, sprach man nicht zu Unrecht von „Indexrente“. Der Begriff der d. R. wurde mit der Rentenreform abgewandelt in den der →Produktivitätsrente. – Vgl. auch →Generationenvertrag, →Rentenformel.

dynamisches Gleichgewicht, zeitliche Entwicklung einer Wirtschaft, in der trotz sich kontinuierlich ändernder Randbedingungen die Pläne der Individuen zu einem →Gleichgewicht koordiniert sind. Dabei ist zu *unterscheiden:* →intertemporales Gleichgewicht, →temporäres Gleichgewicht, →myopisches Gleichgewicht. – *Gegensatz:* →stationäres Gleichgewicht.

dynamische Zinstheorie, von Schumpeter entwickelte →Zinstheorie i. S. einer dynamischen Theorie. Der Zins ist derjenige Gewinn, den der →Unternehmer („Pionier") aus der Durchsetzung neuer Kombinationen von Produktionsfaktoren zieht, solange die anderen Unternehmer („Imitatoren") noch nicht auf diesen neuen Stand der Wirtschaft nachgerückt sind. Daher gibt es nur in einer fortschreitenden, →evolutorischen Wirtschaft einen Zins, nicht aber in einer →stationären Wirtschaft.

Dynamisierung des Rechnungswesen, neuere Entwicklungstendenz des →Rechnungswesens, die darauf abstellt, (1) die zeitliche Dimension und Struktur der abzubildenden Vorgänge und zuzuordnenden Rechengrößen und (2) die zeitlichen Abfolgen und Verknüpfungen der einzelnen Entscheidungen und Vorgänge im Rechnungswesen darzustellen. Im Bereich der *Bereitschaftskosten* (-ausgaben) ist dieser Prozeß durch die Berücksichtigung der →Bindungsdauer (bzw. Bindungsintervalle) unter Einbeziehung der Dispositionsvorläufe bzw. Entscheidungszeitpunkte, Kündigungstermine und Zahlungstermine schon weit fortgeschritten; im Bereich der *Leistungskosten* sowie der *Verknüpfung von Abläufen in Beschaffungs-, Produktions- und Absatzbereich* befindet er sich noch in den Anfängen. Eine D. setzt voraus, daß von den Einzelereignissen ausgegangen wird und diese durch alle zeitlich bedeutsamen Merkmale, insbes. auch die Verknüpfungen mit vorausgehenden und nachfolgenden Ereignissen gekennzeichnet werden. – Vgl. auch →Einzelkostenrechnung, →Erfolgsänderungsrechnung, →Grundrechnung.

Dynamometer, Gerät zur Messung der Zug- und Druckkräfte des arbeitenden Menschen.

Dyopol, *Duopol,* →Marktform, bei der entweder auf der Angebotsseite oder auf der Nachfrageseite oder auf beiden Seiten nur jeweils zwei Marktteilnehmer miteinander konkurrieren (Angebots-D. oder Nachfrage-D.). Der Sonderfall einer Marktsituation von je zwei Anbietern und zwei Nachfragern wird als *bilaterales D.* (zweiseitiges D.) bezeichnet. – Aus D. erwachsen besondere *Probleme* der →Preisbildung; sie wurden mit den Methoden der mathematischen Nationalökonomie untersucht durch →Cournot (1838: ⅔-Lösung), Edgeworth (1897: Oszillations-D.), Morgenstern, v. Neumann (1947: →Spieltheorie) und →Stackelberg. – *Andere Marktformen:* →Monopol, →Oligopol, →Polypol.

E

EAC, East African Community, *Ostafrikanische Gemeinschaft,* durch Vertrag zwischen den Ländern Kenia, Tansania und Uganda 1967–77 bestehender gemeinsamer Markt, Nachfolgeorganisation der *East African Common Services Organization.*

EAGFL, Abk. für Europäischer Ausrichtungs- und Garantiefonds Landwirtschaft (→EWG I 2d)).

EAN, *Europaeinheitliche Artikelnummer,* für den Nahrungsmittelbereich international genormte Schnittstelle zwischen der artikelbezogenen Datenverarbeitung (→elektronische Datenverarbeitung) der verschiedenen Handelsstufen; vgl. auch →Artikelnummernsysteme. 1977 von zwölf Staaten (darunter alle EG-Staaten) vereinbart; inzwischen haben sich u. a. die USA und Japan angeschlossen. – *Bestandteile:* Ein zweistelliges *Länderkennzeichen,* eine fünfstellige *Betriebsnummer des Herstellers* (national vergeben), eine fünfstellige *Artikelnummer* (in der Verantwortung des Herstellers) und eine *Prüfziffer.* – Für die *maschinelle Erkennung* wird die EAN durch einen genormten Barcode (DIN-Norm 66236) codiert; ein EAN-Symbol besteht jeweils aus der Darstellung der EAN durch das entsprechende *Strichcodesymbol* (parallele Blöcke unterschiedlicher Breite) und der *Ziffern-darstellung* in OCR-B-Schrift (→optische Zeichenerkennung) für manuelle Eingabe. – Vgl. auch →computergestützte Warenwirtschaftssysteme.

EA-Prozessor, →Ein-/Ausgabeprozessor.

EAR, erection all risks insurance, →Montageversicherung.

EARN, European Academic Research Network, von IBM unterstütztes, geschlossenes →Rechnernetz (→gechlossenes Netz), das fast alle europäischen Universitäten verbindet und zusätzlich Kommunikationsmöglichkeiten mit nordamerikanischen Forschungsstätten bietet. – Vgl. auch →DFN.

East African Community, →EAC.

EBCDIC, extended binary coded decimal intercharge code, *EBCDI-Code,* manchmal *IBM-Code,* international verwendeter →Code für die Darstellung und Übertragung von →Daten. Ein Zeichen wird durch acht →Bits dargestellt; die Darstellungskapazität von 256 verschlüsselbaren Zeichen wird bei weitem nicht ausgenutzt, wodurch der Code individuell erweiterbar ist.

Eberhard-Kommission, →Steuerreformkommission.

EBIL, Abk. für →Einzelbilanzanalyse.

EBM, Abk. für →Wirtschaftsverband Eisen, Blech und Metall verarbeitende Industrie e. V.

EBO, Abk. für →Eisenbahn-Bau- und -Betriebsordnung.

ECA, →UN IV 1.

ECAC, European Civil Aviation Conference, →Europäische Zivilluftfahrt-Konferenz.

ECE, Economic Commission for Europe, Wirtschaftskommission der UN für Europa, im März 1947 vom →ECOSOC als erste regionale Wirtschaftskommission gegründet; Sitz in Genf. Wegen der Bedeutung der ECE hat der Sitz der UN in Genf den Rang eines zweiten Hauptquartiers der Organisation. Das European Office der UN in Genf steht unter Leitung eines Under-Secretary-General des UN-Sekretariats. – *Ziele:* Zunächst Erleichterung des wirtschaftlichen Wiederaufbaus Europas, später Festigung der wirtschaftlichen Beziehungen der europäischen Länder untereinander und mit der übrigen Welt. – *Mitglieder:* Alle west- und osteuropäischen Staaten, die den UN angehören, sowie Kanada, USA und Schweiz. – *Struktur:* ECE-Kommission, Hauptorgane (Principal Subsidiary Bodies – PSB): Fachausschüsse für Landwirtschaft, Holz, Kohle, elektrische Energie, Gas, Wohnungswesen, Bauwirtschaft und Stadtplanung, Wasserprobleme und chemische Industrie; ferner Konferenz Europäischer Statistiker sowie ECE-Beratergruppen für Wirtschaftsfragen, Umweltfragen und Fragen der Wissenschaft, technischen Forschung und Energieprobleme; Hilfsorgane (Arbeitsgruppen); Sekretariat unter Leitung eines Executive Sekretärs (1987 Klaus Aksel Sahlgren – Finnland). – *Aufgaben und Arbeitsergebnisse:* Einziges ständiges europäisches Forum, auf dem west- und osteuropäische Staaten gemeinsam wirtschaftliche, soziale und technologische Probleme behandeln. Jährliche Analyse der wirtschaftlichen Lage in West und Ost, Herausgabe von jährlichen und kürzerfristigen Fachbulletins auf wichtigen wirtschaftlichen Gebieten, umfangreiches Studienprogramm, Förderung des Ost-West-Handels, Umweltprobleme, Intensivierung auf dem Gebiet der Wissenschaft und Technologie, Untersuchung langfristiger wirtschaftlicher Trends. Weitere wichtige Aufgaben aus der Schlußakte der →Konferenz über Sicherheit und Zusammenarbeit in Europa (KSZE) und den KSZE-Folgekonferenzen. Aufgaben und Vorhaben der ECE sind in dem mittelfristigen Arbeitsprogramm der Kommission (Programme of Work for 1986–1990, ECE-Annual Report, Dok. E/1986/31 – E/ECE/1130, New York 1986) niedergelegt. Die unterschiedlichen Interessenschwerpunkte der östlichen und westlichen ECE-Mitgliedstaaten kommen in dem Prioritätenkatalog der ECE zum Ausdruck. Hauptanliegen der östlichen Staaten sind gegenwärtig die Arbeiten auf den Gebieten der Energie, Wissenschaft und Technologie, Transportpolitik, Biotechnologie, während auf westlicher Seite insbes. umweltpolitische Zielsetzungen (z. B. Luftreinhaltung und Transport gefährlicher Güter) als prioritär angesehen werden. – *Darstellung* der Arbeiten der ECE in dem jährlichen Bericht an den ECOSOC. – Wichtige *Veröffentlichungen:* Economic Survey of Europe; Economic Bulletin for Europe; Annual Report, ECE; Overall Economic Prospective for the ECE Region up to 1990, Three Decades of the United Nations Economic Commission for Europe; ferner analytische Berichte über die Entwicklung in den verschiedenen wirtschaftlichen Fachbereichen sowie vierteljährliche oder halbjährliche und jährliche Fachbulletins.

ECE-Lieferbedingungen, *einheitliches Gesetz über den internationalen Kauf beweglicher Sachen,* von der →ECE entwickelte Bedingungen bezüglich Maschinen, Anlagen und langlebiger Konsumgüter; annähernd weltweit anerkannt. Die (analoge) Anwendung auf andere Warenarten ist möglich, v. a. bei Serienerzeugnissen. – Zu unterscheiden sind *zwei Fassungen,* West- und Ostfassung, da Staatshandelsländer Streik nicht als höhere Gewalt, sondern als unternehmerisches Risiko mit der Konsequenz einer Nicht-Befreiung von Leistungspflichten ansehen. – *Inhalt:* a) *ECE-Lieferbedingungen in West- und Ostfassung:* Allgemeine Lieferbedingungen für den Export von Maschinen und Anlagen mit der „Anlage der deutschen metallverarbeitenden Industrie" und der „Preisberichtigung". b) *ECE-Liefer- und Montagebedingungen in West- und Ostfassung:* Allgemeine Liefer- und Montagebedingungen für den Import und Export von Maschinen und Anlagen mit der „Anlage der deutschen metallverarbeitenden Industrie" und der „Preisberichtigung". c) *ECE-Zusatzbestimmungen für die Überwachung der Montage von Maschinen und Anlagen im Ausland in West- und Ostfassung.* d) *ECE-Lieferbedingungen für langlebige Konsumgüter:* Allgemeine Verkaufsbedingungen für den Import und Export von langlebigen Konsumgütern und anderen Serienerzeugnissen der metallverarbeitenden Industrie.

echte Einzelausgaben, →Einzelausgaben.

echte Einzeleinnahmen, →Einzeleinnahmen.

echte Einzelerlöse, →Einzelerlöse.

echte Einzelkosten, →Einzelkosten.

echte Entscheidung, →nicht-programmierbare Entscheidung.

echte Gemeinausgaben, →Gemeinausgaben.

echte Gemeineinnahmen, →Gemeineinnahmen.

echte Gemeinerlöse, →Gemeinerlöse.

echte Gemeinkosten, →Gemeinkosten.

echter Einzelverbrauch, →Einzelverbrauch.

echter Gemeinverbrauch, →Gemeinverbrauch

Echtzeitbetrieb, *Echtzeitverarbeitung, Realzeitbetrieb, Realzeitverfahren, real time processing,* Betriebsart eines Computers, bei der im Gegensatz zum →Stapelbetrieb der Verarbeitungszeitpunkt von der Aufgabe selbst bestimmt wird. Jeder Bearbeitungsfall wird unmittelbar nach seinem Eintreten in einer in Abhängigkeit von der Aufgabe festgelegten (kurzen) Zeit bearbeitet. E. ist i.d.R. die Betriebsart von →Prozeßrechnern und findet hauptsächlich in automatisierten technischen Abläufen Anwendung (vgl. auch →Prozeßsteuerung). Die Verwendung des Begriffs E. im Zusammenhang mit dem →Dialogbetrieb ist unüblich geworden.

Echtzeitverarbeitung, →Echtzeitbetrieb.

Eckdaten, →Orientierungsdaten.

Ecklohn, tariflich festgesetzter Stundenlohn für die normale Facharbeitergruppe aus dem sich durch prozentualen Zu- oder Abschlag die Tariflöhne für die übrigen Gruppen errechnen lassen, wenn deren Verhältnis untereinander durch →Arbeitsbewertung exakt festgelegt ist. – *Beispiel:* Lohngruppe 1: Ungelernte, Lohngruppe 2: Angelernte, Lohngruppe 3: qualifizierte Angelernte, Lohngruppe 4: Facharbeiter usw. E. = Tariflohn der Gruppe 4 für Arbeiter über 21 Jahre. Bei *Lohnverhandlungen* wird vielfach nur noch um die Neufestsetzung des E. gekämpft.

Eckzins, *Spareckzins,* Zinssatz (→Zins) für Spareinlagen mit gesetzlicher Kündigungsfrist.

ECLA, →UN IV 1.

ECMA, European Computer Manufacturers Association, Vereinigung der großen Hersteller von →Computern in Europa; Sitz in Genf. Bekannt u.a. durch Definition von Normen (Standardisierung von →Programmiersprachen u.a.); z.B. existieren ECMA-Standards für →Pl/1 und →Basic.

ECMT, European Conference of Ministers of Transport, *Conférence Européenne des Ministres de Transport (CEMT), Europäische Verkehrsministerkonferenz, Europäische Konferenz der Verkehrsminister,* gegründet am 17.10.1953 als autonome Nachfolgerin des *Inland Transport Commitee* der OEEC von deren Mitgliedern; Sitz in Paris. – *Organe:* Ministerrat, tritt ein- bis zweimal jährlich zusammen, ständiges Sekretariat bei der OECD. – *Finanzierung* durch die OECD. – *Ziele:* Rationelle Weiterentwicklung des europäischen Binnenverkehrs; Förderung einer engen Zusammenarbeit der internationalen Organisationen, die sich mit Fragen des Binnenverkehrs (Schiene, Straße, Binnenschifffahrt, Luftverkehr) in Europa befassen (insbes. Zusammenarbeit mit OECD, Europarat, EG, ECE). – *Aktivitäten:* Konvention von Bern 1955 zur Errichtung einer Europäischen Gesellschaft für die Finanzierung der Eisenbahnfahrzeugbestände (EUROFIMA); allgemeine Grundsätze des Verkehrsministerrats über die Zielsetzungen, Grundprinzipien und Durchführungsmittel für die allgemeine Verkehrspolitik in den Bereichen Eisenbahn, Binnenwasserstraßen, Straße; Vorausschätzung des Verkehrsbedarfs; Kooperation zwischen Boden und Luftverkehr; Forschung auf dem Gebiet der Verkehrswirtschaft. – *Veröffentlichungen:* Annual Report; European Rules concerning Road Traffic, Sign and Signals (u.a. in deutsch); Promotion of Urban Transport.

Economic and Social Council, →ECOSOC.

economic basis method, →Equity-Methode.

Economic Community of West African States, →ECOWAS.

economics of scale, Beziehung zwischen Größenordnung und →Wirtschaftlichkeit. Bei wachsender Betriebs- und Unternehmensgröße Möglichkeiten der Kostensenkung in Beschaffung, Fertigung, Absatz, Organisation, Forschung und Entwicklung. In der Produktion steigen bei Betriebsgrößenerweiterung die Produktionskosten langsamer als die Ausbringungsmenge. – Vgl. auch →Degression der Kosten.

ECOSOC, Economic and Social Council, gehört zu den Hauptorganen der →UN und ist für den Bereich der wirtschafts- und sozialpolitischen Zielsetzungen der Charta der Vereinten Nationen zuständig.

ECOWAS, Economic Community of West African States, *Communauté Economique des Etats de l'Afrique de l'Ouest (CEDEAO),* Wirtschaftsgemeinschaft der westafrikanischen Staaten, errichtet 1975; Sitz in Lagos. – *Ziele:* Aufstellung eines allgemeinen Zolltarifs und einer einheitlichen Wirtschaftspolitik; Förderung des freien Verkehrs von Personen, Dienstleistungen und Kapital innerhalb der Gemeinschaft; Harmonisierung der Landwirtschaftspolitiken; Sicherstellung einer abestimmten Entwicklung des Verkehrs- und Nachrichtenwesens, der Energiewirtschaft u.a. Infrastrukturbereiche. – *Organe:* Rat der Staats- und Regierungsoberhäupter, Ministerrat, vier Fachkommissionen. – Wichtige *Entwicklungsinstrumente:* Fonds für Zusammenarbeit, Ausgleichszahlungen und Entwicklungen; Zollunion; Abkommen über Freiheit des Reiseverkehrs, Transports und Nachrichtenwesens; Nichtangriffs- und Beistandspakt; Fonds zur Entwicklung der Energiequellen; landwirtschaftliche Entwicklungsstrategie. – Vgl. auch →Franc-Zone.

Ecuador, *Ekuador,* Republik in Südamerika, umgeben von Kolumbien und Peru. – *Fläche:* 283561 km². – *Einwohner* (E): (1986) 9,5 Mill. (34 E/km²); jährliches Bevölkerungswachstum: 2,6%. – *Hauptstadt:* Quito (1,1 Mill. E); weitere wichtige Städte: Guayaguil (1,3 Mill. E), Cuenca (272397 E), Ambato (221292 E). – Zu E. gehören die Galapagos-Inseln (Archipiélago Colon). E. *besteht aus* 20 Provincas (Provinzen), die in Cantones (Kreise) und Parroquias (Gemeinden) unterteilt sind. – *Amtssprache:* Spanisch.

Wirtschaft: *Landwirtschaft:* Besonders im Küstenland Anbau von Kakao, Reis, Bananen, Kaffee, Baumwolle. Im östlichen Tiefland tropischer Regenwald mit Nutz- und Edelhölzern (Balsaholz), Wildkautschuk, Chinarinde. Obwohl 2/3 von E. mit Wald bedeckt sind, ist der forstwirtschaftliche Nutzen wegen mangelnder Transportwege unbedeutend. 52% der Erwerbstätigen sind in der Landwirtschaft beschäftigt, Anteil am BIP 14%. – *Bergbau und Industrie:* E. besitzt begrenzte Erdölreserven (als sicher gelten 760 Mill. t; Förderung 1985: 14 Mill. t); weitere Bodenschätze: Mangan, Kupfer, Blei, Gold, Silber, im vulkanischen Westteil Schwefel. Erst geringe industrielle Ansätze (Leicht-, Nahrungsmittel-, Textilindustrie); Verarbeitung landwirtschaftlicher Produkte. – *BSP:* (1985, geschätzt) 10880 Mill. US-$ (1160 US-$ je E). – *Öffentliche Auslandsverschuldung:* (1984) 73% des BSP. – Inflationsrate: (1985) 25%. – *Export:* (1985) 2780 Mill. US-$, v.a. Erdöl (60%), Kakao, Bananen, Zucker, Balsaholz. – *Import:* (1985) 1674 Mill. US-$, v.a. Maschinen, Fahrzeuge, chemische Produkte, elektrotechnische Erzeugnisse, Konsumgüter, Nahrungsmittel. – *Handelspartner:* USA,

Japan, Bundesrep. D., Brasilien, Venezuela, Kolumbien, Chile.

Verkehr: Nur ca. 1000 km *Eisenbahnlinien*. – *Straßennetz* ist der Hauptträger des Personen- und Güterverkehrs. Bedeutendste Straße ist das 1076 km lange Teilstück des Pan American Highway. – Internationale *Flugplätze* sind in Quito und Guayaquil. – *Hauptlhafen* ist Quito, über den 90% der Importe und ca. 70% der Exporte umgeschlagen werden.

Mitgliedschaften: UNO, ALADI, OPEC, SELA, UNCTAD u.a; „Amazonas-Vertrag", Andenparlament.

Währung: 1 Sucre (s/.) = 100 Centavos.

ECU, European Currency Unit, Europäische Währungseinheit, anstelle der früheren ERE. Gem. Verordnung Nr. 2626/84 des EG-Ministerrats vom 15.9.1984 wird die ECU seit 17.9.1984 mit dem nachstehend definierten Währungskorb der Haushaltsplanung und allen übrigen finanziellen Transaktionen der EG als Währungs- und Rechnungseinheit zugrunde gelegt. Der *Wert eine ECU* entspricht der Summe folgender Beträge eines Korbes der Währungen der EG-Mitgliedstaaten (Januar 1987): 0,719 Deutsche Mark; 0,0878 Pfund Sterling; 1,31 Französische Francs; 140 Italienische Lire; 0,256 Niederländische Gulden; 3,71 Belgische Francs; 0,14 Luxemburgische Francs; 0,219 Dänische Kronen; 0,00871 Irische Pfund; 1,15 Griechische Drachmen. Einbeziehung des portugiesischen Escudo und der spanischen Peseta wird zu einem späteren Zeitpunkt erfolgen. Die Einbeziehung kann von Portugal und Spanien anläßlich der ersten Fünfjahresüberprüfung der Gewichtung der Währungen beantragt werden nach Anhörung des Währungsausschusses der EG. – *Tageswert* sowie *Kurswert* der ECU in jeder EG-Währung wird von der EG-Kommission jeweils um 14.30 Uhr über die an den maßgeblichen Börsenplätzen der EG-Länder ermittelten Marktkurse als US-Dollar-Gegenwert errechnet. – *Veröffentlichung* der geschäftstäglich ermittelten ECU-Werte, ausgedrückt in den Währungen der EG (und in einigen anderen Währungen, wie z.B. US-Dollar, Schweizer Franken, Japanischer Yen), als sechsstellige Werte in der Reihe C des Amtsblatts der EG. Durch Verordnung Nr. 2626/84 vom 15.9.1984 zur Änderung der Verordnung des Rates Nr. 3180/78 vom 18.12.1978 über das Europäische Währungssystem ist u.a. Dritthaltern, d.h. Währungsbehörden der Drittländer sowie der internationalen Währungsinstitutionen, der Erwerb und das Halten von ECU gestattet worden. Auf diese Weise ist der Europäische Fonds für währungspolitische Zusammenarbeit (EFWZ) befugt, auf Dritthalter-Konten ECU gutzuschreiben. Diese Maßnahme ist Bestandteil der Maßnahmen zur Stärkung des Europäischen Währungssystems. Im Rahmen der Verwaltungen der EG sowie in den meisten Mitgliedstaaten (auch in der Bundesrep. D.) können auch Privatpersonen und Unternehmer über ECU-Konten verfügen. – Vgl. auch →EWS II 3.

ECU-Anleihe, auf →ECU lautende →Anleihe. Anleiheschuldner sind Institutionen der EG, europäische Staaten sowie private Unternehmungen mit erstklassiger Bonität; Anleihegläubiger aus USA und Schweiz sowie aus den Benelux-Staaten. Die Verzinsung ist abhängig von einem Basissatz, i.d.R. →LUXIBOR, sowie einem von der Bonität des Anleiheschuldners abhängigen Aufschlags (bis zu ¾%).

EC-Versicherung, *Extended-coverage-Versicherung*, Versicherung zusätzlicher Gefahren zur Feuerversicherung für Industrie- und Handelsbetriebe. Versicherungsschutz für versicherte Sachen, die zerstört oder beschädigt werden durch a) innere Unruhen, böswillige Beschädigung, Streik oder Aussperrung, b) Fahrzeuganprall, Rauch, Überschallknall, c) Sprinkler-Leckage, d) Leitungswasser, e) Sturm, f) Hagel. – Versicherung der Gefahrengruppen a) und b) bzw. der Gefahren c), d), e), f) in rechtlich selbständigen Verträgen. – Für die politischen Gefahren gemäß a) wegen der Kumulgefahr (Häufung von Versicherungsfällen aufgrund eines Ereignisses), jederzeitige Kündigung mit Frist von einer Woche möglich. – Nicht versichert sind v.a. Krieg, Aufstand und Verfügungen von Hoher Hand sowie Schäden an Montageobjekten und -ausrüstungen, Verglasungen, Transportgütern, zulassungspflichtigen Kraftfahrzeugen. – →Selbstbeteiligung des Versicherungsnehmers je Schadenereignis.

ECWA, →UN IV 1.

EDEKABANK AG, zentrales Kreditinstitut der EDEKA-Handelsgruppe als Verbindung zum Geld- und Kapitalmarkt; Sitz in Berlin (West). Hauptniederlassung in Hamburg; weitere Niederlassungen in Bremen, Dortmund, Frankfurt/M., Hannover, Kiel, Köln, München, Nürnberg, Stuttgart. Universelle Geschäftsbank, betreibt einschlägige Bankgeschäfte auch außerhalb des EDEKA-Bereichs, Schwerpunkt geld- und kreditwirtschaftliche Betreuung aller Handelsstufen der EDEKA-Gruppe.

EDEKA-Genossenschaften, Lebensmittelgroßhandlungen in der Rechtsform der EG. – *Bedeutung:* Größte Gruppe genossenschaftlicher Zusammenschlüsse selbständiger Lebensmitteleinzelhändler in der Bundesrep. D.; größter förderungswirtschaftlich strukturierter (genossenschaftlicher) Zusammenschluß von Einzelhandelskaufleuten in Europa. 1986: E.G. mit über 14700 Mitgliedern und ihren 16500 Geschäften; Gesamtumsatz ca. 21,2

Mrd. DM. – *Aufgabe:* Stärkung der Marktposition der Mitglieder durch gemeinsame Beschaffung der benötigten Waren und durch gemeinsame Aktionen der Werbung und Verkaufsförderung. – *Aufbau:* Die örtlichen E. G. gründeten 1907 die EDEKA-ZENTRALE eGmbH – die heutige EDEKA ZENTRALE AG, Hamburg – als Zentralgenossenschaft zur Erweiterung der Möglichkeiten des genossenschaftlichen Warenbezugs. 1914 wurde die EDEKABANK eGmbH, heutige →EDEKA-BANK AG, gegründet. Der 1907 gegründete Prüfungsverband EDEKA VERBAND e. V. nimmt heute neben seiner Prüfungstätigkeit Beratungs- und Servicefunktionen wahr und vertritt gruppenpolitische Interessen.

Edelmetallgeschäft der Banken, befaßt sich heute fast nur mit Gold und ist in den meisten Ländern fast allein den →Notenbanken vorbehalten, die nach festen, meist gesetzlich festgelegten Sätzen Gold ankaufen. In der Bundesrep. D. unterliegt der Handel mit Edelmetallen sowie Gold keinen Beschränkungen; vgl. →Metallgesetze.

Edgeworth-(Bertrand-)Modell, oligopolistisches Dyopolmodell, in dem beide Anbieter autonome Preisstrategie auf einem vollkommenen Markt betreiben. *Edgeworth* arbeitet im Gegensatz zu *Bertrand* mit Kapazitätsbeschränkungen. Durch dauernde Preisunterbietungen und Preisheraufsetzungen entsteht ein Oszillationsmodell. Das Modell ist eine Irrtumslösung. Äußerst fragwürdig erscheint die Prämisse der Preisstrategie auf einem vollkommenen Markt.

Edgeworth-Box, Schema zur graphischen Darstellung der Verteilung der Güterausstattung in einer Volkswirtschaft mit zwei Individuen und zwei Gütern; wird verwendet zur Erklärung des Entstehens von Tausch, →Tauschgleichgewicht, →Verrechnungspreisen, Pareto-effizienten Allokationen (→Pareto-Effizienz) und den Zusammenhängen zwischen diesen Größen.

Edinburgher Regel, Grundsatz, nach dem die relative ökonomisch-finanzielle Lage der Steuerpflichtigen durch die Besteuerung nicht geändert werden soll, Postulat der Besteuerungsneutralität. Benannt nach einem Artikel in der „Edinburgh Review“ (1833). Heute gilt die E. R. allenfalls für die wettbewerbsneutrale Besteuerung. – *Gegensatz:* →Leistungsfähigkeitsprinzip.

Editor, *Dateiaufbereiter,* →Dienstprogramm zum Erstellen, Lesen und Ändern von Dateien, grundsätzlich im →Dialogbetrieb. Die Dateien können formatierte →Daten, (Quell-) →Programme, Texte aller Art sowie sprachliche oder bildliche Daten enthalten. – *Arten:* 1. *Text-E.:* E., der für das komfortable Erstellen (und evtl. →Formatieren) von Texten ausgelegt ist; *Graphik-E.:* E., der das Zeichnen und Ändern von graphischen Darstellungen ermöglicht. – 2. *Seitenorientierter E. (Fullscreen-E.):* E., bei dem mit einem Zugriff ganze Bildschirmseiten einer Datei betrachtet und geändert werden können; *zeilenorientierter E.:* auf die Bearbeitung einer „aktuellen“ Zeile beschränkter E.

EDV, Abk. für →elektronische Datenverarbeitung.

EDVA, Abk. für →elektronische Datenverarbeitungsanlage.

EDV-Audit. 1. *Begriff:* Methode zur strategischen Planung von →betrieblichen Informationssystemen. – 2. *Ziel:* Kritische Situationsanalyse der →elektronischen Datenverarbeitung in einem Unternehmen durch Vergleich von Kosten- und Leistungskriterien. – 3. *Untersuchungsfelder:* →EDV-Aufbauorganisation, →EDV-Kosten, Hardware und Systemsoftwareausstattung (→Hardware, →Software, →Systemprogramm) sowie Status der →Anwendungen (vgl. auch →Anwendungsbacklog). – 4. *Methoden:* →Informationsbedarfsanalyse, →Informationsportfolio, Branchen- und Betriebsvergleiche u. a. – Vgl. auch →EDV-Rahmenkonzeption, →EDV-Revision.

EDV-Aufbauorganisation, →Aufbauorganisation für den Bereich „Organisation und Datenverarbeitung“ (→elektronische Datenverarbeitung), insbes. die Eingliederung in die Unternehmensorganisation, die räumliche, organisatorische und technische Zentralisierung bzw. Dezentralisierung und damit verbunden die Verteilung der Hardware-Ressourcen (→Hardware), ferner die Innenorganisation der →Org/DV-Abteilung, ggf. der Aufbau eines →information centers sowie die Festlegung des Rahmens für Projektdurchführung und Personaleinsatz.

EDV-Buchführung, →Buchführung VI 4.

EDV-Controlling. 1. *Begriff:* →Controlling für den EDV-Bereich (→elektronische Datenverarbeitung) eines Unternehmens. – 2. *Ziele:* Aufbau eines Berichtssystems für die Unternehmensführung und das EDV-Management; Schaffung eines Koordinierungsinstruments zur operativen Steuerung des EDV-Bereichs. – 3. *Aufgaben:* Investitionsplanung und -rechnung für →Computersysteme, Wirtschaftlichkeitsprüfung bei Entwicklung von →Anwendungen, Projektplanung und Projektergebniskontrolle, Kapazitätskontrolle, →Job Accounting sowie die Fortschreibung der →EDV-Rahmenkonzeption durch strategisches EDV-C. Teilweise stehen computergestützte Hilfsmittel zur Verfügung.

ED-Versicherung, Abk. für →Einbruchdiebstahlversicherung.

EDV-Koordinator, →Informationsmanager.

EDV-Kosten. 1. *Begriff:* Die durch die →elektronische Datenverarbeitung verursachten →Kosten eines Betriebs. – 2. *Wichtigste Kostenarten:* Personalkosten (größter Anteil an den EDV-K.), Betriebsmittelkosten (v.a. Abschreibungen auf →Hardware und →Software), Werkstoffkosten (z.B. Papier, Strom; untergeordnete Bedeutung), Mietkosten (Hardware-, Softwaremiete), Fremdleistungs-, Datenübertragungs-, Aus- und Weiterbildungskosten. – 3. *Kostenverursachung* im →software life cycle: Überwiegend durch →Softwarewartung, geringer Anteil durch den eigentlichen →Softwareeinsatz. Größenordnungen (in %) ca. 20:35:45 (Entwicklung:Einsatz:Wartung). – 4. Verhältnis *Hardware-/Softwarekosten:* Nach empirischen Untersuchungen im betrieblichen Bereich ca. 40% Hardwarekosten, 60% *Softwarekosten;* in anderen Bereichen (z.B. Militär) noch stärkeres Übergewicht der Softwarekosten. Das rapide Anwachsen der Softwarekosten gegenüber den Harwarekosten wurde als hervorstechendes Symptom der *Softwarekrise* diagnostiziert (→Software Engineering III). – Vgl. auch →Softwarekosten.

EDV-Organisator, Berufsbild in der →betrieblichen Datenverarbeitung. Der EDV-O. ist im Rahmen der →Systemanalyse für die betriebswirtschaftliche und DV-technische Konzeption und für die Einführung neuer oder zu verändernder Informationssysteme in die Organisation der Unternehmung zuständig. Für diese Tätigkeit wird neben Organisations-, Betriebswirtschafts- und Programmierkenntnissen vielfach auch ein Studium vorausgesetzt. – Vgl. auch →Informationsmanager.

EDV-Rahmenkonzeption, Methode zur langfristigen Planung →betrieblicher Informationssysteme im Rahmen des →information ressource managements. Ausgehend von den Unternehmenszielen wird auf Basis eines →*EDV-Audits* die Planung der betrieblichen →Anwendungen (→Informationsbedarfsanalyse), der personellen sowie der hardware- und softwaretechnischen Ressourcen (→Hardware, →Software) und der organisatorischen Strukturen durchgeführt. Darauf baut eine *Wirtschaftlichkeitsstudie* auf, aus der der Planungsrahmen mit Projekten und Realisierungsprioritäten abgeleitet wird.

EDV-Revision. 1. *Begriff:* Formale Prüfung der Wirtschaftlichkeit, Sicherheit und Ordnungsmäßigkeit der →elektronischen Datenverarbeitung einer Unternehmung. – 2. *Untersuchungsbereiche:* EDV-Abteilung, →Rechenzentrum und betroffene Fachabteilungen. – 3. *Aufgaben:* Überprüfung a) der Wirtschaftlichkeit und Methodik der →Systemanalyse, b) des Sicherheitskonzepts in physischer (Sicherung des Rechenzentrums) und organisatorischer (z.B. →Datensicherheit, →Datensicherung, →Dokumentation) Hinsicht, c) des →Datenschutzes; d) der Einhaltung der Grundsätze der Ordnungsmäßigkeit der Datenverarbeitung (gesetzliche Vorschriften, z.B. bei computergestützter Finanzbuchhaltung, hausinterne Richtlinien). EDV-R. ist verwandt mit dem →*EDV-Audit,* das sich primär auf *inhaltliche* Prüfungen erstreckt.

EDV-Systemprüfung. 1. *Bedeutung:* Methode zur indirekten →Prüfung der Funktionsfähigkeit der Buchführung. Bei Verwendung von EDV-Anlagen in der Buchführung erheblich geringere Fehlerhäufigkeit, es sei denn, das Verarbeitungsverfahren selbst ist fehlerhaft. →Systemprüfung deshalb wichtiger als Einzelfallprüfung.

2. *Prüfungsinhalte:* a) Prüfung der *Programmdokumentation:* Ob die EDV-Dokumentation geeignet ist, die Datenverarbeitung in der Unternehmung genügend nachzuweisen; ob sie über den Inhalt der Verarbeitungsprozesse informiert, damit die EDV-Buchführung unter Einbeziehung von Ein- und Ausgabedaten verständlich wird. Als nachprüfbar wird die EDV-Buchführung angesehen, wenn vorgelegt werden: Kontenplan, Problembeschreibungen und Datenflußpläne, detaillierte Programmablaufpläne mit einem Verzeichnis sämtlicher Programme, Regelung der Datenerfassung, Formularmuster der Eingabebelege und Listen, Satzaufbau der Stamm- und Bewegungsdaten, Verzeichnis der auszudruckenden Fehlernachrichten, Anweisung zur Fehlerbehandlung, Beschreibung der Kontroll- und Abstimmverfahren, Schlüsselverzeichnisse, Operator-Anweisungen, Anweisungen zur Datensicherung und zur Sicherung der ordnungsmäßigen Programmanwendung, Nachweis der Testbeispiele und -ergebnisse, Angaben über die jeweilige Gültigkeitsdauer der Unterlagen, Protokolle der Programmanwendungen, Nachweise bei Programmänderungen. – b) Prüfung des *Verarbeitungsverfahrens* anhand folgender Techniken: (1) *Arbeitswiederholung:* Für einzelne in sich geschlossene Arbeitsgebiete werden Programmabläufe wiederholt. Damit kann jedoch weder die Richtigkeit noch die effektive Verwendung des Programms bestätigt werden; nicht erklärbar ist auch, ob die Daten der Urbelege richtig und vollzählig auf die Datenträger übertragen wurden. Außerdem können Probleme technischer Art bedeutungsvoll sein, wenn z.B. bei integrierter Datenverarbeitung die gespeicherten Daten ohne Zwischenausdruck fortgeschrieben werden. – (2) *Testfallverfahren:* Statt der tatsächlichen Eingabedaten werden konstruierte Abrechnungsdaten verarbeitet. Stimmen die Ergebnisse mit den Ergebnissen aufgrund einer Vorberechnung überein, so hat ordnungsmäßige Verarbeitung des Zahlenmaterials durch die Anlage stattgefunden. Der →Prüfer muß die konstruierten Eingabedaten so aufbauen, daß die Funktionsfähigkeit der

einzelnen Programminstruktionen sowie der sachliche Inhalt eines Programms und der Zusammenhang mit anderen Programmen des gleichen Arbeitsgebiets geprüft werden. Beweis der Richtigkeit des Programms kann nicht erbracht werden, sondern nur Nachweis, daß die konstruierten Eingabedaten nicht falsch verarbeitet wurden. Nicht alle möglichen Eingabedatenkombinationen können aufgrund der großen Anzahl durch Testfälle abgedeckt werden. – (3) *Sachlogische Programmprüfung:* Verfolgung von einzelnen Programmschritten in Programmablaufplänen und -listen (kodierten Programmen). Aus dem detaillierten Programmablaufplan erfolgt i. d. R. das technische Programmieren (Kodieren); deshalb führen mit hoher Wahrscheinlichkeit alle logischen Fehler auch zu Fehlern im Programm. Es ist notwendig, den Programmablauf für verschiedene Eingabedatenkombiantionen zu verfolgen und zu beurteilen, ob alle praktisch denkbaren Buchungsfälle berücksichtigt sind und ob der Programmablauf einen gechlossenen Kreislauf darstellt. Voraussetzung für die Anwendung dieser Technik ist, daß der Prüfer über die erforderlichen Kenntnisse verfügt und daß der Zeitaufwand nicht unangemessen hoch ist.

3. *Prüfungszeitpunkte:* a) Prüfung *bei* Programmerstellung: Einbezeihung des Abschlußprüfers bereits bei der Konzipierung. – b) Prüfung *vor* Programmübernahme: Der Abschlußprüfer prüft vor der Übernahme eines Arbeitsgebietes auf die EDV. – c) Prüfung *nach* Programmübernahme: Aufgrund eventueller Beanstandungen durch den Prüfer können bei Prüfung nach Einbeziehung eines Arbeitsgebietes in die EDV aufwendige Systemänderungen erforderlich werden. Deshalb i. d. R. weniger sinnvoll.

EEG, Abk. für →Elektroenzephalogramm.

Effekten. 1. *Begriff:* Vertretbare →Wertpapiere (zur Kapitalanlage geeignet): Aktien und Obligationen, Pfandbriefe, Kuxe, Zwischenscheine u. a. m., ausgenommen Banknoten. – 2. *Buchung und Bilanzierung:* Das E.-Konto wurde vielfach als gemischtes Konto geführt und auf ihm sowohl bei An- als auch beim Verkauf der Rechnungsbetrag gebucht. Zulässigkeit nach Inkrafttreten des →Bilanzrichtlinien-Gesetzes umstritten (vgl. § 246 II HGB). Aktivierung unter Finanzanlagen, wenn die E. dauernd oder langfristig dem Geschäftsbetrieb dienen (ggf. unter →Beteiligungen, Wertpapiere des Anlagevermögens, Anteile an verbundenen Unternehmen), andernfalls im Umlaufvermögen. Buchung von Gewinnen vor Realisierung, also lediglich nach der Kursnotierung, unzulässig (→ordnungsmäßige Bilanzierung).

Effektenabteilung, eine der Leistungsabteilungen von Bankbetrieben mit folgenden *Aufgaben:* An- und Verkauf von →Effekten; ihre Verwaltung, d. h. Dienstleistung gegenüber dem Wertpapiereigentümer hinsichtlich Überwachung der Zinstermine, der Auslosung, Besorgung von neuen Bogen, Anmeldung und Hinterlegung von Stücken zur Hauptversammlung, Ausübung von Bezugsrechten. E. ist meist verbunden mit Depotabteilung und Depotbuchhaltung.

Effektenarbitrage, →Arbitrage I 2a).

Effektenbanken, *Emissionsbanken,* Spezialbanken, die sich ausschließlich mit dem Geschäft der Finanzierung, Gründung und Emission befassen. In der Bundesrep. D. gibt es keine E.

Effektenbörse, →Börse III 4.

Effektendepot, →Depotgeschäft, →Wertpapierverwahrung.

Effektendiskont, ein etwas über dem →Diskontsatz liegender Abschlag als →Diskont beim Ankauf ausgeloster Wertpapiere vor dem Rückzahlungstermin durch eine Bank.

Effektengeschäft, verschiedenartige Bankgeschäfte, eine Aufgabe der →Effektenabteilungen der Banken. – *Arten:* (1) Der kommissionsweise An- und Verkauf von Effekten *(→Effektenkommissionsgeschäft),* (2) der *→Eigenhandel* mit Effekten im →Tafelgeschäft und im Spekulationsgeschäft für eigene Rechnung, (3) die auftragsweise Effektenverwahrung und -verwaltung *(→Depotgeschäft)* und (4) das *→Emissionsgeschäft.* – E. im Sinne des *→Kreditwesengesetzes* ist die Anschaffung und Veräußerung von Wertpapieren für andere (§ 1 KWG); E. ist →Bankgeschäft im Sinne des KWG.

Effektengiroverkehr, stückelose Eigentumsübertragung von →Effekten durch Vermittlung von Effektengirobanken oder →Wertpapiersammelbanken. Die Kreditinstitute geben den größten Teil ihrer Effekten an örtliche Wertpapiersammelbank (Drittverwahrer) in →Sammelverwahrung (Miteigentum am Bestand). Für Übertragungen zwischen verschiedenen Börsenplätzen ist *Effektenferngiroverkehr* durch Zusammenschluß der Wertpapiersammelbanken eingerichtet.

Effektenhändler, „Börsenhändler“, Bankangestellte, die →Effektengeschäfte abschließen. Jedem E. sind bestimmte Papiere oder Papiergattungen zugewiesen.

Effektenkommissionsgeschäft, besondere Art des →Kommissionsgeschäfts. Bei Aufträgen in amtlich notierten Wertpapieren treten Banken als *Effektenkommissionär* auf (im eigenen Namen für Rechnung eines anderen). Die Rechtsstellung der Bank als →Kommissionär wird nicht durch den Vorbehalt des *→Selbsteintritts* (möglich nach § 400 HGB) berührt. Die Bank ist zur unverzüglichen Ausführungsanzeige verpflichtet, braucht aber nicht den Dritten, mit dem das Geschäft abgeschglossen wurde, namhaft zu machen, wie sonst beim Kommissionsgeschäft (§ 384 HGB). – E. wird nur bei amtlich notierten Papieren *angewandt*, während Freiverkehrswerte im Eigengeschäft (→Eigenhandel) ausgeführt werden.

Effektenkurs, →Kurs.

Effektenlombard, →Lombardkredit.

Effektenmakler, →Handelsmakler.

Effektenpensionierung, →Pensionsgeschäft.

Effektenplacierung, die Unterbringung von →Effekten im Publikum durch freihändigen Verkauf oder Auflegung zur Zeichnung. – Vgl. auch →Emission.

Effektenrechnung, →Wertpapierrechnung.

Effektenscheck, scheckähnliche Urkunde zur Eigentumsübertragung oder Verpfändung im →Effektengiroverkehr; kein Scheck im Sinne des Scheckgesetzes, sondern teils →Quittung, teils →Auftrag (→Geschäftsbesorgungsvertrag) ähnlich dem Überweisungsauftrag. – 1. Mit dem *weißen* E. erteilt der Effektengirokunde (nur Kreditinstitut) der →Wertpapiersammelbank den Auftrag, zu Lasten seines Girosammeldepots dem im E. bezeichneten Berechtigten einen bestimmten Nennbetrag des betreffenden Wertpapiers effektiv auszuhändigen. – 2. Mit dem *roten* E. erteilt der Effektengirokunde den Auftrag, zum Zwecke der stückelosen Übertragung einen bestimmten Nennbetrag eines Wertpapiers von seinem Sammeldepotkonto abzuschreiben und dem Konto des neuen Eigentümers gutzuschreiben. – 3. Der *grüne* E. dient bei der →Verpfändung zur Übertragung auf das Verpfändungskonto.

Effektensubstitution, Ersetzung eines Wertpapiers durch ein anderes. Die insbes. von →Holding-Gesellschaften und →Kapitalanlagegesellschaften erworbenen Effekten anderer Unternehmen werden substituiert; der Erwerb wird durch Ausgabe eigener Anteilscheine (Aktien, Obligationen, Investmentzertifikate) finanziert.

Effektenverwahrung, →Depotgeschäft, →Wertpapierverwahrung.

effektive Inventur. 1. *Begriff:* Eine körperliche →Inventur. Bewegliches Anlagevermögen, Finanzanlagevermögen, Warenvorräte, Bargeldmittel, Wertpapiere usw. werden körperlich an Ort und Stelle aufgenommen (→Betandsaufnahme). Die Uraufzeichnungen sind v.a. für →Außenprüfungen aufzubewahren. Bestandsmäßige Erfassung des beweglichen Anlagevermögens vgl. Abschn. 31 EStR. – 2. *Vorteile:* Genauigkeit, die bei entsprechender Organisation der Aufnahme, v.a. durch zweckmäßige Kontrollen, weitgehend sichergestellt ist. – 3. *Nachteile:* Großer Zeitaufwand und teilweise nicht zu umgehende Behinderung des Arbeitsprozesses. – 4. *Formen:* →Stichtagsinventur und →laufende Inventur.

effektive Inzidenz, Form der →Inzidenz. Die e.I. versucht, die Einkommensänderung unter Berücksichtigung aller Überwälzungsvorgänge (→Überwälzung) anzugeben. In dieser Interpretation entspricht sie dem allgemeinen Inzidenzbegriff. – *Gegensatz:* →formale Inzidenz.

effektiver Algorithmus, →Algorithmus, der alle Lösungen nach einer polynomialen Anzahl von elementaren Rechenschritten erreicht. Existieren keine e. A., werden →Heuristiken angewandt.

Effektivgeschäft, an Warenbörsen das Geschäft mit Waren, die dem Verkäufer bereits tatsächlich zur Verfügung stehen. Zum E. *gehören:* Lokogeschäfte (am gleichen oder nächsten Tag zu erfüllen), Abschlüsse „auf Abladung" (die Ware ist binnen einer festgesetzten Frist zu verladen) oder Abschlüsse in „rollender" und „schwimmender" Ware (die Ware ist noch auf dem Transport). – *Gegensatz:* →Termingeschäft.

Effektivhandel, Geschäftsabschluß mit der Zielsetzung, daß die Waren tatsächlich geliefert werden. – *Gegensatz:* →Spekulationshandel.

Effektivklausel. I. Wirtschaftsrecht: Klausel neben einer Schuldsumme in ausländischer Währung, die im Inland zahlbar ist. Erforderlich, wenn die Zahlung in effektiver Auslandsvaluta erfolgen soll. Ist die Zahlung in ausländischer Währung nicht ausdrücklich (durch eine E.) vereinbart, so kann sie in Landeswährung erfolgen (§ 244 BGB, Art. 41 WG).

II. Arbeits-/Tarifrecht: Vereinbarung in →Tarifverträgen, daß Tariflohnerhöhungen dadurch effektiv werden, daß bisherige übertarifliche Leistungen unberührt bleiben. Nach der E. wird der vom Arbeitnehmer effektiv bezogene Lohn um den Betrag, ggf. auch um den Prozentsatz erhöht, um den der Tarifsatz erhöht worden ist. Nach der umstrittenen Rechtsprechung des BAG ist jede Form der E. unwirksam, da es unzulässig ist, daß durch einen Tarifvertrag bei gleicher Arbeit unterschiedliche Tariflöhne zustande kommen (Verstoß gegen Art. 3I GG); der Bereich übertariflicher Löhne bleibt damit dem Tarifvertrag entzogen.

Effektivlohn, volkswirtschaftlich Bezeichnung für den im Unternehmen tatsächlich ausbezahlten Lohn. Während der →Tariflohn im Tarifvertrag für einen bestimmten Zeitraum festgelegt wird, ist der E. reagibel gegenüber den sich wandelnden Bedingungen am Arbeitsmarkt. Wegen des Mindestlohncharakters des Tariflohns kann der E. nicht unter diesem liegen. – Vgl. auch →Existenzminimum-Theorien des Lohns.

Effektivschutz, *Theorie des E.* 1. *Begriff:* Zollwirkungslehrsatz, daß der Protektionseffekt durch den Zollsatz auf das Endprodukt (Nominalzollkonzept) nicht korrekt ausgedrückt wird, sofern ein Einfuhrzoll nicht nur auf das Endprodukt, sondern auch auf die in der Herstellung eingesetzten Vorprodukte erhoben wird. Im letzteren Fall kann der durch den Zoll auf das Endprodukt erreichte Preisvorteil durch die Kostennachteile als Folge der Verteuerung der Inputs kompensiert oder überkompensiert werden, so daß sich ein *negativer effektiver Schutz* ergibt. – 2. Zur *Bestimmung* des E. wird die zollbedingte Änderung der Wertschöpfung des betreffenden Wirtschaftszweigs gemessen; der E. ist definiert als Division dieser Änderung der Wertschöpfung durch die ursprüngliche (sich ohne Zölle auf Vor- und Endprodukte ergebende) Wertschöpfung, ausgedrückt in Prozent. Bei der Ermittlung ist *zu beachten:* a) Die Inlandspreise von Endprodukt und Vorprodukten müssen nicht in jedem Fall um den vollen nominalen Zollbetrag steigen, da durch die Zollerhebung evtl. (v.a. bei einem Land mit großem Weltmarktanteil) die betreffenden Weltmarktpreise sinken. b) Die Inputkoeffizienten können sich ändern, indem durch die zollbedingte Verteuerung der eingesetzten Inputs diese durch andere (nicht bzw. weniger durch Zölle belastete und damit relativ preisgünstiger gewordene) substituiert werden.

Effektiv-Temperatur, Raumtemperatur, die bei feuchtigkeitsgesättigter und (nahezu) unbewegter Luft den gleichen empfindungsmäßigen Effekt hervorruft wie andere Klimazustände, die durch mehr oder weniger ungesättigte Luft gekennzeichnet sind. – *Korrigierte E.-T.:* Verschiedene Luftgeschwindigkeiten werden berücksichtigt (Anemometer).

Effektivverzinsung, effektiver Ertrag bzw. Zins einer Anleihe in Prozenten; stimmt i.d.R. nicht mit der nominellen Verzinsung überein. – *Bestimmungsfaktoren:* U.a. Börsenkurs der Anleihe, Zinsertrag, Emissionsdisagio, Rückzahlungsagio (100% oder über pari), Laufzeit, Zeitpunkt und Form der Tilgung, Zinstermine. – Seit dem 1.5.1985 durch die Preisangabenverordnung (PAngV) neu geregelt.

Effektivwert, der tatsächlich zu erzielende Preis, insbes. für →Effekten (i.a. Börsenkurs abzüglich Spesen). – *Anders:* →Kurswert.

effiziente Produktion, Zustand, in dem es zu gegebenem Zeitpunkt bei gegebener Ressourcenausstattung und Technologie nicht möglich ist, von mindestens einem Gut mehr und von allen anderen Güter mindestens genausoviel herzustellen. Das heißt, die Kombination der eingesetzten Produktionsverfahren ist effizient (→Effizienz, →Transformationskurve).

Effizienz. I. Wirtschaftstheorie: Technisches Kriterium, nach dem Güterbündel partiell geordnet werden. Ein Güterbündel $(x_1, \ldots, x_n)$ heißt effizient, wenn es kein weiteres Güterbündel $(y_1, \ldots, y_n)$ gibt, so daß $y_i \geq x_i$ für alle $i=1,\ldots, n$ und $y_j > x_j$ für mindestens ein $1 \leq j \leq n$. Findet Anwendung bei der Beurteilung der Produktion (vgl. →effiziente Produktion).

II. Betriebsinformatik: Merkmal der →Softwarequalität, v.a. auf Inanspruchnahme der *Hardware*-Ressourcen (→Hardware) bezogen. – *Arten:* a) *Laufzeit-E.:* Ist gegeben, wenn ein →Softwareprodukt möglichst geringe Rechenzeiten im Computer verursacht (hohe Ausführungsgeschwindigkeit der Programme). – b) *Speicher-E.:* Möglichst geringer Speicherbedarf im →Arbeitsspeicher. – 3. *Bedeutung:* a) E. wurde *früher* als wichtigstes, oft als alleiniges Qualitätsmerkmal angesehen (hohe Kosten, geringe Leistungsfähigkeit der Hardware). – b) Im *Software Engineering* wird das E.-Streben wegen unerwünschter Nebeneffekte, Beeinträchtigung anderer Softwarequalitätsmerkmale und angesichts der laufend verbesserten Preis-/Leistungsrelation der Hardware sehr kritisch eingeschätzt; überzogenes E.-Streben gilt als eine Hauptursache für die *Softwarekrise* (vgl. →Software Engineering III). Mit zunehmender Verbreitung von →Dialogsystemen wieder wachsende Bedeutung, da Einfluß auf die →Antwortzeiten und damit auf →Benutzerfreundlichkeit.

III. Statistik: Synonym für →Wirksamkeit.

Effizienz der Organisation, →organisatorische Effizienz.

Effizienz des Kapitalmarkts. 1. *Begriff:* Gleichgewicht auf dem →Kapitalmarkt in dem Sinn, daß die Aktienkurse zu jedem Zeitpunkt und in vollständigem Umfang alle Informationen über die jeweilige Gesellschaft reflektieren (→Reproduktionswert). – 2. *Versionen:* a) *Schwache Effizienzthese:* Besagt, daß kein Anleger sich Vorteile verschaffen könne durch die Kenntnis historischer Kursverlaufsbilder. Der Markt habe diese bei der Kursbildung verarbeitet. – b) *Mittelstrenge Effizienzthese:* Besagt, daß kein Anleger sich Vorteile verschaffen könne durch die Kenntnis von für die Entwicklung einer Gesellschaft wichtigen, veröffentlichten Informationen. Zum Zeitpunkt der Veröffentlichung würden diese bereits voll im Kurs reflektiert. – c) *Strenge Effizienzthese:* Besagt, daß sämtliche verfügbaren Informationen, auch Insider-Informationen, im Kurs reflektiert würden.

Effizienz-Verordnung, →Agrarpolitik IV 2.

EFRE, Europäischer Fonds für regionale Entwicklung, →EWG I 10.

EFTA, European Free Trade Association, *Europäische Freihandelsassoziation;* Sitz in Genf, in Kraft getreten am 4.1.1960. – *Mitglieder:* Finnland (seit 1986), Island (seit 1970), Norwegen, Österreich, Schweden und Schweiz (einschl. Liechtenstein, das mit der Schweiz eine Zollunion bildet). Weitere Gründungsmitglieder waren Dänemark, Großbritannien, Irland und Portugal, die alle der EG beigetreten sind. Mit Spanien bestand bis zu seinem EG-Beitritt ein Freihandelsvertrag. – *Wichtigste Organe:* Ministerrat (alle Mitglieder gleichberechtigt vertreten), der i.d.R. dreimal jährlich tagt; ständiges Sekretariat in Genf. – *Ziele:* Der EFTA-Vertrag enthält ein Verbot von Ausfuhrzöllen und der Einführung von mengenmäßigen Einfuhrbeschränkungen; keine Bestimmungen über den Agrarsektor. Die EFTA ist keine →Zollunion, da sie keine gemeinsamen Außenzölle kennt; die Mitglieder sind in ihrer Außenzollpolitik autonom; zwischen ihnen existieren aber keine Zölle oder Mengenbeschränkungen (→Freihandelszone). Zollfreiheit gilt nur für Waren, deren Ursprungsland ein Vertragsstaat ist. Zum Schutz der Vorteile der Freihandelszone gegen wettbewerbsverfälschende Maßnahmen sind staatliche Subventionen abgeschafft, Kartellabsprachen und Dumping verboten sowie das Niederlassungsrecht entsprechend geregelt. Im Bereich der allgemeinen Wirtschafts- und Finanzpolitik besteht eine lose Zusammenarbeit. – Am 22.7.1972 wurde mit der EG ein bilaterales Freihandelsabkommen abgeschlossen, das den Abbau von Zöllen und Kontigengenten für Industriegüter bis zum 1.7.1977 vorsah. Seit Mitte 1977 besteht somit eine europäische, 16 Staaten umfassende Freihandelszone für Industriegüter. – Wichtige *Veröffentlichungen:* EFTA Bulletin (sechsmal jährlich); Annual Report; EFTA Trade (jährlich).

eG, Abk. für eingetragene →Genossenschaft.

EG, Europäische Gemeinschaften, Bezeichnung für →EWG (Europäische Wirtschaftsgemeinschaft), →EGKS (Europäische Gemeinschaft für Kohle und Stahl, Montanunion) und →EURATOM (Europäische Atomgemeinschaft, auch EAG genannt).

I. Überblick: 1. *Entwicklung:* Die EG wurden in den 50er Jahren geschaffen (EGKS 1952, EWG und EURATOM 1958), um durch den Zusammenschluß europäischer Staaten in wirtschaftlichen und technologischen Bereichen die Grundlagen für eine politische Union Europas zu legen. Zu den sechs Gründerstaaten (Bundesrep. D., Frankreich, Italien, Belgien, Niederlande, Luxemburg) sind am 1.1.1973 Großbritannien, Dänemark und Irland als Vollmitglieder hinzugetreten. Griechenland ist am 1.1.1981 das 10. Mitglied der EG geworden. Portugal und Spanien sind seit 1.1.1986 Vollmitglied. Die Türkei stellte am 27.4.1987 ein offizielles Beitrittsgesuch; eine Aufnahme wird jedoch als problematisch angesehen (Freizügigkeitsproblematik, Zypernkonflikt).

2. Die drei EG beruhen auf *unterschiedlichen Vertragswerken* und bilden *rechtlich selbständige Gemeinschaften.* Die ursprünglich getrennten Organe (von dem Europäischen Parlament und dem Europäischen Gerichtshof abgesehen) fusionierten im Juli 1967 aufgrund des Vertrages über die *Fusion der Exekutiven* (vom 8.4.1965). Die drei Gemeinschaften haben organisatorisch nur noch einen Ministerrat und als Exekutive nur noch eine Kommission.

3. Den EG, die als supranationale Organisationen mit *hoheitsrechtlichen Befugnissen* ausgestattet sind, steht das Recht zu, durch Erlaß von Verordnungen (EWG, EURATOM), Richtlinien (EWG, EURATOM), Entscheidungen (EGKS, EWG, EURATOM) und Empfehlungen (EGKS) direkten Einfluß auf die Politiken der Mitgliedstaaten zu nehmen. Während Entscheidungen (der EGKS) und Verordnungen (von EWG und EURATOM) in den Mitgliedstaaten unmittelbar geltendes Recht setzen, sind Empfehlungen (der EGKS) und Richtlinien (von EWG und EURATOM) nur hinsichtlich der darin enthaltenen Ziele verbindlich. Entscheidungen von EWG und EURATOM sind wie Verordnungen in allen ihren Teilen verbindlich, verpflichten jedoch nur die in ihnen bezeichneten Empfänger. Im übrigen können die EG nichtverbindliche Beschlüsse in Form von Stellungnahmen (EGKS, EWG, EURATOM) und Empfehlungen (EWG und EURATOM) fassen. Die in den einzelnen Verträgen niedergelegten Befugnisse sind jedoch unterschiedlich. Die stärksten supranationalen Rechte sind in dem Vertrag über die Gründung der EGKS verankert. So kann die EG-Kommission im Bereich der Montanunion z.B. direkten Einfluß auf die Investitionsprogramme der nationalen Unternehmen ausüben sowie auf dem Gebiet der Erzeugung und Preise eingreifen und gegen Unternehmen, die sich ihren Entscheidungen entziehen wollen, rechtliche Zwangsmittel anwenden.

4. Langfristige *Zielsetzung* ist es, die EG rechtlich durch Zusammenfassung der drei Verträge zu einer einzigen *Europäischen Gemeinschaft* zu verschmelzen. Eine solche Rechtseinheit kann nur schrittweise realisiert werden, wenn in der wirtschaftlichen, monetären und politischen Integration der Mitgliedstaaten ein sehr hohes Niveau erreicht worden ist. Seit 1970 koordinieren die Mitgliedstaaten auch im außenpolitischen Bereich durch die *Europäische Politische Zuammenarbeit (→EPZ)* ihre Politik. Ein grundlegender

Schritt zur Verwirklichung der →Europäischen Union sind in die in der →Feierlichen Deklaration zur Europäischen Union niedergelegten Zielsetzungen, die ihren Niederschlag in der →Einheitlichen Europäischen Akte gefunden haben, durch die die EG-Verträge im Hinblick auf eine schrittweise Schaffung einer Europäischen Union ergänzt werden.

II. Entstehung/allgemeine Entwicklung: 1. Den Anstoß zur Gründung der EG gab 1950 der damalige französische Außenminister Robert Schuman durch den Vorschlag, die Kohle- und Stahlvorkommen der europäischen Staaten gemeinschaftlich zu nutzen und einer überstaatlichen „Hohen Behörde" die Politik in diesem Bereich zu übertragen *(Schuman-Plan)*. Der Vertrag über die Gründung der Europäischen Gemeinschaft für Kohle und Stahl wurde am 18.4.1951 in Paris unterzeichnet und trat 1952 in Kraft. Nach dem Scheitern der Europäischen Verteidigungsgemeinschaft (EVG) 1954 kam es zu einem erneuten Anlauf zur Gründung einer umfassenden Wirtschaftsgemeinschaft (Konferenz von Messina, Juni 1955). Die Verträge zur Gründung der Europäischen Wirtschaftsgemeinschaft sowie zur Gründung der Europäischen Atomgemeinschaft wurden am 25.3.1957 in Rom unterzeichnet *(Verträge von Rom)* und traten am 1.1.1958 in Kraft.

2. *Großbritannien* war bei der Gründung aller Gemeinschaften zur Beteiligung eingeladen, lehnte jedoch mit Rücksicht auf seine Commonwealth-Interessen ab und gründete 1958 als Gegenorganisation mit sechs weiteren europäischen Staaten die →EFTA (Europäische Freihandelsassoziation). Als der Verfall des Commonwealth und der wirtschaftliche Erfolg der EG deutlich wurde, bewarb sich England mehrfach (1961 und 1966) um die Mitgliedschaft, scheiterte jedoch zunächst am Veto Frankreichs (Januar 1963, Dezember 1967). Nach Präsident de Gaulles Rücktritt gab Frankreich auf der Gipfelkonferenz von Den Haag (1./2. Dezember 1969) den Weg für Beitrittsverhandlungen frei.

3. Die Beitrittsverträge mit *Großbritannien, Dänemark, Irland und Norwegen* wurden am 22.1.1972 unterzeichnet, traten jedoch nur für die drei zuerst genannten Länder Anfang 1973 in Kraft. Norwegen hatte durch ein Referendum die Mitgliedschaft abgelehnt.

4. Mitte der 70er Jahre bewarben sich *Griechenland* (1975), *Portugal* und *Spanien* (beide 1977) um die Mitgliedschaft in den EG. Die Beitrittsverhandlungen mit Griechenland wurden Ende 1978 abgeschlossen. Der Beitrittsvertrag zwischen Griechenland und den EG wurde im Mai 1979 unterzeichnet und trat am 1.1.1981 in Kraft. Griechische Einfuhrzölle und Abgaben gleicher Wirkung wurden stufenweise in einer fünfjährigen Übergangszeit bis 1.1.1986 abgeschafft; Ausfuhrzölle und Abgaben gleicher Wirkung wurden zwischen der Gemeinschaft und Griechenland bereits am 1.1.1981 abgeschafft. Die Verhandlungen mit den beiden anderen Bewerberländern führten zum Abschluß eines Abkommens zur Gewährung einer Hilfe zur Vorbereitung des Beitritts mit Portugal, das am 1.1.1981 in Kraft trat; vom EG-Ministerrat unterzeichnet wurden ferner im Oktober 1981 die Anpassungsprotokolle zu den Abkommen EWG-Portugal und EGKS-Portugal, gleichfalls dem Abkommen EWG-Spanien. Der Beitrittsvertrag von Spanien und Portugal wurde am 12.6.1985 unterzeichnet und trat am 1.1.1986 in Kraft.

5. Mit den Ländern *Malta, Türkei und Zypern* wurden Assoziierungsabkommen geschlossen (Malta: 1971, Türkei: 1964, Zypern: 1973), die eine stufenweise Vorbereitung einer Zollunion zum Ziel haben. Die Anwendung und der Ausbau dieser Abkommen wird von speziellen Organen, und zwar von den Assoziationsräten EWG-Malta, EWG-Türkei und EWG-Zypern überwacht.

III. Organe: 1. *Gemeinsame Organe der EG:* a) *Europäisches Parlament (Versammlung):* Ursprünglich wurden die Abgeordneten aus den nationalen Parlamenten entsandt, im Juni 1979 erstmals direkt gewählt. Die Zahl der Abgeordneten betrug 1987 518; die Abgeordneten Spaniens und Portugals wurden 1986 entsandt (die Europawahlen werden nachgeholt). Die vier großen Staaten (wie die Bundesrep. D.) wählten je 81 Parlamentarier. Die Befugnisse des Parlaments sind begrenzt: Beratung und Kontrolle (der Kommission), daneben ein echtes Entscheidungsrecht in Haushaltsfragen, und zwar über den nicht durch Rechtsvorschriften verbindlich festgelegten Teil des Haushaltes (nichtobligatorische Ausgaben). Es kann den Haushalt auch global ablehnen. Rechtsakte kann der Ministerrat nur nach Stellungnahme des Parlaments erlassen. Die Beteiligung des Parlaments bei Erlaß gemeinschaftlicher Rechtsakte erfolgt auf der Grundlage eines Konzertierungsverfahrens, das im Jahr 1975 zwischen den drei Organen der EG (Ministerrat, Kommission, Parlament) vereinbart worden ist. Das Parlament kann jedoch durch sein Votum nicht in die Gesetzgebungsbefugnisse des Ministerrats eingreifen.

b) *Ministerrat (Rat):* Besteht aus den jeweiligen Fachministern der Mitgliedstaaten (Fachministerrat, gelegentlich Staatssekretäre, ab 1975 dreimal jährlich auch Regierungschefs: „Europäischer Rat"), die meist einstimmig, gelegentlich aber auch mit einfacher oder qualifizierter Mehrheit entscheiden. In letzterem Fall werden die Stimmen der Partnerstaaten entsprechend ihrer Größe gewogen. Der Rat ist in den wichtigen Fragen der „Gesetzgeber" der Gemeinschaft. Er erläßt die in der

Wirtschaftsdaten EG, USA, UdSSR (1985)

Gegenstand	Einheit	EG	USA	UdSSR
Fläche	1000 qkm	2258	9373	22402
Bevölkerung	Mill.	321,6	239,3	278,6
Erwerbsquote	%	42,4	48,3	47,0
Arbeitslosenquote	%	12,0	7,1	–
Landwirtschaftliche Fläche	Mill. ha	135,7	431,4	605,4
Viehbestand				
Rinder	Mill. Stück	83,5	109,7	121,1
Schweine	Mill. Stück	96,9	54,1	77,9
Fleischerzeugung	Mill. t	26,6	26,0	17,2
Milcherzeugung	Mill. t	121,5	65,0	97,8
Getreideerzeugung	Mill. t	161,8	347,0	183,9
Steinkohleförderung	Mill. t	211,1	741,3	491,8
Erzeugung von				
Roheisen	Mill. t	91,7	45,3	111,0
Rohstahl	Mill. t	126,9	80,9	155,2
Elektrizitätserzeugung	Mrd. kWh	1569	2469	1545
Handelsflotte	Mill. BRT	88,2	19,5	24,7
Bestand an Kraftfahrzeugen:				
Pkw	Mill. Stück	103,3	127,9 [1])	–
Lkw	Mill. Stück	12,1	38,0 [1])	–
Außenhandel				
Einfuhr	Mrd. DM	1938,3	1063,2	242,8
Ausfuhr	Mrd. DM	1890,3	626,7	256,4

[1]) 1984.

Einleitung dargelegten Rechtsakte der EG. Als hinderlich hat sich erwiesen, daß Frankreich 1965/66 de facto in fast allen Fragen ein „Vetorecht" erzwang, in dem es Einstimmigkeit bei allen wichtigen Entscheidungen forderte. Die in den Verträgen vorgesehene Regelung, nach einer Übergangszeit Beschlüsse des Ministerrats mit qualifizierter oder auch einfacher Mehrheit zu fassen, trat dadurch in den Hintergrund. In der Entschlußfassungspraxis des Ministerrats gehören Mehrheitsbeschlüsse noch nicht zu den regulären Instrumenten. Außerordentliche Bedeutung hat für die Arbeit der EG dagegen der ursprünglich im Vertrag nicht vorgesehene, durch den Fusionsvertrag jedoch rechtlich verankerte Ausschuß der *Ständigen Vertreter* (Botschafter) der Mitgliedstaaten in Brüssel erlangt, der sämtliche Ratsentscheidungen vorbereitet und so erheblichen politischen Einfluß hat.

c) *Kommission:* Überstaatliches Exekutivorgan der EG. Sie hat 17 unabhängige Mitglieder. Der Rat kann nur aufgrund ihrer Vorschläge tätig werden und Entscheidungen treffen (ausschließliches Initiativrecht der Kommission). Darüber hinaus kann sie – meistens aufgrund von Ratsentscheidungen – selbst *Verordnungen* erlassen, die unmittelbar geltendes Recht werden und den Charakter von Durchführungsverordnungen haben. Schließlich verfügt sie über *Rechtsprechungsbefugnisse* (z. B. Entscheidungen über Kartellverbote und unzulässige Staatsbeihilfen).

d) *Europäischer Gerichtshof:* Sichert die Wahrung des Rechtes bei Auslegung und Anwendung der Verträge. Seine Entscheidungen gelten in der ganzen EG und haben in vielen Bereichen (Wettbewerbsrecht, Freizügigkeit, soziale Sicherung von Gastarbeitern) große Bedeutung.

2. *Weitere gemeinsame Organe: Rechnungshof; Wirtschafts- und Sozialausschuß,* der sich aus Vertretern der verschiedenen Gruppen des wirtschaftlichen und sozialen Lebens in den Mitgliedstaaten zusammensetzt. Als beratendes Organ zu erwähnen ist schließlich noch der *Beratende Ausschuß der EGKS.*

IV. Finanzierung: Der Haushalt der EG wurde ursprünglich durch Beiträge der Partnerstaaten finanziert. Die Montanuion z. T. auch durch die Umlage der Montanindustrie (→Montanumlage). 1970 wurde beschlossen, den EG zunehmend eigene Einnahmen zu verschaffen. Seit 1975 fließen alle Einkünfte aus *Zöllen* und *Abschöpfungen* in den EG-Haushalt. Den EG steht weiter ein Teil des Mehrwertsteueraufkommens zu (bis zu einem Prozentpunkt); eine Regelung, die für die meisten EG-Staaten 1979 in Kraft trat. Die Kommission prüft jährlich die von den Mitgliedstaaten zu liefernden Übersichten mit den endgültigen Beträgen der Mehrwertsteuer-Bemessungsgrundlagen. Der Mehrwertsteuersatz für das Haushaltsjahr 1985 belief sich auf den zulässigen Höchstsatz von 1%. Durch Ratsbeschluß vom 7. 5. 1985 wurde der Mehrwertsteuer-Höchstsatz für das Haushaltsjahr 1986 auf 1,4% angehoben. Die Eigenmittel (Haushaltseinnahmen) der EG betrugen (1985) ca. 28,4 Mrd. ECU; sie werden für 1986 auf ca. 33,3 Mrd. ECU geschätzt. Für die neuen Mitgliedstaaten Spanien und Portugal sind Beiträge zur Finanzierung der Gemeinschaftsausgaben für eine Übergangszeit gemäß den Finanzvorschriften der Beitrittsverträge zu leisten.

V. Bedeutung: Die EG sind der bei weitem *größte Welthandelspartner* (vgl. Übersicht). Die Entwicklung zu einem einheitlichen Wirtschaftsraum in Europa hat entscheidende Fortschritte gemacht. Die Verflechtung der Partnerstaaten ist so bedeutend, daß kein Mitgliedsland ohne Schaden auf die Gemeinschaft verzichten kann. Die Hälfte der deutschen Exporte gehen in die EG und die assoziierten europäischen Staaten. – Das große wirtschaftliche Gewicht der EG hat bei den anderen Welthandelspartner große Erwartungen geweckt. Sie konnten jedoch nur teilweise erfüllt werden. Es ist angesichts divergierender Interessen noch nicht gelungen, in allen Bereichen eine *gemeinsame Politik* zu entwickeln, die der Bedeutung der EG entspricht. Das bedeutet zugleich, daß man dem Ziel, durch die wirtschaftliche Integration die politische Einheit Europas zu erreichen, nur langsam näher kommt. Über dieser Kritik dürfen freilich die Erfolge der EG (völlige Freizügigkeit, Abbau jahrhundertealter Spannungen, Aufbau einer westeuropäischen „Friedensordnung") nicht übersehen werden. – *Neue Chancen* für die EG liegen in der Aufwertung des Europäischen Parlamentes durch die Direktwahl und in der Wiederbelebung gemeinsamer Währungspolitik durch das Europäische Währungssystem (→EWS). – Einzelheiten zur Entwicklung und Politik der drei Gemeinschaften vgl. →EWG, →EGKS, →EURATOM.

Arthur Borkmann

EG-Binnenmarkt, Zielsetzungen des Dokuments der EG-Kommission „Vollendung des Binnenmarktes, Weißbuch der Kommission an den Europäischen Rat" (kurz: *EG-Weißbuch*) vom Juni 1985. Das Weißbuch enthält einen ausführlichen Zeitplan und ein detailliertes Programm zum Abbau der materiellen technischen und steuerlichen Schranken innerhalb der EG, um bis 1992 die Voraussetzungen für einen einheitlichen integrierten Binnenmarkt ohne Beschränkung des Warenverkehrs, für den freien Personen-, Dienstleistungs- und Kapitalverkehr, die Einführung eines Systems zur Verhinderung der Wettbewerbsverzerrungen im →Gemeinsamen Markt sowie für die Angleichung der Rechtsvorschriften und der indirekten Besteuerung in seinem Rahmen zu schaffen.

EG-DAT, formularlose Beantragung von →Einfuhrgenehmigungen im Wege der Datenübertragung; eingeführt durch das Bundesamt für Wirtschaft (BAW). Der Importeur übermittelt – im Unterschied zum konventionellen Antragsverfahren – über das Telefonnetz der Deutschen Bundespost dem BAW-Rechenzentrum einen EDV-Antragssatz. Nach BAW-Überprüfung und Rückübermittlung an den Antragsteller auf dem gleichen Weg kann der zu diesem EG-DAT-Verfahren zugelassene Anwender i.d.R. nach zwei Tagen über die Ware verfügen.

EGH Abk. für →Europäischer Gerichtshof.

EG-Kartellrecht, →Kartellgesetz XI.

EGKS, Europäische Gemeinschaft für Kohle und Stahl, *Montanunion,* gegründet am 25.7.1952 als ein erster Schritt zur politischen Einigung Europas durch wirtschaftliche Teilintegration (→Integration). *Sitz:* Brüssel/Luxemburg. Seit 1.7.1967 ist die EGKS – bei Fortdauer des EGKS-Vertrages – Teil der →EG. – *Mitglieder:* Entsprechen der →EG. – *Organe:* a) *Hohe Behörde,* mit Inkrafttreten des Fusionsvertrages am 1.7.1967 mit den Kommissionen von →EWG und →EURATOM verschmolzen *(Kommission der EG).* b) Die *Versammlung* für EGKS, EWG, EURATOM. c) *Rat der Europäischen Gemeinschaften.* d) *Europäischer Gerichtshof.* e) Der Kommission der EG steht ein *Beratender Ausschuß EGKS* aus Vertretern der Produzenten, der Arbeitnehmer (Gewerkschaften), des Handels und der Verbraucher zur Seite (vgl. →EG III). – *Ziele:* Geordnete Versorgung der Mitgliedstaaten mit Kohle und Stahl unter Berücksichtigung des Bedarfs von Drittländern, Sicherung des gleichen Zugangs aller Verbraucher zur Produktion bei möglichst niedrigen Preisen, Ausbau des Produktionspotentials, rationelle Ausnutzung der natürlichen Ressourcen, Verbesserung der Lebens- und Arbeitsbedingungen der Montanarbeiter. – *Tätigkeit:* Errichtung des Gemeinsamen Marktes für Kohle und Eisen (10.2.1953), für Schrott (15.3.1953) und für Stahl (1.5.1953) durch Abschaffung aller Zölle und Kontingente innerhalb der EGKS, Vereinfachung der Verwaltungsbestimmungen im grenzüberschreitenden Verkehr, Einführung durchgehender Transporttarife, Bemühungen um nichtdiskriminierende Transporttarife, Verpflichtung der Industrien der Mitgliedstaaten auf einheitliche Preisstellung gegenüber allen Abnehmern der Länder der EGKS (Veröffentlichung von Preislisten), Kartellkontrolle durch Genehmigungspflicht für bestehende Absprachen und Zusammenschlüsse, Finanzierungshilfen für (Rationalisierungs-)investitionen, die im Interesse der Gemeinschaft liegen. Den durch die Errichtug des Gemeinsamen Marktes in Schwierigkeiten geratenen Unternehmen wurden Ausgleichs- und Anpassungshilfen gewährt. Auf sozialpolitischem Gebiet wurden die Freizügigkeit der Arbeitnehmer, insbes. durch Aufrechterhaltung der Sozialversicherungsansprüche, gefördert, Umschulungshilfen gegeben, die Berufsausbildung gefördert und koordiniert sowie die Verringerung von Unfallgefahren und Berufskrankheiten unterstützt. Für 1977 Krisenplan zur Steuerung der Kohle- und Stahlproduktion, in dessen Rahmen sich die Unternehmen zur Einhaltung der von der Kommission vorgeschlagenen Quoten für Lieferungen auf dem Binnenmarkt verpflichteten. Im Dezember 1979 Krisenplan durch den EG-Ministerrat auf Vorschlag der EG-Kommission, der u. a. Regeln für Mindestpreise, Richtpreise und Vereinbarungen mit 17 Stahl exportierenden Ländern umfaßt. Im Oktober 1980 proklamierte der Ministerrat den Zustand einer „manifesten Krise" der Stahlindustrie, der die EG ermächtigte, verbindliche Produktionsquoten zur Erzielung einer Preisstabilität in den Mitgliedsländern einzuführen. Die Quotenregelung ist bis 30. Juni 1983 verlängert worden. Außerdem globale Vereinbarung zur Beschränkung der EG-Stahlausfuhren nach den USA geschlossen, gültig bis 31.12.1985 (Exportdrosselung für EG-Stahlerzeugnisse auf dem amerikanischen Markt in Höhe von 9%). Bilaterale Vereinbarungen mit 14 Drittländern, die die wichtigsten Stahllieferanten der Gemeinschaft sind, zur Sicherstellung, daß das interne Stahlprogramm der Gemeinschaft nicht durch unlautere Einfuhren gefährdet wird; zunächst gültig bis Ende 1983. Grundlage der Umstrukturierungspolitik im Bereich der EGKS zur Wiederherstellung eines Gleichgewichts zwischen Angebot und Nachfrage auf dem Stahlmarkt sind die mittelfristigen Prognosen der EG-Kommission im Rahmen der „Allgemeinen Ziele Stahl", aktualisiert durch den von der EG-Kommission aufgestellten „Zeithorizont 1990"; dienen als Richtschnur für die Beurteilung der von den Stahlunternehmen in den Mitgliedstaaten entwickelten Umstrukturierungspläne und Investitionsprogramme durch die EG-Kommission und für die Festsetzung der Umstrukturierungsbeihilfen zwecks Kapazitätsabbau. Für die Organisation des Eisen- und Stahlmarktes nach 1985 ist ein neues System eingesetzt worden, das modifizierte Vorschriften für Beihilfen und Interventionen der Mitgliedstaaten zugunsten der Eisen- und Stahlindustrie seit 1986 auf der Grundlage der Artikel 58 und 95 EGKS-Vertrag enthält. Ziel dieser neuen Marktorganisation ist der Abbau der immer noch bestehenden Überkapazitäten bei gleichzeitiger Sicherstellung eines normalen Nutzungsgrades der Produktionsanlagen der Eisen- und Stahlindustrie. Das seit 1.1.1986 gültige neue Quotensystem sieht u. a. eine Liberalisierung bestimmter Produktgruppen, eine Verlängerung des Überwachungs- und Quotensystems sowie die Aufhebung der EGKS-Bestimmungen über die Mindestpreise, die Festsetzung der Basispreise sowie über das Kautionssystem vor. Für die Einbeziehung der neuen Mitgliedsländer Portugal und Spanien in den EGKS-Bereich sind nationale Umstrukturierungsprogramme für einen dreijährigen Übergangszeitraum bis 1.1.1989 aufgestellt worden. – Die gem. EGKS-Vertrag den EG übertragenen *Befugnisse* sind sehr weitgehend. Im Unterschied zu dem EWG- und dem EURATOM-Vertrag ist die Kommission ermächtigt, direkt auf die Investitionsprogramme der Montanunternehmen einzuwirken. U. a. kann die Kommission gem. Artikel 54 EGKS-Vertrag Stellungnahmen zu den Programmen der einzelnen Unternehmen abgeben; diese erhalten den Charakter einer unmittelbar verbindlichen Entscheidung, falls die mit Gründen versehene Stellungnahme negativ ist. – Wichtige *Veröffentlichungen:* Bulletin der Europäischen Gemeinschaften; Gesamtbericht über die Tätigkeit der EG (jährlich) mit Beilage: Bericht über die Entwicklung der sozialen Lage in den Gemeinschaften. – Vgl. auch →EG, →EWG, →EURATOM.

eGmuH, eingetragene Genossenschaft mit unbeschränkter Haftpflicht, →Genossenschaft.

egoless programming. 1. *Begriff:* Prinzip der →Programmentwicklung; 1971 von G.M. Weinberg geprägt. – 2. *Inhalt:* Der →Programmierer soll ein →Programm nicht als persönliches Eigentum betrachten und so gestalten, daß nur er selbst es durchschaut. Da mit großer Wahrscheinlichkeit auch andere Programmierer in der Lage sein müssen, sein Programm zu verstehen (→Softwarewartung), soll er es von vornherein „selbstlos" entwikkeln, insbes. auf spezielle „Programmiertricks" verzichten. – 3. *Motivation:* a) Individueller Drang mancher Programmierer, die eigene Kunstfertigkeit durch besonders trickreiche Programme unter Beweis zu stellen. b) Ein Programmierer macht sich u. U. unersetzbar, wenn in seinem Betrieb Programme mit hoher Lebensdauer eingesetzt werden, die außer ihm niemand versteht und folglich auch niemand außer ihm warten kann.

EG-Richtlinien, wesentliches Mittel zur →Harmonisierung des Gesellschaftsrechts innerhalb der EG. Den Richtlinien kommt keine Gesetzeskraft mit direkten Auswirkungen für die betroffenen Gesellschaften (z. B. AG. KGaA, GmbH) zu, sondern sie sind Anweisungen (meist Mindestanforderungen) an die Mitgliedstaaten, ggf. durch Änderung des nationalen Rechts die Anpassung an die Richtlinienvorschriften zu sichern. – Gegenwärtig liegen zehn nicht auf bestimmte Geschäftszweige beschränkte Richtlinien vor: Die *Erste EG-Richtlinie* (1968) regelt die →Offenlegung bestimmter Dokumente (Gesellschaftsstatuten), die Registrierung der Gesellschaften bei der Gründung, Auflösung und Abwicklung. Die *Zweite EG-Richtlinie* (1976) enthält Bestimmungen über Gründung, Kapitalerhaltung und Kapitaländerung von AG und KGaA. Die *Dritte EG-Richtlinie* (1978) regelt bestimmte Fusionsarten zwischen Aktiengesellschaften, die dem gleichen Recht unterliegen. Die →*Vierte EG-Richtlinie*

(1978) betrifft den Jahresabschluß. Die *Fünfte EG-Richtlinie* (geänderter Vorschlag der Kommission von 1983) behandelt die Struktur der AG sowie die Befugnisse und Verpflichtungen ihrer Organe. Die *Sechste EG-Richtlinie* (1982) regelt die Spaltung von Aktiengesellschaften. Die →*Siebte EG-Richtlinie* (1983) regelt die Erstellung eines Konzernabschlusses. Die →*Achte EG-Richtlinie* (1984) betrifft die Zulassung der mit der Pflichtprüfung des Jahresabschlusses von Kapitalgesellschaften beauftragten Personen („Bilanzprüferrichtlinie"). Die *Neunte EG-Richtlinie* (unveröffentlichter Vorentwurf der Kommission) befaßt sich mit Verbindungen von Unternehmen, insbes. Konzernen. Die *Zehnte EG-Richtlinie* (Entwurf der EG-Kommission von 1985) soll die Verschmelzung von Aktiengesellschaften regeln, die dem Recht verschiedener Mitgliedstaaten unterliegen. – Bis 1983 wurden die Erste, Zweite und Dritte Richtlinie in deutsches Recht umgesetzt. Durch Inkrafttreten des BiRiLiG wurden mit Wirkung zum 1.1.1986 die Vierte, Siebte und Achte EG-Richtlinie in deutsches Recht umgesetzt; vgl. →Bilanzrichtlinien-Gesetz und die dort genannten Anwendungsfristen. – Vgl. auch →Vredeling-Richtlinie.

EGT, Abk. für →Einheitsgebührentarif.

EG-Weißbuch, →EG-Binnenmarkt.

Ehe. 1. *Wesen:* Rechtlich anerkannte und geschützte Verbindung von Mann und Frau zu dauernder und engster Lebensgemeinschaft. a) Das deutsche Recht kennt nur die *bürgerliche Ehe,* die obligatorische, konfessionslose Zivilehe, die vor dem Standesbeamten geschlossen wird. b) Die *kirchliche* Eheschließung allein hat keine bürgerlich-rechtliche Wirkung und darf in Deutschland erst nach der standesamtlichen Trauung vorgenommen werden. – 2. *Gesetzliche Regelung der Eheschließung:* Früher im BGB, dann im Ehegesetz von 1938, jetzt im Ehegesetz (Gesetz Nr. 16 des Alliierten Kontrollrats vom 26.2.1946; vgl. →Familienrecht). – 3. Die Auswirkungen der Eheschließung auf die *vermögensrechtlichen* Beziehungen der Ehegatten regelt das →eheliche Güterrecht. – Vgl. auch →eheähnliche Gemeinschaft, →Ehemündigkeit, →Ehevertrag, →Gleichberechtigung, →Güterrechtsregister, →Schlüsselgewalt, →Haushaltsführungsehe, →Doppelverdienerehe und →Zuverdienstehe.

eheähnliche Gemeinschaft, *eheähnliche Lebensgemeinschaft.*

I. Familienrecht/Steuerrecht: Durch eine e.G. entsteht keine →Ehe. Beide Partner werden als Ledige betrachtet und dementsprechend behandelt. Gegen- oder wechselseitige Ansprüche werden nicht gegeben, so keine Ansprüche wie nach einer Ehescheidung oder nach dem Tode eines Ehepartners. Auch eine →Erbfolge findet nicht statt. Die tatsächliche Gemeinschaft zwischen einer Frau und einem Mann wird im Interesse fiskalischer Erwägungen ignoriert.

II. Sozialrecht: 1. *Sozialversicherung:* E.G. begründet keinen Anspruch auf →Witwenrente oder →Witwerrente. – 2. *Sozialhilfe:* In e.G. lebende Personen dürfen nicht besser gestellt werden als Ehegatten (§122 BSHG). Sozialhilfe ist daher zu versagen, wenn das Einkommen oder das Vermögen des Partners geeignet ist, die Hilfsbedürftigkeit zu beseitigen.

eheähnliche Lebensgemeinschaft, →eheähnliche Gemeinschaft.

Ehebewegung, zusammenfassende Bezeichnung für die Statistik der Eheschließungen und Ehelösungen. Schwierig für die Erhebungsstatistik ist die Wahl des Erfassungsortes: Ort der Eheschließung (Häufung bei Orten mit beliebten Kirchen), Wohnort des Bräutigams bzw. der Braut.

Ehefähigkeitszeugnis, bei Eheschließungen zwischen einem Deutschen und einem Ausländer von letzterem dem deutschen Standesbeamten vorzulegendes Dokument, ausgestellt im Heimatland des Ausländers. E. stellen aus: Dänemark, England, Finnland, Italien, Liechtenstein, Luxemburg, Niederlande, Norwegen, Österreich, Peru, Schweden, Schweiz. – *Befreiung* von der Vorlage des E. für Angehörige anderer Staaten durch Entscheidung des Oberlandesgerichtspräsidenten.

Ehegatten. I. Handelsrecht: 1. a) Die im →Handelsgewerbe des Ehemannes mitarbeitende *Ehefrau* konnte *früher* nicht als →Handlungsgehilfe angesehen werden, weil sie – soweit nach den Lebensverhältnissen der E. üblich – zur Mitarbeit verpflichtet war; b) der im Unternehmen der Ehefrau mitarbeitende *Ehemann* war auch ohne Anstellungsvertrag Handlungsgehilfe, weil für ihn eine Verpflichtung zur Mitarbeit nicht bestand (§1356 II BGB a.F.). – 2. Nach dem →*Gleichberechtigungsgesetz* war seit 1.7.1958 jeder E. verpflichtet, im Beruf oder Geschäft des anderen E. mitzuarbeiten, soweit dies nach den Verhältnissen, in denen die Ehegatten leben, üblich ist. Durch das Erste Gesetz zur Reform des Ehe- und Familienrechts vom 14.6.1976 (BGBl I 1421) wurde diese gesetzliche Verpflichtung abgeschafft (§1356 n.F. BGB). Beide E. sind berechtigt, erwerbstätig zu sein. Es gibt nur noch Mitarbeit im Rahmen der besonderen Ausgestaltung der ehelichen Lebensgemeinschaft, was eine vertragliche Vereinbarung voraussetzt. Damit kann ein E., der im Handelsgeschäft des anderen E. mitarbeitet, Handlungsgehilfe sein sowie Handlungsbevollmächtigter oder Prokurist. Je nach dem Willen der E. kann (auch stillschweigend) ein Geschäftsverhältnis vereinbart sein, z. B. eine →offene Handelsgesellschaft oder eine bloße →Innengesellschaft vorliegen.

II. Rechtsgeschäfte eines E. bedürfen grundsätzlich nicht mehr der Zustimmung des anderen E.; Ausnahmen bestehen nach →Ehelichem Güterrecht, insbes. bei Gütergemeinschaft, Errungenschaftsgemeinschaft und Fahrnisgemeinschaft. Im gesetzlichen Güterstand der Zugewinngemeinschaft Verfügungsbeschränkungen nur hinsichtlich des Vermögens im ganzen (von der Rechtsprechung mitunter sehr weit gefaßt) und des Hausrats (→Schlüsselgewalt).

III. Zwangsvollstreckungsrecht: Erleichternde Bestimmungen gelten für die Zwangsvollstreckung durch →Pfändung beweglicher Sachen. – 1. *Eigentumsvermutung:* Zugunsten des Gläubigers von nicht getrennt lebenden E. wird vermutet, daß bewegliche Sachen, Inhaberpapiere, Orderpapiere mit Blankoindossament gerade dem E. gehören, gegen den vollstreckt wird; ausgenommen sind Sachen, die nur zum persönlichen Gebrauch bestimmt sind (§ 1362 BGB). Bei →Drittwiderspruchsklage muß der klagende E. deshalb sein Eigentum nachweisen. – 2. Soweit die Eigentumsvermutung reicht, kann ein E. die →Erinnerung nicht mit Verletzung des →Besitzes oder →Gewahrsams begründen (§ 739 ZPO).

IV. Besteuerung: 1. *Begriff:* E. gelten als →Angehörige im Sinn der Steuergesetze (§ 15 AO). – 2. *Einkommensteuer:* a) *Veranlagung:* E., die beide unbeschränkt steuerpflichtig sind und nicht dauernd getrennt leben, können zwischen →getrennter Veranlagung und →Zusammenveranlagung wählen (§ 26 I EStG). Für den Veranlagungszeitraum der Eheschließung können sie statt dessen die →besondere Veranlagung wählen. Sie werden getrennt veranlagt, wenn einer der E. diese Veranlagung wählt, und zusammen oder für den Veranlagungszeitraum der Eheschließung besonders veranlagt, wenn beide dies wählen. Die erforderlichen Erklärungen sind beim Finanzamt schriftlich oder zu Protokoll abzugeben. Werden keine Erklärungen abgegeben, wird unterstellt, daß die E. die Zusammenveranlagung wählen (§ 26 III EStG). – (1) *Getrennte Veranlagung:* Jeder E. hat die von ihm bezogenen →Einkünfte zu versteuern. →Sonderausgaben und →außergewöhnliche Belastungen werden, soweit sie die Summe der bei der Veranlagung jedes E. in Betracht kommenden Pauschbeträge oder Pauschalen (§ 10c EStG) übersteigen, bis zur Höhe der bei einer Zusammenveranlagung der E. in Betracht kommenden Höchstbeträge je zur Hälfte bei der Veranlagung der E. abgezogen, wenn nicht die E. gemeinsam eine andere Aufteilung beantragen (§ 26a EStG). – (2) *Zusammenveranlagung:* Die Einkünfte beider E. werden zusammengerechnet; die E. werden – soweit nichts anderes vorgeschrieben ist – als ein Steuerpflichtiger behandelt (§ 26b EStG). – (3) *Besondere Veranlagung:* Die E. werden so behandelt, als ob sie unverheiratet wären. Die Vorschriften der getrennten Veranlagung gelten sinngemäß (§ 26c EStG). – b) *Tarif:* Bei zusammenveranlagten E. ermittelt sich die tarifliche Einkommensteuer nach dem →Splitting-Verfahren. – c) *Geschiedene E.:* →Unterhaltsleistungen an den geschiedenen E. werden beim Leistendenden auf Antrag als →Sonderausgaben abgezogen. Beim empfangenden E. stellen die Leistungen dann →sonstige Einkünfte dar (→Einkünfte VII 2). – d) *Ehegatten-Verträge:* Ernstlich gemeinte und tatsächlich durchgeführte Verträge werden auch steuerlich anerkannt; vgl. →mithelfende Familienangehörige. – 3. *Vermögensteuer:* Für E. gilt →Zusammenveranlagung.

Ehegatten-Arbeitsverhältnis, →Arbeitsverhältnis zwischen Angehörigen.

Ehegattenbesteuerung, →Ehegatten IV.

Ehegattenversicherung, →verbundene Lebensversicherung.

eheliches Güterrecht. I. Begriff: Gesetzliche Regelung der vermögensrechtlichen Beziehungen der Ehegatten (§§ 1363–1563 BGB). Das BGB kennt verschiedene Güterrechtsformen, und zwar den gesetzlichen Güterstand und die vertraglichen Güterstände. Da auch auf dem Gebiet des E.G. →Vertragsfreiheit herrscht, können Eheleute durch →Ehevertrag beliebige Vereinbarungen über ihre güterrechtlichen Verhältnisse treffen oder einen der vom BGB im einzelnen geregelten vertragsmäßigen Güterstände vereinbaren, nämlich Gütertrennung oder Gütergemeinschaft. Ab 1.7.1958 ist der ältere Güterstand der Allgemeinen Gütergemeinschaft in die Gütergemeinschaft übergeleitet worden; die bis dahin möglichen weiteren vertraglichen Güterstände, Errungenschafts- und Fahrnisgemeinschaft können nicht mehr neu vereinbart werden.

II. Gesetzlicher Güterstand (gilt mangels →Ehevertrag):

1. *Gütertrennung:* Mit dem am 1.4.1953 in Kraft getretenen Grundsatz der Gleichberechtigung von Mann und Frau galt an Stelle des bisherigen gesetzlichen Güterstandes der Verwaltung und Nutznießung des Mannes am eingebrachten Gut der Frau die Gütertrennung als gesetzlicher Güterstand: Die Vermögen der beiden Ehegatten bleiben völlig getrennt. Jeder Ehegatte bleibt Eigentümer seines Vermögens und haftet für die von ihm eingegangenen Verbindlichkeiten. Eine Inanspruchnahme des einen Ehegatten für die Schulden des anderen ist – mit Ausnahme der →Schlüsselgewalt – ausgeschlossen. Gütertrennung tritt ein, wenn die Ehegatten den

eheliches Güterrecht

gesetzlichen Güterstand ausschließen oder aufheben, eine Gütergemeinschaft aufheben, den Ausgleich des Zugewinns oder den →Versorgungsausgleich ausschließen.

2. *Zugewinngemeinschaft:* Mit dem Inkrafttreten des →Gleichberechtigungsgesetzes (1.7.1958) ist die Zugewinngemeinschaft neuer gesetzlicher Güterstand geworden (§§ 1363–1390 BGB). – a) Die Zugewinngemeinschaft *beginnt* für alle Ehen, die nicht durch Ehevertrag schon bisher einen vom gesetzlichen Güterstand abweichenden Güterstand oder nach dem 1.4.1953 Gütertrennung vereinbart hatten, mit dem 1.7.1958, wenn nicht bis dahin einer der Ehegatten gerichtlich oder notariell gegenüber dem Amtsgericht erklärt hatte, daß Gütertrennung gelten sollte; dann blieb es bei der Gütertrennung (s. oben 1). – b) Die *Vermögen der Ehegatten bleiben* rechtlich völlig *getrennt*. Jeder Ehegatte verwaltet sein Vermögen selbständig und auf eigene Rechnung. Der Zustimmung des anderen Ehegatten bedarf es nur, wenn ein Ehegatte sein Vermögen im ganzen oder Gegenstände des ehelichen Hausrats veräußern will (§§ 1363–1369 BGB). – c) Erst bei *Beendigung* des Güterstandes, also durch Tod eines Ehegatten, Scheidung der Ehe oder bei einem Urteil auf Aufhebung des Güterstandes, wird ein Ausgleich des Zugewinns vorgenommen. – d) *Endet* der Güterstand durch den Tod *eines Ehegatten,* wird der Ausgleich des Zugewinns ganz schematisch dadurch verwirklicht, daß sich der gesetzliche →Erbteil des überlebenden Ehegatten um ¼ der Erbschaft erhöht (§ 1371 BGB). Diese Erhöhung des Erbteils tritt ohne Rücksicht auf die Höhe des erzielten Zugewinns, also auch dann ein, wenn die Ehegatten im konkreten Fall überhaupt keinen Zugewinn erzielt haben. Der überlebende Ehegatte ist also künftig neben Abkömmlingen zur Hälfte, neben Eltern und deren Abkömmlingen oder neben Großeltern zu ¾ als gesetzlicher Erbe berufen (vgl. →Erbfolge). – In bestimmten Fällen, z.B. wenn die testamentarisch zugedachte Erbschaft ausgeschlagen wird, kann der Ehegatte neben dem →Pflichtteil in der bisherigen Höhe verlangen, daß der Zugewinn in Realform (s. nachf. e) ausgeglichen wird. – e) *Endet* der Güterstand nicht durch Tod des Ehegatten, sondern *auf andere Weise,* z.B. durch Scheidung der Ehe, so ist der Zugewinn zu errechnen: – (1) *Zugewinn* ist der Betrag, um den jeweils das Endvermögen eines Ehegatten das Anfangsvermögen übersteigt (§ 1373 BGB). Verglichen wird das Vermögen der Ehegatten (nach Abzug der Schulden) bei Beendigung des Güterstandes (§§ 1374ff. BGB). Ein Ausgleich kommt nur dann in Betracht, wenn sich die Vermögen der Ehegatten unterschiedlich entwickelt haben (§ 1378 BGB). Wenn bei Eintritt des Güterstandes beide Ehegatten jeweils 10000 DM Vermögen hatten und bei Beendigung des Güterstandes das Vermögen des Ehemannes auf 50000 DM, das der Frau aber nur auf 20000 DM beläuft, so beträgt der Zugewinn des Mannes 40000DM, der der Frau 10000 DM. Verglichen mit dem Zugewinn der Frau hat der Mann einen Überschuß von 30000 DM erzielt. Die Ausgleichsforderung der Frau richtet sich nun auf die Hälfte dieses Überschusses, nämlich auf 15000 DM. – (2) Werte, die ein Ehegatte während der Ehe *ererbt* oder mit Rücksicht auf ein künftiges Erbrecht erworben oder geschenkt bekommen hat, werden ebenso wie eine →*Ausstattung* bei der Berechnung des Zugewinns außer Ansatz gelassen (§ 1374 BGB). – (3) Wie die *Ausgleichsforderung* zu tilgen ist, bestimmt im Streitfall das Vormundschaftsgericht. Es kann Ratenzahlungen bewilligen, aber auch bestimmte Vermögensgegenstände in Anrechnung auf die Ausgleichsforderung oder zu ihrer Abgeltung übertragen (§§ 1382f. BGB). – (4) *Generalklausel:* Die Erfüllung des Ausgleichsanspruchs kann verweigert werden, soweit der Ausgleich des Zugewinns nach den Umständen grob unbillig ist (§ 1381 BGB). – f) →*Erbschaftsteuer:* Nicht der Erbschaftsteuer unterliegen nach § 6 ErbStG: (1) die Ausgleichsforderung, (2) ¼ der Erbschaft, wenn der Ausgleich des Zugewinns durch Erhöhung des Erbteils verwirklicht wird (oben d).

III. Vertragsmäßige Güterstände: Bedürfen der Vereinbarung durch einen gerichtlichen oder notariellen →Ehevertrag. Das BGB i.d.F. des Gleichberechtigungsgesetzes kennt neben der Gütertrennung (s. oben II 1.) nur noch einen Wahlgüterstand: die Gütergemeinschaft. Soweit früher Errungenschafts- oder Fahrnisgemeinschaft vereinbart waren, bestehen sie fort.

1. *Gütergemeinschaft* (§§ 1415–1518 BGB): a) *Arten der Gütermassen:* Fünf verschiedene Gütermassen sind denkbar: Gesamtgut, Sondergut beider Ehegatten und Vorbehaltsgut beider Ehegatten. Erhebliches Sondergut und Vorbehaltsgut sind seltener. – (1) *Gesamtgut:* Sämtliches Vermögen jedes der beiden Ehegatten wird gemeinschaftliches Eigentum, ohne daß es eines besonderen Übertragungsaktes bedarf. Nach § 1421 BGB sollen die Ehegatten im Ehevertrag bestimmen, ob das Gesamtgut vom Mann oder der Frau verwaltet wird; enthält der Ehevertrag keine Bestimmung, verwalten es die Ehegatten gemeinschaftlich. Die Verwaltung kann durch die Erteilung einer →Vollmacht des einen Ehegatten an den anderen erleichtert werden , so daß der bevollmächtigte Ehegatte allein für das Gesamtgut handeln kann. Eine solche Vollmacht läßt die in den Rahmen der beiderseitigen →Schlüsselgewalt der Ehegatten fallenden →Rechtsgeschäfte unberührt. – Nach §§ 1437–1440 BGB haftet das Gesamtgut für die Verbindlichkeiten aus Rechtsgeschäften, die von dem zur Verwaltung Befugten oder mit

seiner Zustimmung vorgenommen werden, während die Haftung für die Verbindlichkeiten des zur Verwaltung nicht Befugten Einschränkungen unterliegt. Wird über das Vermögen des Ehegatten, der das Gesamtgut allein verwaltet, das →Konkursverfahren eröffnet, gehört das Gesamtgut zur →Konkursmasse (§2 KO); wird es von beiden Ehegatten verwaltet, ist ein selbständiger Konkurs über das Gesamtgut zulässig (§§236a–236c KO). – Zur →Zwangsvollstreckung in das Gesamtgut muß ein Titel gegen den oder die verwaltenden Ehegatten erwirkt werden (§740 ZPO). – (2) *Sondergut* der Ehegatten sind diejenigen Vermögensteile, die nicht durch Rechtsgeschäft übertragen werden können, z.B. unpfändbare Gehaltsansprüche, →Nießbrauch (§1417 BGB). Sondergut bleibt Eigentum des Ehegatten, dem es gehört, und unterliegt auch dessen Verwaltung, jedoch für Rechnung des Gesamtgutes. – (3) *Vorbehaltsgut* der Ehegatten (§1418 BGB) umfaßt, was durch →Ehevertrag ausdrücklich als Vorbehaltsgut erklärt worden ist; was einem Ehegatten von Todes wegen (also durch →Erbfolge, als →Vermächtnis, als →Pflichtteil) oder unter Lebenden mit der Bestimmung als Vorbehaltsgut unentgeltlich zugewendet wird. Vorbehaltsgut bleibt freies Eigentum der Ehegatten, jeder von ihnen kann darüber verfügen. – b) *Beendigung* der Gütergemeinschaft: (1) Durch *Aufhebungsklage* eines Ehegatten z.B. wegen Gefährdung des Vermögens durch das Verhalten oder die Vermögenslage des anderen Ehegatten (§§1447, 1469 BGB). – (2) Beendigung durch *Ehescheidung* oder den *Tod* eines Ehegatten. – c) *Fortgesetzte Gütergemeinschaft* tritt ein, wenn im Ehevertrag eine dahingehende Vereinbarung getroffen und beim Tod des Ehegatten gemeinschaftliche Abkömmlinge vorhanden sind (§1483 BGB). Die Gütergemeinschaft wird zwischen dem überlebenden Ehegatten und den gemeinsamen Abkömmlingen fortgesetzt, wobei der überlebende Ehegatte die rechtliche Stellung des Ehegatten, der das Gesamtgut verwaltet, und die Abkömmlinge die Stellung des anderen Ehegatten einnehmen (§1487 BGB). Die fortgesetzte Gütergemeinschaft endet durch Vertrag, Tod oder Todeserklärung, einseitige Aufhebungserklärung oder Wiederverheiratung des Überlebenden und durch Urteil auf Aufhebungsklage eines Abkömmlings (§§1492ff. BGB). – d) *Nach Beendigung* der Gütergemeinschaft findet Auseinandersetzung über das Gesamtgut statt (§§1471ff. BGB). Nach Bereinigung der Schulden wird ein Überschuß unter Eheleuten zu gleichen Teilen, bei Auseinandersetzung mit Abkömmlingen je zur Hälfte zwischen dem überlebenden Ehegatten und den Abkömmlingen geteilt.

2. *Errungenschaftsgemeinschaft* (§§1519–1548 BGB a.F.): Es galten im wesentlichen die Bestimmungen über die Allgemeine Gütergemeinschaft entsprechend. Was der Mann oder die Frau während des Bestehens der Errungenschaftsgemeinschaft erwarb, wurde gemeinschaftliches Vermögen beider Ehegatten (Gesamtgut), insbes. der Ertrag der Arbeit und die Nutzungen des eingebrachten Gutes.

3. *Fahrnisgemeinschaft* (§§1549ff. BGB a.F.): Zum Gesamtgut gehörte das bewegliche Vermögen der Ehegatten bei Eintritt des Güterstandes und das, was die Ehegattren während der Ehe erwarben, wozu u.U. auch Grundstücke, also unbewegliches Vermögen, gehören konnten. Es galten die entsprechenden Vorschriften über das Gesamtgut der Allgemeinen Gütergemeinschaft.

IV. Internationales Privatrecht: 1. Der eheliche Güterstand richtet sich nach den Gesetzen des Staates, dem der Ehemann zur Zeit der Eheschließung angehörte und kann nachträglich nur durch Ehevertrag geändert werden (*Unwandelbarkeit des Güterrechtsstatus*, Art. 15 EGBGB). – 2. Für Eheleute, die *Vertriebene* oder Sowjetzonenflüchtlinge sind, beide in der Bundesrepublik leben und im gesetzlichen Güterstand eines anderen Rechts leben, gilt jedoch nach dem Gesetz vom 4.8.1969 (BGBl I 1067) das eheliche Güterrecht des BGB, es sei denn, daß der bisherige Güterstand im →Güterrechtsregister eingetragen ist oder bis zum 31.12.1970 einer der Eheleute gegenüber einem →Amtsgericht erklärt, daß für die Ehe der bisherige gesetzliche Güterstand fortgelten soll. Auf Antrag ist dieser Güterstand im Güterrechtsregister einzutragen. Wird der Gesetzliche Güterstand übergeleitet, so gilt für die Berechnung des Zugewinns als Anfangsvermögen das Vermögen, das einem Ehegatten am 1.7.1958 gehörte.

eheliches Kind, Kind, das nach der Eheschließung geboren wird, wenn die Frau es vor oder während der →Ehe empfangen und der Mann innerhalb der Empfängniszeit der Frau beigewohnt hat. Ein Kind ist nicht ehelich, wenn es den Umständen nach offenbar unmöglich ist, daß die Frau das Kind von dem Mann empfangen hat (§1591 BGB). – *Anders:* →nichteheliches Kind.

Ehelichkeitserklärung, →nichteheliches Kind 11.

Ehemündigkeit, Recht, eine →Ehe eingehen zu können. E. tritt ein mit →Volljährigkeit (§1 EheG). Minderjährige können mit Vollendung des 16. Lebensjahres auf Antrag durch →Vormundschaftgericht Befreiung von Volljährigkeit erhalten, wenn der künftige Ehegatte volljährig ist. Geschäftsunfähige können keine Ehe eingehen (§2 EheG). Minderjährige bedürfen der Einwilligung der gesetzlichen Vertreter (§3 EheG).

Ehename, der von →Ehegatten gemeinsam zu führende →Familienname (§ 1355 BGB).

ehernes Lohngesetz. 1. *Charakterisierung:* →Lohntheorie von Lassalle, auf Vorstellungen von Ricardo und anderen Klassikern zurückgehend. Der durchschnittliche Arbeitslohn könne längerfristig das →Existenzminimum nicht über- oder unterschreiten. Liegt der Arbeitslohn über dem Existenzminimum, steigt durch Vermehrung der Arbeiterbevölkerung das Arbeitsangebot, so daß der Lohn sinkt; sinkt der Arbeitslohn unter das Existenzminimum, führt eine Verminderung des Arbeitsangebots zu seinem Wiederanstieg. Die Vermehrungsrate ist durch die Lohnhöhe bestimmt. – 2. *Marx* verneinte dagegen einen sofortigen Einfluß von Veränderungen der Lohnhöhe auf die Vermehrungsrate mit dem Hinweis auf die Aufwuchszeit der Kinder, die bis zu deren Eintritt in den Produktionsprozeß vergehe. – 3. *Bedeutung:* Das e. L. hatte entscheidenden Einfluß auf Gewerkschaften und Sozialdemokratie v. a. wegen der von ihm abgeleiteten Folgerung für die Politik der Arbeiterbewegung. Eine Veränderung der gesellschaftlichen Verhältnisse wurde nicht durch einen Arbeitskampf im Produktionsbereich erwartet, sondern durch Erringung der parlamentarischen Mehrheit durch die Arbeiterklasse (Kampf um das allgemeine und direkte Wahlrecht).

Eheschließung, →Heirat.

Eheschließungsrate, statistische Bezugszahl (Eheschließungen je 1000 Einwohner) zur Beobachtung der Ehehäufigkeit im Ablauf der Jahre. *Methodisch* zu beachten: Gesamtbevölkerung als Bezugsgröße untauglich, wenn der Anteil von Kindern und Greisen stark schwankt; nicht zu ersetzen durch die Gesamtzahl der im heiratsfähigen Alter stehenden Personen, da diese die bereits Verheirateten enthält. Besser: →Heiratshäufigkeit. – Durch Korrelations-Rechnung bestätigt ist ein *Zusammenhang* zwischen E. und: a) Zahl der Heiratsfähigen (Ausfall von 900000 Verehelichungen durch die Verluste des ersten Weltkriegs); b) Kulturniveau (Heiratshäufigkeit in der Stadtbevölkerung geringer als im bäuerlichen Bereich bei sonst gleichen Umständen; Einfluß der Konfessionen); c) Wirtschaftslage (vielfache Untersuchungen; erste von Süßmilch; strittig); d) Jahreszeiten, dabei mit landschaftlichen und konfessionellen Abweichungen.

Ehevereinbarung, im Gegensatz zum →Ehevertrag ein grundsätzlich formfreier Vertrag zwischen Ehegatten oder Verlobten über die allgemeinen Ehewirkungen. – *Inhalt* einer E. können u. a. sein: a) Entscheidung über das Ehemodell (→Haushaltsführungsehe, →Doppelverdienerehe oder →Zuverdienstehe) und damit im Zusammenhang stehende Fragen, wie z. B. die Modalitäten eines Wechsels des einen Ehegatten von einer Erwerbstätigkeit in den Haushalt bei Schwangerschaft und Wohnsitzwahl; b) Aufteilung der Haushaltstätigkeit, Kinderbetreuung, Vermögensbildung und Verteilung des beiderseitigen Einkommens auf den Familienunterhalt.

Ehevertrag, Vertrag, durch den die Ehegatten oder Verlobten ihre güterrechtlichen Verhältnisse während der Ehe regeln oder ändern, den →Versorgungsausgleich oder den Ausgleich des Zugewinns ausschließen (§§ 1408–1413 BGB). Der E. muß bei gleichzeitiger Anwesenheit beider Teile (→Stellvertretung zulässig) zur Niederschrift eines →Notars geschlossen werden. – *Inhalt* des E.: Vgl. →eheliches Güterrecht III. – Zur Wirksamkeit gegenüber Dritten bedarf der E. der *Eintragung in das →Güterrechtsregister.*

Ehrenakzept, →Ehreneintritt 2a).

Ehrenamt, unbesoldetes, meist nur gegen →Aufwandsentschädigung ausgeübtes öffentliches Amt, verbunden mit beamtenähnlichen Rechten und Pflichten, z. B. Amt des Schöffen, Handelsrichters, Gemeinderats usw. Desgleichen in der Privatschaft, z. B. Vorsitzender von Verbänden, Vereinen.

ehrenamtliche Richter. 1. *Begriff:* Die Gerichte für Arbeitssachen (→Arbeitsgericht, →Landesarbeitsgericht, →Bundesarbeitsgericht) entscheiden in allen Instanzen durch kollegiale Spruchkörper, die mit Berufsrichtern und e. R., je zur Hälfte aus den Kreisen der →Arbeitgeber und →Arbeitnehmer entnommen, besetzt sind (§ 6 ArbGG). – 2. *Berufung:* Die e. R. werden von den Arbeitsbehörden auf die Dauer von vier Jahren berufen, und zwar aufgrund von Vorschlagslisten, die von den Arbeitgeberverbänden (→Berufsverband) und öffentlich-rechtlichen Körperschaften einerseits und den →Gewerkschaften und anderen sozialpolitischen Vereinigungen andererseits eingereicht werden (§§ 20, 37, 43 ArbGG). – Voraussetzung der Berufung zum Bundesarbeitsgericht ist die Vollendung des 35. Lebensjahres und der Besitz von Kenntnissen und Erfahrungen auf dem Gebiet des Arbeitsrechts und des Arbeitslebens.

Ehrenannahme, →Ehreneintritt 2a).

Ehreneintritt. 1. *Begriff:* Das wechselrechtliche Eintreten für einen notleidenden Wechsel, um →Rückgriff, inbes. mangels Annahme oder mangels Zahlung, zu vermeiden (Art. 55ff. WG). E. erfolgt zugunsten eines bestimmten Rückgriffsschuldners, und zwar durch die in der Notadresse angegebene oder (selten) eine andere Person. – 2. *Formen:* a) *Ehrenannahme (Ehrenakzept):* In allen Fällen zulässig, in denen der Inhaber vor →Verfall Rückgriff nehmen kann, wenn nicht Vorlegung zur Annahme untersagt ist. Die Ehrenannahme ist von demjenigen, der zu Ehren annimmt (dem Honoranten), unter Angabe des Geehrten (des Honoraten) auf dem Wechsel unterschriftlich zu vermerken. Der Honorant haftet dem Inhaber und den Nachmännern des Honoraten wie dieser selbst (Art. 56ff. WG). – b) *Ehrenzahlung:* In allen Fällen zulässig, in denen der Inhaber vor oder bei Verfall Rückgriff nehmen kann. Sie muß den vollen Betrag umfassen, den der Honorat zu zahlen hat, und muß spätestens am Tag nach Ablauf der Frist für die Erhebung des Protestes mangels Zahlung stattfinden. Durch ordnungsgemäße Ehrenzahlung erwirbt der Honorant alle Rechte aus dem Wechsel gegen den Honoraten und dessen Vormänner (Art. 59ff. WG).

Ehrengerichte. 1. →Berufsgerichte einzelner Berufszweige. – 2. Bezeichnung für den →Börsenehrenausschuß.

Ehrenwort, im Rechtsverkehr kein Ersatz für die vom Gesetz geforderte Form; so ausdrücklich in § 74a II HGB für die →Wettbewerbsklausel. Verpflichtungen unter E. sind meist wegen Verstoßes gegen die guten Sitten nichtig (§ 138 BGB).

Ehrenzahlung, →Ehreneintritt 2b).

Ehrenzeichen, geregelt im Gesetz über Titel, Orden und Ehrenzeichen vom 26.7.1957 (BGBl I 844) mit späteren Änderungen. In der Bundesrep. D. wird u.a. der Verdienstorden der Bundesrep. D. verliehen, gestiftet vom Bundespräsidenten durch Erlaß vom 7.9.1951 (BGBl I 833). Der Verdienstorden wird als Großkreuz, Großes Verdienstkreuz und Verdienstkreuz verliehen für Leistungen, die im Bereich der politischen, der wirtschaftlich-sozialen und der geistigen Arbeit dem Wiederaufbau Deutschlands dienen.

Beschreibung der Ordenszeichen und ihrer Bänder:

Das Ordenszeichen ist ein rot-emailliertes, golden gefaßtes schlankes Kreuz. In seiner Mitte ist der Bundesadler auf einem runden Schild aufgesetzt. Das Band des Ordens ist rot mit gold-schwarz-goldenem Saum.

Im einzelnen:

Das *Verdienstkreuz am Bande* hat einen Durchmesser von 55 mm. An seiner Spitze ist ein Ring befestigt. Die Rückseite des Kreuzes ist glatt. Das Ordensband ist 30 mm breit.

Das *Verdienstkreuz* gleicht dem Verdienstkreuz am Bande. Statt des Ringes ist auf seiner Rückseite eine feststellbare Anstecknadel angebracht. Die Rückseite des Kreuzes ist glatt. Ein Ordensband gehört zu dieser Auszeichnung nicht.

Das *Große Verdienstkreuz* hat einen Durchmesser von 60 mm. Die Rückseite des Kreuzes gleicht der Vorderseite. An der Spitze des Ordenskreuzes ist ein Ring befestigt. Das Ordensband ist 44 mm breit.

Das *Große Verdienstkreuz mit Stern* gleicht dem Großen Verdienstkreuz. Der zu dieser Auszeichnung gehörende Stern besteht aus 4 goldenen Strahlenbündeln, auf deren Mitte ein 45 mm großes Ordenskreuz aufgesetzt ist. Der Stern hat einen Durchmesser von 70 mm. Das Ordensband, an dem das Ordenskreuz befestigt ist, hat eine Breite von 100 mm.

Das *Großkreuz* hat einen Durchmesser von 70 mm. Die Rückseite des Kreuzes gleicht der Vorderseite. Der zu dieser Auszeichnung gehörende Stern besteht aus 6 goldenen Strahlenbündeln, auf deren Mitte ein 45 mm großes Ordenskreuz aufgesetzt ist. Der Stern hat einen Durchmesser von 80 mm. Das Ordensband gleicht dem Ordensband des Großen Verdienstkreuzes mit Stern; es ist jedoch mit dem Zeichen des Bundesadlers durchwebt.

Eichbehörden, Behörden zur Durchführung der →Eichung. – 1. *Oberbehörde:* →Physikalisch-Technische Bundesanstalt. – 2. *Landesbehörden* sind die von den Landesregierungen bestimmten Behörden, die Eichdirektionen und Landesämter für Maße und Gewichte, denen die Überwachung der Eichämter obliegt; Eichämter führen die Eichung durch.

Eichgesetz, Gesetz über das Meß- und Eichwesen i.d.F. vom 22.2.1985 (BGBl I 410) nebst Eichordnung vom 15.1.1975 (BGBl I 233) mit späteren Änderungen, EichgültigkeitsVO i.d.F. vom 5.8.1976 (BGBl I 2082) mit späteren Änderungen, Eich- und Beglaubigungskostenordnung vom 21.4.1982 (BGBl I 428) mit späteren Änderungen und Eichpflicht-Ausnahmeverordnung i.d.F. vom 15.12.1982 (BGBl I 1745). Geregelt wird die Eichpflicht hinsichtlich der im einzelnen aufgeführten Meßgeräte, die im geschäftlichen Verkehr, im amtlichen Verkehr, im Verkehrs- und Gesundheitswesen verwendet werden (z.B. Waagen, Gewichte). – Bußgeldvorschriften: §§ 35–36 Eichgesetz. – Vgl. auch →Eichbehörden, →Eichung.

Eichung, amtliche Prüfung der Richtigkeit von Maßen, Gewichten, Waagen und Meßwerkzeugen gem. Maß- und Gewichtsgesetz, durchgeführt durch →Eichbehörden. – *Prüfzeichen:* Eichstempel.

Eid, Beteuerung der Richtigkeit und Vollständigkeit einer Aussage. Im Strafverfahren sind Zeugen grundsätzlich zu vereidigen, im Zivilprozeß und in der Verwaltungsgerichtsbarkeit nur, wenn das Gericht dies mit Rücksicht auf die Bedeutung der Aussage oder zur Herbeiführung einer wahrheitsgemäßen Aussage für geboten erachtet (§§ 59ff. StPO, § 391ff., 478ff. ZPO, § 98 VwGO). – Wer *vorsätzlich falsch schwört,* wird wegen →Meineids mit Freiheitsstrafe nicht unter einem Jahr bestraft; bei *fahrlässiger Begehung* Freiheitsstrafe bis zu einem Jahr (§§ 154ff. StGB). – Neben der Eidesleistung mit und ohne religiöser Beteuerung besteht für Personen, die aus Glaubens- oder Gewissensgründen keinen Eid leisten wollen, als dritte Form die →*Bekräftigung der Wahrheit*, die einer Eidesleistung gleichsteht.

eidesstattliche Versicherung, Form der Beteuerung der Richtigkeit einer Erklärung. Die e. V. ist in vielen Fällen gesetzlich vorgeschrieben oder zugelassen, kann aber auch sonst in einem förmlichen Beweisverfahren vor einer Behörde als Grundlage für eine Entscheidung abgegeben werden. Sie ist durch Gesetz vom 27.6.1970 (BGBl I 909) ab 1.7.1970 auch an die Stelle des Offenbarungseides getreten.

I. Zivilprozeß: Mittel der →Glaubhaftmachung (z. B. beim Arrest, der einstweiligen Verfügung, dem Armenrechtsverfahren), jedoch ist sie i. d. R. kein zulässiges →Beweismittel.

II. Zwangsvollstreckung wegen Geldforderungen: Geregelt in § 807 ZPO. – 1. E. V. muß der *Schuldner abgeben*, wenn der Gläubiger wegen einer Geldforderung vollstreckt und die →Zwangsvollstrekkung in das bewegliche Vermögen fruchtlos ausgefallen ist oder voraussichtlich ausfallen wird. Der Schuldner muß ein Verzeichnis seines gesamten pfändbaren und unpfändbaren Vermögens vorlegen und zu Protokoll die e. V. abgeben, daß er die Angaben nach bestem Wissen richtig und vollständig gemacht habe. Bei Forderungen sind auch Entstehungsgrund und Beweismittel anzugeben, ferner die im letzten Jahr (bei unentgeltlichen Verfügungen zugunsten des Ehegatten: die in den letzten drei Jahren) vor dem Termin zur Abgabe der e. V. vorgenommenen anfechtbaren Rechtshandlungen (→Anfechtung außerhalb des Konkurses). – 2. *Zuständig* ist das Amtsgericht, in dessen Bezirk der Schuldner seinen →Wohnsitz oder eine Firma ihren →Sitz hat. Die e. V. ist gegenüber dem →Rechtspfleger abzugeben. – 3. *Erforderlich* ist Antrag des Gläubigers, dem der →Vollstreckungstitel mit Zustellungsnachweis und eine Bescheinigung des →Gerichtsvollziehers über die fruchtlose →Pfändung beizufügen sind. – 4. Macht der Schuldner im Termin *glaubhaft*, daß er die Schuld binnen drei Monaten *tilgen* werde, kann das Gericht den Termin bis zu drei Monaten vertragen. Bestreitet der Schuldner seine Verpflichtung zur Abgabe der e.V., muß darüber durch Beschluß entschieden werden (gegen den über den Widerspruch entscheidenden Beschluß ist →Erinnerung und dagegen →sofortige Beschwerde gegeben; Verpflichtung zur Abgabe der e. V. erst nach →Rechtskraft). Erscheint der Schuldner zum Termin nicht oder verweigert er ohne Angaben von Gründen die e. V., so ist auf Antrag des Gläubigers Haft anzuordnen; Verhaftung und Vorführung durch Gerichtsvollzieher; die Kosten der Durchführung kann der Gläubiger von dem Schuldner erstattet verlangen. Der Schuldner kann die Haft jederzeit durch Abgabe der e. V. beenden. – 5. Vor Ablauf von drei Jahren braucht der Schuldner eine *weitere e. V.* nur abzugeben, wenn der Gläubiger unter Glaubhaftmachung vorträgt, daß der Schuldner später Vermögen erworben hat oder sein Arbeitsverhältnis aufgelöst ist. War der Schuldner bei Abgabe der e. V. arbeitslos, reicht es nicht aus, daß er nach Ablauf einiger Zeit evtl. wieder arbeitet. – 6. Jeder Gläubiger, der die Abgabe der e. V. hätte verlangen können, erhält auf Antrag eine *Abschrift* des Vermögensverzeichnisses vom Gericht. – 7. Das Amtsgericht trägt den Schuldner, der die e. V. abgegeben hat, oder gegen den Haftbefehl ergangen ist, in das →*Schuldnerverzeichnis* ein, in das jeder Einsicht nehmen kann; die Eintragung ist auf Antrag des Schuldners zu löschen, wenn drei Jahre vergangen sind oder die Befriedigung des das Verfahren betreibenden Gläubigers nachgewiesen wird (§§ 899–915 ZPO).

III. Zwangsvollstreckung wegen Herausgabe einer beweglichen Sache: Hat der Schuldner eine bestimmte →bewegliche Sache herauszugeben und wird diese vom Gerichtsvollzieher nicht vorgefunden, so hat er auf Antrag des Gläubigers zu Protokoll an Eides Statt zu versichern, daß er die Sache nicht besitze und auch nicht wisse, wo sie sich befinde (§ 883 ZPO).

IV. Bürgerliches Recht (§§ 259, 260 BGB): 1. Die e. V. *muß abgeben*, wer a) zur →Rechnungslegung verpflichtet war, b) über einen Bestand an Gegenständen →Auskunft zu geben hatte, in beiden Fällen jedoch nur, wenn Grund zu Annahme besteht, daß Angaben über Einnahmen bzw. Auskunft nicht mit der erforderlichen Sorgfalt gegeben wurden. – 2. Die e. V. ist *bei freiwilliger Abgabe* beim →Amtsgericht im Verfahren der →Freiwilligen Gerichtsbarkeit, bei Verurteilung vor dem Vollstreckungsgericht abzugeben (§ 261 BGB).

V. Konkursrecht: Der →Gemeinschuldner hat auf Antrag des →Konkursverwalters die Richtigkeit und Vollständigkeit des Inventarverzeichnisses (nur der Aktiva) an Eides Statt zu versichern. Maßgebend ist der Zeitpunkt der Konkurseröffnung (nicht der Abgabe der e. V.). Keine Eintragung in das Schuldnerverzeichnis (§ 915 ZPO). Erzwingbar nach §§ 900 ff. ZPO.

VI. Vergleichsrecht: Das Gericht kann von Amts wegen oder auf Antrag des →Vergleichsverwalters oder eines Gläubigers dem Schuldner die Verpflichtung auferlegen, zu Protokoll an Eides Statt zu versichern, er habe nach bestem Wissen sein Vermögen und seine Verbindlichkeiten so vollständig angegeben und die verlangte Auskunft so vollständig erteilt, als er dazu imstande sei (§ 69 VerglO). Der Schuldner muß sich *bei Antragstellung* zur Abgabe der e. V. *bereit erklären,* sonst ist Eröffnung des Vergleichsverfahrens abzulehnen. – Bei Verurteilung des Schuldners wegen betrügerischen Bankrotts oder wegen vorsätzlich falscher Abgabe einer e. V. verliert der Vergleich seine Wirkung (§ 88 VerglO). – Die Abgabe der e. V. zur Auskunft ist nicht erzwingbar.

VII. Steuerrecht: Wegen Steuerforderungen kann das Finanzamt die Abgabe einer e. V. verlangen, wenn die Vollstreckungsversuche in das bewegliche Vermögen des Pflichtigen erfolglos geblieben oder aussichtslos sind (§§ 95, 284 AO). Das Finanzamt nimmt die e. V. selbst ab, wenn sich der Schuldner dazu bereit erklärt, andernfalls ersucht es das zuständige Amtsgericht um Vornahme. Eintragung der steuerlichen e. V. in das beim Amtsgericht geführte Schuldnerverzeichnis. – Das Finanzamt kann eine e. V. auch über Tatsachen verlangen, die der Steuerpflichtige behauptet. Die e. V. ist dem Vorsteher des Finanzamts abzugeben. Auch in Ausübung der Steueraufsicht können e. V. von den Finanzämtern verlangt werden; wird die e. V. in diesem Fall verweigert, dürfen die Finanzämter hieraus Schlüsse ziehen, die zur Änderung einer rechtskräftigen Veranlagung führen können.

VIII. Freiwillige Gerichtsbarkeit: Zur Glaubhaftmachung ist die e. V. in der Freiwilligen Gerichtsbarkeit (§ 15 II FGG) ebenso wie im Verwaltungsverfahren, so im Aufgebotsverfahren vor dem Standesamt (§ 5 III PersonenstandsG) zugelassen.

IX. Strafbestimmungen: Die Abgabe einer falschen e. V. ist nach §§ 156, 163 StGB strafbar; bei Vorsatz Freiheitsstrafe von einem Monat bis zu drei Jahren, bei Fahrlässigkeit Freiheitsstrafe bis zu einem Jahr. Straflosigkeit tritt bei rechtzeitiger Berichtigung ein.

Eigenanzeige, →Selbstanzeige.

Eigenbedarfsdeckung, Beschreibungsmerkmal von Haushalten (gelegentlich auch Haushaltungen). Dient insbes. der Abgrenzung von Unternehmen bzw. Betrieben, in denen zum Zweck der Fremdbedarfsdeckung gewirtschaftet wird. – Vgl. auch →Betriebswirtschaftslehre.

Eigenbesitzer, Person, die eine Sache als ihr gehörend besitzt (§ 872 BGB), d. h. die Sache wie ein Eigentümer beherrschen will. E. ist auch der Dieb und der Finder, der die gefundene Sache behalten will. Vgl. auch →Besitz. – *Steuerlich* werden die Wirtschaftsgüter, die jemand in Eigenbesitz hat, dem E. zugerechnet (§ 11 Ziff. 4 StAnpG). – *Gegensatz:* →Fremdbesitzer.

Eigenbetrieb. I. Rechtsstellung/Begriff: Aus der Verwaltung ausgegliederte Sondervermögen der Gemeinden, Landkreise und →Zweckverbände; ohne Rechtspersönlichkeit, damit unselbständiger, aber organisatorisch abgegrenzter Teil des Gemeindevermögens. Die Gemeinde haftet für den E. unmitelbar und unbeschränkt. Die Gemeinden (mit mehr als 10000 Einwohnern) haben ihre wirtschaftlichen Unternehmen (Versorgungsbetriebe, Verkehrsbetriebe, Domänen, Fuhrbetriebe) als E. zu führen. – Für den E. *gelten:* (1) Gemeindeordnungen, (2) Eigenbetriebsgesetze und -verordnungen der Länder sowie (3) sonstige für die Gemeinden maßgebliche Vorschriften (z. B. Haushaltsgrundsätze). – *Anders:* →Eigengesellschaft.

II. Organe: Die *Gemeindevertretung* ist oberstes Kontrollorgan; sie ist zuständig für den Abschluß von Verträgen, die für die Gemeinde von erheblicher wirtschaftlicher Bedeutung sind, sowie für die Feststellung und Änderung des →Wirtschaftsplans, für die Gewährung von Darlehen der Gemeinde an den E. und umgekehrt für die Feststellung des Jahresabschlusses und die Entlastung der Werksleitung sowie die Verwendung eines Jahresgewinns bzw. der Deckung eines Jahresverlusts sowie für die Benennung des →Abschlußfprüfers. – Der Gemeindevorsteher (Bürgermeister) kann der Werksleitung Weisung erteilen, sofern die Einheitlichkeit der Gemeindeverwaltung, die Sicherung der Aufgabenerfüllung sowie der Abbau von Mißständen dies erfordern. – Weitere Organe: →*Werksausschuß* und →*Werksleitung.*

III. Rechnungswesen: Es ist ein kaufmännisches Rechnungswesen zu führen, bestehend aus: →Wirtschaftsplan (Erfolgsplan, Vermögensplan, Finanzplan, Stellenübersicht), →Kosten- und Leistungsrechnung, →Jahresabschluß (Jahresbilanz, Jahreserfolgsrechnung) und Jahresbericht.

Eigenbetriebsgesetze, rechtliche Grundlagen für die Einrichtung, Organisation und Führung von →Eigenbetrieben auf kommunaler Ebene. E. werden von den Ländern erlassen.

Eigendepot. 1. Im *Verkehr der Banken* untereinander der Bestand an Wertpapieren oder Sammeldepotanleihen, der als dem Zwischenverwahrer gehörig erscheint oder über den zu verfügen er nach § 13 DepG oder durch Übereignung (§ 15) bzw. Verpfändung als berechtigt erscheint. Die auf E. (Depot A) verbuchten Wertpapiere und Sammeldepotanteile haften den verwahrenden Banken (Zentralbankiers) unterschiedslos und unbeschränkt als Pfand für alle Verbindlichkeiten der hinterlegenden Banken (Provinzbankiers). Vgl. →Drittverwahrung. – 2. Beim *Kundendepot* wird zwischen E. und →Anderdepot unterschieden, soweit für einen Kunden

(Rechtsanwälte u. dgl.) neben seinen eigenen Wertpapieren auch dritten Personen gehörende Wertpapiere gesondert verwahrt werden.

eigene Aktien, Aktien einer AG im Besitz dieser Gesellschaft. – 1. E. A. darf eine AG grundsätzlich *nicht erwerben. Ausnahmen* (§ 71 AktG): (1) Erwerb zur Anwendung eines unmittelbar bevorstehenden schweren Schadens; (2) Erwerb zur Veräußerung an Arbeitnehmer (→Belegschaftsaktien); (3) zur Abfindung von Aktionären; in allen drei Fällen jedoch nur bis zu 10% des →Grundkapitals, außerdem ist eine Rücklage für eigene Anteile in gleicher Höhe aus dem Jahresüberschuß oder verfügbaren Gewinnrücklagen zu bilden (§ 272 IV HGB); (4) unentgeltlicher Erwerb von Aktien oder Erwerb in Ausführung einer Einkaufskommission (z. B. eine Aktienbank kauft für einen Kunden e. A.); (5) Erwerb der Gesamtrechtsnachfolge; (6) Erwerb zwecks →Kapitalherabsetzung durch →Aktieneinziehung (§§ 237 ff. AktG). In den Fällen (1), (2) und (4) müssen die e. A. voll eingezahlt sein. – 2. *Bilanzierung:* E. A. sind als Gewinnrücklage unter „eigene Anteile" auf der Passivseite gesondert auszuweisen (§ 272 IV HGB). Für die Bewertung gilt § 253 III HGB: Anschaffungs- oder niedrigerer Börsenpreis am Bilanztag. – 3. Alle *Rechte* aus e. A. ruhen (z. B. kein Anspruch auf →Dividende) und leben erst bei Veräußerung wieder auf (§ 71 b AktG).

eigene Akzepte, entstehen beim →Akzeptkredit. Mit dem Erwerb der e. A. durch die kreditgebende Bank erlischt die wechselrechtliche Verpflichtung der Bank. – Bei Berechnung der bankmäßigen Liquidität sind e. A. nicht zu berücksichtigen. – Vgl. auch →Akzeptaustausch.

eigene Leistungen, →innerbetriebliche Leistungen.

eigene Mittel, →Eigenkapital.

Eigenerstellung, →Eigenproduktion.

eigener Wechsel, →Solawechsel.

Eigenfinanzierung, Finanzierung durch die bisherigen Eigentümer, die der Beschaffung von →Eigenkapital dient. Der Kapitalüberlassungsvertrag sieht dabei periodische, aber erfolgsabhängige Zahlungen des Unternehmens an den Kapitalgeber vor, deren Rang den Ansprüchen der Fremdkapitalgeber (→Fremdfinanzierung) nachgeordnet ist. An die Stelle von Tilgungsvereinbarungen treten Vereinbarungen über Abfindungen beim Ausscheiden des Eigenkapitalgebers aus dem Unternehmen bzw. den Ansprüchen der Fremdkapitalgeber nachgeordnete Ansprüche auf Teile des Liquidationserlöses. Aufgrund der Erfolgsabhängigkeit der Zahlungen (Dividenden, Ausschüttungen, Gewinnentnahmen) und dem daraus resultierenden Risiko fordern Eigenkapitalgeber bei der E. eine höhere →Rendite als Fremdkapitalgeber. – Vgl. auch →Selbstfinanzierung, →Finanzierung, →Finanzentscheidungen.

Eigengeschäft, *Propergeschäft.* 1. *Begriff:* Geschäfte im eigenen Namen und auf eigene Rechnung, z. B. bei Importen; getätigt von →Einkaufskontoren des Großhandels, von Zentralen →kooperativer Gruppen oder →Filialunternehmung. Der Warenstrom wird als →Lagergeschäft oder →Streckengeschäft abgewickelt. Informations- und Zahlungsstrom wie bei selbständig beschaffenden Großhandelsunternehmungen. – 2. *Funktionsweise:* Die einkaufende Organisation trägt das volle Absatzrisiko; Verhandlungen mit ihren Mitgliedern über Abnahmemengen und Preise erforderlich. Zentralen von Filialunternehmen können die eingekauften Waren auf die Filialen verteilen und deren Verkauf mittels zentralen Handelsmarketings fördern. – *Gegensatz:* →Fremdgeschäft.

Eigengesellschaft, Unternehmen der Gemeinde in der privaten Rechtsform einer AG oder GmbH im Besitz der Gemeinde. An E. können mehrere Gemeinden oder Gemeindeverbände zur Verfolgung eines gemeinsamen Zwecks beteiligt sein (→Zweckverband). – Im Gegensatz zur E. ist der →*Eigenbetrieb* ausgegliedertes Sondervermögen der Gemeinde.

Eigengewicht, nach dem Zollrecht das Gewicht der Waren ohne alle →Umschließungen (§ 34 ZG). – Vgl. auch →Rohgewicht.

Eigengruppe, →Gruppenarbeitsverhältnisse 1.

Eigenhandel. 1. *Begriff:* Wertpapiergeschäfte der Kreditinstitute auf eigene Rechnung. Als *Eigenhändler* tritt z. B. die Bank bei Kundenaufträgen in amtlich nicht notierten Wertpapieren beim An- und Verkauf über den Schalter und bei Börsengeschäften für eigene Rechnung auf. – *Gegensatz:* →Kommissionsgeschäfte. – 2. *Umsatzsteuerliche Behandlung:* Eigenhändler führen umsatzsteuerbare Lieferungen (nicht nur sonstige [Vermittlungs-] Leistungen) aus. Die Tätigkeit einer Bank im E. ist allerdings umsatzsteuerfrei (§ 4 VIII UStG); vgl. auch →Bankumsätze.

eigenhändig, besondere Versendungsform bei →Einschreiben und mit →Wertangabe versehenen Postsendungen. Die Sendung wird nur an den Empfänger persönlich oder an eine durch →Postvollmacht berechtigte Person ausgehändigt.

Eigenheim, ein im Eigentum einer natürlichen Person stehendes Grundstück mit einem Wohngebäude, das nicht mehr als zwei Wohnungen enthält, von denen eine Wohnung zum Bewohnen durch den Eigentümer oder seiner

Angehörigen bestimmt ist. Die zweite Wohnung kann eine gleichwertige Wohnung oder eine Einliegerwohnung sein. (§ 9 Wobau-G). – Vgl. auch →Wohnungsbau.

Eigeninvestition, →Investition im eigenen Unternehmen. – *Gegensatz:* →Fremdinvestition.

Eigenkapital, im Gegensatz zum →Fremdkapital jene Mittel, die von den Eigentümern einer Unternehmung zu deren →Finanzierung aufgebracht oder als erwirtschafteter Gewinn im Unternehmen belassen wurden (→Selbstfinanzierung). – 1. *Buchmäßiges E.:* Es ergibt sich in der →Bilanz als Differenz zwischen den Aktivposten (→Vermögen, →Rechnungsabgrenzungsposten, →Bilanzierungshilfen) und den →Verbindlichkeiten, →Rückstellungen und passiven Rechnungsabgrenzungsposten. Unterbewertungen (Überbewertungen) von Aktivposten und Unterbewertungen (Überbewertungen) von Passivposten mindern (erhöhen) das ausgewiesene E. Das *effektive E.* ist wegen der →stillen Reserven bzw. stillen Verluste nur bei Verkauf bzw. Liquidation feststellbar. – 2. *Reales E.:* Es wird erhöht durch Einlagen der Eigentümer bzw. Kapitalerhöhungen durch Beschluß der Anteilseigner (bei Kapitalgesellschaften und Kommanditeinlagen) oder durch erzielte Gewinne; vermindert durch Entnahmen bzw. Kapitalherabsetzungen oder Verluste. – 3. *Ausweis in der Bilanz:* a) Bei *Einzelunternehmen* und den vollhaftenden Gesellschaftern von *Personengesellschaften* werden Gewinne, Verluste, Einlagen und Entnahmen auf den (variablen) E.-Konten erfaßt. Soweit in den Gesellschaftsverträgen feste Kapitalanteile (Festkosten) vereinbart sind, werden Kapitalveränderungen über andere Gesellschafterkonten (Privatkonto, Darlehenskonto u. ä.) erfaßt. Solange die Pflichteinlage des Kommanditisten nicht eingezahlt ist, sind Gewinnanteile diesem E.-Konto gutzuschreiben, darüber hinausgehende einem Darlehenskonto als Verbindlichkeit. Ein →negatives Kapitalkonto entsteht, wenn die Kommanditeinlage durch Verluste oder (verbotene) Entnahmen mehr als verbraucht ist. – b) Bei *Kapitalgesellschaften* ist gem. § 266 III HGB folgende Gliederung vorgesehen:

I. Gezeichnetes Kapital (nominelles Haftungskapital)
II. Kapitalrücklage (aus Agio, Zuzahlungen u. ä.)
III. Gewinnrücklagen (aus dem Ergebnis gebildete)
   1. Gesetzliche Rücklage (§ 150 AktG)
   2. Rücklage für eigene Anteile (§ 272 IV HGB)
   3. satzungsmäßige Rücklagen
   4. andere Gewinnrücklagen
IV. Gewinnvortrag/Verlustvortrag
V. Jahresüberschuß/Jahresfehlbetrag

→Ausstehende Einlagen auf das gezeichnete Kapital sind vor dem Anlagevermögen auf der Aktivseite auszuweisen oder, sofern die eingefoderten Einlagen als Forderungen ausgewiesen werden, die nicht eingeforderten Einlagen werden offen vom gezeichneten Kapital abgesetzt. Ist das E. durch Verluste aufgebraucht und ergibt sich durch weitere Verluste eine →Unterbilanz, so ist ein „nicht durch Eigenkapital gedeckter Fehlbetrag" (§ 268 III HGB) auszuweisen. – c) *Sonderposten mit Rücklageanteil* sind zwischen dem E. und den Rückstellungen auszuweisen, da es sich um unversteuerte E.-Teile handelt, die später möglicherweise Steuerverpflichtungen in nicht vorherbestimmbarer Höhe auslösen. – Die *Abkürzung EK* wird für die Teilbeträge des →verwendbaren Eigenkapitals (vgl. im einzelnen dort 3) verwendet. – 4. *E. als Finanzierungsmittel:* E. steht dem Unternehmen im Gegensatz zum Fremdkapital im Prinzip unbefristet zur Verfügung. Es sollte nach der →goldenen Bilanzregel in Höhe des langfristig gebundenen Vermögens vorhanden sein. Unter dem Gesichtspunkt seiner Funktion als haftendes Kapital (Garantiekapital) ist E. eine Voraussetzung für die Möglichkeiten der Aufnahme von Fremdkapital. – *Kreditinstitute* müssen im Interesse der Erfüllung ihrer Verpflichtungen gegenüber den Gläubigern, insbes. zur Sicherheit der ihnen anvertrauten Vermögenswerte, ein angemessenes haftendes E. haben (§ 10 KWG) (→Grundsätze über das Eigenkapital und die Liquidität der Kreditinstitute). – 5. *E.-Beschaffung:* Voraussetzung ist, daß der E.-Geber im Gewinn (Ausschüttungen und Substanzsteigerungen bzw. Wertsteigerungen der Anteile) eine ausreichende Verzinsung seines eingesetzten E. und eine als angemessen empfundene Vergütung für die Übernahme der unternehmerischen Risiken erwarten kann.

Eigenkapitalbedarf, Notwendigkeit der Beschaffung von →Eigenkapital (→Eigenkapitalfinanzierung). E. besteht bei Unternehmsgründungen (Ingangsetzungsfunktion von Eigenkapital); aber auch bei bestehenden Unternehmen, wenn aufgrund eines hohen Verschuldungsgrades kein weiteres →Fremdkapital bechafft werden kann, weil die Gläubier nicht bereit sind, (weiteres) Risiko zu übernehmen (Funktion der Risikoübernahme von Eigenkapital). – Vgl. auch →Finanzierung, →Finanzentscheidungen.

Eigenkapitalgrundsätze, →Grundsätze über das Eigenkapital und die Liquidität der Kreditinstitute.

Eigenkapitalrentabilität, →Rentabilität 2.

Eigenkapitalzinsen, zu den →Zusatzkosten zählende Kostenart. – E. werden in der traditionellen *Vollkostenrechnung* angesetzt, um den Nutzenausfall des dem Unternehmen von den Anteilseignern zur Verfügung gestellten Kapitals in einer anderen Verwendung (z. B. Anlage als Festgeld) zu erfassen. E. entsprechen damit keine →Aufwendungen. E. werden typischerweise nicht gesondert angesetzt; sie werden als kalkulatorische Zinsen auf das gesamte →betriebsnotwendige Kapital, ohne in einen Fremd- und einen Eigenkapitalanteil zu unterteilen, ermittelt. – In der *entscheidungsorientierten Kostenrechnung* werden E. nicht angesetzt. – Vgl. auch →Zinsen.

Eigenleistungen, Begriff der handelsbilanziellen →Gewinn- und Verlustrechnung; umfaßt alle selbst hergestellten Leistungen. Zu unterscheiden: a) *nicht aktivierbare E.,* z. B. selbst ausgeführte Reparaturen, aber auch →immaterielle Wirtschaftsgüter des Anlagevermögens; b) *aktivierungspflichte E.,* das sind spätere Marktleistungen (Halb- und Fertigfabrikate) oder primär innerbetrieblich zu nutzende Vermögensgegenstände des Anlagevermögens (→innterbetriebliche Leistungen), die bei Anwendung des →Gesamtkostenverfahrens in der Gewinn- und Verlustrechnung als „andere aktivierte Eigenleistungen", einem Teil der Gesamterträge des Betriebes (Gesamtleistung), auszuweisen sind.

Eigenmacht, →verbotene Eigenmacht.

Eigenmarke, →Marke 3a).

Eigenmiete, zu den →Zusatzkosten zählende Kostenart. – E. werden in der traditionellen →*Vollkostenrechnung* angesetzt, um den Nutzenausfall des dem Unternehmen von den Anteilseignern zur Verfügung gestellten Raumes (Gebäudes, Gebäudeteils) in einer anderen Vewendung (Vermietung an Dritte) zu erfassen. E. entsprechen damit keine →Aufwendungen. – In der *entscheidungsorientierten Kostenrechnung* wird E. nicht angesetzt.

Eigennutz. 1. *Allgemeines Strafrecht:* Erstreben eines Vorteils unter Mißachtung der gebührenden Rücksichtnahme auf die Interessen anderer. – 2. *Wirtschaftsstrafrecht: Verwerflicher E.* ist u. U. für die Abgrenzung von →Wirtschaftsstraftaten und →Ordnungswidrigkeiten bedeutsam (§ 3 WStrG).

eigennütziges Treuhandverhältnis, Treuhandverhältnis (→Treuhandschaft), das im Interesse des Treunehmers begründet ist, insbes. →Sicherungsübereignung und →Sicherungsabtretung. – 1. Vollstreckt ein Gläubiger des *Treugebers* in das in dessen *unmittelbarem Besitz* befindliche Treugut, kann der Treuhänder →Drittwiderspruchsklage gem. § 771 ZPO erheben; im Konkurs des Treugebers steht ihm aber nur ein Recht auf →Absonderung zu. – 2. Ist der *Treuhänder* →*unmittelbarer Besitzer,* kann der Treugeber gegenüber Zwangsvollstreckungsmaßnahmen durch Gläubiger des Treuhänders und im Konkurs des Treuhänders keine Rechte geltend machen, solange die zu sichernde Schuld noch besteht (strittig); ist sie getilgt, wird das e. T. zum →uneigennützigen Treuhandverhältnis mit den entsprechenden Rechten des Treugebers.

Eigenproduktion, Herstellung aller Einzelteile, die im Endprodukt Eingang finden, sowie aller Artikel, die zum Verkaufsprogramm gehören, im eigenen Unternehmen. – *Entscheidungsproblem:* E. oder Fremdbezug (→make or buy).

Eigenproduktion oder Fremdbezug, →make or buy.

Eigenschaftstheorie der Führung, Führungstheorie, bei der angenommen wird, daß sich der Führende aufgrund von angeborenen Merkmalen (Charakterzüge oder andere Faktoren wie Größe, Intelligenz, Ehrgeiz) gegenüber den Geführten auszeichnet. E. d. F. gilt als überholt. – Vgl. auch →Weg-Ziel-Ansatz der Führung, →Interaktionstheorie der Führung.

Eigentum, nach Art. 14 GG in der Bundesrep. D. ausdrücklich gewährleistetes Recht auf Privateigentum, das dem Eigentümer Rechte gibt und auch Pflichten auferlegt.

I. Umfang: 1. E. ist das *umfassendste, absolute, dingliche Recht* an einer Sache. Nach § 903 BGB kann der Eigentümer, soweit nicht das Gesetz oder Rechte Dritter entgegenstehen, mit der Sache nach Belieben verfahren und andere von jeder Einwirkung ausschließen. – *Anders:* →Besitz. – 2. *Beschränkungen* der Ausübung des E. durch das →Schikaneverbot und das Verbot der →unzulässigen Rechtsausübung sowie durch das →Nachbarrecht oder die Beschränkungen durch →Notwehr und →Notstand oder die sozialen Eigentumsbindungen (z. B. Beschränkungen durch Wohnungszwangswirtschaft; Verpflichtung, Schädlingsbekämpfung zu dulden). Die sozialen Eigentumsbindungen gewähren (im Gegensatz zu der i. a. die Vermögenssubstanz angreifenden →Enteignung) keinen Entschädigungsanspruch.

II. Erwerb: 1. An *beweglichen Sachen:* a) durch rechtsgeschäftliche Übertragung des Eigentums (Übereignung); b) durch langdauernden Eigenbesitz (→Ersitzung); c) durch →Verarbeitung, →Verbindung und →Vermischung mit eigenen Sachen; d) durch →Aneignung herrenloser Sachen. – 2. An *Grundstükken:* Ebenfalls gem. a) (→Grundstücksverkehr), b) und c).

III. Schutz: 1. *Formen:* a) V. a. durch Eigentumsklagen (vgl. IV); b) gegen gegenwärtige rechtswidrige Angriffe durch das Recht der →Notwehr; c) gegen Eingriffe der öffenlichen Gewalt durch Art. 14 III GG; danach dürfen →Enteignungen nur aufgrund eines Gesetzes, nur zum Wohle der Allgemeinheit und nur gegen eine Entschädigung erfolgen, die unter gerechter Abwägung der Interessen der Allgemeinheit und der Beteiligten zu bestimmen ist. – 2. Zum →*Schadenersatz* verpflichtet ist (nach § 823 I BGB), wer schuldhaft das E. eines anderen verletzt (→unerlaubte Handlung).

IV. Eigentumsklagen: Rechtsmittel des Eigentümers zum Schutz seines E. – 1. Der Eigentümer kann von dem Besitzer *Herausgabe der Sache* verlangen (§985 BGB). Der Besitzer kann die Herausgabe verweigern, wenn er oder der betreffende →mittelbare Besitzer (z.B. der Mieter bei Untervermietung) dem Eigentümer gegenüber zum Besitz berechtigt ist. War der mittelbare Besitzer zur Besitzüberlassung nicht befugt, kann der Eigentümer Rückgabe an diesen, u.U. auch Herausgabe an sich verlangen (§986 I BGB). Bei →Übereignung einer beweglichen Sache durch Abtretung des Herausgabeanspruchs kann er Besitzer dem neuen Eigentümer auch die gegen den alten Eigentümer bestehenden Einwendungen entgegenhalten (§986 II BGB). Besondere Regelung gilt im Verhältnis Eigentümer-Besitzer wegen der beiderseits etwa bestehenden Ansprüche auf Herausgabe der →Nutzungen und Ersatz von →Verwendungen, wie für den Anspruch auf Schadenersatz wegen der vom Besitzer verschuldeten oder anderweitig eingetretenen →Unmöglichkeit der Herausgabe. Einzelheiten: §§987–1003 BGB. – 2. Wird das E. in anderer Weise als durch Entziehung oder Vorenthaltung des Besitzes beeinträchtigt, so kann der Eigentümer von dem Störer die *Beseitigung der Beeinträchtigung* verlangen; sind weitere Störungen zu befürchten, so kann der Eigentümer auf Unterlassung klagen: §1004 BGB (→vorbeugende Unterlassungsklage).

V. Steuerrecht: Vgl. →wirtschaftliches Eigentum.

Eigentümergrundschuld, →Grundschuld, die für den Grundstückseigentümer bestellt ist (§1196 BGB). – 1. *Zweck:* Freihaltung der besseren Rangstelle für spätere Belastungen (dasselbe kann durch →Rangvorbehalt erreicht werden). – 2. Gelangt die *Forderung,* für welche eine →Hypothek bestellt ist, *nicht zur Entstehung* (z.B. wenn das vereinbarte Darlehen nicht gezahlt wird), so steht die Hypothek dem Eigentümer zu (§1163 BGB), sie wird →Eigentümerhypothek, verwandelt sich aber gem. §1177 BGB in eine E.; desgleichen, wenn die Forderung erlischt, wenn der Gläubiger auf die Forderung verzichtet (§1168 BGB), wenn der unbekannte Gläubiger im Wege des Aufgebotsverfahrens von seinem Recht ausgeschlossen wird (§1170 BGB). – 3. In gewissen Fällen (§1177 II BGB) findet die *Verwandlung* der Eigentümerhypothek in eine E. *nur so lange* statt, wie die Vereinigung der Forderung und der Hypothek in der Person des Grundstückseigentümers besteht; die E. wird Fremdgrundschuld, sobald der Grundstückseigentümer das Grundstück veräußert oder sobald sie auf einen anderen übergeht und der Grundstückseigentümer das Grundstück behält.

Eigentümerhypothek, nur in Ausnahmefällen mögliche Form der →Hypothek, da ein Grundstückseigentümer keine persönliche Forderung gegen sich selbst haben und auf seinem Grundstück keine Hypothek für sich bestellen kann. Die E. kommt vor, wenn der Eigentümer die hypothekarisch gesicherte Forderung erwirbt, ohne daß diese infolgedessen untergegangen ist, andernfalls verwandelt sie sich in eine →Eigentümergrundschuld (§1177 BGB).

Eigentumsaufgabe, →Dereliktion.

Eigentumsrechte. 1. *Rechtsbegriff:* Das Recht auf →Eigentum. – 2. *Unternehmenstheorie:* Vgl. →Property Rights-Theorie II 1.

Eigentumsvermutung, gesetzliche Vermutung nach §1006 BGB, daß der →Eigenbesitzer einer Sache auch deren Eigentümer sei. Im Streitfall muß also der Gegner des Eigenbesitzers beweisen, daß dieser kein →Eigentum hat.

Eigentumsverzicht, →Dereliktion.

Eigentumsvorbehalt. I. Begriff: Besondere Abrede beim →Kaufvertrag über bewegliche Sachen, durch die sich der Verkäufer das →Eigentum an der verkauften Sache bis zur vollständigen Bezahlung des Kaufpreises vorbehält. E. bedeutet, daß das Eigentum unter der aufschiebenden Bedingung der vollständigen Zahlung des Kaufpreises übertragen wird und daß der Verkäufer zum →Rücktritt vom Vertrag berechtigt sein soll, wenn der Käufer mit der Zahlung in Verzug kommt (§455 BGB). Sondervorschriften beim →Abzahlungsgeschäft.

II. Entstehung: Der E. setzt nicht notwendig einen Vertrag voraus; es genügt auch die bei der →Übergabe der Ware abgegebene (sogar die vertragswidrige) einseitige Erklärung des Verkäufers, daß er sich das Eigentum vorbehalte; der E. kann daher auch noch wirksam durch einen Vermerk auf der Faktura (Rechnung) erklärt werden, wenn diese gleichzeitig mit der Ware oder vor der Ware beim Käufer eingeht. Ein →Besitzkonstitut ist zur Gültigkeit des E. nicht erforderlich.

III. Folgen: 1. *Veräußert* der Käufer die gekaufte Sache an einen gutgläubigen Dritten, so geht i.d.R. das Eigentum des Verkäufers unter (→gutgläubiger Erwerb), ebenso wenn der Käufer die gekaufte Sache verarbeitet (→Verarbeitung). Um sich in diesen Fällen zu sichern, ist die Vereinbarung des →verlängerten Eigentumsvorbehalts üblich und zweckmäßig; vgl. auch →erweiterter Eigentumsvorbehalt →weitergeleiteter Eigentumsvorbehalt. – 2. Ist dem Käufer die *Weiterveräußerung nicht* gestattet, so kann er sich bei Zuwiderhandlung einer Unterschlagung (§246 StGB) schuldig machen. – 3. Solange der Verkäufer Eigentümer ist, kann er einer →*Zwangsvollstreckung* in die Sache durch Gläubiger des Käufers mit der →Drittwiderspruchsklage *entgegentreten*.

IV. Anwartschaftsrecht: 1. Durch den Kauf unter E. erlangt der *Käufer* aufschiebend bedingtes Eigentum, das mit Bedingungseintritt voll auf ihn übergeht, ohne daß es weiterer Erklärungen des Verkäufers bedarf und ohne daß dieser noch den Willen zu haben braucht, das Eigentum auf den Käufer zu übertragen. Diese Anwartschaft auf den Erwerb des Volleigentums ist ein Recht des Käufers, über das er verfügen kann, insbes. durch Übertragung oder Verpfändung. Die Übertragung erfolgt nach den für die Übertragung des Eigentums selbst geltenden Vorschriften (→Übereignung), ein →gutgläubiger Erwerb ist möglich. Vgl. auch →Raumsicherungsvertrag. – 2. Der *Verkäufer* als auflösend bedingter Eigentümer braucht der Übertragung des Anwartschaftsrechts nicht zuzustimmen. Der Erwerber des Anwartschaftsrechts wird mit Bedingungseintritt unmittelbar Eigentümer der Sache, ohne daß das Eigentum erst in der Person des Vorbehaltskäufers entstünde und dann erst auf ihn überginge. Es findet also kein Durchgangserwerb statt, so daß z.B. →Pfändungen des Anwartschaftsrechts die nach seiner Übertragung ausgebracht wurden, bei Bedingungseintritt dem Erwerber gegenüber unwirksam sind. Das Anwartschaftsrecht ist pfändbar und muß bei Ableistung der eidestattlichen Versicherung angegeben werden.

Eigentumswohnung, eine Wohnung, an der Wohnungseigentum nach den Vorschriften des Ersten Teiles des Wohnungseigentumsgesetzes begründet ist. Eine E., die zum Bewohnen durch den Wohnungseigentümer oder seine nächsten Angehörigen bestimmt ist, ist eine eigengenutzte E. (§ 12 WobauG). – Vgl. auch →Wohnungsbau, →Wohnungseigentum.

Eigenumsatz, Teil des →Umsatzes neben dem →Kundenumsatz: Lieferungen und Leistungen innerhalb des Betriebes. Zum E. gehören: Verbrauch eigener Fertigfabrikate (Maschinen in Maschinenfabrik), eigene Reparaturen, eigene Neubauten usw.; Abgabe von Waren an eigene Verkaufsstellen. – *Umsatz zwischen Konzernbetrieben* zählen nicht zum E., sondern zum Kundenumsatz, da Konzernbetriebe rechtlich selbständig sind.

Eigenunfallversicherung, Durchführung der gesetzlichen →Unfallversicherung in eigener Zuständigkeit für die bei Bund, Ländern und Gemeinden Beschäftigten und für besondere, im Gesetz aufgezählte Tätigkeiten. Die mit der Durchführung der E. im einzelnen betrauten *Einrichtungen* haben Rechtsfähigkeit und eigene Selbstverwaltungsorgane; sie führen die Bezeichnung →Gebietskörperschaft mit dem Zusatz „Eigenunfallversicherung" oder die Bezeichnung „Ausführungsbehörde für Unfallversicherung", ergänzt durch Zusätze zur Kennzeichnung des besonderen Arbeitsgebiets. – *Durchführung* der E. bei Gemeinden und Gemeindeverbänden: Vgl. →Gemeindeunfallversicherungsverband.

Eigenverantwortlichkeit, organisatorischer Begriff. Verfügung eines Handlungsträgers über einen gewissen Entscheidungsspielraum bei der Erfüllung seiner →Aufgaben. E. entsteht auf den Ebenen unterhalb der Spitze der →Hierarchie durch →Delegation von Entscheidungskompetenzen. – *Anders*: →Verantwortung.

Eigenverbrauch, Begriff des Umsatzsteuerrechts. 1. Der →Umsatzsteuer unterliegender E. *liegt vor* (§1 I Nr. 2 UStG), wenn ein →Unternehmer im →Erhebungsgebiet a) Gegenstände aus seinem Unternehmen für unternehmensfremde Zwecke entnimmt, b) im Rahmen seines Unternehmens sonstige Leistungen für unternehmensfremde Zwecke ausführt oder c) Aufwendungen tätigt, die einkommenssteuerlich nach §§ 4 V Nr. 1–7 EStG bei der Gewinnermittlung ausscheiden. – 2. *Bemessungsgrundlage:* Nach § 10 IV UStG bei a) der →Teilwert, sofern dieser nach einkommensteuerrechtlichen Vorschriften bei der Entnahme anzusetzen ist, im übrigen der →gemeine Wert; bei b) die auf die Verwendung entfallenden Kosten; bei c) die Aufwendungen. Die Umsatzsteuer gehört nicht zur Bemessungsgrundlage. – 3. *Steuersätze:* Der Steuersatz bzw. die Steuerfreiheit für den E. bestimmt sich nach den Sätzen, die für die Lieferungen gleicher Gegenstände oder die Zurverfügungstellung gleicher Leistungen an Dritte gelten.

Eigenverkehr, Verkehr mit eigenen Beförderungs- und sonstigen Verkehrsmitteln für eigene Zwecke einer Person oder Institution. *Gegensatz:* →Fremdverkehr. – Die Güterbeförderung mit Kraftfahrzeugen durch Industrie-, Handels- und andere Nicht-Verkehrsbetriebe im E. wird in der Bundesrep. D. als *Werkverkehr* bezeichnet.

Eigenwechsel, →Solawechsel.

Eigenwirtschaftlichkeit, Begriff zur Kennzeichnung der Finanzsituation eines öffentlichen Unternehmens. E. ist dann gegeben, wenn Einnahmen und Ausgaben ausgeglichen sind und damit kein Defizit vorliegt.

Eigenwirtschaftlichkeit der Verkehrsträger, Bezeichnung für den Tatbestand, daß die Verkehrsträger ihre gesamten Kosten decken können, auch die anteiligen Kosten für ihre →Verkehrswege.

Eignung, nach Gutenberg drei Eignungsbegriffe: 1. *Realisierte E.:* Tatsächlich im Betrieb in Anspruch genommene E. – 2. *Latente,* nicht in Anspruch genommene, *jederzeit realisierbare E.*, die eine Eignungsreserve des Betriebes darstellt. – 3. *Latente, nicht ohne weiteres realisierbare E.;* um sie zu realisieren, ist eine Um- oder Neuschulung nötig. – Die Summe der E. der Belegschaft eines Betriebes ergibt sein *Eignungspotential (Eignungsreserve)*. – Heute spricht man von Potentialen (Reserven), die durch →Personalentwicklung zu wecken sind.

Eignungsdiagnostik, psychologische Teildisziplin, die die Zuordnung von Person und Arbeitsplatz/Arbeitsinhalt auf der Basis von Informationen über die Person sowie mit Hilfe von →Arbeitsanalysen mit dem Ziel zu optimieren versucht, Eignungs- und Anforderungsprofil deckungsgleich werden zu lassen. – *Angewandt* bei der →Berufsberatung und →Personalberatung sowie der →Personalentwicklung.

Eignungspotential, →Eignung, →Personalentwicklung.

Eignungsprüfung, →Arbeitsbewertung, →Eignungsuntersuchung.

Eignungsreserve, →Eignung, →Personalentwicklung.

Eignungsübung, →Arbeitsplatzschutz.

Eignungsuntersuchung. I. Begriff/Aufgabe: 1. *Hilfsmittel der Arbeits- und Organisationspsychologie.* Die E. ermittelt die psychischen und geistigen Voraussetzungen der Berufseignung sowohl zum Zwecke der →Personalauswahl, als auch für Zwecke der →Berufsberatung. Im Gegensatz zur außerwissenschaftlichen Eignungsfeststellung anhand von praktischen Probearbeiten bleibt die psychologische E. nicht bei der eindrucksmäßigen Bewertung der äußeren Leistung stehen. – 2. *Hilfsmittel der →Arbeitsmedizin.* Mit E. soll festgestellt werden, ob der Untersuchte für einen Arbeitsplatz tauglich, bedingt tauglich oder untauglich ist.

II. Methoden: 1. Die E. bedient sich nicht nur (wie früher in der Zeit der psychologischen Eignungsprüfungen) einiger erprobter Prüfungsverfahren (→Tests, →Arbeitsproben) zur Feststellung einiger *Teilfähigkeiten,* sondern zielt auf eine Begutachtung der *Gesamtpersönlichkeit* mit Hilfe der modernen diagnostischen Untersuchungsmethoden (→Psychodiagnostik, →Rorschach-Test). – 2. Die gegenwärtig am häufigsten verwandten *Untersuchungsmethoden* zur Ermittlung der Einzelfähigkeiten sind die allgemeinen *Intelligenztests* (→Intelligenz) sowie zusätzliche *Spezialtests* zur Ermittlung des Begabungsschwerpunktes (z.B. Beurteilung technischer Zeichnungen, Zusammenbauen zerlegter technischer Geräte zur Ermittlung der praktischen technischen Begabung). Die *→Konzentrationsfähigkeit* (Konzentration) wird u.a. geprüft durch den „Bourdon-Test", die *räumliche Vorstellungsfähigkeit* z.B. durch den „Rybakoff-Test" oder die „Bauprobe". Die *Handgeschicklichkeit* einschl. der Formauffassung stellt der „Zweihandprüfer" oder die „Drahtbiegeprobe" fest. Die *Reaktionssicherheit* und *-schnelligkeit* (Reaktionszeit) prüft das „Hebelreaktionsgerät", die *geistige Ermüdbarkeit* und die willentliche *Belastbarkeit* der *→Arbeitsversuch.*

III. Durchführung: Gegenwärtig zumeist durch die Arbeitsämter, denen daher auch eigene Eignungsuntersuchungsstellen angegliedert sind.

Eilaufträge, im →Postgiroverkehr sofortige Gutschrift bzw. Abbuchung bei Zahlkarten, Überweisungen und Zahlungsanweisungen, sofern diese bis 13 Uhr beim Postgiroamt vorliegen. Vermerk „Eilauftrag" ist deutlich sichtbar (farbig oder farbig unterstrichen) anzubringen.

Eilbotensendung, →Eilzustellung.

Eilgut, Sendungsart im Eisenbahngüterverkehr. Vor →Frachtgut in Eilgüterzügen und in den dafür freigegebenen Reisezügen befördert. Der *Eilgutfrachtbrief* ist rot umrandet. Versendung gegen Berechnung eines Fracht- oder Gewichtzuschlages für die Eilgutklasse Ie (allgemeine Eilgutklasse) und IIe (ermäßigte Eilgutklasse): für Güter der Klasse Ie wird die Fracht wie für Frachtstückgut berechnet und um 50% erhöht (Eilgutzuschlag), für Güter der Klasse IIe wird die Fracht wie für Frachtgut berechnet. – *Eilstückgut* wird ebenfalls nach den Klassen Ie und IIe befördert, Eilstückgutzuschlag für die Klasse Ie 50%.

Eilüberweisung, *Direktüberweisung,* →Überweisung, die direkt von der ersten zur letzten kontoführenden Stelle läuft. Die Abrechnung erfolgt jedoch über die Girozentrale. Das Verfahren ist besonders schnell und wird in verschiedenen Girozentren angewendet, besonders im →Spargiroverkehr und im Gironetz der Deutschen Bundesbank. – Vgl. auch →Überweisungsverkehr.

Eilzustellung, *Eilbotensendung,* besondere Versendungsform bei →Brief, →Postkarte, →Blindensendung sowie in Verbindung mit →Schnellsendung oder →Luftpost bei →Päckchen und →Paket bzw. in Verbindung mit Schnellsendung bei →Postgut. Zustellung erfolgt nach Eingang beim Zustellpostamt durch Eilboten. Es besteht →Freimachungszwang. Vermerk durch amtlichen Klebezettel. – In einigen Städten auch *Nacht-E.* möglich.

Einarbeitungszuschuß, Maßnahme der Arbeitsverwaltung zur beruflichen →Rehabilitation für Arbeitnehmer, die arbeitslos oder von Arbeitslosigkeit unmittelbar bedroht sind, sowie für Behinderte, wenn die volle

Arbeitsleistung am neuen Arbeitsplatz erst nach einer Einarbeitungszeit erreicht werden kann (§§ 49, 58 AFG). – *Leistung* der →Bundesanstalt für Arbeit an Arbeitgeber, wenn sie Arbeitnehmern die zum Erzielen einer vollen Leistung am Arbeitsplatz erforderlichen Kenntnisse und Fertigkeiten vermitteln. Höhe nach AFG je nach der Minderung der Arbeitsleistung. Der bis zu einem Jahr mögliche Zuschuß darf 70% des in Betracht kommenden tariflichen oder ortsüblichen Entgelts nicht übersteigen.

Ein-/Ausgabegerät, technisches Gerät, das als →Eingabegerät und/oder →Ausgabegerät einer →Elektronischen Datenverarbeitungsanlage eingesetzt werden kann.

Ein-/Ausgabe-Kanal, Kanal zur Übertragung von Daten zwischen →Arbeitsspeicher und →Peripheriegeräten. Der Begriff Kanal umfaßt den eigentlichen Übertragungsweg und die Funktionseinheiten, die ihm die selbstständige Steuerung und Überwachung von Ein-/Ausgabe-Vorgängen ermöglichen.

Ein-/Ausgabe-Prozessor, *EA-Prozessor,* →Hilfsprozessor, der für den Zentralprozessor die Verwaltung der Datenübertragungen zwischen dem →Zentralspeicher und den →Peripheriegeräten übernimmt, sowie ggf. notwendige Modifikationen der Daten durchführt.

Einberufung zum Wehrdienst, →Arbeitsplatzschutz.

einbringungsgeborene Anteile, Begriff des Steuerrechts. Anteile, die im Zuge einer Einbringung eines Betriebs, →Teilbetriebs oder Mitunternehmeranteils in →Kapitalgesellschaften erworben werden, wenn die Kapitalgesellschaft das eingebrachte →Betriebsvermögen nicht mit dem →Teilwert ansetzt (§ 21 I, IV UmwStG).

Einbruchdiebstahl, Bezeichnung für eine Form des schweren →Diebstahls, wenn (1) aus einem Gebäude oder umschlossenen Raum mittels Einbruchs, Einsteigens oder Erbrechens von Behältnissen gestohlen (E.i.e.S.) oder (2) der Diebstahl dadurch bewirkt wird, daß zur Öffnung der im Inneren befindlichen Türen oder Behältnisse falsche Schlüssel oder andere zur ordnungsgemäßen Öffnung nicht bestimmte Werkzeuge angewendet werden *(Nachschlüssel-Diebstahl).* – *Strafe:* Freiheitsstrafe von drei Monaten bis zu zehn Jahren (§ 243 StGB).

Einbruchdiebstahlversicherung, *ED-Versicherung,* Versicherungsschutz für versicherte Sachen, die durch ED oder ED-Versuch abhandenkommen, zerstört oder beschädigt werden. – *Voraussetzung* ist, daß der Täter durch Gewalt gegen Sachen Hindernisse beseitigt, die seinem Eintritt in den Raum eines Gebäudes entgegenstehen, in den Raum einsteigt oder einschleicht, falsche Schlüssel oder andere Werkzeuge verwendet, oder richtige Schlüssel verwendet, die er durch ED, Raub oder ohne fahrlässiges Verhalten des Versicherungsnehmers oder des Gewahrsamsinhabers durch einfachen Diebstahl an sich gebracht hat. – *Nicht versichert* sind u.a. einfacher Diebstahl, Schäden durch in häuslicher Gemeinschaft mit dem Versicherungsnehmer lebende oder bei ihm wohnende Personen und Schäden, die bei dem Einbruch durch Brand, Explosion oder Leitungswasser entstehen. – Für *Bargeld, Wertpapiere und Wertsachen* besondere Sicherheitsvorschriften. – *Einschluß* der Gefahren →Raub (innerhalb eines Gebäudes/Grundstückes oder auf Transportwegen) und Vandalismus nach einem Einbruch ist möglich. – *Formen:* Als selbständige ED-Versicherung (z.B. für Geschäfte und Betriebe), aber auch in andere Versicherungszweige übernommen (z.B. →Verbundene Hausratversicherung); bei großen Warenlagern evtl. →Bruchteilversicherung.

Einbürgerung, *Naturalisation,* Erwerb der →Staatsangehörigkeit durch Aushändigung einer E.-Urkunde. – 1. Ein *Ausländer,* der sich im Inland niedergelassen hat, kann auf Antrag u.a. eingebürgert werden, wenn er a) nach den Gesetzen seiner bisherigen Heimat oder nach deutschem Recht unbeschränkt geschäftsfähig ist, b) unbescholten ist, c) am Ort seiner Niederlassung eine eigene Wohnung oder ein Unterkommen gefunden hat und d) sich und seine Angehörigen selbst ernähren kann. – 2. Ein *ehemaliger Deutscher* kann eingebürgert werden, wenn er die Voraussetzungen zu a) und b) erfüllt. – 3. *Bevorzugt* eingebürgert werden kann, wer im Dienste des Bundes im Ausland angestellt ist und Bezüge aus der Bundeskasse bezieht. – 4. *Ehegatten Deutscher* sollen eingebürgert werden, wenn sie ihre bisherige Staatsangehörigkeit verlieren oder aufgeben und gewährleistet ist, daß sie sich in die deutschen Lebensverhältnisse einordnen.

Eindeckung, Bezeichnung betriebswirtschaftlich planvoller Lagerergänzung; Meßzahl, zu errechnen als Produkt aus Richtzahl und Eindeckungszeit. – 1. *Richtzahl:* Zu bilden anhand des Durchschnittsverbrauchs der letzten Monate und unter Berücksichtigung der zukünftigen Verbrauchsentwicklung. Sie gibt an, mit welchem Verbrauch in den folgenden Monaten gerechnet werden muß. – 2. *Eindeckungszeit* ergibt sich als Summe aus Lieferzeit, Transportzeit, Prüfzeit und einer gewissen Sicherheitsspanne für unvorhergesehene Verzögerungen; ggf. zu ergänzen um die Menge eines gewissen →eisernen Bestands. Minimaleindeckungszeit = Summe aus Lieferzeit im weitesten Sinne und Verbrauchszeit des eisernen Bestands; *Minimaleindeckung* = (Verbrauchszeit des eisernen Bestands + Lieferzeit) × Richtzahl. *Beispiel:* Verbrauchszeit des eisernen Bestands 1 Monat,

Lieferzeit 15 Tage, Richtzahl 6t je Monat. Minimaldeckung = (1 + ½) × 6 = 9 t. Bestand und offene Bestellungen zusammen müssen demnach stets mindestens 9t betragen. Entsprechend ergibt sich für die maximale Eindeckung folgende Formel: *maximale Eindeckung* = minimale Eindeckung + →optimale Bestellmenge. Vgl. auch →Maximaleindeckung.

Ein-Depot-Problem, →Tourenplanung.

eindimensionale Organisationsstruktur. 1. *Begriff:* →Organisationsstruktur, bei der durch Verwendung nur eines Kriteriums für die →Kompetenzabgrenzung auf einer Hierarchieebene →organisatorische Teilbereiche gebildet werden, die nur auf einen Handlungsaspekt ausgerichtet sind. – 2. *Grundformen:* a) →Regionalorganisation (feldorientierte Kompetenzabgrenzung); b) →Funktionalorganisation (handlungsorientierte Kompetenzabgrenzung); c) →Spartenorganisation (zielorientierte Kompetenzabgrenzung). Die entstehenden Regional-, Funktions- und Produktbereiche können zur Ausformung der Teilbereichsorganisationen weiter untergliedert werden, wobei bereits angewandte Segmentierungskriterien nur noch in geringer aggregierter Form Verwendung finden können. – *Gegensatz:* →mehrdimensionale Organisationsstruktur.

einfache Buchführung, →Buchführung VI.

einfache Prüfung, →Prüfung.

Einfachregression, in der →Regressionsanalyse der Fall, daß zur Erklärung der →endogenen Variablen nur *eine* →exogene Variable hergangezogen wird. – *Gegensatz:* →Mehrfachregression.

Einfallsklasse, in der Statistik Bezeichnung für die →Klasse, der ein Element einer →Gesamtheit nach Maßgabe seines Merkmalswertes zugehört.

Einfamilienhaus, →Grundstücksart i.S. des BewG. – 1. *Begriff:* Wohngrundstück, das nicht mehr als eine Wohnung enthält. Als Wohnung gilt dabei eine in sich abgeschlossene Zuammenfassung von Wohnräumen mit eigenem Zugang. Wohnungen des Hauspersonals sind nicht mitzurechnen. – Die Eigenschaft als E. geht nicht verloren, wenn ein Grundstück teilweise unmittelbar eigenen oder fremden *gewerblichen oder öffentlichen Zwecken* dient und dadurch die Eigenart des E. nicht wesentlich beeinträchtigt wird (§75V BewG); (anders: →gemischt-genutztes Grundstück). Eine weitere Wohnung (z.B. Einliegerwohnung, Notwohnung) steht der Grundstücksart E. entgegen (→Zweifamilienhaus). – 2. *Bewertung:* Grundsätzlich nach dem →Ertragswertverfahren (§§76I, 78ff. BewG), ausnahmsweise nach dem →Sachwertverfahren (§§76III, 83ff. BewG). Das Ergebnis der Bewertung wird in einem →Einheitswert festgestellt. – 3. E. werden zur →*Grundsteuer* differenziert herangezogen, denn die →Steuermeßzahl (und Steuerhöhe) variiert anteilig mit der Höhe des Einheitswerts (§15II GrStG). – 4. Erwerb eines E. bis zum 31.12.1982 bis zu 250000 DM von der →*Grunderwerbsteuer* befreit; die Befreiung wurde ab 1.1.1983 aufgehoben. – 5. *Einkommensteuer:* a) Bei *Fremdvermietung:* →Einkünfte aus Vermietung und Verpachtung. b) Bei *Selbstnutzung* oder *unentgeltlicher Überlassung:* Vgl. →Nutzungswert der Wohnung. – 6. *Sonstige Besteuerung:* E. werden für die →Vermögensteuer, →Erbschaftsteuer, →Nutzungswert der (selbstgenutzten) Wohnung im eigenen Haus (§21a EStG; letztmalig für den Veranlagungszeitraum 1986 anzuwenden), →Gewerbesteuer und Grunderwerbsteuer mit 140% ihres Einheitswertes berücksichtigt (§121 BewG); vgl. auch →Einheitswertzuschlag.

Einflußgröße, →Kostenbestimmungsfaktoren.

Einflußgrößenrechnung. 1. *Begriff:* Kostenrechnungssystem, das sich von der traditionellen Differenzierung von →Kostenartenrechnung, →Kostenstellenrechnung und →Kostenträgerrechnung löst und die gesamte Kosten- und Erlösentstehung und -zuordnung im Rahmen eines Betriebsmodells funktional abbildet. Zur *Bestimmung* der funktionalen Zusammenhänge werden statistische und analytische Verfahren eingesetzt. E. basieren auf komplexen mathematischen Modellen der Matrizenrechnung. – 2. *Anwendung/Bedeutung:* Ursprünglich für Teilbereiche der Stahlindustrie entwickelt, in denen auf den Kostenanfall gleichzeitig eine Vielzahl von Einflußgrößen einwirkt. Aufgrund der Komplexität, massiv erforderlichen Rechnerunterstützung, in vielen Unternehmen einfacheren Kostenabhängigkeitsstrukturen und radikalen Abkehr vom traditionellen Aufbau der Kostenrechnung haben E. in der Praxis kaum Anwendung gefunden.

Einfriedung, →Nachbarrecht.

Einfuhr, *Import.* I. Allgemein: 1. *Begriff:* Bezug von →Waren und →Dienstleistungen aus dem Ausland. – 2. *Arten:* a) *Direkte E. (unmittelbare E.):* E. der Selbstverbraucher, z.B. der weiterverarbeitenden Industrie, die (teils durch Vermittlung von Agenten) mit den ausländischen Lieferanten direkt abschließen. *Indirekte E. (mittelbare E.):* E. durch →Einfuhrhändler, die ihrerseits die nachgeordneten Handelsstufen und die weiterverarbeitenden Betriebe beliefern (→Einfuhrhandel). b) *Sichtbare E.:* Warenimporte, also Güter der Ernährungswirtschaft, Rohstoffe, Halb- u. Fertigwaren. *Unsichtbare E.:* E. von entgeltlichen Dienstleistungen, also z.B. Leistungen ausländischer Schiffe beim Transport →fob gekaufter oder →cif verkaufter Waren, Vermittlungsleistungen ausländischer Banken,

Dienstleistungen im Ausland für inländische Reisende usw.

II. Außenwirtschaftsgesetz: Verbringen von Waren aus →fremden Wirtschaftsgebieten in das →Wirtschaftsgebiet; als E. gilt auch das Verbringen aus einem →Zollausschluß oder →Zollverkehr in den freien Verkehr des Wirtschaftsgebiets, wenn die Sachen aus fremden Wirtschaftsgebieten in den Zollausschluß oder Zollverkehr verbracht worden waren (§ 4 AWG).

III. Zollrecht: Verbringen von Waren, d.h. von allen beweglichen Sachen, sowie die Lieferung von elektrischer Energie in das →Zollgebiet. Eingeführte Waren werden grundsätzlich →Zollgut und befinden sich im →Zollverkehr. Das Entstehen der Zollschuld ist nicht an den Zeitpunkt der E. geknüpft, sondern hängt von dem Übergang der Ware in den freien Verkehr ab, der sich je nach dem vom →Zollbeteiligten gewählten Zollverfahren ergibt. Das gleiche gilt für →Einfuhrumsatzsteuer und die anderen nach Steuergesetzen für eingeführte Waren zu erhebenden →Verbrauchsteuern, für die i.a. die Bestimmungen des Zollrechts sinngemäß anzuwenden sind. Unter bestimmten Voraussetzungen werden gewisse Waren bei der E. nicht Zollgut und gelangen ohne weiteres in den →freien Verkehr (E. als Freigut, § 6 AZO). – Vgl. auch →Abschöpfung.

IV. Umfang: Vgl. →Außenhandel.

Einfuhr ..., →Import ...

Einfuhrabfertigung, →Einfuhrverfahren I.

Einfuhranmeldung, statistischer Anmeldeschein im →Einfuhrverfahren. Zeitpunkt der Abgabe bestimmt sich nach den Bestimmungen über die →Außenhandelsstatistik. – *Gegensatz:* →Ausfuhranmeldung.

Einfuhrausschreibungen, Hinweise auf Einfuhrmöglichkeiten und -kriterien gem. § 12 II AWG durch die zuständigen Genehmigungsbehörden hinsichtlich Waren, deren Einfuhr genehmigungspflichtig ist (→Einfuhrliste) oder mengenmäßigen Beschränkungen unterliegt; wird im Bundesanzeiger veröffentlicht. Sobald das Einfuhrkontingent feststeht, kann die E. erfolgen, u.a. mit der Publikation von: Höhe des Kontingents, Verfahren der Kontingentverteilung (→Verteilungsverfahren), Antragshöchstgrenze, Voraussetzungen für die Antragsstellung, Antragsunterlagen, Art und Weise, mit der die Antragstellung erfolgen kann oder muß (→EG-DAT), Ausschreibungsfrist.

Einfuhrbeschränkung, *Einfuhrrestriktion, Importbeschränkung, Importrestriktion,* Beschränkung a) der Einfuhr i.a., b) der Einfuhr bestimmter Waren, c) der Einfuhr aus bestimmten Ländern. Nicht zur der eigentlichen E. rechnen allgemeine Maßnahmen zur Wiederherstellung des Gleichgewichts der →Zahlungsbilanz. – Vgl. auch →Handelshemmnisse →Einfuhrkontingentierung, →Einfuhrsteuer, →Einfuhrverbot, →Einfuhrzoll.

Einführer, Begriff des Außenwirtschaftsrechts. E. ist, wer Waren in das →Wirtschaftsgebiet verbringt oder verbringen läßt. Liegt der Einfuhr ein →Einfuhrvertrag zugrunde, so ist nur der →Gebietsansässige E. Wer lediglich als →Spediteur oder →Frachtführer oder in einer ähnlichen Stellung mit dem Verbringen der Ware tätig wird, ist nicht E. (§ 23 AWV). – Vgl. auch →Einfuhrhändler.

Einfuhrerklärung, im →Einfuhrverfahren bei genehmigungsfreier Einfuhr für Waren, die einer gemeinschaftlichen oder nationalen Überwachung unterstellt sind, nach dem Vordruck E 1 zur AWV vor der Einfuhr dem Bundesamt für Ernährung und Forstwirtschaft bzw. Bundesamt für Wirtschaft abzugebende Erklärung (§ 28a AWV). Das Bundesamt setzt die Einfuhrfrist fest und gibt die abgestempelte E. dem Antragsteller zurück, der sie bei der Einfuhrabfertigung der entsprechenden Waren der Zollstelle vorlegt. Das Verfahren soll es ermöglichen, ungewöhnliche Einfuhrentwicklungen im Bereich der genehmigungsfreien Einfuhr festzustellen. Die betreffenden Waren sind in Spalte 5 der →Einfuhrliste mit dem Zeichen „EEG" (Überwachung von EG angeordnet) oder „EE" (nationale Einfuhrüberwachung) versehen.

Einfuhrfinanzierung, *Importfinanzierung,* Beschaffung von Fremdkapital (→Fremdfinanzierung) zur Abwicklung von Importgeschäften. – *Wichtige Formen:* →Akkreditiv; Rembourskredit (→Remboursgeschäft).

Einfuhrgenehmigung, nach Außenwirtschaftsrecht erforderliche Genehmigung für die Einfuhr von Waren, die in Spalte 4 der →Einfuhrliste als genehmigungsbedürftig gekennzeichnet sind. – *Antragstellung:* Die E. wird auf einem Vordruck nach Anlage E 3 der AWV beantragt. Antragsberechtigt ist nur der Einführer (§ 30 AWV). – Die Genehmigungsstellen können von der E 3-Regelung abweichen, indem sie in bestimmten Fällen über Datenfernübertragung E. erteilen (Vordrucke Anlage E 3a und E 5); vgl. →EG-Dat. – *Zuständigkeit:* Für die Erteilung der E. ist für gewerbliche Waren das →Bundesamt für Wirtschaft und für landwirtschaftliche Erzeugnisse das →Bundesamt für Ernährung und Forstwirtschaft sowie die →Bundesanstalt für landwirtschaftliche Marktordnung zuständig.

Einfuhrhandel, *Importhandel,* von spezialisierten Handelsunternehmen betriebene Einfuhr von im Ausland erworbenen Waren zum Zweck des Weiterverkaufs an inländische

Fabrikanten und Händler. E. bildet eine Stufe der →Handelskette. Als Branchenbezeichnung gebräuchlich, z. B. in der Statistik. – *Gegensatz:* →Ausfuhrhandel.

Einfuhrhändler, *Importeur,* betreibt →Einfuhrhandel. Der E. hat ähnliche Funktionen wie der Binnengroßhändler, trägt jedoch zusätzliche Risiken, z. B. für Valutaveränderungen, langdauernde (Schiffs-)Transporte, politische Umstürze. Im Gegensatz zu den →Ausfuhrhändlern sind E. überwiegend nach Waren, nur selten nach Ländern spezialisiert. – *Anders:* →Einführer.

Einfuhrkontingent, →Einfuhrkontingentierung.

Einfuhrkontingentierung, Maßnahmen zum Zwecke der →Einfuhrbeschränkung. – 1. *Arten:* Die Einfuhr bestimmter Waren wird für einen festen Zeitraum auf eine Höchstmenge *(Mengenkontingent)* oder auf einen Höchstwert (Wertkontingent) beschränkt. Die Höhe der Kontingente wird entweder in Handelsverträgen mit den einzelnen Partnerländern vereinbart *(Länderkontingente)* oder für alle Länder zusammen festgesetzt *(Globalkontingent)*. – 2. *Wirkungen:* Die E. bedeutet im Gegensatz zu den →Zöllen einen systemfremden Eingriff in den marktwirtschaftlichen Ablauf, da sie den Wettbewerb zwischen inländischen und ausländischen Produzenten ausschließt. Während eine Zollmauer durch Kostensenkung im Ausland „übersprungen" werden kann, bleibt beim Mengenkontingent die Einfuhrmenge (beim Wertkontingent die auszugebende Devisenmenge) stets gleich, gleichgütlig ob die inländische Produktion teurer und die ausländische Produktion billiger geworden ist oder nicht. Die Preisbildung auf dem Inlandsmarkt wird beim Mengenkontingent vollständig, beim Wertkontingent weitgehend unabhängig vom Weltmarktpreis . – 3. Von verschiedenen Organisationen, v. a. GATT, wird die *Beseitigung* des Systems der E. durch zunehmende Liberalisierung der Einfuhr angestrebt. – Vgl. auch →Kontingentierung.

Einfuhrkontrollmeldung, mit der →Einfuhrerklärung bei Beantragung der Einfuhrabfertigung bestimmter Waren vorzulegen, v. a. für lizenfreie Marktordnungswaren und für Einfuhren aus Staatshandelsländern (§ 27 a AWV). – Vgl. auch →Einfuhrverfahren.

Einfuhrliste, Anlage zum AWG, aus der entnommen werden kann, ob die Einfuhr einer Ware genehmigungsfrei oder -bedürftig ist. Die Genehmigungsfreiheit oder -bedürftigkeit ergibt sich aus der Warenliste in Verbindung mit den Länderlisten A/B und C und den Anwendungsvorschriften zur E. *Hauptabschnitte:* Anwendung der E. (I.), Länderliste A/B und C (→Länderlisten) (II.) und Warenliste mit ca. 9000 Einzelpositionen (III.). – *Veröffentlicht* im BAnz Nr. 245 vom 31. 12. 1983.

Einfuhrlizenz, *Importlizenz,* nach EG-Recht zur Gewährleistung einer ordnungsgemäßen Verwaltung der gemeinsamen Marktorganisation für Marktordnungswaren erforderlich, die auch Drittländern unmittelbar oder – ohne dort in den freien Verkehr zu treten – über andere Mitgliedstaaten in den zollrechtlich freien Verkehr des Wirtschaftsgebietes verbracht werden. (Erteilung hängt von der Stellung einer Kaution ab, die nach stattgefundener Einfuhr zrückgezahlt wird). E. berechtigen und verpflichten zugleich den Inhaber zur Einfuhr innerhalb der Gültigkeitsdauer der E. Bei nicht durchgeführter Einfuhr – außer in Fällen höherer Gewalt – verfällt die Kaution. – *Ziele:* Marktbeobachtung; erforderlichenfalls Ermöglichung der Anwendung von Schutzmaßnahmen gegenüber Drittländern. – *Zuständigkeit:* Zur Erteilung von E. in der Bundesrep. D. zuständig das →Bundesamt für Ernährung und Forstwirtschaft, →Bundesamt für Wirtschaft und →Bundesanstalt für landwirtschaftliche Marktordnung. – Vgl. auch →Lizenz.

Einfuhrquote, →Verteilungsverfahren.

Einfuhrrestriktion, →Einfuhrbeschränkung.

Einfuhrsendung, Warenmenge, die an demselben Tag von demselben Lieferer an denselben →Einführer abgesandt worden ist und von derselben →Zollstelle abgefertigt wird (§ 23 AWV).

Einfuhrsteuer, Steuer, die aus Gründen des Schutzes heimischer Industrien oder zum Zwecke der Verbesserung der Zahlungsbilanzsituation bei der →Einfuhr erhoben wird. Die E. wird angewandt, wenn andere Maßnahmen der →Einfuhrbeschränkung, wie z. B. Zölle, Einfuhrkontingentierung oder Devisenbewirtschaftung nicht möglich sind, weil z. B. internationale Abkommen entgegenstehen. – *Ähnlich:* →Einfuhrzoll.

Einfuhrüberschuß, *Importüberschuß,* Überschuß des Wertes der Wareneinfuhr über den Wert der Warenausfuhr (= passive →Handelsbilanz) bzw. Überschuß der Ausgaben für den Import von Gütern und Leistungen sowie für unentgeltliche Leistungen an das Ausland über die Einnahmen aus Exporten von Waren und Dienstleistungen sowie aus unentgeltlichen Leistungen des Auslandes (= passive →Leistungsbilanz). – Vgl. auch →Zahlungsbilanz, →Außenbeitrag, →Ausfuhrüberschuß.

Einfuhrumsatzsteuer, →Verbrauchsteuer auf die →Einfuhr von Gegenständen in das →Zollgebiet; wird seit dem 1. 1. 1968 als Sonderform der →Umsatzsteuer erhoben. – 1. *Rechtsgrundlagen:* a) Einfuhrumsatzsteuer-Befreiungsverordnung (EUStBV) vom

5.6.1984 (BGBl I 747, 750), geändert durch Verordnung vom 21.11.1985 (BGBl I 2116); einzelne Vorschriften des UStG. b) Sinngemäß gelten die Vorschriften für Zölle mit einigen Ausnahmen für die E. – 2. *Steuergegenstand:* Verbringen von Waren in das Zollgebiet (§1 I Nr. 4 UStG). – 3. *Steuerbefreiungen:* Steuerfrei sind a) die Einfuhr von Wasserfahrzeugen für die gewerbliche Seeschiffahrt, von Wertpapieren, gesetzlichen Zahlungsmitteln, amtlichen Wertzeichen usw. und von Blutkonserven (§5 UStG); b) die Einfuhr unentgeltlich gelieferter und nicht zum Verkauf bestimmter Bücher, Druckschriften usw., von Aktien, Urkunden u.ä. (EUStBV, ggf. nur steuerermäßigt); c) die Einfuhr von Gegenständen im Rahmen des zollfreien →Reiseverkehrs. – 4. *Steuerberechnung:* a) *Bemessungsgrundlage:* →Zollwert des eingeführten Gegenstandes bzw. das →Entgelt, wenn kein Wertzoll erhoben wird, oder bei bestimmten Datenträgern; zuzüglich →Zoll und Beförderungskosten für die inländische Beförderungsstrecke, soweit letztere nicht im Zollwert oder Entgelt enthalten sind (§11 UStG). b) *Steuersätze:* Analog den Steuersätzen der USt für Inlandslieferungen (§12 UStG); vgl. →Umsatzsteuer IV. – 5. *Vorsteuerabzug:* Die entrichtete E. für Gegenstände, die für das Unternehmen eines →Unternehmers i.S.d. UStG in das →Erhebungsgebiet eingeführt worden sind, ist abzugsfähig (§15 I Nr. 2 UStG). Die Regeln zum →Vorsteuerabzug gelten für die E. analog. – 6. *Steuerschuldner* ist grundsätzlich, wer den Antrag auf Abfertigung zum freien Verkehr stellt und damit Zollbeteiligter ist. Die E. *entsteht* i.d.R. mit der Antragstellung. Zu Einzelheiten vgl. Vorschriften des →Zollrechts. – 7. *Aufkommen:* Vgl. →Umsatzsteuer IX.

Einfuhr- und Vorratsstellen (EVSt), Einrichtung zum Zwecke der Stabilisierung von Inlandspreisen wichtiger landwirtschaftlicher Güter und zur Bevorratung wichtiger Grundnahrungsmittel für Krisenzeiten. EVSt sind jetzt in der →Bundesanstalt für landwirtschaftliche Marktordnung in einer Anstalt des öffentlichen Rechts zusammengefaßt. – Vgl. auch →Marktordnungsstellen.

Einführungsgesetz zum Bürgerlichen Gesetzbuch (EGBGB), gleichzeitig mit dem →Bürgerlichen Gesetzbuch erlassenes Gesetz. – *Inhalt:* Vorschriften über das →internationale Privatrecht, das Verhältnis des BGB zum →Landesrecht sowie einige weitere ergänzende Bestimmungen.

Einführungsphase, →Lebenszyklus.

Einführungswerbung, Werbung zwecks Einführung eines neuartigen Produkts, einer neuen →Marke oder einer neuen Dienstleistung. – *Zweck:* Die E. muß die Bedarfsträger von der Vorteilhaftigkeit des neuen Angebots überzeugen bzw. auf Bedürfnisse aufmerksam machen und diese so intensivieren, daß daraus Bedarf, d.h. effektive Nachfrage, wird. – Häufig mündet E. in →Expansionswerbung. – Vgl. auch →Erhaltungswerbung, →Erinnerungswerbung.

Einfuhrverbot, *Importverbot.* Maßnahme zum Schutz der inländischen Industrie oder zum Zweck der Verbesserung der →Zahlungsbilanz, gleichbedeutend mit prohibitivem Zoll. Nur noch vereinzelt E. und dann meistens nicht aus wirtschaftlichen Gründen, sondern aus Gründen der Sicherheit (Waffen), der Gesundheit (gegen veterinärpolizeiliche Vorschriften verstoßende Einfuhren), ferner E. für Rauschgifte, pornographische Schriften u.ä. – Zur *volkswirtschaftlichen Wirkung* vgl. →Zoll, →Einfuhrbeschränkung, →Handelshemmnisse.

Einfuhrverfahren, Verfahren zur Durchführung der →Einfuhr. Nach dem Außenwirtschaftsrecht ist zu unterscheiden zwischen genehmigungsfreier und -bedürftiger Einfuhr; dies geht aus der →Einfuhrliste in Verbindung mit darin enthaltenen →Länderlisten A/B und C hervor.

I. Genehmigungsfreie Einfuhr: 1. Einfuhr von Waren *durch Gebietsansässige* nach Maßgabe der Einfuhrliste ohne Genehmigung zulässig (§10 I AWG). Vor der Einfuhr sind Einfuhrerklärungen nur noch in wenigen Fällen abzugeben, z.B. bei Bezügen von Waren aus Staatshandelsländern (§28a AWV). Bei Vorliegen eines Schutzbedürfnisses für die inländische Wirtschaft können durch Rechtsverordnungen →Einfuhrbeschränkungen erlassen werden. Eine Vereinbarung mit einem ausländischen Verkäufer oder die Inanspruchnahme einer Lieferfrist bei einem Kauf bedarf bei der genehmigungsfreien Einfuhr nur dann einer Genehmigung (durch das Bundesamt für Ernährung und Forstwirtschaft oder für gewerbliche Wirtschaft), wenn die handelsübliche Lieferfrist oder eine Lieferfrist von mehr als 24 Monaten überschritten wird, sowie in Fällen, in denen dies aus der →Einfuhrliste hervorgeht (§22 AWV). – 2. *Einfuhrabfertigung:* a) Der Einführer hat die Einfuhrabfertigung bei einer →Zollstelle *zu beantragen* (§27 AWV). Hierbei sind vorzulegen: (1) Rechnung oder sonstige Unterlagen, aus denen das Einkaufs- oder Versendungsland und das Ursprungsland der Waren ersichtlich sind; (2) ein Ursprungszeugnis, wenn die Waren in Spalte 5 der Einfuhrliste mit „U“ oder mit „UE“ gekenzeichnet sind, oder Ägypten, Hongkong, Singapur oder Thailand Ursprungsland ist; (3) in den in §27a AWV genannten Fällen eine →Einfuhrkontrollmeldung; (4) eine →Einfuhrlizenz bei bestimmten Marktordnungswaren und bei Selbstbeschränkungsabkommen gem. §6a AWV. – b) Der *Antrag* auf

Einfuhrabfertigung ist zu stellen: Gleichzeitig mit dem Zollantrag auf Abfertigung zum freien Verkehr, zu einem Freigutverkehr oder zur Zollgutverwendung, bei Sammelzollanmeldung oder Zollbehandlung ohne Abfertigung mit der Abgabe der Sammelzollanmeldung oder Zollanmeldung, bei Waren, die zur vorübergehenden Zollgutverwendung eingeführt worden sind, sobald diese als in den freien Verkehr entnommen gelten. Bei der Einfuhr von elektrischem Strom, Wasser und Gas in Leitungen entfällt die Einfuhrabfertigung. – c) Die *Zollstelle* prüft die Zulässigkeit der Einfuhr; sie lehnt die Einfuhrabfertigung ab, wenn eine für die Einfuhr erforderliche Genehmigung oder eine – nach EG-Recht für Marktordnungswaren bzw. bei Selbstbeschränkungsabkommen gem. § 6a AWV vorgeschriebene – Einfuhrlizenz nicht vorgelegt wird. – d) Die Einfuhrabfertigung darf nur bis zwei Monate nach Ablauf der nach § 22 AWV zulässigen oder bewilligten *Lieferfrist* vorgenommen werden. – e) Für die Einfuhrabfertigung gelten im übrigen die *Zollvorschriften* über die Erfassung des Warenverkehrs und die Zollbehandlung sinngemäß.

II. Genehmigungsbedürftige Einfuhr: Für die Einfuhrabfertigung gilt das für die genehmigungsfreie Einfuhr maßgebende Verfahren; der Zollstelle ist die →Einfuhrgenehmigung (§§ 30 und 31 AWV) zusätzlich vorzulegen.

III. Vereinfachte Einfuhr: 1. § 32 AWV enthält einen *Katalog von Waren,* die von *Gebietsansässigen* ohne Einfuhrgenehmigung eingeführt werden dürfen (DM-Beträge je Ausfuhrsendung = Höchstwertgrenze): (1) Waren des Buchhandels und Erzeugnisse des graphischen Gewerbes sowie Mikrofilme (1000 DM), wenn Einkaufs-, Ursprungs- und Versendungsland in der Länderliste A/B genannt sind; (2) Filme und dazugehörige Tonträger; (3) Waren der gewerblichen Wirtschaft (1000 DM); (4) Waren der Ernährung und Landwirtschaft (250 DM) ausgenommen Saatgut sowie Einfuhren aus Zollfreigebieten oder einem Zollverkehr und die genehmigunsbedürftige Einfuhr von Waren, die zum Handel oder zu einer anderen gewerblichen Verwendung bestimmt sind; (5) Muster und Proben für einschlägige Handelsunternehmen oder Verarbeitungsbetriebe (Waren der gewerblichen Wirtschaft bis zu 500 DM, Erzeugnisse der Ernährung und Landwirtschaft – nicht Saatgut – bis zu 100 DM); (5) Geschenke (500 DM); (7) Briefmarken und Ganzsachen sowie die dazugehörenden Alben; (8) Drucksachen im Sinne der postalischen Vorschriften; (9) Kunstgegenstände, die von Gebietsansässigen während eines vorübergehenden Aufenthaltes in fremden Wirtschaftsgebieten geschaffen worden sind; (10) Kunstgegenstände, Sammlungsstücke und Antiquitäten, die nicht zum Handel bestimmt sind; (11) Akten, Geschäftspapiere, Urkunden, Korrekturbogen, andere Schriftstücke sowie Manuskripte, die nicht als Handelsware eingeführt werden; (12) Fernsehbandaufzeichnungen; (13) Teile zur Ausbesserung von in fremden Wirtschaftsgebieten zugelassenen Kraftfahrzeugen, die während der vorübergehenden Verwendung im Wirtschaftsgebiet reparaturbedürftig geworden sind; (14) Luftfahrzeuge und Luftfahrzeugteile, die zur Wartung oder Ausbesserung im Wirtschaftsgebiet oder nach Wartung oder Ausbesserung in fremden Wirtschaftsgebieten im Rahmen von Wartungsverträgen eingeführt werden; (15) Luftfahrzeuge, die vorübergehend für Vorführzwecke ausgeführt worden sind; (16) Umschließungen und Verpackungsmittel, Behälter (Container) und sonstige Großraumbehältnisse, die wie diese verwendet werden, Paletten, Druckbehälter für verdichtete oder flüssige Gase, Kabeltrommeln und Kettenbäume, soweit diese nicht Gegenstand eines Handelsgeschäftes sind, sowie zum Frischhalten beigepacktes Eis. – 2. *Gebietsfremde* dürfen Waren der gewerblichen Wirtschaft genehmigungsfrei einführen, wenn diese Gegenstand eines besonderen Zollverkehrs sind und/oder nachweislich auf Messen oder Ausstellungen veräußert werden sollen, soweit die Einfuhr durch Gebietsansässige genehmigungsfrei zulässig ist. – 3. *Verfahren:* Für Waren, die im erleichterten Verfahren eingeführt werden, ist keine Einfuhrerklärung, Einfuhrgenehmigung, kein Ursprungszeugnis und keine Einfuhrkontrollmeldung erforderlich. Die Waren sind bei einer Zollstelle zu bestellen oder anzumelden. Die Zollstelle entscheidet, ob der Tatbestand des § 32 I AWV (genehmigungsfreie Einfuhr) bzw. des § 32 AWV (erleichtertes Verfahren) vorliegt.

Einfuhrvertrag, Begriff des Außenwirtschaftsrechts für den Vertrag eines →Gebietsansässigen mit einem →Gebietsfremden über den Erwerb von Waren zum Zwecke der Einfuhr. Für den Abschluß von E. bestehen grundsätzlich keine Beschränkungen. Bei der genehmigungsfreien Einfuhr (→Einfuhrverfahren I) bedarf jedoch die Vereinbarung einer Lieferfrist der Genehmigung, wenn a) die für den Bezug der Ware aus dem betreffenden Einkaufsland handelsübliche Lieferfrist, b) eine Lieferfrist von mehr als 24 Monaten nach Vertragsschluß oder c) eine Lieferfrist, die in der →Einfuhrliste für den Bezug einzelner Waren vorgesehen ist, überschritten wird (§ 22 AWV).

Einfuhrvolumen, Wert der in einer Periode eingeführten Waren und Dienstleistungen, ausgewiesen auf der Passivseite der →Leistungsbilanz. – E. im Sinne der *amtlichen Außenhandelsstatistik* ist der Wert der Einfuhr, gemesssen in Preisen eines bestimmten Vergleichsjahres (derzeit 1980). – *Gegensatz:* →Ausfuhrvolumen.

Einfuhrzertifikat, →internationale Einfuhrbescheinigung.

Einfuhrzoll, der auf eingeführte Waren (→Einfuhr) aufgrund von zollrechtlichen und -tariflichen Vorschriften zu erhebende →Zoll. Der →Gemeinsame Zolltarif der EG (GZT) enthält nur E. – Vgl. auch →Ausfuhrzoll, →Durchfuhrzoll.

Eingabe, →Petition, →Dienstaufsichtsbeschwerde.

Eingabegerät, technisches Gerät, das als eine Eingabeeinheit eines →Computers dienen kann, d.h. durch das →Daten in diesen von außen eingegeben werden können, u.a. →Abtastgerät, →Bildschirmgerät, →Belegleser, →Graphiktablett, →Scanner, →Lesestift und →Lichtgriffel.

Eingangsabgaben, Sammelbegriff für alle bei der →Einfuhr von Waren in das Zollgebiet zu entrichtenden →Abgaben. E. sind der →Zoll einschl. →Abschöpfung, →Einfuhrumsatzsteuer und andere für eingeführte Waren zu erhebende →Verbrauchsteuern (§1 III ZG).

Eingangsdurchschnittspreis, ein →Durchschnittspreis von Rohstoffen und Materialien, der wie der →Buchbestandspreis, jedoch ohne Berücksichtigung des Anfangsbestandes des Rechnungszeitraums, also nur aus den jeweiligen Zugängen, errechnet wird. Die Bewertung nach dem E. hat für die Kostenrechnung den Vorteil, daß sie zu Werten führt, die den gegenwartsnahen Preisverhältnissen besser angepaßt sind.

Eingangskontrolle, →Wareneingangskontrolle.

Eingangslager, →Beschaffungslager.

Eingangsstempel, →Bearbeitungsstempel.

Eingangsvermerk. I. Betriebsorganisation: Dokumentation eingehender Sendungen, insbes. Postsendungen. Vollzogen durch →Bearbeitungsstempel.

II. Grundbuch: Rechtlich wichtig, weil beim →Grundbuchamt dadurch der Zeitpunkt des Antragseingangs festgehalten wird, nach dem sich die Reihenfolge der Erledigung und damit der →Rang richtet, den das einzutragende Recht erhält. Die Anträge sind vom Grundbuchbeamten mit dem E. zu versehen (§13 GBO).

Eingang vorbehalten, Klausel bei Gutschriftsanzeigen von zum →Inkasso übergebenen Wechseln und Schecks, wonach die Gültigkeit der Gutschrift entsprechend Nr. 41 AGB der Banken von dem Eingang des Inkassobetrages abhängig gemacht wird.

eingebrachte Sachen des Arbeitnehmers, →Fürsorgepflicht 1 c).

eingebrachtes Gut, →eheliches Güterrecht.

Eingemeindung, Erweiterung des Gemeindegebiets durch Eingliederung benachbarter Gebiete. Die zwischen den beteiligten Gemeinden abgeschlossenen Vereinbarungen (Eingemeindungsverträge) bedürfen i.d.R. der Bestätigung durch die Gemeindeaufsichtsbehörde.

eingetragene Genossenschaft (eG), →Genossenschaft II 2.

eingetragener Verein (e.V.), im →Vereinsregister eingetragener Verein (§§21 ff. BGB). Der e.V. ist →juristische Person und hat →Rechtsfähigkeit. Er muß einen →Vorstand haben; er kann unter seinem Namen klagen und verklagt werden. Den Gläubigern haftet nur das Vereinsvermögen.

eingetragenes Zeichen, →Zeichenrolle, →Warenzeichenrecht II 3.

Eingleichungsmodell, →Ökonometrie II 1.

Eingliederung, nach §§319–327 AktG unter bestimmten Voraussetzungen vorgesehene zeitweilige Verbindung von Konzernunternehmen in der Rechtsform der AG. Mit der E. übernimmt die Obergesellschaft die Leitung und (bis fünf Jahre nach der Ausgliederung) die gesamtschuldnerische Haftung für die Verbindlichkeiten der eingegliederten Gesellschaft.

Eingliederungshilfe, Leistung der →Bundesanstalt für Arbeit an Arbeitgeber, die bereit und voraussichtlich in der Lage sind, einem Arbeitssuchenden, dessen Unterbringung in Arbeit erschwert ist, einen seiner Leistungsfähigkeit angemessenen Dauerarbeitsplatz zu bieten. Gewährung i.d.R. für ein Jahr, in Ausnahmefällen bis zu zwei Jahren als Zuschuß oder Darlehen. Die E. soll i.d.R. 50% des maßgeblichen tariflichen oder ortsüblichen Entgelts betragen und darf 70% nicht übersteigen.

Eingliederungshilfe für Behinderte, Maßnahme der Sozialhilfe für Personen, die nicht nur vorübergehend körperlich, geistig oder seelisch wesentlich behindert sind (§39 BSHG), um eine drohende Behinderung zu verhüten oder eine vorhandene Behinderung oder deren Folgen zu beseitigen oder zu mildern und den Behinderten in die Gesellschaft einzugliedern (§39 III BSHG). – Außer *Maßnahmen* zur medizinischen und beruflichen Rehabilitation (§40 I BSHG) soll Behinderten nach Möglichkeit Gelegenheit zur Ausübung einer der Behinderung entsprechenden Beschäftigung, insbes. in einer Werkstatt für Behinderte, gegeben werden (§40 II BSHG). In besonderen Fällen →Anstaltspflege. – Die Träger der Sozialhilfe haben *vorläufig* die notwendigen Maßnahmen durchzuführen, wenn die Leistungspflicht eines anderen Trägers noch nicht feststeht. Neben Maßnahmen zur →Rehabilitation durch die →Rentenversicherung, →Unfallversicherung, →Bundesanstalt für Arbeit, Kriegsopferversorgung und →Kriegsopferfürsorge ist der Sozialhilfeträger *nur subsidiär* leistungspflichtig.

Eingruppierung. 1. *Begriff* des Arbeitsrechts: Einreihung des Arbeitnehmers in eine bestimmte Vergütungsgruppe. Soweit Lohn- und Gehaltsgruppen nach der Art der ausgeübten Tätigkeit gebildet werden, beschreiben die Tarifvertragsparteien in Tarifverträgen auch die Tätigkeitsmerkmale, die für die E. des Arbeitnehmers maßgeblich sind (→Tarifvertrag I). Erfüllt die von einem Arbeitnehmer erbrachte Arbeitsleistung die Tätigkeitsmerkmale einer bestimmten Lohn- oder Gehaltsgruppe, so hat der Arbeitnehmer Anspruch auf Vergütung nach dieser Gruppe. – 2. In Betrieben mit mehr als 20 wahlberechtigten Arbeitnehmern hat der Betriebsrat bei E. ein *Mitbestimmungsrecht* gem. §§ 99–101 BetrVG. Die E. des Arbeitnehmers durch den →Arbeitgeber ist aber Rechtanwendung und kein Akt rechtlicher Gestaltung; das Mitbestimmungsrecht ist deshalb nach der Rechtsprechung kein Mitgestaltungs-, sondern nur ein Mitbeurteilungsrecht, das der Richtigkeitskontrolle dient. Der Betriebsrat kann im Mitbestimmungssicherungsverfahren nach § 101 BetrVG (→Beschlußverfahren) nicht die Aufhebung der E., sondern die nachträgliche Einholung seiner Zustimmung (§ 99 I BetrVG) und bei Verweigerung die Durchführung des arbeitsgerichtlichen Zustimmungsersetzungsverfahrens (§ 99 IV BetrVG) verlangen. – 3. Das Zustimmungsverweigerungsrecht des Betriebsrats aus den in § 99 II BetrVG im einzelnen aufgeführten Gründen ändert aber nichts an dem bestehenden *Anspruch des Arbeitnehmers auf die richtige Entlohnung*. Diese kann der Arbeitnehmer unabhängig von dem Verfahren nach §§ 99–101 BetrVG im Urteilsverfahren vor den Arbeitsgerichten einklagen.

Einheit. 1. *Organisationslehre:* Vgl. →organisatorische Einheit. – 2. *Statistik:* Vgl. →Erhebungseinheit.

Einheitensystem, System mit wenigen Basiseinheiten, aus denen die übrigen Einheiten systematisch abgeleitet werden können. Eine Festlegung besonderer Einheiten für jede →physikalische Größe ist unnötig. Heute wird das →Internationale Einheitensystem zur allgemeinen Verwendung empfohlen.

Einheitliche Europäische Akte, Vertragswerk zur Änderung der Verträge zur Gründung der →EG (EGKS, EWG, EURATOM), unterzeichnet von den Außenministern der Mitgliedstaaten am 17.2.1986 in Luxemburg einschl. der Schlußakte vom 28.2.1986. Am 1.7.1987 in Kraft getreten. Die E.E.A. beruht auf der →Feierlichen Deklaration zur →Europäischen Union von 1983, die die vereinbarten Verfahren und Praktiken des europäischen Einigungsprozesses enthält, die sich zwischen den Mitgliedstaaten herausgebildet haben. Ziel des neuen Vertragswerks ist die Umwandlung der EG in eine *Europäische Union.* – *Wesentliche Bestimmungen:* (1) Stärkung der Funktionen des Europäischen Parlaments, das an allen supranationalen Maßnahmen zu beteiligen ist und Entscheidungen der EG-Kommission und des EG-Ministerrats ablehnen kann mit der Folge, daß ablehnende Beschlüsse des Europäischen Parlaments nur durch eine nochmalige einstimmige Entschließung des Ministerrats überstimmt werden können. Beschlüsse von EG-Organen werden i.d.R. mit qualifizierter Mehrheit gefaßt. (2) Bestimmungen über die Grundlagen und Politik der Gemeinschaft (Binnenmarkt, währungspolitische Befugnisse, Sozialpolitik, wirtschaftlicher und sozialer Zusammenhalt, Forschung und technologische Entwicklung, Umwelt). (3) Bestimmungen über die europäische Zuammenarbeit in der Außenpolitik, die gegenwärtig auf inoffizieller Basis im Rahmen der →EPZ harmonisiert wird. Oberstes Organ auf dem Gebiet der Außenpolitik ist der *Europäische Rat,* der sich aus den Staats- und Regierungschefs der Mitgliedstaaten sowie dem Präsidenten der EG-Kommission zusammensetzt und mindestens zweimal jährlich zusammentritt. – Die *Schlußakte* zur E.E.A. enthält wichtige Erklärungen zu ausgewählten Artikeln der einzelnen EG-Verträge sowie einzelner Mitgliedstaaten zu wichtigen Teilen und Zielsetzungen der EG-Vertragswerke.

einheitliche Gewinnfeststellung, →Gewinnfeststellung.

einheitlicher Gewerbesteuermeßbetrag, Berechnungsgrundlage für die →Gewerbesteuer. Der e.G. setzt sich zusammen aus dem Steuermeßbetrag vom →Gewerbeertrag und dem Steuermeßbetrag vom →Gewerbekapital. Durch Anwendung eines →Hebesatzes auf den e.G. wird die →Gewerbesteuer berechnet (§§ 11, 13, 14, 16 GewStG). – *Beispiel:* Steuermeßbetag nach dem Gewerbeertrag 400 DM + Steuermeßbetrag nach dem Gewerbekapital 40 DM = e.G. 440 DM; Hebesatz 300%; Gewerbesteuer 1320 DM.

einheitliches Gesetz über den internationalen Kauf beweglicher Sachen, →ECE-Lieferbedingungen.

Einheitliches Güterverzeichnis für die Verkehrsstatistik der EG, *Nomenclature uniforme de marchandises pour les statistiques de transport (NST),* gehört zu den →Internationalen Waren- und Güterverzeichnissen. Die NST aus dem Jahre 1968 dient als Grundlage für die Gliederung der gemeinschaftlichen Güterverkehrsstatistiken. Gliederung nach 10 Kapiteln, 52 Gruppen und 175 Positionen. Sie ist mit dem „Güterverzeichnis für die Verkehrsstatistik in der Bundespublik Deutschland" abgestimmt, ferner mit dem →Internationalen Güterverzeichnis für die Verkehrsstatistik in Europa und dem Internationalen Warenverzeichnis für den Außenhandel (→Standard International Trade Classification). – *Aufbau:* Das NST ist in drei Ebenen (Dreisteller) gegliedert und umfaßt auf der untersten Ebene ca. 180 Positionen. Die geplante Revision der NST soll in engem Zusammenhang mit dem in Arbeit befindlichen →Integrierten System von Wirtschaftszweig- und Gütersystematiken erfolgen.

Einheits-ABC-Regeln, →ABC-Regeln.

Einheitsbewertung, →Einheitswert.

Einheitsbilanz, angestrebtes Ziel der Vereinheitlichung von →Handelsbilanz und →Steuerbilanz. Bis heute mit Ausnahme der →DM-Eröffnungsbilanz zum 21.6.1948 (die darin eingestellten Werte sind auch für die Steuern vom Einkommen und Ertrag zugrunde gelegt worden) nicht ereicht, da v.a. handels- und steuerrechtliche Bewertungsvorschriften z. T. zwingend verschiedene Bilanzierung vorschreiben (z.B. hinsichtlich des →Teilwertes); vgl. →Maßgeblichkeitsprinzip. Abweichungen zwischen Handels- und Steuerbilanz ohne zwingenden Grund sind, um dem Ziel wenigstens näher zu kommen, möglichst zu vermeiden.

Einheitsbudget, Zusammenstellung sämtlicher veranschlagter Einnahmen und Ausgaben einer Gebietskörperschaft in einem einzigen →Haushaltsplan zur Erhöhung der Übersichtlichkeit der Haushaltsgebarung. Das E. ist Ausdruck des Haushaltsgrundsatzes der Einheit (→Haushaltsgrundsätze 3). – Als *Verstoß* gegen dieses Prinzip ist die Aufstellung eines (früher üblichen) →außerordentlichen Haushalts neben dem →ordentlichen Kapitalbudget anzusehen.

Einheitsgebührentarif (EGT), Tarif, der die Entgelte für die Rollfuhr von Stückgut, Wagenladungen und Expreßgut enthält. – *EGT gilt* a) für An- und Abfuhr im bahnamtlichen Rollfuhrdienst, b) für Zustellung und Abholung von Stückgütern und Teilen von Ladungen bis zu 2,5t durch Unternehmer des gewerblichen Güterfernverkehrs. – Die *Rollgebühren* des EGT sind preisrechtlich als Höchstpreise gebunden, die bei witterungsbedingten Erschwernissen (Schnee und Eis) zeitweise erhöht werden dürfen (Winterzuschläge). – Der EGT ist in *Ortsklassen* eingeteilt; die für einen Ort geltende Ortsklasse ist durch Aushang in der betreffenden Güterabfertigung bekanntgemacht.

Einheitsgründung, *Simultangründung, Übernahmegründung,* Form der →Gründung einer AG, bei der die Gründer das gesamte Grundkapital (Aktien) übernehmen.

Einheitskosten, →Stückkosten.

Einheitskurs, →Kurs 2a) (1).

Einheitsmarkt, an den deutschen Wertpapierbörsen der Markt derjenigen Wertpapiere, für die nur ein →Einheitskurs festgestellt wird. – *Gegensatz:* →variabler Markt.

Einheitsmietvertrag, *Deutscher Einheitsmietvertrag (DEMV),* Vertragsmuster eines einheitlichen Mietvertrags, das am 4.3.1934 aufgrund von Verhandlungen zwischen den Spitzenverbänden der Hausbesitzer und Mieter, unter Mitwirkung des Reichsjustizministers, entstanden ist. – Vgl. auch →Mustermietvertrag.

Einheitspreis, Begriff der staatlichen Preislenkung oder -regelung für einen →Kostenpreis, der nicht nach den individuellen Kosten des einzelnen Herstellerbetriebes, sondern auf der Grundlage eines Kosten- und Preisvergleichs für alle Betriebe oder eine Reihe repräsentativer Betriebe in gleicher Höhe festgesetzt wird. – *Anders:* →Gruppenpreis.

Einheitspreisgeschäft, historische Betriebsform des Einzelhandels (v.a. in den USA) mit einem Sortiment, das in einheitlichen Preisklassen (10 Pf., 50 Pf., 1, 2, 5 Mark) angeboten wurde. Die Warenauswahl erfolgte nach der Zuordnung zu bestimmten, meist möglichst niedrigen Preisklassen (→Mischkalkulation). Wegen inflationärer Tendenzen vom →Kleinpreisgeschäft abgelöst.

Einheitssteuer auf Grund und Boden, →impôt unique.

Einheitsverpackung, zwischen Bahn bzw. Post und beteiligten Wirtschaftskreisen vereinbarte Verpackungsarten für bestimmte Güter, nach Güte und Beschaffenheit durch Nummer gekennzeichnet, anerkannt als sichere Verpackung im Sinn der EVO bzw. Postordnung. Im *Schadensfall* entfällt bei Verwendung der E. der Einwand des Verpackungsmangels.

Einheitsversicherung, verbundene Transport- und Sachversicherung mit durchgehendem Versicherungsschutz gegen eine Vielzahl von Gefahren (Brand, Blitzschlag, Explosion, Einbruchdiebstahl, Raub, Leitungswasser u.a.) für versicherte Waren während der Transporte (Bezüge, Versendungen, Zwischentransporte je nach Vereinbarung), der Lagerung im eigenen Betrieb, bei Heimarbeitern, Ausrüstern usw. Zweck ist die erleichterte Versicherung von Waren in einzelnen Wirtschaftszweigen, in denen dezentralisierte Bearbeitung der Waren erfolgt, wodurch sich kurzfristige Bearbeitungsvorgänge und Lagerungen außerhalb der eigenen Betriebsstätten und somit eine Vielzahl von Transporten ergeben. – *Vorkommen:* Textilwaren und Teppiche einschl. Textilveredelung, Lederbekleidung, Tabakwarenfabrikation, Rauchwaren, Wäschereien. – *Bedingungswerk:* Grundsätzlich Allgemeine Bedingungen für die E. (EVB), bei Rauchwaren-E. und bei Wäschereien-E. für Kundenware separate Bedingungen; Ergänzung durch Klauseln möglich.

Einheitswert. I. Bewertungsgesetz: 1. *Begriff:* Einheitlicher Substanzwert bzw. Ertragswert (je nach Wertermittlungsverfahren für die verschiedenen Vermögensgegenstände) von →wirtschaftlichen Einheiten. Der E. wird gesondert festgestellt (§ 180 I Nr. 1 AO, § 19 BewG); die Feststellung von E. erfolgt unabhängig von der →Steuerfestsetzung. – *Ziel:* Harmonisierung des Zugriffs verschiedener (einheitswertabhängiger) →Steuerarten auf identische Güter (z. B. →Grundstücke); es entfällt dadurch die mehrfache und u. U. unterschiedliche Bewertung für verschiedene Steuern.

2. *Bezug/Bewertung:* a) E. werden festgestellt für: (1) (inländische) *Betriebe der Land- und Forstwirtschaft* mit Wirkung für →Vermögensteuer (i. d. R. →land- und forstwirtschaftliches Vermögen), →Grundsteuer und →Erbschaftsteuer; (2) (inländische) *gewerbliche Betriebe* mit Wirkung für Vermögensteuer (→Betriebsvermögen) und Gewerbekapitalsteuer bzw. →Gewerbesteuer; (3) (inländische) →*Grundstücke* und →*Betriebsgrundstücke* mit Wirkung für Vermögen- (→Grundvermögen bzw. →Betriebsvermögen), Grund-, Gewerbe-, Erbschaft- und (in Sonderfällen) →Grunderwerbsteuer; vgl. auch →Einheitswertzuschlag; (4) →*Mineralgewinnungsrechte* mit Wirkung für Vermögen (Betriebsvermögen, in Sonderfällen →sonstiges Vermögen) und Erbschaftsteuer. – b) Die wertmäßige Konkretisierung eines E. erfolgt für die unter a) (1)–(4) aufgeführten wirtschaftlichen Einheiten (bzw. Untereinheiten) nach unterschiedlichen →*Bewertungsmaßstäben und -methoden:* (1) Für *land- und forstwirtschaftliche Betriebe* bildet der →Wirtschaftswert (nach dem Ertragswert) und der →Wohnungswert (nach dem →Ertragswertverfahren) den E. der gesamten wirtschaftlichen Einheit (§ 48 BewG). – (2) Für *gewerbliche Betriebe* erfolgt eine Einzelbewertung aller →Wirtschaftsgüter, die dem Betrieb zuzuordnen sind i. d. R. mit dem →Teilwert (Ausnahmen: vgl. →Betriebsvermögen); zu berücksichtigen ist, daß z. B. für die zum Betrieb gehörenden Betriebsgrundstücke gleichfalls ein E. festgestellt wird (vgl. (3)), der in den E. des gewerblichen Betriebs einfließt. Insgesamt bestimmt sich der E. des gewerblichen Betriebs als Differenz aus der Summe der (differenziert) bewerteten Wirtschaftsgüter abzüglich der (einzeln bewerteten) →Betriebsschulden (§ 98 a BewG). – (3) Für *Grundstücke und Betriebsgrundstücke* (sofern letztere nicht einen Betrieb der Land- und Forstwirtschaft darstellen) erfolgt die Bewertung i. d. R. mit dem Ertragswert nach dem Ertragswertverfahren (§§ 76 I, 78 ff. BewG). Bei bestimmten →Grundstücksarten und zusätzlichen anderen Kriterien muß zur Bewertung das →*Sachwertverfahren* herangezogen werden (§§ 76 II, III, 83 ff. BewG). – Diese beiden Bewertungsverfahren bilden auch die Wertbasis für die gesondert geregelte Ermittlung (bzw. Aufteilung) von E. bei Grundstücken im Zustand der Bebauung, →Erbbaurechten, Wohnungseigentum/Teileigentum und Gebäuden auf fremden Grund und Boden (§§ 91–94 BewG). – (4) Für *Mineralgewinnungsrechte* wird der E. nach dem →gemeinen Wert bestimmt; letzterer wird durch den Wert des noch vorhandenen Abbaupotentials konkretisiert.

3. *Feststellung:* a) Allgemeine →*Hauptfeststellung* von E. auf den Beginn eines Kalenderjahres (§ 21 II BewG). Der *zeitliche Abstand* zwischen zwei Hauptfeststellungszeitpunkten sollte betragen: (1) sechs Jahre bei Betrieben der Land- und Forstwirtschaft, Grundstücken, Betriebsgrundstücken und Mineralgewinnungsrechten; (2) drei Jahre bei gewerblichen Betrieben (§ 21 I BewG). Dieser Regel-Turnus wird allerdings nicht konsequent eingehalten. Die *letzte Hauptfeststellung* wurde für den unter (1) bezeichneten →Grundbesitz mit den Wertverhältnissen vom 1. 1. 1964 durchgeführt und erstmals zum 1. 1. 1974 angewandt (→Einheitswertzuschlag); für Mineralgewinnungsrechte zum 1. 1. 1983; für die unter (2) bezeichneten gewerblichen Betriebe (→Betriebsvermögen) zum 1. 1. 1986. – b) →*Nachfeststellung* von E. auf den Beginn eines Kalenderjahres, wenn (1) eine →wirtschaftliche Einheit neu entsteht, (2) eine bereits bestehende Einheit erstmals zu einer Steuer herangezogen werden soll, oder (3) ein besonderer E. für Grundstücke im Zustand der Bebauung und nur für Zwecke der Vermögensteuer festzustellen ist. – *Besonderheit:* Für den Grundbesitz gelten zu jedem Nachfeststellungszeitpunkt die Wertverhältnisse der letzten Hauptfeststellung (d. h. 1. 1. 1964), während für Nachfeststellungen von E. gewerblicher Betriebe die Bestands- und Wertverhältnisse vom Nachfeststellungszeitpunkt maßgebend sind (§§ 23, 27 BewG). – c) →*Fortschreibungen:* Für bereits fesgestellte E. auf einen früheren Zeitpunkt werden zu einem →Fortschreibungszeitpunkt die E. neu festgestellt: (1) →*Wertfortschreibung* bei Überschreiten bestimmter Schwankungsgrenzen (für Grundbesitz, gewerbliche Betriebe und Mineralgewinnungsrechte unterschiedlich), gemessen am letzten festgestellten E. (§ 22 I BewG). Wertverhältnisse analog zur Nachfeststellung (2 d)). – (2) →*Artfortschreibung* bei steuerlich bedeutsamen Änderungen hinsichtlich der bewertungsrechtlichen Einordnung der wirtschaftlichen Einheit (z. B. →Grundstücksart, § 22 II BewG). – (3) →*Zurechnungsfortschreibung* bei Wechsel der Eigentumsverhältnisse (§ 22 II BewG). – (4) →*Berichtigungsfortschrei-*

bung zur Beseitigung von Fehlern bei der letzten E.-Feststellung, die aus fehlerhafter Bewertung, Artenzuordnung oder Zurechnung entstanden sind; die berichtigende Fortschreibung muß einer der drei originären Fortschreibungsarten (c) (1)–(3)) zugeordnet werden, so daß z. B. bei Bewertungsberichtigungen gleichfalls die Anforderungen an das Überschreiten der Wertgrenzen im Sinne einer einfachen Wertfortschreibung geknüpft sind. Es gelten dann allerdings die Bestands- und Wertverhältnisse im (fehlerbehafteten) Feststellungszeitpunkt. – d) *Aufhebung von E.* auf den Beginn eines Kalenderjahres, wenn (1) die wirtschaftliche Einheit wegfällt, (2) das Objekt, für das ein E. gebildet wurde, von jeglicher Besteuerung befreit wird oder (3) ein besonderer E. für Grundstücke im Zustand der Bebauung bei der Vermögensteuer nicht mehr zugrunde gelegt wird. – Hauptfeststellung, Nachfeststellung, Fortschreibung und Aufhebung von E. schließen sich zu einem Feststellungszeitpunkt gegenseitig aus. Wert-, Art- und Zurechnungsfortschreibung können dagegen zu einem Fortschreibungszeitpunkt nebeneinander bestehen. – e) *Aufteilung des E.*, wenn E.-Feststellung bei mehreren Beteiligten erforderlich ist. Die Höhe der Anteile am E. wird im E.-Bescheid neben der Artenzuordnung der wirtschaftlichen Einheit bekanntgegeben (§ 19 III BewG).

II. Wertpapier-/Börsengeschäft: Wert, für den nur *ein* Kurs (→Einheitskurs) während der Börsenzeit ermittelt wird. – *Gegensatz:* →Schwankungswert. – Vgl. auch →Kursfeststellung.

Einheitswertzuschlag, Begriff des BewG: Pauschaler Zuschlag in Höhe von 40% des festgestellten →Einheitswertes (§ 121 a BewG), um die auf den 1. 1. 1964 festgestellten Einheitswerte von →Grundstücken, insbes. →Betriebsgrundstücken, bei ihrer Anwendung ab 1974 den geänderten Wertverhältnissen anzupassen (vgl. auch →Grundbesitz). – *Anwendung* der erhöhten Einheitswerte für die Feststellung der Einheitswerte des →Betriebsvermögens, die →Vermögensteuer, →Erbschaftsteuer, →Gewerbesteuer, die Ermittlung des Nutzungswerts der (selbstgenutzten) Wohnung im eigenen Haus nach § 21 a EStG (letztmalige Anwendung für den Veranlagungszeitraum 1986) und die →Grunderwerbsteuer; *keine* Anwendung bei den Einheitswerten für Betriebe der Land- und Forstwirtschaft (sofern nicht Betriebsgrundstücke) und bei der →Grundsteuer.

Einigung, Grundelement des Rechtserwerbs und feststehender juristischer Begriff aus dem →Sachenrecht. Zur Übereignung einer →beweglichen Sache sind E. und Übergabe, zum Erwerb eines Grundstücks Grundstückeinigung (→Auflassung) und Eintragung im Grundbuch erforderlich (§§ 929, 873, 925 BGB). E. betrifft nicht das schuldrechtliche Geschäft (Kaufvertrag usw.), sondern ist das von dem schuldrechtlichen Geschäft losgelöste (abstrakte) „Einigsein" der Vertragspartner, daß die vereinbarte Rechtsänderung eintreten, etwa das →Eigentum übergehen soll. – Im *Grundstücksverkehr* ist eine E. i. d. R. nur bindend, wenn →öffentliche Beurkundung vorgenommen wurde oder öffentlich beglaubigte (→öffentliche Beglaubigung) →Eintragungsbewilligung dem →Grundbuchamt eingereicht oder dem Erwerber ausgehändigt ist.

Einigungsstelle, ein von →Betriebsrat und →Arbeitgeber gemeinsam gebildetes Organ der →Betriebsverfassung, dem kraft Gesetzes gewisse Befugnisse zur Beilegung von Meinungsverschiedenheiten übertragen sind; geregelt in § 76 BetrVG. – 1. Die E. ist eine privatrechtliche *innerbetriebliche Schlichtungsstelle,* die ersatzweise Funktionen der Betriebspartner wahrnimmt. In der Mehrzahl der zu entscheidenden Konflikte geht es um die Regelung einer mitbestimmungspflichtigen Angelegenheit; in einer Reihe von Fällen ist die E. Vorinstanz zur Entscheidung von Rechtsfragen. – 2. *Bildung:* Im Bedarfsfall oder ständig. – 3. *Zuammensetzung:* Die E. besteht je zur Hälfte aus vom Arbeitgeber und vom Betriebsrat gestellten Beisitzern und einem unparteiischen Vorsitzenden, auf dessen Person sich beide Seiten einigen müssen. Kommt eine Einigung über die Person des Vorsitzenden nicht zustande, so bestellt ihn das Arbeitsgericht im →Beschlußverfahren. – 4. *Verfahren:* Wer das Verfahren vor der E. einleiten kann, hängt von der Entscheidung der E. ab: Entscheidet die E. nicht verbindlich, wird die E. nur tätig, wenn beide Seiten es beantragen, oder bei Antrag nur einer Seite, wenn die andere sich auf das Verfahren einläßt; entscheidet die E. verbindlich (z. B. in Fragen der zwingenden Mitbestimmung in sozialen Angelegenheiten nach § 87 II BetrVG), so wird sie auf Antrag einer Seite tätig. – Die Regelung des Verfahrens vor der E. liegt weitgehend im pflichtgemäßen Ermessen der E. In Fällen, in denen der Spruch der E. die Einigung zwischen Arbeitgeber und Betriebsrat ersetzt, hat sie ihre Beschlüsse unter angemessener Berücksichtigung des Betriebs und der betroffenen Arbeitnehmer nach billigem Ermessen zu fassen. – 5. Durch den *Spruch der E.* wird der nach anderen Vorschriften gegebene Rechtsweg nicht ausgeschlossen. Die Sprüche der E. unterliegen der *vollen Rechtskontrolle,* auch der Einhaltung der Ermessensgrenzen, durch das Arbeitsgericht. – 6. Die *Kosten der E.* trägt der Arbeitgeber. Hinsichtlich der Höhe der Vergütung für den Vorsitzenden regelmäßig zweimal $^{13}/_{10}$ Gebühren nach den Vorschriften der Bundesrechtsanwaltsgebührenordnung als üblich und billig anzusehen. Soweit außerbetriebliche Beisitzer herangezogen werden, sind für sie 7/10 des dem Vorsitzenden zu zahlenden Honorars üblich und angemessen. – 7. § 76 III BetrVG gibt den Tarifvertragsparteien die Möglichkeit, an die Stelle der E. eine *tarifliche Schlichtungsstelle* zu stellen (→Schlichtung).

Einigungsstellen für Wettbewerbsstreitigkeiten, amtliche Bezeichnung: *Einigungsstellen zur Beilegung von Wettbewerbsstreitigkeiten in der gewerblichen Wirtschaft,* Schlichtungsstellen bei den →Industrie- und Handelskammern zum gütlichen Ausgleich von Wettbewerbsstreitigkeiten auf dem Gebiet des →unlauteren Wettbewerbs (§ 27a UWG). Die E. f. W. sind u. a. für Ansprüche gegen Wettbewerbsbehandlungen im geschäftlichen Verkehr mit dem letzten Verbraucher zuständig. Sie haben keine Entscheidungsbefugnis; sie sollen auf den Abschluß eines Vergleichs hinwirken, aus dem die →Zwangsvollstreckung möglich ist.

Einkauf, in der Wirtschaftspraxis geläufige Bezeichnung für die operativen Aufgaben der Beschaffung in Industrie- und Handelsbetrieben; deckungsgleich mit dem Begriff der →Beschaffung im engsten Sinne, d. h. Anbahnung und Abwicklung der Beschaffungstransaktionen für Roh-, Hilfs- und Betriebsstoffe bzw. Handelswaren. – 1. *Zielsetzung:* Reibungslose und kostenoptimale Versorgung der Bedarfsträger im Betrieb; E. soll insbes. die marktlichen Chancen nutzen und damit Ertragspotentiale auf der Input-Seite erschließen. Traditionell hat der E. in Handelsbetrieben große Bedeutung; realisierte Preisvorteile sichern Handlungsspielräume gegenüber den Konkurrenten. – 2. *Teilaufgaben:* a) Informationsbeschaffung aus den Beschaffungsmärkten; b) Informationsverarbeitung (ggf. in einem EDV-gestützten Einkaufsinformationssystem); c) Anbahnung (→Angebotseinholung) und Abschluß von Kaufverträgen; d) Bestellabwicklung; e) Einkaufskontrolle. – 3. *Gestaltungsprobleme:* →Zentralisation oder →Dezentralisation, besonders beim Großbetrieb; Anwendung der →Hand-Mund-Kauf-Politik, vorsichtiger Lagerbestandspolitik oder spekulativer Einkaufspraktiken; Auswahl der Lieferanten unter Beachtung ihrer Leistungsfähigkeit, Berücksichtigung eigener Abnehmer; Verhältnis Einkaufsvorteil zu Einkaufskosten (speziell Lagerkosten). – 4. *Organisation:* a) Die *Warengruppengliederung* ist in jedem Betrieb verschieden; die *Einkaufsfunktionen* sind jedoch gleich. Gliederung: (1) Nach dem Objektprinzip (primär nach Warengurppen und sekundär nach Funktionen). (2) Nach dem Funktionsprinzip (umgekehrt). – b) *Unterabteilungen des E.:* Analyse des Beschaffungsmarktes (→Marktanalyse); Lieferantenkartei; Bezugsquellenarchiv; bürotechnisch durchdachtes Bestellwesen für Angebotseinholung u. ä. – 5. *Durchführung:* a) *Arbeitsablauf:* (1) Ausgelöst durch Anforderungen aus dem Betrieb: bei →Lagermaterial vom Lager, bei →Auftragsmaterial von der →Arbeitsvorbereitung oder vom Meister. (2) Vor Erteilung einer Bestellung an den günstigsten Lieferanten erfolgt Abstimmung mit der Einkaufsplanung, ob sie im Rahmen des Einkaufsbudgets (→Beschaffungsbudget) bleibt. (3) Überwachung der Ausführung mittels Bestellkartei. (4) Übernahme eingehender Lieferungen durch →Warenannahme; Prüfung der mengenmäßigen Übereinstimmung mit Lieferschein und Bestellung; Feststellung der Brauchbarkeit durch Wareneingangsprüfung. (5) Wareneingangsscheine mit Prüfvermerk bilden neben der Bestellung die Grundlage für die Rechnungsprüfung. Geprüfte Rechnung ist Beleg für die Materialbuchhaltung (Unterkonten der Klasse 3) und für die Geschäftsbuchhaltung (Regulierung des Rechnungsbetrages). – b) *Buchführung:* Buchung des Eingangs an Roh-, Hilfs- und Betriebsstoffen oder Handelswaren auf die entsprechenden Bestandskonten (Klasse 2 des IKR an Verbindlichkeiten aus Lieferungen und Leistungen, Klasse 4); Erfassung des Verbrauchs laufen aufgrund von Materialentnahmescheinen oder periodisch aufgrund von Inventuren (Einbuchung des Endbestands und Ermittlung des Verbrauchs durch Saldierung). – Bei Verwendung von *EDV-Buchführungssystemen* wird in zunehmendem Maß auch in Mittel- und Kleinbetrieben die Erfassung der Einkaufsdaten gleichzeitg zur Fortschreibung der Materialbestände für die Kostenrechnung und die Erfassung der Verbrauchsdaten in der Materialbuchführung für die Geschäftsbuchführung zur kurzfristigen Erfolgsermittlung genutzt.

Einkaufsagent, im Außenhandelsgeschäft tätiger Vertreter mit der Aufgabe, aufgrund seiner besonderen Kenntnis des Marktes im Einkaufsland für den ausländischen Auftraggeber günstige Einkaufsmöglichkeiten zu erschließen und entsprechende Verträge mit den →Abladern zu vermitteln.

Einkaufsbedingungen, im Sprachgebrauch sämtliche Voraussetzungen und Gegebenheiten, unter denen ein Kauf erfolgt. In der kaufmännischen Praxis →Lieferbedingungen und insbes. →Zahlungsbedingungen, unter denen ein Kaufvertrag abgeschlossen wird. – Vgl. auch →Allgemeine Geschäftsbedingungen.

Einkaufsbruttopreis, →Beschaffungspreis.

Einkaufsbudget, →Beschaffungsbudget.

Einkaufsgemeinschaft. 1. *Zusammenschluß* von Handels- und Handwerksbetrieben, Großhändlern und Warenhäusern zu gemeinschaftlichem Einkauf mit dem Zweck, die durch Großeinkauf gebotenen Preisvorteile auszunutzen. Für mittelständische Betriebe des Einzelhandels sind E. ein Mittel im Konkurrenzkampf mit den Großbetriebsformen auf dem vorgelagerten Einkaufsmarkt. Rechtsform häufig Genossenschaft (→Einkaufsgenossenschaft), auch AG und GmbH. Teilweise weiterentwickelt zur →Full-Service-Kooperation. – 2. *Erscheinungsformen: Horizontale* Kooperation (z.B. Edeka-Verband, REWE, Kaufring) oder *vertikale* Form als sog. *freiwillige Kette* zwischen einem Leitgroßhändler und dessen Anschlußkunden (z.B. Spar-Gruppe, A & O). – 3. *Aufgaben:* Einkauf häufig auf Einkaufstagungen, wo die Herstellerangebote ausgemustert werden. Der Einkauf kann erfolgen im: a) →Eigengeschäft; b) Vermittlungsgeschäft. – *Ähnlich:* →Einkaufskontor.

Einkaufsgenossenschaft. 1. *Begriff:* Zusammenschluß von Einzelhändlern in Form der →Genossenschaft. Ursprünglich Selbsthilfeorganisationen des mittelständischen Einzelhandels zur Erhaltung der Selbständigkeit kleiner bzw. mittlerer Einzelhändler im Wettbewerb mit →Warenhäusern und →Konsumgenossenschaften. Form der Rückwärtsintegration: Die Genossenschaft bündelt die Einkäufe der Mitglieder und erzielt dadurch bessere Einkaufskonditionen (→Zentraleinkauf). – Im Bereich des genossenschaftlichen Großhandels bedeutend: →EDEKA-Genossenschaften, →Rewe-Genossenschaften. – Der genossenschaftliche Förderungsauftrag wurde teilweise umfassender ausgelegt und E. entwickelten sich zu →*Full-Service-Kooperationen.* E. schlossen sich überregional zusammen und gründeten eine national tätige Zentrale, die mit ähnlich strukturierten Organisationen in internationalen Kooperationen zusammenarbeitet. – 2. *Organe:* Willensbildungsprozeß der klassischen E. grundsätzlich von unten nach oben: Die Einzelhändler wählen auf ihrer Vertreterversammlung den Vorstand, den Aufsichtsrat und die beratenden Ausschüsse der auf der Großhandelsstufe tätigen regionalen Genossenschaften. Die Vertreter dieser Organisationen wählen wiederum die Willensbildungsorgane der nationalen Zentralen. Innerhalb der ihnen übertragenen Aufgaben sind die jeweiligen Willensbildungsorgane frei; Kontrolle über Ab- bzw. Wiederwahl sowie Verweigerung der Abnahme zentral eingekaufter Produkte durch die Basis, die Einzelhändler. – 3. In E. bestehen keine Bezugsverpflichtungen der Mitglieder, daher sind sie *keine Kartelle* im Sinn von §1 GWB. Inwieweit eine andere Beurteilung durch die Entwicklung in Richtung auf Full-Service-Kooperationen erforderlich ist, ist strittig.

Einkaufsgremium, →buying center.

Einkaufskartell, *Beschaffungskartell,* →Kartell zur ausschließlichen Belieferung der Kartellmitglieder mit Rohstoffen und Vorprodukten. Mit den Herstellern werden *Exklusiv-* oder *Exklusionsverträge* (→Ausschließlichkeitsbindungen) abgeschlossen. Für die Nichtmitglieder wird die Beschaffung der Rohstoffe bzw. Vorprodukte erschwert oder versperrt.

Einkaufskommission, ein →Kommissionsgeschäft, bei dem der Kommissionär mit dem Einkauf von Waren oder Wertpapieren beauftragt ist.

Einkaufskontor. 1. *Begriff:* Horizontale Kooperation zwischen selbständigen Großhandelsunternehmen zum Zweck des gemeinsamen Warenbezugs. Hauptziel ist die Senkung der Einstandspreise durch Mengenbündelung (→Mengenrabatt) und Rationalisierung der Beschaffungstätigkeiten. – 2. *Aufgaben:* a) Bei der Geschäftsanbahnung: Abhaltung von →Mustermessen sowie Information der Mitglieder über das Warenangebot mittels Rundschreiben oder →Ordersätzen. b) Bei der Geschäftsabwicklung: →Zentralregulierungsgeschäfte, →Delkrederegeschäfte, →Abschlußgeschäfte, →Eigengeschäfte. c) Schulung, Beratung der Mitglieder. – 3. *Leistungen der Kontormitglieder:* Möglichst hohe →Einkaufskonzentration, die wegen der fehlenden Bezugsverpflichtungen sowie der üblichen Doppel- bzw. Mehrfachmitgliedschaft in verschiedenen E. nur schwer zu erreichen ist; aktive Förderung des Verkaufs der über das Kontor bezogenen Produkte; Ausbau eines leistungsfähigen Vertriebsstellennetzes.

Einkaufskonzentration. Konzentration der Warenbeschaffung auf wenige Großhändler. Voraussetzung ist hohe →Sortimentskongruenz der Einzelhändler. *Vorteile:* Hoher Lagerumschlag auf der Großhandelsstufe, Verringerung der Lager-, Transport- und Bestellabwicklungskosten. Die E., gemessen auf der Basis des Großhandelssortiments, liegt bei →kooperativen Gruppen zwischen 50–80%; bei →Filialunternehmungen dagegen bei nahezu 100%.

Einkaufsland, Begriff des Außenwirtschaftsrechts. Land, in dem der →Gebietsfremde ansässig ist, von dem der →Gebietsansässige die Waren erwirbt. Dieses Land gilt auch dann als E., wenn die Waren an einen anderen Gebietsansässigen weiterveräußert werden. Liegt kein Rechtsgeschäft über den Erwerb von Waren zwischen einem Gebietsansässigen und einem Gebietsfremden vor, so gilt als E. das Land, in dem die verfügungsberechtigte Person, die die Waren in das →Wirtschaftsgebiet verbringt oder verbringen läßt, ansässig ist oder ihren gewöhnlichen Aufenthalt hat. Das →Versendungsland gilt dann als E., wenn die verfügungsberechtigte Person im Wirtschaftsgebiet ansässig ist, sowie bei Waren, die nach vorheriger Ausfuhr zurückgesandt werden oder deren E. nicht bekannt ist.

Einkaufspolitik, Teilgebiet erwerbswirtschaftlicher Unternehmensführung, bedarf einer genauen Marktbeobachtung am Bezugsmarkt. Im Hinblick auf zeitliche Veränderungen der Vorräte, künftige Produktionsmengen und allgemeinen, laufenden Verbrauch der Kostengüter ist eine gute Marktkenntnis Voraussetzung jeder E. Der Schluß auf die künftige Preisbildung der betreffenden Güter wird ergänzt durch Beobachtung der jahreszeitlichen und konjunkturellen Preisschwankungen (→Marktprognose). Die Verwertung der am Beschaffungsmarkt gefundenen Daten findet ihre Grenzen in den Absatzmöglichkeiten für das Eigenprodukt des Unternehmens.

Einkaufsprämie, *dealer loader,* (Sach-) Prämie bei Überschreitung einer vorgegebenen Bestellmenge. – *Arten:* a) *buying loader:* Geschenk, das nach dem Bestelleingang zugesandt wird; b) *display loader:* Das vom Hersteller zur Verfügung gestellte Display-Material geht in das Eigentum des Händlers über. – E. werden als Maßnahmen der →Verkaufsförderung eingesetzt.

Einkaufspreis, →Bruttoeinkaufspreis, →Nettoeinkaufspreis..

Einkaufsstatistik, →Beschaffungsstatistik.

Einkaufsstättentreue, Begriff aus der →Marktforschung zur Klassifizierung der Kunden hinsichtlich des Erwerbs gleichartiger Waren in einem, zwei oder mehreren Geschäften. Ziel des →Handelsmarketing ist häufig das Erreichen einer hohen E. (→Stammkunden) bei gleichzeitigem Abbau einer Markentreue, die von Markenartikelproduzenten aufgebaut wird. Bei →Handelsmarken kann Markentreue zur Erzielung von E. genutzt werden.

Einkaufsstättenwahl, Entscheidung des Konsumenten in sachlicher Hinsicht für eine bestimmte Betriebsform, in räumlicher Hinsicht für eine bestimmte Verkaufsstelle. – Grundlagen der *Theorien zur Erklärung der bevorzugten Betriebsform:* a) Vergleich der von den einzelnen Betriebsformen angebotenen Leistungen (die sich insbes. in den Sortimenten und der Preispolitik unterscheiden); b) Anforderungen einzelner Konsumentengruppen; c) die von den Konsumenten zurückzulegenden Entfernungen, deren Einfluß auf die E. im Rahmen der →Standorttheorie untersucht wird. – Vgl. auch →Kaufverhalten, →Konsumentenverhalten.

Einkaufsvereinigung, →Einkaufsgemeinschaft (Einzelhandel), →Einkaufskontor (Großhandel).

Einkaufszentrum, *shopping center,* räumliche Konzentration von Einzelhandels- und Dienstleistungsbetrieben (z.B. Warenhaus, Supermarkt, Textilgeschäft, Bankfiliale, Reiseveranstalter, Gaststätte, Reinigung, Kino, Arztpraxis u.a.); in Europa – amerikanischem Vorbild folgend – seit etwa 1960. Planung meist von öffentlichen oder privaten Trägergesellschaften gemeinsam mit den kommunalen Verwaltungen als Zentren von Trabantenstädten oder sonstigen Statteilen; im Raum zwischen großen Städten zur Versorung neu entstandener Randsiedlungen; an zentralen Orten in Innenstädten im Zug von Sanierungen, hier meist gruppiert um attraktive Einkaufspassagen. Ansammlung von bis zu 20 Betrieben: *Nachbarschaftszentrum;* von über 100 Betrieben: *Gebietszentrum.* Manche zentralen Aufgaben werden von der Trägergesellschaft für alle Betriebe wahrgenommen, z.B. Gemeinschaftswerbung, Reinigung, Bepflanzung, Bewachung, Aktionsplanung, ggf. sogar die Abrechnung über zentrale Rechenanlagen.

Einkommen. I. Wirtschaftstheorie: 1. *Begriff:* Ökonomische Verfügungsmittel einer Person (personales Einkommen), nicht einer Organisation. (Zugänge ökonomischer Größen, die den Faktoren zufallen, sind →Erträge.) Die wichtigste Größe der ökonomischen Entscheidungen im Planungsprozeß der Individuen und Haushalte, ihrer sozialen Rangordnung und der Position in der →Einkommensverteilung. – 2. *Einkommensarten* als Gegenstand der Wirtschaftstheorie: a) aus dem *Verteilungsprozeß:* →Primäreinkommen, →abgeleitetes Einkommen und →Transfereinkommen; b) *funktionell:* →Arbeitseinkommen, →Besitzeinkommen, →Lagerente, →Differentialeinkommen, →Differentialrente, →Vermögenseinkommen, →Sparerrente, →fundiertes Einkommen und →unfundiertes Einkommen; c) *personell:* →Individualeinkommen und →Reineinkommen; d) nach der *ökonomischen Substanz:* →Nominaleinkommen und →Realeinkommen; e) *gesamtwirtschaftlich,* d.h. nach Entstehung, Verteilung und Verwendung: →Volkseinkommen bzw. →Sozialprodukt. – Vgl. auch →Verteilungstheorie, →gerechtes Einkommen.

II. Finanzwissenschaft: 1. *Allgemein:* Im Rahmen der →Einkommensbesteuerung wird diskutiert, welche Einkommensbegriffe am besten die steuerliche Leistungsfähigkeit des Individuums (→Leistungsfähigkeitsprinzip) repräsentieren. Die Finanzwissenschaft stützt sich dabei auf die Ergebnisse der Wirtschaftstheorie. – 2. *Definitionen* (nach dem theoretischen Ansatz unterschiedlich): a) Nach der →*Quellentheorie* (B. Fuisting): Zum Einkommen zählen nur die ständig fließenden Zugänge; wegen des Ausschlusses aller aperiodischen Zugänge an ökonomischen Größen der engste E. – b) Nach der →*Reinvermögenszugangstheorie:* Zum Einkommen gehören v.a. auch aperiodische Zugänge und Vermögenswertzuwächse. Damit wird dem →Steuergrundsatz der sachlichen „Allgemeinheit" schon besser entsprochen als bei a). – c) Nach dem →*Schanz-Haig-Simons-Ansatz:* Mit der

→comprehensive tax base versucht dieser Ansatz, dem Ideal der Allgemeinheit der Besteuerung besonders nahe zu kommen; er repräsentiert die gegenwärtige Diskussionsgrundlage. – d) *Umfassende Systematik des E.:* (1) *Geldeinkommen:* (a) Faktorentlohnung: Arbeit, Kapital, einschl. Gewinnausschüttung und -entnahme sowie realisierte Kapital-Wertsteigerungen; (b) Geldzugänge aus der Auflösung und dem Zugang von privatem Vermögen: Entsparen, Erbschaften, Schenkungen, Vermögensveräußerungen; (c) Zugänge aus →Transfers: individuelle Transfers, z. B. Unterstützungen, Abfindungen; kollektive Transfers, z. B. Versicherungsleistungen, öffentliche Transfers wie Sozialrenten, Sozialhilfe, Kindergeld. – (2) *Gütereinkommen:* (a) Naturalzugänge: Deputate, Dienstwohnung, Ausbildung, Gesundheitsdienste im Unternehmen; (b) Nutzung des (selbst erworbenen oder ererbten) Sachvermögens; (c) private Realtransfers, z. B. Wohnrechte, Vorteile aus gemeinsamem Haushalt, Nachbarschaftshilfe; öffentliche Realtransfers, z. B. Kuren, Heilverfahren, Heimunterbringung. – Diese Systematik enthält allerdings nur rechenbare Elemente, eleminiert demnach rein „psychisches" Einkommen (Bedürfnisbefriedigung); sie enthält nur meßbare Zugänge, grenzt demnach häusliche Dienste und Freizeit (von H. Haller thematisiert) aus. Inwieweit alle Zugangselemente auch der Besteuerung zu unterwerfen wären, müßte eigens entschieden werden.

III. Steuerrecht der Bundesrep. D.: 1. E. als *Grundlage der Steuerpflicht* vom Standpunkt der Steuergerechtigkeit: Gesamtbetrag der einer Person in bestimmter Zeiteinheit (Woche, Monat, Jahr) zufließenden Überschüsse der Wirtschaftsführung, also auch Naturalerträge. *E. i. e. S.* (sog. *Quellentheorie*): Nur solche Reineinnahmen, die aus dauernden Quellen, also regelmäßig fließen: (1) →fundiertes Einkommen, (2) →unfundiertes Einkommen. – b) *E. i. w. S.* (sog. *Reinvermögenszugangstheorie*): Sämtliche, also auch einmalige Einnahmen, wie z. B. Lotteriegewinn. – 2. Das *deutsche Einkommensteuerrecht* enthält Teile der Quellen- und der Reinvermögenszugangstheorie. Dieser synthetische Einkommensbegriff folgt jedoch im Grundsatz – mit Ausnahme der Heranziehung der Spekulationsgewinne (§ 23 EStG) – dem Begriff i. e. S. Ausgangspunkt der Einkommensermittlung sind die →Einkünfte. Nur Bezüge und Verluste, die innerhalb einer der sieben Einkunftsarten (→Einkünfte) anfallen, sind steuerlich relevant. Von der Summe der Einkünfte sind zur Ermittlung des E. bestimmte →Aufwendungen und →Freibeträge in Abzug zu bringen. (Einzelheiten vgl. Schema →Einkommensermittlung I). – 3. *Körperschaftsteuer:* Was als E. gilt und wie es zu ermitteln ist, bestimmt sich grundsätzlich nach den Vorschriften des EStG, wenn nicht das KStG besondere Regelungen enthält (§ 8 I KStG). Damit können alle Einkunftsarten anfallen; Ausnahme: Bei Buchführungspflicht nach HGB sind alle Einkünfte als Einkünfte aus Gewerbebetrieb (vgl. →Einkünfte I) zu behandeln (§ 8 II KStG). Ausgangspunkt der Ermittlung ist hier das Steuerbilanzergebnis, das aufgrund einkommen- und körperschaftsteuerlicher Vorschriften zu korrigieren ist (vgl. →Einkommensermittlung II).

Einkommen-Konsum-Funktion, →Engelkurve.

Einkommensbesteuerung. I. Grundsätzliches: 1. *Begriff:* Eine grundlegende Besteuerungsweise, die am Ort des Eintreffens des Einkommensstromes bei den privaten Personen bzw. Haushalten Steuern erhebt, dabei die persönlichen Lebensverhältnisse des Steuerpflichtigen berücksichtigt und das →Leistungsfähigkeitsprinzip in der Besteuerung verwirklicht. – *Gegensatz: →Ertragsbesteuerung.* – 2. *Steuerarten:* a) →Einkommensteuer (vgl. auch dort). Wesentliche Elemente unter dem Aspekt einer vollständigen Erfassung der Leistungsfähigkeit sind: (1) Gestaltung eines breiten Einkommensbegriffes (comprehensive tax base) nach dem Schanz-Haig-Simons-Ansatz, (2) steuerlastvermindernde Freibetragsregelung und (3) →Steuerprogression. – b) →*Lohnsteuer* (besondere Erhebungsform der Einkommensteuer): Die Einkommensteuer als →mehrgliedrige Steuer kennt die Lohnsteuer als →Quellensteuer für abhängig Beschäftigte. – c) →*Kirchensteuer* als „Satellitensteuer" oder „Zuschlagsteuer" zu einer „Materialsteuer"; hauptsächliche Materialsteuer der Kirchensteuer ist die Einkommen- bzw. Lohnsteuer („Kircheneinkommen-" bzw. „Kirchenlohnsteuer"), seltener werden Zuschläge zur Grund- oder Vermögensteuer erhoben. – 3. *Berücksichtigung der persönlichen Leistungsfähigkeit:* Die E. geht von der Tatsache aus, daß die steuerliche Leistungsfähigkeit eines Pflichtigen letztlich von der Summe seiner Reineinnahmen (Höhe des →Einkommens) bestimmt wird. Die E. ermöglicht optimale Anpassung der Steuer an individuelle Verhältnisse und gestattet die Verwirklichung der →Steuergerechtigkeit, im einzelnen durch (1) Freilassung eines →steuerfreien Existenzminimums, (2) progressive Staffelung der Steuersätze (→Steuerprogression), (3) Mehrbelastung →fundierten Einkommens, (4) Berücksichtigung →außergewöhnlicher Belastungen, (5) Berücksichtigung der →Sonderausgaben, (6) Berücksichtigung der Familiengröße.

II. Formen: 1. *Einstufige Besteuerung,* in der ein einheitlich gestalteter – i. d. R. progressiver – Tarif auf das Gesamteinkommen angewendet wird (nach F. Neumark: „germanischer Typ" der E.). – 2. *Mehrstufige Besteue-*

rung, wobei das Einkommen zuerst einer proportionalen „Normalsteuer", danach bei Übersteigen eines festgelegten Betrages einer progressiven „Übersteuer" unterworfen wird („britischer" oder „angelsächsischer Typ"). – 3. *„Schedulenbesteuerung",* in der die Einkünfte je für sich einer teils proportionalen, teils degressiven Schedulensteuer, danach insgesamt – evtl. zuzüglich weiterer Einkünfte – einer „ergänzenden Progressionssteuer unterliegen *(„romanischer Typ"),* →Schedulensteuer. – In der steuerlichen Praxis sind *Mischformen* üblich; in der Einkommensteuer der Bundesrep. D. wird einstufige Besteuerung angewendet.

III. Ziele: 1. *Fiskalisches Ziel:* Die E. ist eine sehr ertragreiche Besteuerungsweise; sie erbrachte 1985 (ohne Kirchensteuer) ca. 40% des Gesamtaufkommens aller Gebietskörperschaften von 437 Mrd. DM (Lohnsteuer 148 Mrd. DM, veranlagte Einkommensteuer 29 Mrd. DM). *Nettoergiebigkeit* der E.: Die unvermeidliche Mitwirkung der selbständigen Pflichtigen bei der Feststellung ihres Einkommens (veranlagte E.) erfordert unverhältnismäßigen Verwaltungsaufwand; Ende 1930 ergab eine Untersuchung für verschiedene europäische Staaten, daß die E. bei im Durchschnitt ⅓ der Gesamtsteuereinnahmen ⅔ der Gesamtkosten des Steuerapparates verursacht. Maßgeblich beteiligt an diesem Mißverhältnis sind die Kosten der gegen schwache Steuermoral (→Steuerabwehr) zwangsläufig erforderlichen →Außenprüfungen durch die Finanzämter. – 2. *Steuerlastverteilung:* Die wesentlichen Möglichkeiten der E. liegen in der vollständigen Erfassung des Einkommens (Einkommensbegriff mit den Steuerpostulaten der Allgemeinheit und Gleichmäßigkeit; vgl. →Einkommen II), der Freibetragsregelung und der Gestaltung des Progressionstarifs. – a) Nachteilig wirkt sich aus, daß die tatsächliche Einkommenshöhe nur ungenau zu ermitteln ist, z. B. bei Landwirten, deren Einkommen im Wege des Selbstverbrauchs zum Teil verzehrt wird, ohne einen Geldwert angenommen zu haben; ferner bei Unternehmern, wo sich Kosten und Abschreibungen nicht immer scharf errechnen lassen. – b) Eine Ungleichbehandlung der Lohn- und Gehaltsbezieher mit dem „gläsernen Portemonnaie" (Schmölders) liegt darin, daß sie dem Quellenabzug (Abzug ihrer Lohnsteuern beim Arbeitgeber) unterliegen und nicht die verschiedenen „Gestaltungsmöglichkeiten" in den steuerlichen Tatbeständen haben wie die Einkommensteuerpflichtigen (Bewertungsfreiheiten, Gewinnverlagerungen und Periodenabgrenzung). – c) Wegen der progressiven Tarifgestaltung ergeben sich bei inflationären Tendenzen unbeabsichtigte Verschiebungen in der Steuerbelastung, da die nominal gestiegenen Einkommen real nicht in demselben Ausmaß gewachsen sind („kalte Progression"). – 3. *Einkommensumverteilung:* Da die E. das Nettoeinkommen beeinflußt, ist sie sowohl als Mittel der Verteilung der Steuerlast als auch in Verbindung mit Staatsausgaben als redistributives Mittel geeignet. Problematisch wird sie unter diesem Gesichtspunkt, wenn eine Überwälzbarkeit möglich wäre (→Steuerparadoxon). – 4. *Strukturpolitik:* Die E. enthält Möglichkeiten, v. a. in den Abschreibungserleichterungen der §§ 7, 7a–7g EStG, die branchenmäßige und regionale Struktur zu beeinflussen. – 5. *Konjunkturpolitik:* Geeignetes Instrument zur Verfolgung konjunkturpolitischer Ziele im Rahmen der →Steuerpolitik, und zwar wegen der fallweisen Steuersatzvariation und der →built-in flexibility.

IV. Steuersystematik: 1. *Personalsteuercharakter:* Die E. ist gekennzeichnet dadurch, daß sie wegen der Berücksichtigung der persönlichen Verhältnisse sehr stark in die private Sphäre des Steuerpflichtigen eindringn muß. Dadurch erreicht sie einen hohen Grad der Merklichkeit der Besteuerung, zu dem die Mitwirkung des Steuerpflichtigen durch die Abgabe einer Steuererklärung beiträgt. – 2. *Dualismus:* Die E. setzt an demselben ökonomischen Wertestrom der Einkommensentstehung im Kreislauf an, an der auch die Ertragsbesteuerung anknüpft. Dadurch kommt es zur →Steueraushöhlung in der E. – Eine weitere Form des Dualismus ergibt sich dadurch, daß der Einkommensverwendungsstrom im Kreislauf von der →Verbrauchsbesteuerung erfaßt wird. Diese Besteuerungsweise der Entstehung und der Verwendung von Einkommen hat den Vorteil, daß sich die Steuerlast auf zwei unterschiedliche Entscheidungsbereiche des Steuerpflichtigen verteilt und demnach ein nur „einseitiger" Steuerzugriff bei der Einkommensentstehung mit den allokativ nachteiligen hohen und leistungshemmenden Steuersätzen vermieden wird. – 3. *Besteuerung der Kapitalgesellschaften:* Diese unterliegen der →Körperschaftsteuer. Obwohl die Steuerrechtswissenschaft die Gewinne der Kapitalgesellschaften als „Einkommen der juristischen Personen" bezeichnet, herrscht in der Finanzwissenschaft in Übereinstimmung mit der allgemeinen Wirtschaftstheorie (→Einkommen I und II) die Ansicht vor, daß Einkommen allein von natürlichen Personen bezogen werden können und demnach körperschaftliche Gewinne nicht Einkommen sind. Die Körperschaftsteuer wäre mithin eine Form der →Ertragsbesteuerung.

V. Geschichtliches: E. ist ein neueres Glied in der Steuerkette. – 1. *Voraussetzungen:* a) fortgeschrittene Geldwirtschaft als Grundlage für die Bildung und Erfassung von Geldeinkommen (reine Agrarwirtschaft für E. ungeeignet); b) ausgebaute und gut beschlagene Finanzverwaltung; c) gewisser industrieller Entwicklungsstand, um hinreichende

Ergiebigkeit zu gewährleisten. – 2. So erklärt sich die geschichtliche *Entwicklung:* a) Vorantritt Englands (1789–1804) nach mehreren Unterbrechungen endgültig durch Peel 1844. b) In Preußen erstmals 1811 ein gescheiterter Einführungsversuch. 1820 folgte dann die „Klassensteuer", aus der 1851 im Übergangsstadium eine Klassen- und klassifizierte Einkommensteuer hervorging. 1891 wurde sie unter dem Finanzminister J. v. Miquel durch eine persönliche Einkommensteuer ersetzt. c) E. in anderen Ländern: USA 1861, Italien 1864, Frankreich 1916.

Einkommensdisparität. 1. *Allgemein:* Einkommensunterschiede zwischen den Beschäftigten verschiedener Sektoren bzw. den Angehörigen verschiedener sozialer Gruppen. – 2. *Agrarpolitik:* Unterschiedliche Einkommensentwicklung der in der Landwirtschaft Tätigen im Vergleich zu den in der Industrie Beschäftigten; Beseitigung der E. ist Hauptforderung landwirtschaftlicher Interessenvertretung und Ziel der →Agrarpolitik.

Einkommenseffekt. I. Mikroökonomik: Wirkung einer Preisveränderung auf die individuelle →Nachfrage eines Haushalts wird zerlegt in einen E. und einen Substitutionseffekt (→Slutsky-Gleichung). Eine Preiserhöhung (Preissenkung) für ein Gut stellt eine Realeinkommensverringerung (-erhöhung) dar. Der E. kann positiv oder negativ (→inferiores Gut) sein.

II. Makroökonomik: Wirkung einer als unabhängig gedachten Größe (z.B. Investition, Export) auf das →Volkseinkommen. – Vgl. auch →Multiplikator.

Einkommenselastizität (der Nachfrage), relative Änderung der nachgefragten Menge bei einer (infinitesimal) kleinen Änderung eines Preises. – Vgl. auch →Elastizität, →Nachfrageelastizität, →Preiselastizität.

Einkommensermittlung, steuerlicher Begriff für die Errechnung des steuerpflichtigen Betrages (Bemessungsgrundlage) für die →Einkommensteuer und →Körperschaftsteuer.

I. Einkommensteuer:

	Summe der →Einkünfte aus den 7 →Einkunftsarten (§ 13–24 EStG)
./.	→Altersentlastungsbetrag (§ 24a EStG)
./.	→Ausbildungsplatz-Abzugsbetrag (§ 24b EStG)
./.	→Freibetrag für Land- und Forstwirte (§ 13 III EStG)
=	→Gesamtbetrag der Einkünfte (§ 2 III EStG)
./.	→Sonderausgaben (§ 10, 10b, 10c EStG)
./.	→nicht entnommener Gewinn (§ 10a EStG)
./.	→Freibetrag für freie Berufe (§ 18 IV EStG)
./.	→außergewöhnliche Belastungen (§§ 33–33b EStG)
./.	→Verlustabzug (§ 10d EStG)
=	→Einkommen (§ 2 IV EStG)
./.	→Altersfreibetrag (§ 32 II EStG)
./.	→Haushaltsfreibetrag (§ 32 III EStG)
./.	→Kinderfreibetrag (§ 32 VIII EStG)
./.	→sonstige vom Einkommen abzuziehende Beträge
=	→zu versteuerndes Einkommen

II. Körperschaftsteuer:

	Ergebnis der →Handelsbilanz
+, ./.	einkommen- und körperschaftsteuerliche Ergebniskorrekturen
./.	→verdeckte Gewinnausschüttungen (§ 8 III KStG)
./.	→Nicht abziehbare Aufwendungen (§ 10 KStG)
+	Nicht abziehbare →Spenden (§ 9 Nr. 3 KStG)
./.	Gewinnanteile der persönlich haftenden Gesellschafter einer →KGaA (§ 9 Nr. 2 KStG)
./.	→Ausbildungsplatz-Abzugsbetrag (§ 24b EStG)
./.	→Verlustabzug (§ 8 I, IV KStG, § 10d EStG)
=	→Einkommen (§ 8 I=KStG)
./.	→Freibetrag für kleinere Körperschaften (§ 24 KStG)
./.	→Freibetrag für landwirtschaftliche Betriebsgenossenschaften (§ 25 KStG)
=	zu versteuerndes Einkommen (§ 7 II KStG)

Einkommensexpansionspfad, in der Haushaltstheorie geometrischer Ort aller nutzenmaximierenden Güterbündel (→Konsumplan) bei festen Preisen und variierendem Einkommen eines Konsumenten.

Einkommensfonds, →Investmentfonds, bei denen die Erträge ausgeschüttet werden, – *Gegensatz:* →Thesaurierungsfonds.

Einkommens-Konsum-Funktion, funktionale Beziehung zwischen der von einem Haushalt nachgefragten Menge eines Gutes und dem Einkommen des Haushalts. – *Verallgemeinerung:* →Nachfragefunktion.

Beispiel:

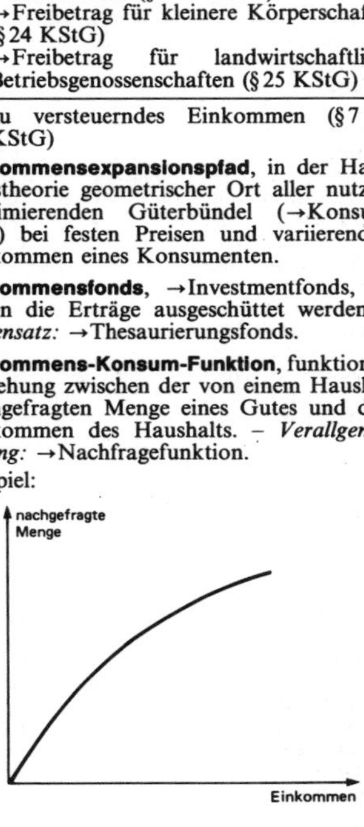

Einkommenskonto, volkswirtschaftliche, kontenmäßige Erfassung von Einkommensbezug und -verwendung einzelner oder aggregierter Wirtschaftseinheiten. – *Beispiel:*

Einkommenskonto privater Haushalte

	1. Direkte Steuern	1. Löhne u. Gehälter	↑ Faktoreinkommen ↓
↑ Persönl. verfügbares Einkommen	2. Konsumausgaben	2. Gewinne 3. Zinsen, Dividenden u.ä.	
↓	3. Ersparnis	4. Renten, Pensionen u.ä.	↑ Transfereinkommen ↓

Übersteigen die Konsumausgaben das persönlich verfügbare Einkommen, so ergibt sich auf der rechten Seite ein Saldo, der durch Entsparen oder Kreditaufnahme gedeckt wird. – Vgl. auch →Volkswirtschaftliche Gesamtrechnungen.

Einkommenskreislaufgeschwindigkeit, →Kassenhaltungskoeffizient.

Einkommensmechanismus, einer der →Zahlungsbilanzausgleichsmechanismen. Der E. basiert auf der Annahme konstanter Preise im In- und Ausland sowie →fester Wechselkurse. – 1. *E. ohne Einbeziehung von Rückwirkungen aus dem Ausland:* Autonome Erhöhung der Exporte führt zu Aktivierung der →Leistungsbilanz. Da die Exportzunahme eine multiplikative Erhöhung des Volkseinkommens (→Exportmultiplikator) bewirkt, steigen ebenso die (einkommensabhängigen) Importe, so daß der Leistungsbilanzüberschuß tendenziell wieder abgebaut wird. Analog kann eine autonome Erhöhung der Importe ein Leistungsbilanzdefizit und eine Einkommensschrumpfung bewirken (vgl. →Importmultiplikator), so daß das Leistungsbilanzdefizit evtl. tendenziell wieder reduziert wird. Wichtig ist, daß vom E. allein ein vollständiger Abbau des durch autonome Export- bzw. Importsteigerung entstandenen Leistungsbilanzsaldos um so weniger zu erwarten ist, je größer die marginale Sparquote und je kleiner die →marginale Importquote des betreffenden Landes ist. Bei großer marginaler Sparquote ist die multiplikative Veränderung des Volkseinkommens gering, so daß auch die induzierte Importänderung, die dem primären Leistungsbilanzeffekt entgegenwirkt, gering ist. Bei kleiner marginaler Importquote gehen von einer Einkommensänderung nur geringe Induzierungswirkungen auf die Importnachfrage aus. – 2. *E. mit Einbeziehung von Rückwirkungen aus dem Ausland:* Hier ist zusätzlich zu beachten, daß die Exporte (Importe) des Inlands Importe (Exporte) des Auslands darstellen, so daß zunächst einer Einkommenszunahme (-abnahme) des Inlands eine Einkommensminderung (-zunahme) des Auslands gegenübersteht (→Beggar-my-neighbour-Politik), was dann allerdings die einkommensabhängigen Importe des Auslands reduziert (erhöht), so daß der ursprüngliche Leistungsbilanzeffekt für das Inland über die unter 1. genannten Aspekte hinaus weiter abgeschwächt wird (vgl. auch →Absorptionstheorie); allerdings dadurch relativiert, daß z.B. die durch Exporte induzierte Importzunahme des Inlands positive Einkommenseffekte für das Ausland hat, die weitere Exporte induzieren, die wiederum eine Zunahme der Importe hervorrufen usw.

Einkommenspolitik. 1. *Begriff:* Maßnahmen zur Beeinflussung der →Arbeitseinkommen (→Lohnpolitik), der Zinsen (→Zinspolitik) und der Gewinne mit dem Ziel a) der Korrektur der Einkommensverteilung (→Verteilungspolitik) oder b) der Preisniveaustabilität (→Stabilitätsgesetz). – 2. *Arten und Instrumente:* a) *Indirekte E.:* Die Einkommens- und Preisentwicklung soll indirekt durch die Begrenzung einzelwirtschaftlicher Handlungsspielräume beeinflußt werden. So können Maßnahmen zur Intensivierung des →Wettbewerbs eingesetzt werden, um die Entstehung und Ausnutzung monopolistischer oder oligopolistischer Preiserhöhungsspielräume zu verhindern. Auf dem Arbeitsmarkt kann die Handlungsmacht von →Gewerkschaften und Unternehmen beeinflußt werden (Ordnungspolitik, →Wirtschaftspolitik), das Arbeitskräftepotential kann verändert werden, die regionale und berufliche Mobilität kann erhöht werden (Prozeßpolitik). – b) *Direkte E.:* (1) *Unverbindliche Empfehlungen* hinsichtlich der Erhöhung von Einkommen oder Preisen durch staatliche Träger der Wirtschaftspolitik (Maßhalteappelle, moral suasion). (2) *Unverbindliche Kooperation* zwischen den staatlichen Stellen und autonomen wirtschaftlichen Gruppen (→konzertierte Aktion). (3) *Staatliche Lohn- und Preiskontrollen:* Bei einem Preis- oder Lohnstopp dürfen die Preise und Löhne in einem bestimmten Zeitraum nicht erhöht werden. Bei der Festsetzung von Lohn- und Preisleitlinien dürfen die Lohn- und Preiserhöhungen in einem Zeitraum einen festgelegten Prozentsatz nicht überschreiten. Dies bedeutet in beiden Fällen einen Eingriff in die →Tarifautonomie. – 3. *Beurteilung:* Die direkte E. hat bisher höchstens kurzfristige Erfolge erzielen können. Staatliche Eingriffe in die Lohn- und Preisbildung bedeuten meistens nur eine Unterbrechung inflationärer Prozesse (→Inflation).

Einkommensprinzip, unternehmerisches Formalziel u.a. der Familienbetriebe und Genossenschaften in den →privatwirtschaftlichen Marktwirtschaften, v.a. aber der gesellschaftseigenen Betriebe in der →selbstverwalteten sozialistischen Marktwirtschaft Jugoslawiens. – *Schematischer Aufbau der Ergebnisrechnung:*

	Verkaufserlöse	
./.	Abschreibungen	
./.	Materialkosten	
./.	Kreditzinsen	Kosten
./.	Kostensteuern	
./.	sonstige Steuern	
=	Unternehmenseinkommen	

Das Unternehmenseinkommen wird verwandt zur a) Finanzierung von Investitionen und b) Ausschüttung als persönliches Einkommen der Betriebsangehörigen, wofür Steuern so wie Sozialbeiträge abzuführen sind. – Der wesentliche *Unterschied zum →Gewinnprinzip* besteht darin, daß die Bezüge der Mitarbeiter nicht als Kosten angesehen werden, sondern Zielgröße der unternehmerischen Disposition sind. – Vgl. auch →Planerfüllungsprinzip.

Einkommensredistribution, →Einkommensumverteilung.

Einkommensteuer. I. Rechtsquellen: Einkommensteuergesetz 1986 (EStG 1986) i.d.F. vom 15.4.1986 (BGBl I 441); →Einkommensteuer-Durchführungsverordnung 1986 (EStDV 1986) i.d.F. vom 24.7.1986 (BGBl I 1239). Die E. fließt als →Gemeinschaftsteuer Bund und Ländern gemeinsam zu: Am Aufkommen der E. sind sie je zur Hälfte beteiligt.

II. Wesen: Besteuerung des →Einkommens natürlicher Personen nach dem →Leistungsfähigkeitsprinzip. – Vgl. auch →Einkommensbesteuerung.

III. Steuerpflicht: 1. *Subjektive:* a) *Unbeschränkte Steuerpflicht* besteht: (1) für natürliche Personen (Einzelpersonen und →Mitunternehmer von →Personengesellschaften), die im Inland einen →Wohnsitz oder ihren →gewöhnlichen Aufenthalt haben; (2) für natürliche Personen deutscher Staatsangehörigkeit, die im Inland weder Wohnsitz noch gewöhnlichen Aufenthalt haben und zu einer inländischen juristischen Person des öffentlichen Rechts in einem Dienstverhältnis stehen und dafür Arbeitslohn aus einer inländischen öffentlichen Kasse beziehen, sowie deren Angehörige. Voraussetzung ist, daß sie in dem Staat, in dem sie ihren Wohnsitz oder gewöhnlichen Aufenthalt haben, lediglich in einem der beschränkten Steuerpflicht ähnlichen Umfang zur Steuer vom Einkommen herangezogen werden oder daß sie bei unbeschränkter Steuerpflicht allein oder mit ihrem Ehegatten im Ausland steuerpflichtige Einnahmen von nicht mehr als 5000 DM im Veranlagungszeitraum erzielen. – b) *Beschränkte Steuerpflicht* für natürliche Personen, die im Inland weder Wohnsitz noch gewöhnlichen Aufenthalt, aber inländische →Einküfte im Sinne des §49 EStG haben, wenn sie die Bedingungen für die unter a) (2) genannte unbeschränkte Steuerpflicht nicht erfüllen. – 2. *Objektive:* Sie erstreckt sich bei unbeschränkter Steuerpflicht auf alle steuerbaren Einkünfte, bei beschränkter Steuerpflicht nur auf die inländischen Einkünfte.

IV. Besteuerungsgrundlage: Das →Einkommen ermittelt sich additiv aus den →Einkünften der einzelnen Einkunftsarten, unter Abzug bestimmter →Freibeträge und persönlicher Aufwendungen des Steuerpflichtigen, die seine Leistungsfähigkeit beeinflussen. Wegen weiterer Einzelheiten vgl. Schema →Einkommensermittlung.

V. Steuerbefreiung: Es existieren nur sachliche Steuerbefreiungen: Katalog der →steuerfreien Einnahmen in §3 EStG, der steuerbefreiten Zinsen in §3a EStG, der z.T. steuerfreien Zuschläge zum Arbeitslohn (→Mehrarbeitszuschlag) in §3b EStG.

VI. Verfahren: 1. *Grundsätzlich:* a) Die E. wird nach Ablauf des Kalenderjahres (= Veranlagungszeitraum) nach dem Einkommen *veranlagt,* das während dieser Zeit bezogen wurde (§25 I EStG). Eine →Veranlagung unterbleibt unter bestimmten Voraussetzungen bei Bezug von →Einkünften aus nichtselbständiger Arbeit; stattdessen →Lohnsteuer-Jahresausgleich. – b) Die E. *entsteht* mit Ablauf des Veranlagungszeitraums (§36 I EStG). – c) Auf die E. werden *angerechnet* (§36 II EStG): Entrichtete →Vorauszahlungen, durch Steuerabzug erhobene E., anrechenbare →Körperschaftsteuer. Der sich hiernach ergebende Differenzbetrag (→Abschlußzahlung oder Erstattungsbetrag) ist zu entrichten oder wird ausgezahlt (§36 IV EStG). – 2. *Besondere Erhebungsform:* Steuerabzug für →Einkünfte aus nichtselbständiger Arbeit (→Lohnsteuer) und für bestimmte Kapitalerträge (→Kapitalertragsteuer).

VII. Höhe: Bemessungsgrundlage der tariflichen E. ist das →zu versteuernde Einkommen (§2 V EStG), auf das der →Einkommensteuertarif angewendet wird. Für zu versteuernde Einkommen bis zu einer bestimmten Höhe ist der Betrag der E. aus den E.-Tabellen abzulesen (→Einkommensteuer-Grundtabelle, →Einkommensteuer-Splittingtabelle; vgl. auch →Lohnsteuerklassen). Die festzusetzende E. ermittelt sich aus der tariflichen E., vermindert um die Steuerermäßigungen (z.B. für →ausländische Einkünfte, Einkünfte aus Land- und Forstwirtschaft, →Berlin-Darlehen).

VIII. Finanzwissenschaftliche Beurteilung: 1. *Charakterisierung:* a) Die E. ist der Hauptpfeiler des modernen Personalsteuersystems. Sie ist diejenige Steuerart, die in direkter Weise auf die persönlichen Lebensumstände des Steuerpflichtigen eingeht und seine individuelle *Leistungsfähigkeit* berücksichtigt (→Leistungsfähigkeitsprinzip). Vgl. auch →Einkommensbesteuerung. – b) Deshalb überrascht es, daß die E. keinen einheitlichen und theoretisch fundierten *Einkommensbegriff* kennt: (1) Allein die Existenz von sieben Einkunftsarten mit unterschiedlichen Feststellungsmethoden (Gewinne bzw. Überschüsse) und Freibeträgen demonstriert eine „Zerklüftung" des Einkommensbegriffs (Schmölders: „Zerfall" der E. in ein Bündel von Sondersteuern). (2) Wegen vieler Befreiungen und Nichterfassungen (z. B. der Transfereinkommen) ist der Einkommensbegriff unvollständig. – Er steht formal der →Quellentheorie nahe, materiell eher der →Reinvermögenszugangstheorie, ohne jedoch den totalen Einkommensbegriff des →Schanz-Haig-Simons-Ansatzes zu realisieren. – Vgl. auch →Einkommen II. – c) Die E. besteuert das Einkommen der Nichtunternehmer sowie das bestimmter Unternehmer. Für Nichtunternehmer ist sie eine Besteuerung ihrer persönlichen Leistungsfähigkeit; für die Einzelunternehmer und Mitgesellschafter von Personengesellschaften ist sie zugleich →Unternehmensbesteuerung und →Haushaltsbesteuerung. Daneben besteht für Unternehmen in der Rechtsform der Kapitalgesellschaft eine Sonderbesteuerung in der →Körperschaftsteuer. Demnach ist die E. eine *allokativ-distributive „Mischbesteuerung"* und zugleich eine partielle Unternehmensteuer. – 2. *Steuersystematik:* a) Die E. wird für unselbständig Beschäftigte in der Form der *→Lohnsteuer* erhoben; diese ist eine Gliedsteuer (→mehrgliedrige Steuer) der E., die zugleich →Quellensteuer ist. Eine mehrgliedrige Steuer ist die E. aber auch deshalb, weil die →Kapitalertragsteuer ebenfalls im Quellenabzug erhoben und auf die E. angerechnet wird. – b) Ferner ist die E. die *„Maßstabsteuer" für die →Kirchensteuer,* da diese sich nach der Einkommensteuerschuld berechnet. – c) Die *„dualistische"* Besteuerung des Einkommensentstehungsstromes im Leistungskreislauf durch →Ertragsbesteuerung und →Einkommensbesteuerung führt zur *→Steueraushöhlung* der E. – Die neben der Einkommensbesteuerung durchgeführte →Umsatzbesteuerung und →Verbrauchsbesteuerung als Belastung der Einkommensverwendung erlaubt eine steuerpsychologisch schonende Besteuerung der Einkommensentstehungsphase, führt aber teilweise auch zur steuerlichen Erfassung all derer, die sich der Einkommensbesteuerung entziehen konnten. – 3. *Ziele und Wirkungen:* a) *Fiskalisch* ist die E. sowohl für den Bund als auch für die Gruppe der Länder die tragende Säule ihres Einnahmensystems. Sie erbringt 51% ihres gemeinsamen Steueraufkommens (360 Mrd. DM für 1985); dem Bund erbringt sie 37% seines Steueraufkommens, den Ländern gemeinsam sogar 51% ihrer Gesamtsteuern. Eine Verbreiterung des Einkommensbegriffes könnte das Aufkommen erhöhen oder zu einer Tarifsenkung Anlaß geben, um andere Ziele zu realisieren. – b) *Distributive Ziele und Wirkungen:* (1) Mit Hilfe der *→Sonderausgaben* und der *Ausgaben für →außergewöhnliche Belastungen* sollen die individuellen Notwendigkeiten einer *Existenz- und Vorsorgesicherung* steuerlich entlastend berücksichtigt werden. Es erhebt sich jedoch die Frage, ob die Abzugsbeträge ausreichend hoch bemessen sind, um das Ziel einer „gerechten" steuerlichen Lastverteilung zu erreichen; z. Zt. liegen diese Abzugsbeträge im Normalfall unter den Sätzen für die →Sozialhilfe. Ferner sind die Abzugsbeträge mit keiner Anpassung an die Geldentwertungsrate ausgestattet, so daß das Lastverteilungsziel verfehlt werden kann. – (2) Eine existenzsichernde Funktion bei der Gestaltung des Tarifs hat der *Grundfreibetrag,* für den allerdings der Hinweis auf die Sozialhilfesätze ebenfalls gelten muß. Aus der *Proportionalzone* des Tarifs sind viele Steuerpflichtige kraft gestiegener Einkommen herausgewachsen, so daß sie ihre ehemals steuerschonende und verwaltungskostensparende Wirkung weitgehend verloren hat. Der *obere Plafond* im Tarifverlauf wird mit der leistungshemmenden und steuerfluchtauslösenden Wirkung begründet, doch läßt sich mit Blick auf seine mehrmalige Erhöhung dies nicht schlüssig nachweisen. Das Phänomen des Abwanderns in die →Schattenwirtschaft wird zu einem Teil mit der Gesamtbelastung durch Steuern erklärt. Das *Splittingsystem* erreicht eine steuerliche Schonung der Ehegatten (→Haushaltsbesteuerung), die sich aber auch mit einer entsprechend ausgestalteten Freibetragsregelung erzielen ließe, um dem im Grundgesetz verankerten Grundsatz des Schutzes von Ehe und Familie zu entsprechen. – c) *Allokative Ziele und Wirkungen:* Aufgrund der „Mischbesteuerung" von einkommensbeziehenden Personen und gewinnerzielenden Unternehmern in derselben Steuer ist die E. auch mit einer Vielzahl von *produktions- und strukturbeeinflussenden Abzugsregeln* versehen: (1) Der Abzug von →Betriebsausgaben und →Werbungskosten dient der Erhaltung der Erwerbsquelle (der beruflichen und unternehmerischen Tätigkeit einschl. des Kapitaleinsatzes). (2) Im Bündel der *Sonderabschreibungen* kommt ein ganzes Strukturprogramm der Wirtschaftspolitik mit Hilfe der Steuerpolitik zum Ausdruck (Wohnungsbau bis 1986, Umweltschutz, Krankenhausförderung, Mittelstandsförderung). (3) Ein Inflationsausgleich ist nicht vorgesehen, so daß auch *Scheingewinne* besteuert werden. (4) In der *Durchschnittsatz- und Richtsatzbesteuerung* sind weitere Maßnahmen für die Begünstigung bestimmter Strukturen, wie der Land-

und Forstwirtschaft sowie des Kleingewerbes zu sehen. – d) *Konjunkturpolitik:* Nach dem Stabilitätsgesetz läßt sich die E. als nachfragesteuerndes Instrument einsetzen. Neben einer Variation der Abschreibungssätze und Bewertungsfreiheiten sind dies auch Variationen der Steuerschuld bis zu 10%. Außerdem ist in der Vergangenheit vielfach von Sondermaßnahmen Gebrauch gemacht worden, die die Erhebung der E. zur Voraussetzung haben: Konjunkturzuschlag, Stabilitätsabgabe (1. 8. 1970–31. 6. 1971); die Ergänzungsabgabe verfolgte demgegenüber fiskalische Zwecke und wurde 1975 in den E.-Tarif und den Körperschaftsteuertarif eingearbeitet. – 4. *Reform:* Die Diskussion um die Reform der E. wird unter den Aspekten der Vereinfachung, der Gerechtigkeit in der Lasterteilung, der Sparanreize und der Leistungshemmung bzw. -motivation geführt. Damit sind alle bisher relevanten steuersystematischen, distributiven und allokativen Ziele und Wirkungen relevant. – a) Die *jüngsten Maßnahmen von 1986/88* sollen die Wirtschaft um 20 Mrd. DM entlasten, was einem Aufkommensverzicht von ca. 11% entspricht. Die Senkung der Bemessungsgrundlage und des Tarifs im ersten Reformschritt entlasten vorwiegend kleinere und mittlere Einkommensbezieher; der zweite Schritt sieht eine durchschnittliche Tarifsenkung von 5%-Punkten vor und soll wegen seiner Entlastungswirkung im mittleren Bereich v. a. leistungsmotivierende Wirkung haben. – b) Ein *„durchgehend-progressiver" Tarif,* wie er im EStG seit langem vorgesehen ist, soll die „kalte Progression" im Bereich der unteren Proportionalzone entschärfen und die Belastungssprünge vermeiden; es würde distributive und allokative Vorteile haben. – c) In der Diskussion ist ebenfalls eine *Senkung des Spitzensatzes* von 56% auf 40%; diesem Verzicht im verteilungspolitischen Ziel stehen Gewinne im Allokationsziel gegenüber (Sparmotivation, Leistungsmotivation und – bei Koppelung des Körperschaftsteuersatzes für thesaurierte Gewinne an diesen E.-Spitzensatz – eine Schonung der Gewinne zum Zwecke der Risikokapitalbildung und des Investitionsanreizes). – d) In absehbarer Zeit wohl kaum durchsetzbar erscheint die *Abkoppelung der Einkommensbesteuerung von der →Unternehmensbesteuerung,* d. h. die Verwirklichung der Konzepte der rechtsform- und tätigkeitsneutralen Besteuerung ohne störende distributive Nebeneffekte.

IX. Aufkommen: Im Kalenderjahr 1986: 29,9 Mrd. DM (1981: 32,9 Mrd. DM, 1980: 36,8 Mrd. DM, 1976: 30,8 Mrd. DM, 1972: 23,1 Mrd. DM, 1967: 15,8 Mrd. DM, 1963: 13,5 Mrd. DM, 1959: 7,3 Mrd. DM).

Einkommensteuer-Durchführungsverordnung (EStDV), Rechtsverordnung i. d. F. vom 24. 7. 1986 – EStDV 1986 – (BGBl I 1239). Enthält in Ergänzung des EStG materielle und formelle Vorschriften über die Einkommensbesteuerung.

Einkommensteuer-Grundtabelle, Begriff des Einkommensteuerrechts (§ 32 a IV EStG) für eine Steuertabelle, aus der sich die tarifliche Einkommensteuer für die einzelnen Einkommensstufen bis 130 031 DM ergibt. Die E.-G. ist *anzuwenden* in allen Fällen *außer* in den Fällen der →Zusammenveranlagung von Ehegatten (§ 32 a V EStG) und in den Fällen des § 32 a VI EStG. Für die Steuerklassen I, II und IV sind die Jahreslohnsteuerbeträge (→Lohnsteuertabelle) aus der E.-G. zu entwickeln.

Einkommensteuer-Richtlinien (EStR), Verwaltungsanordnung, die in der Hauptsache Entscheidungen der →Finanzgerichte sowie Erörterungen von Zweifelsfragen zur Beachtung durch die Finanzverwaltung enthält. Die *Finanzverwaltung* ist im Gegensatz zu den →Finanzgerichten und den Einkommensteuerpflichtigen an die Auslegung in den EStR *gebunden.* – Derzeitige Fassung: EStR 1984 vom 15. 4. 1985 (BStBl I Sondernr. 2).

Einkommensteuer-Splittingtabelle, Begriff des Einkommensteuerrechts (§ 32 a V EStG) für eine Steuertabelle, aus der sich die nach dem →Splitting-Verfahren berechnete tarifliche Einkommensteuer für die einzelnen Einkommensstufen bis 260 063 DM ergibt. – Die E.-Sp. ist *anzuwenden:* a) bei →Zusammenveranlagung von Ehegatten gem. §§ 26, 26 b EStG; b) bei verwitweten Steuerpflichtigen für den Veranlagungszeitraum, der dem Kalenderjahr folgt, in dem der Ehegatte verstorben ist (Gnaden-Splitting); c) unter bestimmten weiteren Voraussetzungen bei Steuerpflichtigen, deren Ehe in dem maßgeblichen Kalenderjahr aufgelöst worden ist, für dieses Kalenderjahr. – Für die Steuerklasse III sind die Jahreslohnsteuerbeträge (→Lohnsteuertabelle) aus der E.-Sp. zu entwickeln.

Einkommensteuertabellen, →Einkommensteuer-Grundtabelle, →Einkommensteuer-Splittingtabelle.

Einkommensteuertarif. 1. Die tarifliche →Einkommensteuer bemißt sich nach dem →zu versteuernden Einkommen. Sie *ermittelt sich* ohne Berücksichtigung des →Progressionsvorbehalts, der →außerordentlichen Einkünfte und der →ausländischen Einkünfte aus den Formeln (vgl. Tabelle Sp. 1431). – Abrundung: Das zu versteuernde Einkommen ist auf den nächsten durch 54 ohne Rest teilbaren vollen DM-Betrag abzurunden. – Als zu versteuerndes Einkommen gilt das →Einkommen nach Abzug des →Kinderfreibetrags, des →Altersfreibetrags, des →Haushaltsfreibetrags und der sonstigen vom Einkommen abzuziehenden Beträge (vgl. →Einkommensermittlung). – 2. Für *zusammen zu veranlagende →Ehegatten* sowie für die ihnen nach § 32 a VI EStG gleichgestellten Personen beträgt die tarifliche Einkommensteuer das Zweifache des Steuerbetrags, der sich für die Hälfte des zu versteuernden Einkommens ergibt (Splitting-Verfahren). – 3. *Aufbau:* a) steuerfreier Grundfreibetrag bis zum zu versteuernden Einkommen von 4536/9072 DM (bei Anwendung des →Splitting-Verfahrens); b) untere Proportionalzone bis 18035/36070 DM mit einem gleichbleibenden Steuersatz von 22%; c) Progressionsstufe von 18036/36072 DM bis 130031/260063 DM mit kontinuierlich ansteigendem Steuersatz von 22% bis 56%; d) obere Proportionalzone (ab 130032/260064 DM) mit gleichbleibendem Steuersatz von 56% (Spitzensteuersatz). – 4. Die dem EStG beigefügten *Tabellen* geben die tarifliche Einkommensteuer nach den Errechnungmethoden an. – Vgl. auch →Einkommensteuer-Grundtabelle, →Einkommensteuer-Splittingtabelle.

Steuerberechnungsformel des Einkommensteuertarifs

Formel	gilt für zu versteuernde Einkommen bis zu DM
Für 1987	
1. 0	4 536
2. 0,22 x − 998	18 035
3. {[(2,10 y − 56,02) y + 600] y + 2200} y + 2962	80 027
4. (42 z + 5180) z + 29 417	130 031
5. 0,56 x − 16 433	∞
Ab 1988	
1. 0	4 536
2. 0,22 x − 998	18 035
3. {[(0,79 y − 30,82) y + 452] y + 2200} y + 2962	80 027
4. (60 z + 5000) z + 27 798	130 031
5. 0,56 x − 18 502	∞

Es bedeutet:
x = abgerundetes zu versteuerndes Einkommen
y = 1/10 000 des 18 000 DM übersteigenden Teils des abgerundeten zu versteuernden Einkommens
z = 1/10 000 des 80 000 DM übersteigenden Teils des abgerundeten zu versteuernden Einkommens

Einkommenstheorie des Inflationsimports, Erklärungsansatz für eine →importierte Inflation. Ebenso wie die →Liquiditätstheorie des Inflationsimports setzt die E. d. I. eine normale Reaktion der →Leistungsbilanz sowie ein System →fester Wechselkurse voraus. – Ausgangspunkt der E. d. I. ist eine im Ausland höhere Inflation als im Inland mit der Folge einer verbesserten Wettbewerbsfähigkeit der inländischen Exportwirtschaft und einer dadurch aktiven Leistungsbilanz. Aufgrund des Leistungsbilanzüberschusses kommt es zu einer Nachfragesteigerung im Inland und damit bei Vollbeschäftigung (bzw. überhaupt, soweit die Nachfrageexpansion nicht zu einer entsprechenden Produktionsausdehung führt) zu einer inflatorischen Lücke.

Einkommensträger, zusammenfassende Bezeichnung für →Erwerbspersonen und selbständige →Berufslose, die a) durch →Arbeitseinkommen, b) durch Rente bzw. Unterstützung dem Haushalt ein Einkommen zuführen und sich selbst bzw. ihre Angehörigen daraus unterhalten können. Die statistische Isolierung der von je einem E. bezogenen Einkünfte ist schwierig. Arbeitgeber wie auch Versicherungsträger, soziale Kassen usw. können zwar den Einkommensfall nachweisen, jedoch keine Hinweise auf die Art der Tätigkeit geben (Kurzarbeiter, Halbtagsbeschäftigte, Lehrlinge bzw. Empfänger von Teil- oder Zusatzrenten). In der Steuerstatistik erscheinen E. nach Einkommensarten unter den für sie geltenden steuergesetzlichen Bestimmungen, abgestellt auf die soziale Lage des Steuerpflichtigen, nicht auf seine Mitwirkung im Produktionsprozeß.

Einkommensumverteilung, *Einkommensredistribution,* Korrektur der aus dem Produktionsprozeß entstandenen Einkommensverteilung (→Verteilungstheorie) durch →Transfers, →Steuern, →Abgaben und die Zurverfügungstellung →öffentlicher Güter.

Einkommens- und Verbrauchsstichprobe, Teil der →amtlichen Statistik, und zwar der →Wirtschaftsrechnungen. Erstmals 1962/63, dann 1969 und seit 1973 in fünfjährigem Turnus auf freiwilliger Basis durchgeführte Repräsentativstatistik über die Einnahmen und Ausgaben von (1983) ca. 50000 (0,2%) Haushalten aller Bevölkerungsschichten mit Ausnahme der Ausländer und der Bezieher besonders hoher Einkommen. Die Einnahmen werden ganzjährig im einzelnen angeschrieben; bei den Ausgaben detaillierte Aufzeichnungen für einen Kalendermonat, in den übrigen Monaten ausgewählte Aufwendungen. Wechselnde Schwerpunkte, z. B. (1973) Aufwendungen für Nahrungs- und Genußmittel, (1978) Transferzahlungen aus öffentlichen Kassen. – *Verwendung* der Ergebnisse u. a. zur Festlegung des →Warenkorbs beim →Preisindex für die Lebenshaltung und bei der Berechnung des →Sozialprodukts.

Einkommensverteilung, Verteilung der Einkommen einer Volkswirtschaft auf die am Produktionsprozeß beteiligten Faktoren *(funktionale E.)* oder auf Gruppen von Einkommensbeziehern *(personelle E.)*. In *funktionaler Hinsicht* werden Einkommen aus unselbständiger Arbeit, Einkommen aus Unternehmertätigkeit und Einkomen aus Vermögen unterschieden; in *personeller Hinsicht* wird das Einkommen v. a. nach sozioökonomischen Haushaltsgruppen gegliedert, wobei innerhalb der einzelnen Gruppen nach Einkommenshöhe, Haushaltsgröße, Zahl der Erwerbstätigen im Haushalt u. ä. unterschieden werden kann. – *Theorien der funktionellen und personellen E.:* Vgl. →Verteilungstheorie III und IV. – Vgl. auch →gerechte Einkommensverteilung.

Einkontentheorie, →Buchhaltungstheorien II 1.

Einkreissystem, →Einsystem.

Einkünfte, Begriff des Einkommensteuerrechts. E. sind der Gewinn (§§ 4–7 f EStG) oder der Überschuß der Einnahmen über die →Werbungskosten (§§ 8–9 EStG), die der Steuerpflichtige im Rahmen der sieben Einkunftsarten erzielt (§ 2 II EStG). Danach sind zu unterscheiden:

I. E. aus Land- und Forstwirtschaft (§§ 13–14a EStG): 1. *Hierunter fallen:* a) E. aus dem Betrieb von Land- und Forstwirtschaft, Wein-, Garten-, Obst- und Gemüsebau, Baumschulen und aus allen Betrieben, die Pflanzen und Pflanzenteile mit Hilfe der Naturkräfte gewinnen; weiterhin E. aus Tierzucht und Tierhaltung, wenn im Wirtschaftsjahr die nach der landwirtschaftlich genutzten Fläche gestaffelten Höchstzahlen für Vieheinheiten nicht überschritten werden; b) E. aus Binnenfischerei, Teichwirtschaft, Fischzucht für Binnfischerei und Teichwirtschaft, Imkerei und Wanderschäferei; c) E. aus Jagd, wenn diese mit dem Betrieb einer Land- oder Forstwirtschaft im Zusammenhang steht; d) E. von Hauberg-, Wald-, Forst- und Laubgenossenschaften und ähnlichen →Realgemeinden; e) E. aus einem land- und forstwirtschaftlichen →Nebenbetrieb; f) Gewinne aus Veräußerung oder Aufgabe eines land- oder forstwirtschaftlichen Betriebs oder →Teilbetriebs oder eines Anteils an einem land- und forstwirtschaftlichen Betriebsvermögen (→Veräußerungsgewinn). Zur Behandlung der Wohnung des Betriebsinhabers vgl. →Nutzungswert der Wohnung. – 2. *Gewinnermittlungszeitraum* ist das →Wirtschaftsjahr (1. 7.–30. 6.; Ausnahmen für einzelne Gruppen von Land- und Forstwirten). Mit Ausnahme der Veräußerungsgewinne ist der Gewinn entsprechend dem zeitlichen Anteil aufzuteilen auf das Kalenderjahr, in dem das Wirtschaftsjahr beginnt, und auf das Kalenderjahr, in dem das Wirtschaftsjahr endet. – 3. *Gewinnermittlungsarten:* a) Bei buchführungspflichtigen land- und forstwirtschaftlichen Betrieben durch →Betriebsvermögensvergleich nach § 4 I EStG (→Einkünfteermittlung). Buchführungspflicht bei Umsätzen von mehr als 500 000 DM im Kalenderjahr oder einem →Betriebsvermögen von mehr als 125 000 DM oder einem Gewinn von über 36 000 DM oder einem Wirtschaftswert (§ 46 BewG) von mehr als 40 000 DM (§ 141 AO). – b) Bei nichtbuchführungspflichtigen Betrieben nach →Durchschnittssätzen (§ 13a EStG), wenn die Voraussetzungen erfüllt sind und kein Antrag auf Ermittlung des Gewinns nach § 4 I oder § 4 III EStG gestellt wurde. – c) Bei nichtbuchführungspflichtigen land- und forstwirtschaftlichen Betrieben, die auch nicht unter die Regelung der Durchschnittsatzgewinnermittlung fallen, durch →Überschußrechnung nach § 4 III EStG (→Einkünfteermittlung). – 4. Freibetrag von 2000 DM, bei →Zusammenveranlagung von Ehegatten 4000 DM (§ 13 III EStG).

II. E. aus Gewerbebetrieb (§§ 15–17 EStG): 1. *Hierzu rechnen:* a) E. aus gewerblichen Unternehmen; b) Gewinnanteile der Gesellschafter einer OHG, KG oder einer anderen Gesellschaft, bei der die Gesellschafter als Mitunternehmer anzusehen sind; c) Gewinnanteile der persönlich haftenden Gesellschafter einer KGaA, soweit sie nicht auf Anteile am Grundkapital entfallen; d) Vergütungen, die Gesellschafter einer Personengesellschaft und persönlich haftende Gesellschafter einer KGaA für Ihre Tätigkeit im Dienst der Gesellschaft, für Hingabe von Darlehen oder für Überlassung von Wirtschaftsgütern beziehen; e) Gewinne aus Betriebsveräußerung, →Betriebsaufgabe oder Veräußerung eines Teilbetriebs sowie Gewinne aus Veräußerung von Mitunternehmeranteilen oder des Anteils eines Komplementärs einer KGaA und bei Ausscheiden von Gesellschafter (→Veräußerungsgewinn); f) Gewinne aus Veräußerung von Anteilen an einer Kapitalgesellschaft bei →wesentlicher Beteiligung. – 2. Berücksichtigung von *Verlusten:* a) Verluste aus gewerblicher Tierzucht oder gewerblicher Tierhaltung dürfen weder mit anderen E. aus Gewerbebetrieb noch mit E. aus anderen →Einkunftsarten ausgeglichen werden. Ein →Verlustabzug ist ebenfalls nicht möglich, sondern lediglich ein Ausgleich mit Gewinnen aus gewerblicher Tierzucht oder gewerblicher Tierhaltung nach Maßgabe des § 10d EStG; b) Verluste, die bei beschränkt haftenden Personengesellschaftern ein →negatives Kapitalkonto entstehen lassen oder erhöhen, sind bei der Einkommensermittlung nicht ausgleichs- oder abzugsfähig, sondern lediglich in späteren Wirtschaftsjahren verrechenbar (im einzelnen vgl. →negatives Kapitalkonto). – 3. *Gewinnermittlung:* a) Bei buchführungspflichtigen Betrieben (→Buchführungspflicht II) durch →Betriebsvermögensvergleich nach § 5 I EStG (→Einkünfteermittlung); b) bei nichtbuchführungspflichtigen und nicht freiwillig Bücher führenden Betrieben durch →Überschußrechnung nach § 4 III EStG.

III. E. aus selbständiger Arbeit (§ 18 EStG): 1. *Zu diesen gehören:* a) E. aus der Tätigkeit der →freien Berufe; b) E. staatlicher Lotterieeinnehmer; c) E. aus sonstiger selbständiger Arbeit (Vermögensverwaltung; Aufsichtsratstätigkeit); d) zu ihnen gehört auch der Gewinn aus Veräußerung oder Aufgabe des der selbständigen Arbeit dienenden Vermögens (→Veräußerungsgewinn). – 2. Bei der *Einkommensermittlung* wird ein Freibetrag von 5% der Einnahmen aus freier Berufstätigkeit, höchstens jedoch 1200 DM jährlich, abgesetzt, wenn die E. aus freier Berufstätigkeit die andren Einkünfte überwiegen.

IV. E. aus nichtselbständiger Arbeit (§19 EStG): 1. *Hierzu gehören* Bezüge und Vorteile, die aus einem jetzigen oder früheren Dienstverhältnis herrühren, wie Gehälter, Löhne, Provisionen, Gratifikationen, Tantiemen, Wartegelder, Ruhegelder, Witwen- und Waisengelder. – 2. Zu *Ermittlung der Einkünfte* sind von den Einnahmen vor Abzug der →Werbungskosten der →Weihnachtsfreibetrag und der →Arbeitnehmer-Freibetrag abzuziehen, u. U. auch ein →Versorgungsfreibetrag.

V. E. aus Kapitalvermögen (§20 EStG): 1. *Zu den E. rechnen:* a) Gewinnanteile (Dividenden), Ausbeuten und sonstige Bezüge aus Aktien, Kuxen, →Genußrechten, Anteilen an GmbHs, an Erwerbs- und Wirtschaftsgenossenschaften, Kolonialgesellschaften und bergbautreibenden Vereinigungen, die die Rechte einer juristischen Person haben; b) Bezüge, die aufgrund einer →Kapitalherabsetzung oder nach der Auflösung unbeschränkt steuerpflichtiger Körperschaften oder Personenvereinigungen i. S. von a) anfallen, soweit bei diesen für Ausschüttungen →verwendbares Eigenkapital als verwendet gilt; c) weiterhin die anrechenbare oder zu vergütende Körperschaftsteuer (sie gilt als mit der Bardividende zugeflossen); d) Einnahmen aus der Beteiligung an einem Handelsgewerbe als typisch stiller Gesellschafter und aus →partiarischen Darlehen; e) Zinsen aus Hypotheken und Grundschulden und Renten aus Rentenschulden. Bei Tilgungshypotheken und Tilgungsgrundschulden ist nur der Teil der Zahlung steuerpflichtig, der als Zins auf den jeweiligen Kapitalrest entfällt; f) Zinsen aus sonstigen Kapitalforderungen jeder Art, also aus Darlehen, Anleihen, Einlagen und Guthaben bei Kreditinstituten; g) Diskontbeträge von Wechseln und Anweisungen einschl. der Schatzwechsel; h) außerrechnungsmäßige und rechnungsmäßige Zinsen aus den Sparanteilen, die in den Beiträgen zu Versicherungen auf den Erlebens- oder Todesfall enthalten sind; i) besondere Entgelte oder Vorteile, die neben den zuvor genannten Einnahmen a) – h) oder an deren Stelle gewährt werden; j) Einnahmen aus der Veräußerung von Dividendenscheinen, Zinsscheinen und sonstigen Ansprüchen, wenn die dazugehörigen Aktien, Schuldverschreibungen oder sonstigen Anteile nicht mitveräußert werden; k) Einnahmen aus der Veräußerung von Zinsscheinen, wenn die dazugehörigen Schuldverschreibungen mitveräußert und Stückzinsen berechnet werden. – 2. Bei der *Ermittlung der E.* aus Kapitalvermögen ist nach Abzug der →Werbungskosten ein →Sparer-Freibetrag abzuziehen.

VI. E. aus Vermietung und Verpachtung (§21 EStG): 1. Dazu gehören: a) E. aus Vermietung und Verpachtung von unbeweglichem Vermögen, insbes. von Grundstücken, Gebäuden, Gebäudeteilen, Schiffen und →grundstücksgleichen Rechten (z. B. Erbbaurecht); b) E. aus Vermietung und Verpachtung von Sachinbegriffen, insbes. von beweglichem Betriebsvermögen; c) E. aus zeitlich begrenzter Überlassung von Rechten (z. B. künstlerische, schriftstellerische und gewerbliche Urheberrechte); d) E. aus Veräußerung von Miet- und Pachtzinsforderungen, auch wenn sie im Veräußerungspreis von Grundstücken enthalten sind. – 2. Zur Behandlung der *selbstgenutzten Wohnung* vgl. →Nutzungswert der Wohnung. – 3. Zur *Ermittlung der E.* sind von den Einnahmen die →Werbungskosten abzuziehen.

VII. Sonstige E. (§§22, 23 EStG): 1. E. *aus wiederkehrenden Bezügen* (§22 Nr. 1 EStG) sind beim Empfänger steuerfrei, wenn sie freiwillig oder aufgrund einer freiwillig begründeten Rechtspflicht oder einer gesetzlich unterhaltsberechtigten Person gewährt werden und der Geber unbeschränkt steuerpflichtig ist. Dazu gehören →Leibrenten insoweit, als in den einzelnen Bezügen Erträge des Rentenrechtes enthalten sind. Als Ertrag des Rentenrechts gilt der Unterschied zwischen dem Jahresbetrag der Rente und dem gleichmäßig auf die voraussichtliche Laufzeit verteilten Kapitalwert der Rente.

a) Ertragsanteile in % von Leibrenten nach dem bei Rentenbeginn vollendeten Lebensjahr des Berechtigten:

vollendetes Lebensjahr	Ertragsanteil	vollendetes Lebensjahr	Ertragsanteil
0 bis 2	72	54	36
3 bis 5	71	55	35
6 bis 8	70	56	34
9 bis 10	69	57	33
11 bis 12	68	58	32
13 bis 14	67	59	31
15 bis 16	66	60	29
17 bis 18	65	61	28
19 bis 20	64	62	27
21 bis 22	63	63	26
23 bis 24	62	64	25
25 bis 26	61	65	24
27	60	66	23
28 bis 29	59	67	22
30	58	68	21
31 bis 32	57	69	20
33	56	70	19
34	55	71	18
35	54	72	17
36 bis 37	53	73	16
38	52	74	15
39	51	75	14
40	50	76 bis 77	13
41	49	78	12
42	48	79	11
43 bis 44	47	80	10
45	46	81 bis 82	9
46	45	83	8
47	44	84 bis 85	7
48	43	86 bis 87	6
49	42	88 bis 89	5
50	41	90 bis 91	4
51	39	92 bis 93	3
52	38	94 bis 96	2
53	37	ab 97	1

b) Ertragsanteile abgekürzter Leibrenten:

Beschränkung der Laufzeit der Rente auf ... Jahre ab Beginn des Rentenbezugs (ab 1. Januar 1955, falls die Rente vor diesem Zeitpunkt zu laufen begonnen hat)	Der Ertragsanteil beträgt vorbehaltlich der Spalte 3 ... v. H.	Der Ertragsanteil ist der Tabelle in § 22 Nr. 1 a des Gesetzes zu entnehmen, wenn der Rentenberechtigte zu Beginn des Rentenbezugs vor dem 1. Januar 1955, (falls die Rente vor diesem Zeitpunkt zu laufen begonnen hat) das ... te Lebensjahr vollendet hatte
1	2	3
1	0	entfällt
2	2	97
3	5	90
4	7	86
5	9	83
6	10	81
7	12	79
8	14	76
9	16	74
10	17	73
11	19	71
12	21	69
13	22	68
14	24	66
15	25	65
16	26	64
17	28	62
18	29	61
19	30	60
20	31	60
21	33	58
22	34	57
23	35	56
24	36	55
25	37	54
26	38	53
27	39	52
28	40	51
29	41	51
30	42	50
31	43	49
32	44	48
33	45	47
34	46	46
35	47	45
36	48	43
37–38	49	42
39	50	41
40	51	40
41–42	52	39
43	53	38
44	54	36
45–46	55	35
47–48	56	34
49	57	33
50–51	58	31
52–53	59	30
54–55	60	28
56–57	61	27
58–59	62	25
60–62	63	23
63–64	64	21
65–67	65	19
68–70	66	17
71–74	67	15
75–77	68	13
78–82	69	11
83–87	70	9
88–93	71	6

mehr als 93: Der Ertragsanteil ist immer der Tabelle in § 22 Nr. 1 a des Gesetzes zu entnehmen

2. E. aus →*Unterhaltsleistungen* (§ 22 Nr. 1 a EStG) vom geschiedenen oder dauernd getrennt lebenden Ehegatten werden als sonstige E. erfaßt, wenn sie vom Geber als →Sonderausgaben abgezogen werden können. – 3. E. aus →*Spekulationsgeschäften* (§ 22 Nr. 2 EStG) bleiben steuerfrei, wenn der erzielte Gesamtgewinn im Kalenderjahr weniger als 1000 DM betragen hat (→Freigrenze). Spekulationsverluste sind nur bis zur Höhe der Spekulationsgewinne im gleichen Kalenderjahr ausgleichsfähig. – 4. *E. aus sonstigen Leistungen* (z. B. aus gelegentlicher Vermittlung und Vermietung beweglicher Gegenstände) sind als sonstige E. zu versteuern, wenn sie die Freigrenze von 500 DM im Kalenderjahr erreichen bzw. übersteigen (§ 22 Nr. 3 EStG). – 5. Entschädigungen, Zuschüsse zu Krankenversicherungen, Übergangsgelder oder andere Versorgungsbezüge, die *Bundestags-, Landtags- oder andere Abgeordnete* erhalten (§ 22 Nr. 4 EStG), stellen ebenfalls E. aus sonstiger Tätigkeit dar.

Einkünfte aus Gewerbebetrieb, →Einkünfte II.

Einkünfte aus Kapitalvermögen, →Einkünfte V.

Einkünfte aus Land- und Forstwirtschaft, →Einkünfte I.

Einkünfte aus nichtselbständiger Arbeit, →Einkünfte IV.

Einkünfte aus selbständiger Arbeit, →Einkünfte III.

Einkünfte aus Vermietung und Verpachtung, →Einkünfte VI.

Einkünfteermittlung, Begriff des Einkommensteuerrechts. Ermittlung des Ergebnisses (→Einkünfte) aus den einzelnen Einkunftsarten. Die Summe der Einkünfte bildet die Ausgangsgröße bei der →Einkommensermittlung. – Es existieren *verschiedene Methoden* je nach Art der Einkünfte: 1. Bei *Überschußeinkunftsarten* ermitteln sich die →Einkünfte als Überschuß der Einnahmen über die →Werbungskosten (§ 2 II Nr. 2 EStG); anzuwenden bei Einkünften aus nichtselbständiger Arbeit, Kapitalvermögen, Vermietung und Verpachtung, sonstigen Einkünften. – 2. Bei den *Gewinneinkunftsarten* (Einkünfte aus Land- und Forstwirtschaft, aus Gewerbebetrieb, aus selbständiger Arbeit) sind die Einkünfte der Gewinn (§ 2 II Nr. 1 EStG). Hinsichtlich der Gewinnermittlungsmethoden ist zu unterscheiden: a) Ermittlung des *Überschusses der Betriebseinnahmen über die →Betriebsausgaben* nach § 4 II EStG (→Einnahmen- und Ausgabenrechnung); angewandt von Gewerbetreibenden und Land- und Forstwirten, die gesetzlich zur Führung und Erstellung von Abschlüssen nicht verpflichtet sind und dies auch freiwillig nicht tun, sowie von Steuerpflichtigen mit Einkünften aus selbständiger Arbeit. – b) →*Betriebsvermögensvergleich:* Ermittlung des Unterschiedsbetrags zwischen dem →Betriebsvermögen am Schluß des Wirtschaftsjahres und dem Betriebsvermögen am Schluß des vorangegangenen Wirtschaftsjahres, vermehrt um den Wert der Entnahmen, vermindert um den Wert der Einlagen (§§4 I und 5 I EStG); anzuwenden von Steuerpflichtigen, die nach Handels- oder Steuerrecht verpflichtet sind, Bücher zu führen und regelmäßig Abschlüsse zu machen (§§ 140, 141 AO, vgl. →Buchführungspflicht) oder die dies freiwillig tun: Land- und Forstwirte, Selbständige, Minderkaufleute nach §4 I EStG, andere Gewerbetreibende nach §5 I EStG. – c) Ermittlung des *Gewinns aus Land- und Forstwirtschaft* nach →Durchschnittssätzen.

Einkünfteerzielungsabsicht, steuerlicher Begriff. *Voraussetzung* der Einkünfteerzielung ist, sowohl bei den Gewinn- als auch bei den Überschußeinkunftsarten, eine wirtschaftlich auf Vermögensmehrung gerichtete Tätigkeit des Steuerpflichtigen. Da die Absicht der Vermögensmehrung durch wirtschaftliche Betätigung eine innere Tatsache ist, kann darauf nur anhand objektiver Umstände geschlossen werden. *Beweisanzeichen* für und gegen die E. ergeben sich aus der Art der Wirtschaftsführung und den Ergebnissen der Vergangenheit. Bei fehlender E. ist Tätigkeit ertragsteuerlich irrelevant.

Einkunftsarten, →Einkünfte.

Einlagekonto, Konto des stillen Gesellschafters, das den jeweiligen Stand seiner Beteiligung ausweist, also nur die geleisteten →Einlagen umfaßt. Etwaige Verlustanteile sind von dem E. abzuschreiben; nicht entnommener Gewinn ist dagegen grundsätzlich nicht dem E., sondern dem Privatkonto gutzuschreiben. Ein *passives* E. braucht der stille Gesellschafter nur insoweit abzudecken, als er noch zur Leistung der Einlage verpflichtet ist (§232 HGB). – *Rechtlich* hat der stille Gesellschafter in Höhe seines E. vermindert um auf ihn entfallende Verluste eine Gläubigerforderung gegen den Geschäftsinhaber (§§230, 236 HGB); grundlegender Unterschied zum →Kapitalkonto des OHG-Gesellschafters.

Einlagen. I. Handelsrecht: Die Bar- oder Sachleistungen, mit denen sich ein Gesellschafter an einer Handelsgesellschaft beteiligt. – 1. *Aktiengesellschaft:* Dem →Nennwert bzw. höheren Ausgabebetrag der Aktien entsprechende Beträge, evtl. auch →Sacheinlagen. E. dürfen wegen der Erhaltung des →Grundkapitals nicht zurückgewährt werden; bei verbotswidriger Rückgewähr tritt persönliche Haftung des Aktionärs gegenüber den Gesellschaftsgläubigern und Ersatzpflicht des Vorstandes ein (§§ 57, 62, 93 AktG). Ähnliches gilt bei Umgehung durch Erwerb →eigener Aktien durch die AG (vgl. §71 AktG). – 2. *Offene Handelsgesellschaft:* (V.a.) der sich nach dem Gesellschaftsvertrag bestimmende →Gesellschaftsbeitrag. – Mangels einer Vereinbarung im Gesellschaftsvertrag sind die E. in gleichen Anteilen zu erbringen (§706 BGB). Die Erhöhung der E. ist für den einzelnen Gesellschafter nicht möglich (§707 BGB), der Gesellschaftsvertrag kann aber in angemessener Grenze eine allgemeine Kapitalerhöhung durch Beschlußfassung der Gesellschafter zulassen. – 3. *Kommanditgesellschaft:* Es gilt Entsprechendes. Man unterscheidet aber bei den Kommanditisten →Haftsume (Hafteinlage) und →Pflichteinlage. Der Kommanditist haftet zwar auch wie der Gesellschafter der OHG den Gläubigern der KG gegenüber mit seinem Privatvermögen, doch nur bis zur Höhe der Haftsumme, während die Pflichteinlage nur das Innenverhältnis der Gesellschafter betrifft. – 4. *Stille Gesellschaft:* Die E. des stillen Gesellschafters geht in das Vermögen des Geschäftsinhabers über (§335 HGB) und wird dem →Einlagekonto gutgeschrieben. Sie hat aber nur Bedeutung für das Innenverhältnis der Gesellschafter. Als E. kann jeder Vermögenswert eingebracht werden, selbst eigene Forderung und Leistung von Diensten. Bei Konkurs des Geschäftsinhabers kann der stille Gesellschafter ggf. den seinen Verlustanteil überschießenden Einlageteil als Konkursgläubiger geltend machen; hatte er seine E. noch nicht eingezahlt, so muß er den zur Deckung seines Verlustanteiles erforderlichen Betrag zur Konkursmasse geben (§236 HGB).

II. Steuerrecht: 1. *Begriff:* E. sind alle Wirtschaftsgüter, die der Steuerpflichtige dem Betrieb zuführt (§4I5 EStG). Hierzu gehören →Wirtschaftsgüter aller Art (z.B. Geld, Waren, Grundstücke, Forderungen, Patente), Nutzungen und Leistungen nur, wenn ein der E. fähiges Wirtschaftsgut vorliegt (z.B. hinsichtlich des Nutzungsrechts eine gesicherte Rechtsposition). – *Nicht* einlagefähig sind die persönliche Arbeitskraft des Unternehmers sowie Wirtschaftsgüter des →notwendigen Privatvermögens. – 2. *Gewinnauswirkung:* E. dürfen gem. §4I1 EStG den Gewinn nicht beeinflussen. Soweit sie bei der Gewinnermittlung durch →Betriebsvermögensvergleich nach §§4I, 5I EStG das →Betriebsvermögen erhöht haben, ist der Gewinn um den Wert der E. zu vermindern. – 3. *Bewertung:* E. sind mit dem →Teilwert für den Zeitpunkt der Zuführung anzusetzen, jedoch höchstens mit den →Anschaffungskosten oder →Herstellungskosten, wenn das Wirtschaftsgut a) innerhalb von drei Jahren vor der Zuführung angeschafft oder hergestellt worden oder b) ein Anteil an einer Kapitalgesellschaft ist und der Steuerpflichtige an der Gesellschaft wesentlich beteiligt (§17I EStG) ist (§6I5 EStG). – Vgl. auch →verdeckte Einlagen. – *Gegensatz:* →Entnahmen.

III. Bankwesen: 1. *Begriff:* Die von Kreditinstituten auf Konten aufgenommenen fremden Gelder. – 2. *Arten:* a) Nach der *Art der Einlagen:* (1) →Sichteinlagen, (2) →Termineinlagen und (3) →Spareinlagen. – Sicht- und Termineinlagen werden auch unter dem Begriff *Depositen* subsumiert.

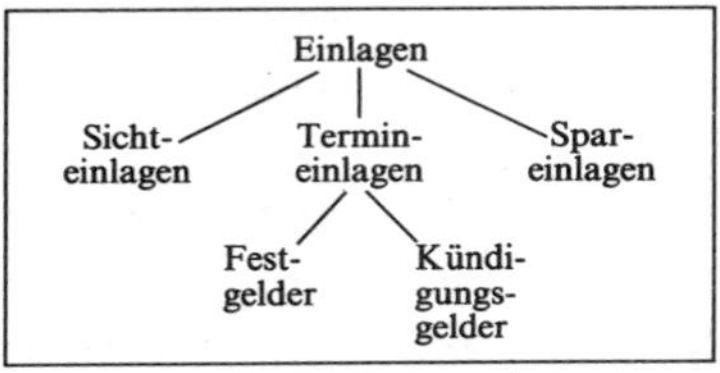

b) Nach den *Einlegern:* (1) Nichtbankeneinlagen und (2) Bankeneinlagen. – Vgl. auch →Einlagengeschäft.

Einlagengeschäft, →Bankgeschäft i. S. des § 1 KWG. Das E. beinhaltet die Annahme fremder Gelder als verzinsliche oder unverzinsliche →Einlagen. Bei der Annahme von →Sichteinlagen und →Termineinlagen (unter dem Begriff Depositen subsumiert) als *Depositengeschäft* bezeichnet. – § 3 KWG verbietet das E. für Werksparkassen und Zwecksparunternehmen (ausgenommen →Bausparkassen) oder wenn durch Vereinbarung oder geschäftliche Gepflogenheiten die Verfügung über die Einlagen durch Barabhebung ausgeschlossen oder erheblich erschwert wird.

Einlagensicherungsfonds des Bundesverbandes deutscher Banken, ein vom →Bundesverband deutscher Banken 1976 zum Schutz der Einleger freiwillig eingerichteter Fonds, mit der Aufgabe, bei drohenden oder bestehenden finanziellen Schwierigkeiten privater Kreditinstitute im Interesse der Einleger Hilfe zu leisten. Der Fonds sichert Kundeneinlagen bis zu 30% des haftenden Eigenkapitals einer Bank.

Einlagenzertifikat, →certificate of deposit.

Einlagerungsinventur, →laufende Inventur 4.

Einlassungsfrist, Frist, die im Zivilprozeß zwischen →Zustellung der Klageschrift und dem Verhandlungstermin liegen soll. Sie beträgt bei Prozessen im Anwaltszwang zwei Wochen (§ 274 ZPO); sonst entspricht sie i. d. R., auch wegen der Folgen ihrer Nichtinnehaltung, der →Ladungsfrist.

Einlieferungsbescheinigung. 1. Im *Bankwesen:* Vgl. →Depotschein. – 2. Im *Postwesen:* Durch die Post über eingelieferte →Wertsendungen und →Einschreiben, Bareinzahlungen und →Nachnahmesendungen ausgestellte Bescheinigung; auf Verlangen auch für →Paketsendungen. Die E. ist *kein Beweis* für den Zugang; Beweis nur durch die bei der Post (zwei Jahre) aufbewahrte Ablieferungsbescheinigung oder den →Rückschein. – Vgl. auch →Posteinlieferungsbuch.

Einliegerwohnung, eine in einem →Eigenheim, einem Kaufeigenheim oder einer Kleinsiedlung enthaltene abgeschlossene oder nicht abgeschlossene zweite Wohnung, die gegenüber der Hauptwohnung von untergeordneter Bedeutung ist (§ 11 WobauG). →Wohnungsbau. – *Steuerlich:* Vgl. →Zweifamilienhaus.

Einlinienprinzip, →Einliniensystem.

Einliniensystem. 1. *Begriff:* Grundform eines →Leitungssystems, bei der hierarchisch untergeordnete organisatorische Einheiten →Weisungen lediglich von jeweils einer übergeordneten →Instanz erhalten (Einlinienprinzip, Instanzenweg). Das E. geht zurück auf das von Fayol geprägte Prinzip der Einheit der Auftragserteilung. (Vgl. aber auch: →Fayol-Brücke.) – 2. *Vorteile:* Klare Unterstellungsverhältnisse; eindeutige und übersichtliche Abgenzung von →Kompetenz und Festlegung von →Kommunikationsbeziehungen. *Nachteile:* Eventuell Überlastungen, mangelnde Spezialisierung der Zwischeninstanzen, Schwerfälligkeiten im Kommunikations- und Entscheidungsprozeß (→Dispositionsfähigkeit), das Problem der Informationsfilterung.

Einlösungspflicht, →Noteneinlösung.

Einmalbeitrag, *Einmalprämie,* bei der →Lebensversicherung einmalig nach Vertragsabschluß zu entrichtende →Prämie für den Erwerb eines bestimmten Versicherungsanspruchs. Bei vorzeitigem Eintritt des Versicherungsfalles (Tod, Invalidität, Heirat) verfällt der E., es erfolgt keine Rückzahlung. – *Anders:* →Prämiendepot. – *Gegensatz:* Laufende (Jahres-)Prämie.

einmalige Bezüge, →sonstige Bezüge.

einmalige Vermögensanfälle, Begriff für Schenkungen, Erbschaften, Lotteriegewinne u. ä. – *Besteuerung:* 1. *Einkommensteuer:* E. V. fallen unter keine Einkunftsart, unterliegen nicht der Einkommensteuer. – 2. *Körperschaftsteuer:* E. V. unterliegen i. d. R. auch nicht der Körperschaftssteuer; Ausnahmefall: →Betriebseinnahme bei betrieblicher Veranlassung. – 3. *Erbschaftsteuer:* Erbschaften und Schenkungen unterliegen der →Erbschaftssteuer. – 4. Für *Lotteriegewinne* vgl. →Rennwett- und Lotteriesteuer.

Einmalprämie, →Einmalbeitrag.

Einmanngesellschaft. I. Begriff/Arten: 1. *Begriff:* →Kapitalgesellschaft, bei der alle Geschäftsanteile in einer Hand vereinigt sind. – 2. *Arten:* a) *Einmann-GmbH:* Beschlußfassung an Stelle der Gesellschafterversammlung durch den alleinigen Eigner sämtlicher Anteile; zumeist ist er gleichzeitig der alleinige Geschäftsführer. Seit 1.1.1981 läßt das Gesetz (§ 1 GmbHG) auch die Gründung einer Einmann-GmbH zu, jedoch muß vor der Anmeldung in das Handelsregister über die auf das →Stammkapital generell vorgeschriebenen Mindesteinzahlungen hinaus für den verbleibenden Teil der Geldeinlage Sicherung bestellt werden; dies gilt auch dann, wenn innerhalb von drei Jahren nach der Eintragung der GmbH sämtliche Geschäftsanteile in einer Hand vereinigt. Für ein →Insichgeschäft des Gesellschafter-Geschäftsführers bedarf es Regelung in der →Satzung oder Satzungsänderung. Ein Beschluß der E. ist unverzüglich durch eine unterzeichnete Niederschrift zu beurkunden. – b) *Einmann-AG:* Form der AG, die zwar nicht bei der Gründung aber später durch Erwerb sämtlicher Aktien entstehen kann. Auch die E. ist →juristische Person; den Gläubigern haftet dementsprechend nur das Gesellschaftsvermögen. Die Einmann-AG muß →Vorstand und →Aufsichtsrat haben, wobei der Einmann-Aktionär sich nur zum einen oder anderen bestellen kann. Auch Einmann-Aktionär muß das →Grundkapital erhalten und die besonderen Gläubigerschutzvorschriften des Aktienrechts beachten; bei Verletzung haftet er u.U. den Gläubigern persönlich mit seinem sonstigen Vermögen. Im übrigen gelten vielfach sich aus der Eigenart der E. ergebende Besonderheiten.

II. Steuerrecht: Die E. wird trotz der Künstlichkeit in der Unterscheidung zwischen Gesellschaft und Gesellschafter mit allen Konsequenzen anerkannt, bes. im Hinblick auf Bewilligungen und Auszahlung von Gehalt an den geschäftsführenden Gesellschafter und dessen Angemessenheit (→verdeckte Gewinnausschüttung); Einschränkungen jedoch bei Pensionszusagen (vgl. →Pensionsrückstellung III 8).

Einnahmen. I. Rechnungwesen: Strömungsgröße zu Geldvermögensbestand (Zahlungsmittelbestand + Bestand an Forderungen ⁒ Bestand an Verbindlichkeiten), also Zufluß von Zahlungsmitteln und/oder Erwerb von Forderungen eines Wirtschaftssubjekts. – *Gegensatz:* →Ausgaben. –*Nicht zu verwechseln* mit →Einzahlung, →Ertrag, →Betriebsertrag.

II. Finanzwissenschaft: Vgl. →öffentliche Einnahmen, →Finanzpolitik IV 1, →Staatseinnahmen.

Einnahmenpolitik, →Finanzpolitik IV 1.

Einnahmentheorie, →Finanztheorie VI.

Einnahmen- und Ausgabenrechnung. I. Steuerrecht: Form der Gewinnermittlung nach § 4 III EStG. *Anwendbar* für Steuerpflichtige, die nicht aufgrund gesetzlicher Vorschriften verpflichtet sind, Bücher zu führen und Abschlüsse zu machen, und die auch nicht freiwillig Bücher führen und Abschlüsse machen (Kleingewerbetreibende, freiberuflich Tätige, nicht buchführende Land- und Forstwirte). *Gewinn* ist der Überschuß der →Betriebseinnahmen über die →Betriebsausgaben.

II. Rechnungswesen: Teilgebiet des betriebswirtschaftlichen →Rechnungswesens, das →Einnahmen und →Ausgaben aufzeichnet.

Einnahmeplan, Teil des →Finanzplans der Unternehmung, in dem für einen bestimmten Zeitraum sämtliche zu erwartenden →Einnahmen einer Unternehmung als →Sollzahlen aufgestellt werden. Bleiben die →Istzahlen hinter dem Einnahmesoll zurück, so besteht Anlaß zu besonderer Aufmerksamkeit im Hinblick auf die →Liquidität des Unternehmens.

Einphasenumsatzsteuer, Umsatzsteuersystem, bei dem nur auf einer Phase der Leistungskette Umsatzsteuer erhoben wird. – *Beispiel:* →Einhandelsumsatzsteuer. – *Gegensätze:* →Allphasenumsatzsteuer, →Mehrphasenumsatzsteuer. – Vgl. auch →Umsatzbesteuerung III 1.

Einplanwirtschaft, auf Preiser zurückgehende Bezeichnung für eine →zentralgeleitete Wirtschaft.

Einplatzsystem, *Single-user-System,* Computer (i.d.R. ein Mikrocomputer), der darauf ausgelegt ist, daß zu einem Zeitpunkt nur ein →Benutzer mit ihm arbeitet. – Vgl. auch →Personal Computer, →Rechnergruppen, →Einprogrammbetrieb.

Einproduktbetrieb, →Einproduktproduktion.

Einproduktproduktion, Elementartyp der Produktion (→Produktionstypen), der sich aus dem Merkmal der Zahl der angebotenen und produzierten Produkte ergibt. Bei E. wird nur eine Produktart produziert, die in Varianten erstellt werden kann, die sich nur in Einzelheiten voneinander unterscheiden. – *Beispiele:* Stromerzeugung, Trinkwasseraufbereitung. – *Gegensatz:* →Mehrproduktproduktion.

Einprogrammbetrieb, *Einprogrammverarbeitung, Monobetrieb, Monoprogramming, single-user mode,* Betriebsart eines Computers, bei der sich jeweils nur ein →Programm im →Arbeitsspeicher befindet, das für seinen gesamten Ablauf alle vorhandenen Betriebsmittel (→Prozessor(en), →Speicher, →Peripheriegeräte) zur Verfügung gestellt bekommt. Nur noch bei →Einplatzsystemen verwandt.

Einprogrammverarbeitung, →Einprogrammbetrieb.

Einpunktklausel, →Incoterms, bei denen Übergang von Kosten und Gefahr (Risiko) von Verkäufer auf Käufer zum gleichen Zeitpunkt erfolgt. – *Gegensatz:* →Zweipunktklausel.

Einrede der Arglist, Begriff des bürgerlichen Rechts. Die E.d.A. kann einem an sich rechtlich begründeten Anspruch entgegengesetzt werden, wenn der Anspruch auf arglistige Weise erworben ist oder seine Geltendmachung aufgrund der besonderen Umstände des Falles eine sittenwidrige Schädigung des Verpflichteten darstellt. – Vgl. auch →unzulässige Rechtsausübung.

Einrede der Verjährung, →Verjährung I.

Einrede der Vorausklage, dem Bürgen eingeräumtes Recht, die Befriedigung des Gläubigers so lange zu verweigern, als dieser nicht die Zwangsvollstreckung gegen den Hauptschuldner ohne Erfolg versucht hat (§ 771 BGB). Der Bürge kann auf die E.d.V. verzichten (→selbstschuldnerische Bürgschaft). Der E. .d. V. bedarf es nicht bei der →Ausfallbürgschaft. – *Keine E.d.V.:* a) hat der Vollkaufmann, wenn die Bürgschaft zum Betrieb seines Handelsgewerbes gehört (§ 349 HGB); b) wenn der Hauptschuldner im Konkurs ist; c) wenn Zwangsvollstreckung gegen Hauptschuldner keine Erfolgsaussicht bietet; d) wenn Rechtsverfolgung gegen Hauptschuldner infolge einer Änderung des Wohnsitzes usw. wesentlich erschwert ist (§ 773 BGB).

Einrede des nichterfüllten Vertrags, bei einem →gegenseitigen Vertrag jedem Vertragsteil eingeräumtes Recht, seine Leistung bis zur Bewirkung der Gegenleistung zu verweigern, sofern er nicht vorleistungspflichtig ist. – Vgl. auch →Leistungsverweigerungsrecht.

Einreichungsverzeichnis, *Diskontnota,* bei der Diskontierung von Wechseln oder Schecks mit diesen einzureichender Vordruck, auf dem in der Reihenfolge der Verfallzeit die Wechsel unter Angabe des Wechselbetrages, Zahlungsorts, Verfalldatums, der Tage und Zinszahlen aufgeführt sind und der Diskontbetrag errechnet ist; i.d.R. sind von der Bank ausgegebene Vordrucksätze zu verwenden.

Einrichtelöhne, Bestandteil der →Einrichtungskosten. E. entstehen bei Umstellung von Arbeitsmaschinen auf neue Formen, Verrichtungen usw. – *Kostenmäßige Erfassung und Verrechnung:* Die E.- sollen nach Möglichkeit den →Kostenstellen belastet werden, in denen sie anfallen. Die Verrechnung auf →Kostenträger ist nur möglich, wenn die E. bestimmte Aufträge *(Einzelfertigung)* betreffen; bei der Serienproduktion müssen die E. wie die übrigen Stellenkosten im Gemeinkostenzuschlag (→Gemeinkostenschlüsselung) berücksichtigt werden.

Einrichtezeit, →Rüstzeit.

Einrichtungskosten. 1. *Begriff:* a) →Aufwendungen für die *Errichtung eines Betriebes,* soweit →Vermögensgegenstand nicht als Bilanzierungshilfe aktivierungsfähig ist. – b) →Aufwendungen für die Ingangsetzung und Erweiterung des Geschäftsbetriebes. – Vgl. auch →Gründungskosten. – 2. *Steuerlich* sind E. nur dann zu aktivieren, wenn ihnen ein aktivierungsfähiges Wirtschaftsgut gegenübersteht (vgl. § 6 EStG).

Einrichtungszuschuß, Fordern oder Gewähren von Zuschüssen für eine (besondere) Ladeneinrichtung; den Leistungswettbewerb im Handel gefährdend (→Gemeinsame Erklärung).

Einsatzergebnis. 1. *Begriff* der Plankostenrechnung für den Unterschied zwischen Einkaufspreis und →Planpreis. – 2. *Abweichungen:* (1) Abweichungen aus Preisschwankungen (Unterschied zwischen Plan- und Tagespreis) und (2) *Einkaufsabweichungen.* Letztere dienen u.a. als Maßstab für die Leistungen der Einkaufsabteilung. – Wegen Abgrenzungsschwierigkeiten wird in der Praxis das E. meist nur als Abweichung zwischen Einstandspreis (→Einstandswert) und Planpreis ermittelt. – Basiert der Planpreis auf *Wiederbeschaffungspreisen,* dann stellt das E. einen aus den Preisschwankungen herrührenden Konjunkturgewinn oder -verlust dar.

Einsatzfaktor, Faktor zur Berücksichtigung des Mengengefälles und des daraus sich ergebenden →Ausschusses zwischen aufeinanderfolgenden Produktionsstufen bzw. Kostenstellen (v.a. bei Großserien- und Massenproduktion). E. gibt das Verhältnis von Einsatzmenge einer Kostenstelle zu ihrer Ausbringungsmenge an. – *Reziproker Wert:* →Ausbeute. – In der *Plankostenrechnung* werden E. für artähnliche Produktgruppen geplant und mit der Bezugsgröße des Mengenverbrauchs pro Produkteinheit multipliziert. Damit sind die geplanten →Ausschußkosten (→Plankosten) in der Plankalkulation berücksichtigt.

Einschleusungspreis, →Agrarpreise II 3, →EWG I 2b) (3).

Einschreiben, besondere Versendungsform bei →Brief, →Postkarte, →Blindensendung und →Päckchen. Mit dem Vermerk „Einschreiben" bzw. „Einschreiben-Recommandé". Einlieferungsbescheinigung, Auslieferung gegen Empfangsbestätigung. *Haftung* der Deutschen Bundespost nur bei Verlust der ganzen Sendung oder des wesentlichen Inhalts. Ersatz: 40 DM (§ 12 Postgesetz).

Einschreibung, gelegentlich auch *Submission,* Abart der →Auktion und wie diese schriftlich durchgeführt. Besonders üblich beim Verkauf von Tabak in Holland. Während bei der Ausschreibung der Auftraggeber, also der Käufer, die Bedingungen bekanntgibt und hierauf schriftliche Lieferofferten abgegeben werden, liegt der E. ein Lieferangebot des Verkäufers zugrunde, um das sich die Käufer bewerben.

Einschuß. 1. *Börsengeschäfte:* a) Geldbetrag, der bei Effektenkaufaufträgen vom Auftraggeber eingezahlt wird; für den über den E. hinausgehenden Teil der Kaufsumme haften den Banken die gekauften Effekten. – b) An Warenterminbörsen: Anzahlung, die der Käufer auf den laufenden Kontrakt leisten muß, um die Erfüllung sicherzustellen. – 2. *Außenhandel:* Anordnung der Devisenbehörde auf beantragte Einfuhren kontingentierter Waren zu leistenden Bardepots; vgl. auch →Asservatenkonto.

Einschußquittung, *Havarie-grosse-Einschußquittung* , Quittung über die Zahlung eines Bareinschusses, der i.d.R. vom Versicherer der Transportversicherung übernommen wird. Von der Vorlage der E. kann die Auslieferung der Ware an den Empfänger nach einem Havarie-grosse-Fall aufgrund des →Konnossements abhängig gemacht werden.

einseitige Fragestellung, bei der statistischen Hypothesenprüfung (→statistische Testverfahren) der Fall der Prüfung einer *Höchst-* oder *Mindesthypothese* über den Wert eines Parameters der Grundgesamtheit. →Kritische Region, die mit Hilfe einer geeigneten →Prüfgröße abgegrenzt wird, besteht aus einem zusmmenhängenden Intervall. *(Gegensatz:* →zweiseitige Fragestellungen; zwei Teilintervalle). Abgelehnt wird bei einer Mindesthypothese, wenn ein besonders niedriger Wert der Prüfgröße resultiert; bei einer Höchsthypothese, wenn ein besonders hoher Wert auftritt.

einseitige Handelsgeschäfte, →Rechtsgeschäfte, die nur für einen der Vertragspartner →Handelsgeschäfte sind.

einseitige Leistungsbestimmung, im Arbeitsverhältnis vgl. →Direktionsrecht, →vertragliche Einheitsregelung.

einseitige Rechtsgeschäfte, →Rechtsgeschäfte, die nur aus einer →Willenserklärung bestehen. Empfangsbedürftige e.R. werden nur wirksam, wenn sie dem Erklärungsgegner zugehen, z.B. →Kündigung, →Anfechtung, →Rücktritt; nicht empfangsbedürftiges e.R. ist z.B. Errichtung eines Testaments. – *Gegensatz:* →Vertrag.

einseitiges faktorales Austauschverhältnis, →single factoral-terms of trade.

einseitige Übertragung, *unentgeltliche Übertragung,* ohne unmittelbare ökonomische Gegenleistung erbrachte bzw. empfangene Güter- und/oder Geldleistungen an das Ausland bzw. aus dem Ausland. Zu den e.Ü. zählen v.a. die in Form von verlorenen Zuschüssen geleistete Entwicklungshilfe, Gastarbeiterüberweisungen und Beiträge zu internationalen Organisationen. Die Gegenüberstellung der e.Ü. einer Periode erfolgt in der →Übertragungsbilanz.

Einsicht, →Akteneinsicht, →Bucheinsicht.

Einspaltenjournal, heute nicht mehr häufige Einrichtung der →Durchschreibebuchführung. Im Journal finden alle Betriebsvorfälle entweder in Urschrift oder in Durchschrift in *einem* Spaltenpaar („Soll und Haben" oder „Belastung und Gutschrift") Aufnahme.

Datum	Text	Belastung	Gutschrift	Kontenbezeichnung
3. 1.	Ausgangsrechn. Nr. 4		255,–	81
3. 1.	Verkauf	255,–		140

Einspruch. I. Zivilprozeß: 1. E. *gegen Versäumnisurteil:* Einzig zulässiger Rechtsbehelf gegen →Versäumnisurteile (§ 338 ZPO). – *Frist:* Der E. muß bei einem vom Amtsgericht und Landgericht erlassenen Versäumnisurteil binnen zwei Wochen (§ 339 ZPO) und bei einem vom Arbeitsgericht und Landesarbeitsgericht erlassenen Versäumnisurteil binnen einer Woche (§§ 59, 64 VII ArbGG) nach →Zustellung des Urteils schriftlich bei Gericht eingehen. Bei Fristversäumung ohne Verschulden ist →Wiedereinsetzung in den vorigen Stand möglich. – *Wirkung:* Der E. hat auf Zwangsvollstreckung keinen Einfluß, das Gericht kann aber auf Antrag →Einstellung anordnen. – Bei zulässigem E. wird der Prozeß fortgesetzt, bei der Entscheidung wird das Versäumnisurteil aufrechterhalten oder aufgehoben. – Erscheint die säumige Partei nach E. im ersten Termin nicht, wird der E. durch *weiteres* (zweites) *Versäumnisurteil* verworfen; dagegen lediglich Berufung mit der Begründung, daß kein Säumnis vorlag (z.B. mangelnde Ladung), möglich. – 2. *E. gegen Vollstreckungsbescheid im Mahnverfahren:* Entsprechend zu erheben (§ 700 ZPO).

II. Verwaltungsrecht: Vgl. →Widerspruch.

III. Steuerrecht: 1. Außergerichtlicher →*Rechtsbehelf,* zulässig gegen die in § 348 I AO enumerierten Verwaltungsakte, u.a. gegen →Steuerbescheid, →Steuermeßbescheid, →Feststellungsbescheid und gegen die Aufhebung, Änderung oder Ablehnung eines derartigen Verwaltungsakts (§ 348 II AO). – 2. Zur Einlegung *ist befugt,* wer geltend macht, durch einen Verwaltungsakt oder dessen Unterlassung beschwert zu sein (§ 350 AO). Sonderregelungen gelten bei einheitlichen →Feststellungsbescheiden und bei der Rechtsnachfolge (§§ 352, 353 AO). – 3. Der E. ist *binnen eines Monats* nach Bekanntgabe des Verwaltungsakts (§ 122 AO) schriftlich oder zur Niederschrift bei der Finanzbehörde einzulegen, deren Verwaltungsakt angefochten wird oder bei der ein Antrag auf Erlaß eines Verwaltungsakts gestellt worden ist (§§ 355, 357 AO). – 4. Durch die Einlegung des E. wird die *Vollziehung* des angegriffenen Verwaltungsaktes *nicht gehemmt;* die →Ansetzung der Vollziehung ist möglich. – 5. Art, Frist und Adressat des Rechtsbehelfs müssen sich bei schriftlichen Verwaltungsakten aus der *Rechtsbehelfsbelehrung* ergeben (§ 356 AO). – 6. Über den E. *entscheidet* die Finanzbehörde, die den Verwaltungsakt erlassen oder den Erlaß abgelehnt hat, durch Einspruchsentscheidung. Sie hat die Sache dabei in vollem Umfang erneut zu prüfen. Die Einspruchsentscheidung kann den Verwaltungsakt auch zum Nachteil dessen ändern (→Verböserung), der den E. eingelegt hat (§ 367 AO). Gegen die Einspruchsentscheidung ist Klage beim →Finanzgericht zulässig. – 7. *Kosten* entstehen nicht.

IV. Arbeitsrecht: Vgl. →Kündigungsschutz.

V. Strafrecht: Vgl. →Strafbefehl.

Einstandspreis, *Einstandswert.* 1. *Allgemein:* Vgl. →Anschaffungskosten. – 2. *Handelsunternehmen:* Vgl. →Wareneinstandspreis.

Einstellplätze, Begriff des Straßenverkehrsrechts für unbebaute oder mit Schutzdächern versehene, weder dem ruhenden noch dem fließenden öffentlichen Verkehr dienende Flächen, die zum Einstellen von Kraftfahrzeugen bestimmt sind. – Vgl. auch →Garagen.

Einstellung. I. Marktpsychologie/Theorie des Käuferverhaltens: 1. *Begriff:* Subjektiv wahrgenommene Eignung eines Gegenstands (Produkt, Person, Situation usw.) zur Befriedigung von Bedürfnissen (→Motivation; →Motive). Wird auch als *Image* bezeichnet. – E. gilt als *„hypothetisches Konstrukt“*, das nicht direkt und unmittelbar beobachtet werden kann, sondern i. d. R. aus verbalen Stellungnahmen oder offenem Verhalten erschlossen wird (→Neobehaviorismus); ein Subjekt besitzt einem Objekt gegenüber eine positive, negative oder neutrale E. – Das *Einstellungskonzept* geht dabei vom Individuum zum Gegenstand in subjektiv-individualisierter Form (Subjektperspektive) aus; Gegenstände können interpersonell unterschiedlich eingeschätzt werden. – Das *Imagekonzept* geht dagegen vom Gegenstand (Objektperspektive) in objektivierter Beurteilung aus (Personen-, Kaufstätten-, Unternehmens-, Länderimages der öffentlichen Meinung, →Imagetransfer); mehrere Personen (im Grenzfall alle) besitzen einem Objekt gegenüber die gleiche oder zumindest ähnliche E., weil vom Objekt ein bestimmtes, intersubjektives Image ausgeht. Image kann mithin als generalisierte, stereotype E. des betreffenden Objekts angesehen werden. – 2. *Komponenten:* a) *Kognitive (erkenntnismäßige) Komponente,* die sich in den Vorstellungen, Kenntnissen und Meinungen gegenüber einem Objekt äußert; b) *affektive (emotionale) Komponente,* die sich auf eine gefühlsmäßige, mit dem Objekt verbundene Haltung bezieht; c) *konative (handlungsbezogene) Komponente,* die sich auf eine grundsätzliche Handlungstendenz (z. B. Kaufhandlung) bezieht. I. d. R. sind alle drei Komponenten konsistent aufeinander abgestimmt: Die Konsistenz von Denken, Fühlen und Handeln gegenüber einem Objekt kennzeichnet eine E.; vgl. auch →kognitive Dissonanz. – 3. *Meßprobleme:* Im Rahmen der Erforschung des Käuferverhaltens geht es v. a. um die Frage, ob aus positiven E. gegenüber einem Kaufobjekt →Kaufabsichten oder -handlungen gefolgert bzw. prognostiziert werden können; hierzu liegt eine Vielzahl von Studien vor, die z. T. widersprüchliche Ergebnisse liefern. Experimentelle (z. B. Störfaktoren) und meßmethodische Schwierigkeiten (z. B. Ein- oder Mehrdimensionalität) sind hierfür verantwortlich. – Vgl. auch →Werbeforschung.

II. Arbeitsrecht: 1. *Begriff:* a) Abschluß eines →Arbeitsvertrages; b) (die damit zusammenhängende) Eingliederung des Arbeitnehmers in den Betrieb, d. h. die *Arbeitsaufnahme.* Wenn Abschluß des Arbeitsvertrags und Arbeitsaufnahme zeitlich auseinanderfallen, ist auf den ersten Zeitpunkt abzustellen. – 2. Die E. unterliegt nach §§ 99–101 BetrVG der *Mitbestimmung des Betriebsrats* in Betrieben mit mehr als 20 wahlberechtigten Arbeitnehmern. E. i. S. von § 99 BetrVG ist auch die Weiterbeschäftigung über die vereinbarte Altersgrenze hinaus, die Weiterführung eines →befristeten Arbeitsverhältnisses und die Beschäftigung von Leiharbeitnehmern im Entleiherbetrieb (§ 14 III AÜG). – 3. Der Arbeitgeber hat den Betriebsrat rechtzeitig über die geplante E. zu unterrichten, ihm die erforderlichen Bewerbungsunterlagen vorzulegen und Auskunft über die Person der Beteiligten zu geben. Er hat die Zustimmung des Betriebsrats zu der geplanten E. einzuholen und dabei auch Auskunft über die Auswirkungen der E. zu geben. – 4. *Zustimmung des Betriebsrats.* Der Betriebsrat kann seine Zustimmung gemäß § 99 II BetrVG aus fünf im einzelnen aufgeführten Gründen (z. B. E. verstößt gegen ein Gesetz) verweigern. Die Zustimmungsverweigerung hat schriftlich unter Angabe von Gründen binnen einer Woche nach Unterrichtung durch den Arbeitgeber zu erfolgen; anderenfalls gilt die Zustimmung als erteilt. Der Arbeitgeber kann beim →Arbeitsgericht beantragen, die *Zustimmung zu ersetzen* (§ 99 IV BetrVG). Die Entscheidung ergeht im →Beschlußverfahren. – 5. Der Arbeitgeber darf, wenn dies aus sachlichen Gründen dringend erforderlich ist, die *E. vorläufig durchführen;* bei Widerspruch des Betriebsrats muß er jedoch innerhalb von drei

Tagen das Arbeitsgericht anrufen und neben der Ersetzung der Zustimmung die Feststellung beantragen, daß die E. aus sachlichen Gründen dringend erforderlich war (§ 100 BetrVG). – 6. Führt der Arbeitgeber die E. ohne die erforderliche Zustimmung des Betriebsrats durch, so hat das Arbeitsgericht dem Arbeitgeber auf Antrag des Betriebsrats aufzugeben, die *E. auch tatsächlich aufzuheben.* Handelt der Arbeitgeber einer solchen Entscheidung zuwider, kann gegen ihn ein Zwangsgeld verhängt werden (§ 101 BetrVG).

III. Handelsrecht: E. des Geschäftsbetriebs, Aufgabe des Geschäfts. E. durch die *Erben* ist bei →Firmenfortführung notwendig, wenn die *handelsrechtliche Haftung* für die früheren Geschäftsverbindlichkeiten ausgeschlossen werden soll. Es muß deutlich erkennbar sein, daß eine Fortführung nicht beabsichtigt ist, z. B. durch Veräußerung des Unternehmens *ohne* Firma. Eine E. liegt nicht vor, wenn das Geschäft zunächst unter der alten Firma weitergeführt und dann ohne Firma verkauft oder unter Annahme einer neuen Firma forgeführt wird. Für die ausscheidenden Erben liegt E. bereits in der →Erbauseinandersetzung.

IV. Zwangsvollstreckung: E. bedeutet, daß die Vollstreckung nicht fortgesetzt wird, bereits vorgenommene Vollstreckungsakte aber bestehen bleiben können (§ 775 ZPO). – 1. E. und Aufhebung *findet statt:* a) wenn die Vollstreckung ausdrücklich für unzulässig erklärt oder deren endgültige E. durch gerichtliche Entscheidung angeordnet ist; b) wenn eine Entscheidung vorgelegt wird, durch die der →Vollstreckungstitel aufgehoben ist; c) wenn der Schuldner eine öffentliche Urkunde über die zur Abwendung der Vollstreckung erforderliche Sicherheitsleistung vorlegt (§ 776 ZPO); d) Die Zwangsvollstreckung ist ferner einzustellen, wenn der Schuldner eine öffentliche oder von dem Gläubiger ausgestellte Urkunde über die erfolgte Befriedigung des Gläubigers oder Stundungsbewilligung der Postquittung über Einzahlung des geschuldeten Betrages vorlegt. – 2. *Einstweilige E.:* Kann in einer Reihe von Fällen als vorläufige Maßnahme gegen oder ohne Sicherheitsleistung angeordnet werden, z. B. bei Einspruch, Erinnerung, Berufung, Vollstreckungsgegenklage und Drittwiderspruchsklage (§§ 707, 719, 732, 769 ZPO). Vgl. auch →Vollstreckungsschutz. – 3. *E. des Zwangsversteigerungsverfahrens:* Zulässig a) bei Bewilligung des Gläubigers; b) auf Antrag des Schuldners bis zu 6 Monaten, wenn (1) die Aussicht besteht, daß durch die E. die Versteigerung eines Grundstücks vermieden wird, (2) die Nichterfüllung der Verbindlichkeit auf Umständen beruht, die in allgemeinen wirtschaftlichen Verhältnissen begründet sind und (3) die E. dem Gläubiger zuzumuten ist (§§ 30 ff. ZVG).

V. Konkurs-/Vergleichsrecht: E. des Konkurs- und Vergleichsverfahrens, durch Beschluß des Gerichts angeordnete vorzeitige Beendigung des Verfahrens. – 1. *E. des Konkursverfahrens:* a) auf Antrag des →Gemeinschuldners mit Zustimmung aller →Konkursgläubier nach Ablauf der Anmeldefrist oder vor deren Ablauf, wenn der Gemeinschuldner versichert, daß außer den zustimmenden Gläubigern keine weiteren vorhanden sind (§ 202 KO); b) sobald sich ergibt, daß eine die Kosten des Verfahrens deckende →Konkursmasse nicht vorhanden ist, es sei denn, daß ein ausreichender Vorschuß geleistet wird (§ 204 KO). Die Einstellung wird wirksam mit dem Vollzug der →öffentlichen Bekanntmachung. Die gegen den Beschluß zulässige Beschwerde (zwei Wochen) hemmt die Wirksamkeit nicht. Die Einstellung beendet den Konkurs, macht die Eröffnung aber nicht rückgängig. – 2. *E. des Vergleichsverfahrens:* a) aus einer Reihe in § 100 VerglO angeführten Gründen; b) bei Rücknahme des Vergleichsantrages nach Eröffnung des Verfahrens (§ 99 VerglO); c) wenn der Vergleich *nicht erfüllt* werden kann (§ 96 V VerglO). – Mit der E. ist über die Eröffnung des →Anschlußkonkurses zu entscheiden (§ 101 VerglO).

VI. Strafrecht: E. im Strafverfahren, auch im Bußgeldverfahren, bedeutet die Beendigung eines Ermittlungsverfahrens ohne nachteilige Folgen für den Beschuldigten oder Betroffenen, E. kann mangels Beweises oder aus Rechtsgründen erfolgen. Die Einstellungsverfügung ist nicht der →Rechtskraft fähig, so daß trotz E. neue Ermittlungen aufgenommen werden können; insbes. ist die Staatsanwaltschaft durch E. von Bußgeldverfahren nicht gehindert, ein Strafverfahren einzuleiten.

Einstellungsforschung. *Imageforschung,* Teilgebiet der →Marktforschung, das die Erfassung der →Einstellung zu einer Unternehmung oder zu einem Produkt bei einer bestimmten Zielgruppe zum Gegenstand hat. Im Rahmen der E. kommt u. a. das Verfahren der →multidimensionalen Skalierung zum Einsatz.

Einstellungsfragebogen, →Personalfragebogen.

Einstellungskonzept, →Einstellung I 1 a).

Einstellungsskalen, Bezeichnung für eine Gruppe von Verfahrensweisen aus der Testpsychologie zur Bestimmung des Ausprägungsgrades von →Einstellungen. E. bestehen zumeist aus einer Reihe verbaler Feststellungen, zu denen die Versuchsperson in Abstufungen ihre Zustimmung oder Ablehnung geben kann. Einsatz in Betrieben z. B. bei Ermittlung von Einstellungen gegenüber Vorgesetzten und Mitarbeitern; in der Marktforschung, um die Einstellungen gegenüber bestimmten Produkten oder Werbemitteln zu testen.

Einsteuer, →Alleinsteuer, →monistisches Steuersystem.

Einstimmigkeitsregel, von K. Wicksell vorgeschlagenes →Abstimmungsverfahren zur Bestimmung des →optimalen Budgets: (1) Über die bereitzustellende Menge an öffentlichen Gütern soll nur in Verbindung mit den zur Finanzierung ihrer Erstellung notwendigen Maßnahmen abgestimmt werden, und (2) die Entscheidung muß einstimmig erfolgen. Ein →Free-rider-Verhalten ist unmöglich; die Individuen sind zur Offenlegung ihrer wahren Präferenzen gezwungen. – *Problem:* Starker Anstieg der Konsensfindungskosten.

Einstrahlung, Nichterfassung von Ausländern bei Beschäftigung in der Bundesrep. D. durch die Sozialversicherungspflicht, wenn der Schwerpunkt des Beschäftigungsverhältnisses im Ausland liegt und die Beschäftigung in der Bundesrep. D. infolge ihrer Eigenart oder vertraglich im voraus zeitlich begrenzt ist (§ 5 SGB 4), vorbehaltlich anderer Bestimmungen durch über- oder zwischenstaatliche →Sozialversicherungsabkommen. Für Personen, die eine selbständige Tätigkeit ausüben, gilt dies entsprechend. – *Gegensatz:* →Ausstrahlung.

einstufige Produktion, Elementartyp der Produktion (→Produktionstypen), der sich aus dem Merkmal der Prozeßuntergliederung ergibt. Die e. P. ist dadurch gekennzeichnet, daß nur ein Arbeitssystem an der Produktion eines Produktes bzw. Teiles beteiligt ist. – *Beispiele:* Lohnveredelung von Textilien, Prägung von Kfz-Nummernschildern. – *Gegensatz:* →mehrstufige Produktion.

Einstufung der Tätigkeit, →Arbeitsbewertung.

einstweilige Anordnung, vorläufige Regelung in bezug auf den Streitgegenstand eines gerichtlichen Verfahrens (→einstweilige Verfügung). – 1. *Verfassungsgerichtsbarkeit:* Vor dem Bundesverfassungsgericht (§ 32 BVerfGG) im Streitfalle zur Abwehr schwerer Nachteile, zur Verhinderung drohender Gewalt oder zum gemeinsamen Wohl. – 2. *Ordentliche Gerichtsbarkeit:* Insbes. in Ehesachen zur Regelung von Getrenntleben, Unterhalt, Personensorge und Prozeßkostenvorschüssen (§ 620 ZPO) oder bei Rechtsbehelfen zur Aussetzung des Vollzugs oder Zwangsvollstreckung der angefochtenen Entscheidung (§§ 707, 719 ZPO). – 3. *Verwaltungsgerichtsbarkeit:* Das Gericht kann auch schon vor Klageerhebung e. A. in bezug auf den Streitgegenstand treffen, wenn die Gefahr besteht, daß durch eine Veränderung des bestehenden Zustandes die Verwirklichung eines Rechts des Antragstellers vereitelt oder wesentlich erschwert werden könnte (§ 123 VwGO). E. A. sind auch zur Regelung eines vorläufigen Zustandes zulässig. Zuständig ist das Gericht des ersten Rechtszuges und, wenn das Berufungsverfahren abhängig ist, das Berufungsgericht. Die Vorschriften der ZPO über die Einstweilige Verfügung gelten entsprechend. – 4. *Finanzgerichtsbarkeit:* Das Gericht kann auch schon vor →Klageerhebung eine e. A. in bezug auf den Streitgegenstand treffen, wenn die Gefahr besteht, daß durch eine Veränderung des bestehenden Zustandes die Verwirklichung eines Rechts des Antragstellers vereitelt oder wesentlich erschwert werden könne. E. A. sind auch zur Regelung eines vorläufigen Zustandes in bezug auf ein streitiges Rechtsverhältnis zulässig. Zuständig für den Erlaß der e. A. ist das Gericht der Hauptsache. Die Vorschriften der ZPO finden entsprechende Anwendung (§ 114 FGO).

einstweilige Kostenbefreiung, →Prozeßkostenhilfe.

einstweilige Verfügung. I. Zivilprozeß: Vorläufige gerichtliche Anordnung a) zur Sicherung von Ansprüchen (ausgenommen Geldforderungen: →Arrest), deren Durchsetzung durch Veränderung des bestehenden Zustandes vereitelt oder wesentlich erschwert werden könnte, sowie b) zur Regelung eines streitigen Rechtsverhältnisses (§§ 935–945 ZPO). – *Anordnung/Vollziehung:* I. d. R. nach den Bestimmungen des →Arrestverfahrens. Das Gericht bestimmt die Maßnahmen, die zur Erreichung des Zwecks der e. V. erforderlich sind, z. B. Veräußerungsverbot, Herausgabe einer Sache an einen Sequester (§ 938 ZPO); sie dürfen grundsätzlich nur vorläufigen Charakter haben. – *Zuständigkeit:* Zuständig ist abweichend vom Arrestverfahren das Gericht, das zur Entscheidung im ordentlichen Verfahren zuständig wäre; in dringenden Fällen kann das Amtsgericht, in dessen Bezirk sich der Streitgegenstand befindet, eine vorläufige e. V. erlassen. E. V. kann nur bei Dringlichkeit *ohne mündliche Verhandlung* ergehen. – E. V. ist →*Vollstreckungstitel*, doch soll die Vollstreckung grundsätzlich nicht zur vollen Befriedigung des Gläubigers führen. Ausnahmsweise kann sie auch Zahlungen (z. B. von Unterhalt) anordnen. – Die *Räumung von Wohnraum* darf nur wegen →verbotener Eigenmacht angeordnet werden (§ 940 a ZPO).

II. Handelsrecht: In Handelssachen genügt die e. V. nach § 16 HGB zur Eintragung in das Handelsregister (→Eintragung im Handelsregister). Sie kann die →Anmeldung betreffen, einem Gesellschafter die Ausübung der Geschäftsführung untersagen, die Vertretung der Gesellschaft regeln oder auch einen Dritten bevollmächtigen, für die Gesellschaft einstweilen zu handeln. – *Nicht zulässig* ist

e. V. auf →Auflösung einer Gesellschaft oder →Löschung einer Firma.

III. Wettbewerbsrecht: E. V. ist wichtiger Rechtsbehelf bei Anspruch auf Unterlassung (nicht →Schadenersatz) aus unlauterem Wettbewerb. Dabei braucht der Antragsteller den Verfügungsgrund nur zu behaupten (§ 25 UWG), den Anspruch (dazu gehört die Wiederholungsgefahr) muß er außerdem, wie auch sonst, glaubhaft machen.

IV. Öffentliches Recht (Bundesverfassungsgerichts- Verwaltungs- und Finanzberichtsbarkeit): Vgl. →einstweilige Anordnung

Einsystem, *Einkreissystem,* Buchhaltungsorganisation, bei der →Finanzbuchhaltung und →Betriebsbuchhaltung eine geschlossene Einheit mit durchgehender Kontensystematik bilden. Alle Buchungen, auch die des innerbetrieblichen Abrechnungsverkehrs, werden im Grund- und Hauptbuch vorgenommen: Abschluß wie bei jeder doppelten Buchführung. – *Variante:* E. mit Nebenbuchhaltung, bei dem die der Betriebsbuchhaltung dienenden Eintragungen in Sammelkonten erfolgen, die durch Nebenbücher ihre Aufgliederung oder Spezialisierung erfahren. – *Beispiel:* Buchung in der Hauptbuchführung: Gemeinkosten an Verschiedene 11 745 DM; in der Nebenbuchhaltung:

Kostenarten	Kl. 4	Allg. Ko.-St.	Fert.-St.	Fert. Hi.-St.	Mat.-St.	Verw.-St.	Vert. St.	Summe
	11 745	–	6 200	1 200	1 075	1 170	2 100	11 745

Gegensatz: →Zweisystem.

Einthemenbefragung, Form der →Befragung, bei der nur ein Thema untersucht wird. – *Gegensatz:* →Omnibusbefragung (Mehrthemenbefragung).

Eintragung im Grundbuch, →Grundbuch.

Eintragung im Handelsregister. 1. *Verpflichtung zur E. i. H.:* a) →Firmen, teilweise Voraussetzung für die Erlangung der Eigenschaft als →Kaufman; Vgl. auch →Sollkaufmann, →Kannkaufmann, →Formkaufmann; b) zahlreiche andere Tatsachen des kaufmännischen Betriebs, z. B. Erteilung der Prokura, Errichtung einer Zweigniederlassung, Erlöschen der Firma. – 2. *Folgen:* a) die E. dient insbes. der Unterrichtung der Öffentlichkeit; b) sie ergibt die gesetzliche Vermutung, daß das unter der Firma betriebene Gewerbe ein Handelsgewerbe ist bzw. daß eingetragene Tatsachen bekannt und nicht eingetragene, eintragungspflichtige Tatsachen (z. B. Widerruf der Prokura) unbekannt sind (vgl. →Publizitätsprinzip); Vermutung gilt nicht für die fälschlicherweise erfolgte E. nur rechtsbekundender Natur, zum Teil haben sie jedoch rechtserzeugende Wirkung, z. B. die E. des Sollkaufmanns oder der Aktiengesellschaft (Formkaufmann). – Vgl. auch →Handelsregister, →Eintragungsfähigkeit.

Eintragungsbewilligung, vielfach wesentliches, aber auch ausreichendes Erfordernis für eine Eintragung im →Grundbuch. Das Grundbuchamt soll eine Eintragung (Belastung) nur vornehmen, wenn der davon Betroffene (meist der Grundstückseigentümer) damit einverstanden ist und dies dem Grundbuchamt gegenüber durch E. zum Ausdruck gebracht hat. Die E. bedarf der →*öffentlichen Beglaubigung.*

Eintragungsfähigkeit, Voraussetzung für Eintragung im Handelsregister oder Grundbuch. – 1. *Handelsregister:* Eintragungsfähig sind u. a. Firma, Errichtung und Aufhebung einer Zweigniederlassung, Erteilung, gewissen Beschränkungen und Widerruf der Prokura, die Bezeichnung der Kommanditisten und ihre Haftsumme, Bezeichnung der gesetzlichen Vertreter einer Kapitalgesellschaft. – 2. *Grundbuch:* Eintragungsfähig sind u. a. Eigentum, Wohnungseigentum, Dauerwohnrecht, Erbbaurecht, Grunddienstbarkeiten, Nießbrauch, beschränkt persönliche Dienstbarkeit, Vorkaufsrecht, Reallast, Hypothek, Grundschuld, Rentenschuld; dazu Vormerkung und Widerspruch sowie gewisse Verfügungsbeschränkungen (z. B. Konkurs).

Eintragungsgrundsatz, *Eintragungsprinzip,* im Grundbuchverfahren geltender Grundsatz, der bedeutet, daß zu Entstehung, Aufhebung oder Änderung eines →dinglichen Rechts an einem Grundstück die Eintragung im →Grundbuch erforderlich ist (§ 873 BGB). E. hängt mit →Publizitätsprinzip eng zusammen. Vgl. auch →Einigung.

Eintragungsprinzip, →Eintragungsgrundsatz.

Eintrittsgelder, →Eröffnungsrabatt.

Eintrittsstrategien, →Markteintrittsstrategien.

Einwegverpackung, →Verpackung zur einmaligen Nutzung mit anschließender →Entsorgung (z. B. Einwegflaschen, Getränkedosen, Behältnisse aus Pappe und Papier). Gemäß Abfallgesetz ist die Bundesregierung durch Rechtsversorgung zur Einschränkung der Verwendung von E. und Einführung einer Rücknahmepflicht für Mehrwegverpackungen ermächtigt. – *Gegensatz:* →Mehrwegverpackung.

Einwilligung, Begriff des BGB für die erforderliche →Zustimmung zu einem von einer anderen Person vorzunehmenden →Rechtsgeschäft, wenn diese *vor* Abschluß des Geschäfts erteilt wird (anderenfalls →Genehmigung).

Einwohnersteuer, Vorschlag zur Gemeindefinanzreform, um die Steuerkraftunterschiede der Wohngemeinden gegenüber den Erwerbsgemeinden auszugleichen. Als dritte Steuersäule neben der Grund- und Gewerbesteuer sollte diese Form der Personenbesteuerung als Steueranteil auf das Einkommen oder auf die Einkommensteuer der Einwohner erhoben werden. – Heute ist die gemeindliche Personenbesteuerung indirekt verwirklicht durch den 15% igen Anteil der Gemeinden am Aufkommen der Lohn- und der veranlagten Einkommensteuer, der ca. 40% des durchschnittlichen Gesamtsteueraufkommens der Gemeinden beträgt. Vgl. →Gemeinschaftssteuern.

Einzahlung, Zahlungsmittelbetrag (Bargeld, Giralgeld), der einem Wirtschaftssubjekt von anderen Wirtschaftssubjekten (Beschaffungs-, Absatz-, Geld- und Kapitalmärkten sowie vom „Staat") zufließt (Strömungsgröße). Zugehörige Bestandsgröße: Zahlungsmittelbestand (Bestand an Kasse + Sichtguthaben bei Banken). – *Gegensatz:* →Auszahlungen. – *Anders:* →Einnahmen, →Ertrag, →Betriebsertrag.

Einzahlungspflicht. 1. *E. der Aktionäre:* Verpflichtung der Aktionäre zur Leistung der →Einlagen (§ 54 AktG) in Höhe des Nennbetrags der von ihnen übernommenen Aktien. Von der E. können de Aktionäre oder Vormänner (→Zwischenaktionäre) nicht befreit werden, auch ist keine →Aufrechnung möglich (§ 66 AktG). – *Säumige Aktionäre* können ihrer Aktien und der bereits geleisteten Einzahlungen für verlustig erklärt werden (→Kaduzierung). – 2. *E. der Gesellschafter einer GmbH:* Es gilt ähnliches gem. § 19 GmbHG.

Einzelabschreibung, die auf den einzelnen Anlagegegenstand (→Anlagen) bezogene, individuelle →Abschreibung: →Einzelbewertung wird voausgesetzt. E. ist die beste Grundlage der →kalkulatorischen Abschreibung, da sie die Berücksichtigung der Anlagennutzung ermöglicht. – *Gegensatz:* →Pauschalabschreibung, →Gesamtabschreibung. – *Steuerlich:* Vgl. →Einzelbewertung.

Einzelakkord, Form des →Akkordlohns, bei der sich das Entgelt im Gegensatz zum →Gruppenakkord nicht auf die Leistung einer Gruppe von Arbeitnehmern, sondern auf die eines einzelnen Arbeitnehmers bezieht.

Einzelakt, behördliche Maßnahme, durch die in Freiheit und Eigentum des einzelnen Staatsbürgers durch Gebot, Verbot u. a. m. eingegriffen wird. – Vgl. auch →Verwaltungsakt.

Einzel-Arbeitsvertrag, einzelner zwischen Arbeitnehmer und Arbeitgeber ausgehandelter →Arbeitsvertrag. Im E. ist notwendig geregelt, daß der Arbeitnehmer eingestellt wird, wann er eingestellt wird und als was er eingestellt wird. Der Umfang gegenseitiger Rechte und Pflichten im →Arbeitsverhältnis ergibt sich aus den arbeitsrechtlichen Gesetzen, →Tarifverträgen, →Betriebsvereinbarungen, auch aus →vertraglichen Einheitsregelungen. Im E. sind oft zusätzliche Leistungen des Arbeitgebers (z. B. Gratifikationen, Prämien, Zulagen) geregelt.

Einzelausgaben (genauer: *echte Einzelausgaben*), →Ausgaben, die dem betrachteten Bezugsobjekt (z. B. Einheit eines beschafften Gutes) nach dem →Identitätspinzip eindeutig zugeordnet werden können. Das ist unter der Voraussetzung möglich, daß (1) die beschaffte „ausgabenwirksame" Menge wenigstens in so kleinen „Portionen" unabhängig von anderen Bestellungen disponiert werden kann wie das betrachtete Bezugsobjekt oder die dafür benötigten Mengeneinheiten dieses Gutes, (2) die Höhe der Ausgaben für die jeweilige beschaffte Einheit unabhängig von anderen Beschaffungsumsätzen gleicher oder andersartiger Güter ist. Zu den E. gehören auch die →unechten Gemeinausgaben. – *Gegensatz:* →Gemeinausgaben. – Vgl. auch →relative Einzelkosten (-ausgaben, -einnahmen, -erlöse, -verbräuche), →Schein-Einzelkosten (-ausgaben, -einnahmen, -erlöse, -verbräuche), →aggregierte Einzelkosten (-ausgaben, -einnahmen, -erlöse, -verbräuche), →originäre Einzelkosten (-ausgaben, -einnahmen, -erlöse, -verbräuche), →unechte Einzelkosten (-ausgaben, -einnahmen, -erlöse, -verbräuche).

Einzelausgebot, Begriff aus dem →Zwangsversteigerungsverfahren, nach dem auch bei der Versteigerung mehrerer Grundstücke diese grundsätzlich einzeln auszubieten sind. Die Beteiligten können jedoch verlangen, daß daneben alle oder eine bestimmte Gruppe der Grundstücke zusammen ausgeboten werden. *(Gesamt- bzw. Gruppenausgebot)*. Dabei darf →Zuschlag nicht erteilt werden, wenn Meistgebot geringer ist als die Summe der E. (§ 63 ZVG).

Einzelbesteuerung, →Beförderungsleistungen.

Einzelbewertung, Bewertungsgrundsatz (§ 252 HGB); jeder Vermögensgegenstand, jede Schuld usw. muß bei der Bilanzaufstellung einzeln bewertet werden. Nur in Ausnahmefällen →Gruppenbewertung oder →Pauschalbewertung.

Einzelbilanzanalyse (EBIL), von Sparkassen eingesetztes, computerunterstütztes Verfahren der Bilanzaufbereitung und Bilanzdokumentation.

Einzeleinnahmen (genauer: *echte Einzeleinnahmen*), analog zu →Einzelausgaen definierter Begriff.

Einzelerlös (genauer: *echter Einzelerlös*), *spezifischer Erlös*. 1. *Begriff:* →Erlös, der einem

Einzelhandel

Wirtschaftszweig	Unternehmen [1])		Beschäftigte [1])				Umsatz	
			insgesamt		je Unternehmen			
	Anzahl		1000		Anzahl		Mill. DM	
	1985	1979	1985	1979	1985	1979	1984	1978
Einzelhandel insgesamt	339318	346030	2360,7	2430,8	7,0	7,0	473762	366326
darunter mit:								
Nahrungsmitteln, Getränken, Tabakwaren	97361	115748	643,4	628,7	6,6	5,4	139645	100878
Textilien, Bekleidung, Schuhen, Lederwaren	66325	64651	456,8	459,6	6,9	7,1	66447	52815
Einrichtungsgegenständen	33665	30541	176,1	171,0	5,2	5,6	33146	25670
Pharmazeutischen, kosmetischen u. medizinischen Erzeugnissen	28077	26566	161,6	151,9	5,8	5,7	30233	21205
Fahrzeugen, Fahrzeugteilen und -reifen	24840	20220	231,4	242,0	9,3	12,0	60147	47582

[1]) Stichtag Ende März.

sachlich und zeitlich eindeutig abgegrenzten Bezugsobjekt nach dem →Identitätsprinzip eindeutig zugeordnet werden kann. – 2. *Voraussetzungen für Vorliegen eines (echten) E.:* a) Die betrachteten Absatzleistungen müssen in Mengen disponiert werden können, die nicht größer als das betreffende Bezugsobjekt sind. b) Die Erlöse dürfen nicht vom Absatz bzw. Lieferung anderer Leistungen oder Gegenseitigkeitsgeschäften abhängen. c) Die Höhe des Erlöses für die betreffende Bezugsgröße muß unabhängig von Umsätzen gleicher oder anderer Güter sein. Ist eine dieser Bedingungen nicht erfüllt, handelt es sich um einen Schein-Einzelerlös (→Schein-Einzelkosten (-ausgaben, -einnahmen -erlöse, -verbräuche)), tatsächlich also um einen (echten) →Gemeinerlös, der erst einem übergeordneten Leistungskomplex eindeutig zugerechnet werden kann. – 3. *Zurechnung:* Bei gegebener Rangfolge oder Entscheidungsfolge (aus Sicht des Kunden oder des Anbieters) kann oft mit Hilfe der Frage: Welcher Erlös fiele weg (entstünde zusätzlich), wenn das Bezugsobjekt nicht (zusätzlich) abgesetzt würde, eine differenziertere Zurechnung vorgenommen werden, als bei statischer Betrachtung (z. B. bei Mengenrabatten, Zubehör, Nebenleistungen). Analog zu den →Einzelkosten sind die direkt erfaßten E. um die näherungsweise zugerechneten Teile der unechten Gemeinerlöse zu ergänzen und auch zwischen originären und aggregierten Einzelerlösen zu unterscheiden; →originäre Einzelkosten (-ausgaben, -erlöse, -verbräuche), aggregierte Einzelkosten (-ausgaben, -erlöse, -verbräuche). – Vgl. auch →relative Einzelkosten (-ausgaben, -einnahmen, -erlöse, -verbräuche), →unechte Einzelkosten (-ausgaben, -einnahmen, -erlöse, -verbräuche).

Einzelfertigung →Einzelproduktion.

Einzelfirma, →Einzelkaufmann.

Einzelgeschäftsführung, selbständige Handlungsfähigkeit jedes geschäftsführenden Gesellschafters einer OHG und KG, soweit sie nicht durch →Gesellschaftsvertrag ausgeschlossen ist. Widerspruch eines anderen geschäftsführenden Gesellschafters gegen bestimmte Handlungen ist möglich (§ 115 HGB). – E. bei GmbH erfordert entsprechende Vereinbarung (§ 35 GmbHG). – *Gegensatz:* →Gesamtgeschäftsführung.

Einzelhandel. I. Begriff: 1. *Institutionelle Interpretation:* Absatz von Waren an Letztverbraucher durch →Einzelhandelsunternehmungen. – 2. *Funktionale Interpretation:* Absatz von Waren und sonstigen Leistungen an Letztverbraucher, z. B. →direkter Vertrieb landwirtschaftlicher Erzeuger, industrieller Hersteller, Groß- oder Einzelhändler an Konsumenten. – Vgl. auch →Handel, →Einzelhandelsstatistik, →Einzelhandelsunternehmungen.

II. Wirtschaftliche Bedeutung: Vgl. obenstehende Tabelle.

III. Rechtliche Regelungen: 1. *Rechtsgrundlage:* Gesetz über die Berufsausübung im Einzelhandel vom 5. 8. 1957 (BGBl I 1121). – 2. *Begriffsbestimmung:* E. i. S. des Gesetzes betreibt, wer gewerbsmäßig a) Waren anschafft und sie unverändert oder nach im E. üblicher Be- oder Verarbeitung in einer oder mehreren offenen Verkaufsstellen (→Laden) zum Verkauf an jedermann feilhält, b) Muster oder Proben zeigt, um Bestellungen auf Waren entgegenzunehmen, der c) Waren versendet, die nach Katalog, Muster, Proben oder aufgrund eines sonstigen Angebotes bestellt sind (Versandhandel). Als E. gilt in gewissem Umfang auch die Tätigkeit der →Genossenschaften. – 3. *Erlaubnispflicht:* Wer E. betreiben will, bedarf der Erlaubnis, die nur zu versagen ist, wenn Tatsachen vorliegen, aus denen sich der Mangel der für die Leitung des Unternehmens erforderlichen *Zuverlässigkeit* des Unternehmers, eines zur Vertretung des Unternehmers gesetzlich berufenen oder mit der Leitung des Unternehmens beauftragten

Person ergibt. Ein *Sachkundenachweis* kann nach einer Entscheidung des →Bundesverfassungsgerichts nicht mehr gefordert werden. Sonderregelungen gelten für den E. mit Lebensmitteln (dort nach einer Entscheidung des →Bundesverfassungsgerichts eine auf bestimmte Warenarten beschränkte Erlaubnis zulässig), Arzneimitteln und ärztlichen Hilfmitteln. – 4. Weiterführung des Betriebes nach dem *Tode des Unternehmers* a) von dem überlebenden Ehegatten auf unbegrenzte Zeit, b) von den Erben bis zur Dauer von fünf Jahren ohne Erlaubnis zulässig. – 5. *Keiner Erlaubnis* bedarf, wer am 15.8.1957 (in Berlin 1.1.1961) E. betrieben hat. – 6. *Zuwiderhandlungen* gegen die Erlaubnispflicht werden als Ordnungswidrigkeiten mit Geldbuße bis zu 10000 DM geahndet.

Einzelhandelskontenrahmen, ein für die Zwecke des →Einzelhandels spezialisierter (vereinfachter) Kontenrahmen. Der in den Spalten 1463/1464, 1465/1466 abgebildete, nach dem Funktionsprinzip (→Prozeßgliederungsprinzip) gegliederte Einheitskontenrahmen ist bisher nicht auf das →Bilanzrichtlinien-Gesetz abgestimmt. In der Praxis wird überwiegend ein nach dem Funktionsprinzip gegliederter und an das Bilanzrichtlinien-Gesetz angepaßter Kontenrahmen der →DATEV verwendet; Folge der Betreuung der Einzelhändler durch Steuerberater unter Benutzung der durch die DATEV angegebenen Fernbuchhaltung.

Einzelhandelspanel, →Handelspanel.

Einzelhandelsstatistik, Repräsentativstatistik im Rahmen der →Handelsstatistik bei bis zu 25000 ausgewählten Unternehmen aus 82 Wirtschaftsklassen auf der Grundlage des →Handelszensus unter Berücksichtigung der Neugründungen. Monatlich Meßzahlen über die Entwicklung von Umsatz und Beschäftigtenzahl; jährlich tätige Personen, Waren- und Materialeingang und -bestand, Investitionen, Aufwendungen für gemietete und gepachtete Anlagegüter, Verkaufserlöse aus dem Abgang von Anlagegütern, Bruttolohn- und -gehaltsumme, Umsatz nach Arten der wirtschaftl. Tätigkeiten, Warengruppen und Absatzformen; mehrjährlich Zusammensetzung des Warensortiments, Inlandsbezüge nach Lieferantengruppen.

Einzelhandelsumsatzsteuer, Form der →Einphasenumsatzsteuer, bei der die Steuer nur auf der letzten Stufe (Einzelhandel) erhoben wird. Wegen der benötigten Höhe des Steuersatzes besteht große Gefahr von Steuerhinterziehung. – Finanzwissenschaftlich besteht hinsichtlich der *Gesamtbelastungswirkung* – wenn man davon absieht, daß die Steuererhebung nicht auf der letzten, sondern auf sämtlichen Umsatzstufen vorgenommen wird – kein Unterschied zur heutigen →Umsatzsteuer.

Einzelhandelsunternehmung. 1. *Begriff:* Institutionen (Betriebe), deren hauptbetrieblicher Betätigungszweck der Absatz von Waren an Letztverbraucher ist (institutionale Interpretation des Begriffs →Handel). E. treten in unterschiedlichen Betriebsformen (→Betriebsformen des Handels) auf (traditionelle Form: →Fachgeschäft), deren Wettbewerb zu permanenten Anpassungsprozessen (→Dynamik der Betriebsformen im Handel) führt. *Charakteristische Merkmale:* Abgabe von Gütern in kleinen und kleinsten Mengen; Zusammenstellung von Waren zu →Sortimenten, die den Konsumenten möglichst vielfältige Auswahlentscheidungen beim Einkauf eröffnen. E. auch in Form der →Filialunternehmung. – 2. *Bedeutung:* Umsatz, Beschäftigte, Anzahl vgl. →Einzelhandel. Die Zahl der E. hat in den letzten Jahrzehnten ständig abgenommen (→Handelszensus). Eine Bewertung dieser Entwicklung ist schwierig. E. mit vielen Verkaufsstellen (→Filialunternehmung) haben zugenommen; der Beitrag zur Versorgung der durch einzelne E. aufgrund verschiedenartiger Standorte und variierend großer →Einzugsgebiete ist unterschiedlich zu bewerten (→Unterversorgung/→Übersetzung); E. führen Sortimente von stark voneinander abweichender Breite und Tiefe; Produktivitätsbeitrag der einzelnen E. ist aufgrund verschiedenartig wahrgenommener →Handelsfunktionen und unterschiedlicher Kombination der Einsatzfaktoren nicht vergleichbar.

Einzelinanspruchnahme, →Einzelverbrauch.

Einzelkaufmann, *Einzelfirma, Einzelunternehmung.* 1. *Begriff:* Unternehmungsform der Erwerbswirtschaft; ein das →Handelsgewerbe als Alleininhaber betreibender →Kaufmann. – *Gegensatz:* →Handelsgesellschaft. – 2. *Charakterisierung:* Der E. muß für seine Firma seinen Familiennamen und mindestens einen ausgeschriebenen Vornamen (nicht notwendig den Rufnamen) wählen; ein →Firmenzusatz darf kein Gesellschaftsverhältnis andeuten (§ 18 HGB); nur bei kleinerem Umfang (→Minderkaufmann) nicht im →Handelsregister eingetragen. Zweigniederlassung möglich. Auflösung durch Liquidation formlos, kein Abwickler. – 3. *Haftung:* a) E. haftet mit seinem gesamten, d.h. auch mit seinem privaten Vermögen; b) der Erwerber haftet für die Verbindlichkeiten, wenn der Ausschluß nicht ins Handelsregister eingetragen wird; c) Erben haften, wenn sie die Firma der Einzelunternehmung fortführen und die Erbschaft nicht ausschlagen. – 4. *Besteuerung:* a) Errichtung einer Einzelunternehmung unterliegt keiner Steuer; b) Geschäftsbetrieb löst i.d.R. Umsatz-, Gewerbe-, Einkommen- und Vermögensteuer aus.

Übersicht: Einzelhandelskontenrahmen für Mittel- und Großbetriebe

Klasse 0 Anlage- und Kapitalkonten	Klasse 1 Finanzkonten	Klasse 2 Abgrenzungskonten	Klasse 3 Wareneinkaufskonten
00 Bebaute Grundstücke (Gebäude) **01 Unbebaute Grundstücke** **02 Maschinen, maschinelle Anlagen, Werkzeuge und Transporteinrichtungen** **03 Betriebs- und Geschäftsausstattung** (z. B. Laden- und Lagereinrichtung, Büromaschinen) **04 Rechtswerte und Sicherheiten** (z. B. Konzessionen, Patente, Lizenzen) **05 Beteiligungen** **06 Langfristige Forderungen** **07 Langfristige Verbindlichkeiten** **08 Kapital und Rücklagen** **09 Wertberichtigungen, Rückstellungen, Posten der Jahresabgrenzung**	**10 Kasse** (z. B. Hauptkasse, Portokasse) **11 Postscheck und Landeszentralbank** **12 Banken und Sparkassen** **13 Besitzwechsel, Schecks und sonstige Wertpapiere** **14 Forderungen aus Warenlieferungen und Leistungen** **15 Sonstige kurzfristige Forderungen** **16 Verbindlichkeiten aus Warenlieferungen und Leistungen** **17 Schuldwechsel** **18 Sonstige kurzfristige Verbindlichkeiten** **19 Privatkonten**	**20 Außerordentliche und betriebsfremde Aufwendungen** (z. B. Verluste aus Schadensfällen) **21 Außerordentliche und betriebsfremde Erträge** (z. B. Erträge aus Einrichtungsverkäufen) **22 Haus- und Grundstücksaufwendungen und -erträge** (z. B. Reparaturen, Abschreibungen auf Gebäude usw.) **23/29** [1]	**30/36 Wareneinkäufe netto** [2] (reine Einkaufspreise) **37 Warenbezugs- und nebenkosten** (Z. B. Fracht, Verpackung, Zölle usw.) **38 Nachlässe** (z. B. Skonti, Boni usw.) **39 Konsignations- und Kommisionsware**

[1] Die Gruppen 23 bis 29 stehen für eine etwaige weitere Unterteilung der Abgrenzungskonten zur Verfügung, wie z. B. für den Ausweis von Zinsen, die keinen betrieblichen Aufwand darstellen usw.

[2] Für eine etwaige Unterteilung des Wareneinkaufs nach Warengruppen stehen die Kontengruppen 30/36 zur Verfügung.

Klasse 4 Konten der Kostenarten	Klassen 5 und 6	Klasse 7 frei	Klasse 8 Erlöskonten	Klasse 9 Abschlußkonten
40 Personalkosten (z. B. Löhne, Gehälter, Unternehmerlohn, gesetzliche und freiwillige soziale Aufwendungen) **41 Miete oder Mietwert** **42 Sachkosten für Geschäftsräume** (z. B. Heizung, Beleuchtung, Reinigung, Schönheitsreparaturen usw.) **43 Steuern, Abgaben und Pflichtbeträge des Betriebes** **44 Sachkosten für Werbung** **45 Sachkosten für Warenabgabe und -zustellung** (z. B. Verpackungsmaterial, Versandspesen) **46 Zinsen** **47 Abschreibungen** (außer auf Gebäude, die zu Gruppe 22 gehören) **48 Sonstige Geschäftsausgaben** (z. B. Porto, Telefonspesen, Büromaterial) **49 Sonstige Einzelkosten** (z. B. Provisionen, Reisespesen, Umlagen für Einkaufsverbände)	**Klasse 5** **Verrechnete Kosten** Frei für Kostenstellenrechnung **Klasse 6** **Kosten der Nebenbetriebe** Frei für Kosten der dem Einzelhandelsbetrieb angegliederten Nebenbetriebe Die verbindlich vorgeschriebenen Konten sind durch **Fettdruck** kenntlich gemacht. Diese Konten sind in die Buchführung des einzelnen Unternehmens zu übernehmen, sofern Buchungsstoff für den Inhalt dieser Konten anfällt.		**80/88 Warenverkäufe**[3] **89 Erlösschmälerungen** (z. B. Gutschriften usw.) [3] Für eine etwaige Unterteilung der Erlöse nach Waren und/oder Erlösgruppen stehen die Kontengruppen 80/88 zur Verfügung.	**90 Abgrenzungssammelkonto** 91[4] 92[4] **93 Jahres-Gewinn- und Verlustkonto** **94 Jahresbilanzkonto** [4] Die Gruppen 91 und 92 stehen für etwaige Monats-Gewinn- und Verlust- und Monatsbilanzkonten zur Verfügung.

Einzelkosten (genauer: *echte Einzelkosten, wesensmäßige Einzelkosten*). 1. *Allgemein:* →Kosten, die einem bestimmten Bezugsobjekt (→Bezugsgröße) direkt zugerechnet werden bzw. zugerechnet werden können. – 2. Die *traditionelle →Vollkostenrechnung* bezieht die Unterscheidung zwischen E. und →Gemeinkosten allein auf die *Produkte* (Kostenräger). Aus diesem Grund wird, wenn mehrere Bezugsgrößen Berücksichtigung finden, auch die Bezeichnung *Kostenträgereinzelkosten* verwendet. In der →Kostenartenrechnung werden die Primärkosten daraufhin untersucht, ob sie sich nach dem →Verursachungsprinzip direkt den einzelnen →Kostenträgern zurechnen lassen. Falls dies zutrifft, werden sie direkt in die →Kostenträgerrechnung übernommen, falls nicht, einer →Kostenstelle zugeordnet und in der →Kostenstellenrechnung weiterverrechnet. Als typische E. gelten Einzelmaterialkosten und Fertigungslöhne. Insbes. für letztere Kostenart erweist sich eine direkte Zuordnung zu einzelnen Produkten jedoch bei genauer Kostenanlyse als Schlüsselung von Gemeinkosten. – Zuweilen wird der Begriff der E. in der Vollkostenrechnung auch auf das Bezugsobjekt Kostenstelle bezogen. – 3. In der *→Einzelkostenrechnung* erfolgt keinerlei Eingrenzung des Begriffs E. auf spezielle Bezugsobjekte. dort werden z. B. parallel Kostenträger-, Kostenstellen-, Sparten- und Perioden-E. erfaßt und ausgewiesen. Die Zuordnung erfolgt stets nach dem →Identitätsprinzip. E. liegen danach nur dann vor, wenn der entsprechende Kostenbetrag (z. B. Gehalt eines Kostenstellenleiters) genau dann wegfällt, wenn auch das betreffende Bezugsobjekt (z. B. Kostenstelle) wegfällt, bzw. zusätzlich anfällt, wenn das betreffende Bezugsobjekt zusätzlich anfällt. – Vgl. auch →unechte Einzelkosten, →aggregierte Einzelkosten, →originäre Einzelkosten, →Schein-Einzelkosten, →Periodeneinzelkosten, →relative Einzelkosten, →Sparteneinzelkosten.

Einzelkostenabweichungen, →Abweichungen I 2b).

Einzelkostenmaterial, →Einzelmaterial.

Einzelkosten offener Perioden, in der →Einzelkostenrechnung gebräuchlicher Begriff für Kosten, an die das Unternehmen mehrere Perioden gebunden ist, für die die genaue →Bindungsdauer der Kosten im vorhinein jedoch nicht exakt bekannt ist. – *Beispiel:* Kosten für gekaufte Anlagen, deren Nutzungsdauer zum Zeitpunkt der Anlagenbereitstellung nicht vorhergesehen werden kann.

Einzelkostenplanung, →Kostenplanung 2.

Einzelkostenrechnung. I. Begriff: In den 50er Jahren von P. Riebel entwickeltes Teilkostenrechnungssystem (→Teilkostenrechnung), das durch das Bestreben gekennzeichnet ist, die Realität des Kostenanfalls möglichst wirklichkeitsnah abzubilden.

II. Charakterisierung: 1. →Kosten und →Erlöse werden in der E. nur dann erfaßt, wenn sie mit →Auszahlungen bzw. →Einzahlungen verbunden sind. Die E. verwendet damit den *→entscheidungsorientierten Kostenbegriff.* – 2. Als entscheidungsorientiertes Kostenrechnungssystem soll die E. die auf das Durchführen bzw. Unterlassen bestimmter Handlungen zurückzuführenden kosten- und erlösmäßigen Konsequenzen bestimmen. Hieraus folgt unmittelbar die Notwendigkeit, *alle Kosten und Erlöse als →Einzelkosten bzw. →Einzelerlöse zu erfassen.* Zugleich führt die Vielzahl, Heterogenität und Interdenpendenz betrieblicher Entscheidungen zu einem *Nebeneinander mehrerer →Bezugsgrößenhierarchien,* z. B. lassen sich Kosten der Versandpackung eines bestimmten Produkts parallel zumindest dem betreffenden Produkt, dem gewählten Vertriebsweg, dem belieferten Kunden und dem entsprechenden Absatzgebiet als Einzelkosten zurechnen. Nimmt man alle derartigen Zurechnungen gleichzeitig vor (→Mehrfachzuordnung von Kosten), erhält man eine von den verschiedensten Fragestellungen her auswertbare *Datenbasis.* – 3. Die mit der multidimensionalen Erfassung von Einzelkosten verbundenen Abbildungs- und Speicherungsprobleme lassen sich am besten dadurch lösen, die zweckneutrale Kosten- und Erlöserfassung streng von zweckbezogenen Auswertungen zu trennen. Dies führt zur *Unterscheidung von →Grundrechnungen und →Auswertungsrechnungen.* Mit dieser Trennung weist die E. einen Aufbau auf, der vom Aufbau aller sonstigen gebräuchlichen Kostenrechnungssysteme massiv abweicht. Das andere entscheidungsorientierte Kostenrechnungssysteme (→Direct Costing, →Fixkostendeckungsrechnung, →Plankostenrechnung) wie auch die →Vollkostenrechnung kennzeichnende Neben- und Nacheinander einer Kostenarten-, Kostenstellen- und Kostenträgerrechnung wird ersetzt durch eine nicht weiter strukturierte Sammlung von Kosten- und Erlösdaten, für die man neben dem entsprechenden Betrag noch eine Vielzahl von Merkmalen (v. a. ihre jeweilige Einordnung in die unterschiedenen Bezugsgrößenhierarchien) festhält, und auf dieser Sammlung aufbauende Auswertungen, zu denen z. B. auch eine traditionelle Kostenstellenrechnung zählt. – 4. Auch in Auswertungsrechnungen werden *keinerlei Kosten und Erlöse geschlüsselt* (→Gemeinkostenschlüsselung). Hieraus folgt häufig ein retrograder, von Erlösen ausgehender und schichtenweise Kosten abziehender Aufbau der Auswertungsrechnungen. – Hierauf Bezug nehmend bezeichnet man die E. häufig auch als *→Dekkungsbeitragsrechnung,* erfaßt damit aber nicht den Grundansatz dieses Rechnungssystems.

III. Aussagefähigkeit: Wenngleich nicht unumstritten, gelingt der E. die Abbildung der Realität von allen derzeit entwickelten Kostenrechnungssystemen am besten. Der Grund hierfür liegt zum einen in dem Verzicht auf jegliche zweckbezogene Vorverdichtung von Informationen (wie etwa die Bildung von Abschreibungen in allen anderen Kostenrechnungssystemen) und zum anderen in dem Bemühen, möglichst viele Einflußgrößen auf den Anfall eines Kostenbetrags festzuhalten.

IV. Realisierung: Das Bemühen um eine möglichst wirklichkeitsnahe Abbildung des Kostenanfalls führt zu einem sehr komplexen Rechenwerk, das in mehrerer Hinsicht *hohe Anforderungen* stellt: a) Hinsichtlich *Genauigkeit der Kostenerfassung,* die im Vergleich zu traditionellen Kostenrechnungssystemen mitunter erheblich höhere Erfassungskosten nach sich zieht und b) hinsichtlich *Speicherung* der Kosten- und Erlösdaten, die eine universelle Auswertung, d. h. Kombination und/oder Verdichtung zuläßt. Operational kann diese Anforderung nur unter Verwendung von (relationalen) Datenbanken (→relationale Datenbank) erfüllt werden. Derzeit findet sich diese Datenorganisation jedoch nur ansatzweise in gebräuchlichen Kostenrechnungs-Softwaresystemen (→Kostenrechnungssoftware) verwirklicht. Schließlich muß gewährleistet sein, die gespeicherten Kosten- und Erlösdaten in akzeptabler Zeit für beliebige Rechnungszwecke auswerten zu können. Auch diese Anforderung läßt sich umfassend nur mit Hilfe (relationaler) Datenbanken realisieren.

V. Anwendungsprobleme: Angesichts der skizzierten hohen Anforderungen verwundert es nicht, daß das Konzept einer E. bislang in der Praxis nicht weit verbreitet ist und nur ausschnittweise, z. T. sehr vereinfacht verwirklicht wurde. Hinzu kommt, daß durch die möglichst wirklichkeitsnahe Abbildung der Realität auch die Auswertungsrechnungen vergleichsweise komplexe Lösungen liefern. Anders als in der traditionellen Vollkostenrechnung weist z. B. die Produkterfolgsrechnung der E. mehrstufig aufeinander aufbauende Deckungsbeiträge aus (→Deckungsbeitragsrechnung), während der Kostenrechner bzw. der zuständige Disponent bislang gewohnt war, pro Erzeugnis nur eine einzige Erfolgsinformation zu erhalten (Gewinn für Produkt A in Höhe von X DM). Mangelndes Verständnis der Hierarchie von Deckungsbeiträgen hat in der Praxis nicht selten zu ruinösem Preiswettbewerb geführt.

VI. Weiterentwicklung: Zur Vermeidung derartiger Interpretationsfehler ist es erforderlich, den Disponenten nähere Hinweise zur Verwendung der von der E. gelieferten Kosten- und Erlösinformationen an die Hand zu geben. Dies wird angesichts der unabdingbaren EDV-Realisation der E. zu menügestützten Interpretationshilfen führen, die auf empirischen Untersuchungen (→verhaltensorientiertes Rechnungswesen) basieren müssen. Ein weiteres wichtiges Feld der Weiterentwicklung der E. ist die Integration der bislang vernachlässigten Kostenplanung (→Plankostenrechnung).

Prof. Dr. Jürgen Weber

Einzellöhne, →Fertigungslöhne.

Einzelmaterial, *Einzelkostenmaterial,* Material, das sich in der Kostenrechnung dem einzelnen →Kostenträger direkt, d. h. einzeln zurechnen läßt; Komponente des →Fertigungsmaterials. Die Erfassung von E. erfolgt typischerweise exakt mit Hilfe von →Materialentnahmescheinen; nicht gebrauchtes Material wird der entnehmenden Stelle aufgrund von →Materialrückgabescheinen gutgeschrieben. – *Gegensatz:* →Gemeinkostenmaterial. – Vgl. auch →Einzelmaterialplanung.

Einzelmaterialplanung, in der Plankostenrechnung, Festlegug der Mengen der Einzelmaterialarten bei planmäßiger Fertigung, planmäßiger Produktgestaltung und planmäßigen Materialeigenschaften für jede einzelne Kostenträger- und für jede einzelne Materialart. Zu diesen *Nettoplaneinzelmaterialmengen,* differenziert nach Materialarten, werden die *Planabfallmengen,* die sich (differenziert nach Materialarten und Abfallursachen) aus der →Abfallmengenplanung ergeben, hinzugerechnet. Die Summe aus diesen Nettoplaneinzelmaterial- und Planabfallmengen ergibt die *Bruttoeinzelmaterialmengen,* differenziert nach Materialarten. Multipliziert man diese Summe mit den Planpreisen der entsprechenden Materialarten, dann erhält man die *Bruttoeinzelmaterialkosten* der zugehörigen Materialarten; diese sind Grundlage der Einzelmaterialkontrolle und der Plankalkulation. – Vgl. auch →Kostenplanung, →Plankostenrechnung.

Einzelmaterial-Verbrauchsabweichung, →Abweichungen I 2b) (1).

Einzelnachfolge, →Rechtsnachfolge.

Einzelplan, Teilhaushaltsplan für ein Ministerium. Vgl. →Haushaltssystematik.

Einzelpolice, in der →Transportversicherung übliche Bezeichnung für eine für einen einzelnen Transport genommene Versicherung. – *Gegensatz:* →laufende Versicherung, →Generalpolice.

Einzelpreisstellungen, →Kartellgesetz XI 3.

Einzelproduktion, Elementartyp der Produktion (→Produktionstypen), der sich aus dem Merkmal der Prozeßwiederholung ergibt. Die E. ist durch den einmaligen Prozeßvollzug in einer Betrachtungsperiode bei →technologisch unverbundener Produktion gekennzeichnet. In größeren Zeitabständen kann jedoch eine Wiederholung von Einzelproduktprozessen auftreten. – *Beispiel:* Herstellung von Großdampferzeugern für Kraftwerke oder Schiffe. – Vgl. auch →Serienproduktion, →Sortenproduktion, →Massenproduktion.

Einzelprokura, einer Einzelperson selbständig erteilte →Prokura im Gegensatz zur →Gesamtprokura. Soweit die Gesamtprokura aus dem →Handelsregister nicht ersichtlich ist, dürfen Dritte eine eingetragene Prokura als E. auffassen.

Einzelprüfer, →Prüfer.

Einzelrechtsnachfolge, →Rechtsnachfolge.

Einzelrichter, Mitglied einer Zivilkammer beim →Landgericht. Der E. ist zur Steigerung der Prozeßwirtschaftlichkeit und zur Vermeidung der Prozeßverschleppung eingeführt worden. Ihm kann durch die Kammer der Rechtsstreit zur alleinigen Entscheidung übertragen werden (§ 348 ZPO).

Einzelunternhmung, →Einzelkaufmann.

Einzelverbrauch (genauer: *echter Einzelverbrauch*), *Einzelinanspruchnahme,* Verbrauch eines dabei untergehenden Verbrauchsguts bzw. Inanspruchnahme eines Menschen (der gleichzeitig keine andere Tätigkeit ausüben kann), oder räumlich-zeitliche-intensitätsmäßige Inanspruchnahme eines Potentials (Gebrauchs- oder Nutzungsgut), dessen „Nutzungsvorrat" dabei quantitativ oder qualitativ verringert werden kann, aber nicht muß. Differenzierungen analog zu →Einzelkosten. – *Gegensatz:* →Gemeinverbrauch, unechter bzw. Schein-Einzelverbrauch (→Schein-Einzelkosten (-ausgaben, -einnahmen, -erlöse, -verbrauch)).

Einzelvertretung, →Alleinvertretung.

Einzelvollmacht, →Spezialvollmacht.

Einzelwirtschaftslehre, →Privatwirtschaftslehre, →Betriebswirtschaftslehre, →Arbeitsorientierte Einzelwirtschaftslehre.

Einzelwirtschaftstypen, →Unternehmungstypen.

Einziehung. I. Strafrecht: Enteignung und Eigentumsübergang auf den Staat durch rechtsgestaltenden Akt (Urteil, →Bußgeldbescheid) unter gleichzeitigem Untergang fremder Rechte am eingezogenen Gegenstand (§ 74e StGB). E. ist in verschiedenen strafrechtlichen Vorschriften teils fakultativ („kann"), teils obligatorish („ist") vorgesehen. Sie trägt den Charakter teils einer Nebenstrafe, teils einer vorbeugenden Sicherungsmaßnahme. – a) E. ist nach §§ 74 ff. STGB *generell möglich* von Gegenständen, die durch Straftat hervorgebracht sind (z. B. Falschgeld) oder zur Begehung von Straftaten benutzt oder bestimmt sind (z. B. Falschgeldgerät, Beförderungsmittel), im *Wirtschaftsstrafrecht* auch von Gegenständen, auf die sich die Verfehlung bezieht (§ 7 WiStG 1954), im *Steuerstrafrecht* von den steuerpflichtigen Erzeugnissen und zollpflichtigen Waren, hinsichtlich deren Steuer- oder Zolldelikt begangen ist sowie der Beförderungsmittel, die zur Tat benutzt worden sind (§§ 414 ff. AO); ähnlich im →*Außenwirtschaftsrecht* (§ 39 AWG). Ausnahmsweise ist E. auch solcher Sachen möglich, die nicht dem Täter oder Teilnehmer gehören (§ 74a StGB, § 23 OWG). – b) *Selbständige E.,* wenn im übrigen keine Verfolgung stattfindet, möglich, vgl. § 76a StGB, § 27 OWG, § 55 Lebensmittel- und Bedarfsgegenständegesetz. – c) *Ersatzeinziehung* (§ 74c StGB, § 25 OWG) bedeutet E. eines Geldbetrages, der dem Wert des Gegenstandes entspricht, dessen E. nicht möglich ist; ähnlich: E. des →Wertersatzes des Steuerstrafrechts und Außenwirtschaftsrechts.

II. Aktienrecht: Form der Vernichtung von Anteilsrechten an Kapitalgesellschaften, vornehmlich von Aktien auch von GmbH-Geschäftsanteilen, oft im Interesse einer Sanierung angewandte Maßnahme zur →Kapitalherabsetzung (bzw. des Stammkapitals bei GmbH). – Vgl. im einzelnen →Aktieneinziehung.

III. Zahlungsverkehr: Vgl. →Inkasso.

Einziehungsverfahren, →Inkasso I 2 und II 2, →Einziehung I.

einzige Steuer, →Alleinsteuer.

Einzugsermächtigungsverfahren, →Lastschriftenverfahren 2b).

Einzugsgebiet. I. Handelsbetriebslehre: Räumlich umgrenzter Bereich, aus dem die Kunden stammen, die üblicherweise einen Handelsbetrieb aufsuchen. Die Abgrenzung von E. ist Voraussetzung für die Errechnung der potentiellen Kaufkraft möglicher Standorte von Handelsbetrieben (→Standortpolitik), sowie für die regionale Streuung der vom Handelsbetrieb einzusetzenden Werbeträger bzw. Werbemittel.

II. Regionalökonomik: 1. E. als *Verkehrsgebiet:* Abgrenzung des Raumes, in dem die →*Verkehrsträger* (Eisenbahn, Binnenschiffahrt, Liniendienste des Kraft-, Luft- und Seeverkehrs) verkehrswerbend tätig werden können. Das E. wird insbes. durch die Preis- und Zeitkalkulation der Verkehrsnutzer begrenzt. – 2. E. als *Siedlungsgebiet:* Abgrenzung des Bereichs, in dem die Arbeitnehmer eines benachbarten zentralen Ortes oder Industriewerks wohnen, i. d. R. ein Umkreis bis zu 30 Kilometer, sofern nicht durch die Verkehrsverhältnisse andere Grenzen gegeben sind. – Vgl. auch →Pendelwanderung.

Einzugsstelle, Träger der gesetzlichen →Krankenversicherung, der für den Einzug der Sozialversicherungsbeiträge (→Gesamtsozialversicherungsbeiträge) zuständig ist. – a) Ist ein Arbeitnehmer für den Fall der Krankheit *pflichtversichert*, so ist E. auch für die Beiträge zur Rentenversicherung und Arbeitslosenversicherung die Krankenkasse, die für die Erhebung der Beiträge zur gesetzlichen Krankenversicherung zuständig ist (§ 1399 II RVO, § 121 II AVG, § 176 III AFG). – b) Ist der Arbeitnehmer *nicht* für den Fall der Krankheit *pflichtversichert*, so sind die Beiträge an die Krankenkasse abzuführen, deren Mitglied er bei Bestehen einer Krankenversicherungspflicht ohne Rücksicht auf eine Mitgliedschaft bei einer Ersatzkasse wäre (§ 1399 II RVO, § 121 II AVG, § 176 IV AFG).

Einzugsverfahren, Form der →Durchschreibebuchführung, bei der Belastung und Gutschrift gleichzeitig erfolgen. Dann wird zweckmäßig als Journal ein Zwei- bis Mehrspaltenbogen verwandt, bei dem Personen-, Sach- und eventuell noch Erfolgskonten besondere Spaltenpaare erhalten.

Datum	Text	Pers.-Konto S	Pers.-Konto H	Sachkonto S	Sachkonto H	Konto
3. 4.	A. R. Nr. 157	248,30			248,30	14/80

Andere Methode: →Zweizugverfahren.

Einzugswechsel, →Inkassowechsel.

Eisbrecher, *Kontaktfrage,* Bezeichnung der Meinungsforschung für das geeignete psychologische Herantasten an den zu Befragenden. – 1. Bei *Umfragen:* Geschickte, die Aufmerksamkeit des Befragten fesselnde Frage im Kopf des →Fragebogens. – 2. Bei *persönlichen Befragungen:* Auflockerndes Einführungsgespräch durch den Interviewer.

Eisenbahn-Bau- und -Betriebsordnung (EBO), vom 8. Mai 1967 (BGBl II 1563) i. d. F. vom 18.12.1981 (BGBl I 1490). Regelt die Anforderungen der Sicherheit und Ordnung für Bahnanlagen und Fahrzeuge. Die EBO gilt für regelspurige Eisenbahnen des öffentlichen Verkehrs (Haupt- und Nebenbahnen, nicht für Schmalspurbahnen).

Eisenbahngesetze, Gesetzgebung in Ausübung der →Eisenbahnhoheit, die für die Bundeseisenbahnen (Art. 73 Nr. 6 GG) und als konkurrierende Gesetzgebung über die Schienenbahnen, die nicht Bundesbahnen sind, mit Ausnahme der Bergbahnen, beim Bund liegt (Art. 74 Nr. 23 GG). Zur Neuordnung des Eisenbahnrechts sind im Allgemeinen Eisenbahngesetz vom 29.3.1951 (BGBl I 225) mit späteren Änderungen allgemeine Grundsätze für die →Deutsche Bundesbahn und →nichtbundeseigene Eisenbahnen aufgestellt: a) für die Deutsche Bundesbahn im Bundesbahngesetz (BGG) vom 13.12.1951 (BGBl I 955) festgelegt; ferner: Gesetz über die vermögensrechtlichen Verhältnisse der Deutschen Bundesbahn vom 2.3.1951, Allgemeine Bedingungen für Privatgleisanschlüsse vom 1.1.1955, →Übereinkommen über den internationalen Eisenbahnverkehr (COTIF); b) für die nichtbundeseigenen Eisenbahnen in Landeseisenbahngesetzen geregelt.

Eisenbahn-Haftpflicht, →Haftpflichtgesetz.

Eisenbahnhoheit, Recht zur Ordnung des Eisenbahnwesens durch entsprechende Gesetzgebung und Aufsicht. Die E. liegt nach Art. 30 GG i.V. mit Art. 73 und 74 GG bezüglich der →Deutschen Bundesbahn beim Bund, für die →nichtbundeseigenen Eisenbahnen bei den Ländern.

Eisenbahn-Spar- und Darlehenskassen, gewerbliche Kreditgenossenschaften, deren Mitgliederkreis und Geschäftsverkehr auf Beamte, Angestellte, Arbeiter, Pensionäre und Rentner der Deutschen Bundesbahn beschränkt ist. Nach Satzung kann jedes Mitglied nur einen Geschäftsanteil erwerben. Die E. sind über einen eigenen Prüfungsverband dem →Bundesverband der Deutschen Volksbanken und Raiffeisenbanken angeschlossen.

Eisenbahn-Tarif, Zusammenstellung sämtlicher für den Beförderungsvertrag im Bahnverkehr behördlich festgesetzter oder genehmigter Bedingungen, die veröffentlicht und gleichmäßig gegenüber allen Interessenten angewandt werden müssen; neben Annahmepflicht, Transportzwang u.ä. vor allem die von der Bahn für ihre Leistungen bedungenen Gebühren (Preise). *Tarifzwang* der Deutschen Bundesbahn (DB) lt. § 6 EVO verhindert Sonderabmachungen mit dem Ziel von Preisermäßigung oder sonstigen Begünstigungen (→Tarifpflicht, →Ausnahmetarif). – Getrennte →*Tarifsysteme* je nach Beförderung von Personen, Gütern oder Tieren: *DEPT:* Personentarif (bei der DB verbunden mit Gepäck- und Expreßguttarif); *DEGT:* →Deutscher Eisenbahn-Gütertarif; *DETT:* Tiertarif. – Bei Festlegung von Tarifen für den *Bereich von mehr als einer Eisenbahn* sind zu unterscheiden: a) Lokal- oder Binnentarif (etwa einer →nichtbundeseigenen Eisenbahn); b) Wechseltarif, als „direkter Tarif" im Wechselverkehr zweier aneinander stoßender Bahnen, meist ermäßigt gegenüber der Summe von Lokalfrachtsätzen; c) gebrochener Verkehr bei Übergang des Beförderungsgutes vom Gebiet einer Bahnverwaltung zur anderen, wenn jede nach Lokaltarif abfertigt.

Eisenbahnverkehr. I. Begriff: Unter E. wird die Beförderung von Personen, Tieren und Gütern mittels Eisenbahnen (Schienenbahnen mit Ausnahme von Straßenbahnen und ähnlichen Bahnen, Bergbahnen und sonstigen Bahnen besonderer Bauart (§ 1 AEG); Schienenbahnen sind durch Schienen (Eisenschienen) spurgebundene bzw. -geführte Transportmittel). – Es wird zwischen *öffentlichem Verkehr* (→Deutsche Bundesbahn) und *nichtöffentlichem Verkehr* (→nichtbundeseigene Eisenbahnen) unterschieden. Ob nichtbundeseigene Eisenbahnen dem öffentlichen E. dienen, entscheidet die oberste Landesverkehrsbehörde im Benehmen mit dem Bundesminister für Verkehr (§ 2 AEG). Ferner unterscheidet man die Bereiche *Nah- und Fernverkehr*. Im Güterverkehr der Eisenbahn differenziert man zudem in Wagenladungsverkehr und Stückgutverkehr.

II. Geschichte: 1. *Anfänge:* Die ersten Anfänge liegen zu Beginn des 19. Jh., als es gelang, die 1769 von J. Watt entwickelte Dampfmaschine zur Fortbewegung auf der Schiene zu verwenden (1814 Bau der ersten brauchbaren Dampflokomotive durch G. Stephenson). 1825 wurde zwischen Stockton und Darlington (Länge: 41 km) die erste öffentliche Eisenbahnstrecke der Welt eröffnet (zunächst nur für Güter). Nachdem 1830 auf der Linie Liverpool–Manchester der Eisenbahnpersonenverkehr aufgenommen worden war, entstanden in der Folgezeit auch außerhalb Englands eine Vielzahl von Eisenbahnlinien. – In Deutschland begann der E. mit der Eröffnung der Ludwigsbahn zwischen Nürnberg und Fürth Ende 1835 (Länge: 6,5 km). Bereits in den folgenden 5 Jahren wurde das Streckennetz auf rd. 500 km erweitert, wobei zunächst v. a. isolierte Verbindungen zwischen größeren Städten entstanden. Diesen folgten ab Mitte des Jh. Verbindungen zwischen Mittelstädten und erste große Fernverbindungen. – 2. Obgleich die erste deutsche Staatsbahn bereits 1838 zwischen Wolfenbüttel und Braunschweig verkehrte, ging der Bau der Eisenbahnen in der Anfangszeit in Deutschland überwiegend auf *private Initiative* zurück und wurde mit privatem Kapital finanziert. Infolge der Schwächen des Privatbahnsystems (mangelnde Netz-Integration, Vernachlässigung militärischer Erwägungen und industriearmer Gegenden) setzte sich in der 2. Hälfte des 19. Jh. jedoch zunehmend der *Staatsbahngedanke* durch. 1870 gab es 8120 km Privatbahnen, aber bereits 10 596 km Staatsbahnen. V. a. im Anschluß an die Spekulationskrise 1873 folgten umfangreiche Verstaatlichungen, so daß sich 1885 praktisch alle Hauptlinien in öffentlichem Eigentum befanden. Entgegen Bismarks Vorstellungen blieb die föderalistische Struktur im Eisenbahnwesen zunächst aber erhalten *(Ländereisenbahnen)*. – 3. Neue Impulse für den Eisenbahnbau (der Bau des Hauptstreckennetzes war bis 1880 im wesentlichen abgeschlossen) gingen von dem *Kleinbahngesetz von 1892* aus, in dessen Folge bis 1914 rd. 11 700 km Kleinbahnen entstanden; zu diesem Zeitpunkt umfaßte das Gesamtstreckennetz ca. 64 000 km. – 4. Die Entwicklung des E. hatte erhebliche *Auswirkungen auf die Industrialisierung;* innerhalb kürzester Zeit wurde die Eisenbahn zum wichtigsten Verkehrsträger im Binnenverkehr (zwischen 1840 und 1870 sanken die Transportkosten je tkm von 16,9 auf 5,6 Pfg.). – 5. Trotz der politisch bedingten Zersplitterung des Eisenbahnwesens gab es frühzeitig Bemühungen zur *Vereinheitlichung* (1847 Gründung des Vereins deutscher Eisenbahnen; 1873 Errichtung des Reichseisenbahnamtes als Aufsichtsbehörde; 1875 Einführung einer einheitlichen Signalordnung; 1891 Konstitution der „Europäischen Reisezug-Fahrplan-Konferenz"). Endgültig zur Vereinheitlichung des deutschen Eisenbahnwesens kam es im Anschluß an den Ersten Weltkrieg; durch Staatsvertrag wurden 1920 die Ländereisenbahnen unter einheitlicher Verwaltung zusammengefaßt *(Reichseisenbahn)*. Zur Abwicklung der Reparationsleistungen wurde 1924 die Eisenbahnverwaltung zwischenzeitlich auf die Deutsche Reichsbahngesellschaft übertragen, bevor die Eisenbahn 1937 erneut unter unmittelbare Staatsverwaltung gelangte. – 6. In der Zwischenkriegszeit wurden v. a. die Dampf- und Diesellokomotiven zu immer *größerer Leistungsfähigkeit und Schnelligkeit* weiterentwickelt (z. B. der Dieseltriebwagen „Fliegender Hamburger"). Zugleich wurde das Signalwesen verbessert. Außerdem wurden im Reisezugverkehr ab 1923 die ersten *Schnellbahnverbindungen* (FD-Züge) eingerichtet. – 7. Nachdem sich der E. im binnenländischen Verkehr gegen Ende des 19. Jh. zum absolut dominierenden Verkehrszweig herausgebildet hatte, begann der E. ab den 20er Jahren hauptsächlich im Güter-, aber auch im Personenverkehr verstärkt die *Konkurrenz des rasch expandierenden →Straßenverkehrs* zu spüren. Anfang der 30er Jahre ergriffene Marktregulierungsmaßnahmen zugunsten der Eisenbahn konnten die anhaltende Verschlechterung der Wettbewerbsposition gegenüber dem Straßengüterkraftverkehr allenfalls verlangsamen. – 8. Nach dem Zweiten Weltkrieg lagen die Bahnanlagen zu einem erheblichen Teil in Trümmern; ebenso wies der Fahrzeugpark deutliche Lücken auf. Im Vordergrund des Wiederaufbaus stand von Beginn an die *Elektrifizierung des Streckennetzes* (obwohl bereits 1903 die erste elektrifizierte Eisenbahnstrecke für den öffentlichen Verkehr in Betrieb genommen worden war, waren 1950 erst 5,6% des Netzes elektrifiziert). Bis 1960 gelang es 12,1%, bis 1970 rd. 29% des Streckennetzes zu elektrifizieren; inzwischen sind die mehrgleisigen Hauptstrekken fast vollständig elektrifiziert. Beim Fahrzeugbestand war die Nachkriegsentwicklung v. a. durch die Ablösung der Dampflokomotiven (Mitte der 70er Jahre Einstellung des Dampfbetriebes bei der Deutschen Bundesbahn) durch schnellere und leistungsfähigere Diesel- und Elektrolokomotiven geprägt. Eine zusätzliche Erhöhung der Leistungsfähigkeit brachte auch der Einsatz neuer signaltechnischer Hilfsmittel. – 9. Schon in den 50er Jahren sich andeutende *Streckenstillegungen* führten ab Mitte der 60er Jahre zu einer forcierten Politik der Netzkonzentration

(→Netzoptimierung der Deutschen Bundesbahn) und der Einstellung des E. v.a. im dünnbesiedelten ländlichen Bereich. – Trotz aller Modernisierungs- und Rationalisierungsmaßnahmen sowie ordnungspolitischer Interventionen des Staates zum Schutz der Deutschen Bundesbahn, hat sich die Marktstellung der Eisenbahnen in den letzten Jahrzehnten deutlich verschlechtert. In den Jahren 1950 bis 1960 schrumpfte ihr Marktanteil am Güterverkehr (gemessen in v.H. am Verkehrsaufkommen (t) bzw. an der Verkehrsleistung (tkm)) um über 20 bzw. um knapp 30%. Zwischen 1960 und 1985 ging der Anteil der Eisenbahn im binnenländischen Güterverkehr (ohne Straßengüternahverkehr und Luftverkehr) beim Verkehrsaufkommen von 52,7 auf 34,1% weiter zurück. Im Personenverkehr war der Anteil der Eisenbahnen, der sich 1950 noch auf 17,8% beim Verkehrsaufkommen und 37,7% bei den Verkehrsleistungen belaufen hatte, schon 1960 auf 6,1 bzw. 16,1% geschrumpft (1985: 3,3 bzw. 7,2%).

III. Unternehmens-, Betriebs- und Kostenstruktur: 1. *Unternehmensstruktur:* Der E. wurde 1985 in der Bundesrep. D. von der →Deutschen Bundesbahn (DB) gemeinsam mit 114 →nichtbundeseigenen Eisenbahnen (NE) des öffentlichen Verkehrs sowie 56 Unternehmen des nichtöffentlichen Verkehrs (Hafeneisenbahnen und Industriebahnen) durchgeführt. Am 1.1.1985 beschäftigten die Eisenbahn-Unternehmen insgesamt 316886 Personen (DB: 305231; NE-Bahnen des öffentlichen Verkehrs 6945; NE-Bahnen des nichtöffentlichen Verkehrs: 4710). – 2. *Streckenlänge/Fahrzeugbestand:* Die Eigentumsstreckenlänge der Eisenbahnen belief sich am 1.1.1986 auf 30568 km, wovon 11674 km elektrifiziert waren. Von der Gesamtlänge entfielen 2919 km auf die NE-Bahnen des öffentlichen Verkehrs (weitere 1000 km umfaßt das Netz der NE-Bahnen des nichtöffentlichen Verkehrs). Die Betriebslänge der öffentlichen Eisenbahnen betrug Ende 1985 30751 km, die Gesamtgleislänge 68082 km (davon 32407 elektrifiziert). – Zur gleichen Zeit besaßen die Eisenbahnen 9575 Triebfahrzeuge (darunter 2632 elektrische Lokomotiven, 4404 Diesellokomotiven), 13296 Reisezugwagen (darunter die DB 13170 Wagen mit 977087 Sitzplätzen), 260136 bahneigene Güterwagen; der Bestand an Privatgüterwagen belief sich auf 50341 und der der Dienstgüterwagen auf 4577. – 3. *Beförderungs- und Verkehrsleistung:* 1985 beförderten die Eisenbahnen insgesamt 1134 Mill. Personen (darunter 86 Mill. die NE-Bahnen); 336 Mill. davon fuhren mit Zeitfahrausweisen des Berufsverkehrs, weitere 227 Mill. mit Schüler-Zeitfahrausweisen. Dies ergab eine Verkehrsleistung von 43451 Mill. Pkm (davon 744 Mill. Pkm durch NE-Bahnen). Die mittlere Reiseweite betrug 38,3 km (DB: 40,8 km; NE-Bahnen: 8,7 km). – Im Expreßgutverkehr wurden durch die Eisenbahnen 1985 392000 t Güter befördert (120 Mill. tkm). Im Güterverkehr betrug die Transportmenge der Eisenbahnen 334,6 Mill. t (264,8 Mill. t durch die DB, 30,9 Mill. durch die NE-Bahnen und 30,9 Mill. t im Wechselverkehr durch beide). Vom Gesamtgüteraufkommen entfielen 324 Mill. t auf den frachtpflichtigen Verkehr (darunter 321,8 Mill. t im Wagenladungsverkehr und 2,7 Mill. t im Stückgutverkehr), 10,6 Mill. t auf den Dienstgutverkehr. Die Verkehrsleistung im Güterverkehr belief sich auf 65,5 Mrd. tkm (darunter etwa 1 Mrd. tkm durch NE-Bahnen). Die durchschnittliche Versandweite von Gütern betrug 196 km (DB: 212 km, NE-Bahnen 15 km). – 4. *Einnahmen:* Die Einnahmen der Eisenbahnen aus dem Schienenverkehr erreichten 1985 eine Höhe von 14,072 Mrd. DM (darunter 524 Mill. durch die NE-Bahnen). Von den Gesamteinnahmen entfielen 5,009 Mrd. DM auf den Personen- und Gepäckverkehr und 9,063 Mrd. auf den Expreßgut- und Güterverkehr (bei den NE-Bahnen: 127 Mill. bzw. 397 Mill. DM). – 5. *Anlagevermögen:* Insgesamt bezifferte sich das Brutto-Anlagevermögen der Eisenbahnen (1985) auf 201468 Mill. DM (in Preisen von 1980); davon gehörten 6826 Mill. DM den NE-Bahnen des nichtöffentlichen Verkehrs. – 6. *Kosten/Kostenstruktur:* Von den Gesamtaufwendungen der DB im Jahre 1985 in Höhe von 30479,3 Mill. DM entfielen 11355,6 Mill. DM (37,25%) auf Aufwendungen für das aktive Personal. Die gesamten Sozial- und Personalausgaben betrugen sogar 19888,5 Mill. DM (64,16%). Für Sachausgaben für den laufenden Betrieb sowie den Unterhalt und die Abschreibungen auf die Sachanlagen benötigte die DB 9665,9 Mill. DM. An Fremdkapitalzinsen hatte die DB 2900,8 Mill. DM aufzubringen. Insgesamt ergab sich 1985 ein Jahresfehlbetrag von 2908,8 Mill. DM. Die fundierten Fremdverbindlichkeiten der DB bezifferten sich am 31.12.1985 auf rd. 36153 Mill. DM.

IV. Nationale und internationale Organisation: 1. *Nationale Ebene:* Der E. in der Bundesrep. D. wird größtenteils von der Deutschen Bundesbahn (DB) abgewickelt. Die DB ist ein Sondervermögen des Bundes. Der Bundesminister für Verkehr übt die Aufsicht über die DB aus und kann Anordnungen für die Geschäftsleitung erlassen. Der Sitz der Hauptverwaltung der DB ist in Frankfurt (Main), zudem umfaßt die Organisation der DB zwei Bundesbahnzentralämter, die Zentrale Verkaufsleitung, die Zentrale Transportleitung und zehn Bundesbahndirektionen. – Als Verbände vertreten u.a. der Bundesverband Deutscher Eisenbahnen e.V. (BDE), Deutscher Eisenbahn Verkehrsverband (DEVV) die Interessen der Eisenbahnen. – 2. *Internationale Ebene:* u.a Internationaler

Verkehrsaufkommen und Verkehrsleistung im Eisenbahnverkehr

	1960	1970	1985
Personenverkehr			
Beförderte Personen (in Mill.)	1 281[1])	1 054	1 134
Personenkilometer (in Mill. Pkm)	38 402[1])	38 129	43 451
Expressgutverkehr			
Beförderte Güter (in 1000 t)	900[1])	912	392
Tariftonnenkilometer (in Mill.)	209[1])	240	120
Güterverkehr			
Beförderte Güter (in 1000 t)	343 500	392 123	334 613
dar. Frachtpflichtiger Verkehr	314 900	377 141	324 001
Wagenladungsverkehr	309 300	372 316	321 283
Stückgutverkehr [2])	5 600	4 825	2 719
Dienstgutverkehr	28 700	14 982	10 611
Tariftonnenkilometer (in Mill. tkm)	56 866	73 590	65 451

[1]) nur DB; [2]) 1960 und 1970 nur Stückgutversand innerhalb des Bundesgebietes.

Quellen: Statistische Jahrbücher der Bundesrepublik Deutschland, versch. Jge.

Eisenbahnverband (Union Internationale des Chemins de Fer, U. I. C.), Organisation für die Zusammenarbeit der Eisenbahnen (Organization for the collaboration of railways, OSShD), Zentralamt für den Internationalen Eisenbahnverkehr (Office Central des transports internationaux ferroviaires, OCTI) und Internationales Eisenbahntransportkomitee (Comité international des transports ferroviaires, C. I. T.).

V. Gegenwarts- und Zukunftsprobleme: Die Bedeutung der Eisenbahnen ist in den letzten Jahrzehnten sowohl im Personen- wie auch im Güterverkehr erheblich gesunken. Die Eisenbahnen konnten sich an den Wandel der Nachfrage bisher nicht anpassen und erwirtschafteten i. d. R. Defizite. Eine Sanierung der Eisenbahnen bleibt dringenstes Anliegen. Ansätze werden z. B. in der Trennungsrechnung (Trennung von gemeinwirtschaftlichem, staatlichem und eigenwirtschaftlichem Bereich) gesehen. In der Zukunft wird sich die Eisenbahn als Rad-Schiene-System dem Wettbewerb anderer Systeme, wie z. B. dem Magnet-Schwebe-System, ausgesetzt sehen..

Eisenbahn-Verkehrsordnung (EVO), vom 8. 9. 1938 mit späteren Änderungen, neben dem →Übereinkommen über den internationalen Eisenbahnverkehr (COTIF) wichtigste Rechtsquelle mit zwingendem Recht für den Frachtverkehr bei deutschen Eisenbahnen des öffentlichen Verkehrs. – Vgl. auch →Frachtvertrag.

Eisenbahnverschluß, eisenbahnamtlicher Verschluß von Zollgut, unter bestimmten Voraussetzungen an Stelle von →Zollverschluß angelegt.

Eisen-, Blech- und Metallwarenindustrie, Teil des Investitionsgüter produzierenden Gewerbes, Wirtschaftszweig mit sehr vielgestaltigem Produktionsprogramm; im wesentlichen: Herstellung von Werkzeugen, Geräten für die Landwirtschaft, Schlössern und Beschlägen, Schneidwaren, Bestecken, Handelswaffen und deren Munition, Heiz- und Kochgeräten,. Stahl- und NE-Metallblechwaren, Feinblechpackungen, Möbeln aus Metall, Panzerschränken, nichtelektrischen Haushaltsmaschinen, Bürogeräten aus Metall, Folien, Dosen, Tuben u. a. Metallkurzwaren.

Eisen-, Blech- und Metallwarenindustrie

Jahr	Beschäftigte in 1000	Lohn- und Gehaltssumme	darunter Gehälter	Umsatz gesamt	darunter Auslandsumsatz	Nettoprod.-index 1980 = 100
		in Mill. DM				
1970	374	4 947	1 380	20 064	3 278	–
1971	371	5 437	1 594	21 204	3 387	–
1972	369	5 931	1 776	22 531	3 705	–
1973	375	6 742	2 018	24 972	4 341	–
1974	356	7 055	2 237	25 919	5 216	–
1975	318	6 766	2 262	25 014	4 689	–
1976	316	7 419	2 427	28 359	5 394	89,4
1977	320	8 183	2 713	31 234	6 224	92,3
1978	316	8 584	2 911	31 962	6 482	94,1
1979	315	9 059	3 067	34 521	7 090	97,4
1980	315	9 659	3 269	36 765	7 699	100
1981	307	9 925	3 486	37 040	8 353	95,4
1982	290	9 752	3 534	37 341	8 934	90,2
1983	271	9 482	3 469	37 595	9 127	92,5
1984	275	9 969	3 613	41 123	10 664	97,1
1985	280	10 462	3 770	43 063	11 654	102,3
1986	294	11 413	4 108	46 692	12 689	107,0

Eisenschaffende Industrie. 1. *Begriff:* Teil des →Grundstoff- und Produktionsgütergewerbes. Zum Bereich der e. I. gehören: a) die Eisen-, Stahl- und Edelstahlerzeugung (Hochofen- und Hüttenprozeß); b) die Herstellung von Warmwalz-, Schmiede-, Preß- und Hammerwerkserzeugnissen. – 2. *Produktionsprogramm:* Roheisen, Rohstahl, Stahlhalbzeug, Walzstahl (z. B. Form-, Stabstahl, Walzdraht, Bleche, Bandstahl, nahtlose Röhren), weiterverarbeiteter Walzstahl, geschmiedetes Halbzeug, geschmiedete Stäbe, Freiformschmiedestücke, rollendes Eisenbahnzeug. – 3. *Standorte* der deutschen E. I. fast ausnahmslos in Nordrhein-Westfalen. – 4. *Produktion* 1986: Roheisen 27,6 Mill. t, Rohstahl 36,7 Mill. t, Walzstahl 27,5 Mill. t. – 4. *Wirtschaftspolitik:* Die deutsche i. E. gehört wie der →Kohlenbergbau zum gemeinsamen Markt der →EGKS, bei einer durch Entflechtung und Demontage sowie durch die bis 1952 geltenden staatlichen Preisbindungen im Vergleich mit anderen Mitgliedstaaten zunächst beengten Kapzität. Die Entflechtung ist abgeschlossen; die durch die Auflösung der Verbundwirtschaft von Kohle und Stahl entstandenen Behinderungen der deutschen Wettbewerbsfähigkeit wurde im Laufe der Zeit durch Wiederverflechtung teilweise überwunden. Die Hüttenindustrie unterliegt dem →Mitbestimmungsrecht.

Eisenschaffende Industrie

Jahr	Beschäftigte in 1000	Lohn- und Gehaltssumme	darunter Gehälter	Umsatz gesamt	darunter Auslandsumsatz	Nettoprod.-index 1980 = 100
		in Mill. DM				
1970	352	6186	1558	32920	7550	–
1971	343	6289	1708	29689	7730	–
1972	328	6605	1847	30383	8115	–
1973	332	7599	2094	38194	10565	–
1974	332	8726	2367	50438	17273	–
1975	325	8562	2514	42842	14125	–
1976	316	8820	2594	43493	12501	96,3
1977	306	8993	2734	40056	11992	90,8
1978	291	9040	2760	40433	13607	95,9
1979	288	9709	2899	45670	15489	104,8
1980	234	10287	3080	47450	16132	100
1981	273	10259	3142	48343	18307	97,4
1982	257	9884	3143	45358	17988	83,5
1983	238	9196	2992	41691	15573	82,0
1984	222	9347	3020	47996	18804	89,7
1985	217	9432	2991	52103	20314	93,9
1986	210	9262	2981	46328	16500	86,6

Eisen- und Stahlstatistik, amtliche →Fachstatistik der Rohstoff- und Produktionswirtschaft, die monatlich von der Außenstelle des Statistischen Bundesamtes in Düsseldorf durchgeführt wird. Erfragt werden bei (1) Gruben des Eisenerzbergbaues, (2) Werken der eisenschaffenden Industrie, (3) Stahlrohrwerken, (4) Eisen-, Stahl- und Tempergießereien, (5) Erzeugern von Legierungsmitteln sowie (6) Eisen- und Stahlhändlern Bezug, Erzeugung, Versand, Verbrauch und Bestandsveränderungen der jeweiligen Materialien; Veröffentlichung in Fachserie 4, Reihe 8.1.

eiserner Bestand, langfristig nach Größe, Wert und Zusammensetzung gleichbleibender Bestand an Vorratsvermögen (Roh-, Hilfs- und Betriebsstoffe, Handelswaren), der unter gleichbleibenden Produktionsbedingungen zur Aufrechterhaltung der Produktion und des Absatzes im Betrieb vorrätig sein muß, um zufällige Lagerabgangsschwankungen aufzufangen und →Fehlmengen zu vermeiden; anlagevermögenähnlich. – *Bewertung* des e. B. als zusammengefaßter Posten von Vermögensgegenständen des Vorratsvermögens mit Festwerten unter unverändertem Bilanzansatz in aufeinanderfolgenden Geschäftsjahren ist unter bestimmten Voraussetzungen (Einzelheiten vgl. →Festwert) handels- und steuerrechtlich anerkannt. Die ggf. mit dem e. B. betriebspolitisch angestrebte Substanzerhaltung kann durch Festbewertung beim e. B. (zur Vermeidung von →Scheingewinnen durch Preissteigerungen) nur in den engen Grenzen des Festwertverfahrens erreicht werden. Vgl. auch →Materialbestandsarten.

EK, steuerrechtliche Abkürzung für die Teilbeträge des →verwendbaren Eigenkapitals (vgl. dort 3).

EKD, Abk. für →Elektrokardiogramm.

EKS, *energo-kybernetisches System, engpaßkonzentriertes System,* eine von W. Mewes entwickelte Managementlehre, der eine Sicht von Manager, Umwelt und zu steuerndem Unternehmen als System zugrunde liegt. D. h., daß die Elemente sich nur in gemeinsamer Abstimmung miteinander entwickeln können. Die Beseitigung von Engpässen (Bedürfnisbefriedigung oder Problemlösung auf der Seite des Kunden und Kräftekonzentration auf der Seite des Unternehmens) wird somit zum Ziel von →Management. Die EKS wird bereits in verschiedenen Problemfeldern erfolgreich angewandt.

Elastizität. I. Begriff: Verhältnis der relativen Änderung einer Größe zu der sie verursachenden relativen Änderung einer anderen Größe. Implizite bereits bei J. St. Mill und Cournot enthalten, explizite von Alfred Marshall in die Wirtschaftstheorie eingeführt. Die jeweils bestehenden E. sind ausschlaggebend für die Wirkung staatlicher Markteingriffe (→Preispolitik) und unternehmerische Maßnahmen.

II. Arten: 1. →*Angebotselastizität:* Relative Angebotsmengenänderung aufgrund einer vorausgegangenen relativen Preisänderung. – 2. →*Absatzelastizität:* Relative Änderung der abgesetzten Menge aufgrund einer relativen Preisänderung. – 3. →*Nachfrageelastizität:* Relative Änderung der nachgefragten Menge aufgrund einer Änderung a) des Preises *(Preiselastizität der Nachfrage)* oder b) des Einkommens *(Einkommenselastizität der Nachfrage).* Bei der Preiselastizität werden i. d. R. die Wirkungen einer Preisänderung eines bestimmten Gutes auf die nachgefragte, abgesetzte oder angebotene Menge des gleichen Gutes untersucht (→*direkte Preiselastizität*). Daneben gibt es noch die →*Kreuzpreiselastizität, (indirekte Preiselastizität),* die die relative Mengenänderung eines Gutes zu der sie verursachenden relativen Preisänderung eines anderen Gutes angibt. Diese Elastizitäten werden stets ceteris paribus, d. h. unter Vernachlässigung aller sonstigen Einflußgrößen ermittelt. – 4. →*Außenhandelselastizität:* Relative Änderung der mengenmäßigen Exporte bzw. Importe aufgrund vorausgegangener Preis- oder Wechselkursänderungen. Im Gegensatz zu 1. bis 3. häufig global für alle Export- und Importgüter gebraucht. Besonders für die Untersuchung der Wirkung von Wechselkursänderungen (→Aufwertung, →Abwertung) auf die →Zahlungsbilanz verwandt (→Elastizitätsoptimismus, →Elastizitätspessimismus). – 5. *Kostenelastizität:* Relative Änderung der Kosten, hervorgerufen durch eine relative Änderung der Faktoreinsatzmengen. – 6. →*Sub-*

stitutionselastizität: Relative Änderung der Kapitalintensität, hervorgerufen durch eine relative Änderung des Lohn-Zins-Verhältnisses. – 7. →*Produktionselastizität:* Relative Änderung der Produktionsmenge aufgrund einer realtiven Änderung der Einsatzmenge des Faktors; vgl. auch →partielle Produktelastizität.

Elastizitätsoptimismus, Begriff der monetären →Außenwirtschaftstheorie. Erwartung einer Konstellation aus Nachfrage- und Angebotselastizitäten (→Marshall-Lerner-Bedingung, →Robinson-Bedingung), die bei →Abwertung der Inlandswährung zu einer Aktivierung (bei →Aufwertung zu einer Passivierung) der →Leistungsbilanz führt *(normale Reaktion)*. – *Gegensatz:* →Elastizitätspessimismus.

Elastizitätspessimismus, Begriff der monetären →Außenwirtschaftstheorie. Befürchtung der „anomalen" Reaktion der →Leistungsbilanz auf Wechselkursänderungen (Vergrößerung eines Überschusses bei →Aufwertung, eines Defizits bei →Abwertung) wegen ungünstiger Konstellation der relevanten Elastizitäten (→Wechselkursmechanismus). – *Gegensatz:* →Elastizitätsoptimismus. – *Kritiker* werfen den Vertretern des E. eine systematische Unterschätzung der Nachfrageelastizitäten und die Nichtberücksichtigung von Angebotselastizitäten vor; sie erwarten zumindest längerfristig bei Abwertung eine Verbesserung und bei Aufwertung eine Verschlechterung der Leistungsbilanz *(normale Reaktion,* Elastizitätsoptimismus). – Bei der Analyse der Elastizitätsbedingungen bleibt unbeachtet, daß die wechselkursbedingte Leistungsbilanzveränderung eine Wirkung auf das Volkseinkommen hat, was den primären Leistungsbilanzeffekt abschwächen oder sogar kompensieren kann; diese Frage untersucht die →Absorptionstheorie.

ELDO, European Space Vehicle Launcher Development Organization, Europäische Organisation für die Entwicklung von Antriebsaggregaten für Weltraumfahrzeuge, gegr. 1964. Die ELDO vereinigte sich im Mai 1975 mit der ESRO zur →ESA.

electronic banking, Ausübung des Bankgeschäfts mit der Kundschaft unter Nutzung neuer Technologien. – Vgl. auch →kartengesteuerte Zahlungssysteme, →point of sale banking.

electronic mail, →elektronische Post.

elektrische Anlagen. 1. *Bilanzierung:* E. A. bilden einen Teil des →Anlagevermögens der Industriebetriebe. Ob sie als unselbständige Bestandteile von Gebäuden, technischen Anlagen oder Maschinen oder als selbständige Vermögensgegenstände auszuweisen und zu bewerten sind, hängt vom Nutzungs- und Funktionszusammenhang im konkreten Fall ab. Abgrenzung schwierig. – 2. *Kostenrechnung:* I. d. R. als Bestandteil der →Raumkosten erfaßt. – 3. *Haftpflichtversicherung:* Entsprechend →Gasanlagen.

elektrischer Ansatz, →internationale Unternehmungen IV 6.

elektrodermale Reaktion, →Hautwiderstandsmessung.

Elektroenzephalogramm (EEG), Aufzeichnung der rhythmischen elektrischen Potentialschwankungen zwischen 10 und 100 Mikrovolt im Bereich der Hirnrinde. Die lokale Zuordnung der Potentialschwankungen gibt Aufschluß über Funktion und Funktionsstörungen bei der Sinneswahrnehmung und der Willkürmotorik, da sich diese Prozesse einzelnen Feldern der Großhirnrinde zuordnen lassen. Die Ergebnisse elektroenzephalographischer Messungen bilden Grundlagenerkenntnisse für →Arbeitswissenschaft, insbes. für die Arbeitsmedizin.

Elektrokardiogramm (EKD), Aufzeichnung des zeitlichen Verlaufs der Aktionsströme des Herzens (Pulsfrequenz). Die Ableitung der Ströme erfolgt von Armen, Beinen und Brustwand, Kurvenverlauf des EKD erlaubt Rückschlüsse auf die Funktionsweise und Leistungsfähigkeit des Herzens. Einsatz findet das EKD innerhalb der →Arbeitswissenschaften (insbes. Arbeitsmedizin) zur Gewinnung von Erkenntnissen über die Veränderung der Herzbelastung bei unterschiedlichen →Beanspruchungen.

Elektromyogramm (EMG), Aufzeichnung über die elektrischen Aktionspotentiale eines aktiven Muskels. Ein EMG gibt Auskunft über die jeweils an einer Bewegung beteiligten Muskeln. Die Ergebnisse des EMG werden in der anthropometrischen →Arbeitsgestaltung zur Bestimmung optimaler Abmessungen eingesetzt.

elektronische Datenverarbeitung, *automatisierte Datenverarbeitung, automatische Datenverarbeitung (ADV).*

I. Begriff/Wesen: Allgemein jegliche maschinelle →Datenverarbeitung mit elektronischem Datenverarbeitungsgerät (Computer). Im Sprachgebrauch jedoch auf die Datenverarbeitung mit elektronischen digitalen Datenverarbeitungsanlagen beschränkt. – In der *Bundesrep. D.* begann das Zeitalter der EDV in der zweiten Hälfte der fünziger Jahre. Erstes Ziel war die Verbesserung von Produktivität und Qualität der betrieblichen Arbeit durch die schnelle Abwicklung der Massendatenverarbeitung. Die Computer arbeiteten nach relativ einfachen Programmen. In der zweiten Phase der EDV (Ende der sechziger Jahre) kam es zu fortschreitender Integration der Daten und der Arbeitsabläufe mit tiefgreifenden Folgen für die Ablauf- und Strukturorganisation der Unternehmungen. Heute sind die EDV-Systme unverzichtbare Bestandteile von Produktions- und Verwaltungsabläufen. Die EDV wird in steigendem Maße kommunikationsintensiv. Technisch wird sie heute realisiert durch kompakte, leistungsfähige Einzelcomputer, durch kleine und mittlere Systeme im Verbund sowie durch komplexe, zum Teil den Erdball umspannende Rechnernetze.

1. *Erfassung und Bereitstellung der Daten:* Im Mittelpunkt des Verfahrens steht die →elektronische Datenverarbeitungsanlage, die bei entsprechender →Programmierung befähigt ist, in sehr kurzen Zeitspannen (Mikrosekunden, Nanosekunden) erfaßte →Daten zu verarbeiten. Daten auszugeben oder über große Entfernung an Empfänger weiterzuleiten. Mit Hilfe verschiedener manueller oder maschineller Erfassungsmethoden (→Datenerfassung) werden die zu verarbeitenden Daten (möglichst) am Entstehungsort erfaßt und in das Datenverarbeitungssystem eingegeben. Einmal erfaßt, können sie in der →Zentraleinheit nach unterschiedlichen Gesichtspunkten und Kriterien verknüpft und ausgewertet werden. Erfaßte oder verarbeitete Daten können für spätere maschinelle Weiterverarbeitung, Weiterleitung, Abfrage oder Ausgabe in Datenspeichern (→Speicher) zwischengespeichert bzw. für längere Zeit bereitgehalten werden. Die Datenbestände werden logisch geordnet bzw. strukturiert zu →Dateien oder →Datenbanken zusammengefaßt, die Millionen, oftmals Milliarden elektronisch gespeicherter Zeichen (potentielle Information) enthalten.

2. *Datenausgabe an den Benutzer:* Elektronisch verarbeitete oder gespeicherte Daten werden dem Empfänger (Benutzer, Endbenutzer) über Datenausgabegeräte (→Datenausgabe) und mit Hilfe diverser Ausgabemedien (abhängig von der zu erfüllenden Aufgabe) zur Verfügung gestellt, z. B. über Datenstationen in gedruckter Form, als Anzeige (Buchstaben, Ziffern oder grafisch) auf Bildschirmen (→Bildschirmgeräte), als Liste oder Text über →Drucker oder u. a. als gesprochenes Wort über Sprachausgabeeinheiten. Für entsprechende Aufgabenstellungen hat der Benutzer die Möglichkeit, von seinem Arbeitsplatz bzw. von seinem Schreibtisch aus über Datenstationen mit der EDV-Anlage in einen Dialog (Frage und Antwort) einzutreten (→Dialogbetrieb). Datenerfassungsgeräte, Datenspeicher und Datenausgabegeräte müssen nicht in räumlicher Nähe zur Zentraleinheit aufgestellt sein. Mit Hilfe der →Datenübertragung werden Hunderte und Tausende Kilometer zwischen den einzelnen Komponenten und Geräteeinheiten des Systems überbrückt.

3. *Anwendungsbereiche:* Nach anfänglich einfacher DV-Anwendung für technische und wissenschaftliche Ausgaben drang die EDV (Ende der fünfziger Jahre zunächst langsam, seit den sechziger Jahren beschleunigt) in den Verwaltungsbereich ein. Der Computer wurde zunächst als „schneller Kollege" für personalsparende Routinevorgänge der Massendatenverarbeitung eingesetzt. Ende der sechziger Jahre war er schon fester Bestandteil großer Verwaltungen (betriebswirtschaftliche DV, „kommerzielle" DV). In der zweiten Hälfte der sechziger Jahre forderten die Anwender vom DV -System höhere Flexibilität, Ausfallsicherheit und Datendurchsatz. Es begann die Periode qualifizierter Nutzung der EDV-Systeme in Verwaltung, Produktion, Forschung und Dienstleistung. – Heute sind Computer allgegenwärtig. Sie führen Konten, berechnen Zinsen, gewähren automatisch Kredite, führen Kundenregister, korrespondieren über Fernmeldewege automatisch mit anderen Computern, rechnen Unternehmensmodelle durch und simulieren die Geschäftsentwicklung. Computer führen auch Einwohnerregister, berechnen Steuerveranlagungen, schreiben Briefe und mahnen säumige Zahler. Sie steuern Signalanlagen, helfen dem Konstrukteur, steuern chemische Prozesse und Fertigungsvorgänge. Für schnelle Ausführung gleichartiger Rechenoperationen wurden sog. Vektorrechner entwickelt. Auch aus der Medizin und dem Bildungs- und Ausbildungswesen ist der Computer nicht mehr wegzudenken. Begünstigt durch die →Datenübertragung über große Entfernungen, durch Leistungsverbesserungen bei Hardware und Software und dem (als Folge) vereinfachten Umfang mit dem Computer, eröffnen sich dem Computer immer neue Anwendungsbereiche. Fortschritte in der Computertechnologie und der Kommunikationstechnik (→DATEX-L, →DATEX-P) forcieren diese Entwicklung. Im Privatbereich wird der →Bildschirmtext neue Perspektiven der Computernutzung erschließen. Homecomputer für Spiele, Datenspeicherung, Schreibaufgaben und als Lernhilfen werden weiter vordringen.

II. Technische Hilfsmittel: 1. *Übersicht:* Das technische Hilfsmittel der EDV ist die EDVA, die heute von der Kleinstanlage bis zum Supersystem allein oder im →Computerverbund zur Verfügung steht. Die physischen Geräteteile (z. B. Dateneingabeeinheiten, Datenausgabegeräte, Speichergeräte) werden Hardware genannt. Die Hardware allein ist keine sinnvoll funktionierende Datenverarbeitungsanlage. Erst durch die Software (Programme) wird ein einsatzfähiger Computer (auch Datenverarbeitungssystem genannt) daraus. Anders als konventionelle Lochkartenverarbeitung (→Lochkartenverfahren) ist die EDV ein Vorgang, der von der Datenerfassung bis zur Ausgabe der Daten an den Empfänger automatisch (ohne manuelle Eingriffe) abläuft. Das Gerät steuert und überwacht sich selbst nach gespeicherten Prgrammen. Die Programme für die elektronische Bearbeitung von Benutzeraufgaben (Abrechnungsaufgaben, Bestandsführungsaufgaben) werden Anwender- oder Benutzerprogramme (→Anwendungsprogramm) genannt. Damit aber diese von dem Gerät überhaupt sinnvoll, sicher und zeitoptimal abgewickelt werden können, bedarf es weiterer Programme für die Steuerung der Computerelemente, für die Kontrolle des Datenflusses, für die Verbindung der Programmteile untereinander, für die fehlerfreie Datenerfassung, die Datenabspeicherung, de Datenwiederauffindung und u. a. für die Datenausgabe. Solche Programme werden →Systemprogramme genannt (→Betriebssystem). – Bei der *Hardware* wird zwischen dem Zentralen Teil (→Zentraleinheit) und der Peripherie (periphere Geräte) unterschieden.

2. Das Ziel der möglichst großen Ausfallsicherheit, der vereinfachten Bedienung und des hohen Datendurchsatzes wird durch die *Architektur der Datenverarbeitungsanlagen* erreicht. Ihr Kennzeichen ist im wesentlichen die Verteilung der verschiedenen Funktionen des Zentralen Teils auf weitgehend voneinader unabhängig arbeitende Elemente (Möglichkeit der Parallelarbeit). Insofern kann der *Zentrale Teil* als eine Zusammenfsssung von (weitgehend) autonomen Einheiten angesehen werden. Im Zentralen Teil findet die eigentliche Datenverarbeitung statt. Der Z. T. besteht im Prinzip aus dem Zentralprozessor (→Prozessor), dem Zentralspeicher (→Arbeitsspeicher, interner Speicher) und aus Steuerungselementen. Zentralprozessor, Steuerungen und Arbeitsspeicher bestehen aus miniaturisierten, hoch integrierten Schaltkreisen (Halbleiterbauelemente), die sehr schnell arbeiten (Schaltzeiten in Milliardstel- und Billionstelsekundengröße). Hauptaufgabe des Zentralprozessors ist die Ausführung von arithmetischen und logischen Operationen (Verarbeitung) sowie internen Verwaltungsaufgaben (z. B. Adressenumsetzung, Behandlung von Programmunterbrechungen, Einleitung von Zugriffs- und Ausgabeoperationen). Größere Zentrale Einheiten sind mit Serviceprozessoren ausgestattet (→Mikroprozessor zur automatischen Konfigurationssteuerung, Fehlererkennung, Fehlerbehebung u. a.) – Die *Arbeitsspeicher* sind ebenfalls Produkte moderner Mikrominiaturisierung. Zur besseren Ausnutzung der hohen Prozessorleistung sind zwischen Zentralprozessor und dem (langsameren) Arbeitsspeicher schnell arbeitende Pufferspeicher eingefügt. In diesen Pufferspeichern werden Daten aus dem Arbeitsspeicher kurz vor der Verarbeitung für den Zugriff durch den Zentralprozessor bereitgestellt. Moderne Zentraleinheiten sind Multiprozessorsysteme. Biprozessoren sind DV-Anlagen mit zwei oder mehr Zentralprozessoren.

3. *Periphere Geräte* sind (relativ) langsame Computerelemente, insbes. soweit es sich um Geräte mit mechanischen Hardwareteilen handelt, wie beispielsweise beim herkömmlichen Schnelldrucker, der selbst bei einer Stundenleistung von mehr als 100000 Zeilen weiter hinter der elektronischen Verarbeitungsgeschwindigkeit zentraler Elemente zurückbleibt. Trotz schnellerer Laserdrucker besteht die Tendenz, die Druckausgabe auf Papier zu verringern. Stattdessen sollen die Daten vermehrt in großen externen Datenspeichern (→Datenbanken) bereitgestellt und nur bei Bedarf abgerufen werden. Abruf bzw. Abfrage erfolgt dann über Datenstationen. Die Antwort kommt an die Datenstation zurück. Hier kann bei Bedarf Ausdruck der Daten erfolgen; jedoch wird man in Zukunft verstärkt von der Bildschirmausgabe Gebrauch machen. Das Spektrum der peripheren Geräte ist vielfältig und wächst weiter. Lochkartenleser und Lochkartenstanzer (→Lochkartenverfahren), Lochstreifenleser und Lochstreifenstanzer (→Lochstreifen) spielen keine Rolle mehr. Im Vordergrund stehen optische Leser (→optische Zeichenerkennung), grafische Dateneingabe, Datenstationen verschiedener Art (z. B. elektron. Waagen, Stechuhren usw.), →Magnetplattenspeicher, Magnetbandgeräte, Halbleiterspeicher (→Speicher), →Drucker, Sprachausgabegeräte, Datenstationen mit und ohne Bildschirme, Bildausgabe- und computergesteuerte Zeichengeräte. Aufgrund der sog. Anschlußkompatibilität (→Kompatibilität) kann der Benutzer aus der Fülle der angebotenen Peripheriegeräte die leistungs- und preisgünstigste Konfiguration zusammenstellen. Viele der anschließbaren peripheren Geräte sind selbst kleine Computer, die einerseits als autonome Computer DV-Aufgaben am Ort des Datenanfalls ausführen, andererseits mit anderen Computern im Verbund arbeiten können (→Computerverbund(-system)). Von der Möglichkeit, mit Hilfe solcher Systeme DV-Kapazität über Bildschirm-Datenstationen an den Sachbearbeiter-Arbeitsplatz zu bringen, machen Wirtschaft und öffentliche Verwaltung in steigendem Maß Gebrauch (→Bürokommunikation).

4. *Leistungsvermögen des DV-Systems:* Es wird unterschieden zwischen: a) interner Leistungsfähigkeit, gekennzeichnet u. a. durch Anzahl der Operationen in der Sekunde, durch Übertragungszeiten zwischen dem Zentralen Teil und der Peripherie, durch Durchsatzraten und Zugriffszeiten; b) externer Leistungsfähigkeit, bezogen auf die zu bearbeitenden Aufgaben und gekennzeichnet durch Job-Durchsatz, Job-Verweilzeiten, Antwortzeiten an der Datenstation, Transaktionsraten (Nachrichten je Sekunde). Die Forderung nach Wirtschaftlichkeit der EDV gebietet die Anpassung der einzusetzenden DV-Systeme an die jeweilige Aufgabenstellung. Heutige DV-Systeme sind entsprechend flexibel in Hardware und Software. Bei Änderungen in Aufgabenstellung und Arbeitsvolumen kön-

nen ohne größeren organisatorischen Aufwand Einschränkungen oder Erweiterungen vorgenommen werden. Den Erfordernissen wird durch die Anschlußmöglichkeiten für verschiedenartige Peripherie Rechnung getragen. Einheitliche →Schnittstellen zu den peripheren Geräten ermögichen den Anschluß einer breiten Palette von externen Geräten und die Übertragung der Daten über große geografische Entfernungen. Für die →Datenübertragung bietet die Bundespost spezielle Datenübertragungsdienste an (→ISDN).

III. Verfahren: 1. Die in den frühen sechziger Jahren in der Bundesrep. D. praktizierte betriebswirtschaftliche EDV mit EDV-Anlagen der 2. Generation (→Computer-Generationen) war überwiegend *Datenmassenverarbeitung* im Stapelverfahren (→Stapelbetrieb), auch Batch-Verarbeitung genannt. Bereits in der *zweiten Hälfte der sechziger Jahre* gewann – bedingt durch verbessertes Gerät der zweiten Generation und durch den Einsatz der EDV-Systeme der dritten Generation – die Datensofortverarbeitung (→Echtzeitbetrieb) Bedeutung. Wenn auch die Stapelverarbeitung nicht ganz verschwinden wird, so wird sie doch zugunsten der Sofortverarbeitung in vielen Anwendungsbereichen weiter in den Hintergrund treten. *Stapelverarbeitung* heißt Sammlung der auf maschinenlesbaren Datenträgern erfaßten Daten bis zu einem bestimmten Zeitpunkt oder bis zu einer bestimmten Datenträgermenge (z. B. alle Buchungen eines Buchungstages) und Einlesen des „Stapels" in die Datenverarbeitungsanlage. Bei der *Sofortverarbeitung* werden die Daten im Zeitpunkt ihres Anfalles dezentral erfaßt, und sofort verarbeitet und die Ergebnisse (an den Benutzer) ausgegeben, oder zu späteren Verarbeitung in Magnetschichtspeichern bereitgestellt. Datensofortverarbeitung setzt Direktzugriffspeicher (z. B. Magnettrommelspeicher, Magnetplattenspeicher) voraus, da bei der Verarbeitung i.d.R. auch auf bereits gespeicherte Daten (sofort) zurückgegriffen und häufig gespeicherte Ergebnisse (sofort) verändert werden müssen. Sofortverarbeitung wiederum ist Voraussetzung für die Abfrage gespeicherter aktueller Daten (z. B. Auskunftserteilung über die akuellen Kontostände und andere Daten durch den Computer) bzw. u. U. für den Dialogbetrieb. Stapelverarbeitung und Sofortverarbeitung können als lokale Datenverarbeitung oder als Datenfernverarbeitung betrieben werden.

2. Die *EDV* von heute ist →*integrierte Datenverarbeitung*. Arbeitsabläufe und Arbeitsgebiete sind miteinander verknüpft. Die Daten eines Arbeitsgebiets fließen bei Bedarf (ohne Zwischenausgabe und Neueingabe) in die Datenbestände oder Verarbeitungsvorgänge anderer Arbeitsgebiete ein (horizontale Integration). Der Grad der Integration wird höher, wenn zusätzlich eine vertikale Datenintegration vorgenommen wird. Dabei verknüpft und verdichtet die EDV-Anlage Datenelemente aus verschiedenen Verarbeitungsgängen und Arbeitsgebieten mit Datenelementen höherer Verarbeitungsebenen und hält sie als potentielle Informationen für die abfrageberechtigten Benutzer zur Berichtausgabe bzw. Abfrage bereit. – Heutige EDV-Anlagen können *mehrere Programme gleichzeitig* verarbeiten (→Mehrprogrammbetrieb). Dadurch können nicht nur mehrere Aufgaben gleichzeitig elektronisch bearbeitet werden. Es können auch mehrere voneinander unabhängige Benutzer von unterschiedlichen Orten aus über Datenstationen mit dem DV-System verkehren und ihre unterschiedlichen Probleme (parallel) bearbeiten lassen. Sie können sich gemeinsamer gespeicherter Programme jeweils aufrufen und ihre Daten eingeben. Gespeicherte Programme und Daten können gegen unbefugte Zugriffe gesichert werden (vgl. →Teilhaberbetrieb, →Teilnehmerbetrieb). Jeder Teilnehmer handelt dann so, als hätte er den Computer für sich allein und unmittelbar zur Verfügung. Bei diesen Verfahren der EDV teilen sich die Benutzer die Computerleistung, d. h. die Computerarbeitszeit; sie arbeiten im „Time Sharing". Time Sharing in Verbindung mit Datenbanken ermöglicht Aufbau und Nutzung von Informations- oder Abfrage- bzw. Dokumentationssystemn. Um sich der Computerkapazität für die vielfältigen Aufgaben in Wirtschaft und öffentlicher Verwaltung zu bedienen, muß nicht unbedingt ein „In-House-Computer" betrieben werden. Die →„Datenverarbeitung außer Haus" bietet alle Möglichkeiten der Computernutzung ohne eigenes System.

IV. Vorbereitung, Einführung, Betrieb: 1. *Vorbereitung, Einführung:* Die Einführung der EDV muß gut vorbereitet werden. Selbst Kleincomputer (→Personalcomputer und Minisysteme) sollten nur im Rahmen einer mittel- bis langfristigen Gesamtplanung über die Nutzung der Informationstechnik (Rahmenplan) beschafft und eingesetzt werden. Je nach Aufgabenart und Aufgabenumfang und nach dem Grad der „EDV-Reife" des Anwenders sind mehrere Monate, auch Jahre, als Vorbereitungszeit anzusetzen. Am Anfang steht die Definition des Wollens. Dazu müssen Vorstellungen und Ziele präzise gefaßt werden. – Nach umfangreichen Leistuns-, Kosten- und Zeitstudien (Voruntersuchung, ggf. Modifizierung der Ziele) kann mit der eigentlichen Einsatzvorbereitung begonnen werden. Diese umfaßt organisatorische und technische Aspekte, insbes. programmtechnische. Sie wird in Phasen eingeteilt. Bei dem früher geringen Integrationsgrad der EDV stand am Anfang des Bemühens die Aufnahme des sog. Istzustandes der Organisation und die Entwicklung eines sog.

Sollkonzeptes allein durch die Organisatoren. Die Organisation erstellte dann die Aufgabenbeschreibungen mit den →Datenflußplänen und mit zusätzlichen Anmerkungen. Diese „Programmvorgaben" wurden den Programmierern zur weiteren Bearbeitung übergeben. Oftmals gelang es nicht, die „Sprachbarriere" zwischen Organisatoren und Programmierern zu überwinden. Bei der Entwicklung der Programmabläufe und der Programmierung kam es häufig zu fachlichen Differenzen. Die nachfolgenden Einsatzvorbereitungsphasen, nämlich die maschinelle Übersetzung der Quellenprogramme in Objektprogramme (→Programm, →Programmierung, →Programmiersprachen) und der Programmtest waren und sind weitgehend Sache der Programmierer, soweit es sich um die technische Durchführung handelt. Bei der Komplexität und den bereichübergreifenden Auswirkungen der heutigen elektronischen Datenverarbeitung müssen die Einsatzvorbereitungen und die Übernahme von Aufgaben von Expertenteams durchgeführt werden. In solchen Teams arbeiten Spezialisten aller Fachrichtungen von Anfang an zusammen. Die Fachleute (Organisatoren, Operations-Research-Spezialisten, Anwendungsprogrammierer, Systemprogrammierer, Mikroprogrammierer, Datenerfassungs- und Datenübertragungsspezialisten, Revisoren u. a.) werden mit unterschiedlichen Schwerpunkten eingesetzt.

2. *Betrieb:* Größere EDV-Installationen werden heute überwiegend als Dialogsysteme mit Datenbanken konzipiert oder eingesetzt und als Verbundsysteme mit verteilter Datenverarbeitung (Kleincomputer mit →Host als Hintergrund genutzt. Solche Systeme können jedoch nicht endgültig, d. h. für die Zukunft unveränderlich sein, denn die Anforderungen, die morgen und übermorgen an die Unternehmung gestellt werden, sind heute noch nicht zu überblicken. Deshalb muß jede EDV anpassungfähig gehalten werden und deshalb werden nicht nur für die Vorbereitung und die Einführung der EDV *Spezialisten* gebraucht. Auch für den Betrieb und für die „Pflege" des Systems sind sie unentbehrlich. Ganz besondere Beachtung muß dem Datenschutz und der Datensicherung gewidmet werden. Der unmittelbare Umgang mit der EDV (Computer und Computerkapazität am Arbeitsplatz) ist durch die großen Fortschritte in der Hard- und Software-Entwicklung nahezu jedem Mitarbeiter möglich. Er braucht keine EDV-Ausbildung, aber er muß im Umgang mit dem Gerät (aufgabenbezogen) geschult werden. Darüberhinaus müssen im Aufgabenbereich Fachleute für Anwendungsfragen bereitstehen („Servicestelle"). Im „Hintergrund" kann auf qualifizierte EDV-Fachleute nicht verzichtet werden. Sie tragen dazu bei, daß der Endbenutzer an seiner Arbeitsstelle und in seinem Privatbereich ohne EDV-Kenntnisse problemlos mit dem Computer kommunizieren kann. Die Kommunikation mit dem Computer wird in Zukunft intensiver werden und damit die Abhängigkeit vom Computer.

V. Mitbestimmungsrecht: M. bei Einführung der EDV ist institutionelle Voraussetzung für Akzeptanz der EDV durch Arbeitnehmer.

1. *Unternehmensebene:* Ist die Einführungsentscheidung von unternehmenspolitischer Bedeutung, kann sie unter den Zustimmungsvorbehalt des Aufsichtsrates (§ 111 IV 2 AktG) gestellt werden (→Mitbestimmungsgesetz, →Montan-Mitbestimmungsgesetz, →Betriebsverfassungsgesetz 1952).

2. *Betriebliche Ebene: Rechtsgrundlage* ist das BetrVG. – a) *Informationspflicht:* Rechtzeitige umfassende Information des Betriebsrates durch Arbeitgeber anhand von Unterlagen über Planung, Einsatz und Veränderungen von EDV einschl. der Wirkungen auf die Arbeitnehmer (allgemeine Informationspflicht; § 80 II). – b) *Informations- und Beratungsrechte* (→Mitwirkung): Recht des Betriebsrates auf Information durch Arbeitgeber bei Maßnahmen der Arbeitsgestaltung (§ 90), Personalplanung (§ 92), Rationalisierungsvorhaben (§ 106), Betriebsänderungen (§ 111) sowie zur Überwachung von Rechtsnormen zugunsten der Arbeitnehmer (§ 80 I), insbes. →Datenschutz; bei →Betriebsänderungen ist ein →Interessenausgleich und ggf. ein vom Betriebsrat erzwingbarer →Sozialplan abzuschließen (§ 112). – c) *Mitbestimmungsrecht:* Recht des Betriebsrates bei der Einführung und Anwendung von technischen Anlagen zur Überwachung von Verhalten und Leistung der Arbeitnehmer (§ 87 I 6); umfaßt nach Rechtsprechung des Bundesarbeitsgerichts alle technischen Einrichtungen, die objektiv zur Überwachung geeignet sind, sofern die gewonnenen Daten auf einzelne Arbeitnehmer beziehbar sind (z. B. Betriebserfassungs- und -zugangskontrollsysteme). Ferner bei EDV-Einführung, wenn Arbeits- und Gesundheitsschutz betroffen ist (§ 87 I 7) und „gesicherte arbeitswissenschaftliche Erkenntnisse" bei Arbeitsgestaltung verletzt werden (§ 91). – Vgl. auch →Personalinformationssystem. – Bei *Nichteinigung* zwischen Arbeitgeber und Betriebsrat entscheidet in Mitbestimmungsfällen die →Einigungsstelle.

Dr. Rudi Herbold

elektronische Datenverarbeitungsanlage (EDVA), *EDV-Anlage,* veraltete Bezeichnung für einen Computer, tendenziell eher für Großrechner (→Rechnergruppen 2c)) als für kleinere Computer verwendet. Der Begriff ist in enger Anlehung an den Begriff →elektronsiche Datenverarbeitung zu sehen. Die DIN-Norm 44300 spricht dagegen von →Datenverarbeitungssystem.

elektronische Post, *electronic mail, computer mail, mail, message switching, message hand-*

ling, Dienst in einem →Computerverbund bzw. →Netz oder bei einem →Mehrplatzrechner (vgl. auch →Kommunikationsdienst), mit dem ein →Benutzer Nachrichten an andere Benutzer senden und umgekehrt von diesen Nachrichten empfangen kann. Der Empfang ist auch möglich, wenn der Benutzer im Augenblick nicht erreichbar ist, da Nachrichten für jeden Benutzer in seinem „Postkorb" gespeichert werden. Diesen kann er bei Bedarf durchsehen und darin Nachrichten bearbeiten, löschen oder ggf. nach Änderungen (mit Hilfe eines →Editors) weiterversenden.

elektronischer Zahlungsverkehr, Verfahren im Zahlungsverkehr der Banken, bei dem die Daten beleghaft eingereichter Überweisungsaufträge beim erstbeauftragten Institut über Eingabeterminals auf elektronische Datenträger übertragen und anschließend beleglos im →Magnetbandverfahren oder Datenfernübertragung an das endbegünstigte Institut weitergeleitet werden, das die eingehenden Aufträge ohne Erstellung eines Beleges auf dem Konto des Endbegünstigten gutschreibt.

elektronische Schreibmaschine, mit elektronischen Bauelementen gesteuerte →Schreibmaschine. Unterstützt die Schreibarbeit durch Funktionen, die bei mechanischen Modellen mehrere Bedienungsschritte verlangen würden. Speicherfunktionen zur Erleichterung der Fehlerkorrektur und automatischen Niederschrift von Standardformeln.

elektronische Werbung, Werbebotschaften unter Einsatz von →Media des elektronischen Bereichs, z. B. Funk (→Funkwerbung), Fernehen (→Fernsehwerbung) und Kino. Die Übermittlung erfolgt visuell und auditiv. – Werbemittel: →Funkspot, →Fernsehspot, Werbefilm. – Da neue elektronische Kommunikationsformen (z. B. Video-Recorder, Bildplattenspieler, Bildschirmtext, Satelliten-TV und Kabelfernsehen) sich zunehmend durchsetzen, wird e. W. zukünftig entsprechend stärkere Relevanz erhalten. – Vgl. auch →Mediaselektion, →Mediaplanung, →Streuung, →Massenmedien.

Elektronvolt (eV), atomphysikalische Einheit der Energie (→gesetzliche Einheiten, Tabelle 1). 1 eV ist die Energie, die ein Elektron bei Durchlaufen einer Potentialdifferenz von 1 Volt im Vakuum gewinnt. 1 eV = 1,602 189 2 Joule.

elektrostatischer Drucker, elektrosensitiv arbeitender →Drucker. Das Druckbild wird anschlagfrei durch Reproduktionsverfahren erzeugt.

Elektrotechnik, Teil des Investitionsgüter produzierenden Gewerbes. – *Produktionsprogramm:* Geräte und Einrichtungen zur Elektrizitätserzeugung, -umwandlung und -verteilung, elektrische Verbrauchergeräte, Leuchten, Meß-, Prüf-, Steuerung-, Regelgeräte und -einrichtigungen, nachrichten-technische Geräte und Einrichtungen, Rundfunk-, Fernseh- und phonotechnische Geräte und Einrichtungen. Stark exportorientiert (Exportquote 1986: 31,1%).

Elektrotechnik

Jahr	Beschäftigte in 1000	Lohn- und Gehaltssumme	darunter Gehälter	Umsatz gesamt	darunter Auslandsumsatz	Nettoprod.-index 1980 = 100
		in Mill. DM				
1970	1 116	15 209	6 145	55 101	11 140	–
1971	1 088	16 709	7 103	59 114	11 771	–
1972	1 073	18 370	8 050	65 310	13 221	–
1973	1 111	28 112	9 267	72 799	15 670	–
1974	1 112	23 883	10 714	79 585	19 514	–
1975	1 019	23 725	11 391	78 318	20 160	–
1976	985	25 103	11 985	85 716	22 945	88,7
1977	972	27 095	13 024	92 101	25 292	90,3
1978	964	28 416	13 831	96 716	26 988	92,4
1979	969	30 262	14 862	104 055	29 117	95,7
1980	976	32 886	16 234	112 762	31 472	100
1981	948	33 877	17 196	117 739	35 411	98,2
1982	909	34 147	17 703	121 593	37 719	97,1
1983	874	34 247	18 067	127 539	39 002	98,2
1984	878	35 399	18 671	134 371	42 495	105,7
1985	923	38 535	20 195	149 872	47 502	118,6
1986	962	41 884	21 965	158 086	49 139	124,5

Element, →Menge.

Elementarblock, →Strukturblock.

elementare Datenstruktur, →Datenstruktur 2a).

Elementarfaktoren, Bezeichnung von E. Gutenberg für alle diejenigen →Produktionsfaktoren, die nicht dem →dispositiven Faktor (durch diesen erfolgt die Kombination der E.) angehören. Zu den E. zählen im wesentlichen: a) *objektbezogene menschliche Arbeit;* b) *Betriebsmittel:* Gebäude, Maschinen, maschinelle Anlagen, Werkzeuge, Büroeinrichtung; c) *Werkstoffe:* Roh-, Hilfs- und Betriebsstoffe.

Elementarschadenversicherung, Versicherung von Naturereignissen, wie Hochwasser, Sturmflut, Überschwemmung, Bergrutsch, Erdbeben, Sturm, Hagel. Als kombinierte Versicherung selten, weil der versicherungstechnische Ausgleich nicht immer erreicht wird. In der Bundesrep. D. nur in Baden-Württemberg.

Elementarzeitverfahren, →Systeme vorbestimmter Zeiten.

Element einer Gesamtheit, →Merkmalsträger.

Elementenpsychologie, früher gängige wahrnehmungspsychologische Theorie (→Wahrnehmungspsychologie). Es werden einzelne Reize untersucht. – *Gegensatz:* →Gestaltspsychologie.

Elfenbeinküste, Republik in NW-Afrika, grenzt im N an Mali und Volta, im O an Ghana, im W an Liberia und Guinea. – *Fläche:* 32436 km^2. – *Einwohner* (E): (1985) 9,8 Mill. (39 E/km^2); jährliches Bevölkerungswachstum; 4,6%. – *Hauptstadt:* Yamoussoukro (seit 1984; 70000 E); weitere wichtige Städte: Abijan (Abidschan; Regierungssitz; Agglomeration 1,9 Mill. E), Bouaké (250000 E), Man (100000 E), Daloa (100000 E). – E. ist in 34 Départements und weiter in 162 Unterpräfekturen *unterteilt.* – *Amtssprache:* Französisch.

W i r t s c h a f t: *Landwirtschaft:* Im Küstenstreifen Plantagenwirtschaft mit Kakao (größte Weltproduktion) 1985: 480000 t, Kaffee (1985: 300000 t), Bananen, Ananas, Öl- und Kokospalmen. Im Landesinnern Anbau von Baumwolle. Ein breiter Regenwaldgürtel (Raubbau von Nutz- und Edelhölzern: Verringerung der Fläche tropischen Regenwaldes von 10 auf 3 Mill. ha in den letzten 20 Jahren) durchzieht das Landesinnere von W nach O. 79% der Erwerbspersonen sind in der Landwirtschaft tätig, Anteil am BIP 27%. – *Bergbau und Industrie:* 1980 begann die Erdölförderung im Schelfgebiet, Produktion (1983) 1,2 Mill. t; Eisenerz (Nimba-Berge), Mangan, Lebensmittel- und holzverarbeitende Industrie. – *BSP:* (1985, geschätzt) 6250 Mill. US-$ (620 US-$ je E). – *Öffentliche Auslandsverschuldung:* (1984) 84% des BSP. – *Inflationsrate:* durchschnittlich 11,9%. – *Export:* (1983) 2067 Mill. US-$, v.a. Kakao (30%), Kaffee Bananen, Holz, Erze. – *Import:* (1983) 1716 Mill. US-$, v.a. Rohstoffe, Konsumgüter, Lebensmittel. – *Handelspartner:* Frankreich, Bundesrep. D., USA, Algerien, Nigeria.

V e r k e h r: Das *Eisenbahnnetz* hat eine Länge von 656 km. – Gut ausgebautes *Straßennetz,* auch im Landesinnern. – Internationale *Flughäfen* in Abidjan und Bouaké. – *Haupthäfen:* Abidjan (Lagunenlage, Ausbau zum modernen Großhafen). 90% des Außenhandels über die *Seeschiffahrt.*

M i t g l i e d s c h a f t e n: UNO, AKP, CCC, CEAO, CEDEAO, OAU, OCAM, UNCTAD u.a.

W ä h r u n g: 1 CFA-Franc = 100 Centimes.

Elferausschuß, →Zentraler Kapitalmarktausschuß.

Elimination, →Falsifikation.

Eliminieren von Variablen, →Gauss-Algorithmus, →modifizierter Gauss-Algorithmus.

ELL, Abk. für →Erzeugnislisten zur Abgrenzung der Produktionsbereiche Erzeugnisse der Landwirtschaft und der Jagd sowie Rohholz.

Ellipse, Kurve, die sich als Schnitt einer geeigneten Ebene mit einem Doppelkegel ergibt. Mathematisch kann eine E. beschrieben werden durch eine Gleichung zweiten Grades mit zwei Variablen. – *Beispiel:* $4x^2 + y^2 = 36$. – Vgl. auch →Hyperbel, →Parabel.

Ellipsoid-Verfahren, *Khaciyan-Verfahren,* Verfahren zur Lösung linearer Optimierungsprobleme (→lineare Optimierung). Aus theoretischer Sicht erscheint dieses Verfahren zwar günstiger als die Simplexmethoden, in der Praxis konnte der Nachweis jedoch bisher noch nicht angetreten werden. Das E.-V. hat allerdings vielfältige Anregungen im Zusammenhang mit Lösungsverfahren für →nichtlineare Optimierungsprobleme gegeben.

El Salvador, Republik in Mittelamerika, am Pazifischen Ozean gelegen, wird im W von Guatemala, im N und O von Honduras begrenzt. – *Fläche:* 21041 km^2. – *Einwohner* (E): (1984) 5,3 Mill. (249 E/km^2); jährliches Bevölkerungswachstum: 3%. – *Hauptstadt:* San Salvador (884000 E); weitere wichtige Städte: Santa Ana (208322 E), San Miguel (161000 E). – E. S. *gliedert sich* in 14 Departements, diese setzen sich aus 39 Distrikten und 261 Munizipien zusammen. – *Amtssprache:* Spanisch.

W i r t s c h a f t: *Landwirtschaft:* Von der Gesamtfläche werden 25% für die Landwirtschaft genutzt. Hauptanbauprodukt: Kaffee (1985: 180000 t; siebtgrößter Erzeuger der Welt); weitere Anbauprodukte: Kakao, Tabak, Baumwolle und Zucker. E. S. ist größter Produzent von Peru-Balsam (für die Pharmaindustrie). 50% der Erwerbstätigen sind in der Landwirtschaft tätig, bei einem Anteil von 20% am BIP. – An *Bodenschätzen* fördert E. S. geringe Mengen an Gold, Silber, und Salz. – *Industrie:* V.a. um die Städte San Salvador, Santa Ana und La Libertad konzentriert. Verarbeitung von landwirtschaftlichen Produkten. – *BSP:* (1985, geschätzt) 3940 Mill. US-$ (710 US-$ je E). – *Öffentliche Auslandsverschuldung:* (1984) 35,1% des BSP. – *Inflationsrate:* durchschnittlich 11,7%. – *Export:* (1984) 708 Mill. US-$, v.a. Kaffee, Baumwolle, Gold, Zucker. – *Import:* (1984) 970 Mill. US-$, v.a. Rohstoffe, Maschinen. – *Handelspartner:* USA, Venezuela, Japan, Bundesrep. D., Niederlande.

V e r k e h r: Etwa 750 km *Schmalspurbahnen.* – Gut ausgebaute *Autostraßen* (asphaltiert ca. 2000 km). Ein wichtiges Teilstück des Pan American Highway führt über die Stadt El Salvador. – Internationaler *Flughafen* in Ilopango bei San Salvador. – *Haupthäfen:* Acajutla, La Union, La Libertad (über diese drei Häfen wird 90% des Außenhandels abgewickelt).

M i t g l i e d s c h a f t e n: UNO, CACM, MCCA, SELA, UNCTAD u.a.

W ä h r u n g: 1 El-Salvador-Colón $ = 100 Centavos.

elterliche Sorge. 1. *Begriff:* Recht und Pflicht, für die Person und das Vermögen eines minderjährigen →ehelichen Kindes oder →nichtehelichen Kindes zu sorgen; die Vertretung des Kindes in diesen Angelegenheiten. Nach §§ 1626 ff. BGB steht e. S. einschl. der gesetzlichen Vertretung (→gesetzlicher Vertreter) den Eltern gemeinsam zu. Die Eltern haben die e. S. in eigener Verantwortung, in gegenseitigem und im Einvernehmen mit dem Kind zu dessen Wohle auszuüben. Eltern und Kinder sind einander Beistand und Rücksicht schuldig. Die Eltern haben bei Pflege und Erziehung die wachsende Fähigkeit und das wachsende Bedürfnis des Kindes zu selbständigem verantwortungsbewußtem Handeln zu berücksichtigen. Bei Meinungsverschiedenheiten müssen sie versuchen, sich zu einigen. Bei einer Nichteinigung kann von einem Elternteil das →Vormundschaftsgericht eingeschaltet werden. – 2. Das *nichteheliche* Kind steht, solange es minderjährig ist, unter der e. S. der Mutter (§ 1705 BGB). Entsprechend gelten die Grundsätze für eheliche Kinder. Für die Wahrnehmung der Vaterschaftsfeststellung, Geltendmachung von Unterhaltsansprüchen, Regelung von Erb- und Pflichtteilsrechten nach dem Tode des Vaters besteht →Pflegschaft (§§ 1706 ff. BGB). – 3. Die *Nutznießung* am Kindesvermögen ist beseitigt. Die Einkünfte des Kindesvermögens, die zur ordnungsgemäßen Verwaltung nicht benötigt werden, sind für den Unterhalt des Kindes zu verwenden. Darüber hinausgehende Einkünfte können auch ggf. für den Unterhalt der Eltern und der minderjährigen unverheirateten Geschwister des Kindes verwendet werden, soweit dies nach dem Vermögen und den Erwerbsverhältnissen der Beteiligten der Billigkeit entspricht (§ 1649 BGB). – 4. Bei *Fortfall eines Elternteils* durch Tod oder Todeserklärung übt grundsätzlich der andere Elternteil die e. S. allein aus (§ 1681 BGB); dgl. wenn während der Dauer der Ehe ein Elternteil an der Ausübung der e. S. tatsächlich verhindert ist oder seine e. S. ruht (vgl. §§ 1673 ff. BGB). – 5. Bei *Scheidung* der Ehe oder dauerndem Getrenntleben der Ehegatten bestimmt das →Familiengericht, welchem Elternteil die e. S. zustehen soll (§§ 1671 ff. BGB). Nach der Entscheidung des Bundesverfassungsgerichts vom 3. 11. 1982 (BGBl I 1596) ist die Regelung, wonach die e. S. einem Elternteil zu übertragen ist, verfassungswidrig. Die e. S. kann danach einem oder beiden Elternteilen zugesprochen werden.

Elternrente. 1. →*Unfallversicherung:* E., wenn der Verstorbene an einem →Arbeitsunfall gestorben ist und er den Begünstigten aus seinem Arbeitsverdienst wesentlich unterhalten hat (§ 596 RVO). Anspruchsberechtigt sind Verwandte der aufsteigenden Linie, Stiefeltern und Pflegeeltern. Die E. beträgt für einen Elternteil $^1/_5$ des Jahresarbeitsverdienstes, für das Elternpaar $^3/_{10}$. – 2. *Bundesversorgungsgesetz:* E., wenn der Beschädigte an den Folgen einer Schädigung gestorben ist (§§ 49–51 BVG). Begünstigt sind die Eltern des Beschädigten, seine Adoptiveltern, wenn die Adoption vor der Schädigung erfolgte, Stief- oder Pflegeeltern, wenn sie den Verstorbenen vor der Schädigung unentgeltlich unterhalten haben, und Großeltern, wenn der Verstorbene ihnen Unterhalt geleistet hat oder geleistet hätte. – Vgl. auch →Hinterbliebenenrente.

EMA, European Monetary Agreement, →EWA.

Embargo, Verbot der Ausfuhr bestimmter Waren (häufig Waffen oder kriegswichtige Rohstoffe) in bestimmte Länder, aber auch Verbot der Kapitalausfuhr (*Kapital-E.*). – Vgl. auch →Ausfuhrverbot, →Boykott.

Embargowaren, einem →Embargo unterliegende Waren, auch deren Fertigungsunterlagen. Werden im Teil I der →Ausfuhrlisten, die auf den internationalen Embargolisten basieren, veröffentlicht (vgl. auch →COCOM-Listen). – *Ausnahmegenehmigungen:* Bei der Ausfuhr von E. wird der Verbleib der Waren im Empfangsland überwacht (→end user control). *Genehmigungsbehörde* für Ausfuhr, Durchfuhr und Transithandel von E. ist das →Bundesamt für Wirtschaft (BAW). – Bei einem COCOM-Mitgliedstaat (→COCOM) ist dem *Antrag auf Ausfuhrgenehmigung* beizufügen: →internationale Einfuhrbescheinigung und →Lieferbescheinigung; für die kontrollpflichtigen Artikel, die in der Ausfuhrliste genannt sind, jedoch unter die →Verwaltungsausnahme fallen, nicht erforderlich. – Für diese *assoziierten Länder* (Österreich, Finnland, Schweiz, Schweden, Jugoslawien und Hongkong) gelten entsprechende Verfahren; ausgenommen Schweiz (keine Lieferbescheinigung). – Für Ausfuhren nach Ländern, die sich der *Kontrolle gemäß COCOM nicht unterworfen* haben, kann die Erteilung einer Genehmigung durch die BAW verweigert werden, sofern nicht eine Erklärung des Käufers vorliegt, nach der sich dieser verpflichtet, die betreffende Ware im eigenen Land zu verwenden und dies entsprechend zu belegen (keine formalen Verfahren bzw. Dokumente vorgesehen); es kann verlangt werden, daß sich der Exporteur schriftlich verpflichtet, eine Kopie der für den Import im Bestimmungsland maßgeblichen Zollpapiere als Eingangsnachweis vorzulegen. – Vgl. auch →Ausfuhrverfahren.

Emergenz, Sammelbezeichnung für das Auftauchen neuer Eigenschaften und Phänomene (z. B. Macht, Konflikt) im Zuge von Interaktionsbeziehungen.

EMG, Abk. für →Elektromyogramm.

Emission, Ausgabe von →Aktien und anderen →Wertpapieren, d. h. ihre Unterbringung im Publikum und Einführung in den Verkehr.

Die Schaffung von Wertpapieren, ihre Herstellung und Vollziehung durch den Aussteller ist noch keine E. – E. *erfolgt* a) auf direktem Wege (Handverkauf oder Zeichnung an das Publikum) und b) durch Vermittlung von Banken (das ist die Regel): (1) Die Bank bzw. ein Bankenkonsortium führt den Verkauf kommissionsweise für Rechnung des Ausstellers der Wertpapiere und erhält für ihre Tätigkeit eine Vergütung, Bonifikation; (2) die Bank bzw. ein Bankenkonsortium übernimmt die Wertpapiere zu einem festen Kurs (Übernahmekurs) und bietet sie zu einem darüberliegenden Kurs (→Emissionskurs) dem Publikum an.

Emissionen, an die →Umweltmedien abgegebene →Abfälle aus Produktion, Distribution und Konsum. Häufig auf →Schadstoffe *(Schadstoffemissionen)* beschränkt. – Nach →Bundesimmissionsschutzgesetz von Anlagen (Betriebsstätten, Maschinen, Geräte, Grundstücke) ausgehende Luftverunreinigungen, Geräusche, Erschütterungen, Licht, Wärme, Strahlen und ähnlich Umwelteinwirkungen. – *Anders:* →Immissionen.

Emissionsabgabe, *Emissionssteuer,* →Umweltabgabe, die jedem auferlegt wird, der einen →Schadstoff in die Umwelt emittiert (→Emission). – 1. *Bemessungsgrundlage* ist die emittierte Schadstoffmenge. Gründe für die Bemessungsgrundlagenwahl: a) I. a. verbleiben den Verursachern im Vergleich zu anderen umweltpolitischen Maßnahmen die geringsten Ausweichmöglichkeiten; b) es liegt ein direkter Bezug zu den →Immissionen vor; c) für Unternehmen (produktionsbedingte Emissionen) und Haushalte (konsumbedingte Emissionen) werden Anreize (Steuerersparnis) geschaffen, den Schadstoffausstoß zu reduzieren, wenn die Grenzvermeidungskosten geringer sind als die zu zahlende E. – 2. *Bestimmung der optimalen Abgabenhöhe:* In der Praxis hinsichtlich der Bestimmung der durch die Umweltbelastungen verursachten sozialen Zusatzkosten (→externe Effekte) und deren Zuordnung zum jeweiligen Verursacher mit Problemen verbunden; die E. kann im politischen Willenbildungsprozeß bzw. in einem Trial-and-Error-Verfahren festgelegt werden. – 3. *Bedeutung in der Bundesrep. D.:* Z. Zt. gibt es Abgaben auf Schwefeldioxid und Abwasser (→Abwasserabgabe). Letztere wird häufig als Beispiel für die in Verhandlungen auftretenden Zielkonflikte und die daraus resultierenden nicht umweltgerechten Abgabenhöhen herangezogen.

Emissionsbank, →Effektenbank.

Emissionsbedingungen, →Zeichnungsbedingungen.

Emissionsdisagio, →Disagio.

Emissionsgeschäft, →Grundhandelsgeschäft i. S. des §1 II 4 HGB, das sich mit der →Emission von →Wertpapieren befaßt, deren Einführung an der Börse und der Vermittlung der Bezugsrechtsausübung. Die Unterbringung oder Konversion von Anleihen ist das →Anleihegeschäft, die →Plazierung von Aktien und industriellen Schuldverschreibungen das *Finanzierungsgeschäft.* Vielfach wird das E. in Gemeinschaft mit mehreren Banken, durch ein →Konsortium, durchgeführt (→Konsortialgeschäft). Das E. bearbeitet die Emissionsabteilung, das Konsortialbüro oder die Effektenabteilung der Bank.

Emissionskataster, Register mit Angaben über Art, Menge, räumliche und zeitliche Verteilung und die Austrittsbedingungen von Luftverunreinigungen bestimmter Anlagen und Fahrzeuge. Die Einrichtung des E. obliegt den nach Landesrecht zuständigen Behörden. – Vgl. auch →Immissionsschutz.

Emissionskonsortium, Gemeinschaft von Kreditinstituten zur festen oder kommissionsweisen Übernahme einer Wertpapieremission (→Bankenkonsortium).

Emissionskontrolle, Mittel der Kreditpolitik, speziell der Kapitalmarktpolitik. E. bedient sich der →Emissionssperre, wenn eine Schonung des Emissionsmarktes erforderlich scheint, oder des Genehmigungszwanges, wenn eine Kapitallenkung für wünschenswert gehalten wird. In der Bundesrep. D. besteht eine E. für Inhaber- und Orderschuldverschreibungen gem. § 795 BGB und Gesetz vom 26. 6. 1954 (BGBl I 147), dagegen nicht mehr für Aktien.

Emissionskredit. 1. Ein *Kredit,* den die Emissionsbank durch die feste Übernahme der Wertpapiere (→Aktien, →Obligationen) dem Ausgeber gewährt. – 2. Die *Aufnahmebereitschaft* des Marktes für die von einem bestimmten Emittenten ausgestellten Wertpapiere.

Emissionskurs, →Kurs, zu dem neu ausgegebene →Wertpapiere dem Publikum angeboten werden. a) →*Schuldverschreibungen* werden meist mit einem →Disagio (Emissionsdisagio) von 2 bis 3% (selten mehr) zum Anreiz der Käufer ausgegeben (Unterpari-Emission). b) →*Aktien* dürfen nicht mit Disagio ausgegeben werden, wohl aber mit einem →Agio (Überpari-Emission, § 9 AktG).

Emissionsmonopol, allgemeines Recht der Zentralbank zur Ausgabe (Emission) von →gesetzlichen Zahlungsmitteln. Das E. gilt grundsätzlich als Voraussetzung für ein funktionierendes Geldwesen. Ohne E. wären der Geldschaffung durch ein privates Bankensystem keine Grenzen gesetzt. Neuerdings wird diese vorherrschende Auffassung in Frage gestellt, da die Geldschöpfung in einem →Konkurrenzwährungssystem ohne E. besser reguliert würde. – *Ähnlich:* Notenmonopol (→Notenprivileg).

Emissionsrechte, →Umweltzertifikate, →Nutzungsrechte an natürlichen Ressourcen.

Emissionsrendite, →Rendite von festverzinslichen Wertpapieren bei erstmaliger Abgabe (→Emission).

Emissionssteuer, →Emissionsabgabe.

Emissionszertifikate, →Umweltzertifikate.

Emotion, *Affekt, Gefühl, psychische Erregung,* innere Empfindung, die angenehm oder unangenehm empfunden und mehr oder weniger bewußt erlebt wird, z. B. Freude, Angst, Kummer, Überraschung. – Als individueller Aspekt des →Konsumverhaltens vielfältige Einsatzmöglichkeiten in der *Werbung,* u. a. zur Steigerung der Aufmerksamkeitswirkung von →Werbemitteln durch emotionale Bilder, Texte usw.. – Vgl. auch →Aktivierung, →emotionale Konditionierung.

emotionale Konditionierung, Lernvorgang, der eine emotionale Reaktion auf bislang neutral empfundene Reize hervorruft: Ein neutraler Reiz (z. B. Markenname) wird wiederholt mit einem emotionalen Reiz (z. B. emotionales Bild) gekoppelt, bis der vormals neutrale Reiz in der Lage ist, die beabsichtigte emotionale Reaktion (→Emotion) hervorzurufen. – *Einsatz* v. a. bei Werbung auf gesättigten Märkten.

Empfang erklärt, →Handelsklausel, nach der die →Sachmängelhaftung für bei Besichtigung erkennbare Mängel ausgeschlossen wird.

Empfängniszeit, Rechtsbegriff für die Zeit vom 181. bis zum 302. Tage vor der Geburt eines Kindes (§1592 BGB). – Vgl. auch →eheliches Kind, →nichteheliches Kind.

Empfangsberechtigter, bei →Postsendungen grundsätzlich der Empfänger selbst, sein Ehegatte oder sein Postbevollmächtigter (→Postvollmacht); bei Unternehmung eines Einzelkaufmanns oder Gewerbebetrieb einer Einzelperson jeweils der Inhaber, bei Behörden, juristischen Personen, Gesellschaften oder Gemeinschaften der Postbevollmächtigte. Sendungen für Empfänger in Gemeinschaftsunterkünften, Behörden und Unternehmungen werden dem benannten Postempfangsbeauftragten ausgehändigt. – Vgl. auch →Briefgeheimnis.

Empfangsbetrieb. 1. Zustand eines Kommunikationsgeräts, das übertragene Nachrichten aufnimmt. – 2. Arbeitsweise von Endeinrichtungen, die lediglich Nachrichten empfangen, aber nicht senden können. – *Gegensatz:* →Sendebetrieb.

Empfangsspediteur, →Sammelladungsverkehr.

Empfehlung, →Auskunft, →Preisempfehlung, →Rat, →Referenz.

Empfehlungsgeschäft, *Vermittlungsgeschäft,* Form des →Fremdgeschäfts im Handel: Das →Einkaufskontor des Großhandels oder die Zentrale der →kooperativen Gruppe empfiehl den Mitgliedern geeignete Lieferanten, mit denen zuvor Preise für ihre Produkte ausgehandelt wurden. Da die zukünftig möglichen Absatzmengen nicht zuverlässig abgeschätzt werden können, ist die Erzielung hoher →Mengenrabatte kaum möglich.

Empfindlichkeitskoeffizient der Einkommensverteilung, Begriff der Verteilungstheorie. In der Kreislauftheorie der Verteilung (→Verteilungstheorie III 6) ergibt sich nach Kaldor die Profitquote

$$\frac{Q}{Y} \quad \text{als} \quad \frac{Q}{Y} = \frac{I/Y - s_W}{s_Q - s_W}$$

mit Q = Profit, Y = Volkseinkommen, s_Q = →Sparquote der Gewinneinkommenbezieher, s_W = Sparquote der Lohneinkommensbezieher, $s_Q > s_W$. Die Wirkung einer Erhöhung der →Investitionsquote auf die Profitquote ist:

$$\frac{\delta\left(\frac{Q}{Y}\right)}{\delta\left(\frac{I}{Y}\right)} = \frac{1}{s_Q - s_W} > 0.$$

Kaldor bezeichnet diesen Ausdruck als E. d. E., d. h. je größer die absolute Differenz zwischen den Sparquoten ist, desto geringer wird die Auswirkung einer veränderten Investitionsquote auf die Profit- und die →Lohnquote sein.

empfohlene Preise, →Preisempfehlung.

empirische Organisationsforschung, →Organisationstheorien II 2 d).

empirischer Gehalt, →Informationsgehalt.

empirische Verteilungsfunktion, Bezeichnung für eine relative →Summenfunktion.

empirische Wirtschaftsforschung. 1. *Begriff:* Im Rahmen der Volkswirtschaftslehre die Bereitstellung bzw. Entwicklung von Methoden zur Operationalisierung, empirischer Überprüfung und Revision ökonomischer Hypothesen sowie zur Analyse der Effizienz des wirtschaftspolitischen Instrumenatriums. – 2. *Ziele:* a) Sammlung und Aufbereitung wirtschaftlicher Daten als Grundlage erklärender Analysen des Wirtschaftsablaufs (→Wirtschaftsstatistik, →Konjunkturdiagnose) und als Basis wirtschafts-, finanz-, sozial- u. a. politischer Meinungsbildung. b) Abschätzung der zukünftigen wirtschaftlichen Entwicklung (vgl. →Wirtschaftswissenschaften, →Popper-Kriterium). – 3. *Methoden:* a) Zählungen und

Befragungen (→Wirtschaftsstatistik, →Konjunkturtest, →Konsumklimaindex). b) Empirische Analyse statistischer Reihen (→Konjunkturindikatoren). c) Aufstellung und Auswertung formaler Modelle (→Ökonometrie). – 4. *Angewandte mathematische Verfahren:* Am häufigsten benutzt werden: Schätzung ökonometrischer Modelle; →Zeitreihenanalyse, →Input-Output-Analyse. Weitere Verfahren vgl. →Ökonometrie III.

empirische Wissenschaft, →Realwissenschaft.

empirisch-induktive Methode, Bezeichnung für eine Vorgehensweise, bei der von empirisch feststellbaren Sachverhalten ausgegangen werden soll (→Induktion). – *Gegensatz:* mathematisch-deduktive Methode (→Deduktion). – Vgl. auch →Methodenstreit in der Betriebswirtrschaftslehre.

empirisch-realistische Betriebswirtschaftslehre, →Methodologie der Betriebswirtschaftslehre II.

Empirismus, erkenntnistheoretische Lehre, die den Ursprung aller Erkenntnis in Beobachtungen bzw. Sinneswahrnehmungen (in diesem Fall: *Sensualismus*) erblickt. Nach radikal-empiristischer Vorstellung ist es notwendig, vorurteilsfrei an die interessierenden Sachverhalte heranzutreten, die beobachtbaren Tatbestände zu sammeln und zu verallgemeinern (→Induktion). – Eine Abschwächung dieser Position brachte der *Neoempirismus* bzw. *Neopositivismus* (Rudolf Carnap u.a.) durch Differenzierung zwischen einer Beobachtungssprache und einer theoretischen Sprache, was die Einführung von Begriffen ermöglichste, die sich auf nicht direkt zu beobachtende Tatbestände beziehen. *Beispiele:* Marktgleichgewicht, Nutzen. – Vgl. auch →Positivismus.

Emulation, *Terminalemulation,* →Systemprogramm, das einem Mikrorechner oder einem →Terminal, das nicht für den Anschluß an einen Großrechner (→Rechnergruppen) dieses Typs konzipiert ist, die Nutzung der Hardware, Programme und Datenbestände eines bestimmten Großrechners ermöglicht, indem es das Kommunikationsverhalten eines an diesen anschliebaren Terminals nachbildet.

Emycin, →Knowledge-Engineering-Sprache mit zugehöriger Umgebung(→Softwareentwicklungsumgebung) für die Entwicklung →regelbasierter Systeme. E. stellt →Rückwärtsverkettung als Inferenzmechanismus zur Verfügung und enthält hochentwickelte →Schnittstellen, v.a. eine →Erklärungskomponente und eine →Wissenserwerbskomponente. E. wurde Ende der 70er und Anfang der 80er Jahre an der Stanford University (USA) als Forschungssystem entwickelt und ist in dem Lisp-Dialekt (→Lisp) Interlisp implementiert. – Den wesentlichen *Kern* in der →Systemarchitektur von E. bildet →Mycin (ohne die anwendungsspezifische, medizinische Wissensbasis von Mycin).

en bloc, Kauf von Waren, bei denen der Käufer nach Abschluß des Vertrages keine Gewährleistungsansprüche geltend machen kann, wenn sich Mängel der Ware herausstellen.

Endanwender-Kontrolle, →end user control.

Endbenutzer, der menschliche Benutzer eines Softwareprodukts, insbes. derjenige, der von einem →Dialogsystem zur Erfüllung von Fachaufgaben am Arbeitsplatz Gebrauch macht.

Endbenutzersystem, →Softwaresystem, das zum Einsatz durch →Endbenutzer vorgesehen ist.

Endbenutzerwerkzeug, →Softwarewerkzeuge und →Programmiersprachen der 4. Generation, mit denen der Endbenutzer fachspezifische Aufgaben bearbeiten kann, ohne konventionell programmieren (→Programmentwicklung) zu müssen. – *Beispiele:* →Tabellenkalkulationssystem, (Datenbank-) →Abfragesprachen.

Ende-Anfang-Beziehung, →Normalfolge.

Ende-Ende-Beziehung, →Endfolge.

Endfertigung, →Formulierung, →Konfektionierung, →Montage.

Endfolge, *Ende-Ende-Beziehung,* Begriff der Netzplantechnik. Spezielle Ablaufbeziehung zwischen zwei →Vorgängen, wobei in bezug auf beide Vorgänge jeweils deren Ende als Bezugspunkt dient. Vgl. im einzelnen →Netzplantechnik III 2.

Endkostenstelle, →Kostenstelle, auf der in der →innerbetrieblichen Leistungsverrechnung gesammelte Beträge nicht auf weitere Kostenstellen verrechnet, sondern in die →Kalkulation übernommen werden (abrechnungstechnischer Aspekt). Es kann sich um →Hauptkostenstellen und →Nebenkostenstellen handeln. – *Gegensatz:* →Vorkostenstelle.

endlicher Graph, →Graph mit endlich vielen Knoten und Kanten (bzw. Pfeilen).

Endlosformular, *Endlosträgerband, Endlosvordrucke,* leporelloartig oder rollenförmig konfektioniertes Formular für den automatischen Transport in maschinellen Papierführungen.

Endlosträgerband, →Endlosformular.

Endlosvordrucke, →Endlosformular.

endogen, →endogene Variable.

endogene Handelsvorteile, Vorteile, die sich die Unternehmen selbst schaffen, z.B. durch Forschungs- und Entwicklungsaktivitäten oder auch eine erfolgreiche Vermarktungsstrategie. – *Anders:* →exogene Handelsvorteile. – Vgl. auch →künstliche komparative Vorteile.

endogene Konjunkturmodelle, Klasse von meist nicht-linearen →Konjunkturmodellen, die bei der Erklärung von →Konjunkturschwankungen nicht auf das Vorhandensein von exogenen Störfaktoren (→Störgröße) angewiesen sind. Gibt es eine einzige Abweichung vom stationären Gleichgewicht, weist die betrachtete Wirtschaft stets nicht-abflachende →Oszillationen auf. Am bekanntesten Modelle von N. Kaldor (1940) und R. Goodwin (1951). – *Gegensatz:* →exogene Konjunkturmodelle.

endogene Variable, *Zielvariable, abhängige Variable, erklärte Variable,* diejenige →Variable eines →ökonometrischen Modells, deren Werte innerhalb des Modells erklärt werden. E.V. können in Mehr-Gleichungs-Modellen auch zur Erklärung der Werte anderer e.V. herangezogen werden; dabei können sie als *unverzögerte e.V.* oder *verzögerte e.V.* auftreten, je nachdem, welchen Zeitbezug sie haben. Zu ihrer Erklärung dienen →exogene Variablen.

end user computing, →individuelle Datenverarbeitung.

end user control (EUC), *Endanwender-Kontrolle, Endverbleiber-Kontrolle, Reexport-Kontrolle, Wiederausfuhrkontrolle,* Kontrollpflicht, bestehend bezüglich Waren einschl. Fertigungsunterlagen, deren Ausfuhr aufgrund von COCOM-Beschlüssen, UN-Embargobeschlüssen und des Vertrages über die Nichtverbreitung von Kernwaffen in bestimmte Länder (→Länderliste, →COCOM-Listen, →Ausfuhrliste) genehmigungspflichtig ist (→Embargowaren). Der Endverbleib der mit einer Ausfuhrgenehmigung exportierten Waren in dem in Aussicht genommenen Empfängerland ist sicherzustellen. Das für die Beantragung einer →Ausfuhrgenehmigung für Embargowaren maßgebliche Verfahren richtet sich nach Bestimmungsort/-land und ggf. dem Empfänger der auszuführenden Waren.

Endverbleiber-Kontrolle, →end user control.

Endvermögensmaximierung, Zielvorschrift bei der Bestimmung von Investitionsprogrammen. Dasjenige Investitionsprogramm soll ausgewählt werden, das den Wert des Vermögens am Ende der Gesamt-Planperiode (Endvermögen) maximiert. – *Anders:* →Entnahmemaximierung.

ENEA, European Nuclear Energy Agency, →NEA.

Energie, Fähigkeit, physikalische Arbeit zu leisten und damit Veränderungen im oder am Stoff zu bewirken; für Produktion notwendig. E. ist an das Vorhandensein eines →Energieträgers gebunden; in der Natur isoliert in gespeicherter Form nicht möglich. – Es gilt: Energie = →Exergie + →Anergie (1. Hauptsatz der Thermodynamik).

Energie-Agentur, Gemeinschaftsgründung von 18 westeuropäischen Industriestaaten und den USA im Rahmen der →OECD. – *Aufgaben:* Gemeinsame Gesprächsplattform der ölverbrauchenden Länder gegenüber den ölproduzierenden Ländern (OPEC); Verfolgung einer einheitlichen Preispolitik für Energie in der westlichen Welt.

Energieaufsicht, im →Energiewirtschaftsgesetz (EnWG) gesetzlich verankerte Fachaufsicht des Staates, die sich darstellt in Auskunftspflicht gegenüber zuständigen Behörden (§3 EnWG), Anzeigepflicht von Bauten, Erneuerungs- und Erweiterungsanlagen (§4 EnWG), Genehmigungspflicht für neue Unternehmen (§4 EnWG), Recht zum Verbot bestehender Unternehmen (§5 EnWG), Tarifpreisregelung (§7 EnWG). – Durch E. kann Monopolbildung gefördert oder verhindert werden.

Energiebesteuerung, Erhebung von →indirekten Steuern auf Energieträger. In der Bundesrep. D. wird auf Mineralöl die →Mineralölsteuer erhoben, auf Elektrizität eine →Ausgleichsabgabe (Kohlepfennig). Für andere Energieträger keine spezielle Besteuerung. Die E. ist zum Teil fiskalisch motiviert, zum Teil dient sie als Instrument der →Energiepolitik.

Energiebevorratung, Maßnahme der →Energiepolitik, die der Erhöhung der →Versorgungssicherheit dient. Der Umfang des Vorrats wird bestimmt durch Dauer und Ausmaß der schwersten angenommenen Versorgungskrise, die durch die E. unter Berücksichtigung der durch sie verursachten Kosten aufgefangen werden soll. In der Bundesrep. D. wird eine nationale Kohlenreserve von 10 Mill. t Steinkohle und Steinkohlenkoks unterhalten; die Mineralölwirtschaft ist zur Vorratshaltung von bis zu 90 Tagesmengen verpflichtet. Die Bevorratung erfolgt über eine öffentlich-rechtliche Körperschaft, den Erdölbevorratungsverband (EBV), dem die Rohölverarbeiter und Mineralölimporteure als Zwangsmitglieder angehören. Seit 1977 können auch große Stromerzeuger zur Vorratshaltung verpflichtet werden. Daneben unterhält der Bund eine Bundesrohölreserve.

Energiebilanz, tabellarische Darstellung des Aufkommens (Primärenergiebilanz), der Umwandlung (Energieumwandlungsbilanz) und des Endverbrauchs (Endenergieverbrauch) pro Periode für einen bestimmten Wirtschaftsraum in physikalischen Einheiten (t, SKE, Terajoule), differenziert nach Energieträgern. Die E. vermittelt ein Gesamtbild der energiewirtschaftlichen Verhältnisse der betreffenden Region (Bundesrep. D., Bundesländer) und stellt eine der wichtigsten Datengrundlagen für die →Energiepolitik dar. Für die Bundesrep. D. werden jährlich E. von der Arbeitsgemeinschaft Energiebilanzen (Essen) aufgestellt.

Energieeinsparung. 1. *Begriff:* Angesichts begrenzter Vorräte fast aller Energiequellen ein wesentliches Ziel der →Energiepolitik. – a) *I. w. S.:* Einsparung durch Minderverbrauch (z. B. Absenkung der Raumtemperatur) und Einsparung durch rationellere Energieumwandlung (z. B. Einbau einer Heizungsanlage mit höherem Wirkungsgrad). – b) *I. e. S.* (Gegenstand der Energiepolitik): Umfaßt nur den zweiten Bereich, da eine staatliche Reglementierung des Energieverbrauchs in einer Marktwirtschaft nicht ordnungskonform wäre. – 2. *Maßnahmen:* Staatliche Maßnahmen zur Förderung der E. erstrecken sich auf →moral suasion, gesetzliche Vorschriften (z. B. Zwang zur Wärmedämmung von Neubauten) und →Subventionen für energiesparende neue Techniken. Nur in Extremfällen wird das Verbrauchsverhalten selbst reglementiert (sonntägliches Fahrverbot nach der 1. Energiekrise). Über einzelne Maßnahmen und Programme vgl. →Energieprogramme. – 3. *Beurteilung der staatlichen Maßnahmen:* Die staatlich geförderte E. hat eine unbedeutendere Rolle neben der durch die Energiepreissteigerungen bewirkten E. über den Markt gespielt. Ein wichtiges Anwendungsfeld der E.-Politik ist die Festlegung von Normen (verschärfte Wärmedämmvorschriften u. ä.). Eine überzogene Politik, die keine Rücksicht auf die Kosten der E. nimmt, wäre kontraproduktiv, d. h. sie würde nicht nur volkswirtschaftliche Ressourcen verschwenden, sondern auch den Energieverbrauch erhöhen. Eine wirksame Politik muß das Wirtschaftlichkeitsprinzip beachten.

Energiekosten, Kosten der Dampf- und Stromerzeugung oder des Fremdstrombezugs, Gaskosten u.ä. Möglichst als →Kostenstelleneinzelkosten zu erfassen, soweit der Energieverbrauch technisch meßbar ist; In den einzelnen →Kostenstellen, u. U. sogar an einzelnen Maschinenaggregaten (→Kostenplätze) können Meßinstrumente für den Verbrauch angebracht werden. Falls →Gemeinkostenschlüsselung notwendig, kommen z. B. bei Strom die installierte Wattzahl, bei Energie für Heizzwecke die m^3 umbauten Raumes als Verteilungsgrundage in Frage.

Energieorientierung, in der →Standorttheorie Gewerbe- und Industriebetriebe, die sich bei ihrer Standortwahl nach Energiequellen orientieren; insbes. bedeutend bei energieintensiven Industrien, z. B. Aluminiumwerken.

Energiepolitik. I. Begriff: Teilbereich der sektoralen Wirtschaftspolitik in Form der staatlichen Einflußnahme auf die Energiewirtschaft (Erzeugung, Außenhandel, Umwandlung, Verbrauch der Energieträger). Grundlegendes *Ziel* der E. ist die Gewährleistung einer langfristig sicheren, kostengünstigen und umweltgerechten Energieversorgung.

II. Schwerpunkte in der Bundesrep. D.: Angesichts der starken *Importabhängigkeit* der Energieträger bezweckt die deutsche E. zur Erhöhung der →Versorgungssicherheit schwerpunktmäßig Förderung des (im internationalen Vergleich unrentablen) deutschen *Steinkohlenbergbaus* (Kohlevorrangpolitik), *Streuung* der Bezugsquellen von Importenergieträgern und die *Diversifikation* des Primärenergieeinsatzes (z. B. Politik „Weg vom Öl"). Maßnahmen zur →Energieeinsparung werden finanziell gefördert. Im Rahmen der F&E-Politik werden einzelne Energietechniken gefördert (Kernenergie, regenerative Energieträger, Kohleverflüssigung u. a.).

III. Begründung: Die Notwendigkeit der E. beruht auf der gesamtwirtschaftlichen Bedeutung der Energieversorgung und den Besonderheiten des Energiesektors, die eine rein marktliche Steuerung erschweren. – 1. *Energiewirtschaftliche Besonderheiten* sind z. B. Leistungsgebundenheit großer Teile der Energieversorgung, die Wettbewerb erschwert oder ausschließt (→Kartellgesetz IX, →natürliches Monopol) oder Bindung des Energieeinsatzes an langlebige Wandleraggregate, wodurch die Anpassung an energiewirtschaftliche Datenänderungen verzögert wird. – 2. Mit der Energieversorgung sind vielfältige *außermarktliche Effekte* (→externe Effekte) verbunden. Zur Begrenzung *negativer* Umweltauswirkungen (z. B. CO_2-Problem: Verbrennung fossiler Energieträger kann zu Klimaveränderungen führen) sind Maßnahmen der →Internalisierung sozialer Kosten ergriffen worden (z. B. für Feuerungsanlagen die TA Luft und die Großfeuerungsanlagenverordnung (GFAVO) →Umweltpolitik. *Positive* außermarktliche Effekte liegen bei der Energieforschung und -sicherung vor. Der volkswirtschaftliche Nutzen aus der Entwicklung neuer Energiesysteme (Kernenergie in Form der Kernspaltung und später ggf. der Kernfusion, regenerative Energiesysteme usw.) kann den erzielbaren Markterlös weit übersteigen. Der marktwirtschaftliche Anreiz zur Entwicklung und Markteinführung ist dann zu gering; dies begründet staatliche Förderung der Grundlagenforschung, aber auch marktnäherer Stufen (Forschungsförderungspolitik). Auch die Sicherheit der Energieversorgung ist ein öffentliches Gut, das vom Markt nicht in ausreichendem Umfang bereitgestellt wird, da der volkswirtschaftliche Nutzen sich nur zum Teil im Marktpreis niederschlägt. Dies begründet energiepolitische Maßnahmen zur Erhöhung der Versorgungssicherheit (→Energiebevorratung). – 3. Als *Begründung* für energiepolititsche Eingriffe wird auf eine angebliche weitere Form des Marktversagens aufgrund der Erschöpfbarkeit von Energiequellen hingewiesen. Zwar zeigt die ökonomische Theorie erschöpfbarer Ressourcen, daß das Phänomen der Erschöpfbarkeit prinzipiell im Marktpreis zum Ausdruck kommt; Abweichungen zwischen dem Marktzins und der sozialen Zeitpräferenzrate können jedoch zu einer suboptimalen intertemporalen Ressourcenallokation führen (überhöhter heutiger Konsum zu Lasten künftiger Generationen). Wenn der Marktzins die soziale Zeitpräferenzrate übersteigt, ist die volkswirtschaftliche Kapitalbildung aber generell (Sach-, Human- und Ressourcenkapital) zu gering. Eine einseitige Politik der Energiekonservierung (→Energieeinsparung) löst das Problem nicht, sondern kann es sogar verschärfen.

IV. Instrumente: E. ist Ordnungs- und Prozeßpolitik. – 1. E. als *Ordnungspolitik* setzt den Ordnungsrahmen, innerhalb dessen sich die Energiewirtschaft entfalten kann. Hierunter fallen die Regulierung der Elektrizitäts- und Gaswirtschaft durch die Bestimmungen des →Energiewirtschaftsgesetzes und die Freistellung dieser Branchen von Vorschriften des Kartellgesetzes (→wettbewerbsrechtliche Ausnahmebereiche), die den Abschluß von Gebietsschutzverträgen ermöglicht, aber auch die Grundsatzentscheidungen im Bereich der →Kohlepolitik und der →Kernenergiepolitik. – 2. E. als *Prozeßpolitik* greift in vielfältiger Weise in das Marktgeschehen ein, durch →Energiebesteuerung und →Energiesubventionen, Maßnahmen zur Energieeinsparung, durch Reglementierung des Energieeinsatzes (z. B. Verbot des Baus von Erdölkraftwerken) und Beschränkung von Energieimporten.

V. Probleme: Im Gesamtzusammenhang der Wirtschaftspolitik fällt den Sektorpolitiken die Aufgabe zu, Maßnahmen der Gesamtwirtschaftspolitik soweit erforderlich sektorspezifisch auszudifferenzieren. Der E. kommt somit eine dienende Funktion bei der Erreichung gesamtwirtschaftlicher Ziele zu. In der Praxis der E. wird häufig gegen dieses Prinzip der Einheitlichkeit der Wirtschaftspolitik verstoßen, nicht zuletzt dadurch, daß die E. mit Aufgaben belastet wird, die wirksamer mit dem Instrumentarium der Arbeitsmarkt-, Außenwirtschafts- oder Transferpolitik gelöst werden können, z. B. durch die Verquickung von Energiesicherungs-, Regional-, Arbeitsmarkt- und Sozialpolitik in der Kohlevorrangpolitik. Die Einheitlichkeit der E. im Bundesstaat gerät in Teilbereichen (Kernenergienutzung) in Gefahr. In weiten Bereichen der Energieversorgung sind Politisierungstendenzen wirksam (politisch verstandenes →Versorgungskonzept, Ruf nach Rekommunalisierung). – Vgl. auch →Energieprogramme, →Energiebilanz.

Literatur: Bauerschmidt, Kernenergie oder Sonnenenergie, München 1985; Bundesministerium für Forschung und Technologie (BMFT), Neue Aspekte der Energieforschungspolitik, Köln 1983; Bundesministerium für Wirtschaft (BMWi), Energiebericht der Bundesregierung vom 24.9.1986, Bonn 1986; Cowhey, P., The problems of plenty, Energy policy and international politics, Berkeley u. a. 1985; Dach, G., Energiepolitische Willens- und Entscheidungsbildung in der Bundesrep. D., Frankfurt 1981; Deutscher Städte- und Gemeindebund, Energiepolitik und Gemeinden, Göttingen 1978; Dienel, P. C./Garbe, D. (Hrsg.), Zukünftige Energiepolitik, ein Bürgergutachten, München 1985; Evers, H.-U., Das Recht der Energieversorgung, 2. Aufl., Baden-Baden 1983; Gesellschaft zum Studium strukturpolitischer Fragen e. V. (Hrsg.), Energiepolitik: Grundlagen und Perspektiven, Stuttgart u. a. 1981; Goodwin, C. D. (Hrsg.), Energy Policy in Perspective, Washington, D. C. 1981; Horn, M., Die Energiepolitik der Bundesregierung von 1958 bis 1972, Berlin 1977; Junk, H., Die Rolle von Versorgungskonzepten auf dem Wärmemarkt, München 1985; Martiny, M./Schneider H.-J. (Hrsg.), Deutsche Energiepolitik seit 1945, Köln 1981; Meyer-Abich, K.-M./Schefold, B., Die Grenzen der Atomwirtschaft, München 1986; Meyer-Renschhausen, M., Energiepolitik in der BRD von 1950 bis heute, Köln 1977; Michaelis, H. (Hrsg.), Handbuch der Kernenergie, 2. Aufl., Düsseldorf 1987; Renn u. a., Sozialverträgliche Energiepolitik, Ein Gutachten für die Bundesregierung, München 1985; Roggen, P., Die internationale Energie-Agentur, Energiepolitik und wirtschaftliche Sicherheit, Bonn 1979; Rühle, H./Miegel, M., Energiepolitik in der Marktwirtschaft, Stuttgart 1980; Schmitt, D./Schürmann, J., Grundlagen einer zukunftsorientierten Energiepolitik, in: Harbusch/Wiek (Hrsg.), Marktwirtschaft, Stuttgart 1975; Schneider H. K., Energiepolitik, in HDWW; ders., Zur Konzeption einer Energiewirtschaftspolitik, in: Burgbacher, F. (Hrsg.), Ordnungsprobleme und Entwicklungstendenzen in der deutschen Energiewirtschaft, Festschrift für Theodor Wessels, Essen 1967; Schulz, W., Ordnungsprobleme der Elektrizitätswirtschaft, München 1979; Siebert, H. (Hrsg.), Angebotsentwicklung und Preisbildung natürlicher Ressourcen, München 1986; Specht, U., Die Energiepolitik der BRD von 1948 bis 1967, Freiburg 1969; Volkmann, D. J. (Hrsg.), Alternativen der Energiepolitik, Gräfelfing/München 1978; Zydek, H./Heller, W., Energiemarktrecht, Loseblattsammlung.

Prof. Dr. Walter Schulz

Energieprogramme, Darstellungen der Erwartungen, Zielvorstellungen und energiepolitischen Grundlinien der Bundesregierung und einzelner Landesregierungen (→Energiepolitik). Das Erste E. der Bundesregierung wurde im September 1973 veröffentlicht. Es ist inzwischen durch mehrere Fortschreibungen an die veränderten Rahmenbedingungen angepaßt, worden, zuletzt durch den Energiebericht der Bundesregierung vom 24.9,.1986.

Energiesicherung. 1. *Begriff:* Nach dem Energiesicherungsgesetz vom 20.12.1974 (BGBl I 3681) mit späteren Änderungen können bei Gefährdung oder Störung der Einfuhren von Mineralöl oder Erdgas (ziviler Notstand) durch Rechtsverordnungen Vorschriften erlassen werden über die Produktion, den Transport, die Lagerung, die Verteilung, die Abgabe, den Bezug, die Verwendung sowie die Höchstpreise von Erdöl, Erdölerzeugnissen, festen, flüssigen, gasförmigen Brennstoffen, von elektrischer Energie sowie von sonstigen Energien und Energieträgern sowie über Buchführung-, Nachweis- u. Meldepflichten hinsichtl. dieser Güter; z. B. Einführung eines Sonntagsfahrverbotes und einer Geschwindigkeitsbegrenzung für Kraftfahrzeuge. – 2. *Ver-*

stöße gegen erlassene Rechtsverordnungen stellen Zuwiderhandlungen i.S. des Wirtschaftsstrafgesetzes dar. – Vgl. auch →Energieeinsparung.

Energiesteuer, von E. Schueller vorgeschlagene Besteuerung der Energie in Form der →Alleinsteuer. Besteuert werden soll der Energieverbrauch in Form von Kohle, Elektrizität, Erdölprodukten; Erfassung der Steuer bei der Gewinnung der Steuerträger; Rückvergütungssystem bei Gewinnung von z.B. Elektrizität aus Kohle. Bemessungsgrundlage: errechnete Energieäquivalenz zwischen 1 Kilowattstunde (1 Einheit), 1 kg Kohle (1,3 Einheiten und 1 l Öl (2,5 Einheiten).

Energiesubventionen. 1. *Begriff:* Gesamtheit energiepolitisch motivierter staatlicher Zahlungen und Steuervergünstigungen. Eine genaue Abgrenzung ist aufgrund der Inzidenzproblematik schwierig. – 2. *Umfang:* Der Gesamtbetrag der E. wird auf jährlich 8 bis 9 Mrd. DM geschätzt. Davon entfallen im Durchschnitt der letzten Jahre rd. 66% auf den Bereich der →Kohlepolitik, 17% auf die Förderung von Fernwärme, rationeller Energieversorgung und neuer Energiequellen, 12 % auf die Kernenergieförderung (ohne die nicht unmittelbar der Energiepoltik zurechenbare Förderung der Grundlagenforschung in diesem Bereich) und 4% auf die Mineralölpolitik. – Vgl. auch →Energiepolitik.

Energietechnik, →Produktionstechnik.

Energieträger, Objekt, dessen Energieinhalt nutzbar gemacht werden kann; im praktischen Sprachgebrauch: Stoffe mit hohem Energieinhalt. – 1. *Primärenergieträger:* Gewinnung unmittelbar aus den Energiequellen der Natur (z.B. Rohöl, Rohkohle). – 2. *Sekundärenergieträger:* Gewinnung durch Umwandlung oder technische Aufbereitung aus den Primärenergiequellen (z.B. Diesel- und Vergaserkraftstoffe, Koks, Briketts, Stadtgas, elektrische Energie).

Energiewirtschaft, Bereich des →produzierenden Gewerbes, der alle mit Erzeugung und Verteilung von Elektrizität (Wärme- und Wasserkraftwerke) und Gas (Kokereien und Gaswerke) befaßten Betriebe, wie Elektrizitäts- und Gaswerke, auch Wasserkraftwerke und Talsperren, Überlandzentralen, Leitungs- und Röhrennetze umfaßt. Stromerzeugung 1985 insges. 408,7 Mrd. kWh, davon 346,5 Mrd. kWh durch öffentliche Elektrizitätswerke, 55,8 Mrd. kWh durch industrielle Stromerzeugungsanlagen, 6,4 Mrd. kWh durch Bundesbahnkraftwerke; öffentliche Gasversorgung 1985 insges. 616,0 Mrd. kWh, darunter 24,0 kWh in Kokereien, 350,8 Mrd. kWh in Ortsgaswerken, 185,1 kWh durch Ferngasgesellschaften, 17,2 Mrd. kWh durch Erdgasgewinnungsunternehmen. – Vgl. auch obenstehende Tabelle.

Elektrizitäts- und Gaswerke für die öffentliche Versorgung

Jahr	Beschäftigte	Lohn- und Gehaltssumme	darunter Gehälter	Abgabe gesamt (Erlöse)
	in 1000	in Mill.DM		
a) Elektrizität				
1950	90	354	148	2 187
1955	107	609	271	4 551
1960	122	974	448	7 356
1965	141	1 689	766	11 088
1970	140	2 490	1 192	15 046
1975	157	4 628	2 323	27 527
1980	163	6 497	3 400	38 826
1985	165	8 208	4 466	96 867
b) Gas				
1950	33	126	45	690
1955	37	198	82	1 443
1960	38	283	122	1 822
1965	38	442	201	1 972
1970	34	609	317	2 744
1975	34	999	537	7 469
1980	35	1 364	766	17 858
1985	37	1 694	1 005	55 800

Energiewirtschaftsgesetz (EnWG), Gesetz zur Förderung der Energiewirtschaft vom 13.12.1935 (RGBl I 1451); Rechtsgrundlage der staatlichen Aufsicht über die Elektrizitäts- und Gaswirtschaft. – *Grundanliegen* des EnWG: Gewährleistung einer möglichst sicheren und preiswürdigen Energieversorgung (→Energiepolitik); – *Begründung:* Besonderheiten der leitungsgebundenen Energieversorgung (→natürliches Monopol). Die *Aufsicht* wird von den Ländern ausgeübt und erstreckt sich im wesentlichen auf Investitionen und Tarifpreise. (→Energieaufsicht). Die Preise der Sonderabnehmer unterliegen dagegen der kartellrechtlichen Mißbrauchsaufsicht. §6 EnWG begründet eine allgemeine →Anschluß- und Versorgungspflicht für Energieversorgungsunternehmen. – Vgl. auch →Bundestarif Elektrizität, →Bundestarifordnung Gas.

energo-kybernetisches System, →EKS.

Engagement. 1. *Allgemein:* Einstellung, Dienst. – 2. *Kaufmännischer Sprachgebrauch:* Verbindlichkeit, die aus der Beteiligung an einem Geschäft hervorgeht. – 3. *Börsensprachgebrauch:* Höhe der Verpflichtungen aus →Termingeschäften, die ein Spekulant an der Börse abgeschlossen hat.

Engel-Kurve, *Einkommen-Konsum-Funktion,* Begriff der Haushaltstheorie. – 1. Funktionale Beziehung zwischen der nachgefragten Menge und dem Einkommen eines Haushalts bei Konstanz aller Preise. – 2. Wird auch in der folgenden Bedeutung verwendet: Geometrischer Ort aller nutzenmaximalen Positionen eines Haushalts (Ott).

Engels, Friedrich, deutscher Industrieller, Politiker und Nationalökonom (1820 bis 1895). E. wurde starkt beeinflußt von der Jung-Deutschland-Bewegung (Börne, Gutzkow) und den Junghegelianern (Bruno Bauer und L. Feuerbach). – In seinen Werken baute E. ein marxistisches philosophisch-ökonomisches System auf der Grundlage der dialektischen Methode und des empirischen Naturalismus auf. E. nahm an der Revolution von 1848/49 in Baden teil und war später Mitglied der Generalversammlung der 1. Internationale. Seinem Freund K. Marx ermöglichte er durch finanzielle Unterstützung ungestörte Arbeit an dessen Hauptwerk „Das Kapital". – *Hauptwerke:* „Die Lage der arbeitenden Klasse in England" 1845; „Kommunistisches Manifest" (zusammen mit K. →Marx) 1848; „Herrn Eugen Dührings Umwälzung der Wissenschaft" 1877; „Ludwig Feuerbach und der Ausgang der klassischen deutschen Philosophie" 1894. Herausgeber des 2. und 3. Bandes des Marxschen „Kapital".

enger Markt, Begriff aus dem Wertpapierhandel für den Fall, daß nur wenige Aktien für den Handel verfügbar sind, da sich viele in festem Dauerbesitz befinden. Bereits relativ wenige Kauf- oder Verkaufsaufträge können zu starken Kursschwankungen führen.

engineering production function, Vorläufer der →Verbrauchsfunktionen bei →limitationalen Produktionsfunktionen. Die e. p. f. wird aus den technologischen Beziehungen, die auf physikalisch, chemischen oder biologischen Gesetzmäßigkeiten oder technologisch-empirischen Erfahrungen beruhen, hergeleitet.

Engpaß. I. Betriebswirtschaftslehre: Auftreten knapper →Kapazitäten i. w. S., z. B. Absatz, Finanzen, Maschinenkapazitäten, Beschaffung, Organisation, dispositiver Faktor. Aufgabe der Unternehmensplanung ist es u. a., E. durch Anpassungsprozesse zu beseitigen mit dem Ziel der Harmonisierung der betrieblichen Teilbereiche. – Vgl. auch →Ausgleichsgesetz der Planung.

II. Volkswirtschaftslehre: Industriezweig (meist Grundstoffindustrie), der mit seiner Liefer- und Leistungsfähigkeit das Produktionsvolumen anderer Industrien bestimmt. Treten E. in einer Volkswirtschaft auf, so determinieren diese letztlich den maximalen Auslastungsgrad des gesamtwirtschaftlichen →Produktionspotentials.

Engpaßbereich, →Ausgleichsgesetz der Planung.

engpaßbezogener Deckungsbeitrag, *spezifischer Deckungsbeitrag,* →absoluter Deckungsbeitrag bezogen auf die relevante Nutzung eines betrieblichen Engpasses, z. B. Deckungsbeitrag eines Erzeugnisses pro Minute Laufzeit einer Maschine mit knapper Kapazität, auf der alternativ auch andere Produkte gefertigt werden (können). E. D. werden häufig zur Festlegung des Produktions- und Absatzprogramms benötigt; ist nur ein einziger Engpaß relevant, liefert der e. D. das maßgebliche Kriterium für die Rangfolge der Leistungs- und Verwendungsarten in der Programmplanung.

engpaßorientiertes System, →EKS.

Engpaßplanung. 1. *Unternehmensplanung:* Ausrichtung des Gesamtplanes auf den Teilbereich, der den →Engpaß in der Unternehmung darstellt. (→Ausgleichsgesetz der Planung). – 2. *Grenzkostenrechnung:* Verfahren zur Bestimmung der Planbezugsgrößen unter Beachtung der Interdependenzen aller betrieblichen Teilpläne und damit des →Engpasses (Minimumsektors). Die Beschäftigung der Kostenstelle wird aus dem Fertigungsprogrammplan abgeleitet, als Planbezugsgröße wird die unter Berücksichtigung aller möglichen Engpässe zu erwartende Durchschnittsproduktion in der Planperiode gewählt. Der Vorteil dieser Methode im Gegensatz zur →Kapazitätsplanung liegt in der Einbettung in die betriebliche Gesamtplanung und damit der Berücksichtigung aller bekannten Engpässe.

Engroshandel, frühere Bezeichnung für Großhandel.

Enkelgesellschaften, →Zwischengesellschaft II 4.

entartete Basislösung, Basislösung, bei der mindestens einer Basisvariablen der Wert Null zugeordnet ist (→kanonisches lineares Gleichungssystem, →kanonisches lineares Optimierungssystem).

Entbindung, im Sinne der gesetzlichen →Krankenversicherung nicht nur die Lebendgeburt eines Kindes, sondern auch eine Totgeburt, sofern die Leibesfrucht eine Körperlänge von wenigstens 35 cm hat. E. löst die *Leistungen der* →Mutterschaftshilfe aus; auch den →Entbindungskostenpauschbetrag. – Vgl. auch →Mutterschutz.

Entbindungsanstaltspflege, Leistung der Krankenkasse bei →Entbindung in Form von Pflege in einer Entbindungs- oder Krankenanstalt, jedoch für die Zeit nach der Entbindung für längstens sechs Tage. Krankenhauspflege wird für diese Zeit nicht gewährt (§ 199 RVO).

Entbindungsbeihilfen, Beihilfen von Unternehmen zu den Entbindungskosten von Arbeitnehmern. – Vgl. auch →Geburtsbeihilfen.

Entbindungskostenpauschbetrag, Leistung der gesetzlichen →Krankenversicherung im Rahmen der →Mutterschaftshilfe, im Fall der Niederkunft einer Versicherten oder einer Anspruchsberechtigten mitversicherten Familienangehörigen. Nach § 198 RVO beträgt der E. 100 DM und wird gewährt, wenn die Entbindung in der Bundesrep. D. oder Berlin (West) erfolgte und während der Schwangerschaft die ärztlichen Vorsorgeuntersuchungen in Anspruch genommen wurden.

Entbürokratisierung, →Deregulierung.

Entdeckungsstichprobe, →Stichprobenprüfung.

Enteignung, Eingriff in das private Eigentum des einzelnen, v.a. das Grundeigentum oder andere vermögenswerte Rechte durch einen rechtmäßigen staatlichen Hoheitsakt (Verwaltungsakt, Gesetz oder Verfassungsbestimmung) zugunsten des gemeinen Wohls (Art. 14 GG). Zulässig nur durch Gesetz oder aufgrund eines Gesetzes, das Art und Ausmaß der Entschädigung, die angemesen sein muß regelt. – *Wichtigste E.-Gesetze:* →Baugesetzbuch, →Bundesleistungsgesetz. – Ob der Eigentumsschutz auch öffentlich-rechtlichen Vermögensrechten gewährt werden kann, ist fraglich (bejaht in Entscheidungen des Bundesgerichtshofs Band 6, 278). – *Abgrenzung* zwischen Eigentumsbeschränkung (→Eigentum) und E. praktisch oft schwierig, aber wichtig, da der Betroffene nur bei E. Anspruch auf *Entschädigung* hat. – *Eine DDR-E.* erfaßt nicht das in der Bundesrep. D. gelegene Vermögen. Besteht hier nur eine Zweigniederlassung, so bleibt sie als solche auch ohne Hauptniederlassung bestehen, bis der Sitz evtl. nach der Bundesrep. D. verlegt wird.

Entfernungsstaffel, Bemessung (Staffelung) der Beförderungsentgelte gemäß der Transportentfernung, so daß eine Differenzierung der Entgelte entsprechend der Abnahme der Kosten je Entfernungseinheit erreicht wird. – *Anders:* →Gewichtsstaffel, →Wertstaffel.

Entflechtung. 1. *Begriff* aus dem Sprachgebrauch des alliierten Besatzungsrechts nach 1945: Maßnahmen zur Auflösung von Konzernen und sonstigen durch Unternehmenszusammenschluß entstandenen Machtgruppen im Industrie- und Kreditwesen, insbes. der wettbewerbsfähigen Großbankensystems (→Dekonzentration III). Im Gegensatz zur →Dekartellierung wurde bei der E. die rechtliche und wirtschaftliche Auseinandersetzung erforderlich. – 2. *Durchführung:* Lösung der Eigentumsverbindungen: a) durch Verbote (1) personeller Verflechtung, (2) der →Inhaberaktien, (3) des →Depotstimmrechts; b) durch Neugründung von Teilunternehmungen. – 3. *Stand:* Das *Ergebnis* der E. ist durch neue Unternehmenszusammenschlüsse in verschiedenen Wirtschaftszweigen wieder beseitigt worden; z.B. im Bankwesen. – *E.möglichkeiten* fordert die Monopolkommission in ihrem Dritten Hauptgutachten für 1978 und 1979, um unvermeidbare Lücken bei der Kontrolle des Konzentrationsprozesses in Einzelfällen nachträglich korrigieren zu können.

Entfremdung. 1. *Begriff:* Auf Hegel zurückgehend, von Marx übernommen und uminterpretiert. Marx zufolge soll der Begriff der E. die negativen Auswirkungen des Privateigentums an den Produktionsmitteln und der fortschreitenden Arbeitsteilung im →Kapitalismus auf die arbeitenden Menschen beschreiben. Beides führe zur E.: a) des Menschen *vom Produkt seiner Arbeit* (da dies nicht ihm, sondern dem Unternehmer gehört), b) der Menschen *untereinander* (da alle zwischenmenschlichen Beziehungen weitestgehend kommerzialisiert würden, so daß sich die Menschen gegenseitig nur als unpersönliche Faktoren wahrnähmen), c) des Menschen *von seiner Gattung* (da die Arbeitsteilung den wahren Charakter der Produktion als gemeinschaftliches, schöpferisches Handeln verdecke) und d) des Menschen *in und von seiner Arbeit* (da die fortschreitende Arbeitsteilung immer mehr die freie Entfaltung der individuellen Neigungen und Fähigkeiten einschränke). – 2. *Aufhebung der E.:* Die E. läßt sich dem →Marxismus zufolge erst im →Sozialismus bzw. →Kommunismus durch *Vergesellschaftung der Produktionsmittel und Abschaffung der herkömmlichen Arbeitsteilung* aufheben. – 3. *Folgen/Beurteilung:* Die Arbeitsteilung abschaffen hieße, einen Produktivitätsrückschritt großen Ausmaßes zu verursachen, der die entwickelten Volkswirtschaften wieder auf vorindustrielles Niveau herabsinken ließe. Gerade die produktivitätssteigernde Wirkung der Arbeitsteilung hat eine zu Zeiten von Marx ungeahnte Zunahme der Freizeit und damit der Selbstverwirklichungsmöglichkeiten außerhalb der Arbeit sowie die Erleichterung der Lebensbedingungen für alle Bevölkerungskreise gebracht. Da sich im Zuge des technischen Fortschritts immer zahlreichere und unterschiedliche Berufe herausbilden, kann die arbeitsteilige Spezialisierung selbst zur Verwirklichung der individuellen Fähigkeiten und Präferenzen innerhalb der Arbeit führen. In welchem Ausmaß derartige Selbstentfaltungsspielräume entstehen und genutzt werden können, hat nicht mit der Eigentumsform des Arbeitsplatzes zu tun, so daß eine Vergesellschaftung der Produktionsmittel selbst in diesem Zusammenhang ohne Belang ist. – Die *E.slehre* spielt in den Frühschriften von Marx eine herausragende Rolle im Zusammenhang mit seiner Kapitalismuskritik, während er in späteren Jahren die →Ausbeutung in den Mittelpunkt seiner Überlegungen stellt.

entgangener Gewinn. 1. *Bürgerliches Recht:* Nach dem gewöhnlichen Lauf der Dinge oder nach den besonderen Umständen, insbes. nach den getroffenen Anstalten und Vorkehrungen, mit Wahrscheinlichkeit zu erwartende Gewinn. Teil des →Schadenersatzes nach §252 BGB. Bei Nachweis ist dem Geschädigten auch ein darüber hinaus noch e.G. zu ersetzen. – Ein Kaufmann, der eine Ware zum Zwecke des Weiterverkaufs gekauft hat, kann i.d.R. bei *Nichtlieferung* als Schadenersatz den Unterschied zwischen dem Einkaufspreis und dem Marktpreis verlangen (sog. abstrakte Schadensberechnung). – 2. *Versicherungshaftung:* In den meisten Sachversicherungszweigen nur bei besonderer Vereinbarung; dagegen in der Transportversicherung Mitdeckung des e. G. üblich.

Entgelt. I. Arbeitsrecht/Sozialversicherung: Vgl. →Arbeitsentgelt.

II. Kostenrechnung: Zu zahlendes geldliches Äquivalent für beschaffte Waren, Dienst- oder Arbeitsleistungen oder Anspruch auf Zahlung eines geldlichen Äquivalents für abgesetzte Güter. E. ist Oberbegriff für →Beschaffungsentgelt (-ausgabe) und →Erlös.

III. Umsatzsteuerrecht: 1. *Begriff:* E. ist *Tatbestandsmerkmal* (→Leistungsaustausch) und *Bemessungsgrundlage* (§ 10 UStG) der →Umsatzsteuer. E. umfaßt die Aufwendungen des Empfängers einer →Lieferung und sonstigen Leistung für ihren Erhalt; dazu gehört auch das, was ein anderer als der Empfänger dem Unternehmer für diese Lieferung oder sonstige Leistung gewährt (im einzelnen vgl. 2.). E. besteht in Geld oder Leistung (→Tausch). – 2. *Umfang:* a) *Zum E. gehören:* (1) Abschlußzahlungen; (2) →Zuschüsse von dritter Seite, die in einem kausalen Zusammenhang mit der Leistung stehen; (3) Preis eines Pfandscheines zuzüglich der Pfandsumme bei Übertragung von Pfandscheinrechten; (4)Wert einer empfangenen Leistung bei einem Tausch bzw. tauschähnlichen Umsatz; (5) E. für die auf den Erwerber übertragenen Gegenstände (Besitzposten) ohne Kürzung um die übernommenen Schulden bei einer →Geschäftsveräußerung im ganzen. – b) *Nicht zum E. gehören:* →durchlaufende Posten; Auslagen eines Spediteurs oder Frachtführers an Zoll und →Einfuhrumsatzsteuer für den Auftraggeber; zurückgewährte E., Preisnachlässe, Rabatte und Skonti; Säumniszuschläge und Verzugszinsen; Diskont bei Weitergabe eines Wechsels, ausgenommen er wird erstattet. – c) Die →*Umsatzsteuer selbst* gehört nicht zum E. (→Nettoumsatzsteuer). – 3. Die E. *ersetzende Bemessungsgrundlagen:* a) Beim steuerpflichtigen →*Eigenverbrauch:* →Teilwert oder den →gemeine Wert bzw. die entstandenen Kosten oder Aufwendungen. – b) Bei Lieferungen oder sonstigen Leistungen an *Gesellschafter, Arbeitnehmer* und dem Unternehmer nahestehende Personen: E., mindestens aber die Bemessungsgrundlage, die für einen entsprechenden Eigenverbrauch anzusetzen wäre (→Mindestbemessungsgrundlage).

Entgeltfortzahlung, →Lohnfortzahlung.

Entgeltfunktion, funktionale Darstellung der (mehrdimensionalen) Abhängigkeit der Höhe des vereinbarten →Entgelts vom Umfang oder anderen quantitativen Merkmalen der bereitgestellten oder gelieferten Leistung, der Zahl der vereinbarten Bemessungseinheiten oder anderen Einflußgrößen (z. B. Vordispositionsdauer, Liefer- oder Leistungszeitpunkt, Zahlungsfristen) an. – *Beispiele:* Verkehrstarife, Entgeltregelungen in Stromlieferverträgen oder bei Mietfahrzeugen. – *Beispiele für unstetig-lineare E.:* Verläufe des Gesamt- und Grenzentgelts für a) ein Zonenpreissystem (= anstoßende Mengenrabatte), b) durchgerechnete Staffelpreise oder Rabatte und c) durchgerechnete Mengenrabatte mit abgeschnittenen Spitzen bzw. ausgefüllten Tälern.

Entgeltgrenzen, Begriff der Sozialversicherung. – Vgl. →Geringverdiener, →geringfügige Beschäftigung, →Altersruhegeld.

Entgeltpolitik, wesentlicher Teil der →Kontrahierungspolitik. E. umfaßt die →Preispolitik und die Gestaltung der preisrelevanten Konditionen (→Rabatte, →Skonti).

Entgelt-Tarifvertrag, →Tarifvertrag, der nicht zwischen der Bezahlung der Arbeiter (Lohn) und Angestellten (Gehalt) unterscheidet. Für vergleichbare Tätigkeiten wird gleiches *Entgelt* gezahlt. Erste Ansätze erfolgten Anfang der 70er Jahre in der Nahrungs- und Genußmittelindustrie, insbes. aber 1987 in der Chemieindustrie. – In Anbetracht der gesellschaftlichen Entwicklung verstehen sich die Gewerkschaften zunehmend als Interessenvertretung der *gesamten* Arbeitnehmerschaft. Unterschiede zwischen den verschiedenen Mitarbeitergruppen sollen entsprechend aufgehoben werden: Neben einer Bezahlung nach einheitlichen Kriterien und im gleichen Rhythmus sind Unterschiede im Sozialversicherungsrecht (Arbeiterrentenversicherung/Angestelltenversicherung; Zwangsmitgliedschaft der Arbeiter) und im Kündigungsrecht (→Kündigungsschutz) aufzuheben.

Entkartellierung, *Entkartellisierung,* Lösung wirtschaftlicher Zusammenschlüsse von Unternehmen oder Großunternehmen, abweichend von der →Entflechtung. – Vgl. auch →Dekartellierung.

Entkartellisierung, →Entkartellierung.

Entlassung, →Kündigung.

Entlassungsentschädigung, →Abfindung, →Kündigungsschutz.

Entlastung. I. Buchhaltung: Bezeichnung für Kontogutschrift oder Habeneintragung. – *Gegensatz:* →Belastung.

II. Aktienrecht: Billigung der Geschäftsführung des →Vorstandes und →Aufsichtsrats einer AG. Die E. enthält jedoch keinen Verzicht auf Ersatzansprüche. Über die E. hat die →Hauptversammlung in den ersten 8 Monaten des Geschäftsjahres zu beschließen (§ 120 AktG). Gesonderte Beschlußfassung über die E. einzelner Vorstands- oder Aufsichtsratsmitglieder, wenn eine Minderheit von 10 v.H. des Grundkapitals oder 2 Mill. DM dies verlangt. Wer entlastet werden soll, darf nicht mitstimmen. *Verweigerung* der E. kann den Aufsichtsrat zur →Abberufung von Vorstandsmitgliedern berechtigen und für betroffene Aufsichtsratsmitglieder Grund zur fristlosen Kündigung gegenüber der AG sein.

Entlastungsbeweis, →Verrichtungsgehilfe, →Gefährdungshaftung 3.

Entlehnung, Begriff des Urheberrechts: Übernahme einzelner Stellen eines fremden Werks in das eigene.

Entlohnung, →Arbeitsentgelt, →betriebliche Lohngestaltung.

Entlohnungsgrundsätze, Teil der →betrieblichen Lohngestaltung: System, nach dem das Entgelt (→Arbeitsentgelt) für den Betrieb, für bestimmte Betriebsabteilungen oder für Gruppen von Arbeitnehmern ermittelt werden soll, z.B. →Zeitlohn, →Akkordlohn, →Prämienlohn oder ein anderes System der Arbeitsbewertung, Entgeltzahlung nach einem Provisionssystem (→Provision) usw. E. unterliegen der erzwingbaren Mitbestimmung des Betriebsrats nach §87 I Nr. 10 BetrVG. – Vgl. auch →Entlohnungsmethode.

Entlohnungsmethode, Teil der →betrieblichen Lohngestaltung. Art und Weise, in der die →Entlohnungsgrundsätze verfahrensmäßig durchgeführt werden, z.B. Punktbewertungssysteme, Leistungsgruppensystem, Einführung und Änderung von Refa-Grundsätzen oder des Bedaux-Systems. E. unterliegt der erzwingbaren Mitbestimmung des Betriebsrats nach §87 I Nr. 10 BetrVG.

Entlohnungsverfahren, →Lohnformen.

Entmündigung, Beschränkung oder Aufhebung der →Geschäftsfähigkeit einer Person durch Gerichtsbeschluß. Der Entmündigte erhält als →gesetzlichen Vertreter einen Vormund. – *E.-Gründe* (§6 BGB): Geisteskrankheit (bewirkt →Geschäftsunfähigkeit); Geistesschwäche, Verschwendung, Trunksuch, Rauschgiftsuch (bewirkt →beschränkte Geschäftsfähigkeit, §114 BGB). – Das *E.-Verfahren* (§§645ff. ZPO) wird auf Antrag durch Amtsgericht eingeleitet. – *Anfechtung* beim Landgericht. – Vgl. auch →Vormundschaft.

Entnahmen, *Privatentnahmen.* I. Allgemeines: 1. *Begriff:* Entnahme von Wirtschaftsgütern (Geld, Waren, Erzeugnisse, Nutzungen und Leistungen) durch →Unternehmer oder →Mitunternehmer aus dem Betrieb für sich, seinen Haushalt oder andere betriebsfremde Zwecke. Zu den E. gehören auch die aus Betriebmitteln gezahlten Einkommen-, Vermögen-, Kirchen-, Erbschaftsteuern. – 2. E. von Geld aus dem Gesellschaftsvermögen ist dem *Gesellschafter der OHG* sowie dem →*Komplementär* der KG bis zu 4% seines Kapitalanteils gestattet (§122 HGB), außer im ersten Geschäftsjahr. Darüber hinaus kann er seinen diesen Betrag übersteigenden Gewinnanteil des letzten Jahres verlangen, wenn die Auszahlung der Gesellschaft nicht schadet. Weitere E. nur mit Einwilligung der anderen Gesellschafter. Die Gesellschaft ist verpflichtet, Geld zum Zwecke der gesetzlichen E. zur Verfügung zu halten. Der Anspruch auf E. entfällt, wenn der Kapitalanteil keine aktiven Werte aufweist, sowie nach Fertigstellung der nächsten Jahresbilanz, wobei der nicht erhobene Betrag dem Kapitalanteil zuwächst. Der →*Kommanditist* hat nur Anspruch auf ihm zustehenden Gewinn. Er kann keine Auszahlungen verlangen, solange sein Kapitalanteil die →Haftsumme nicht erreicht. – 3. *Buchung:* E. mindern den Gewinn nicht, sie werden entweder über →Privatkonten, die Unterkonten der Eigenkapitalkonten sind, oder direkt über Eigenkapitalkonten gebucht.

II. Steuerrecht: 1. *Begriff:* E. sind alle →Wirtschaftsgüter (Geld, Waren, Erzeugnisse, Nutzungen und Leistungen), die der Steuerpflichtige dem Betrieb für sich, seinen Haushalt oder andere betriebsfremde Zwecke entnommen hat (§4 I 2 EStG). – 2. *Gewinnauswirkung:* E. dürfen gem. §4 I 1 EStG den Gewinn nicht beeinflussen. Soweit sie bei der Gewinnermittlung durch →Betriebsvermögensvergleich nach §§ 4 I, 5 I EStG das →Betriebsvermögen vermindert haben, sind sie dem Gewinn hinzuzurechnen . – 3. *Bewertung:* E. sind gem. §6 I Nr. 4 EStG mit dem →Teilwert anzusetzen; Ausnahme: Buchwertansatz bei unentgeltlicher Überlassung des entnommenen Wirtschaftsgutes an bestimmte Körperschaften und Vermögensmassen. – 4. *Behandlung bei der →Umsatzsteuer:* Vgl. →Eigenverbrauch.

Entnahmemaximierung, Zielvorschrift bei der Bestimmung von Investitionsprogrammen. Dasjenige Investitionsprogramm soll ausgewählt werden, das eine gleichbleibende jährliche Entnahme (Ausschüttung) maximiert. – *Anders:* →Endvermögensmaximierung.

entnationalisiertes Geld, →Konkurrenzwährung.

Entrepeneur, →Unternehmer.

Entropie, physikalische Zustandsgröße, Maß der in einem geschlossenen thermodynamischen System zur Abgabe physikalischer Arbeit nicht mehr verfügbaren →Energie. Die *Entropieänderung* (Prozeßgröße) ist i.a. positiv, niemals negativ. Das Produkt von Entropiezunahme und absoluter Umgebungstemperatur (Grad K) ist *Energieverlust* bzw. *Energiezunahme* (→Energie). – Im übertragenen

Sinn ist E. das Maß für (statische) Unordnung in einem System, so auch für die Gleichmäßigkeit der Verteilung eines →Schadstoffes in einem →Umweltmedium. – Der *2. Hauptsatz der Thermodynamik (Entropiesatz)* besagt, daß die E. eines geschlosssenen Systems nicht vernichtet werden kann, sondern größer wird. Soll Wärme aus einem Körper niederer Temperatur in einen höherer Temperatur übergehen, muß aus diesem System Energie zugeführt werden. Die Gesamtenergie eines geschlossenen Systems bleibt immer gleich *(1. Hauptsatz der Thermodynamik)*. – Die *Bedeutung* der Thermodynamik für den Wirtschaftsprozess wird erstmals bei Georgescu-Roegen dargestellt („Energie geht im Wirtschaftsprozeß nicht verloren, aber sie wird zu →Abfall entwertet").

Entropie-Maß, Maß für die Ungleichheit der →Einkommensverteilung; geht auf den Entropiebegriff der Informationstheorie zurück. Ist x die Wahrscheinlichkeit, daß ein bestimmtes Ereignis eintreten wird, dann muß der Informationsgehalt h(x) der Nachricht über das tatsächliche Eintreffen des Ereignisses eine abnehmende Funktion von x sein, d.h. je unwahrscheinlicher ein Ereignis, desto interessanter ist es, zu wissen, daß es eingetroffen ist. Eine Formel mit dieser gewünschten Eigenschaft ist: $h(x) = \log \frac{1}{x}$. Gibt es n mögliche Ereignisse mit den Eintrittswahrscheinlichkeiten $x_1, \ldots, x_n$, dann ist die Entropie die Summe der Informationsgehalte jedes Ereignisses, gewichtet mit den jeweiligen Wahrscheinlichkeiten:

$$H(x) = \sum_{i=1}^{n} x_i \cdot h(x_i) = \sum_{i=1}^{n} x_i \cdot \log\left(\frac{1}{x_i}\right).$$

H(x) kann als Gleichheitsmaß für die Einkommensverteilung interpretiert werden, wenn x_i den Einkommensanteil eines Individuums bezeichnet. Ist jedes $x_i = \frac{1}{n}$ (Gleichverteilung), erreicht H(x) den maximalen Wert von log n. Zieht man die Entropie H(x) von ihrem Maximalwert ab, erhält man einen Ungleichheitsmaßstab (von Theil):

$$T = \sum_{i=1}^{n} x_i \cdot \log n \cdot x_i\,.$$

Eine Verschiebung der Einkommensverteilung zugunsten der Ärmeren senkt den Wert von T.

Entropie-Modelle, →Verkehrsmodell, in der →Verkehrsplanung als →Verkehrsverteilungsmodelle und →Verkehrsteilungsmodelle verwendet. E.-M. entstammen der Physik und Informationstheorie und erlauben statistische Aussagen über den Zustand eines Systems (hier: Zahl der Fahrten sowie Zahl der →Verkehrszellen i und j bzw. Zahl der in Frage kommenden Verkehrsträger) ohne Betrachtung der einzelnen Elemente dieses Systems. Mit Hilfe der Technik der Entropiemaximierung wird die wahrscheinlichste Verteilung der Verkehrsströme im ij-Raum bzw. auf die verschiedenen modes bestimmt. Die auf diese Weise gewonnene Verkehrsverteilungsfunktion kann zu einem doppelt beschränkten →Gravitationsmodell umgeformt werden, das um den →modal split erweitert werden kann.

Entschädigung, in der Systematik des →Sozialbudgets die Leistungsgruppen soziale E. (→Kriegsopferversorgung), →Lastenausgleich, →Wiedergutmachung, sonstige E. (Leistungen nach dem Gesetz zur Sicherung des Unterhalts der zum Wehrdienst einberufenen Wehrpflichtigen und ihrer Angehörigen, dem Kriegsgefangenenentschädigungsgesetz, Häftlingshilfegesetz und dem allgemeinen Kriegsfolgengesetz). – Vgl. auch →Wiedergutmachung (E. nationalsozialistischer Opfer).

Entschädigung für Opfer von Gewalttaten, Gesetz i.d.F. vom 7.1.1985 (BGBl I 1) regelt die Entschädigung für eine gesundheitliche Schädigung, die im Geltungsbereich des Gesetzes auf einem deutschen Schiff oder Luftfahrzeug infolge eines vorsätzlichen rechtswidrigen tätlichen Angriffs gegen die eigene oder eine andere Person oder durch dessen rechtmäßige Abwehr entstanden ist. Einem tätlichen Angriff steht die vorsätzlcihe Beibringung von Gift und die wenigstens fahrlässige Herbeiführung einer Gefahr für Leib und Leben eines anderen durch ein mit gemeingefährlichen Mitteln begangenes →Verbrechen gleich. – Der Entschädigungstatbestand ist analog →Kriegsopfer in die Vorschriften des →Bundesversorgungsgesetzes eingefügt. – Zuständig für die auf Antrag zu gewährende E. sind grundsätzlich die Versorgungsbehörden; der Rechtsweg zu den →Sozialgerichten ist zulässig. – *Kostenträger* sind die Länder, denen der Bund 40% der Geldleistungen zu erstatten hat. Eine Entschädigung für Sachschäden wird nicht gewährt. – *Zu versagen* ist eine E., wenn der Geschädigte die Schädigung verursacht hat oder wenn es aus sonstigen Gründen unbillig wäre, eine E. zu gewähren.

Entschädigung für Strafverfolgungsmaßnahmen, Gesetz vom 8.3.1971 (BGBl I 157) mit späteren Änderungen regelt die Entschädigung für Schäden durch strafgerichtliche Verurteilung, soweit diese nach rechtskräftiger Verurteilung fortfällt oder eine Maßnahme der Sicherung und Besserung oder eine angeordnete Nebenfolge (Entzug der Fahrerlaubnis) entfällt oder gemildert wird sowie bei Freispruch, Einstellung oder Außerverfolgungsetzung, wenn durch Untersuchungshaft oder andere Maßnahmen Schaden eingetreten ist. – *Anspruch* richtet sich gegen das Land und wird vom Gericht festgestellt. Ersetzt werden Vermögensschäden ab 50 DM und bei Freiheitsentzug 10 DM pro Tag als immaterieller Schaden. – Entschädigung ist u.a. *ausgeschlossen*, soweit der Beschuldigte die Strafverfolgungsmaßnahme vorsätzlich oder grob fahrlässig verursacht hat.

Entschädigungsfonds für Schäden aus Kraftfahrzeugunfällen. 1. *Begriff:* Anstalt des öffentlichen Rechts mit Rechtsfähigkeit, geschaffen durch §§ 12ff. des Gesetzes vom 5.4.1965 (BGBl I 213), zur Entschädigung der durch den Gebrauch eines Kraftfahrzeugs Geschädigten, denen wegen dieser Schäden Ersatzansprüche gegen den Halter, Eigentümer oder Fahrer des Fahrzeugs zustehen, diese aber nicht geltend machen können, weil a) das den Schaden verursachende Fahrzeug nicht ermittelt werden kann (v.a. →unerlaubtes Entfernen vom Unfallort) oder b) die gesetzlich erforderliche Haftpflichtversicherung nicht besteht, (Vgl. näher →Kraftverkehrsversicherung II 7.). – 2. *Aufbringung der Mittel:* Beiträge der Versicherungsunternehmen, Haftpflichtschadenausgleiche und der von der Versicherungspflicht befreiten Halter entsprechend ihrem Anteil am Gesamtbestand der Fahrzeuge. – 3. Die Aufgaben des E. sind dem *Verkehrsopferhilfe e.V.* übertragen (BGBl 1965 I 2093; BAnz 1966 Nr. 1).

Entschädigungsrente, eine Leistung des →Lastenausgleichs (Form der Kriegsschadenrente), bei Vermögensverlusten oder bei Verlust der beruflichen oder sonstigen Existenzgrundlage gewährt. Billigung allein oder in Verbindung mit Unterhaltshilfe, je nach Art und Umfang des Schadens und der sonstigen Verhältnisse des Geschädigten. – *Höhe* der E. ist abhängig von der Höhe des Einkommens des Geschädigten und der Höhe des Schadens.

Entscheidung. 1. *Begriff:* Auswahl einer →Aktion aus einer Menge verfügbarer Maßnahmen unter Berücksichtigung möglicher →Umweltzustände mit Willensakzent: E. = Willenbildung + Entschluß. (Unverbindliche gedankliche Alternativen-Wahlen ohne Realisierungsabsciht aus der Menge der E. sind ausgeschlossen). – *Anders:* →Entschluß. – 2. *Voraussetzung:* Zielkriterien zur Bewertung der möglichen Aktionen. – 3. *Arten:* a) Nach der *Häufigkeit:* einmalige und wiederkehrende E.; b) nach der *Fristigkeit:* kurz-, mittel- und langfristige E.; c) nach der *Tragweite:* konstitutive (z.B. Gründungsentscheidung) und laufende E.; d) nach dem *Geltungsbereich:* Gesamtbetriebs- und Funktionse. bzw. Total- und Partiale.; e) nach dem *Sicherheitsgrad der Informationen:* E. unter →Sicherheit, unter →Risiko und unter →Unsicherheit; f) nach der *Zahl der zu berücksichtigenden Ziele:* E. bei Einfach- und Mehrfachzielsetzung; g) nach der *personalen Dimension (Zahl der Entscheidungsträger):* →Individualentscheidung und →Kollektiventscheidung; h) nach getrennter oder vereinter *Entscheidungs- und Ausführungsaufgabe:* →Selbstentscheidung und →Fremdentscheidung; i) nach dem *Verlauf des Entscheidungsprozesses:* simultane und sukzessive E.; j) nach der *Struktur des Entscheidungsproblems:* E. für wohlstrukturierte und schlecht strukturierte Entscheidungsprobleme. – Die Differenzierung basiert jeweils auf einem Kriterium und ist daher nicht Überschneidungsfrei. – 4. Eine *allgemein gültigere Typologie* knüpft an die übergreifenden Merkmale Komplexität und Determiniertheit an: a) Komplexität: Art und Anzahl von Variablen und ihren Beziehungen; b) Determiniertheit: Möglichkeit bzw. Ausmaß der Festlegbarkeit des Entscheidungsablaufs. Extrempunkte sind →nichtprogrammierbare Entscheidung und →programmierbare Entscheidung. – Vgl. auch →Entscheidungsphasen, →Entscheidungsprozeß, →situative Entscheidung.

Entscheidungsbaum. I. Entscheidungstheorie: Darstellung →mehrstufiger Entscheidungen. Der E. wird aus einer Erweiterung des →Zustandsbaums gewonnen, indem in den einzelnen Zeitpunkten neben den erwarteten →Umweltzuständen zusätzlich die verfügbaren →Aktionen einbezogen werden. – *Darstellungsweise:* Die rechteckigen Knoten, a, b kennzeichnen Entscheidungspunkte (zum Zeitpunkt t), von denen Kanten a_1, a_2 bzw. b_1, b_2 ausgehen, die mögliche Aktionen repräsentieren; diese zeigen auf weitere Knotenpunkte, die denkbaren Umweltzustände 1 bzw. 2, 3. Mögliche Umweltentwicklungen mit den Übergangswahrscheinlichkeiten W_i^j werden durch die folgenden Kanten abgebildet, die in neue Entscheidungsknoten münden. Eine Aktionskette (z.B. a_1, b_1 bildet eine →Strategie, die zusammen mit einer Umweltentwicklung (z.B. Zustand 1, 2) ein bestimmtes Entscheidungsergebnis hervorruft. – Die *Entscheidung* zum Zeitpunkt t = o kann dadurch bestimmt werden, daß auf dem Wege der Rückwärtsrechnung die →Erwartungswerte der Ergebnisse der Entscheidungsalternativen errechnet und auf jeder Stufe die weniger vorteilhafen Alternativen deminiert werden (Roll-back-Verfahren). – *Vorteil:* Vollständige Abbildung der Entscheidungssituation. *Nachteil:* Mangelnde Übersichtlichkeit, was die Anwendbarkeit der E.analyse für die Mehrzahl realer Problemstellungen verhindert. – *Reduktionen der Risiken,* die dadurch entstehen, daß eine weniger wahrscheinlich angenommene Umweltsituation eintritt, möglich durch: (1) laufende Anpassung der Pläne (→rollende Planung, →Blockplanung) oder (2) wichtige Entscheidugen weitgehend flexibel halten (→flexible Planung); ev. Aufstellung von →Eventualplänen.

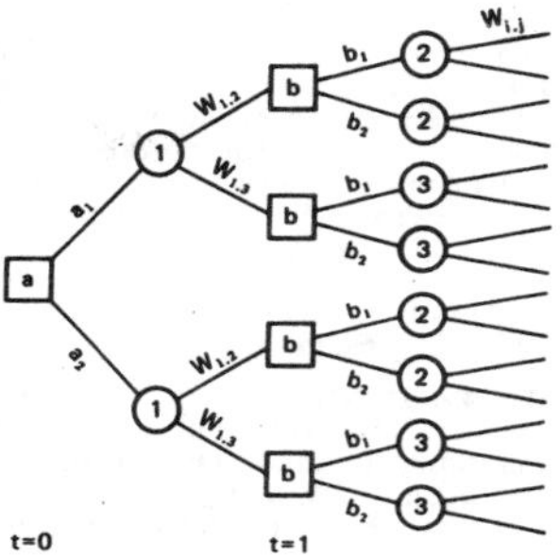

II. Arbeits- und Organisationspsychologie: Auf Vroom & Yetton zurückgehendes Verfahren, wonach der Grad der Partizipation der Geführten am Entscheidungsprozeß des Führenden im Sinn der →Situationstheorien der Führung u. a. abhängig zu machen ist vom Grad der Aufgabenkomplexibilität, Informationsstand des Führenden, Akzeptanzbedarf der Entscheidung bei den Geführten, Zielhomogenität von Führendem und Geführten und Grad von →Konflikten innerhalb der →Arbeitsgruppe. – *Beurteilung:* Das Modell ist empirisch tendenziell bestätigt und spezifiziert zugleich Bedingungen für das Eintreten von →Synergie.

Entscheidungsbaumverfahren, zusammenfassende Bezeichnung für Verfahren des →Operations Research, basierend auf der Konstruktion eines →Entscheidungsbaums (allgemeine Vorgehensweise vgl. dort I): a) →vollständige Enumeration; b) unvollständige Enumeration (→begrenzte Enumeration).

Entscheidungsdelegation, →Delegation.

Entscheidungsdezentralisation, Dezentralisation von →Entscheidungskompetenzen auf eine niedrigere Ebene der →Führungshierarchie (vgl. auch →Dezentralisation, →Delegation). – Zur *Bewertung der E.* vgl. →Strukturierung 3. – *Gegensatz:* →Entscheidungszentralisation.

Entscheidungseinheit, →organisatorische Einheit mit Entscheidungskompetenz.

Entscheidungsfehler, bei →statistischen Testverfahren zusammenfassende Bezeichnung für →Alpha-Fehler und →Beta-Fehler.

Entscheidungsfeld. 1. *Begriff:* Beschreibung einer Entscheidungssituation, die eine Systematisierung der für eine Entscheidung notwendigen Informationen ermöglicht. – 2. *Komponenten* (vgl. Abbildung): a) beeinflußbarer Teil A: Menge und Art der Personen und Sachen, die durch einen Willensakt des Entscheidungsträgers direkt oder indirekt beeinflußt werden können (→Aktionsraum); b) unbeeinflußbarer Teil Z: Gegebenheiten der Umwelt, die die Ergebnisse der Willensakte beeinflussen (→Zustandsraum); c) Ergebnisfunktion f, die für jede Aktion a_j aus A und jeden →Umweltzustand z_i aus Z die Ergebnisse $e_{ij} = f(a_j, z_i)$ angibt, die aus dem Zusammentreffen jeweils eines a_j mit einem z_i hervorgehen. – 3. *Formalisierung* des E.: →Ergebnismatrix bzw. →Entscheidungsmatrix.

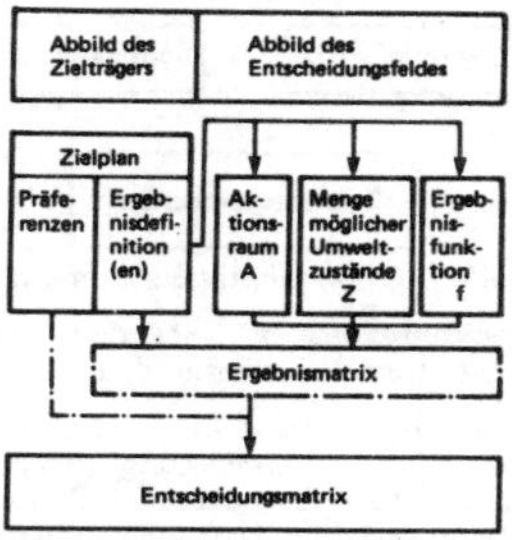

Quelle: Sieben, G./Schildbach, T., Betriebswirtschaftliche Entscheidungstheorie, 2. Aufl., Düsseldorf 1986.

Entscheidungshierarchie, die →Hierarchie der organisatorischen Entscheidungseinheiten, die im Rahmen der →Organisationsgestaltung entsteht und der arbeitsteiligen (→Arbeitsteilung) Lösung der komplexen Entscheidungsaufgabe der Unternehmung dient. Durch horizontale (→Segmentierung) und vertikale (→Strukturierung) Aufteilung dieses Gesamtentscheidungssystems werden hierarchisch geschichtete Teilentscheidungsprobleme gewonnen und den Entscheidungseinheiten zusammen mit den entsprechenden →Entscheidungskompetenzen übertragen. – Vgl. auch →Organisationsstruktur, →Führungshierarchie.

Entscheidungskompetenz, →Kompetenz für die Vornahme von Entscheidungshandlungen. Die Formulierung von E. erfolgt durch →Segmentierung und →Strukturierung.

Entscheidungskriterien, Richtlinien, die der →Entscheidungsträger beim Auswählen der optimalen →Aktion befolgt. – *Arten:* a) →Entscheidungsprinzipien; b) →Entscheidungsregeln.

Entscheidungslogik, →Entscheidungstheorie II und III.

Entscheidungsmatrix, in der Entscheidungstheorie verwendete Darstellungsform für Entscheidungssituationen (→Entscheidungsfeld), weiterentwickelt aus der →Ergebnismatrix. – *Darstellung:* Die E. enthält die an einer Nutzenfunktion gewichteten Ergebnisse, die bei der Wahl einer →Aktion a_j und einem →Umweltzustand z_i eintreten, d.h. jedem Ergebnis e_{ij} wird mit Hilfe der →Nutzenfunktion des Entscheidungsträgers genau ein Nutzenwert $u_{ij} = f(e_{ij})$ zugeordnet. Mit der E. liegt eine vollständige Beschreibung einer Entscheidungssituation vor. – Zur Auswahl einer optimalen Aktion wird eine →Entscheidungsregel auf die E. angewendet. – *Komponenten:*

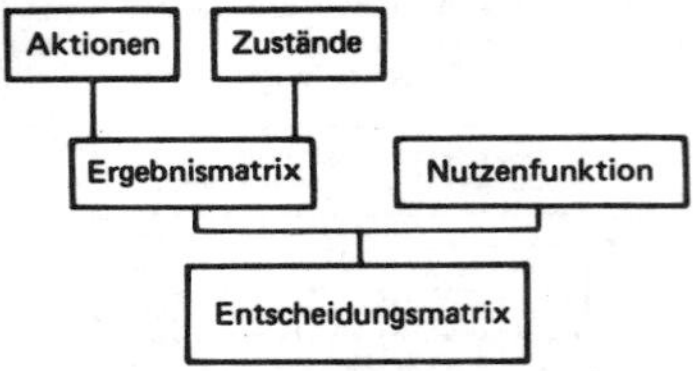

Vgl. auch →Opportunitätskostenmatrix.

Entscheidungsmodell, →Modell, →ökonometrisches Entscheidungsmodell.

entscheidungsorientierte Betriebswirtschaftslehre. 1. Bezeichnung für ein Programm innerhalb der neueren →Betriebswirtschaftslehre, das die *Bedeutung von Entscheidungen* systematisch betont. Initiator ist Edmund Heinen, der damit eine Öffnung des Fachs gegenüber den sozialwissenschaftlichen Nachbardisziplinen einleitete. – 2. Aus einer Analyse von Zielentscheidungen ergibt sich die Abkehr von der Vorstellung einer monistischen Zielfunktion in Form von Gewinnmaximierung. Statt dessen wird betont, daß Betriebe mehrere Ziele verfolgen und insofern von einem Zielbündel auszugehen ist. Neben typisch ökonomischen Zielen (Gewinn-, Umsatz- und Wirtschaftlichkeitsstreben; Sicherung des Unternehmenspotentials) wird dabei auch auf die Bedeutung des Macht- oder Prestigestrebens hingeweisen. (Vgl. auch →Unternehmungsziele.) – 3. Das *Wissenschaftsprogramm der E.B.* wird gegliedert: a) In eine vorgelagerte *Erklärungsaufgabe:* Beschreibung und Erklärung des betrieblichen Entscheidungsfeldes; Ziel ist die Bildung von Erklärungsmodellen (nach Heinen in Form von Produktions- und Kostenfunktionen, Preis-Absatz-Funktionen, Modellen der kollektiven Entscheidungsfindung usw.) im Sinne einer vereinfachenden Abbildung der Komplexen Realität. b) In eine nachgelagerte *Gestaltungsaufgabe:* Entscheidungsmodelle, die eine optimale Gestaltung des Entscheidungsfeldes erlauben (→Modell). Wegen dieser Dienstleistungsfunktion gegenüber der Praxis begreift sich die E.B. als *praktisch-normative Wissenschaft* (→normative Betriebswirtschaftslehre).

entscheidungsorientierte Kostenrechnung. 1. *Charakterisierung:* Kostenrechnungssystem (→Kostenrechnung), das darauf ausgerichtet ist, unternehmerische Entscheidungen zu fundieren und zu kontrollieren. Um diese Grundaufgabe erfüllen zu können, muß eine e.K. jeweils entscheidungsrelevante Kosten (→relevante Kosten) bereitstellen; entsprechend werden hohe Anforderungen an die Genauigkeit und →Zweckneutralität der Datenerfassung gestellt. – 2. *Systeme:* →Einzelkostenrechnung und →Grenzplankostenrechnung, mit Abstrichen auch →direct costing und →Fixkostendeckungsrechnung.

entscheidungsorientierter Erlösbegriff, die durch die Entscheidung über die Erfüllung eines bestimmten Kundenauftrags oder einer dazugehörigen Teilleistung, die Einräumung eines Bezugs- oder Nutzungsrechtes oder die Reservierung eines Produktionspotentials ausgelösten Einzahlungen oder Ansprüche darauf (leistungsbedingte „Einnahmen").

entscheidungsorientierter Kostenbegriff, auf P. Riebel zurückgehender Kostenbegriff. Kosten sind definiert als die durch die Entscheidung über ein bestimmtes Kalkulationsobjekt, insbes. über Beschaffung und Verwendung von Gütern, die Erstellung von Leistungen sowie über Aufbau, Aufrechterhaltung und Anpassung der Kapazität und Leistungsbereitschaft ausgelösten →Auszahlungen einschl. der Auszahlungsverpflichtungen. Es sind (1) keine →Erlösminderungen und (2) keine →Opportunitätskosten enthalten, weil diese im obigen Sinne keine Eigenschaft der betrachteten Handlungsalternative oder realisierten Maßnahme sind, sondern Teil des entscheidungsrelevanten →Dekkungsbeitrags. – Vgl. auch →Kosten, →wertmäßiger Kostenbegriff, →pagatorischer Kostenbegriff, →entscheidungsorientierte Kostenrechnung.

entscheidungsorientiertes Rechnungswesen. I. Begriff/Zweck: Neuere Entwicklung, die die Vorbereitung und Kontrolle von Entscheidungen in den Vordergrund rückt, und zwar auf allen Ebenen der Unternehmensorganisation und in allen Funktionsbereichen. Die Entscheidungen über bestimmte Maßnahmen werden als eigentliche Erfolgsquellen (→Erfolgsquellenanalyse) angesehen. Die Abbildung ihrer Wirkungen auf die quantifizierbaren positiven und negativen Komponenten der Unternehmensziele sind die primären Rechnungsziele (→Relevanzprinzip). – Das e.R. steht in enger *Wechselbeziehung zum →verantwortungsorientierten Rechnungswesen.*

II. Haupterfordernisse: 1. *Alle bedeutsamen Maßnahmen, Handlungsparameter und Einflußgrößen* sind →Bezugsgröße des e.R. – 2. Die sachlich-zeitlichen Dimensionen dieser Maßnahmen sowie ihre unmittelbaren Auswirkungen auf die quantifizierbaren positiven und negativen Komponenten der Unternehmensziele sind *wirklichkeitsnah und in einer im*

Nachhinein intersubjektiv nachprüfbaren Weise abzubilden (nach Riebel nur mit Hilfe →originärer Rechengrößen möglich). – 3. Prognose- und Planungsdaten sowie mittelbare Wirkungen (z. B. der gebrauchsbedingten Anlagenabnutzung) sind durch die *Arten und Grade der Ungewißheit* für verschiedene zeitliche Reichweiten zu kennzeichnen. – 4. Alle in Planungen oder durch Entscheidungen festgelegten oder prognostizierten Ereignisse und Daten sollten *sofort* dem e. R. zur Verfügung gestellt werden. – 5. Um spezifische Informationen über situations- und problemadäquat zu definierende Aktionsfelder und komplexe Entscheidungsalternativen gewinnen zu können, sollten die dafür benötigten Bezugsobjekte und Daten als *beliebig kombinierbare „Informationsbausteine"* schnell zugänglich sein. – 6. Die einzelnen Bezugsobjekte sind durch *alle für die Auswertung bedeutsamen Eigenschaften* zu kennzeichnen, einschl. ihrer sachlichen und zeitlich-sequentiellen Beziehungen (v. a. hinsichtlich Verbundenheiten und sonstiger Einschränkungen der →Disponierbarkeit und zeitlichen Abläufe).

III. Realisierung: Diese Hauptforderungen entsprechen weitgehend dem neueren Konzept der →Grundrechnung , →Einzelkostenrechnung (→Deckungsbeitragsrechnung) und →Grenzplankostenrechnung unter Einsatz relationaler Datenbanken und Methodenbanken.

Entscheidungsparameter, →Aktionsparameter, →Umweltzustand.

Entscheidungsphasen. 1. *Begriff:* Theoretisches Konzept zur Systematisierung der in →Entscheidungsprozessen ablaufenden Einzeltätigkeiten, d. h. des Prozessess der bewußten Informationssammlung, -verarbeitung und -übertragung. – 2. *Phasen:* a) *Willensbildung:* (1) →*Anregungsphase:* Alle Aktivitäten, die zum Erkennen einer Entscheidungsnotwendigkeit und zum Start eines Entscheidungsprozesses führen (Auslöser). (2) *Informationsbeschaffungsphase* bzw. →*Suchphase:* Einzeltätigkeiten, die dem Auffinden geeigneter Alternativen (→Aktionen) und relevanter →Umweltzustände dienen. In der *Phase der Alternativbewertung* (Teilphase) wird das →Entscheidungsfeld vervollständigt. (3) *Optimierungsphase* bzw. →*Auswahlphase:* Auswahl einer Alternative unter Berücksichtigung der Beschränkungen (→Entscheidung, →Entschluß). – b) *Willensdurchsetzung:* Realisation *(Phase der Realisierung)* der als Resultat der Willensbildung gefällten Entscheidung. – c) Alle Vorgänge im Rahmen einer E. bedürfen einer laufenden Überwachung, so daß der laufende Prozeß von Willensbildung und -durchsetzung von der *Kontrollphase* überlagert wird. Abweichungen zwischen Plan- und Kontrollwerten fließen als Revisionsinformationen zurück zum Entscheidungsträger, für den sie Anregungsinformationen darstellen. Sie führen zu Anpassungsmaßnahmen und lösen neue Entscheidungen aus, so daß die E. damit einen neuen Anfang nimmt (die Kontrollphase geht in die Anregungsphase über). – Der gesamte Entscheidungsprozeß erfolgt also im Rahmen eines permanenten Feedback der Plan- und Kontrollwerte und stellt so ein kybernetisches System dar. – 3. *Anwendbarkeit:* Empirische Untersuchungen haben gezeigt, daß diese Phasengliederung nicht im Sinne einer strengen zeitlichen Reihenfolge interpretierbar ist; so sind insbes. Entschlußtätigkeiten nicht auf die Auswahlphase beschränkt, sie treten auch in allen anderen Entscheidungsphasen auf. – Vgl. auch →Entscheidungstheorie III.

Entscheidungsprämisse. 1. *Begriff:* Kleinste Betrachtungseinheit bei der Analyse des individuellen Entscheidungsverhaltens (→Individualentscheidung). Die Gesamtheit der E. determiniert den Entschluß eines individuellen Entscheidungsträgers; die E. besteht aus jener Teilmenge von Informationen eines Individuums, die zu Prämissen einer konkreten Entscheidung werden. – 2. *Arten:* a) *faktische E.* (→Aktionen, →Umweltzustände); b) *wertende E.* (→Ziele, →Entscheidungsregeln).

Entscheidungsprinzip, →Entscheidungskriterium aufgrund dessen eine Entscheidungssituation durch Ausscheiden solcher Alternativen bereinigt wird, die von vornherein abgelehnt werden können. E. kann zur →Entscheidungsregel werden bzw. konkretisiert werden, wenn alle Alternativen bis auf eine ausscheiden oder durch Festlegung von Optimierungskriterien und →Präferenzfunktion. – *Allgemeines E.:* →Dominanzprinzip.

Entscheidungsprogramm. 1. *Begriff:* Programm (Schrittfolge) zur Lösung von →Routineentscheidungen. Durch ein E. wird der Entscheidungsablauf vorab in allen Einzelschritten festgelegt, so daß nach dem Eintreffen einer entsprechenden Anregungsinformation (Stimulus) das E. aufgerufen wird und selbsttätig abläuft. – 2. *Arten:* a) *Objektivierte E.:* personenunabhängig; entweder als Computerprogramme oder als organisatorische Handlungsanweisungen (z. B. detaillierte Regelungen in Handbüchern) formuliert. b) *Kognitive E.:* personengebunden; sie steuern das Routineverhalten von Individuen. – Vgl. auch →Entscheidungstabellen, →Optimierungsverfahren, →programmierbare Entscheidungen, →Entscheidungsverhalten.

Entscheidungsprozeß. 1. Bezeichnung für →*mehrstufige Entscheidungen.* – 2. Bezeichnung für den *geistigen Arbeitsablauf* eines Wahlakts (→Entscheidung). Der E. beginnt mit dem Erkennen der Notwendigkeit irgendeiner Entscheidung (Anregungsinformationen); es folgt eine Vielzahl von Einzeltätigkeiten, die einer fortschreitenden Informationsreduktion dienen, an deren Ende der →Entschluß steht. Eine Systematisierung der zahlreichen Einzelaktivitäten eines E. liefert das Konzept der →Entscheidungsphasen. – *Unterteilung:* a) Nach den *am E. beteiligten Instanzen:* (1) *zentraler E.:* Nur eine Instanz legt die Aktionsparameter fest; (2) *dezentraler E.:* Die Entscheidungen sind verteilt bzw. delegiert. – b) Nach der *Zeitigkeit der Entscheidungen* (es liegt die Vorstellung zugrunde, daß sich jeder E. im Zeitablauf vollzieht): (1) *simultaner E.:* die Festlegung aller Aktionsparameter erfolgt gleichzeitig durch eine einzige Entscheidung; (2) *sukzessiver E.:* Die Aktionsparameter werden in Teilentscheidungen stufenweise nacheinander festgelegt, einmal festgelegte Aktionsparameter stellen dabei endgültige Entscheidungen dar, sie bilden die Ausgangspunkte für die zeitlich nachgelagerten Entscheidungen. – Zwischen der instanzenmäßigen und der zeitlichen Gliederung des E. bestehen enge Verbindungen: die simultane Entscheidung setzt weitgehende Zentralisation des E. voraus, ein dezentralisierter E. bedingt sukzessive Entscheidungen.

Entscheidungsregeln. 1. *Begriff:* Kriterium zur Auswahl der Entscheidung des Entscheidungsträgers zwecks Erreichung seiner Ziele: Vorschriften, die in jeder Entscheidungssituation bei hinreichend gegebenen Bedingungen (i. d. R. Vorliegen einer →Entscheidugsmatrix) eindeutig festlegen, welche →Aktion bei gegebenen Ergebnissen bzw. Nutzenwerten aus der Menge verfügbarer Aktionen auszuwählen ist. – 2. *Einteilung nach dem Sicherheitsgrad der Informationen* über die →Umweltzustände: a) *E. bei Sicherheit:* Die Umweltzustände sind bekannt (→lineare Programmierung); auch als „unechte" Entscheidung bezeichnet. b) *bei Risiko:* Den Umweltzuständen z_i können Wahrscheinlichkeitsmaße p_i zugeordnet werden (→Bayes-Regel, →Bernoulli-Prinzip). c) *E. bei Unsicherheit:* Wahrscheinlichkeitsmaße p_i sind nicht bekannt (→Minimax-Regel, →Maximax-Regel, →Hurwicz-Regel, →Laplace-Regel, →Savage-Niehans-Regel); von geringer praktischer Relevanz im ökonomischen Anwendungsbereich, da sie i. d. R. vorhandene Informationen der Entscheidungsträger über die Eintreffwahrscheinlichkeit der Umweltzustände nicht berücksichtigen, aber von größerer Bedeutung in der →Spieltheorie. – Vgl. auch →lexikographische Auswahlregel.

entscheidungsrelevante Kosten, →relevante Kosten.

Entscheidungssequenzen, →mehrstufige Entscheidung.

Entscheidungstabelle, *decision table.* 1. *Begriff:* (Eindeutige) Darstellungsform von Sachverhalten, bei denen in Abhängigkeit von Bedingungen verschiedene Aktionen zur Ausführung kommen sollen. E. sind einfach aufzustellen, zwingen zur Vollständigkeit, können leicht geändert bzw. erweitert werden und machen jeden zu behandelnden Fall optisch als solchen erkennbar. – 2. *Aufbau:* Zweidimensionales Schema, horizontal in Bedingungs- und Aktionsteil, vertikal in Text- und Anzeigerteil gegliedert. a) *Bedingungsteil:* Enthält im Textteil die Formulierung der einzelnen Bedingungen (B_i); im Anzeigerteil mögliche Kombinationen einfacher Bedingungen, Bedingungsanzeiger sind JA = Y, NEIN = N, – = Egal. b) *Aktionsteil:* enthält im Textteil die Beschreibung der einzelnen Aktionen (a_j); im Anzeigerteil mögliche Kombinationen einzelner Aktionen, Aktionsanzeiger (x = auszuführende Aktionen). – 3. Die *Verknüpfung* erfolgt spaltenweise durch Entscheidungsregeln (R_j), die die für diese Bedingungskombination auszuführende(n) Aktion(en) anzeigen. – 4. *Ausprägungsformen:* a) *Standard-E.* (limited entry decision tables): E., die nur die Aussagen Y = trifft zu und N = trifft nicht zu enthalten; aufgrund des Binärcharakters am häufigsten benutzt (z. B. in der EDV). b) *Erweiterte E.:* E. mit ausgedehnteren Möglichkeiten der Bedienungs- und Aktionsanzeiger; es dürfen auch verbale Aussagen im Bedingungs- und Aktionsanzeiger stehen. c) *Gemischte E.:* E. mit Elementen beider Formen. – 5. *Anwendungsmöglichkeiten:* U. a. als Hilfsmittel bei der →Programmentwicklung (Überführung von E. ist. z..T. mit Hilfe von →Programmgeneratoren möglich), Programmdokumentation und -wartung; zur Darstellung komplexer Sachverhalte, z. B. in Gesetzestexten, Dienstanweisungen und Platzbuchungssystemen

	R_1	R_2	...	R_8
B_1	Y	Y	...	N
B_2	Y	Y	...	N
B_3	Y	Y	...	N
A_1	X		...	
A_2		X	...	

Entscheidungstheorie. I. Gegenstand: Die E. befaßt sich mit dem Entscheidungsverhalten von Individuen *(Theorien der Individualentscheidungen)* und Gruppen bzw. Organisationen *(Theorie der Kollektiventscheidungen)*; vgl. →Individualentscheidung, →Kollektiventscheidung. – Die Absicht entscheidungstheoretischer Untersuchungen kann deskriptiver oder normativer Natur sein: 1. Bei *deskriptiver* Zwecksetzung soll das Zustandekommen von Entscheidungen gezeigt werden: Ablauf und Ergebnis von Entscheidungsprozessen sind zu klären *(deskriptive E.,* auch *empirisch-realistische E.).* – 2. Die *normative* Fragestellung prüft, wie Individuen oder Gruppen entscheiden sollen.

I. d. R. wird dabei von den erfahrungsgemäß feststellbaren oder als Annahme unterstellten Zielen der Entscheidungsträger ausgegangen *(praktisch-normative E.)*; es können auch Aussagen über zu verfolgende Ziele gemacht werden *(bekennend-normative E.)*.

II. Charakterisierung und Teilgebiete: Ursprünglich aus der nationalökonomischen Theorie des →Homo oeconomicus entwickelt, wandelt sich die E. immer mehr zu einem *interdisziplinären Forschungsgebiet,* zu dem Statistik, Wirtschaftswissenschaften, Mathematik, Politologie, Militärwissenschaften, Logistik, Kybernetik, Kommunikationsforschung, Informationstheorie, Psychologie und Soziologie Beiträge leisten, von dem diese aber auch Anregungen empfangen. – In dieser Entwicklung zeichnet sich eine Zweiteilung der entscheidungstheoretischen Forschung ab in die *formale Entscheidungslogik* mit vorwiegend normativer Fragestellung und in die *sozialwissenschaftliche E.* (behavioral decisionmaking theory) mit v.a. *deskriptiver* Zwecksetzung. – 1. Die *Entscheidungslogik* ist durch die strenge Forderung nach Axiomatisierung der Aussagensysteme charakterisiert (mathematische und logischen Entscheidungskalküle). Sie ist eine *Theorie des Rationalverhaltens.* Zur Entscheidungslogik zählen in erster Linie die →statistische Entscheidungstheorie, die →Ökonometrie, die Theorie der strategischen Spiele und die Ansätze des →Operations Research. – 2. *Sozialwissenschaftliche E.* verwirft die Annahme einer absoluten Rationalität menschlicher Entscheidungen, die als Konstruktion für wissenschaftliche Analysen häufig verwendet wird. Im Einklang mit psychologischen und soziologischen Erkenntnissen bezieht sie die vielfachen individuellen und sozialen Begrenzungsfaktoren der menschlichen Rationalität in die Analyse ein. Sie kann somit als *Theorie der „intendierten"* (beabsichtigten), *jedoch beschränkten Rationalität (relative Rationalität)* bezeichnet werden. Die berücksichtigten Beschränkungen sind vorwiegend kognitiver Art (z. B. die beschränkte Informationsverarbeitungskapazität des Menschen, die Bindung an kulturelle Tabus u. a.). Durch die Betonung des zeitlichen Ablaufes einer Entscheidung in der sozialwissenschaftlichen E. gewinnen die Theorie der Anspruchsanpassung, die sozialpsychologische Konflikttheorie sowie Fragen der Koordination, der stufenweisen (sukzessiven) Entscheidung, der Mehrpersonenentscheidung und der Rückkkoppelungsinformationen an Bedeutung (Principal/ Agent-Beziehung).

III. E. als Theorie des Rationalverhaltens: 1. Die E. geht davon aus, daß sich das Individuum vor eine Anzahl von *Alternativen* gestellt sieht, von denen eine auszuwählen ist. Die Auswahl erfolgt aufgrund von *Präferenzen* (Höhen-, Arten-, Sicherheits-, Zeitpräferenz), die dem Individuum die Ordnung von *Konsequenzen* der Alternativen gestatten. In einem mathematischen Entscheidungsmodell werden die Alternativen durch die →*Aktionsparameter* bzw. die *Instrumentalvariablen* zum Ausdruck gebracht. Die Ausprägungen der *Erwartungsvariablen* geben die Konsequenzen wieder.

2. Die →*Zielfunktion (Entscheidungsfunktion)* steht für die Präferenzen bzw. Ziele des Entscheidungsträgers. *Definitionsfunktionen* enthalten die definitorischen Zusammenhänge zwischen den variablen der Zielfunktion. *Erklärungsfunktionen* bilden den Zusammenhang zwischen Zielvariablen und Aktionsparametern ab. Schließlich existieren i. d. R. eine Reihe von *Nebenbedingungen.* Sie geben an, in welchem Bereich die Variablen des *Entscheidungsmodells* variieren dürfen. Zur Verdeutlichung sei die Struktur eines einfachen Optimierungsmodells kurz angedeutet. Es dient der Bestimmung des gewinnmaximalen Produktionsprogramms unter Nebenbedingungen:

Zielfunktion (Entscheidungsfunktion):	$G \rightarrow \max!$	(DM)
Definitionsfunktion:	$G = E - K$	(DM)
Erklärungsfunktionen:	$E = p_1 x_1 + p_2 x_2$	
	$K = 1\,200$ (DM)	

Nebenbedingungen:

$ax_1 + bx_2 \leqq 300$	(Std., Maschine I)
$cx_1 + dx_2 \leqq 240$	(Std., Maschine II)
$x_1 \geqq 0$	(Stück)
$x_2 \geqq 0$	(Stück)

Die Symbole bedeuten:

G	:	Gewinn;
E	:	Erlös;
K	:	Kosten;
x_1, x_2	:	Produktmengen der Produkte 1 und 2;
p_1, p_2	:	Verkaufspreise der Produkte 1 und 2;
(a, b, c, d)	:	Benötigte Bearbeitungszeit pro Stück der Produkte (1, 2) auf den Maschinen I bzw. II

a, b, c, d sind bei gegebenem technologischem Stand des Produktionsprozesses vom Entscheidungsträger nicht beeinflußbar *(Daten).* Auch die Absatzpreise sind im vorliegenden Fall Daten. Aktionsparameter stellen die Produktmengen x_1 und x_2 dar; Erwartungsparameter ist der Gewinn. Die *Entscheidungsregel* lautet: „Produziere diejenige Produktmenge, die den größten Gewinn bringt!"

3. Sieht man von den allgemeinen Grundlagen ab, so läßt sich in der Theorie des Rationalverhaltens zwischen Entscheidungen unter Sicherheit, Risiko und Unsicherheit differenzieren. a) Im Fall der *Entscheidung unter Sicherheit* sind alle Alternativen einschließlich

ihrer Konsequenzen bekannt (deterministische Entscheidungsmodelle). b) Im *Risikofall* sind die Alternativen ebenfalls bekannt; sie führen aber nicht zu eindeutigen Konsequenzen. Über den Eintritt der Konsequenzen liegt eine Wahrscheinlichkeitsverteilung vor (stochastische Entscheidungsmodelle). c) Bei *Entscheidungen unter Unsicherheit* sind über den Eintritt spezifischer Konsequenzen nicht einmal Wahrscheinlichkeiten gegeben. – Die klassische Konzeption des Homo oeconomicus stellt im wesentlichen eine Theorie der *Entscheidungen unter Sicherheit* dar. Der *homo oeconomicus,* ein Modell des rational handelnden, vollkommen informierten, „seismographisch" und unendlich schnell reagierenden Entscheidungsträgers, ist in der Lage, eine schwache Ordnung seiner Alternativen vorzunehmen, d.h., er besitzt eine *Präferenzordnung,* und es gilt das *Transitivitätsaxiom* (wenn gilt a R b und b R c, dann gilt auch: a R c; R: „ wird vorgezogen gegenüber"). Verschiedentlich wird auch noch die *Konsistenz* der Präferenzordnung im Zeitablauf gefordert. Schließlich trifft der homo oeconomicus seine Wahl, indem er „etwas" maximiert (z.B. Gewinn) oder minimiert (z.B. Kosten).

4. Nicht nur die klassische Konzeption führt hierzu die *Nutzenmaximierung* ein. In der Wirtschaftstheorie sind in diesem Zusammenhang die →Gossenschen Gesetze (1953) bekannt geworden. Das Erste Gossensche Gesetz beinhaltet die Erfahrungstatsache, daß der Nutzen, den eine zusätzliche Einheit eines Gutes bringt (Grenznutzen) mit zunehmender Sättigung sinkt. Das Zweite Gesetz, das Gesetz vom Ausgleich der Grenznutzen, besagt, das Einkommen werde so auf die verschiedenen Güterkategorien verteilt, daß der Nutzenzuwachs bei allen Ausgaben gleich ist. – Die Nutzenproblematik zeigt sich besonders in der *ordinalen* oder *kardinalen Nutzenmessung:* Frühe Wirtschaftstheoretiker nehmen den Gesamtnutzen als Summe unabhängiger Einzelnutzen an. Edgeworth berücksichtigt – von der kardialen Nutzentheorie herkommend – mit den →Indifferenzkurven (geometrische Örter unterschiedlicher Güterkombinationen, die gleichen Gesamtnutzen stiften) auch unabhängige Einzelnutzen (1881). Pareto vertritt zwar die ordinale Nutzentheorie, weist aber nach, daß das Instrument „Indifferenzkurvensystem" dieselben Ergebnisse zuläßt wie die Grenznutzentheorie (*Wahlhandlungstheorie;* Axiome: Indifferenzkurven sind links-gekrümmt und schneiden sich nicht; der Entscheidungsträger maximiert seinen Nutzen). Erst in neuerer Zeit haben, auf der Basis empirischer Untersuchungen, Ansätze zur kardinalen Nutzenmessung wieder an Bedeutung gewonnen.

5. Nicht nur beim Einpersonenaktor spielt die Nutzentheorie eine große Rolle. Die umstrittene *Theorie der Sozialwahlfunktion* (in der Makroökonomie: welfare economics) verläßt den homo oeconomicus insofern, als sie dem Mehrpersonencharakter Rechnung trägt. Sie versucht aus den heterogenen individuellen Präferenzen der Organisationsteilnehmer eine eindeutige *Präferenzordnung* der Mehrpersoneneinheit abzuleiten. Unter der Voraussetzung kardinaler Meßbarkeit läßt sich der Sozialnutzen z.B. durch Summation der Individualnutzen oder durch Gewichtung der Individualnutzen mit einem Sozialindex und anschließende Summation bestimmen. – Bei der Präferenzordnung handelt es sich um einen zentralen Begriff der *Theorie des Rationalverhaltens.* Das Beispiel des *Indifferenzkurvensystems* diene seiner Verdeutlichung: ein Haushalt kann aufgrund seines Einkommens (Einkommensgerade AB) mehrere Kombinationen von Brötchen und Schokolade wählen (alle innerhalb des Dreiecks OAB in der untenstehenden Abb.). Es handelt rational im Sinne des Homo oeconomicus. Kombinationen, die ihm gleichen Nutzen stiften, liegen in einem Koordinatensystem auf derselben Indifferenzkurve. Der Entscheidungsträger wählt die Kombination N, die auf einer Indifferenzkurve liegt, welche die Einkommensgrade berührt. Kombinationen auf U_4 und U_5 würden ihm zwar höheren Nutzen bringen, liegen aber außerhalb seiner Möglichkeiten.

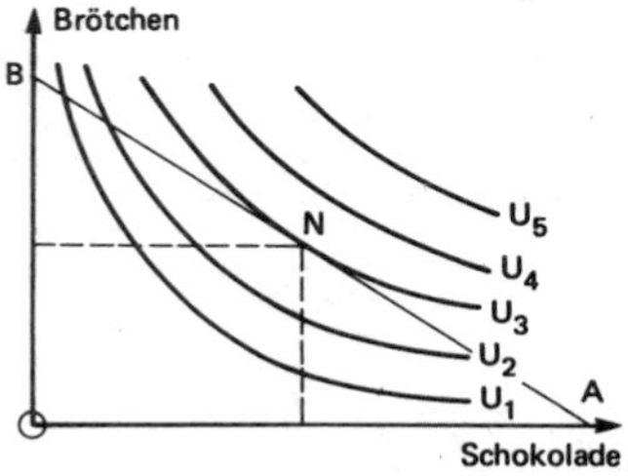

Bei *Entscheidungen unter Risiko* werden zunächst nur objektive Wahrscheinlichkeiten für das Eintreffen der Konsequenzen bekannter Alternativen anerkannt. Gewählt wird die Alternative mit dem maximalen Erwartungswert. Die jüngere Theorie verwendet v.a. subjektive Wahrscheinlichkeiten (Schätzungen). Maximiert wird i.d.R. der subjektiv erwartete Nutzen.

Entscheidungen unter Unsicherheit sind nicht notwendigerweise mit der Spieltheorie verbunden. Beide Gesichtspunkte erfahren aber durch die Annahme unbekannter Entscheidungen des Gegenspielers oft eine gemeinsame Untersuchung (Spiele gegen die Natur). Zur Erklärung des Rationalverhaltens unter Unsicherheit bestehen sehr unterschiedliche Entwürfe. Eine dieser normativen Entscheidungsregeln wird im folgenden unter Verwendung des spieltheoretischen Instruments der Entscheidungsmatrix beispielhaft dargestellt. Zwei Alternativen A_1, A_2 sollen jeweils zwei Ergebnisse (e_{11}, e_{12}; e_{21}, e_{22}) bei zwei unterschiedlichen Umweltzuständen Z_1, Z_2 haben. Bewertet man die Ergebnisse mit einer Nutzenfunktion, so ergibt sich z. B. folgende →Entscheidungsmatrix:

Entscheidungsmatrix

	Z_1	Z_2	Zeilenminimum
A_1	e_{11}	e_{12}	1
A_2	e_{21}	e_{22}	0

Ein extrem pessimistisch veranlagter Entscheidungsträger wird versuchen, den minimalen Nutzen (gemäß Matrix das minimale Ergebnis) zu maximieren (Minimax-Kriterium). Im Beispiel wählt er die Alternative A_1. Dagegen wird der extreme Optimist die Alternative wählen, die beim Eintreten der jeweils für ihn günstigsten Umweltsituation zum besten bewerteten Ergebnis führt. Er wählt die Alternative A_2 (Maximum-Kriterium).

Ergebnismatrix

	Z_1	Z_2	Zeilenmin.	Zeilenmax.
A_1	2	1	1	2
A_2	0	8	0	8

Alle derartigen Entscheidungsregeln setzen beim Mehrpersonenaktor die Bildung einer Sozialwahlfunktion voraus. Ist zwischen den Individuen kein gemeinsames Zielsystem als „intervenierende Variable" eingeschaltet, so bieten sich „am Rande" einer Theorie des Rationalverhaltens die *Schlichtungsregeln* der *bargaining-Theorien* (z. B. Koalition, Ausgleichszahlungen) als normative Entscheidungsregeln an. Sie versuchen Lösungen im Sinne eines „fairen Schiedsrichtervorschlags".

IV. Die Theorie des beschränkten Rationalverhaltens: 1. In der entscheidungstheoretischen Sprache läßt sich die *„Unvollkommenheitssituation"*, in der sich der Mensch befindet, wie folgt beschreiben: Entscheidungssituationen, in denen sämtliche Alternativen bekannt sind, finden sich relativ selten. Die Annahme, daß das Entscheidungssubjekt den Alternativen eindeutige Konsequenzen zuordnen kann, erweist sich ebenfalls als wirklichkeitsfremd. Schließlich besitzt der Mensch kein geschlossenes System von Zielen, Wünschen und Motiven. Aus diesen Gründen verlieren die oftmals brillanten entscheidungslogischen Modelle ihre Praktikabilität.

2. Die Entscheidungslogik geht von einem gegebenen Problem aus und schenkt dem Prozeßablauf wenig Beachtung. Eine Betrachtung der *Phasen des Entscheidungsprozesses* macht jedoch eine Reihe von Beschränkungen sichtbar. Erste Schwierigkeiten ergeben sich beim Erkennen und Abgrenzen des Problems *(Anregungsphase)*. Nur in Ausnahmefällen wird es möglich sein, in der anschließenden *Suchphase* einen vollständigen Katalog der Alternativen und ihrer Konsequenzen zu erstellen. Demzufolge ist in der *Optimierungsphase* kaum noch die Wahl der günstigsten Alternative möglich. oft verfügt der Entscheidungsträger auch gar nicht über eindeutige Zielvorstellungen. Die Analyse der Machtbeziehungen beleuchtet die Begrenzungen der *Durchsetzungsphase*. Die Ergebnisse der *Kontrollphase* schließlich führen nur in bestimmten übersichtlichen Fällen durch Rückkoppelungsinformationen zu Revisionsentscheidungen.

3. Unabhängig von den in den Phasen des Entscheidungsprozesses auftretenden Begrenzungsfaktoren erschweren weitere Hindernisse ein rationales Verhalten des Entscheidungsträgers im Sinne der Entscheidungslosigkeit. Das Entscheidungssubjekt ist nach Auffassung der Theorie des beschränkten Rationalverhaltens ein informationsverarbeitendes System, dessen Verarbeitungskapazität und -geschwindigkeit begrenzt sind. Der Entscheidungsträger empfängt von seiner Umwelt Informationen. In einem Denkprozeß versucht er sie problementsprechend zu ordnen und gelangt dadurch zu Lösungen seines problems. – Häufig ist es allerdings nur eine Routinereaktion. Echte Entscheidungsprozesse (Suchverhalten) sind in der Regel einmalig. Sie bleiben einer Programmierung verschlossen, wenngleich auch hier einzelne Vorgänge (z. B. Informationssuche) Routinecharakter tragen können. Bestmögliche Lösungen sind meist ausgeschlossen. Der Entscheidungsträger begnügt sich mit *„befriedigenden" Lösungen*. Er strebt ein bestimmtes Anspruchs- oder Zufriedenheitsniveau an. Ein Entscheidungsprozeß wird ausgelöst, wenn die realisierte Zielrichtung unter dem Anspruchsniveau liegt. Findet sich keine Handlungsalternative, die eine Erreichung des Anspruchsniveaus gewährleistet, so ist eine Senkung des Anspruchsniveaus zu erwarten.

4. Ein Entscheidungssubjekt verfolgt i. a. *mehrere Ziele*. In desem Fall sind für alle Ziele Mindestansprüche zu formulieren. Für die Entscheidungstheorie ergibt sich die zusätzliche Schwierigkeit, Aussagen über die *Reihenfolge* zu machen, in der Anpassungen der verschiedenen Anspruchsniveaus vorgenommen werden (deskriptiv) oder werden sollen (normativ). Die Beschränkungen des Individuums haben bei der Lösung komplexer Aufgaben in der Realität zur Bildung von

Organisationen geführt. Die Analyse arteigener Beschränkungen der Mehrpersonenentscheidungen stellt die Verbindung zwischen Entscheidungs- und Organisationstheorie her. V.a. finden die Forschungsergebnisse der Organisationstheoretiker Beachtung, die systematisch Kommunikations- und Machtbeziehungen in ihre Überlegungen einbeziehen.

5. Die Hinweise zur Erfassung des beschränkt-rationalen Entscheidungsverhaltens machen die Schwierigkeiten sichtbar, vor denen die Entscheidungstheorie in ihrem Bemühen um ein *realistisches Modell des entscheidenden Menschen* steht. Die bestehenden Modellansätze können nicht in jeder Hinsicht überzeugen. Sie zeigen jedoch Wege auf, wie durch interdisziplinäre Forschung die zum Teil unrealistischen Annahmen der entscheidungslogisch orientierten Entscheidungstheorie zu überwinden sind. – In der *neueren Entwicklung* läßt sich immer stärker die Trennung zwischen normativer und deskriptiver Analyse des Entscheidungsverhaltens erkennen. Auf *deskriptiver* Basis wird der Versuch zur Entwicklung von *Simulationsmodellen* des Entscheidungsverhaltens unternommen. Die erfolgversprechendsten Ansätze zeigen sich dabei in der psychologischen *Theorie des individuellen Problemlösungsverhaltens* und in *sozialwissenschaftlichen Kampf- und Verhandlungstheorien*. Schließlich bestehen Ansätze zur Entwicklung *heuristischer Entscheidungsmodelle* (→Heuristische Verfahren) (z. B. „the science of muddling through").

Vgl. auch →Wirtschafts- und Sozialkybernetik, →entscheidungsorientierte Betriebswirtschaftslehre, →Management, →Management by exception, →Spieltheorie. – *Nichtmarktliche* E.: →Politische Ökonomie.

Literatur: Bamberg/Coenenberg, Betriebswirtschaftliche Entscheidungslehre, 4. Aufl., München 1985; Blitz, Die Strukturierung ökonomischer Entscheidungsmodelle, Wiesbaden 1977; Brauchlin, E., Problemlösungs- und Entscheidungsmethodik, 2. Aufl., Bern/Stuttgart 1984; Bronner, R., Grundlagen der Entscheidungsfindung, München 1980; Dinkelbach, W., Entscheidungsmodelle, Berlin 1982; Drukarczyk, J., Probleme individueller Entscheidungsrechnung, Wiesbaden 1975; Gäfgen, G., Theorie der wirtschaftlichen Entscheidung, Tübingen 1974; Hanssmann, F., Einführung in die Systemforschung, Methodik der modellgestützten Entscheidungsvorbereitung, 3. Aufl., München 1987; Heinen, E., Wissenschaftsprogramm der entscheidungsorientierten Betriebswirtschaftslehre, in: ZfB 1969, S. 207ff.; ders., Entscheidungstheorie, in: Staatslexikon, 6. Aufl., 1. Ergänzungsband, Freiburg 1969, Sp. 689–706; ders., Zur Problembezogenheit von Entscheidungsmodellen, in: WiST 1972, S. 3ff.; ders., Grundlagen betriebswirtschaftlicher Entscheidungen – Das Zielsystem der Unternehmung, 3. Aufl., Wiesbaden 1976; ders., Grundfragen der entscheidungsorientierten Betriebswirtschaftslehre, München 1976; ders., Einführung in die Betriebswirtschaftslehre, 9. Aufl., Wiesbaden 1985; Kirsch, W., Einführung in die Theorie der Entscheidungsprozesse, 2. Aufl., Wiesbaden 1977; Laux, H., Entscheidungstheorie, Berlin–Heidelberg–New York 1982; Marinell, G., Statistische Entscheidungsmodelle, München/Wien 1985; v. Neumann, J./Morgenstern, O., Spieltheorie und wirtschaftliches Verhalten, 3. Aufl. Würzburg 1973; Pfohl, H.-Cu./Braun, G. E., Entscheidungstheorie – Normative und deskriptive Grundlagen des Entscheidens, Landsberg a.L. 1981; Rühli, E., Unternehmensführung und Unternehmenspolitik, Bd. 2, Bern 1978; Sieben, G./Schildbach, T., Betriebswirtschaftliche Entscheidungstheorie, 2. Aufl., Tübingen/Düsseldorf 1980; Szyperski, N./Winand, N., Entscheidungstheorie, Stuttgart 1974; Witte, E./Thimm, A (Hrsg.), Entscheidungstheorie, Wiesbaden 1977.

Prof. Dr. Dr. h.c. mult. Edmund Heinen

Entscheidungsträger, Person oder Personenmehrheit, deren Aufgabe in der Lösung eines Entscheidungsproblems liegt. Das jeweils unterstellte Modell des E. bei der Analyse einer Entscheidung bestimmt wesentlich die Art des →Entscheidungsverhaltens und des Zielsystems. – Vgl. auch →Entscheidung.

Entscheidungsunterstützungssystem, →decision support system.

Entscheidungsverhalten. 1. *Begriff:* Verhaltensmuster individueller und kollektiver Entscheidungsträger, die Ablauf und Ergebnis von →Entscheidungsprozessen beeinflussen. – 2. Grundlegend für die *Erforschung des E.* ist die Frage nach der Entstehung von →Entscheidungsprämisen und der Ableitung der zu wählenden Handlung aus diesen Prämissen durch den Entscheidungsträger. Dabei zeigt sich, daß die Mehrzahl betrieblicher Entscheidungen Beschränkungen der Rationalität (→Rationalprinzip) unterworfen sind (z. B. unvollständiges Zielsystem, befriedigende anstelle extremaler Zielerreichung, begrenzte Informationsverarbeitungskapazität). Die starren Verhaltensannahmen des vielfach unterstellten →Homo oeconomicus erweisen sich als untauglich zur Beschreibung und Erklärung des realen E. Hierzu bedarf es der empirisch-theoretischen Forschung, die in ihre Theoriebildung auch relevante psychologische und sozialpsychologische Erkenntnisse einbezieht. Die Skala möglicher Verhaltensmuster wird durch die Extrempunkte des routinemäßigen sowie des problemlösenden (innovativen) Verhaltens markiert. Vgl. →Entscheidungstheorie. – 3. *Allgemeiner Ansatz zum individuellen E.:* SOR-Modell, nach dem der Mensch Stimuli (S) in seinem Organismus (O) zu Reaktionen (R) verarbeitet (vgl. Abb. Sp. 1541/1542). Da die Stimuli sich auf Ziele oder Alternativen beziehen können, sind alle Typen von E. durch dieses Erklärungsschema abgedeckt (Kaufentscheidungen: →Käuferverhalten). – Vgl. auch →Informationsverarbeitung.

Entscheidungs-Verzögerung, →lag II 2b) (4).

Entscheidungswert. 1. *Begriff:* Wert, der einem Entscheidungsträger bei gegebenem Zielsystem und →Entscheidungsfeld anzeigt, unter welchen Bedingungen die Durchführung einer bestimmten Handlung das ohne diese Handlung erreichbare Niveau der Zielerfüllung gerade noch nicht mindert. – 2. *Merkmale:* a) E. ist eine *kritische Größe (Merkmal des Grenzwertes)*. b) E. wird im Hinblick auf eine bestimmte Handlung ermittelt *(Merkmal der Handlungsbezogenheit)*. c) E. ist auf ein bestimmtes Entscheidungssubjekt und dessen

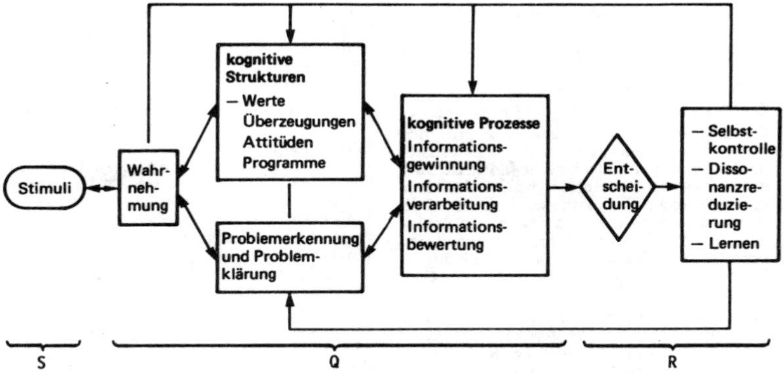

Zielsystem bezogen *(Merkmal der Zielsystembezogenheit)*. d) E. ist für ein bestimmtes Entscheidungsfeld gültig *(Merkmal der Entscheidungsfeldbezogenheit)*. – 3. *Beispiel:* Der →Unternehmungswert ist ein subjektiber E., der die unterschiedlichen subjektiven Nutzenvorstellungen von Käufer und Verkäufer ausdrückt.

Entscheidungszentralisation, Zentralisation von →Entscheidungskompetenzen auf eine höhere Ebene der →Führungshierachie (vgl. auch →Zentralisation). – Zur *Bewertung der E.* vgl. →Strukturierung 3. – *Gegensatz:* →Entscheidungsdezentralisation.

Entschluß. 1. *Begriff:* Abschließender Wahlakt eines →Entscheidungsprozesses, der Ausdruck des Ergebnisses einer →Entscheidung ist. – 2. *Abgrenzung:* Der Begriff *Entscheidung* bezieht sich auf den gesamten Problemlösungsprozeß. – Vgl. auch →Entscheidungsphasen.

Entschuldung, gesetzliche Maßnahmen zur Beseitigung übermäßiger Verschuldung. – 1. In der *Landwirtschaft:* Vgl. →Entschuldungsverfahren der Landwirtschaft. – 2. Im *gewerblichen Sektor:* Vgl. →Sanierung, →Vergleich.

Entschuldungsverfahren der Landwirtschaft. 1. *Gesetzliche Grundlagen:* Gesetz zur Regelung der landwirtschaftlichen Schuldverhältnisse vom 1.6.1933 (Schuldenregelungsgesetz; jetzt Bundesgesetz zur Abwicklung der landwirtschaftlichen Entschuldung vom 25.3.1952 (BGBl I 203), Erg.-Gesetz vom 20.8.1953 (BGBl I 952) mit späteren Änderungen. – 2. Das besondere *Verfahren* zur Entschuldung der stark verschuldeten Landwirtschaft wurde vom Entschuldungsamt (Abteilung des Amtsgerichts) durchgeführt. Die alten Schulden wurden abgelöst gegen Eintragung einer Sicherungshypothek für eine Kreditanstalt; Zahlung einer Entschuldungsrente, bes. Verfügungsbeschränkungen, Entschuldungsvermerk im Grundbuch. Das E. d. L. ist heute weitgehend abgeschlossen.

Entsorgung. 1. *Begriff:* Rückstands- und Abfallbehandlung mit dem Ziel der Rückstandsverwertung (→Recycling) oder der kontrollierten und dosierten („geordneten") Abgabe von →Abfällen an →Umweltmedien. – *Im weiteren Sinn* auch Beseitigung bereits eingetretener oder Schutz vor drohenden Umweltschäden infolge des Abbaus natürlicher Ressourcen (z.B. Rekultivierung ausgekohlter Tagebaue). – Nach § 1 II *Abfallgesetz* umfaßt E. das Gewinnen von Stoffen oder Energie aus Abfällen (Abfallverwertung) und das Ablagern von Abfällen sowie die entsprechenden Maßnahmen des Einsammelns, Beförderns, Behandelns und Lagerns. – 2. *Arten:* (1) *Eigen-E.:* E. durch den Rückstands- bzw. Abfallverursacher; (2) *Fremd.-E:* Rückstandsbehandlung durch fremde Institutionen (Altwarenhandel, Abfallsammel- und -beseitigungseinrichtungen, rückstandsverwertende Betriebe), die sich verpflichten bzw. verpflichtet sind, Rückstandsbehandlung nach geltendem Recht zu übernehmen. – 3. *Umfang* der E. des produzierenden Gewerbes der Bundesrep. D. (1982): Fremd-E. durch Anlagen der öffentlichen Abfallbeseitigung 130,1 Mill. t, durch weiterverarbeitende Betriebe bzw. Altstoffhandel 29 Mill. t; Eigen-E. 30,5 Mill. t. – Vgl. auch →Entsorgungswirtschaft.

Entsorgungswirtschaft, Sammelbegriff für die – vorwiegend öffentlichen – Einrichtungen der Müllabfuhr, Straßenreinigung, Kanalisation, Kläranlagen, Müllverbrennungsanlagen, Mülldeponien, Abwasser-Pipeline, Wiederaufbereitungsanlagen für Kernbrennstoffe und Recycling-Anlagen. – Vgl. auch →Entsorgung.

Entstehungsrechnung, Berechnung und Darstellung des Sozialprodukts als Ermittlung der Wertschöpfung aller einzelnen Wirtschaftsbereiche. Vgl. →Sozialprodukt II 1.

Entwertung, →Wertminderung.

Entwicklung, →Forschung und Entwicklung.

Entwicklung der Verhältnisse, Begriff des Steuerrechts. Änderungen der Lebensverhältnisse, die u. a. auf technischem Fortschritt, wirtschaftlichen, soziologischen, kulturellen und politischen Erkenntnissen beruhen. Eine Berücksichtigung der E. d. V. bei der Auslegung steuerrechtlicher Normen steht mit der objektiven Auslegungstheorie im Einklang. – Vgl. auch →typische Betrachtungsweise, →wirtschaftliche Betrachtungsweise.

Entwicklungsbanken, *development banks, development corporations, development finance companies.* 1. *Charakterisierung:* Spezialinstitute für die Finanzierung von langfristigen Investitionsvorhaben, i. d. R. mit entwicklungspolitischer Bedeutung (z. B. industrielle Großprojekte, wichtige Infrastrukturmaßnahmen staatlicher oder privater Investoren). Bezüglich Entwicklungsländern von besonderer Bedeutung, da diese oft keinen leistungsfähigen Kapitalmarkt besitzen und dadurch Kapitalbildung und interne Ersparnismobilisierung ungenügend sind; dabei sollen E. auch einen Beitrag zum Aufbau eines funktionsfähigen Kapitalmarktes leisten. – 2. *Funktionen:* Neben reinen *Finanzierungsleistungen* erbringen E. auch *Beratungsfunktionen* für die Durchführung von Projekten. – 3. *Refinanzierung* der E. erfolgt meist durch staatliche Beteiligungen, durch Beteiligungen anderer E. und auch durch die Emission von Schuldverschreibungen, die aufgrund des guten Standings der E. zu günstigen Bedingungen am Kapitalmarkt untergebracht werden können. – 4. *Banken:* a) *International tätige E.:* Am bedeutendsten ist die International Bank for Reconstruction and Development (Weltbank; →IBRD) mit ihren Tochterinstituten International Finance Corporation (→IFC) und International Development Association (→IDA). →Interamerikanische Entwicklungsbank, →Asiatische Entwicklungsbank, →Afrikanische Entwicklungsbank, →Europäische Investitionsbank u. a. stellen Finanzierungen für bestimmte Regionen zur Verfügung. – b) *National tätige E.:* Diese existieren in den meisten Ländern; ihr Tätigkeitsgebiet erstreckt sich auf die gesamte Wirtschaft des Landes oder auf bestimmte Sektoren. Sie sind mit den Wirtschaftsverhältnissen vertraut; sie können daher i. a. die Risiken der Projekte besser beurteilen. In der Bundesrep. D. gehörte ursprünglich die →Kreditanstalt für Wiederaufbau zu den national tätigen E.; sie ist heute für die finanzielle Zusammenarbeit mit Entwicklungsländern zuständig. – 5. *Wichtige Instrumente:* Gewährung von zinsgünstigen, projektgebundenen Krediten mit durchschnittlichen Laufzeiten von 15 bis 25 Jahren (bei mehreren tilgungsfreien Jahren). In neuerer Zeit sind auch nicht projektgebundene Darlehen zur strukturellen Anpassung von Bedeutung.

Entwicklungsgefahren, →Produzentenhaftung.

Entwicklungshelfer. 1. *Begriff:* E. ist, wer in →Entwicklungsländern ohne Erwerbsabsicht Dienst leistet, um zum Fortschritt der Länder beizutragen, sich auf zwei Jahre Jahre beim Träger des Entwicklungsdienstes vertraglich verpflichtet und dafür nur besondere Leistungen erhält. – 2. *Rechtsgrundlage:* Entwicklungshelfergesetz vom 18. 6. 1969 (BGBl I 549) mit späteren Änderungen. – 3. *Rechtsstellung:* Der Träger schließt mit E. den *E.-Dienstvertrag* (kein →Arbeitsvertrag) ab; indes gelten eine Reihe arbeitsrechtlicher Grundsätze entsprechend. Der E. enthält kein eigentliches Arbeitsentgelt, sondern Unterhaltsgeld und Sachleistungen zur Sicherung des Lebensbedarfs, Wiedereingliederungsbeihilfe, Erstattung der Reisekosten und Urlaubsgewährung. – Der Träger hat eine *Haftpflicht- und Krankenversicherung* abzuschließen. – Bei *Arbeitsunfähigkeit* ist Unterhalt, Tagegeld und Versorgung zu zahlen. – Für die *Rechtsstreitigkeiten* der E. mit dem Träger sind die →Arbeitsgerichte zuständig (§ 2 I Nr. 7 ArbGG). – 4. *Träger des Entwicklungsdienstes* sind vom Bundesminister für wirtschaftliche Zusammenarbeit anerkannte juristische Personen, die ausschließlich oder überwiegend E. vorbereiten, entsenden und betreuen und diese zu solchen Vorhaben entsenden, die mit den Förderungsmaßnahmen der Bundesrepublik für →Entwicklungsländer in Einklang stehen.

Entwicklungshilfe. I. Begriff: Know-How- bzw. Technologie- und Ressourcentransfer in →Entwicklungsländer zu Vorzugskonditionen mit dem Ziel der Föderung der sozio-ökonomischen Entwicklung bzw. Verbesserung der Lebensbedingungen im Empfängerland. Nach der internationalen Definition genügt bereits ein Zuschußelement von 25% bei dem betreffenden Transfer im Vergleich zu kommerziellen Transaktionen, um in voller Höhe als E. zu zählen. – Nicht zur E. zählen private und öffentliche Leistungen zu marktüblichen Bedingungen (→Direktinvestitionen, →Kapitalanalgen in Entwicklungsländern, internationale Bankkredite, staatliche Exportkredite u. a.).

II. Vergabemotive: 1. *Politische Motive:* Z. B. Bindung des Empfängerlandes an das eigene politische System bzw. Verhinderung des Vordringens oder die Zurückdrängung anderer Ideologien; Abbau politischer Spannungen (Friedenssicherung). – 2. *Humanitäre Motive:* Z. B. Gefühl der Verantwortung für die Linderung von Armut, Hunger und Not eines großen Teils der Menschheit angesichts eigenen Wohlstandes. – 3. *Ökonomische*

Motive: Z. B. erwartete poitive Rückwirkungen der wirtschaftlichen Entwicklung in der Dritten Welt, die Schaffung wachstumsträchtiger Absatzmärkte für eigene Produkte, globale Wachstumsförderung durch Intensivierung des Wettbewerbs, Sicherung des Zugang zu wichtigen Rohstoffquellen. Gleichzeitig ergeben sich daraus *Konfliktbereiche:* Z. B. kann die Entstehung wettbewerbsfähiger Industrien in Entwicklungsländern bei betreffenden Sektoren in den Geberländern zu Wettbewerbsnachteilen führen; die forcierte Entwicklung in der Dritten Welt kann einerseits über eine Ausweitung von Produktion und Nachfrage zu Rohstoffpreissteigerungen und andererseits zur Erhöhung der weltweiten Umweltbelastung führen. – 4. *Moralische Motive:* Z. B. Wiedergutmachung für Ausbeutung und Unterdrückung im Kolonialzeitalter.

III. Durchführung: 1. *Formen:* a) E. wird bilateral (ein Geber-, ein Empfängerland) und multilateral (mehrere Geber-, ein oder mehrere Empfängerländer) gewährt. b) *Arten:* →Kapitalhilfe, →technische Hilfe, →Nahrungsmittelhilfe, →Handelshilfe und (allerdings umstritten) →Militärhilfe (vgl. auch →Lieferbindung, →Politikdialog). – 2. *Ausmaß:* Nach einem von den Vereinten Nationen ausgestellten Richtsatz soll die öffentliche E. 0,7% des Bruttosozialprodukts betragen, die gesamte Nettoleistung (einschl. privater Direktinvestitionen u. ä.) 1% (→Pearson-Bericht). Von den meisten Geberländern als Ziel anerkannt, jedoch von den wenigsten erfüllt: In der ersten Hälfte der 80er Jahre leisteten die OECD-Länder durchschnittlich nur 0,37% des Bruttosozialprodukts, die OPED-Länder 1,8% die arabischen OPEC-Länder 2,7%; die E. des Ostblocks wird auf unter 0,1% geschätzt. – Vgl. auch Übersichten Entwicklungshilfe, Entwicklungsländer.

Entwicklungskosten. I. Forschung und Entwicklung: Kosten der Zweckforschung (Entwicklung), insbes. Kosten für Konstruktions-, Versuchs- und Forschungsarbeiten. – *Arten gem. →Leitsätzen für die Preisermittlung auf Grund von Selbstkosten für öffentliche Leistungen:* Kosten der freien oder gebundenen Entwicklung, je nachdem, ob sie aus eigenem Ermessen oder durch öffentlichen Auftrag veranlaßt sind. – *Erfassung in der Kostenrechnung:* Laufende E. für ein Produkt sind diesem als →Sondereinzelkosten zuzurechnen. Die Kostenerfassung erfolgt häufig auf einer gesonderten →Kostenstelle des Forschungs- und Entwicklungsbereichs. – Vgl. auch →Forschungskosten.

II. Software Engineering: Kosten für die Entwicklung von →Softwareprodukten. – *Gegensatz:* →Wartungskosten.

Entwicklungsländer, *Länder der Dritten Welt.* I. Begriff: 1. *Allgemein:* Bezeichnung für Staaten, die im Vergleich zu Industrieländern einen Entwicklungsrückstand aufweisen, indem einerseits das erzielte Wohlfahrtsniveau niedrig ist und andererseits die Funktionsfähigkeit des Wirtschaftssystems im Hinblick auf die Erzeugung wohlfahrtsrelevanter Leistungen mangelhaft ist. Indikatoren zur Verdeutlichung des niedrigen Entwicklungsstands: niedriges Pro-Kopf-Einkommen und das Leben breiter Bevölkerungsschichten in der Nähe des Existenzminimums; geringe Arbeitsproduktivität; hohe Arbeitslosigkeit; geringer Bildungsstand; Dominanz des primären Sektors in Produktion und Export; unzulängliche Infrastruktur. I. d. R. bestehen Verschuldungsprobleme (→Auslandsverschuldung der Entwicklungsländer). Vgl. Übersichten Entwicklungsländer, Entwicklungshilfe. – 2. Von den *UN* geprägte Bezeichnungen für E.: *→most seriously affected countries, →least developed countries.* – 3. E. *im Sinne des Steuerrechts* (→Kapitalanlagen in E.) sind nach dem Entwicklungsländer-Steuergesetz in der Fassung vom 21. 5. 1979 (BGBl I 564): a) Griechenland, Island, Israel, Jugoslawien, Malta, Portugal, Rumänien, Spanien, Türkei, Zypern sowie b) alle außereuropäischen Länder, ausgenommen: Australien, Japan, Kanada, Nord-Korea, Kuba, Mongolische Volksrepublik, Neuseeland, Südafrikanische Republik, UdSSR, USA.

II. Ursachen der Unterentwicklung: Je nach Position unterschiedliche Erklärungsschwerpunkte: 1. *Außenwirtschaftliche Erklärungsansätze:* a) *List-Theorie:* Beeinträchtigung der Entwicklung der Produktivkräfte aufgrund der Verdrängung junger einheimischer Industrien wegen Unterlegenheit gegenüber der ausländischen Konkurrenz (vgl. →Protektionismus). – b) *Hagen-Argument:* Benachteiligung des Industriesektors beim →Freihandel aufgrund von Faktorpreisverzerrungen. – c) Thesen über *Verschlechterung der →terms of trade* und einen sich daraus ergebenden Einkommenstransfer (→Prebisch-Singer-These). – d) *Myral-Theorie:* Entwicklungsbeeinträchtigung durch internationale →Konter-Effekte. – e) Beklagen von *„Ausbeutung"*, *„Abhängigkeit"* und *„Strukturdefekten"* infolge asymetrischer weltwirtschaftlicher Beziehungen im Sinne der →Dependencia-Theorie. – 2. *Endogene Entwicklungshemmnisse:* a) *Unzulänglichkeiten der natürlichen Bedingungen und Ressourcenausstattung:* (1) ungünstige klimatische Verhältnisse und geographische Benachteiligung (z. B. Insellage oder kein Zugang zum Meer); (2) Armut an natürlichen Ressourcen; (3) zu hohe Bevölkerungsdichte bzw. zu große Bevölkerung; (4) Mangel an Kapital und qualifizierten Arbeitskräften. – b) Starke Ausprägung von *Faktoren, die die Effizienz der Faktorallokation beeinträchtigen:* (1) Verzerrung der Güter- und Faktorpreise durch ausgeprägte staatliche Interventionen; (2) Marktzugangsbeschränkungen in Form von Lizenzzwang bzw. durch schwerfällige Bürokratie, Korruption oder Diskriminierung bestimmter Bevölkerungsgruppen; (3) unzulängliche Nutzung von Größenvorteilen durch starke Eigentumszersplitterung; (4) ausgeprägte Informationsmängel und unzulängliche Markttransparenz; (5) Infrastrukturdefizite; (6) fragwürdige Aktivitäten des Staates im direkt-produktiven Bereich. – c) Gewichtige *Hemmnisse für Kapitalbildung bzw. Ausweitung der Produktionsgrundlage:* (1) geringe Ersparnisse aufgrund von Armut („Teufelskreis der Armut"), rapidem Bevölkerungswachstum sowie ungünstigen Sparkonditionen und unzureichendem Ausbau der institutionellen Sparmöglichkeiten; (2) Beeinträchtigung der Investitionsneigung durch Unzulänglichkeit der Rahmenbedingungen (Mangel an politischer Stabilität, Rechtssicherheit und Kontinuität der Wirtschaftspolitik, Infrastrukturdefizite u. a.) sowie sonstiges Fehlverhalten des Staates (inflatorische Geld- und Fiskalpolitik, motivationshemmende Verteilungspolitik). – d) *Hemmnisse für den technischen Fortschritt* (Beeinträchtigung von Technologietransfer und Entwicklung eigener Technologien).

III. Strategien zur Überwindung der Unterentwicklung: Je nach den als relevant erachteten Ursachen der Unterentwicklung werden verschiedene Überwindungsstrategien formuliert. – 1. Vertreter außenwirtschaftlicher Erklärungsansätze befürworten z. B. *Abschirmung des Binnenmarktes* durch →Zölle, →Kontingente u. a. bis hin zu weitgehender Abkopplung vom Weltmarkt (vgl. →Dependencia-Theorie, →Protektionsimus) und binnenwirtschaftlich oft eine weitreichende *staatliche Lenkung und Kontrolle* des Wirtschaftsablaufs. – 2. Vertreter der Bedeutung endogener Faktoren und staatlichen Fehlverhaltens als Entwicklungshemmnisse plädieren für *liberale →Außenwirtschaftspolitik* und im Innern im Grundsatz für *marktwirtschaftliche Orientierung,* wobei die Schaffung und Sicherung der Rahmenbedingungen für einen funktionsfähigen Wettbewerb und die Steigerung der binnenwirtschaftlichen →Integration als zentrale Aufgaben angesehen werden.

Entwicklungsländer-Steuergesetz, →Kapitalanlagen in Entwicklungsländern II.

Entwicklungsorganisation, →Teilbereichsorganisation des organisatorischen Teilbereich „Entwicklung". Die Ebene der →Hierarchie unterhalb der Leitung der Entwicklungsabteilung kann z. B. nach unterschiedlichen Märkten, technologischen Verfahren oder (zu entwickelnden) Produkten gegliedert werden (→Segmentierung).

Entwicklungspolitik, Gesamtheit der Maßnahmen zur Förderung der sozio-ökonomischen Entwicklung in →Entwicklungsländern. Als E. wird sowohl die Politik der Entwicklungsländer selbst als auch die Entwicklungshilfepolitik der entwicklungshilfeleistenden Staaten (→Entwicklungshilfe) bezeichnet.

Entwicklungsprognose, →Prognose.

Entwicklungsprogramm der Vereinten Nationen, →UNDP.

Entwicklungsstufen der Wirtschaft, →Stufentheorien.

Entwicklungswagnis, ein kalkulatorisches →Wagnis, durch dessen Verrechnung der Betrieb eine Selbstversicherung erreicht gegen nicht fremdversicherbare Risiken, die im Rahmen der industriellen Entwicklung entstehen.

Entwurf, →Entwurfsphase.

Entwurfsqualität, →Konzeptqualität.

Entwurfsphase. 1. *Begriff:* Im →Software Engineering eine Phase im →Software life cycle, die auf die →Anforderungsdefinition folgt; wird als besonders wichtige Phase betrachtet. Die meisten Prinzipien, Methoden und Werkzeuge der Software-Technologie beziehen sich auf die E. (→Softwareentwurfsprinzipien, →Softwareentwurfsmethoden). In der E. wird die Architektur des →Softwaresystems detailliert festgelegt (→Systemarchitektur). – 2. *Wichtigste Aufgaben:* Zerlegung des Systems in kleine Komponenten (→Modularisierung), Entwurf der Systemstruktur und der →Schnittstellen, →Spezifikation der Module, Entwurf der →Datenorganisation.

Entwurfsprinzipien, →Softwareentwurfsprinzipien.

Enumeration, →begrenzte Enumeration, →vollständige Enumeration.

Enumerationsverfahren, →Entscheidungsbaumverfahren.

environmental assessment, →strategische Frühaufklärung.

environmental forecasting, →strategische Frühaufklärung.

environmental scanning, →strategische Frühaufklärung.

EPA, Abk. für →Europäisches Patentamt.

Episodenkonzept, zentrales Konstrukt im multiorganisationelen Interaktionsansatz von Kirsch/Kutschker (vgl. →Interaktionsansätze). Die *Episode* umfaßt die kollektiven Planungs-, Entscheidungs- und Verhandlungsprozesse zwischen und innerhalb von Organisationen in bezug auf Anbahnung, Abschluß und Realisation einer Investitionsgüter-Transaktion (Lebenslauf eines Projekts

Übersicht: Entwicklungshilfe – Staatliche und private Leistungen an Entwicklungsländer *)
(in Mill. US-$)

Jahr	Staatliche Transaktionen				Private Transaktionen				
	zusammen	mit Entwicklungsländern		mit internationalen Fonds und Entwicklungsbanken	zusammen	mit Entwicklungsländern			mit internationalen Entwicklungsbanken [3])
		Schenkungen und ähnliche unentgeltliche Leistungen [1]	Kredite			Schenkungen	Langfristige Kapitalanlagen [2])	Garantierte Exportkredite	
Geberländer der OECD									
1956–1982	333 685				432 443				
1983	32 471	14 224	9 178	9 069	37 729	2 318	25 426	5 249	4 736
1984	34 934	15 498	10 231	9 206	49 909	2 587	37 553	4 239	5 530
1985	32 783	17 840	7 519	7 424	13 542	2 865	2 967	1 506	6 204
darunter **Bundesrepublik Deutschland**									
1956–1982	34 111				45 040				
1983	3 779	1 273	1 424	1 082	3 227	370	2 477	–33	413
1984	3 777	1 254	1 619	904	2 730	382	1 535	476	337
1985	3 860	1 427	1 481	951	1 890	424	851	235	381
Belgien									
1956–1982	6 530				12 756				
1983	557	238	139	181	424	4	184	242	–6
1984	655	212	263	180	3 176	5	3 260	–128	–13
1985	469	238	71	158	650	4	435	48	162
Frankreich									
1956–1982	46 751				51 756				
1983	4 282	2 602	1 010	670	5 052	36	1 863	2 953	201
1984	5 035	2 505	1 911	618	3 862	34	1 505	2 114	209
1985	5 138	2 536	1 869	733	3 736	65	1 209	1 918	545
Großbritannien und Nordirland									
1956–1982	22 007				62 603				
1983	1 818	923	144	751	4 284	83	2 879	1 322	–
1984	1 897	859	393	646	3 122	140	2 428	554	–
1985	1 916	914	329	671	1 758	169	1 881	–292	–
Italien									
1956–1982	9 460				23 674				
1983	1 428	318	722	387	1 698	3	1 071	624	–
1984	1 761	360	904	497	547	8	441	98	–
1985	1 866	621	971	274	329	8	365	–44	–
Niederlande									
1956–1982	11 972				10 942				
1983	1 223	686	154	383	955	107	–170	206	812
1984	1 273	731	153	389	775	101	–264	93	845
1985	1 150	652	125	372	1 478	98	556	68	757
Kanada									
1956–1982	16 174				14 419				
1983	1 685	705	399	580	891	132	784	–24	–1
1984	1 868	874	343	651	943	141	676	–21	147
1985	1 497	888	–35	645	192	171	–163	–13	197
Vereinigte Staaten									
1956–1982	113 870				136 716				
1983	8 137	4 540	1 079	2 518	14 900	1 320	10 872	1 641	1 067
1984	9 734	5 644	1 836	2 254	18 851	1 464	15 956	983	448
1985	9 581	7 310	1 050	1 221	–7 765	1 513	–9 710	118	314
Japan									
1956–1982	44 361				36 103				
1983	5 715	993	3 346	1 377	2 325	30	2 772	–2 069	1 592
1984	5 062	1 064	2 236	1 761	10 987	41	9 242	–655	2 360
1985	3 495	1 185	1 218	1 092	7 747	101	6 170	–994	2 469

*) Einschl. Leistungen an multilaterale Stellen; bei allen Transaktionen wird jeweils nur der Saldo nachgewiesen. Bei Schenkungen sind also Rückschenkungen der Empfänger abgesetzt, bei Krediten die Tilgungen, bei Kapitalbeteiligungen die Liquidationen.

[1]) Zum Beispiel technische Hilfe, Reparationen, Wiedergutmachung.

[2]) Direkte Kapitalanlagen einschl. Wiederanlage von Kapitalerträgen, Kauf von Wertpapieren und andere langfristige Kapitalanlagen.

[3]) Emissionen von Schuldtiteln multilateraler Finanzierungsinstitutionen am Kapitalmarkt sowie Kreditaufnahme bei Banken.

Übersicht: Entwicklungsländer – Bevölkerung und Bruttosozialprodukt (absolut, je Einwohner) der Entwicklungsländer (1950–1982)

Ländergruppe	Bruttosozialprodukt[b])			Bevölkerung[c])		
	Jährliche Wachstumsrate			Jährliche Wachstumsrate		
	1950–60	1960–70	1970–82	1950–60	1960–70	1970–82
Asien	–	6,2	5,7	–	2,3	2,0
Entwicklungsländer mit niedrigem Einkommen	–	5,7	5,0	–	2,2	2,0
Indien	3,9	4,0	3,4	1,9	2,3	2,3
Pakistan	–	7,3	5,1	2,3	2,8	3,1
Bangladesch	–	4,1	2,8	2,0	2,4	2,6
Birma	6,3	3,0	4,9	1,9	2,2	2,2
Indonesien	4,0	4,5	7,1	2,1	2,1	2,3
Sri Lanka	3,9	4,7	4,6	2,6	2,4	1,6
VR China	–	7,8	5,9	1,7	2,1	1,5
Entwicklungsländer an der unteren Grenze des mittleren Einkommensniveaus	–	6,5	6,0	–	3,0	2,6
Philippinen	6,3	5,2	5,8	3,0	3,0	2,7
Thailand	5,7	8,2	6,2	2,7	3,1	2,4
Entwicklungsländer an der oberen Grenze des mittleren Einkommensniveaus	–	8,6	8,6	–	2,7	1,9
Hongkong	9,2	10,1	9,2	4,8	2,6	2,4
Nord-Korea	5,1	8,4	7,7	2,1	2,5	1,7
Malaysia	3,6	6,6	7,4	2,7	2,8	2,5
Singapur	–	9,2	8,6	4,8	2,3	1,5
Taiwan	7,6	9,6	9,7	3,5	3,2	1,9
Afrika südlich der Sahara	–	4,7	3,0	–	2,4	2,9
Entwicklungsländer mit niedrigem Einkommen	–	4,4	1,7	–	2,4	2,9
Sahel Gruppe	–	3,0	2,3	–	2,2	2,5
Sudan	5,5	1,1	4,9	2,0	2,2	3,2
Tansania	6,0	5,6	3,6	2,2	2,7	3,4
Zaire	3,4	4,1	0,6	2,3	2,0	3,0
Kenia	4,0	4,4	7,1	2,5	3,2	4,0
Äthiopien	3,9	4,7	2,9	2,1	2,4	2,2
Ghana	4,1	2,9	–0,7	4,5	2,4	2,9
Lesotho	4,4	7,8	8,6	1,5	2,0	2,4
Ruanda	1,0	3,2	4,9	2,6	2,6	3,4
Malawi	–	4,6	5,4	2,4	2,8	3,0
Botswana	2,9	6,6	10,8	1,7	2,6	4,4
Entwicklungsländer an der unteren Grenze des mittleren Einkommensniveaus	–	5,0	4,2	–	2,6	2,9
Kamerun	1,7	4,0	6,2	1,4	2,0	3,0
Elfenbeinküste	3,6	8,0	5,3	2,1	3,8	5,0
Nigeria	4,1	4,9	3,8	2,4	2,5	2,6
Kongo	1,1	4,1	6,9	2,0	2,4	2,9
Entwicklungsländer an der oberen Grenze des mittleren Einkommensniveaus	–	6,4	2,9	–	1,8	2,1
Reunion	–	7,4	2,4	3,2	2,9	1,8
Nord- u. Mittelost-Afrika	–	9,3	6,4	–	2,9	3,0
Entwicklungsländer mit niedrigem Einkommen	–	5,9	7,6	–	2,5	2,5
Äypten	3,8	5,2	7,4	2,4	2,5	2,5
Entwicklungsländer an der unteren Grenze des mittleren Einkommensniveaus	–	4,8	5,8	–	2,6	2,6
Jordanien	–	7,7	10,1	3,2	3,1	2,6
Marokko	2,0	4,4	4,8	2,6	2,6	2,6

Übersicht: Entwicklungsländer – Bevölkerung und Bruttosozialprodukt (Fortsetzung)

Ländergruppe	Bruttosozialprodukt [b])			Bevölkerung [c])		
	Jährliche Wachstumsrate			Jährliche Wachstumsrate		
	1950–60	1960–70	1970–82	1950–60	1960–70	1970–82
Entwicklungsländer an der oberen Grenze des mittleren Einkommensniveaus	–	9,9	6,4	–	3,1	3,3
Algerien	6,5	3,2	5,8	2,1	2,4	3,1
Israel	11,5	8,8	3,4	5,3	3,5	2,6
Saudi-Arabien	–	14,5	11,7	2,4	3,5	4,7
Syrien	3,4	5,5	9,2	2,7	3,2	3,5
Tunesien	3,5	4,5	7,3	2,3	2,0	2,2
Amerika	–	5,6	4,7	–	2,7	2,4
Entwicklungsländer mit niedrigem Einkommen	–	4,0	2,5	–	2,5	2,6
Haiti	–	0,2	3,2	1,6	1,6	1,7
Bolivien	–	4,3	2,5	2,2	2,4	2,6
Entwicklungsländer an der unteren Grenze des mittleren Einkommensniveaus	–	4,6	3,8	–	2,7	2,3
Kolumbien	4,6	5,1	5,2	3,1	3,0	2,0
Jamaika	8,1	4,2	–0,3	1,5	1,4	1,4
Nicaragua	5,2	6,6	1,0	2,4	2,7	3,8
Peru	5,5	5,0	2,9	2,6	2,9	2,7
Guatemala	3,8	5,4	4,5	3,0	3,0	3,1
Entwicklungsländer an der oberen Grenze des mittleren Einkommensniveaus	–	5,8	4,9	–	2,7	2,4
Brasilien	6,9	6,2	6,7	3,1	2,8	2,4
Chile	4,0	4,2	0,7	3,2	2,1	1,7
Ecuador	–	4,5	7,2	2,9	2,9	2,6
Mexiko	5,6	7,6	5,8	3,1	3,3	3,0
Surinam	–	7,4	4,5	3,0	2,5	–0,4
Europa	–	6,4	4,6	–	1,5	1,6
Griechenland	6,0	7,7	3,8	1,0	0,5	0,9
Portugal	4,1	6,4	3,8	0,5	0,2	0,9
Türkei	6,3	5,9	5,0	2,8	2,5	2,3
Ozeanien	–	7,2	2,8	–	2,4	2,2
Papua-Neu Guinea	–	6,8	2,0	1,8	2,3	2,2
Entwicklungsländer insgesamt	–	6,2	5,0	2,4	2,4	2,1
1. Entwicklungsländer mit niedrigstem Einkommen	–	4,3	3,5	–	2,4	2,6
2. Entwicklungsländer mit niedrigem Einkommen	–	5,4	4,6	–	2,3	2,0
3. Entwicklungsländer mit niedrigem Einkommen (ohne China)	–	4,3	4,0	–	2,4	2,4
4. Entwicklungsländer an der unteren Grenze des mittleren Einkommensniveaus	–	5,4	4,5	–	2,7	2,6
5. Entwicklungsländer an der oberen Grenze des mittleren Einkommensniveaus	–	6,9	5,3	–	2,6	2,4
6. Entwicklungsländer ohne China sowie die erdölexportierenden Länder mit hohem Einkommen	–	5,7	4,6	–	2,5	2,4
7. OECD	4,3	4,9	2,8	1,3	1,1	0,8

[a]) Zahlen betreffend die 1950er Jahre sind als Trendgrößen zu betrachten
[b]) Zahlen über Ländergruppe sind gewichtet auf der Basis des Bruttosozialproduktes
[c]) Zahlen über Ländergruppe sind gewichtet auf der Basis der Bevölkerungsgröße
Quelle: Schätzungen der Weltbank und OECD; 1985 OECD-Report twenty-five years of development cooperation

von der ersten Anfrage bis zur endgültigen Abwicklung).

EPO, European Patent Office, →Europäisches Patentamt.

EPROM, *erasable programmable read only memory,* reversibler →Festwertspeicher, d. h. der Inhalt der Speicher kann mehrmals gelöscht (i. a. durch ultraviolettes Licht) und neu programmiert werden. – Vgl. auch →ROM, →PROM.

EPU, European Payments Union, →EZU.

EPZ, Euroäische Politische Zusammenarbeit, institutionalisierte Zusammenarbeit der Außenminister und auswärtigen Dienst der Mitgliedstaaten der →EG mit dem Ziel, auch auf außenpolitischem Gebiet eine gemeinschaftliche Handlungsfähigkeit zu erreichen. Weltweit wirksames Instrument der Europapolitik. Die EPZ entstand im Rahmen der Gipfelkonferenzen von Den Haag (1969) und Paris (1972). Beim Pariser Gipfeltreffen (1974) wurde der institutionelle Rahmen der EPZ geschaffen. – *Organe/Arbeitsweise:* Europäischer Rat, Regierungschefs und Außenminister, tritt dreimal jährlich zusammen; Politisches Komitee der Direktoren, tritt monatlich zusammen; Fachliche Arbeit in über 100 Arbeitsgruppensitzungen jährlich; Treffen der Botschafter in Drittstaaten; Zusammenkünfte der Vertretungen bei internationalen Organisationen. – *Schwerpunkte der Zusammenarbeit:* Beziehungen zum Osten und zu den USA; politische Probleme im Nahen Osten und im Mittelmeerraum; Beziehungen zur Dritten Welt (→Entwicklungsländer). – *Ergebnisse:* Gemeinsame Haltung der EG-Staaten im Rahmen der Konferenz über Sicherheit und Zusammenarbeit in Europa (→KSZE) und der Unterzeichnung der Schlußakte in Helsinki (1975), in der transatlantischen Diskussion, in gemeinsamen Standortbestimmungen gegenüber den USA, z. B. in der Nahostpolitik, in den Beziehungen zu den Staaten der →ASEAN und in der Afrikapolitik. Konkrete Ergebnisse sind z. B. das Krisenmanagement im Zypernkonflikt (1974) und die Verabschiedung eines Verhaltenskodex für Wirtschaftsunternehmen der EG-Länder in der Republik Südafrika. Die Zielsetzung zur Schaffung einer →Europäischen Union hat in der von den Außenministern der EG-Staaten 1986 unterzeichneten →Einheitlichen Europäischen Akte ihren Niederschlag gefunden. Dieses auf der →Feierlichen Deklaration zur Europäischen Union von 1983 beruhende Vertragswerk hat eine Fortentwicklung der drei Verträge der EG (EGKS, EWG, EURATOM) und Umwandlung der EG unter Einbeziehung der EPZ in eine Europäische Politische Union zum Ziel. Die Einheitliche Europäische Akte liegt den Parlamenten der EG-Mitgliedstaaten zur Ratifikation vor. – Der Europäische Rat hat im außenpolitischen Bereich die Funktion einer *Lenkungsinstanz der Gemeinschaft* übernommen.

Equity-Methode, *economic basis method.* 1. *Begriff:* Eine angelsächsische Methode zur Bilanzieung bestimmter langfristiger Beteiligungen im Jahresabschluß einer Gesellschaft, die am stimmberechtigten Kapital einer anderen Gesellschaft beteiligt ist. Ausgehend von den *Anschaffungskosten* der Beteiligung im Erwerbszeitpunkt wird der *Beteiligungsbuchwert* laufend an die Entwicklung des Eigenkapitals des Unternehmens, an dem die Beteiligung besteht, angepaßt, so daß sich folgendes Grundschema aufstellen läßt:

(1)		Anschaffungskosten der Beteiligung
(2)	±	anteilige Gewinne/Verluste der Tochtergesellschaft
(3)	–	vereinnahmte Gewinnausschüttung von der Tochtergesellschaft
(4)		Fortgeschriebene Anschaffungskosten (Wertansatz der Beteiligung)

Im Gegensatz zu der Bewertung von Beteiligungen nach dem *Anschaffungskostenprinzip* (cost value method, auch legal basis method), bei der Zuschreibungen zu dem Buchwert der ausgewiesenen Beteiligung nicht möglich sind, berücksichtigt die E.-M. die zeitkongruente Vereinnahmung von Beteiligungserträgen, so daß sich der Buchwert der Beteiligung in jeder Periode ändert und die Bildung stiller Rücklagen bei der Bewertung von Beteiligungen insoweit vermieden wird. – 2. *Anwendung:* Während die →Vierte EG-Richtlinie die Anwendung der E. als „nationales Wahlrecht" vorsah und sich der deutsche Gesetzgeber deshalb beim Einzelabschluß dagegen entscheiden konnte, zwang die →Siebte EG-Richtlinie zur Anwendung der E. bei der Bilanzierung von Beteiligungen an sog. assoziierten Unternehmen (§ 311 HGB, vgl. →Konzernabschluß), so daß sie durch das →Bilanzrichtlinien-Gesetz nunmehr in § 312 HGB kodifiziert wurde. Danach werden *zwei gleichberechtigte Varianten* der E.-M. unterschieden: a) Die *Buchwertmethode* nach § 312 I Nr. 1 HGB: Hierbei wird der Buchwert der Anteile in der Konzernbilanz unter dem Posten „Beteiligungen an assoziierten Unternehmen" gesondert ausgewiesen (§ 311 I HGB). Ergibt sich bei der Kapitalaufrechnung ein aktivischer Unterschiedsbetrag, so ist dieser entweder in der Konzernbilanz zu vermerken („davon Unterschiedsbetrag:") oder im Konzernanhang anzugeben (§ 312 I S. 2 HGB). Für einen passiven Unterschiedsbetrag, der nicht selbst in die Konzernbilanz aufgenommen werden kann, erscheint eine Angabe im Konzernanhang sinnvoller als der Bilanzvermerk („zuzüglich Mehrbetrag des anteiligen Eigenkapitals"). Der Unterschiedsbetrag ist gem. § 312 II S. 1 HGB für jedes assoziierte Unternehmen nach seinen Ursachen zu analysieren. – b) Die *Kapitalanteilsmethode* nach § 312 I S. 2 HGB: Hierbei wird die Beteiligung an einem assoziierten Unternehmen mit dem Wert des auf die Anteile entfallenden Eigenkapitals des assoziierten Unternehmens ausgewiesen (Wertobergrenze oder Anschaffungskosten der Beteiligung). Das Eigenkapital ist mit dem Betrag anzusetzen, der sich ergibt, wenn die Vermögensgegenstände, Schulden, Rechnungsabgrenzungsposten, Bilanzierungshilfen und Sonderposten des assoziierten Unternehmens mit dem Wert angesetzt werden, der ihnen in dem für die Kapitalaufrechnung maßgeblichen Zeitpunkt beizulegen ist. Zu diesem Zweck ist zunächst eine Neubewertung aller Bilanzposten mit deren Zeitwerten vorzunehmen, wonach dann das anteilige Eigenkapital auch die stillen Reserven enthält. Ergibt sich ein aktiver Unterschiedsbetrag, so ist dieser zusätzlich zu dem Betrag des anteiligen Eigenkapitals in der Konzernbilanz zu aktivieren. Er ist im Jahr der Entstehung gesondert auszuweisen oder im Konzernanhang anzugegen, es sei denn, er würde unmittelbar offen mit den Rücklagen in der Konzernbilanz verrechnet (§ 309 I HGB) Ein passiver Unterschiedsbetrag im Konzernabschluß kann wegen der Wertobergrenze/Wertuntergrenze (Anschaffungskosten) nicht entstehen.

Erbanfallsteuer, →Erbschaftsbesteuerung.

Erbauseinandersetzung, Aufteilung des →Nachlasses unter den →Miterben (§§ 2042 ff. BGB). I. d. R. kann Miterbe jederzeit E. verlangen, soweit sie nicht durch Vereinbarung, Unbestimmbarkeit der Erbteile (z. B. zu erwartende Geburt) oder durch Anordnung des →Erblassers zeitweise ausgeschlossen ist. – Nach Berichtigung der →Nachlaßverbindlichkeiten ist der *Überschuß* in Natur nach dem Verhältnis der →Erbteile unter Berücksichtigung der etwaigen →Ausgleichungspflicht zu verteilen. Ist Aufteilung in Natur nicht möglich: Verkauf und Teilung des Erlöses. – E. ist bei →*Testamentsvollstrekkung* Aufgabe des Testamentsvollstreckers. Fehlt er, kann jeder Miterbe Vermittlung der freiwilligen E. durch das →Nachlaßgericht beantragen (§§ 86 ff. FGG) oder Erbteilungsklage erheben.

Erbbaugrundbuch, dem →Grundbuch entsprechendes öffentliches Buch für das →Erbbaurecht. Das E. wird gleichzeitig mit der Eintragung des Erbbaurechts im Grundbuch angelegt. Führung beim →Grundbuchamt wie gewöhnliches Grundbuch. – *Inhalt:* Das Erbbaurecht selbst, sein Inhalt, die Bezeichnung des belasteten Grundstücks und dessen Eigentümer sind aus dem →Bestandsverzeichnis, der Erbbauzins ist aus Abt. II des E. ersichtlich; Hypotheken usw. werden in Abt. III. des E. eingetragen.

Erbbaurecht. I. Begriff: Das vererbliche und i. d. R. veräußerliche →beschränkte dingliche Recht, auf oder unter der Oberfläche eines →Grundstücks ein →Bauwerk zu haben. Für das E. ist ein Erbbauzins an den Grundstückseigentümer zu zahlen. Als Belastung des Grundstücks bedarf das E. zu seiner *Entstehung* der →Einigung zwischen Grundstückseigentümer und Erbbauberechtigtem und der Eintragung im →Grundbuch, und zwar nur an erster Rangstelle. Das eingetragene E. wird behandelt wie ein Grundstück (→grundstücksgleiches Recht), d. h. es bekommt ein eigenes Grundbuchblatt und kann mit Tilgungshypothek belastet werden. Der Erbbauberechtigte wird Eigentümer des von ihm errichteten Bauwerks, das gemäß § 95 BGB kein →wesentlicher Bestandteil des Grundstückes wird.

II. Steuerrecht: 1. *Bewertung:* a) E. gehört als grundstücksgleiches Recht zu den →Grundstücken i. S. des *BewG.* Es bildet – unabhängig von dem belasteten Grundstück – eine selbständige →wirtschaftliche Einheit, für die ein →Einheitswert festzustellen ist. Der Gesamtwert des Grundstücks (→Bodenwert, →Gebäudewert und →Außenanlagen) wird so ermittelt, als ob die Belastung durch ein E. nicht bestünde. – Beträgt die Dauer des E. *noch 50 Jahre oder mehr,* so entfällt der ermittelte Gesamtwert auf das E. und ist dem Erbbauberechtigten zuzurechnen. Bei *kürzerer Laufzeit* ist der Gesamtwert zu verteilen auf die wirtschaftliche Einheit des E. (grundsätzlich Gebäudewert und ein nach Restdauer des E. gestaffelter, prozentualer Anteil am Bodenwert) und die wirtschaftliche Einheit des belasteten Grundstücks (restlicher Bodenwert). Zum jeweiligen Anteil am Bodenwert vgl. § 92 III BewG. – →Abschlag unter besonderen Voraussetzungen zulässig. – b) *Recht auf Erbbauzins* ist beim Eigentümer des Grundstücks nicht Bestandteil des Grundstücks, sondern beim →sonstigen Vermögen oder →Betriebsvermögen anzusetzen. – c) Die *Verpflichtung zur Zahlung des Erbbauzinses* ist nicht beim E., sondern beim →Gesamtvermögen zu berücksichtigen. – 2. *Grundsteuer:* E. ist steuerpflichtiger Grundbesitz i. S. des § 2 GrStG, d. h. selbständiger Steuergegenstand der →Grundsteuer. – 3. *Einkommensteuer:* a) Der Erbauzins gehört beim Grundstückseigentümer grundsätzlich zu den Einnahmen im Rahmen der →Einkünfte aus Vermietung und Verpachtung (§ 21 I Nr. 1 EStG), unabhängig von der Zahlungsweise. – b) Laufend gezahlte Erbbauzinsen sind beim *Berechtigten* als →Werbungskosten bei den Einkünften aus Vermietung und Verpachtung abzugsfähig.

Erbe, wer durch Gesetz oder durch →Verfügung von Todes wegen als Gesamtnachfolger des →Erblassers berufen ist. Voraussetzung ist →Erbfähigkeit.

Erbeinsetzung, Zuwendung des Vermögens oder eines Vermögensbruchteils des →Erblassers an einen oder mehrere Dritte (§ 2087 ff. BGB). Die E. kann auch bedingt oder befristet sein. – *Gegensatz:* Zuwendung einzelner Vermögensgegenstände (→Vermächtnis).

Erbengemeinschaft, kraft Gesetzes beim Vorhandensein mehrerer →Erben eintretende Vermögensgemeinschaft am Nachlaß (§ 2032 ff. BGB). Die E. besteht bis zur →Erbauseinandersetzung unter den →Miterben als →Gemeinschaft zur gesamten Hand, bei der die Verwaltung des →Nachlasses und die Verfügung über Nachlaßgegenstände nur allen Miterben gemeinschaftlich zusteht und befreiend nur an alle Miterben gemeinschaftlich geleistet werden kann. Bei *Meinungsverschiedenheit* entscheidet Stimmenmehrheit nach Größe der →Erbteile. Der Nachlaß steht als *Sondervermögen* im gesamthänderischen *Eigentum* aller Miterben. Jeder Miterbe kann seinen Anteil am Nachlaß (nicht Nachlaßgegenständen) *verkaufen* und veräußern, der Vertrag bedarf öffentlicher Beurkundung; andere Miterben haben gesetzliches →Vorkaufsrecht. E. kann kein Handelsgeschäft gründen oder erwerben, aber das Geschäft des Erblassers unter der alten Firma fortführen (→Firmenfortführung).

Erbenhaftung, Einstehen für →Nachlaßverbindlichkeiten (§§ 1967–2017, 2058–2063 BGB). E. setzt →Annahme der Erbschaft voraus. – 1. *Bürgerliches Recht:* Der Erbe haftet grundsätzlich *unbeschränkt* mit seinem ganzen Vermögen; E. ist jedoch *beschränkbar,* d. h. der Gläubiger kann auf den →Nachlaß verwiesen werden, wenn dieser verwaltungsmäßig vom Eigenvermögen des Erben getrennt und durch Einleitung von →Nachlaßverwaltung, →Nachlaßkonkurs oder →Nachlaßvergleich unter amtliche Verwaltung gestellt wird. Inventarerrichtung genügt nicht. Der Erbe verliert die Möglickeit, seine Haftung zu beschränken, wenn er ein →Inventar unrichtig oder nicht innerhalb der ihm vom →Nachlaßgericht gesetzten Frist errichtet oder seine Auskunftspflicht verletzt. Ist der Nachlaß *geringfügig,* so daß Nachlaßverwaltung oder Konkurs wegen der Kosten nicht tunlich ist, haftet der Erbe beschränkt (Einrede und Herausgabe des Nachlasses zur Befriedigung). Zur Feststellung der Gesamtverbindlichkeiten kann der Erbe auch das Aufgebotsverfahren durchführen; melden sich Gläubiger nicht rechtzeitig, kann er sie i. d. R. auf den Nachlaß verweisen. – 2. *Handelsrecht:* Der Erbe haftet für die Geschäftsschulden eines von Todes wegen erworbenen Geschäftes unbeschränkt, wenn die →Firmenfortführung nicht alsbald eingestellt wird. Wird das Geschäft nicht unter der bisherigen Firma weitergeführt, so besteht eine handelsrechtliche E. nur, wenn ein besonderer Verpflichtungsgrund, z. B. Schuldübernahme, vorliegt; sonst haftet der Erbe nur nach BGB.

Erbenprivileg, Bezeichnung für die unter gewissen Voraussetzungen nach § 4 HandwO dem →Erben eines selbständigen Handwerkers eingeräumte Befugnis zur zeitweisen Weiterführung des Handwerksbetriebes. – Vgl. auch →Witwenprivileg.

Erbersatzanspruch. 1. *Begriff:* Anspruch des →nichtehelichen Kindes und seiner →Abkömmlinge beim Tode des Vaters des Kindes sowie beim Tode von väterlichen Verwandten neben ehelichen Abkömmlingen und neben dem überlebenden Ehegatten des →Erblassers anstelle des gesetzlichen Erbteils. Ebenso Anspruch des Vaters des nichtehelichen Kindes im Falle dessen Todes neben der Mutter des Kindes (§§ 1934a–e BGB). Eingeführt durch Nichtehelichengesetz mit Wirkung vom 1. 7. 1970. – 2. *Voraussetzung:* Der E. setzt voraus, daß die Vaterschaft festgestellt ist oder daß ein gerichtliches Verfahren zur Zeit des Erbfalles anhängig ist. War das Kind noch nicht geboren oder noch nicht sechs Monate als, muß der Antrag auf Feststellung binnen sechs Monaten gestellt werden. – 3. *Höhe:* Wert des Erbteils. Der E. wird unter Zugrundelegung des Wertes des Nachlasses zur Zeit des Erbfalles ermittelt. Es gelten die Vorschriften über den →Pflichtteil entsprechend. – 4. *Verjährung:* Der E. verjährt in drei Jahren. – 5. Hat das nichteheliche Kind →*vorzeitigen Erbausgleich* erhalten, so entfällt gesetzliches Erbrecht und Pflichtteilsberechtigung.

Erbersatzsteuer, →Stiftung IV 3, →Erbschaftsteuer II.

Erbfähigkeit, Fähigkeit, →Erbe zu werden oder sonst Zuwendungen von Todes wegen zu erhalten. E. besitzt jeder Mensch, auch der z. Z. des Erbaffls lediglich erzeugte (nasciturus), wenn er lebend zur Welt kommt (§ 1923 BGB); erbfähig sind auch juristische Personen und Gesellschaften des Handelsrechts.

Erbfall, Tod einer natürlichen Person, deren Vermögen als Ganzes auf die →Erben übergeht (§ 1922 BGB).

Erbfallschulden, Teil der →Nachlaßverbindlichkeiten, die dem Erben aus Anlaß des Erbfalls erwachsen: Verbindlichkeiten aus →Pflichtteilen, →Vermächtnissen und →Auflagen (§ 1967 II BGB), Unterhalt für gewisse Zeit an Schwangere und Familienangehörige (§§ 1963, 1969 BGB), Kosten der standesgemäßen Beerdigung des →Erblassers (§ 1968 BGB).

Erbfolge, Gesamtrechtsnachfolge des →Erben in das Vermögen und die Verbindlichkeiten des Verstorbenen. E. vollzieht sich, ohne daß Erbe irgendeine Handlung vornehmen müßte und ohne Kenntnis vom Tod des

→Erblasser. E. beruht auf Gesetz *(gesetzliche E.)* oder auf dem Willen des Erblasser *(gewillkürte E.)*; Gesetzliche E. tritt ein, soweit eine wirksame →Verfügung von Todes wegen fehlt, der Erblasser keine oder eine nichtige →Erbeinsetzung vorgenommen hat, sowie bei →Ausschlagung und →Erbunwürdigkeit. – *Einteilung:* 1. *Verwandte:* Nach dem BGB wird der Kreis der Erben in Erbordnung nach der Stufe der Verwandtschaft eingeteilt, wobei die Verwandten näherer Ordnung die entfernteren von der E. ausschließen. (Ebenso das →nichteheliche Kind bei dem →Erbersatzanspruch). Außer dem überlebenden Ehegatten kommen nur die Blutsverwandten des Verstorbenen als Erben in Betracht, nicht Stiefkinder, Stiefeltern, Schwiegersohn, Schwiegertochter, Schwiegereltern, Schwäger. Der →Fiskus tritt nur ein, wenn kein noch so entfernter Verwandter vorhanden ist. – 2. Neben den Verwandten ist der *überlebende Ehegatte* gesetzlicher Erbe. – Vgl. im einzelnen Übersicht Sp. 1563/1564.

Erblasser, verstorbene natürliche Person, die beerbt wird.

Erblasserschulden, →Nachlaßverbindlichkeiten.

Erbrecht, gesetzliche Regelung der privatrechtlichen Nachfolge in die Rechte und Pflichten des Verstorbenen. Das E. wird in den Verfassungen zusammen mit dem Privateigentum garantiert (Art. 14 GG). Das E. ist im 5. Buch des BGB (§§ 1922–2385) enthalten und nach den Rechtsgrundsätzen der →Universalsukzession, der →Testierfreiheit und der Familienerbfolge gestaltet. Es umfaßt die Grundsätze der gesetzlichen und gewillkürten →Erbfolge, die Formvorschriften über die →Verfügung von Todes wegen, →Erbverzicht, →Erbschaftskauf, →Erbvertrag, →Vermächtnis, →Auflagen, →Ausschlagung, →Testamentsvollstreckung u. a. m. – Für Erbfälle *im Ausland* ist i. a. das Heimatrecht des →Erblassers maßgebend.

Erbschaft, den Erben eines Verstorbenen durch →Erbfall aus dem →Nachlaß zugewachsenen Vermögen; vgl. auch →Erwerb von Todes wegen. – *Erbschaftsteuerliche Behandlung:* Die E. unterliegt der →Erbschaftsteuer. – *Einkommen- und körperschaftsteuerliche Behandlung:* Vgl. →einmalige Vermögensanfälle.

Erbschaftsanspruch, regelt Rechtsverhältnis zwischen →Erben und →Erbschaftsbesitzer (§ 2018 ff. BGB). Der Erbe kann Auskunft über Bestand des →Nachlasses und Verbleib von Erbschaftsgegenständen sowie Herausgabe des Nachlasses, der Surrogate und der →Nutzungen, u. U. auch →Schadenersatz verlangen.

Erbschaftsbesitzer, jeder, der etwas aus einer Erbschaft erlangt hat und es aufgrund vermeintlichen eigenen Erbrechts in Anspruch nimmt (§ 2018 BGB). Gegen den E. richtet sich der →Erbschaftsanspruch.

Erbschaftsbesteuerung. I. Grundsätzliches: 1. Die E. trifft den Nettowert eines Nachlasses. – 2. *Ausgestaltungsformen* der E.: a) *Nachlaßsteuer:* Besteuerung der Erbmasse vor Aufteilung unter die →Erben; b) *Erbanfallsteuer:* Besteuerung der einzelnen Erben. – Grundlage des deutschen ErbStG: Erbanfallsteuer; sie erfaßt ferner – zur Verhinderung von Steuerumgehungen – Schenkungen unter Lebenden, Zweckzuwendungen und die periodische Besteuerung von Familienstiftungen und -vereinen (→Stiftungen IV). – 3. Da die E. an einen Rechtsvorgang, den →Erbfall, anknüpft, kann sie als →Verkehrsteuer bezeichnet werden. Sie wird auch als →Besitzsteuer bezeichnet, da sie die dem Erben durch den Erbfall zufließende Bereicherung erfaßt.

II. E. in der Bundesrep. D.: Vgl. →Erbschaftsteuer; wegen der Einkommen- und Körperschaftsteuer bei Erbschaften vgl. →einmalige Vermögensanfälle.

Erbschaftsgut, i. S. des Zollrechts alle gebrauchten Waren, die eine im →Zollgebiet wohnende Person nachweislich als →Erbe oder Vermächtnisnehmer aus einem Nachlaß erhält. E. ist zollfrei, auch wenn es einem künftigen Erben schon zu Lebzeiten des Erblassers aus dessen Eigentum mit der Bestimmung zugewendet wird, daß es auf seinem Erbteil oder auf ein Vermächtnis angerechnet werden soll (§ 24 I ZG, § 42 AZO).

Erbschaftskauf, Erwerb einer angefallenen →Erbschaft als Ganzes gegen einen Gesamtpreis von dem →Erben (§§ 2371–2385 BGB). E. wie Veräußerungsgeschäft bedürfen →öffentlicher Beurkundung. – 1. *Gegenstand* des E. ist nicht das Erbrecht, sondern die angefallenen Vermögensgegenstände; deshalb ist Erbschaftskäufer nicht Erbe, muß aber i. d. R. den Verkäufer von der →Erbenhaftung für die →Nachlaßverbindlichkeiten freistellen. – 2. *Umfang:* Bestimmt sich nach dem Zeitpunkt des →Erbfalls, nicht des Verkaufs. – 3. *Haftung:* a) Keine →Sachmängelhaftung des Verkäufers; b) →Rechtsmängelhaftung nur für Bestand des Erbrechts und Freiheit des Nachlasses von →Testamentsvollstreckung, →Nacherben, →Pflichtteil usw. Gefahr, Nutzungen und Lasten gehen anders als beim allgemeinen →Kaufvertrag mit Abschluß des Vertrages auf den Käufer über.

Erbschaftsteuer, analog *Schenkungsteuer.*

I. Grundsätzliches: Vgl. →Erbschaftsbesteuerung, →Erbschaftsteuerversicherung.

II. Rechtsgrundlagen: Erbschaftsteuer- und Schenkungsteuergesetz (ErbStG) vom 17.4.1974 (BGBl I 933), zuletzt geändert durch Steuerbereinigungsgesetz 1986 vom

Gesetzliche Erbfolge

Verwandte:	Ehegatte:	Nichteheliches Kind:
1. Gesetzliche Erben *1. Ordnung* als Abkömmlinge des Erblassers (Kinder, Enkel, Urenkel) (§§ 1924 I, 1930 BGB). Ein Abkömmling (z. B. Kind) schließt den weiter verwandten Abkömmling aus (z. B . Enkel). An die Stelle eines nicht mehr lebenden Abkömmlings treten dessen Abkömmlinge (§ 1924 III BGB). Kinder erben zu gleichen Teilen (§ 1924 IV BGB). 2. Fehlt ein Erbe 1. Ordnung, so erben die Erben *2. Ordnung:* Eltern des Erblassers und deren Abkömmlinge (Geschwister, Neffen, Nichten) (§§ 1925, 1930 BGB). 3. Fehlen Erben 1. und 2. Ordnung, so erben die der *3. Ordnung:* Großeltern und deren Abkömmlinge (Onkel, Tanten, Vettern, Cousinen) (§§ 1926, 1930 BGB). 4. Gesetzliche Erben *fernerer Ordnung* (§§ 1928, 1929). 5. Fehlen ein Ehegatte oder Verwandte, so erbt der *Staat* (§ 1936 BGB).	1. Neben Erben 1. Ordnung Erbteil von 1/4 – bei Zugewinngemeinschaft Erhöhung um 1/4 (§§ 1331, 1971 BGB). 2. Neben Erben 2. Ordnung Erbteil von 1/2 – bei Zugewinngemeinschaft Erhöhung um 1/4 (§§ 1931, 1371 BGB). 3. Neben Großeltern Erbteil von 1/2 – bei Zugewinngemeinschaft Erhöhung um 1/4. 4. Neben anderen Verwandten Alleinerbe (§ 1931 II BGB).	Beim Tode des Vaters anstelle des gesetzlichen Erbteils Erbersatzanspruch in dessen Höhe (§§ 1934 a – 1934 c BGB).

Gewillkürte Erbfolge

Formen:

Testament (§§ 2229–2264 BGB) notarielles oder privatschriftliches Testament ohne Bindung des Erblassers (§ 2253 BGB)	*Gemeinschaftliches Testament der Ehegatten* (§§ 2264–2273 BGB) notarielle oder privatschriftliche Form mit Bindung des Erblassers nach dem Tode des Ehegatten (§ 2271 II BGB)	*Erbvertrag* (§§ 2274–2302 BGB) notarielle Form mit Bindung des Erblassers (§ 2286 BGB)

Inhalt:

				Testamentsvollstrekkung (§ 2197 BGB)
Erbeinsetzung *Ersatzerbeneinsetzung* *Nacherbeneinsetzung* (§§ 1937, 1941, 2096, 2100 BGB)	*Enterbung* (§ 1938 BGB)	*Vermächtnis* (§§ 1939, 1941 BGB)	*Auflage* (§§ 1940, 1941 BGB)	

Grenzen:

Pflichtteilanspruch bleibt bestehen (§§ 2303, 2333–2336 BGB)	*Nacherbfolge tritt nach 30 Jahren ein* (§ 2109 BGB)	*Testamentsvollstreckung wird nach 30 Jahren unwirksam* (§ 2210 BGB)

19.12.1985 (BGBl I 2436); Erbschaftsteuer-Durchführungsverordnung (ErbStDV) vom 19.1.1962 (BGBl I 22), geändert durch Erbschaftsteuerreformgesetz vom 17.4.1974 (BGBl I 933).

III. Steuergegenstand (§1 ErbStG): E. besteuert den Übergang von Vermögenswerten a) durch →Erbfall auf den →Erben, b) durch →Schenkung unter Lebenden c) durch →Zweckzuwendungen; d) der E. unterliegt außerdem das Vermögen einer Familienstiftung (sog. *Erbersatzsteuer,* →Stiftung IV).

IV. Steuerpflicht (§2 ErbStG): 1. →*Unbeschränkte Steuerpflicht,* wenn der Erblasser zur Zeit seines Todes, der Schenker zur Zeit seiner Schenkung oder der Erwerber zum Zeitpunkt der Entstehung der Steuer (vgl. V.) Inländer ist; der *gesamte Vermögensanfall* ist steuerpflichtig, abgesehen von Vermögensgegenständen bzw. Nutzungsrechten an diesen, die auf das Währungsgebiet der Mark der DDR entfallen. – 2. →*Beschränkte Steuerpflicht,* wenn Erblasser, Schenker und Erwerber nicht Inländer sind; die Steuerpflicht erstreckt sich auf das →*Inlandsvermögen* i.S.d. §121 BewG und auf das Nutzungsrecht an solchen Vermögensgegenständen. – 3. →*Erweiterte beschränkte Steuerpflicht* (§4 AStG): Erfüllt der Erblasser oder Schenker die entsprechenden Voraussetzunge, unterliegen ihr alle Vermögensgegenstände, deren Erträge bei unbeschränkter Einkommensteuerpflicht nicht ausländische Einkünfte i.S.d. §34c I EStG wären.

V. Steuerschuldner (§20 I, II ErbStG): Regelmäßig der Erwerber; bei einer Schenkung zusammen mit dem Schenker, bei einer Zweckzuwendung zusammen mit demjenigen, der die Zuwendung ausführen muß, als →Gesamtschuldner. Die Erbersatzsteuer schuldet die Stiftung bzw. der Verein. – Darüber hinaus ist in bestimmten Fällen eine dingliche oder personenbezogene *Haftung* vorgesehen (§20 III–VII ErbStG). – Die Steuerschuld *entsteht* a) beim Erwerb von Todes wegen mit dem Tode des Erblasser, b) bei Schenkungen unter Lebenden mit dem Zeitpunkt der Ausführung der Zuwendung, c) bei Zweckzuwendungen mit dem Zeitpunkt des Eintritts der Verpflichtung beim Beschwerten und d) beim Vermögen einer Familienstiftung in Zeitabständen von je 30 Jahren seit dem Zeitpunkt des ersten Übergangs von Vermögen auf die Stiftung oder den Verein.

VI. Steuerberechnung: 1. *Bemessungsgrundlage* (§10 ErbStG) ist der Wert des Erwerbs (bewertet nach dem →Bewertungsgesetz; §12 ErbStG). Erwerbe, die innerhalb von 10 Jahren von denselben Personen angefallen sind, sind zu addieren; die mehrfache Inanspruchnahme von Freibeträgen (vgl. VII) soll somit erschwert werden (§14 ErbStG). – 2. Nach dem persönlichen Verhältnis des Erwerbers zum Erblasser bzw. Schenker werden vier *Steuerklassen* unterschieden: Steuerklasse I: Ehegatte, Kinder, Stiefkinder, Kinder verstorbener Kinder und Stiefkinder. Steuerklasse II: Abkömmlinge der in Steuerklasse I genannten Kinder, soweit sie nicht zu Steuerklasse I gehören; bei Erwerb von Todes wegen Eltern und Voreltern. Steuerklasse III: Eltern und Voreltern bei Schenkungen unter Lebenden; Geschwister, Schwiegerkinder, Schwiegereltern und geschiedene Ehegatten. Steuerklasse IV: alle übrigen Erwerber und Zweckzuwendungen. – 3. Die Höhe der E. ergibt sich bei Anwendung der folgenden *Steuersätze* (§19 ErbStG):

Wert des steuerpflichtigen Erwerbs (§10) bis einschließlich Deutsche Mark	Vomhundertsatz in der Steuerklasse			
	I	II	III	IV
50000	3	6	11	20
75000	3,5	7	12,5	22
100000	4	8	14	24
125000	4,5	9	15,5	26
150000	5	10	17	28
200000	5,5	11	18,5	30
250000	6	12	20	32
300000	6,5	13	21,5	34
400000	7	14	23	36
500000	7,5	15	24,5	38
600000	8	16	26	40
700000	8,5	17	27,5	42
800000	9	18	29	44
900000	9,5	19	30,5	46
1000000	10	20	32	48
2000000	11	22	34	50
3000000	12	24	36	52
4000000	13	26	38	54
6000000	14	28	40	56
8000000	16	30	43	58
10000000	18	33	46	60
25000000	21	36	50	62
50000000	25	40	55	64
100000000	30	45	60	67
über 100000000	35	50	65	70

Ggf. sind →Progressionsvorbehalt oder Wertstufenregelung des §19 III ErbStG zu beachten.

VII. Steuerbefreiungen: 1. *Sachliche Befreiungen:* a) Hausrat, Kunstgegenstände, Sammlungen beim Erwerb durch Personen der Steuerklasse I oder II bis 40000 DM, der übrigen Steuerklassen bis 1000 DM; b) andere bewegliche körperliche Gegenstände beim Erwerb durch Personen der Steuerklasse I oder II bis 5000 DM, der übrigen Steuerklassen bis 2000 DM, sowiet es sich nicht um Gegenstände des →land- und forstwirtschaftlichen Vermögens, des →Grundvermögens oder des →Betriebsvermögens, um Zahlungsmittel, Wertpapiere, Münzen, Edelmetalle, Edelsteine oder Perlen handelt; c) Grundbesitz oder Teile von Grundbesitz, Kunstgegenstände, Kunstsammlungen, wissenschaftliche Sammlungen, Bibliotheken und Archive mit 60% oder 100% ihres Wertes unter bestimmten Voraussetzungen; d) weitere Befreiungen vgl. § 13 ErbStG. – 2. *Persönliche Freibeträge* (§ 16 ErbStG): a) Bei *uneingeschränkter Steuerpflicht* der Erwerb (1) des Ehegatten in Höhe von 250000 DM, (2) der übrigen Personen der Steuerklasse I in Höhe von 90000 DM, (3) der Personen der Steuerklasse II in Höhe von 50000 DM, (4) der Personen der Steuerklasse III in Höhe von 10000 DM, (5) der Personen der Steuerklasse IV in Höhe von 3000 DM. – b) Bei *beschränkter Steuerpflicht:* 2000 DM. – 3. Zusätzlich *besondere Versorgungsfreibeträge* (§ 17 ErbStG): Beim Erwerb von Todes wegen hat der überlebende Ehegatte einen Versorgungsfreibetrag von 250000 DM, die überlebenden Kinder einen nach Alter gestaffelten Betrag von 50000 DM bis 10000 DM; dieser ist um den nach BwG ermittelten Kapitalwert der aus Anlaß des Todes des Erblassers dem Erben gewährten, nicht der E. unterliegenden Versorgungsbezüge zu kürzen. Außerdem vermindert sich der Kindern gewährte Freibetrag, wenn der steuerpflichtige Erwerb unter Berücksichtigung früherer Erwerbe 150000 DM übersteigt, um den übersteigenden Betrag. – 4. Der E. unterliegt nicht der Betrag, den der überlebende Ehegatte bei güterrechtlicher Abwicklung der *Zugewinngemeinschaft* (§ 1371 II BGB) als *Ausgleichsforderung* geltend machen kann (§ 5 ErbStG); →eheliches Güterrecht.

VIII. Verfahren: Für erbschaftsteuerpflichtige Vorgänge (vgl. III und VII) besteht →*Anzeigepflicht*. Die Abgabe einer →*Steuererklärung* oder eine *Selbstveranlagung* (diese umfaßt die Selbstberechnung und die Entrichtung der E.) kann verlangt werden; damit wird dem zuständigen Finanzamt die Festsetzung eines →*Steuerbescheides* ermöglicht. Gem. herrschender Praxis wird die E. einen Monat nach Bekanntgabe des Steuerbescheides fällig. (§ 31 ErbStG).

IX. Finanzwissenschaftliche Beurteilung: 1. Frühere *Begründungen* (→Fundustheorie, Chancengleichheit, arbeitsloses Einkommen [„Neidsteuer"], Vermögens- und Rechtsschutzgebühr usw.) gelten heute als widersprüchlich und überholt. Heute gilt ererbtes Vermögen als Indikator der Leistungsfähigkeit. – 2. Die für die Realisierung des →Leistungsfähigkeitsprinzips notwendige Voraussetzung einer *umfassenden Bemessungsgrundlage* gilt durch die Fassung des Steuergegenstandes als erfüllt: Neben den Erbschaften werden zur Vermeidung von Steuerumgehungen auch Schenkungen und Zweckzuwendungen sowie fingierte Erbgänge bei Familienstiftungen („Ersatz-E." alle 30 Jahre) besteuert. – 3. Als Ausdruck der Leistungsfhäigkeitsbesteuerung gilt der *progressive Tarif:* a) Innerhalb jeder Steuerklasse steigen die Grenzsteuersätze. – b) Mit abnehmender Verwandschaftsnähe zum Erblasser höhere Steuersätze in den Steuerklassen können jedoch nicht mit zunehmender Leistungsfähigkeit erklärt werden. – 4. *Ziele:* a) *Verteilung* der Steuer nach der Leistungsfähigkeit: ihr dient der recht hohe Freibetrag des Ehegatten mit entlastender Wirkung und die steile Progression mit belastender Wirkung. – b) Das Umverteilungsziel wäre überzeugender, wenn eine Zweckbindung der E. vorgesehen wäre, jedoch würde das geringe Aufkommen keine wesentliche Umverteilung herbeiführen. – 5. *Allokative Ziele und Wirkungen* können in der Höhe des o.a. Freibetrages gesehen werden, die der Erhaltung der Vermögenssubstanz dienen. – 6. *Steuersystemtik:* a) Die im Erbanfall sich ausdrückende gestiegene Leistungsfähigkeit hat keinen Ausdruck im *Einkommensbegriff* nach der Reinvermögenszugangstheorie (→Einkommen II 2b) gefunden, vielmehr wurde eine eigene Steuer eingerichtet; dadurch wird eine besonders hohe Progressionsbelastung im jahr des Erbanfalls vermieden; nachteilig wird. – b) Wenngleich die E. steuertechnisch als Verkehrsteuer konstruiert ist, ist sie gemäß der Bemessungsgrundlage eine →*Substanzsteuer*. – c) Im Jahr des Erbanfalls kommt es zu einer *Zweifachbelastung* des Vermögens mit E. und →Vermögensteuer, sofern das Vermögen am Jahresende noch vorhanden ist. – d) →steuerliche Beziehungslehre: Die E. gilt als eine (fragwürdige) *Kontroll-* (oder Nachhol-)*Steuer* der →Einkommensteuer für jene, die Einkommensteuer hinterzogen haben.

X. Aufkommen: 1986: 1889 Mill DM (1985: 1512 Mill DM, 1981: 1092 Mill DM, 1977: 896 Mill DM, 1971: 508 Mill DM, 1968: 345 Mill DM, 1961: 242,2 Mill DM, 1952: 51,0 Mill DM).

Erbschaftsteuerklassen, →Steuerklassen, in die die Erwerber nach dem persönlichen Verhältnis zum Erblasser bzw. Schenker eingeteilt werden. Vgl. im einzelnen →Erbschaftsteuer VI 2.

Erbschaftsteuerversicherung, spezielle Verwendungsform der →Lebensversicherung mit dem Ziel, das Vermögen vor einer Verminderung durch Zahlung von →Erbschaftsteuer zu schützen.

I. Echte E.: Seit dem 3.10.1973 kann keine echte E. mehr abgeschlossen werden; bestehende Verträge bleiben aber durch eine Übergangsregelung bis 1993 erbschaftsteuerlich begünstigt (vgl. I 3).

1. *Charakterisierung:* Zweckmäßig war der Abschluß einer Todesfallversicherung (→Lebensversicherung II 2) zugunsten der steuerpflichtigen Erbberechtigten. Beachtung der Freibeträge. Wird das Finanzamt im →Versicherungsvertrag begünstigt, dann ist die Versicherungssumme für Angehörige der Steuerklasse I und II bis zur Höhe der Erbschaftsteuer von der Steuer selbst befreit.

Für den Teil der Versicherungssumme, der die zu zahlende Erbschaftsteuer übersteigt, kann eine andere →Bezugsberechtigung bestimmt werden.

2. *Zweckmäßige Versicherungsformen:* a) →*Berliner Testament.* Haben sich die Ehegatten gegenseitig als Alleinerben eingeseetzt und beträgt der Nachlaß des zuerst Sterbenden höchstens 250000 DM, so wird keine Erbschaftsteuer fällig, wenn Kinder und Enkel vorhanden sind. War auf das Leben des Erblassers eine E. abgeschlossen, so kann die Versicherungssumme bei der Gesellschaft stehenbleiben, um erst nach dem Tode des Überlebenden an das Finanzamt ausgezahlt zu werden. Zweckmäßiger und billiger war eine →verbundene Lebensversicherung mit der Maßgabe, daß die Versicherungssumme erst biem Tode des zuletzt sterbenden Ehegatten fällig wird. – b) *Nachlaß mehr als 250000 DM*: Wurden zweckmäßigerweise der Ehegatte lediglich bis zu einem Betrage von 250000 DM und für den übersteigenden Betrag die Kinder als Erben eingesetzt, so empfahl es sich, 2 E. abzuschließen: (1) für den Erwerb von 250000 DM auf das Leben beider Ehegatten, fällig beim Tode des zuletzt sterbenden, (2) für den übersteigenden Erwerb auf das Leben desjenigen Ehegatten, der Vermögensträger ist, ggfs. auf das Leben beider, fällig beim Tode des zuerst sterbenden Ehegatten.

3. *Steuerliche Auswirkungen:* 1. Die *Beitragszahlungen* sind, wie bei jeder Lebensversicherung, →Sonderausgaben (→Versicherung und Steuer). – 2. Die fällig werdende *Versicherungssumme* gehört grundsätzlich zum erbschaftsteuerlichen Erwerb, nicht aber bei Steuerpflichtigen der Steuerklasse I und II, wenn das Finanzamt zum Zwecke der Begleichung der Erbschaftsteuer begünstigt wird. Die begünstigte Versicherungssumme *mindert sich* für jedes dem Kalenderjahr 1973 bis zum Eintritt des Versicherungsfalles folgende Kalenderjahr um jeweils 5% (Art. 6 des Gesetzes zur Reform des Erbschaftsteuer- und Schenkungssteuerrechts vom 17.4.1974, BGBl I 933). Vgl. →Erbschaftsteuer.

4. *Wiederruf:* Die E. kann praktisch kaum Nachteile haben. Das Bezugsrecht des Finanzamts kann jederzeit bis zum Tode des Versicherten widerrufen werden. Bei bestehenden Lebensversicherungen kann, sofern nicht ein anderlautendes unwiderrufliches Bezugsrecht festgelegt ist, die Begünstigung des Finanzamts (und damit die Umwandlung in eine E.) durch einfache Mitteilung an die Versicherungsgesellschaft beantragt werden.

II. Unechte E.: 1. *Begriff:* E., bei der der zukünftige Erbe als Versicherungsnehmer und der Erblasser als versicherte Person eingesetzt werden. Seit dem 1.1.1974 kann die Zahlung von Erbschaftsteuer nur durch den Abschluß einer unchten E vermieden werden. – 2. *Steuerliche Auswirkungen:* Bei Eintritt des →Erbfalls fließt die Versicherungsleistung dem Versicherungsnehmer, dem Erben, erbschaftsteuer- und grundsätzlich auch einkommensteuerfrei zu.

Erbschein, gerichtliches Zeugnis, das dem →Erben auf Antrag vom Nachlaßgericht über sein Erbrecht erteilt wird; gesetzlich geregelt in §§ 2353 ff. BGB. Der E. enthält das Erbrecht, ggf. die Größe des →Erbteils sowie eine etwa angeordnete Nacherbschaft oder →Testamentsvollstreckung. Dem E. kommt zum Schutze gutgläubiger Dritter i.d.R. die Rechtsvermutung (→öffentlicher Glaube) zu, daß demjenigen, der im E. als Erbe bezeichnet ist, das Erbrecht zustehe und daß er nicht durch andere als die angegebenen Anordnungen beschränkt sei. – *Unrichtiger* E. ist von Amts wegen einzuziehen und ggf. für kraftlos zu erklären.

Erbteil, Anteil eines →Miterben am gemeinschaftlichen →Nachlaß innerhalb der →Erbengemeinschaft bis zur →Erbauseinandersetzung. – Vgl. auch →Erbfolge, →Ersatzanspruch.

Erbunwürdigkeit, Folge gewisser schwerer, nicht verziehener Verfehlungen der →Erben, Vermächtnisnehmer oder Pflichtteilberechtigten gegenüber dem →Erblasser oder seinem letzten Willen (z.B. Fälschung oder Beseitigung eines →Testaments); gesetzlich geregelt in §§ 2339–2345 BGB. Die E. wird durch Anfechtungsklage innerhalb Jahresfrist geltend gemacht. *Anfechtungsberechtigt* ist jeder, dem der Wegfall des Erbunwürdigen zustatten kommt. Mit Rechtskraft des Urteils gilt der Anfall der →Erbschaft an den Erbunwürdigen als nicht erfolgt. Folgen wie bei der →Ausschlagung.

Erbvertrag, Art der →Verfügung von Todes wegen; gesetzlich geregelt in §§ 2274 ff. BGB. E. beschränkt den →Erblasser in seiner Testierfreiheit, da die Vertragsverfügungen, die →Erbeinsetzung, →Vermächtnisse und →Auflagen enthalten können, einseitiger Änderung entzogen sind. – Nach Abschluß des E. errichtete *letztwillige Verfügungen* sind insoweit unwirksam, als sie das Recht des vertragsmäßig Bedachten beeinträchtigen würden; frühere werden durch E. aufgehoben. – *Abschluß/Aufhebung:* I.d.R. durch Vertrag, der bei gleichzeitiger Anwesenheit beider Teile öffentlicher Beurkundung bedarf; verlangt i.d.R. Geschäftsfähigkeit, bei Ehegatten und Verlobten beschränkte Geschäftsfähigkeit mit Zustimmung des gesetzlichen Vertreters. Ehegatten können durch gemeinschaftliches →Testament einen zwischen ihnen geschlossenen E. aufheben. – *Anfechtung/Rücktritt:* Nur unter besonderen Voraussetzungen möglich (§§ 2281 ff., 2293 ff. BGB). – *Eröffnung* des E.: Vgl. →Testamentseröffnung.

Erbverzicht, Verzicht auf ein künftiges Erbrecht (auch Pflichtteilsrecht). Zulässig zwischen Verwandten bzw. dem Ehegatten und dem künftigen Erblasser durch Vertrag (→Erbverzichtsvertrag), der öffentlicher Beurkundung bedarf (§§ 2346–2352 BGB). →Anfechtung nach allgemeinen Grundsätzen möglich.

Erbverzichtsvertrag, zwischen einem künftig berufenen →Erben bei Lebzeiten des →Erblassers mit diesem geschlossener Vertrag (§§ 2346–2352 BGB). E. bewirkt Verzicht auf Erbrecht und ggf. Pflichtteil bzw. Vermächtnis. Der Verzichtende wird behandelt, als ob er z.Z. des →Erbfalls nicht mehr lebte. – Praktisch kommt der E. u.a. in Verbindung mit Abfindung vor, deshalb erstreckt sich der Verzicht i.d.R. auch auf die Abkömmlinge des Verzichtenden. Auch der unentgeltliche E. ist keine →Schenkung, bedarf aber →öffentlicher Beurkundung.

Erdbebenversicherung, besondere Form der →Elementarschadenversicherung.

Erdgassteuer, →Verbrauchsteuer auf Erdgas (3 Pf/cbm) und auf Flüssiggas (4,35 Pf/kg). Durch Steuerreform 1990 ab 1. 1. 1989 eingeführt, befristet bis 31. 12. 1992.

Erdölbevorratung, nach dem Gesetz über die Bevorratung mit Erdöl und Erdölerzeugnissen (Erdölbevorratungsgesetz – ErdölBevG) vom 25. 7. 1978 (BGBl I 1073) Haltung von Erdöl, Erdölerzeugnissen und -halbfertigerzeugnissen als Vorrat zur Sicherung der Energieversorgung durch den →Erdölbevorratungsverband und die Hersteller von Erdölerzeugnissen. →Energiesicherung. – *Zuwiderhandlungen* sind Ordnungswidrigkeit, Geldbußen bis zu 100 000 DM.

Erdölbevorratungsverband, eine bundesunmittelbare rechtsfähige →Körperschaft des öffentlichen Rechts, Sitz in Hamburg. Errichtet durch Gesetz vom 25. 7. 1978 (BGBl I 1073). – *Aufgabe:* Erdölbevorratung.

ERE, Abk. für →Europäische Rechnungseinheit.

erection all risks insurance, →Montageversicherung.

Ereignis. 1. Begriff des →*Projektmanagements* bzw. der →*Netzplantechnik:* Eintreten eines definierten Zustands im Zeitablauf. – Vgl. auch →Ereignispuffer, →Meilenstein. – 2. *Statistik:* Vgl. →zufälliges Ereignis.

Ereignisgesamtheit, →Bewegungsmasse.

Ereignisknotennetzplan, →Netzplan 2b).

Ereignismasse, →Bewegungsmasse.

ereignisorientierte Planung, Vorgehensweise bei der Planung, nach der Pläne nicht in periodischen Abständen, sondern – zur Gewährleistung der Planungsaktualität – in Abhängigkeit von wichtigen Ereignissen aufgestellt bzw. revidiert werden, Abkehr vom →Neuaufwurfsprinzip zum →Net-change-Prinzip. – E.P. wurde durch die *Fortschritte der →elektronischen Datenverarbeitung* möglich: Früher mußten →computergestützte Dispositionssysteme oder →computergestützte Planungssysteme im →Stapelbetrieb ablaufen, was aus organisatorischen Gründen und wegen der langen Laufzeiten nur in größeren Zeitabständen erfolgte; durch →Dialogbetrieb und →Datenbanksysteme können heute Pläne im Prinzip jederzeit aktualisiert werden.

ereignisorientiertes Rechnungswesen, neuere Entwicklung in den USA und der Bundesrep. D., die bei den Daten der einzelnen Ereignisse ansetzt. Die Ereignisse werden durch alle für die Auswertung interessanten Merkmale gekennzeichnet und in einer Datenbank für vielfältige Auswertungsmöglichkeiten gespeichert.

Ereignisortprinzip, Begriff der →amtlichen Statistik; Erfassungsprinzip einzelner Erscheinungen, wie Geburten, Sterbefälle, Unfälle, nicht am Wohnort der betroffenen Personen, sondern am Ort des Geschehens. – *Gegensatz:* →Wohnortprinzip.

Ereignispuffer, *Ereignispufferzeit.* 1. *Begriff* der →Netzplantechnik: Zeitraum, um den sich der Eintritt eines →Ereignisses – bei gewissen Annahmen über dessen direkt vorhergehende und nachfolgende Ereignisse – hinauszögern darf, ohne daß der geplante bzw. der frühestmögliche Endtermin des →Projekts gefährdet wid. – 2. *Arten:* a) *Gesamter Puffer (gesamte Pufferzeit, Gesamtpuffer, Gesamtpufferzeit, Schlupf):* Zeitraum, um den das Ereignis verspätet eintreten darf, wenn sämtliche direkt vorhergehenden Ereignisse zu ihren frühestmöglichen und sämtliche direkt nachfolgenden Ereignisse zu ihren spätesterlaubten Eintrittszeitpunkten eintreten. – b) *Freier Puffer (freie Pufferzeit):* Puffer, der sich ergibt, wenn sämtliche direkt vorhergehenden und nachfolgenden Ereignisse zu ihren frühestmöglichen Eintrittszeitpunkten eintreten. – c) *Unabhängiger Puffer (unabhängige Pufferzeit):* Puffer, der sich unter der Annahme ergibt, daß alle direkt vorhergehenden Ereignisse zu ihren spätesterlaubten und alle direkt nachfolgenden Ereignisse zu ihren frühestmöglichen Eintrittspunkten eintreten. – d) *Freier Rückwärtspuffer (freie Rückwärtspufferzeit):* Ergibt sich analog für den Fall, daß sämtliche direkt vorhergehenden und nachfolgenden Vorgänge zu ihren spätest erlaubten Eintrittspunkten eintreten.

Ereignispufferzeit, →Ereignispuffer.

Erfahrungskurve. 1. *Charakterisierung:* Mitte der 60er Jahre von der Unternehmensberatung Boston Consulting Group eingeführt; Anlaß war eine empirische Untersuchung in der Halbleiter-Industrie. Die E. bildet die theoretische Grundlage eines Ansatzes der →Portfolio-Analyse. *Grundgedanke* der E. ist das bekannte Phänomen, daß die Produktivität mit dem Grad der Arbeitsteilung steigt. Diese Erkenntnis findet Eingang in den *Lernkurveneffekt,* der besagt, daß mit zunehmender Ausbringung die Arbeitskosten sinken. Die Aussage der →Lernkurve (log(y) = log(a)-b*log(x)) wird auf die Verdopplung der kumulierten Produktionsmenge x bezogen, die ein Sinken der direkten Fertigungskosten y (bzw. Lohnkosten/Mengeneinheit) um einen konstanten Prozentsatz b bewirkt. – 2. *Aussage:* Bei der E. wird die Aussage der Lernkurve auf die Stückkosten erweitert: Die realen Stückkosten eines Produktes gehen jedesmal um einen relativ konstanten Betrag (20–30%) zurück, sobald sich die in Produktmengen ausgedrückte Produkterfahrung verdoppelt (vgl. Abb.). Die Stückkosten umfassen die Kosten der Produktionfaktoren, die an der betrieblichen Wertschöpfung beteiligt sind (Fertigungskosten, Verwaltungskosten, Kapitalkosten usw.). Die Aussage der E. gilt sowohl für den Industriezweig als Ganzes als auch für den einzelnen Anbieter; inzwischen wurden auch E.neffekte in nichtindustriellen Branchen (z. B. Lebensversicherungen) nachgewiesen. – 3. *Prämisse:* Alle Kostensenkungsmöglichkeiten (Lerneffekt, Betriebs- und Losgrößendegressionseffekte, Produkt- und Verfahrensinnovation usw.) werden genutzt. Die Problematik dieser Prämisse liegt nahe, die E. trotz ihres quantitaiven Ansatzes eher als ein qualitatives, grundlegendes Denkschema und Verhaltensmodell zu sehen; sie trifft i. a. lediglich Tendenzaussagen zum Kostenverlauf.

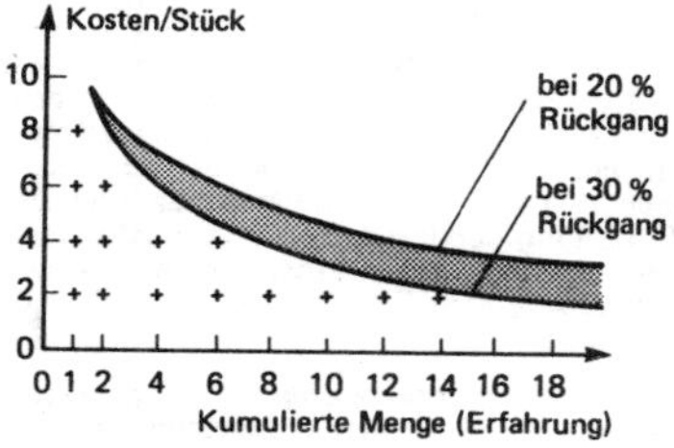

Erfahrungsobjekt, Bezeichnung für den konkreten Gegenstand, auf den sich ggf. das wissenschaftliche Interesse mehrerer Disziplinen richtet. Eine Einengung zum →Erkenntnisobjekt wird mittels gewisser →Identitätsprinzipien vorgenommen. – Diese für die ältere →Betriebswirtschaftslehre charakteristische Interpretation hat an Bedeutung verloren; verschiedentlich werden die Begriffe Erfahrungs- und Erkenntnisobjekt synonym verwendet.

Erfahrungswissenschaft, →Realwissenschaft.

Erfassungskostenstellen, im →verantwortungsorientierten Rechnungswesen solche →Kostenstellen, die nur der Erfassung von Potentialen und ihrer Nutzung, sonstigen Beständen, Kosten, Verbräuchen, Leistungen sowie sonstigen Ereignissen oder Zuständen dienen, in denen jedoch keine Entscheidungen getroffen werden und zu verantworten sind. – *Gegensatz:* →Verantwortungskostenstellen.

Erfassungsmodell, →Modell.

Erfassungstechnik der Kostenrechnung, Methoden für die Erfassung der Kostenarten. – 1. *Unmittelbare Feststellung:* Durch laufende mengenmäßige bzw. zeitliche und wertmäßige Aufschreibung wird der Verbrauch während des Erzeugungsprozesses erfaßt, z. B. mit Hilfe von Materialentnahmescheinen erfaßte Materialkosten. – 2. *Mittelbare Errechnung:* a) *Rückrechung:* Ermittlung der Verbrauchsmengen anhand von Standardverbräuchen aus der Produktionsmenge; *Beispiel:* Vier Maschinenstunden pro Erzeugniseinheit ergibt bei 250 Energieeinheiten 1000 Maschinenstunden. Häufig angewandtes Verfahren zur Ermittlung von Materialverbrauchsmengen. – b) *Schätzung des Stoffverbrauchs nach der Zeit:* Ermittlung der Verbrauchsmengen anhand von Durchschnittsverbräuchen pro Zeiteinheit aus der Produktionsdauer; *Beispiel:* Ein Schmiermittelverbrauch pro Stunde von 2 l ergibt pro Schicht eine Verbrauchsmenge von 16 l. – c) *Verbrauchsfeststellung nach dem Stoffeingang:* Ermittlung der Verbrauchsmenge durch Gleichsetzung mit der Zugangsmenge; *Beispiel:* Materialzugang = Materialverbrauch. Diese E. d. K. vernachlässigt Lagerbestandsbewegungen und kann somit zu einer sehr ungenauen Erfassung führen. – d) *Befundrechnung:* Ermittlung der Verbrauchsmengen durch körperliche Bestandsaufnahme (Inventur); Anfangsbestand + Zugänge ⁒ Endbestand = Verbrauch. – 3. *Selbständige Festsetzung des Werteverzehrs:* Wenn Aufwand und Kosten grundsätzlich voneinander abweichen (→kalkulatorische Abschreibungen) oder Aufwendungen völlig fehlen (Eigenzinsen, →Unternehmerlohn) angewandt.

Erfinderehre, Wahrung der E. durch Anspruch des Erfinders auf Nennung seines Namens bei Bekanntmachung der Anmeldung über die Erteilung des →Patents sowie auf der →Patentschrift (§ 36 PatG).

Erfinderschutz, →Patentrecht.

Erfindervergütung, Honorierung für eine brauchbare →Erfindung. – 1. *Einkommensteuer:* a) *Steuerpflicht:* Steuerfreiheit bei fehlender Einkünfteerzielungsabsicht (→Liebhaberei) oder Zufallserfindungen. Soweit E. mit einer gewerblichen oder land- und forstwirtschaftlichen Tätigkeit verbunden sind, liegen →Einkünfte aus Gewerbebetrieb oder Land- und Forstwirtschaft vor, ansonsten sind sie den Einkünften aus selbständiger Arbeit zuzurechnen. – b) *Steuervergünstigungen* für freie Erfinder nach VO über die einkommensteuerliche Behandlung der freien E. (ErfVO) vom 30.5.1951 (BGBl I 387), geändert durch Zuständigkeitslockerungsgesetz vom 10.3.1975 (BGBl I 685) und Steuerbereinigungsgesetz 1985 vom 14.12.1984 (BGBl I 1493): (1) *Voraussetzung:* Nicht im Rahmen eines Arbeitsverhältnisses ausgeübte Erfindertätigkeit natürlicher Personen oder bei Verwertung der Erfindung außerhalb des Arbeitsverhältnisses, sofern der Versuch oder die Erfindung als volkswirtschaftlich wertvoll anerkannt ist und gesonderte Aufzeichnungen der →Betriebseinnahmen und →Betriebsausgaben, die sich auf die Versuche und Erfindungen beziehen, vorliegen (§3 ErfVO). (2) *Begünstigungen:* Abzug der durch die Erfindertätigkeit veranlaßten Aufwendungen als →Betriebsausgaben, besonderer Verlustabzug, Tarifvergünstigung für nicht im eigenen gewerblichen Betrieb verwertete Erfindungen. – 2. *Lohnsteuer:* Nach der VO über die steuerliche Behandlung der Vergütungen für Arbeitnehmererfindungen vom 6.6.1951 (VGBl I 388) i.d.F. vom 19.12.1975 (BGBl I 3157) als →sonstige Bezüge zu behandeln. Die darauf entfallende Lohnsteuer wird zur Hälfte erhoben. – Vgl. auch →Arbeitnehmererfindung.

Erfindung. 1. *Begriff:* Geistesschöpfung, technisch-schöpferische Neuheit mit bekannten oder neuen Mitteln, die einen Erfindungsgedanken und eine →Erfindungshöhe aufweist. – 2. *Arten der E, eingeteilt:* a) nach Gewerbezweig, für den sie nutzbar gemacht werden soll; b) nach naturwissenschaftlichen Gebieten (chemische und physikalische Erfindungen); c) nach dem Gegenstand der E. (Erzeugnis- oder Verfahrens-E.); d) auf andere Weise. – 3. Die E. gewährt dem Erfinder *Recht* auf die ungestörte Ausnutzung des Erfindergedankens, das anderen die Aneignung und Verwertung verbietet; bei Zuwiderhandlung Unterlassungs- und Schadenersatzanspruch gem. §§1004, 823 I BGB. Dritten gegenüber, die die gleiche Erfindung machen, besteht Schutz erst nach Patentanmeldung. – Vgl. auch →Arbeitnehmererfindung, →Patentrecht.

Erfindungshöhe, im Gegensatz zum Erfindungsgedanken der besondere *Wert* der schöpferischen Leistung, die eine über den Durchschnitt hinausgehende Geistesleistung darstellt. – Vgl. auch →Erfindung.

Erfolg, das i.d.R. in monetären Größen erfaßte bzw. ausgedrückte Ergebnis des Wirtschaftens; ermittelt durch →Erfolgsrechnung.

Erfolgsanalysen, Verfahren, die der Auswertung der →Erfolgsrechnung und der Verwendung ihrer Ergebnisse für unternehmerische Entscheidungen dienen: (1) →Break-even-Analyse, (2) →Deckungsbeitragsrechnung und (3) →Bruttogewinnanalyse. – *Voraussetzungen:* Ermittlung des Erfolgsbeitrages je Produktart mit Hilfe einer →entscheidungsorientierten Kostenrechnung (→Bruttoerfolg, →Deckungsbeitrag, →Rohgewinn). – *Ziele:* Verkaufssteuerung, →Gewinnplanung, Bestimmung von →Preisuntergrenzen und Preisspielräumen, Festlegung des Produktions- und Absatzprogramms (Forcierung einzelner Produkte, Programmbereinigung).

Erfolgsänderungsrechnung, dynamische Form der →Erfolgsdifferenzrechnung, bei der die Reihenfolge der Entscheidungen bzw. Handlungen berücksichtigt wird. – Vgl. auch →Dynamisierung des Rechnungswesens.

Erfolgsaufspaltung, →Erfolgsspaltung.

Erfolgsbereich, →Profit Center.

Erfolgsbeteiligung, individual- oder kollektivvertragliche Vereinbarung eines Arbeitgebers mit seinen Mitarbeitern (einzelner Arbeitnehmer oder Betriebsrat in Form einer Betriebsvereinbarung), die additiv zum tarifvertraglich festgesetzten Lohn regelmäßig einen Anteil am Erfolg des Unternehmens gewährt. E. kann orientiert sein am erzielten Gewinn (→Gewinnbeteiligung), am Ertrag (→Ertragsbeteiligung) oder an der Leistung (→Leistungsbeteiligung). Zu welcher Form eine E. erfolgt, ist abhängig von der Rechtsform sowie vertraglichen Abmachungen zwischen den Partnern.

Erfolgsbilanz. 1. Synonymer *Begriff* für die der Erfolgsrechnung dienende →Gewinn- und Verlustrechnung, bei der sich Aufwendungen und Erträge summengleich gegenüberstehen. – 2. Bezeichnung für eine →*Bilanz* mit erfolgsrechnerischem Charakter, bei der die Prinzipien richtiger Periodenabgrenzung und der Ermittlung vergleichbarer Gewinnziffern im Vordergrund stehen (dynamische Bilanz, →Bilanztheorien II). – *Gegensatz:* →Vermögensbilanz.

Erfolgsdifferenzrechnung, *Differenzerfolgsrechnung,* neuere Bezeichnung für →Bruttoerfolgsrechnungen, bei denen die durch die Änderung der Ausbringung oder anderer Aktionsparameter bzw. durch die Entscheidungen für bestimmte Maßnahmen ausgelösten Änderungen der Erlöse und der Kosten einander gegenübergestellt werden, um die Erfolgsdifferenzen oder -änderungen zu ermitteln. Die umfassendere Bezeichnung Bruttoerfolgsrechnung schließt auch solche Systeme ein, bei denen lediglich auf die Berücksichtigung bestimmter Kostenarten (z.B. Abschreibungen oder Verwaltungs- und

Betriebsgemeinkosten) verzichtet wird. – *Dynamische Form der E.:* →Erfolgsänderungsrechnung.

Erfolgskonten, Bezeichnung für die Konten der Buchhaltung, die Geschäftsvorfälle aufnehmen, die als →Aufwendungen oder →Erträge den Erfolg einer Unternehmung berühren. E. werden über das Gewinn- und Verlustkonto (→Gewinn- und Verlustrechnung) abgeschlossen, das den Unternehmungserfolg (Gewinn, Verlust) ausweist. – *Gegensatz:* →Bestandskonten.

Erfolgsposition, →Führungsmodelle II 3.

Erfolgsquellenanalyse, wichtiges Aufgaben- und Anwendungsgebiet der →Deckungsbeitragsrechnung auf Basis (relativer) →Einzelkosten. Von den Erlösen und Deckungsbeiträgen der jeweils speziellsten Bezugsobjekte ausgehend, wird durch mehrstufiges oder zeitlich fortschreitendes Zusammenfassen der Deckungsbeiträge und stufenweises bzw. sequentielles Abdecken gemeinsamer Kosten bzw. Ausgaben das Zusammenfließen der Erfolgsquellen aus unterschiedlichen Sichten objekt- und periodenbezogen oder periodenübergreifend im Zeitablauf im Rahmen problemadäquater Bezugsobjekthierarchien offengelegt. Besonders ergiebig sind zeitlich fortschreitende und mehrdimensionale Analysen, bei denen bestimmte Teile einer Bezugsobjekthierarchie mit denen anderer Bezugsobjekthierarchien als Schnittmenge mehrer „Sichten" untersucht werden. Besonders zu beachten sind schwer quantifizierbare Verbundbeziehungen auf der Erlös- und Kosten- oder Ausgabenseite (→Ausgabenverbundenheit, →Erlösverbundenheit, →verbundene Produktion). – Vgl. auch →Absatzsegmentrechnung, →Zeitablaufrechnung.

Erfolgsrechnung. 1. *Begriff:* Ermittlung des →Erfolgs einer wirtschaftenden Institution innerhalb eines Zeitabschnitts (→Totalrechnung, →Periodenerfolgsrechnung). Die Art der zu erfassenden Rechengrößen hängt von den Zielen der jeweiligen Institution ab. – a) *E. für erwerbswirtschaftliche Unternehmen:* (1) *Im Rahmen des externen Rechnungswesens:* (a) *Vergleich von Anfangs- und Schlußkapital* (Eigenkapital- oder Bilanzvergleich). Einfachste Methode; ist insbes. bei einfacher Buchführung anzuwenden. Läßt nicht die Quellen des Erfolgs erkennen. – (b) →*Gewinn- und Verlustrechnung*: Ermöglicht eine genauere Darstellung des Erfolgs: 1) Bruttomethode: Berücksichtigt sämtliche →Aufwendungen und →Erträge; 2) Nettomethode: Berücksichtigt nur die Überschußbeträge (nach § 246 II HGB im handelsrechtlichen Jahresabschluß verboten). – (2) *Im Rahmen des internen Rechnungswesens:* Gegenüberstellung von →Erlösen und →Kosten. – b) *E. für gemeinwirtschaftliche Unternehmen:* Gegenüberstellung von sozialem Nutzen und sozialen Kosten. Damit verbunden sind erhebliche Meßprobleme. (Diese Meßprobleme gelten analog für Versuche, für erwerbswirtschaftliche Unternehmen neben dem monetären Erfolg das Ergebnis gesellschaftlicher Wirkungen auszuweisen; →Sozialbilanz). – 2. *Formen:* a) nach der *Vorgehensweise:* →progressive Erfolgsrechnung und →retrograde Erfolgsrechnung; b) nach der *Erfolgsberechnung:* →Gesamtkostenverfahren und →Umsatzkostenverfahren. – Vgl. auch →Bruttoerfolgsrechnung, →Erfolgsquellenanalyse.

Erfolgsrisiko, Risiko, das sich unmittelbar oder mittelbar auf den Erfolg eines Unternehmens bzw. einer Bank auswirkt und in →Betriebsergebnis und →Jahresüberschuß eingeht. Zu *differenzieren:* a) →Ausfallrisiko. b) →Zinsänderungsrisiko und c) →Währungsrisiko. – Vgl. auch →Hedging.

Erfolgsspaltung, *Erfolgsaufspaltung.* 1. *I.e.S.:* Aufteilung des Unternehmungsergebnisses in →Betriebsergebnis und →neutrales Ergebnis. – 2. *I.w.S.:* Jeder nach Quellen gegliederte Erfolgsnachweis, z. B. Aufspaltung des Erfolgs nach regionalen Gesichtspunkten (nach Filialen, Abteilungen, In- und Auslandsumsatz usw.) oder nach sachlichen Gesichtspunkten (Warengattungen, Haupt- und Nebengeschäft usw.). E. sind häufig durch →Erlösverbundenheiten enge Grenzen gesetzt, insbes. muß jeder Versuch einer vertikalen E. (Aufteilen eines Gesamterfolgs in einen Beschaffungs-, Produktions- und Absatzerfolg) scheitern. – Vgl. auch →Absatzsegmentrechnung, →Deckungsbeitragsrechnung, →Erfolgsquellenanalyse.

Erfolgswert, →Ertragswert.

Erfüllung, Erbringen der geschuldeten Leistung (z. B. durch Zahlung). – 1. *Folge:* Die Schuldverpflichtung erlischt (§ 362 I BGB). Gleiche Wirkung haben i. d. R.: →Leistung an Erfüllungs-Statt, →Aufrechnung, →Hinterlegung, →Erlaß. – 2. *Reihenfolge der E.:* Hat der Gläubiger mehrere gleichartige Forderungen, darf der Schuldner bei der Leistung bestimmen, welche Schuld er tilgen will; sonst wird zunächst die fällige Schuld, unter mehreren fälligen die geringere Sicherheit bietende, dann die dem Schuldner lästigere, die ältere und bei gleichem Alter jede Schuld verhältnismäßig getilgt (§ 366 BGB). Kann Gläubiger Kosten und Zinsen fordern, werden zuerst diese getilgt; will Schuldner andere Anrechnung, kann Gläubiger, ohne in →Annahmeverzug zu kommen, Annahme ablehnen (§ 367 BGB). – 3. *E. durch Dritten möglich,* soweit der Schuldner nicht in Person zu leisten hat (z. B. Dienstvertrag). Gläubiger darf ablehnen, wenn Schuldner widerspricht (§ 267 BGB). Betreibt aber der Gläubiger →Zwangsvollstreckung in einen Gegenstand des Schuldners, kann jeder, der Gefahr läuft, dingliches Recht oder Besitz zu verlieren, den Gläubiger (auch durch Aufrechnung und Hinterlegung) befriedigen; Wirkung: Forderung geht auf den Dritten über (§ 268 BGB).

Erfüllungsgehilfe, Person, deren sich der Schuldner zur Erfüllung seiner Verbindlichkeit bedient (z. B. Bank, durch die er zahlt). – *Haftung* des Schuldners für das →Verschulden des E. gegenüber dem Gläubiger (nicht gegenüber Dritten: →Verrichtungsgehilfe) wie für eigenes Verschulden (§ 278 BGB), wenn die haltungsauslöäsende Tätigkeit des E. mit der ihm übertragenen Aufgabe in innerem Zusammenhang steht (z. B. nicht, wenn der Bote stiehlt). Haftung kann auch vor Vertragsschluß eingreifen bei Verschulden bei Vertragsschluß (z. B. Verletzung des Kauflustigen durch Unachtsamkeit des Angestellten). Haftung für E. kann auch für →Vorsatz im voraus vertraglich ausgeschlossen werden. Unwirksam ist ein Haftunsgausschluß oder eine Begrenzung der Haftung in →Allgemeinen Geschäftsbedingungen für einen Schaden, der auf einer grob fahrlässigen Vertragsverletzung des →Verwenders oder auf einer vorsätzlichen oder grob fahrlässigen Vertragsverletzung eines →gesetzlichen Vertreters oder E. des Verwenders beruht. Entsprechendes gilt auch für Schäden aus der Verletzung von Pflichten bei den Vertragsverhandlungen.

Erfüllungsgeschäft, →Rechtsgeschäft, das der →Erfüllung einer Schuld dient und im allgemeinen in einer →Verfügung besteht. Es ist abstrakt, d. h. von dem zugrunde liegenden Verpflichtungsgeschäft unabhängig und deshalb i. d. R. auch bei dessen →Nichtigkeit gültig. Ausgleich dann nach den Vorschriften über →ungerechtfertigte Bereicherung.

erfüllungshalber, Form der Übernahme einer neuen Verbindlichkeit zum Zweck der Befriedigung des Gläubigers, z. B. der Schuldner gibt einen Scheck oder einen Wechsel; andere Form: →Leistung an Erfüllungs Statt. Bei Übernahme e. bleibt die alte Verbindlichkeit neben der neuen bestehen und erlischt erst nach völliger Befriedigung des Gläubigers. Übernimmt der Schuldner zur Befriedigung seines Gläubigers eine neue Schuld, so ist im Zweifel anzuznehmen, daß die neue Verbindlichkeit nur e. übernommen wird (§ 364 BGB). – Wird eine *Forderung* e. abgetreten, so erlischt die Forderung des →Zessionars gegen den →Zedenten erst dann, wenn jener sich durch Einziehung der abgetretenen Forderung befriedigt hat.

Erfüllungsinteresse, Interesse an der →Erfüllung einer Verbindlichkeit, insbes. eines gegenseitigen Vertrages. – Vgl. auch →positives Interesse.

Erfüllungsort, *Leistungsort,* Ort, an dem die Schuld zu erfüllen ist. Wenn nicht anders vereinbart, noch aus den Umständen zu entnehmen, ist E. →Wohnsitz bzw. gewerbliche Niederlassung des Schuldners bei Entstehung der Schuld (§ 269 BGB); vgl. auch →Holschuld. *Bei* →gegenseitigen Verträgen (z. B. Kauf) kann E. für beide Teile verschieden sein. Übernimmt Schuldner Versendung (→Versendungskauf) an einen →Ablieferungsort oder →Bestimmungsort oder Versendungskosten, ändert sich der E. nicht. Ebenso bei →Geldschulden; Schuldner muß aber auf seine Gefahr und Kosten dem Gläubiger den Schuldbetrag übermitteln (§ 270 BGB); vgl. auch →Schickschuld. →Bringschulden sind dagegen am Wohnsitz des Gläubigers zu erfüllen. – E. *begründet* besonderen →Gerichtsstand für Klagen auf Erfüllung oder Schadenersatz (§ 29 ZPO). Vereinbarungen über E. begründen dagegen nur dann einen Gerichtsstand, wenn die Vertragsparteien Vollkaufleute, juristische Personen des öffentlichen Rechts oder öffentlich-rechtliche Sondervermögen sind. – *Einseitige Bestimmung des E.* auf der Rechnung nach Vertragsabschluß ist auch bei →Stillschweigen des Empfängers nach ständiger Rechtsprechung bedeutungslos; anders im →Bestätigungsschreiben.

Erfüllungsprinzip, Begriff der deutschen Finanzstatistik. Beim E. werden von den Bruttoausgaben abgezogen: (1) Ausgaben, die zwischen Verwaltungszweigen einer Gebietskörperschaft geleistet werden, d. h. die Ausgaben werden nur dort erfaßt, wo sie endgültig anfallen; (2) Ausgaben, die in Form von Tilgungen, Darlehen und Zuweisungen an andere Gebietskörperschaften getätigt werden. Man erhält die *unmittelbaren Ausgaben.* Die Bereinigung ist notwendig, um Doppelzählungen zu vermeiden. – Vgl. auch →Belastungsprinzip.

Erfüllungsübernahme, im Sinne des BGB →Vertrag, durch den sich der Übernehmende verpflichtet, den Gläubiger des anderen Teils zu befriedigen. Anders als bei →Schuldübernahme bleibt i. d. R. der Schuldner allein dem Gläubiger verhaftet: der Gläubiger kann den Übernehmer nicht in Anspruch nehmen (§ 329 BGB). Nur der Schuldner kann von dem Übernehmer Befreiung von der Verbindlichkeit verlangen.

ergänzender Finanzausgleich, *sekundärer Finanzausgleich,* bei der Einnahmenverteilung (→aktiver Finanzausgleich) gebräuchliche, bei der Aufgabenverteilung (→passiver Finanzausgleich) weniger eingeführte Bezeichnung für diejenigen Regelungen der staatlichen Kompetenzen, die eine Verfeinerung, Modifikation bzw. Korrektur anderer, logisch vorgelagerter Kompetenzregelungen (→originärer Finanzausgleich) darstellen. – *Bekannteste Form des e. F.:* →Ausgleichszuweisungen, durch die nach Abschluß des originären Finanzausgleichs verbliebene Unterschiede in den →Deckungsrelationen der verschiedenen

Aufgabenträger(-ebenen) beseitigt bzw. vermindert werden. – Vgl. auch →Finanzausgleich IV und V.

Ergänzungsansatz, *Nebenansatz,* im →kommunalen Finanzausgleich bei der Berechung der →Schlüsselzuweisungen verwendete Größe zur Bestimmung des relativen Finanzbedarfs der Gemeinden (→Ausgleichsmeßzahl; vgl. auch →Finanzbedarf). Durch den E. wid der →Hauptansatz ergänzt bzw. modifiziert (zusätzliche Bedarfsindikatoren). E. und Hauptansatz bilden den →Gesamtansatz. – *Beispiele:* E. für zentralörtliche Funktionen, für Grenzlandlage, für besondere Lasten durch Schüler und Arbeitslose, für besonders stark expandierende und schrumpfende Gemeinden und für Bädergemeinden.

Ergänzungsanteil, →Gemeinschaftssteuern II 2.

Ergänzungsbilanz, steuerrechtlicher Begriff. →Steuerbilanz, die Korrekturen zu den Wertansätzen in der Steuerbilanz der Gesellschaft (Gesamthandelsbilanz) enthält. Evtl. zu erstellen nach einem Gesellschafterwechsel, bei Einbringungen und bei Inanspruchnahme personenbezogener Steuervergünstigungen durch eine Personengesellschaft für einzelne Gesellschafter.

Ergänzungshaushalt, →Haushaltsplan, der die Positionen umfaßt, die einen noch nicht verkündeten Haushalt ändern sollen. Der E. ist nicht als →Haushaltsüberschreitung anzusehen, sondern als originärer Haushalt, der nach denselben, allerdings beschleunigtn Verfahren aufgestellt, beraten und durchgeführt wird wie Jahreshaushaltspläne (§§ 32, 33 BHO). – Vgl. auch →Nachtragshaushalt, →Eventualhaushalt.

Ergänzungspflegschaft, →Pflegschaft II1.

Ergänzungssteuern. 1. *Begriff* in der Finanzwissenschaft: Einzelsteuern, die zur vollkommeneren Erreichung desselben fiskalischen oder nichtfiskalischen →Steuerzwecks nebeneinander eingeführt werden. – 2. *Abzugs-/Anrechnungsfähigkeit:* Häufig sind E. bei der Errechnung der →Bemessungsgrundlage der Steuer gegenseitig abzugsfähig (→Abzugsfähigkeit von Steuern), nicht jedoch gegenseitig anrechenbar (→Anrechenbarkeit von Steuern). – 3. *Beispiele:* a) Die frühere preußische „Ergänzungssteuer“ von 1893, die Vorläuferin der heutigen Vermögensteuer, die zusätzlich zu der schon 1891 eingeführten Einkommensteuer eine „Vorbelastung des Besitzeinkommens“ und damit eine vollständige Erfassung der Leistungsfähigkeit bewirken sollte. – b) Heutige Ergänzungsbeziehungen: Wandergewerbesteuer zur Gewerbesteuer, Feuerschutzsteuer zur Versicherungsteuer, Einfuhrumsatzsteuer zur Umsatzsteuer.

Ergänzungsversicherung, in der Haftpflichtversicherung bedingungsgemäßer Einschluß des Versicherungsschutzes auch aus der gesetzlichen →Haftpflicht aus Erhöhungen oder Erweiterungen des versicherten Risikos, soweit sie nicht in dem Halten oder Führen von Luft-, Kraft- oder Wasserfahrzeugen bestehen. Der →Versicherungsnehmer muß die Änderungen auf Anfrage bekanntgeben. – Vgl. auch →Vorsorgeversicherung.

Ergänzungszuweisung, als Ergänzung zum horizontalen Länderfinanzausgleich vom Bund gewährte →Ausgleichszuweisung an leistungsschwache Länder „zur ergänzenden Deckung ihres allgemeinen Finanzbedarfs“ (Art. 107 II GG), →Finanzausgleich V 1. – Vgl. auch →Finanzhilfe, →Finanzzuweisung.

Ergebnisabführungsvertrag, →Gewinnabführungsvertrag.

Ergebnisbeteiligung. 1. In der *betriebswirtschaftlichen Literatur* nicht mehr gebräuchlicher Begriff für verschiedene Formen der →Erfolgsbeteiligung. – 2. Im Rahmen der →*Vermögensbildung der Arbeitnehmer* vereinbarte Beteiligung der Arbeitnehmer an dem durch ihre Mitarbeit erzielten Erfolg des Betriebes, wesentlicher Betriebsteile oder der Gesamtheit der Betriebe eines Unternehmens, z. B. aufgrund von Materialersparnissen, Verminderung des Ausschusses oder der Fehlzeiten, sorgfältiger Wartung der Arbeitsgeräte und Maschinen, Verbesserung der Arbeitsmethoden und der Qualität der Erzeugnisse sowie sonstiger Produktions- und Produktivitätssteigerungen. Der Erfolg ist nach betriebswirtschaftlichen Gesichtspunkten jeweils für bestimmte Berechnungszeiträume zu ermitteln; die E. vor deren Beginn zu vereinbaren. *Einzelverträge* mit Arbeitnehmern über E. bedürfen der Schriftform; für sie und für →*Betriebsvereinbarungen* über E. ist im Vermögensbildungsgesetz Mindestinhalt vorgeschrieben. Der Arbeitgeber hat den beteiligten Arbeitnehmern auf Verlangen Auskunft über die Richtigkeit der Berechnung der Ergebnisse zu geben; auf Wunsch des Arbeitgebers haben die beteiligten Arbeitnehmer aus ihrer Mitte nicht mehr als drei Beauftragte zur Wahrnehmung dieser Auskunftsrechte zu wählen, die über vertrauliche Angaben Stillschweigen zu bewahren haben. – *Anders:* →Gewinnbeteiligung.

Ergebnismatrix, in der Entscheidungstheorie verwendete Darstellungsform für Entscheidungssituationen (→Entscheidungsfeld). Die zu erwartenden Ergebnisse der →Aktionen bei Eintritt jedes möglichen →Umweltzustands (e_i^j) werden in Matrixform einander gegenübergestellt. Die (objektiven oder geschätzten) Wahrscheinlichkeiten werden für das Eintreffen der jeweiligen Umweltzustände ggf. angegeben (z_i = Umweltsituation i (i = 1, ..., m) und a_j (Alternative j (j = 1, ..., n)): Sind die Wahrscheinlichkeiten p_i bekannt, liegt Entscheidung bei →Risiko vor, ohne Kenntnis bei →Unsicherheit.

Form einer Ergebnismatrix:

	z_1	z_2	......	z_m
a_1	e_{11}	e_{12}	....	e_{1m}
a_2	e_{21}	e_{22}	....	e_{2m}
.	.	.	.	.
.	.	.	.	.
.	.	.	.	.
.	.	.	.... e_{ij}	.
.	.	.	.	.
.	.	.	.	.
.	.	.	.	.
a_n	e_{n1}	e_{n2}	....	e_{nm}

Weiterentwickelte Darstellungsform: → Entscheidungsmatrix.

Ergebnismenge, in der Statistik die Menge aller möglichen Ergebnisse eines →Zufallsvorganges; z. B.beim Würfeln die Menge der ganzen Zahlen von 1 bis 6.

Ergebnisrechnung. 1. Ermittlung des →Betriebsergebnisses. – 2. Synonym für →Erfolgsrechnung. – 3. Synonym für →Mehr- oder Wenigerrechnung.

Ergebnissteuerungmanagement, →Projektmanagement 3b).

Ergebnisübernahmevertrag, →Gewinnabführungsvertrag.

Ergograph, Vorrichtung zur Aufzeichnung der Arbeit von Muskeln oder Muskelgruppen mittels Zeichen an einer mit einem Gewicht beschwerten Schnur, besonders zur Untersuchung der →Ermüdung geeignet. Wird heute kaum eingesetzt.

Ergometer, technisches Gerät, zumeist als Fahrrad-E., zur Messung der individuellen Leistungsfähigkeit. Als geeignetes Maß für die Messung der individuellen Leistungsfähigkeit wird i. a. die Pulsfrequenz angesehen. In einem Test wird die Belastung kontinuierlich erhöht. Die Testwerte der Versuchsperson werden durch einen Vergleich mit dem Mittel aller getesteten Personen verglichen und interpretiert. Dabei werden heute nicht nur die Pulsfrequenz, sondern auch – mittels eines →Elektrokardiogramms – die Herzfrequenz, die Zusammensetzung der ausgeatmeten Luft usw. gemessen. E.-Tests werden in der Arbeits- und Sportmedizin angewandt.

Ergonomie, Lehre von der menschlichen Arbeit. Die E. beruht auf der Erforschung der Eigenarten und Fähigkeiten des menschlichen Organismus und schafft dadurch die Voraussetzungen für eine Anpassung der Arbeit an den Menschen sowie umgekehrt. Diese Anpassung liegt sowohl im Bereich der körpergerechten Gestaltung der Arbeitsplätze (→Arbeitsgestaltung), der Beschränkung der Beanspruchung durch die Arbeit auf ein zulässiges Maß (→Humanisierung der Arbeit) und der Gestaltung der Umwelteinflüsse, als auch im Bestreben nach einem wirtschaftlicheren Einsatz menschlicher Fähigkeiten (Definition nach REFA). Die E. ist Teilgebiet der →Arbeitswissenschaft.

Erhaltungsarbeiten, →Streik II 2e).

Erhaltungsaufwand, im Sinn des Steuerrechts Aufwendungen für die laufende →Instandhaltung und die →Instandsetzung privater und betrieblicher Wirtschaftsgüter. Abgrenzung zu →Herstellungsaufwand notwendig. Aufwendungen bis zu 4000 DM (ohne →Umsatzsteuer) für einzelne Baumaßnahmen können auf Antrag immer als E. behandelt werden (Abschn. 157 IV 5 EStR). E. für betriebliche Wirtschaftsgüter werden bei der →Einkünfteermittlung als →Betriebsausgaben abgezogen, E. für private Wirtschaftsgüter als →Werbungskosten (z. B. bei den →Einkünften aus Vermietung und Verpachtung). Größere E. für nicht zu einem →Betriebsvermögen gehörende Gebäude kann der Steuerpflichtige auf zwei bis fünf Jahre gleichmäßig verteilen (§ 82b EStDV). Sonderbehandlung von E. für bestimmte Baumaßnahmen i. S. d. Städtebauförderungsgesetzes (§ 82h EStDV) und bei Baudenkmälern (§ 83k EStDV).

Erhaltungsfortbildung, Reaktivierung von beruflichen Fertigkeiten und Fähigkeiten, z. B. nach längerer Berufsuntätigkeit. – *Anders:* →Anpassungsfortbildung.

Erhaltungsinvestition, Investition, die der Erhaltung der betrieblichen Substanz, d. h. der betrieblichen Leistungsfähigkeit, dient. Zur Substanzerhaltung kann Ersatz und/oder Erweiterung notwendig sein (→Ersatzinvestition, →Erweiterungsinvestition).

Erhaltungssubventionen, →Subventionen.

Erhaltungswerbung, Werbung zwecks Verhinderung eines Umsatzrückganges gegenüber der vorhergegangenen Periode. – *Anders:* →Expansionswerbung, →Reduktionswerbung. – Vgl. auch →Erinnerungwerbung.

erhebliche Beteiligung, in § 10a KWG verwendeter bankaufsichtlicher Beteiligungsbegriff. – Vgl. auch →Kreditinstitutsgruppe.

Erhebung, *Datenerhebung,* in der Statistik die Ermittlung der →Ausprägungen der Merkmale, die Gegenstand der Untersuchung sind. Eine E. kann in Form einer schriftlichen oder mündlichen →Befragung (→Fragebogen; →Interview), durch →Beobachtung oder durch →Experiment erfolgen. Die *primärstatistische E.* (→Primärstatistik) erfolgt eigens für

Zwecke der Statistik, bei der *sekundärstatistischen E.* (→Sekundärstatistik) werden Daten, die ursprünglich für andere Zwecke ermittet wurden (z. B. Daten des betrieblichen Rechnungswesens) zusätzlich für statistische Zwecke verwertet. Je nachdem, ob die Grundgesamtheit vollständig erfaßt oder ob ihr eine Stichprobe entnommen wird, spricht man von →*Vollerhebung* oder →*Teilerhebung*. – Diejenigen Subjekte oder Objekte, deren Merkmalsausprägungen festgestellt werden, werden als →*Erhebungseinheit(en)* oder →*Untersuchungseinheit(en)* bezeichnet.

Erhebungseinheit, *statistische Einheit,* als Träger statistischer →Merkmale dasjenige Subjekt oder Objekt, das als kleinste Einheit einer statistischen →Erhebung zugrundeliegt und an dem die Merkmalsausprägungen (→Ausprägung) festgestellt werden. Die E. ist oft *nicht* identisch mit der →Auswahleinheit bei Stichproben oder der →Darstellungseinheit bei der Aufbereitung und Publikation (Darstellung) der statistischen Ergebnisse. – Vgl. auch →Untersuchungseinheit.

Erhebungsgebiet, Begriff des Umsatzsteuerrechts. Zum E. zählen das Hoheitsgebiet der Bundesrep. D. (mit Ausnahme der →Zollfreigebiete [mit Einschränkungen gem. § 1 III UStG] und der →Zollausschlüsse) sowie Berlin (West). Nur wenn eine Leistung (→Lieferungen und sonstige Leistungen) im E. erbracht wird, kann bei Vorliegen auch der übrigen Tatbestandsmerkmale des § 1 I Nr. 1–3 UStG ein grundsätzlich umsatzsteuerbarer Vorgang angenommen werden. – *Gegensatz:* →Außengebiet, →Deutsche Demokratische Republik.

Erhebungsgesamtheit, →Coverage-Fehler.

Erhebungsmerkmale, →Merkmal.

Erhebungsstichtag, →Referenzzeit.

Erhebungswoche, →Referenzzeit.

Erhebungszeitpunkt, Zeitpunkt, zu dem eine statistische →Erhebung durchgeführt wird. Meist tritt an seine Stelle ein →Erhebungszeitraum – Vgl. auch →Referenzzeit.

Erhebungszeitraum, Zeitraum, innerhalb dessen eine statistische →Erhebung durchgeführt wird. – Vgl. auch →Erhebungszeitpunkt, →Referenzzeit.

erhöhte Absetzungen, steuerrechtlicher Begriff für eine beondere Form von →Abschreibungen. Einzelheiten vgl. →Sonderabschreibungen.

Erholungshilfe. 1. *Kriegsopferfürsorge:* Leistung für Beschädigte, deren Ehegatten und Hinterbliebene, wenn die Erholungsmaßnahme zur Erhaltung der Gesundheit oder Arbeitsfähigkeit notwendig, die beabsichtigte Form des Erholungsaufenthalts zweckmäßig und – bei Beschädigten – die Erholungsbedürftigkeit durch die anerkannten Schädigungsfolgen bedingt ist (§ 27 b BVG). – 2. *Sozialhilfe:* Leistung der vorbeugenden Gesundheitshilfe (§ 36 BSHG). Erholungskuren für Kinder, Jugendliche, alte Menschen und Mütter. Die Leistungen sollen i. d. R. den Leistungen der gesetzlichen Krankenversicherung entsprechen.

Erholungskur umgangssprachlich für →Erholungshilfe und →Heilbehandlung.

Erholungsurlaub, →Urlaub I.

Erholungszeit, nach REFA Teil der →Zeit je Einheit. E. erfaßt das Unterbrechen der Tätigkeit zum Abbau der tätigkeitsbedingten Arbeitsermüdung, d. h. die zur Reproduktion der geistigen und körperlichen Spannkraft benötigte Zeit. Notwendig zur Erhaltung der →Normalleistung (→Erholungszeitermittlung, →Erholungszeitzuschlag).

Erholungszeitermittlung, Ermittlung der →Soll-Zeit aller Ablaufabschnitte, die für das Erholen des Menschen erforderlich sind (→Erholungszeit). Infolge unterschiedlicher Stärke und Dauer der Arbeitsbelastungen gibt es kein einheitliches Verfahren der E. Besondere Bedeutung hat die analytische E. für vorwiegend körperliche Tätigkeiten. Ergebnis der E.: →Erholungszeitzuschlag.

Erholungszeitzuschlag (z_{er}), Ergebnis der →Erholungszeitermittlung. Prozentuales Verhältnis von →Erholungszeit t_{er} zur →Grundzeit t_g:

$$z_{er} = \frac{t_{er}}{t_g} 100\%$$

Erinnerung. I. Zivilprozeßordnung: 1. *Zwangsvollstreckung:* Nicht fristgebundener Rechtsbehelf: a) gegen Vorgehen des →Gerichtsvollziehers (z. B. Geltendmachung der →Unpfändbarkeit); b) bei Weigerung des Gerichtsvollziehers, einen Vollstreckungsauftrag auszuführen; c) u. U. auch gegen Vollstreckungsakte des Gerichts, vor deren Erlaß Schuldner nicht gehört wurde (sonst →sofortige Beschwerde), § 766 ZPO. – Die E. *steht* dem beschwerten Verfahrensbeteiligten, bisweilen auch Dritten *zu,* deren Rechte durch die Vollstreckung berührt werden. – *Einlegung* beim →Vollstreckungsgericht, das vor der Entscheidung (durch mit sofortiger Beschwerde anfechtbaren Beschluß) die *einstweilige Einstellung* der Zwangsvollstreckung gegen oder ohne Sicherheitsleistung anordnen kann. – 2. E. i. d. R. *auch zulässig,* wo →Rechtspfleger oder der Urkundsbeamte der Geschäftsstelle entscheidet, z. B. gegen →Kostenfestsetzungsbeschluß; ebenso gegen den Ansatz von →Gerichtskosten (§ 104 ZPO; § 4 GKG). – E. gegen *Kostenfestsetzungsbeschluß* nur binnen einer →Notfrist von zwei Wochen seit →Zustellung zulässig; fristgebunden ist auch die E. gegen gewisse Entscheidungen des Rechtpflegers (§11 RpflG). – Die Erinnerung führt, soweit Rechtspfleger oder Urkundsbeamter nicht abhilft, zur Entscheidung des betreffenden Gerichts.

II. Finanzgerichtsordnung: 1. Rechtsbehelf gegen den *Kostenansatz* im Verfahren vor den →Finanzgerichten (§148 FGO). Die Frist für die Einlegung beträgt zwei Wochen. Über die E. entscheidet das →Finanzgericht durch Beschluß. – 2. Rechtsbehelf gegen die *Gebührenfestsetzung* der Geschäftsstelle des Finanzamts nach Rechtskraft der Entscheidung über einen →Rechtsbehelf (§257 AO). Die Frist zur Einlegung beträgt zwei Wochen. Über die E. entscheidet das Finanzamt. Gegen die Entscheidung des Finanzamts kann binnen zwei Wochen die Entscheidung des Finanzgerichts angerufen werden.

Erinnerungsposten, →Erinnerungwert.

Erinnerungstest, →Recall-Test.

Erinnerungswerbung, Werbung zwecks Erinnerung bestimmter Werbeinhalte. E. zielt auf eine Erhaltung und Sicherung des Absatzes (→Erhaltungswerbung). – Vgl. auch →Einführungswerbung.

Erinnerungswert, *Erinnerungsposten,* in der →Bilanz durch →Abschreibung entstandener Merkposten von 1 DM, vielfach bei Wirtschaftsgütern des →Anlagevermögens, teilweise auch bei uneinbringlichen Debitoren. Kein Verstoß gegen die Bilanzwahrheit, vielmehr nach den →Grundsätzen ordnungsmäßiger Buchführung erforderlich, die das völlige Weglassen von Aktivposten aus der Bilanz nicht zulassen.

erkennen, auf der Kredit- (Haben-) Seite eines Kontos verbuchen. – *Gegensatz:* →belasten.

Erkenntnisinteresse, Bezeichnung für das forschungsleitende Bemühen um kognitives Verständnis. Innerhalb realwissenschaftlicher Erkenntnisbereiche führt dies zur Bildung von →Theorien zum Zweck der →Erklärung. – Im antiken Griechenland dominierte E. vollständig. Erst im Zuge der Herausbildung der modernen Naturwissenschaft im 17. Jh. wurde der Stellenwert des Erkenntnisstrebens für die Gestaltung der Wirklichkeit sichtbar. – Nach heutigem Verständnis dominiert im Zusammenhang mit Grundlagenforschung das E., in der angewandten Forschung und Entwicklung dagegen das *Gestaltungsinteresse.*

Erkenntnis-lag, *recognition lag,* die Zeitspanne zwischen Auftreten einer wirtschaftlichen Störung und dem Zeitpunkt, zu dem von der Wirtschaftspolitik ein Handlungsbedarf erkannt wird. der E.-l. ist Komponente des inneren →lag. Hauptursachen für das Auftreten eines E.-l. sind Verzögerungen in der Datenerfassung und -auswertung sowie die Unsicherheit hinsichtlich der Folgen einer bestimmten Störung auf den Wirtschaftsprozeß.

Erkenntnisobjekt, aus dem →Erfahrungsobjekt durch →Abstraktion gewonnener Gegenstand einer Wissenschaft. Die Begründung für den Übergang vom (umfassenden) Erfahrungsobjekt zum E. erfolgt in der →Betriebswirtschaftslehre i.d.R. unter Bezug auf verschiedene →Identitätsprinzipien, z.B. →Wirtschaftlichkeitsprinzip oder →erwerbswirtschaftliches Prinzip. (Vgl. auch →systembezogener Tatbestand und →systemindifferenter Tatbestand.) – *Bedeutung:* Den damit vorgenommenen Abgrenzungen zu Nachbardisziplinen kommt als Folge der Öffnung der Betriebswirtschaftslehre gegenüber Psychologie, Sozialpsychologie, Soziologie usw. heute kaum mehr Bedeutung zu. Die verschiedenen Identitätsprinzipien erwiesen sich nie als wirklich trennscharf.

Erkenntnis-Verzögerung, →Erkenntnis-lag.

Erkennungsverzögerung, →Erkenntnis-lag.

Erklärung, wichtiger Anwendungsfall erfahrungswissenschaftlicher →Theorien. Es handelt sich um den Versuch, in der Realtität zu beobachtende Tatbestände oder Vorgänge auf ihre Ursachen zurückzuführen (daher auch: *Kausalerklärung).* Benötigt werden →Gesetzesaussagen (wenn p, dann q), die eine logische Beziehung zwischen Ursache p und Wirkung q herstellen. – In der →*Wissenschaftstheorie* wird die allgemeine Struktur wissenschaftlichr E. in Form des →Hempel-Oppenheim-Schemas meist wie folgt dargestellt:

$$\left.\begin{array}{ll}\text{Gesetzesaussagen} & G_1, G_2 \ldots G_n \\ \text{Anwendungsbedingungen} & \underline{A_1, A_2 \ldots A_n}\end{array}\right\}\text{Explanans}$$
$$\begin{array}{ll} & E \qquad \text{Explanandum}\end{array}$$

Im *Explanans* sind neben den zur Erklärung benötigten Gesetzesaussagen die spezifischen →Anwendungsbedingungen enthalten; als *Explanandum* wird der zu erklärende Sachverhalt bezeichnet.

Erklärungskomponente, Bestandteil eines →Expertensystems, der auf Anfrage des →Benutzers darlegt, wie das System zu einer bestimmten Aussage gelangt ist. – *Beispiel:* Bei einem →regelbasierten System erläurtert die E., durch Anwendung welcher *Regeln* und durch Benutzung welcher *Fakten* das Ergebnis des Inferenzprozesses (→Inferenzmaschine) zustande gekommen ist.

Erklärungsmodell, →Modell.

Erkrankung, →Krankheit.

Erlanger Schule, →Konstruktivismus.

Erlang-Verteilung, stetige theoretische →Verteilung im Sinne der Statistik. Eine stetige Zufallsvariable X heißt Erlang-verteilt mit Parametern n und λ, wenn sie die Dichtefunktion

$$f_X(x) = \lambda \cdot \frac{(\lambda x)^{n-1}}{(n-1)!} e^{-\lambda x}$$

für $x > 0$ besitzt. Eine Summe von n stochastisch unabhängigen Zufallsvariablen, welche je eine →Exponentialverteilung mit identischem Parameter λ aufweisen, ist Erlang-verteilt mit Parametern n und λ. Die E. spielt in der Praxis im Zusammenhang mit der statistischen Analyse von Lebensdauern und Verweildauern eine Rolle: Befindet sich ein Element zunächst in einer ersten Teilgesamtheit, wechselt es dann über in einen zweiten Sektor ... und verläßt es letztlich einen n-ten Sektor nach außen, dann ist seine Gesamtverweildauer in der übergeordneten Grundgesamtheit aller Sektoren Erlang-verteilt mit Parametern n und λ, falls die Verweildauern in den Teilgesamtheiten alle mit Parameter λ exponentialverteilt und stochastisch unabhängig sind.

Erlaß. 1. *Öffentliches Recht:* Anordnung einer höheren Behörde an eine ihr untergeordnete Dienststelle betr. die inneren Angelegenheiten der Verwaltung – 2. *Bürgerliches Recht:* E. einer Forderung nur durch →Vertrag zwischen Schuldner und Gläubiger (§ 397 BGB), anders vielfach bei →dinglichen Rechten. Einseitiger Verzicht des Gläubigers ist an sich wirkungslos; doch wird i. d. R. stillschweigender Abschluß eines E.-Vertrages anzunehmen sein. Vertragliches →negatives Schuldanerkenntnis ist E.; auch durch →Quittung möglich. – 3. *Steuerrecht:* E. von Steuern und sonstigen Geldleistungen; vgl. →Steuerlaß.

Erlaßkontenrahmen, durch Erlaß des Reichswirtschaftsministers im Rahmen der „Richtlinien zur Organisation der Buchführung" vom 11.11.1937 aufgestellte Kontenübersicht, die eine Vergleichbarkeit der Rechnungswesen aller Unternehmungen einer Wirtschaftsgruppe zuläßt. Heute nicht mehr unmittelbar rechtsverbindlich, jedoch sind aufgrund der Kontenrahmen aufgestellte Kontenpläne Grundbestandteil jeder ordnungsmäßigen Buchführung. – Vgl. auch →Kontenrahmen.

Erlaßvergleich, übliche Form des Vergleichs im →Vergleichsverfahren zur Abwendung des Konkurses, bei dem die Gläubiger dem Schuldner einen Teil der Forderung erlassen und das Unternehmen des Schuldners regelmäßig fortgeführt wird. Der E. muß den Gläubigern mindestens 35%, bei einer Zahlungsfrist von mehr als einem Jahr mindestens 40% ihrer Forderungen gewähren (§ 7 VglO). Werden die Zahlungsfristen nicht eingehalten, evtl. Wiederaufleben der erlassenen Forderungen (→Wiederauflebensklausel). – *Anders:* →Liquidationsvergleich.

Erlaubnis. 1. *Allgemein:* →Verwaltungsakt, durch den ein einzelner von bestimmten gesetzlichen Beschränkungen befreit wird. – 2. E. bezüglich *Kreditinstitute:* Wer Geschäfte von Kreditinstituten im Bundesgebiet betreiben will, bedarf der Erlaubnis des →Bundesaufsichtsamtes für das Kreditwesen (§ 32 KWG). Die E. kann unter →Auflagen erteilt werden. Sie darf nur versagt werden bei mangelnder Eignung oder Unzuverlässigkeit des Geschäftsleiters, Unzuverlässigkeit des Antragstellers oder bei unzureichenden Mitteln (§ 33 KWG). Die E. kann zurückgenommen werden, wenn sie erschlichen ist, der Betrieb ein Jahr lang geruht hat, Tatsachen bekannt werden, die zur Versagung geführt hätten oder anderweit nicht abwendbare Gefahr für die Sicherheit der Kundenwerte besteht (§ 35 KWG). Bei Rücknahme der E. kann das Kreditinstitut aufgelöst wrden (§ 38 KWG). – 3. *E. bezüglich Einzelhandel:* Vgl. →Einzelhandel IV. – 4. *E. bezüglich eines stehenden Gewerbes oder des Reisegewerbes:* Vgl. →Gewerbeerlaubnis, →Reisegewerbekarte. – 5. *E. für den Betrieb einer Gaststätte:* Vgl. →Gaststättengesetz. – 6. *E. für die Errichtung eines Bauwerks:* Vgl. →Bauerlaubnis. – 7. *E. zur Durchführung von gewerblichem Güternahverkehr* (auch Güterliniennahverkehr) *und gewerblichem Umzugsgutverkehr:* Vgl. →Genehmigung III.

Erlaubniskartelle, →Kartellgesetz VII 3c).

Erlebensfallversicherung, Form der Lebensversicherung, bei der der Anspruch auf die Versicherungsleistung (Kapital oder Rente) mit der Erreichung eines bestimmten Lebensalters (Endalter) entsteht. – Vgl. auch →Lebensversicherung II 5.

Erlebenswahrscheinlichkeit, durchschnittliche →Lebenserwartung.

Erledigung der Hauptsache, Erledigung des im Zivilprozeß geltend gemachten Anspruchs nach →Klageerhebung (z. B. durch Zahlung des Beklagten). Nach E. d. H. entscheidet das Gericht i. d. R. über die Kosten durch →Beschluß, und zwar nach dem bisherigen Sach- und Streitstand und billigem Ermessen (§ 91 a ZPO). Dagegen →sofortige Beschwerde zulässig.

Erledigungsvermerk, bei →Bearbeitungsstempeln anzubringender Vermerk. E. müssen Namen des Bearbeiters und Datum der Erledigung erkennen lassen.

Erlös. 1. Auf besonderen Ertragskosten ausgewiesener Gegenwert aus Verkauf, Vermietung und Verpachtung von Produkten, Waren und Dienstleistungen, vermindert um →Umsatzsteuer und →Erlösschmälerungen (→Umsatzerlös). Die E. umfassen in der →*Gewinn- und Verlustrechnung* (§ 275 HGB) die Umsatzerlöse und einen Teil der sonstigen betrieblichen Erträge. – Beim →*Liquidationsverkauf* kann der E. einen steuerpflichtigen Liquidationsgewinn enthalten. – 2. E. als *Gegenbegriff der →Kosten:* Diese Begriffsfassung setzt sich zunehmend durch mit der Folge, daß der Begriff der →Leistung als früher dominierender Gegenbegriff (Kosten- und Leistungsrechnung) nunmehr das Mengengerüst der E. kennzeichnet. – 3. *Erlösarten:* Teile eines Gesamterlöses, die für bestimmte Entgeltkomponenten (Teilpreise) anfallen, z. B. Grundgebühr und leistungsabängige Gebühr für Fernsprechleistungen. – Vgl. auch →Einzelerlös, →Gemeinerlös, →negativer Erlös, →Nettoerlös, →Bruttoerlös.

Erlösarten, →Erlös 3.

Erlösberichtigungen. 1. *I. w. S.:* Synonym für Erlösschmälerungen. – 2. *I. e. S.:* Reduzierungen des ursprünglich angesetzten →Erlöses, die zwischen der Rechnungsstellung und dem Zahlungseingang bzw. der Rücksendung der Leistung, z. T. jedoch auch erst am Periodenende (z. B. Boni) anfallen, z. B. Gutschriften für zurückgesandte Mehrwegeverpackungen, Kundenskonti und Debitorenausfälle aufgrund von Insolvenzen.

Erlöschen. 1. *E. eines Schuldverhältnisses:* Tritt ein durch →Erfüllung, i. d. R. auch durch →Leistung an Erfüllungs Statt. – Vgl. auch →Aufrechnung, →Hinterlegung und →Erlaß. – 2. *E. einer Firma:* Vgl. →Firma IV.

Erlösfunktion, mathematische Darstellung der Abhängigkeiten zwischen Absatzmenge und Umsatz. Bei gleichbleibenden Produktpreisen steigt der Erlös mit der Zunahme der abgesetzten Produkteinheiten geradlinig an. Hängt der Preis eines Produktes in der Weise vom Absatz ab, daß bei hohem Preis wenig und bei gesunkenem Preis mehr Einheiten verkauft werden, so wird der Erlös bei zunehmender Absatzmeng und sinkenden Preisen so lange steigen, bis die Absatzzunahme wertmäßig die Preissenkung kompensiert. Bei weiterer Absatzsteigerung wird der Gesamterlös sinken.

Erlöskonten, Ertragskonten zur Buchung der →Erlöse bzw. →Umsatzerlöse. In den meisten →Kontenrahmen die Konten der →Kontenklasse 8 (→Einzelhandelskontenrahmen, →Großhandelskontenrahmen, →Gemeinschaftskontenrahmen industrieller Verbände). Im →Industriekontenrahmen dagegen Konten der Kontenklasse 5.

Erlösmaximierung, Zielsetzung betrieblicher Preispolitik, nach der die Preise für die erzeugten Produkte so zu setzen sind, daß der Gesamterlös so groß wie möglich wird. E. deckt sich i. d. R. nicht mit →Gewinnmaximierung; die Zielsetzung der E. kann somit gegen das →erwerbswirtschaftliche Prinzip verstoßen.

Erlösminderungen, Teil der →Erlösschmälerungen, der den Erlös eines Verkaufsgeschäfts (schon) unmittelbar bei Rechnungsstellung reduziert, z. B. Rabatte.

Erlösplanung, Teil der betrieblichen Planung, in deren Rahmen die Höhe der Erlöse für einzelne Produkte, Kunden und Kundengruppen, Vertriebswege, Absatzmärkte und -gebiete sowie andere Absatzsegmente geplant und ggf. als Budgetwerte den entsprechenden Verantwortungsträgern vorgegeben werden. Im Rahmen der E. hat man besondere Sorgfalt auf die Berücksichtigung von Nachfrageverbundenheiten und →Erlösschmälerungen zu verwenden.

Erlösquellen, absatzwirtschaftliches Potential, von dem dem Unternehmen →Erlöse zufließen. Typische E. sind Kunden, Kundengruppen, Marktsegmente und Märkte.

Erlösrealisation. I. Begriff/Bedeutung: Zeitpunkt, an dem ein Erlös als gesichert (realisiert) gilt. Der genauen Festlegung dieses Zeitpunkts kommt für das externe und interne Rechnungswesen große Bedeutung zu, da hiervon abhängt, wann ein Erlös erstmals erfaßt und ausgewiesen werden darf und damit Einfluß auf die Höhe des erzielten Erfolgs nimmt.

II. Konzepte: 1. In der *Rechtsprechung* gilt ein Erlös dann als realisiert, wenn eine Rechnung erstellt wurde und keine konkreten Anhaltspunkte dafür bestehen, daß der Schuldner der Zahlungspflicht nicht nachkommen wird. – 2. Im Falle *langfristiger Fertigung* (z. B. in der Bauwirtschaft) gilt häufig die Ausnahme, daß der Erlös der Projekte „portionsweise“ als realisiert gilt, dann nämlich, wenn Zahlungen des Kunden gemäß dem Fertigungsfortschritt (z. B. nach Abnahme eines bestimmten Bauabschnitts) vereinbart wurden; es soll eine größere Stetigkeit des Erfolgsausweises erreicht werden. – Der Bezug der E. auf die Rechnungsstellung ist vom Gläubigerschutzgedanken (→Gläubigerschutz) bestimmt, will das Risiko von Erlösausfällen möglichst gering halten. Will man auch das Absatzfinanzierungs- und Gewährleistungsrisiko berücksichtigen, darf man Erlöse erst dann erfassen, wenn die Zahlung des Kunden eingegangen bzw. die Gewährleistungspflicht abgelaufen ist. Im Gegensatz zu diesen Zurückverlagerungen des Realisationszeitpunkts sehen andere Ansätze eine Erlöserfassung schon zum Zeitpunkt des Verkaufabschlusses (→schwebendes Geschäft) vor. – 3. *Weitere Konzepte* sehen einen Erlös nicht zu einem bestimmten Zeitpunkt als realisiert an, sondern rechnen ihn einem Zeitraum zu, z. B. den Erlös eines Bauprojekts etwa der gesamten Zeit von der

Anbahnung des Geschäfts bis zum Ablauf der letzten Gewährleistungspflicht.

Erlösrechnung. I. Charakterisierung: Die E. hat die Aufgabe, alle einem Unternehmen durch die Erstellung und Verwertung von Leistungen zufließenden Werte zu erfassen, zu strukturieren und für →Auswertungsrechnungen bereitzuhalten. Die E. baut wesentlich auf der Leistungsrechnung (→Kosten- und Leistungsrechnung) auf, die nach neuerem Verständnis eine reine Mengenrechnung darstellt. – Wie die →Kostenrechnung ist die E. Teil des →internen Rechnungswesens. – Theorie und Praxis haben sie bis heute vernachlässigt. Ihr Ausbau ist jedoch dringend geboten: Während die Kostenseite der Unternehmen durch den fortschreitenden Anstieg des Fixkostenanteils immer mehr erstarrt, reagieren die Erlöse durch den Übergang von →Verkäufermärkten zu →Käufermärkten immer sensibler auf Veränderungen der Absatzbedingungen. Einer richtigen Einschätzung der Erlösentwicklung und ihrer Beinflußbarkeit kommt deshalb eine zentrale Bedeutung zu.

II. Teilgebiete: 1. Im Gegensatz zur Kostenrechnung besitzt von den Teilgebieten Erlösarten-, -stellen-, und -trägerrechnung nur die *Erlösträgerrechnung* Relevanz: (1) Zum einen lassen sich Erlösarten (→Erlös 3) kaum von →Erlösträgern trennen. Ein der Kostenartensystematisierung analoges Abstellen auf unterschiedliche Leistungarten in einer Erlösartenrechnung hätte ein praktisch deckungsgleiches Ergebnis zur Folge, wie es auch die Differenzierung nach unterschiedlichen Verkaufsleistungen als Erlösträger erbrächte. (2) Da sich der Erlös einer Leistung nicht auf die einzelnen zu ihrer Erstellung erforderlichen Teilleistungen aufteilen läßt (→Erfolgsspaltung), kann man zum anderen nur in seltenen Fällen eigenständige →Erlösstellen bilden. – 2. An die Seite der Erlösträgerrechnung als wichtiges Teilgebiet einer E. tritt die *Erlösquellenrechnung* (→Erlösquellen), die Auskunft darüber gibt, von welchen absatzwirtschaftlichen Potentialen Erlöse dem Unternehmen zufließen.

III. Erfassungsgenauigkeit: Wie die Kostenrechnung muß die E. ein möglichst wirklichkeitsnahes Abbild der Realität liefern. Sie ist dabei noch größeren Problemen ausgesetzt. Diese resultieren schon aus der *Mehrstufigkeit der Erlöserfassung*. So ist etwa zum Zeitpunkt der Rechnungsstellung als erstem Zeitpunkt der Erlöserfassung (→Erlösrealisation) nicht bekannt, ob der betreffende Kunde skontieren oder am Jahresende einen Bonus erhalten wird. Um trotzdem nur einen einzigen Erlöserfassungstermin zu erreichen, arbeitet man in der Praxis meist mit Standardsätzen für die einzelnen Arten von →Erlösschmälerungen. Hiermit sind jedoch Ungenauigkeiten verbunden. Erfassungsprobleme resultieren auch aus *Verbundbeziehungen*, die sich einer exakten Quantifizierung entziehen, für absatzwirtschaftliche Fragestellungen jedoch eine zentrale Bedeutung besitzen (→Erlösverbundenheiten). – Vgl. auch →Planerlösrechnung.

Erlösschmälerungen. 1. *Begriff:* Minderung der erzielten Erlöse (→Bruttoerlöse) durch →Erlösberichtigungen (z.B. Boni), →Erlösminderungen (z.B. Rabatte, Skonti) und Erlöskorrekturen (z.B. Korrektur von Berechnungsfehlern); es ergibt sich der Nettoerlös. Als E. gilt auch Preisnachlaß aufgrund einer →Mängelrüge oder zur Erfüllung von Gewährleistungsansprüchen (→Garantie). – 2. *Buchung:* I.d.R. gesondert auf Unterkonten zu den Erlöskonten, je nach →Kontenrahmen verschieden.

Erlösstellen, betriebliche Abrechnungsbezirke, denen direkt →Erlöse zugerechnet werden können. Aufgrund der Arbeitsteilung innerhalb von Unternehmen und dem daraus resultierenden Leistungsverbund liegt eine isolierte Zurechenbarkeit nur selten vor (→Erfolgsspaltung).

Erlösträger, Absatzleistungen des Unternehmens, denen Erlöse direkt zugerechnet werden können. Wichtige E. sind einzelne Leistungsarten (Produkte), aus Haupt- und Nebenleistungen bestehende Leistungsbündel (z.B. Sach- und Finanzierungsleistung bei Verkauf auf Ziel) und Auftragsbündel (z.B. alle mit einem Kunden in einem Jahr abgewickelten Aufträge).

Erlösverbundenheit. I. Charakterisierung: Erlöse sind dann miteinander verbunden, wenn ihre Höhe nicht isoliert voneinander bestimmt werden kann. Üblicherweise setzt man sich im Rechnungswesen über E. hinweg. Sowohl in der traditionellen →Vollkostenrechnung als auch in Systemen →entscheidungsorientierter Kostenrechnung stellt man den →Vollkosten oder →Teilkosten der Produkte stets ihre →Nettoerlöse gegenüber und setzt damit voraus, daß diese direkt zurechenbar sind. Aus dieser häufig nicht zutreffenden Annahme können erhebliche Gefahren im Rahmen der Festlegung des Produktions- und Absatzprogramms resultieren.

II. Formen: 1. *Angebotsverbunde:* Liegen dann vor, wenn ein Unternehmen Leistungen, die es auch gesondert, nebeneinander absetzten könnte, im Angebot koppelt. Zu *unterscheiden* sind (1) stückbezogene (z.B. Vorgabe von Mindestabgabemengen) und (2) erzeugnisartenbezogene Angebotsverbunde (z.B. Lieferung von Anlagen mit dem Zwang zum Abschluß von Wartungsverträgen). Angebotsverbunde können von einem Unternehmen als absatzpolitisches Instrument bewußt eingesetzt werden. – 2. *Nachfrageverbunde:* Liegen dann vor, wenn die Einzelentscheidungen der Kunden, verschiedene (Einzel-)Leistungen des Unternehmens nachzufragen, nicht isoliert voneinander getroffen werden, sondern miteinander in Beziehung stehen. Zu *unterscheiden* sind: a) zeitpunktbezogen: (1) Verwendungsverbundenheit (z. B. Kameras und Filme), (2) Auswahlverbund (Nachfrage nach einem Gut aufgrund der Präsentation eines breiten Spektrums von anderen Gütern gleicher Verwendungsrichtung) und (3) Kaufverbundenheit (Einkauf unterschiedlicher Güter in einem Kaufakt, z. B. zur Reduzierung von Einkaufskosten; b) zeitraumbezogen: (1) →Markentreue und (2) →Lieferantentreue. Diese Form der E. hat keinen steuernden Einfluß; sie kann nur durch eine entsprechende Angebotsgestaltung genutzt werden.

III. Erfassung: Während sich Angebotsverbunde durch entsprechende Zusammenfassung von →Erlösträgern in der →Erlösrechnung exakt berücksichtigen lassen, fällt die Erfassung von Nachfrageverbunden i. d. R. sehr schwer. Derartige Verbunde lassen sich nicht quantifizieren. Aufgrund ihrer wichtigen Bedeutung für die Programmpolitik des Unternehmens sollte man sie jedoch zumindest als qualitative Daten speichern und im Auswertungsfall dem Disponenten an die Hand geben.

Ermächtigung, im Verfassungsrecht die Befugnis zum Erlaß von →Rechtsverordnungen. Nach Art. 80 I GG kann eine E. durch den Bundesgesetzgeber nur der Bundesregierung, einem Bundesminister oder den Landesregierungen (nicht einzelnen Landesministern) erteilt werden. Inhalt, Zweck und Ausmaß müssen im Gesetz bestimmt werden; diese Begrenzung ist von Bedeutung, insbes. auf dem Gebiet des Steuerrechts.

Ermächtigungsdepot, liegt vor, wenn der Hinterleger oder Verpfänder von Wertpapieren die Bank ermächtigt, an Stelle der ihr anvertrauten Wertpapiere andere Effekten derselben Art zurückzugewähren. Die Ermächtigung muß für das einzelne Verwahrungsgeschäft →ausdrücklich und schriftlich abgegeben werden (§ 10 DepG). Vgl. →Wertpapierverwahrung.

Ermächtigungstreuhandschaft, →Treuhandschaft.

Ermessen, *freies Ermessen,* Richtschnur für den Erlaß von →Verwaltungsakten. – Das freie E. wird weitgehend *eingeschränkt* durch unbestimmte Rechtsbegriffe, z. B. Zuverlässigkeit und Eignung des Antragstellers, Bedürfnis für die Errichtung von bestimmten Gewerbebetrieben oder Wohl der Allgemeinheit. – Bei *Ermessensüberschreitung* oder *Ermessensmißbrauch* Klage vor dem Verwaltungsgericht. – Auch Ermessensentscheidungen des *Finanzamts* müssen sich in den gesetzlichen Grenzen halten; sie sind innerhalb dieser Grenzen nach Billigkeit und Zweckmäßigkeit zu treffen (§ 2 StAnpG). – Vgl. auch →Ermessensmißbrauch, →Ermessenüberschreitung.

Ermessensmißbrauch, Willkürakt, bei dem eine Verwaltungsbehörde von dem ihr zustehenden →Ermessen aus unsachlichen Gründen und/oder Zwecken Gebrauch macht.

Ermessenüberschreitung, fehlerhafter Gebrauch des →Ermessens aus irrigen Erwägungen, z. B. indem eine Behörde eine Entscheidung trifft, die nicht in ihren Zuständigkeitsbereich gehört.

Ermittlungsmodell, →Modell.

Ermüdung, Abnahme der Leistungsfähigkeit, hervorgerufen durch Arbeit (Arbeitsermüdung) oder Ermüdungsreize (z. B. ermüdende atmosphärische, klimatische Bedingungen, unzureichende Schlaf- und Erholungsmöglichkeit oder aufgrund des normalen biologischen Tag/Nacht-Rhythmus). Die E.serscheinungen zeigen sich in physischen und psychischen Veränderungen. Arbeitspausen (→Pausen, →Pausengestaltung) verlangsamen den E.sprozeß: Die lohnendste Pause ist diejenige, bei der der Verlust an Arbeitsbereitschaft am kleinsten und die Erholungswirkung am größten ist; am besten kurz vor dem Absinken der Höchstleistung einzulegen. – *E.smessung:* Man verwendet hierzu entweder die Methode der fortlaufenden Arbeit (→Arbeitsversuch) oder das →Stichprobenverfahren. Die bekanntesten *Verfahren* hierbei sind →Ergograph, →Ergometer, →Dynamometer, Ästhesiometer, Diktiermethode (Nachschreibenlassen kurzer Zahlen und Wortreihen). – Vgl. auch →Ermüdungsstudie, →Übermüdung.

Ermüdungsstudie, Untersuchung der Arbeitsbelastungen, die eine Arbeit bei →Normalleistung an den Arbeitenden stellt, und methodische Ermittlung des für den Ermüdungsausgleich erforderlichen →Erholungszeitzuschlag aus den Erkenntnissen der Arbeitsphysiologie und -psychologie.

Ernährungsgewerbe, Teil des →Nahrungs- und Genußmittelgewerbes. Umfaßt eine Vielzahl von Branchen: Mühlen-, Nährmittel-, Stärke-, Futtermittel-, Brot-, Süßwaren-, Fleischwaren-, fischverarbeitende, Molkerei-, Ölmühlen-, Margarine-, Zucker-, Obst-, Gemüse-, Kaffee-, Tee-, Essig-, Senf-, Essenzen-, Gewürz-, Spiritus-, weinverarbeitende, Mineralwasser-, Limonaden- und tabakverarbeitende Industrie, Eisgewinnung, Brauereien und Mälzereien. – Vgl. auch →Molkerei, →Brauereien.

Ernährungsgewerbe

Jahr	Beschäftigte in 1000	Lohn- und Gehaltssumme	darunter Gehälter	Umsatz gesamt	darunter Auslandsumsatz	Nettoprod.-index 1980 =100
		in Mill. DM				
1970	556	7175	2797	66164	1503	–
1971	557	8030	3111	71857	1703	–
1972	549	8704	3433	76372	2001	–
1973	549	9662	3858	84723	2711	–
1974	533	10416	4210	92105	4081	–
1975	503	10764	4398	97292	4153	–
1976	489	11167	4550	106973	4793	90,7
1977	474	11868	4908	114213	7185	92,3
1978	469	12428	5147	118202	7696	94,4
1979	468	13072	5432	123490	8449	97,6
1980	468	13899	5808	131583	9803	100
1981	465	14662	6182	139984	11682	101,6
1982	450	14872	6322	146029	12378	101,5
1983	434	14798	6310	148227	12637	100,3
1984	430	14981	6376	152003	14269	101,8
1985	427	15287	6544	154531	15227	104,2
1986	424	15662	6675	155041	14406	106,1

Ernährungs- und Landwirtschaftsorganisation der Vereinten Nationen, →FAO.

Ernennung von Beamten, →Anstellung von Beamten.

Erneuerungsfonds, *Erneuerungsrücklage,* →Gewinnrücklage (§ 58 AktG) für Gegenstände, deren Neuanschaffung voraussichtlich teurer sein wird als die zu ersetzenden. Bildung aus dem Gewinn. Auflösung nach freiem Ermessen ohne Bindung an Verwendungszweck, sofern Satzungsbestimmungen nicht entgegenstehen.

Erneuerungskonto, das zur Bildung eines →Erneuerungsfonds geschaffene Konto.

Erneuerungsprozeß. 1. *Begriff:* Variante eines →stochastischen Prozesses, der insbes. in der →Zuverlässigkeitstheorie seine Anwendung findet. Phänomene des Ausfalls und der Erneuerung von Funktionen eines →Systems können durch den E. mathematisch abgebildet werden. – 2. *Mathematische Formulierung:* Sei $(X_i)_{i \geq 0}$ eine Folge von unabhängigen Zufallsvariablen, die alle die gleiche Verteilungsfunktion F(x) besitzen und nur positive Werte annehmen (F(x) = 0 für x > 0). Die Folge von Zufallsvariablen $(S_k)_{k \geq 0}$ mit

$$S_0 := 0; \quad S_k := X_1 + \ldots X_k, \quad k \geq 1$$

wird E. genannt. – 3. *Bedeutung:* Die Zufallsvariablen X_0, X_1, ... werden als →Zwischeneintrittszeiten von Erneuerungen interpretiert, so daß die Folge $(S_k)_{k \geq 0}$ die Zeitpunkte der Erneuerungen angibt. Über wahrscheinlichkeitstheoretische Berechnungen (Erneuerungssätze) erhält man starke Aussagen über das asymptotische Verhalten der zu untersuchenden Phänomene.

Erneuerungsschein, *Leiste, Leistenschein, Talon, Zinsleiste, Zinsenstamm,* i.d.R. jedem Zinsschein (→Kupon) und →Dividendenschein beigefügtes Nebenpapier der →Inhaberschuldverschreibung oder →Aktie. Der E. ist ein →Legitimationspapier. Er berechtigt zum Bezug der neuen →Bogen. Auch ein Nichtberechtigter wird durch die Vorlage des E. zum Empfang der neuen Zins- bzw. Dividendenscheine legitimiert. Jedoch geht das Recht des Inhabers des Stammpapiers vor; er kann bei Vorlage des Stammpapiers verlangen, daß die Zinsscheine ihm selbst ausgehändigt werden (§ 805 BGB).

Erneuerungswert, der durch die Kosten der Wiederherstellung bzw. Wiederbeschaffung bestimmte Wert. – Vgl. auch →Wiederbeschaffungskosten, →Reproduktionswert.

Ernteberichterstattung, Teil der landwirtschaftlichen Erzeugungsstatistik. Die E. erfaßt: 1. Monatlich von April bis November den Wachstumstand bestimmter Feldfrüchte (Roggen, Weizen, Hafer, Kartoffeln, Zuckerrüben u.a.) sowie Vorausschätzungen und endgültige Schätzungen der →Ernteerträge von Ackerfrüchten und des Grünlandes. Zusätzlich Erntevorausschätzungen auf der Grundlage von Witterungsdaten für Getreide, Zuckerrüben und Kartoffeln. – 2. Monatlich von Mai bis Oktober Wachstumstand, Erntevorausschätzungen und die endgültige Schätzungen für Gemüse, Erdbeeren und die wichtigsten Obstarten. – 3. Monatlich von Mai bis November Stand der Reben und Güte der Trauben, Vor- und endgültige Schätzung der Weinmosternte u.a. – 4. In der besonderen Ernteermittlung jährlich →Hektarerträge für bestimmte Getreidearten und Kartoffelsorten. – *Rechtsgrundlage:* Gesetz über Bodennutzung und Ernteerhebung i.d.F. vom 21.8.1978 (BGBl I 1509).

Ernteertrag, im Sinne der amtlichen →Landwirtschaftsstatistik: bei landwirtschaftlichen Feldfrüchten und Grünland die eingebrachte Ernte, für Getreide auf 14% Feuchtigkeit umgerechnet; bei Gemüse und Obst marktfähige Ware, gleichgültig, ob sie voll verwertet werden kann oder nicht; bei Wein eingebrachte Ernte. – Vgl. auch →Hektarertrag.

Eröffnungsbank, →Akkreditivbank.

Eröffnungsbilanz, Bilanz einer Unternehmung bei Gründung (→Gründungsbilanz, vgl. hierzu im einzelnen dort) oder zu Beginn eines neuen Wirtschaftsjahres. – *Aufstellung:* Die einzelnen Bilanzposten der Aktiv- und Passivseite der E. sind als Anfangsbestände auf die Hauptbuchkonten zu übernehmen. Die Buchung erfolgt über das *Bilanzkonto,* auf dem die Aktivposten der E. im Haben, die Passivposten der E. im Soll wiedergegeben werden; dadurch ist der Grundsatz der doppelten Verbuchung gewahrt. – *Buchungssätze:*

a) für Übernahme der Aktivposten auf die Hauptbuchkonten: verschiedene Hauptbuchkonten an Bilanzkonto, b) für Übernahme der Passivposten auf die Hauptbuchkonten: Bilanzkonto an verschiedene Hauptbuchkonten. – Bei bestehenden Unternehmen ist die E. identisch mit der →Schlußbilanz des vorhergehenden Jahres (→Bilanzidentität). – *E. besonderer Art* werden bei Währungsumstellungen (→Währungsreform) erforderlich. Hierbei erfolgt durch Bilanzierung in neuer Währung eine Unterbrechung der Bilanzkontinuität. Solche E. waren: Goldmark-E., →DM-Eröffnungsbilanz (in Österreich: Schilling-E.).

Eröffnungsbuchungen, in der doppelten Buchführung die Übernahme der Bilanzaktiva und Bilanzpassiva in die entsprechenden Konten: Aktivkonten an Eröffnungs-Bilanz-Konto; Eröffnungs-Bilanz-Konto an Passivkonten.

Eröffnungsrabatt, für die Aufnahme einer bestimmten Warenmenge in das Sortiment eines neu eröffneten Handelsbetriebes (bzw. eine Filiale) vom Lieferanten gewährter zusätzlicher Rabatt; gilt als den Leistungswettbewerb im Handel gefährdende Praktik (→Gemeinsame Erklärung). – *Anders:* Eintrittsgelder, die in einer festen Höhe unabhängig von fixierten Abnahmemengen gefordert werden.

Eröffnungsverfahren, Verfahren, die eine erste Lösung zu einem gegebenen Optimierungsproblem hervorbringen.

ERP, European Recovery Program, *Europäisches Wiederaufbauprogramm,* aufgrund der Vorschläge des amerikanischen Außenministers George C. Marshall am 3.4. 1948 erlassenes einheitliches Hilfsprogramm *(Marshall-Plan)* für die durch den Krieg zerstörten Länder Europas; infolge der Weigerung der Ostblockländer zur Mitarbeit auf Westeuropa beschränkt. Die Verwaltung lag bei ECA (Economic Cooperation Administration), die bei der Verteilung der Geschenke und Kredite die Vorschläge der →OEEC, die im Zusammenhang mit der ERP-Hilfe gegründet wurde, berücksichtigte. Bis 1951 erhielt *Westeuropa* 12,4 Mrd. US-$, größtenteils als Geschenke. Für die ECA-Mittel konnten v.a. Lebensmittel und Rohstoffe, vornehmlich aus den USA, bezogen werden. Die Beträge hierfür hatten die Importeure in heimischer Währung auf Gegenwertfonds (Counterpart Funds) einzuzahlen, bei deren Verwendung im Inland die ECA ein Mitspracherecht hatte. – Bundesrep. D. einschl. Berlin (West) erhielten bis Ende 1957 seitens der ECA und ihrer Nachfolgeinstitute 1,7 Mrd. US-$, wovon 1 Mrd. US-$ innerhalb von 30 Jahren zurückgezahlt werden müssen. – Die DM-Gegenwerte führten zum →*ERP-Sondervermögen.*

erpresserischer Menschenraub, Entführung oder Ergreifen und Festhalten eines anderen mit dem Ziel, die Sorge eines Dritten um das Wohl des Opfers zu einer →Erpressung auszunutzen; oder Ausnutzung einer von einem anderen zuvor geschaffenen derartigen Lage des Opfers mit dem gleichen Ziel. Verbrechen nach § 239a StGB. – *Strafe:* Freiheitsstrafe nicht unter drei Jahren; bei leichtfertiger Tötung des Opfers lebenslange oder mindestens zehnjährige Freiheitsstrafe.

Erpressung, rechtswidrige Anwendung von Gewalt oder Androhen eines empfindlichen Übels gegenüber einem anderen, zwecks Erreichung einer Handlung oder Unterlassung, die dem Vermögen des Genötigten oder eines anderen Nachteile zufügt, um sich zu Unrecht zu bereichern. Rechtswidrig ist die Tat, wenn die Anwendung der Gewalt oder die Androhung des Übels zu dem angestrebten Zweck als verwerflich anzusehen ist. →Verbrechen nach § 253 StGB. – *Strafe:* Freiheitsstrafe bis zu fünf Jahren oder Geldstrafe, in besonders →schwerem Fall nicht unter einem Jahr. – Vgl. auch →Nötigung, →erpresserischer Menschenraub.

ERP-Sondervermögen, nicht rechtsfähiges Sondervermögen des Bundes, das nach dem Zweiten Weltkrieg dem Wiederaufbau diente und danach zur gezielten regionalen und sektoralen Förderung der deutschen Wirtschaft, des Umweltschutzes sowie verschiedener anderer, öffentlicher Aufgaben eingesetzt wurde. Die ersten Einlagen stammen aus den DM-Gegenwerten des Europäischen Wiederaufbauprogramms (→ERP). Mit Auslaufen der ERP-Sonderhilfe wurden die aus Tilgungs- und Zinszahlungen zurückfließenden sowie zusätzlich am Kreditmarkt aufgenommenen Mittel zur Finanzierung neuer Aufgaben eingesetzt. – *Vergabe von ERP-Mitteln,* i.d.R. als verzinsliche, aber auch als unverzinsliche Darlehen und/oder als verlorene Zuschüsse. *Einnahmen und Ausgaben* des ERP-Sondervermögens werden laufend in der Jahresrechnungs- und der Haushaltsansatzstatistik für den Bund ausgewiesen und vom Statistischen Bundesamt veröffentlicht. Im Haushaltsplan des Bundes 1986: Ausgaben 4,6 Mrd. DM, Einnahmen 3,7 Mrd. DM; Bilanzsumme am 31.12.1985 21,6 Mrd. DM.

Errichtungsinvestition, →Gründungsinvestition.

Errichtungskosten, →Einrichtungskosten.

Errungenschaftsgemeinschaft, →eheliches Güterrecht III 2.

Ersatzaktie, Aktie, die der Aktionär auf Verlangen und gegen Erstattung der Kosten für eine beschädigte, zum Umlauf nicht mehr geeignete →Aktie oder für eine abhanden gekommene und im Wege des →Aufgebotsverfahrens für kraftlos erklärte Aktie erhält (§§72, 74 AktG; §§799, 800 BGB).

Ersatzaussonderung, Begriff der Konkursordnung (§46 KO). E. kommt in Betracht, wenn jemand ein Recht auf →Aussonderung gehabt hätte, zu dessen Geltendmachung er jedoch infolge unberechtigter entgeltlicher Veräußerung a) durch den →Gemeinschuldner vor oder b) durch den →Konkursverwalter nach →Konkurseröffnung nicht mehr in der Lage ist. Durch E. soll der Geschädigte entschädigt werden. – *Ansprüche* des Berechtigten: a) wenn die Gegenleistung der Veräußerung z.Z. der Konkurseröffnung noch aussteht, auf Abtretung dieses Anspruchs; b) auf Herausgabe der Gegenleistung, sofern sie nach der Konkurseröffnung zur Masse gezogen und noch unterscheidbar vorhanden ist (ist sie vorher vom Schuldner eingezogen, so besteht lediglich eine →Konkursforderung auf Schadenersatz); c) wenn die Gegenleistung nicht mehr unterscheidbar vorhanden ist, auf den Betrag als Masseschuld, um den die →Konkursmasse ungerechtfertig bereichert ist (§59 Nr. 3 KO).

Ersatzbeschaffungsrücklage, steuerfreie →Rücklage (Abschn. 35 EStR) in Höhe des Unterschieds zwischen dem Buchwert und der Entschädigung (dem Entschädigungsanspruch) für ein →Wirtschaftsgut, das infolge höherer Gewalt (z.B. Brand, Diebstahl) oder infolge oder zur Vermeidung eines behördlichen Eingriffs (z.B. drohende Enteignung) gegen Entschädigung aus dem →Betriebsvermögen ausscheidet, wenn zum Schluß des →Wirtschaftsjahrs eine Ersatzbeschaffung enrstlich geplant, aber noch nicht vorgenommen worden ist. – *Bildung* einer E. ist nur von buchführungspflichtigen Steuerpflichtigen möglich, die ihren Gewinn durch →Betriebsvermögensvergleich ermitteln. Sie ist gesondert auszuweisen und bei Ersatzbeschaffung auf die →Anschaffungskosten oder →Herstellungskosten des →Ersatzwirtschaftsgutes zu übertragen, also aufzulösen.

Ersatzdeckung, Begriff des Hypothekenbank-Rechts. Die Pfandbriefe der Realkreditinstitute müssen in Höhe des Nennwertes durch Hypotheken von mindestens gleicher Höhe und mindestens gleichem Zinsertrag gedeckt sein (ordentliche Deckung). Als ordentliche Deckung können auch gewisse →Ausgleichsforderungen u.ä. Ansprüche verwendet wrden. – Unter bestimmten Voraussetzungen ist E. durch Schuldverschreibungen des Bundes oder der Länder oder durch Geld o.ä. zulässig (§6 IV Hypothekenbankgesetz; §2 III Pfandbriefgesetz; §6 III Schiffsbankgesetz. Die E. darf nur 10% der notwendigen Deckungswerte ausmachen.

Ersatzdienst, →Zivildienst.

Ersatzerbe, →Erbe, der für den Fall eingesetzt ist, daß ein anderer vor oder nach Eintritt des →Erbfalls, (z.B. durch →Ausschlagung) wegfällt. Auslegungsregeln §§2096ff. BGB. – E. ist im Zweifel auch der →Nacherbe (§2102 BGB).

Ersatzfreiheitsstrafe, →Freiheitsstrafe an Stelle einer uneinbringlichen →Geldstrafe; ein Tag Freiheitsstrafe entspricht einem →Tagessatz, das Mindestmaß der E. ist ein Tag (§43 StGB).

Ersatzgut. 1. Waren, die als Ersatz für unveredelt *eingeführte* und zur →Freigutveredelung zollfrei abgefertigte Waren in veredeltem Zustand ausgeführt werden. – 2. Waren, die an Stelle von Waren, die in einen Freihafen unveredelt *ausgeführt* worden sind, veredelt wieder eingeführt werden (→Freihafen-Veredelungsverkehr).

Ersatzinvestition, *Anlagenerneuerung,* Investition, bei der vorhandene Investitionsobjekte durch neue ersetzt werden. E. kann durchgeführt werden als reine →Reininvestition zur Aufrechterhaltung der betrieblichen Leistungsfähigkeit und als →Erweiterunsinvestition, bei der die betriebliche Leistungsfähigkeit erhöht wird. – *Ersatzproblem:* Nutzungsdauer- und Wahlproblem (d.h. zu welchem Zeitpunkt und durch welche Anlage soll ein bereits realisiertes Investitionsobjekt ersetzt werden?) stellt sich bezüglich *E.* – *Bestimmung des optimalen Ersatzzeitpunktes* erfolgt durch die →Kapitalwertmethode oder die →MAPI-Methode.

Ersatzkassen der →Krankenversicherung, →Krankenkassen, deren Mitgliedschaft zur Befreiung von der →Pflichtkrankenkasse berechtigt. Die E. sind Körperschaften des öffentlichen Rechts mit Selbstverwaltung. – 1. *Rechtsgrundlage:* 12. VO zum Aufbau der Sozialversicherung (E. der Krankenversicherung) v. 24.12.1935 (RGBl I 1537), VO v. 1.4.1937 (RGBl I 439); VO v. 16.10.1938 (RGBl I 1519); §21 SGB 1. Neue E. werden nicht mehr zugelassen. Die Aufsicht führt das →Bundesversicherungsamt. – 2. E. sind i.a. auf bestimmte *Berufsgruppen* beschränkt; *nicht zulässig* für Beschäftigte der Landwirtschaft und in knappschaftlichen Betrieben, für Seeleute und Hausgehilfinnen. Gehören Versicherungspflichtige zu dem Personenkreis, für den die E. nach ihrer Satzung errichtet ist, so darf ihnen der Beitritt nicht versagt, noch von Lebensalter oder Gesundheitszustand abhängig gemacht werden. – 3. Eine *Bescheinigung* über die Zugehörigkeit zur E. ist beim Arbeitgeber vorzulegen, der daraufhin die Anmeldung zur Pflichtkrankenkasse unterläßt bzw. den Versicherten, falls die Anmeldung bereits erfolgt ist, abmeldet. – 4. *Arten:* E. für Angestellte und E. für Arbeiter; Weiterversicherung von versicherungspflichtigen Mitgliedern bei Verlust der Eigenschaft als Angestellte oder Arbeiter ist möglich.

Ersatzleistungssummen, →Versicherungssummen (= Begrenzungen der →Versicherungsleistungen je Schadensereignis) in der →Haftpflichtversicherung und Kraftfahrzeug-Haftpflichtversicherung (→Kraftverkehrsversicherung II).

Ersatzproblem, →Ersatzinvestition.

Ersatzteilgeschäft, →Erstausrüstungsgeschäft.

Ersatzverkehr, Personen- und/oder Güterbeförderung mit anderen als den für den Verkehrszweig typischen Fahrzeugen. – *Beispiele:* Schienen-E. mit Omnibussen parallel zu Eisenbahnstrecken nach Einstellung des Personenverkehrs auf diesen Strecken. Luft-E. mit Kraftfahrzeugen zur Beförderung des Luftfrachtgutes zu kleineren und von großen Flughäfen *(Trucking).*

Ersatzvornahme, Vollstreckungsmittel zur Erzwingung →vertretbarer Handlungen. Ausführung der dem Verpflichteten obliegenden Handlung durch einen Dritten auf Kosten des Verpflichteten. – Im *öffentlichen Recht* kann die E. von der Behörde oder in deren Auftrag ohne besondere Ermächtigung durchgeführt werden; sie muß aber i.a. vorher schriftlich angedroht werden (§§ 10, 13 Verwaltungsvollstreckungsgesetz).

Ersatzwert, Wert des versicherten Interesses (→Versicherungswert) in der Schadenversicherung z.Z. des Versicherungsfalles. Maßgebend für die Ersatzleistung (Entschädigung) des Versicherers. – 1. In der *Transportversicherung* gilt als E. i.a. der Versicherungswert zu Beginn der Versicherung, eine besondere Taxe ist möglich. – 2. Bei der *Feuerversicherung* bemißt sich der E. i.a. nach dem Zeitwert am Schadenstag: a) Bei Gebäuden: o tsüblicher Bauwert unter Abzug eines dem Zustand des Gebäudes (Alter und Abnutzung) entsprechenden Betrages (→Neuwertversicherug). b) Bei Hausrat, Gebrauchsgegenständen, Arbeitsgeräten und Maschinen: Wiederbeschaffungspreis, z.T. unter Berücksichtigung des durch die →Abnutzung der versicherten Sache sich ergebenen Minderwertes („Abzug neu für alt"). c) Bei hergestellten Waren: Kosten der Neuherstellung, jedoch nicht mehr als erzielbarer Verkaufspreis; bei noch nicht fertigen Erzeugnissen abzüglich der ersparten Kosten. d) Bei Handelswaren, bei Rohstoffen zur Produktion und bei Naturerzeugnissen: Wiederbeschaffungspreis, jedoch nicht mehr als erzielbarer Verkaufspreis; bei noch nicht fertigen Erzeugnissen bezüglich ersparter Kosten. – Maßgebend sind i.a. die Börsen- oder Marktpreise bzw. die Kosten der Neuherstellung. Persönliche Liebhaberwerte sind nicht versicherbar. – 3. Bei *anderen Schadenversicherungszweigen* (z.B. Einbruchdiebstahl-, Leitungswasserversicherung) gelten ähnliche Grundsätze.

Ersatzwirtschaftsgut, Begriff des Einkommensteuerrechts. →Wirtschaftsgut, das als funktionsgleicher Ersatz für ein aus dem →Betriebsvermögen ausgeschiedenes Wirtschaftsgut hergestellt oder angeschafft wird und auf das unter bestimmten Voraussetzungen die →stillen Rücklagen des ausgeschiedenen Wirtschftsguts übertragen werden dürfen. – Vgl. auch →Ersatzbeschaffungsrücklage.

Ersatzzeiten. 1. *Begriff* der gesetzlichen →Rentenversicherung (§ 1251 RVO, § 28 AVG, § 51 RKG) für Zeiten, die wie Beitragszeiten angerechnet werden, ohne daß Beiträge entrichtet worden sind; die E. zählen zu den Versicherungszeiten und werden auch auf die →Wartezeit angerechnet. E. sind u.a.: der militärische oder militärähnliche Dienst, der aufgrund gesetzlicher Dienst- oder Wehrpflicht oder während eines Krieges geleistet worden ist, Kriegsgefangenschaft, Internierung oder Verschleppung, Freiheitsentziehung i.S. des Häftlingshilfegesetzes, Vertreibung oder Flucht, bei allen diesen Zeiten werden auch die Zeiten einer anschließenden Krankheit oder einer unverschuldeten →Arbeitslosigkeit als E. berücksichtigt. – 2. *Angerechnet* werden E. nur, wenn vorher eine Versicherung und während der E. keine Versicherungspflicht bestanden hat, oder wenn innerhalb von drei Jahren nach Beendigung der E. oder einer durch sie aufgeschobenen oder unterbrochenen Ausbildung eine rentenversicherungspflichtige Beschäftigung oder Tätigkeit aufgenommen worden ist. – 3. E. bleiben mit Wirkung vom 1.1.1980 bei der Rentenberechnung *unberücksichtigt,* soweit sie bei einer Beamtenversorgung aus einem vor dem 1.1.1966 begründeten Dienstverhältnis ruhegehaltsfähig sind oder bei Eintritt des Versorgungsfalles als ruhegehaltsfähig anerkannt werden (§ 1260c RVO, § 37c AVG).

Ersatzzustellung, →Zustellung, die nicht an Zustellungsempfänger, sondern andere Personen (z.B. erwachsene Familienmitglieder, Vermieter) oder in besonderer Art (z.B. öffentliche Zustellung, Niederlegung des Schriftstücks bei der Post) erfolgt (§§ 181 ff. ZPO). E. wirkt wie Zustellung.

Erscheinen. I. Urheberrecht: Zeitpunkt, zu dem von einem Werk mit Zustimmung des Berechtigten (→Urheber) Vervielfältigungsstücke nach ihrer Herstellung in genügender Anzahl der Öffenltichkeit angeboten oder in Verkehr gebracht worden sind; ein Werk der bildenden Kunst ist erschienen, wenn es oder ein Vervielfältigungsstück mit Zustimmung des Berechtigten bleibend der Öffentlichkeit zugänglich ist (§ 6 UrhRG). – Vgl. auch →Veröffentlichung, →Verbreitungsrecht.

II. Börsenhandel: Handel in noch nicht ausgefertigten Wertpapieren, Handel per Erscheinen, soweit nicht Kassenquittungen ausgegeben werden. Die Erfüllung der per Erscheinen abgeschlossenen Geschäfte erfolgt, sobald die Stücke vorliegen.

Erscheinungsjahr, →Impressum.

Erscheinungsort, Begriff des Presserechts: Ort, von dem aus die Verbreitung einer Druckschrift stattfindet.– *Anders:* Herstellungsort (Ort, an dem die Druckschrift gedruckt wird).

Erschleichen von Leistungen eines Automaten oder eines öffentlichen Zwecken dienenden Fernmeldenetzes, der Beförderung durch ein Verkehrsmittel oder des Zutritts zu einer Veranstaltung oder einer Einrichtung in der Absicht, das Entgelt nicht zu entrichten (§ 265 a StGB). – *Strafe:* Freiheitsstrafe bis zu einem Jahr oder Geldstrafe, soweit nicht die Tat nach anderen Vorschriften (z. B. →Betrug) mit schwereren Strafen bedroht ist. →Versuch ist strafbar.

Erschließungsbeiträge, nach dem →Baugesetzbuch von den Gemeinden zu erhebende →Beiträge zur Deckung ihres anderweitig nicht gedeckten Aufwandes für Erschließungskosten, insbes. für öffentliche Straßen, Wege, Plätze, Parkflächen und Grünanlagen. Die Kosten werden auf die durch diese Anlagen erschlossenen Grundstücke umgelegt. Öffentliche Last, daher keine Eintragung im Grundbuch.

Erschließungsplan, informationelle Grundlage für die →Baustelleneinrichtungsplanung. Der E. gibt die technischen Bedingungen und Versorgungsmöglichkeiten einer Baustelle an. Graphisch sind hier z. B. Gesamtgrundriß, Zubringerstraßen/Behelfswege, Geländehöhen/ Wassertiefen, sonstige Verkehrsanschlüsse (Wasserstraßen, Bahngleise) und Energieleitungen festgehalten.

Erschwerniszulage, Zulage für Empfänger von Dienst- und Anwärterbezügen a) zur Abgeltung besonderer bei der Bewertung des Amtes oder bei der Regelung der Anwärterbezüge nicht berücksichtigter Eschwernisse nach der VO über die Gewährung von E. i. d. F. vom 6. 3. 1987 (BGBl I 762) und b) im Flugsicherungsbetriebs- und im Radarführungsdienst nach der VO zur vorläufigen Regelung von E. in besonderen Fällen vom 22. 3. 1974 (BGBl I 774).

Erschwerniszuschlag, Zahlung, durch die besondere Belastungen des Arbeitnehmers entgolten werden sollen, sofern sie nicht bereits bei der Entgeltfestsetzung Berücksichtigung fanden, z. B. für Schmutz, Säure, Gase, Nässe, Lärm, Gefahr. Ein Anspruch besteht nur dann, wenn ein E. tarifvertraglich, durch Betriebsvereinbarung oder einzelvertraglich vereinbart ist. Die E. gehören zum →Arbeitsentgelt.

Ersitzung, Rechtsgrund für Eigentumserwerb. – 1. Wer eine *bewegliche Sache* zehn Jahre im Eigenbesitz hat (→Eigenbesitzer), erwirbt durch E. →Eigentum (§§ 937 ff. BGB). Keine E., wenn Erwerber weiß oder während der zehnjährigen Frist erfährt, daß er nicht Eigentümer ist; ebensowenig, wenn er das bei Besitzerwerb durch →grobe Fahrlässigkeit nicht erkennt. Infolge der Vorschriften über →gutgläubigen Erwerb ist die E. praktisch nur für Eigentumswerwerb an →abhanden gekommenen Sachen von Bedeutung. – 2. Wer ohne Eigentümer zu sein, dreißig Jahre lang als Eigentümer eines *Grundstücks* im Grundbuch eingetragen ist und in dieser Zeit das Grundstück in Eigenbesitz gehabt hat, erwirbt Eigentum (Tabular- oder Buchersitzung, § 900 BGB).

Ersparnis, Teil des →verfügbaren Einkommens der Sektoren (private Haushalte, Staat, Unternehmen), der nicht für den letzten Verbrauch (→privater Verbrauch und →Staatsverbrauch) verwendet wird. Die E. der privaten Haushalte enthalten auch die nicht entnommenen Gewinne der Unternehmen ohne eigene Rechtspersönlichkeit. Die E. der Unternehmen mit eigener Rechtspersönlichkeit stimmen mit ihrem verfügbaren Einkommen überein. Die E. des Staates sind gleich der Differenz zwischen den laufenden Einnahmen und Ausgaben des Staates. E. (= Nichtverbrauch von Einkommensteilen) stellen auch die Zunahme des Reinvermögens dar. E. und Saldo der Vermögensübertragungen (empfangene abzüglich geleistete) messen die Vermögensbildung der Sektoren, die außer der Sachvermögensbildung (Nettoanlageinvestitionen und Vorratsveränderung) den Finanzierungssaldo der Sektoren (Veränderung der Forderungen abzüglich Veränderung der Verbindlichkeiten) umfaßt. – Vgl. auch →Sparfunktion.

Ersparnisprämie, Art des →Prämienlohns, gewährt für wirtschaftlichen Einsatz und Verbrauch von Werkstoffen, Material, Hilfsstoffen und Energie. Häufig bezogen auf die bewerteten prozentualen Verbrauchsabweichungen (→Abweichungen). Wegen der Interdependenz von Leistungsgrad und Ersparnis ist häufig eine Kombination der E. mit der →Mengenleistungsprämie sinnvoll.

Erstattung. I. Verwaltungsrecht: Schadenersatzanspruch der Behörde gegen einen Bediensteten der öffentlichen Verwaltung, z. B. bei Fehlbeträgen in öffentlichen Kassen oder Fehlbeständen in öffentlichen Lagern oder Depots gegen die verantwortlichen Personen. Einleitung eines Erstattungsverfahrens, das zu einem Ersatttungsbeschluß führt, der im Verwaltungsweg vollstreckt wird und vor dem →Verwaltungsgericht angefochten werden kann.

II. Steuerrecht: Vgl. →Steuervergütung.

III. Außenwirtschaftsrecht: Vgl. →Ausfuhrerstattung.

IV. Sozialrecht: E. von Beiträgen in der Sozialversicherung; vgl. →Beitragserstattung.

Erstattungsanspruch, →Steuererstattungsanspruch.

Erstattungsanspruch des Sozialleistungsträgers. 1. *Gegen einen anderen Sozialleistungsträger:* Richtet sich nach §§ 102ff. SGB 10. – 2. *Gegen einen Dritten:* Richtet sich nach § 115 SGB 10 (gegen den Arbeitgeber) und § 116 SGB 10 (gegen Schadenersatzpflichtige).

Erstausrüstungsgeschäft, vorwiegend im →Investitionsgüter-Marketing (Marketing von Teilen) verwendeter Begriff. Gegenstand des E. ist die Zulieferung von Teilen für die Erstellung von Einzelaggregaten oder Anlagen (→Anlagengeschäft); Abnehmer sind u. a. Montagebetriebe (bei Selbsterstellung von Anlagen auch der spätere Nutzer). – Das *Ersatzteilgeschäft* entsteht durch Nutzung schon erstellter Investitionsgüter, z. B. Verschleiß, Umbau; die Palette der Absatzkanäle ist breiter als beim E., z. B. zusätzlich verschiedene →Handelsstufen, Werkstätten, Verwender.

Erste EG-Richtlinie, →EG-Richtlinien, →Offenlegung.

erste Gefahr, →Erstrisikoversicherung.

Ersteher, im Zwangsversteigerungsverfahren der Bieter, der das →letzte Gebot abgibt und dem der →Zuschlag erteilt wird. Der E. erwirbt das zur Versteigerung gelangende Grundstück oder Schiff als Eigentümer.

erster Hauptsatz der Wohlfahrtstheorie, →Hauptsätze der Wohlfahrtstheorie.

Ersterwerb von Gesellschaftsrechten, →Gesellschaftsteuer.

Ersterwerb von Wertpapieren, nach § 22 KVStG börsenumsatzsteuerfrei. Vgl. →Börsenumsatzsteuer.

erstes Risiko, →Erstrisikoversicherung.

erstes Wagnis, →Erstrisikoversicherung.

Erstkauf, →Kaufklassen.

Erstprämie, bei →Versicherungsbeginn gegen Aushändigung des Versicherungsscheins zu entrichtende →Prämie, deren Zahlung, sofern nicht →Deckungszusage erteilt ist, erst den Versicherungsschutz in Kraft setzt (materieller Versicherungsbeginn). – Wird die E. *nicht rechtzeitig gezahlt,* so ist der →Versicherer nach § 38 VVG a) bei Eintritt eines →Schadens von der Leistungpflicht frei, b) berechtigt, vom Vertrag zurückzutreten. Es gilt als Rücktritt, wenn der Anspruch auf die E. nicht innerhalb von drei Monaten nach Fälligkeit gerichtlich geltend gemacht wird. – *Anders:* →Folgeprämie.

Erstrisikoversicherung, Versicherung auf erstes Risiko, erstes Wagnis oder erste Gefahr. Im Versicherungsfall wird bis zur Höhe der →Versicherungssumme volle Entschädigung geleistet; für Schäden, die die Versicherungssumme übersteigen, ist die Entschädigung gleich der Versicherungssumme. Insbes. →Haftpflichtversicherungen werden in Form der E. abgeschlossen.

Erststimmen, →Wahlen.

Ertrag. I. Betriebswirtschaftslehre: Die von einer Unternehmung einer Periode wegen der Erstellung von Gütern oder Dienstleistungen zugerechneten →Einnahmen. *(Gegensatz:* Aufwand; →Aufwendungen). – 1. In der →*Gewinn- und Verlustrechnung* wird zwischen E. des Ergebnisses der gewöhnlichen Geschäftstätigkeit und →außerordentlichem Ertrag differenziert. – 2. Für Zwecke der *Kostenrechnung* sind zu unterscheiden: a) →*Betriebsertrag* oder →Leistungen (Gegensatz zu →Kosten; enge Übereinstimmung mit →Erlösen): Er entsteht in Erfüllung des eigentlichen Betriebszwecks. Betriebsertrag = Umsatzerlöse ± Lagerbestandsveränderungen. – b) →*Neutraler Ertrag*: Er fließt der Unternehmung aufgrund betriebsfremder und außerordentlicher Geschäftsvorfälle zu. (Buchgewinne bei Veräußerung von Anlagegegenständen, Steuerrückerstattungen, Währungsgewinnen usw.) – 3. In der *kurzfristigen Erfolgsrechnung* ist nur der Betriebsertrag zu übernehmen; alle anderen E. sind als neutrale E. auszugrenzen.

II. Volkswirtschaftslehre: Gütermenge, die mit einem gegebenen Aufwand an →Produktionsfaktoren in der Zeiteinheit hergestellt wird. Der Ertrag pro Aufwandseinheit heißt →Durchschnittsertrag, der Ertragszuwachs bei Vermehrung des Aufwands um eine unendlich kleine (infinitesimale) Einheit heißt →Grenzertrag. – Bei Multiplikation des physischen Produkts mit dem Preis der erstellten Produkte erhält man das Wertprodukt (Durchschnittswertprodukt und Grenzwertprodukt). Bei vollständiger Konkurrenz entspricht das Wertgrenzprodukt dem →Faktorpreis.

Erträglichkeit, arbeitswissenschaftlich anerkanntes Kriterium für menschengerechte Arbeitsgestaltung nach Rohmert: Eine Arbeit wird dann als erträglich bezeichnet, wenn die Dauerleistungsgrenze für bestimmte Arbeitssituationen, insbes. aus arbeitsphysiologischen und -psychologischen Gesichtspunkten angegeben und eingehalten werden kann. Die E. bzw. Dauerleistungsfähigkeit ist im Gegensatz zur →Ausführbarkeit nicht ausschließlich naturwissenschaftlich begründet. Die Festsetzung orientiert sich z. B. an Gesetzen, Tarifverträgen, Verordnungen, Erlassen.

Ertragsbesteuerung. I. Finanzwissenschaftlicher Begriff/Abgrenzung: 1. Grundlegende Besteuerungsweise, die an den aus *Objekten* (Grundstücken, Gebäuden, Gewerbebetrieben) fließenden Erträgen ansetzt. Die E. ist eine „objektive" Besteuerung, die die persönlichen Lebensverhältnisse des Steuerpflichtigen nicht berücksichtigen darf. →Ertragsteuern in finanzwissenschaftlicher Sicht sind daher nicht zur Erfassung der persönlichen Leistungsfähigkeit, sondern der unpersönlichen *„Ertragsfähigkeit"* von Steuerobjekten geeignet. – *Gegensatz:* →Einkommensbesteuerung. – 2. *„Gewinnsteuern"* sind nicht gleichzusetzen mit Ertragsteuern, da der →Gewinn die schmalere Bemessungsgrundlage (Ertrag minus Aufwand bzw. Kosten) gegenüber dem Ertrag darstellt. Gewinnsteuern sind immer auch Ertragsteuern, nicht jedoch umgekehrt. – Neben der Gewerbeertrag- und Körperschaftsteuer wird auch die Einkommensteuer insoweit als Gewinnsteuer bezeichnet, wie sie die *„Gewinneinkunftsarten"* erfaßt (→Einkünfte). – 3. Der Begriff *„Objektsteuer"* beschreibt den Vorgang der E. insofern nicht voll, als es sich bei den Objektsteuern um die engere Bezeichnung für →Realsteuern handelt, mithin die Körperschaftsteuer nicht einschließt, die aber nach finanzwissenschaftlichem Verständnis eine Steuer auf Gewinn (Teil des Ertrags) des Unternehmens ist. – Auch die Bezeichnung →*Personensteuer* weißt eine Unschärfe auf, weil zu ihr auch die Steuern der Gewerbebetriebe in der Rechtsform juristischer Personen gezählt werden, Ertragsteuern also, die mit der die Leistungsfähigkeit der naürlichen Personen besteuernden Einkommen- und Vermögensteuer nicht in einen Zusammenhang gebracht werden sollten.

II. Formen: 1. *„Merkmalsbesteuerung":* Die Steuern setzen an äußerlichen Merkmalen des Steuertatbestandes an, z. B. Zahl der Arbeitskräfte (nicht Lohnsumme), m^2 Grundfläche, m^3 umbauten Raumes, Zahl der Maschinen. Das Vorhandensein dieser Merkmale läßt auf das Entstehen von Erträgen schließen. Daher ist jede Merkmalsbesteuerung zugleich eine *Soll-E.* Das bundesdeutsche Steuersystem kennt z. Z. keine Merkmalsteuern. – 2. *E. i. e. S., d. h. in der Form der Roh- oder Reinertragsteuer:* Es werden tatsächlich erzielte Erträge besteuert. Auch diese Steuern wirken je nach technischer Ausgestaltung wie Sollertragsteuern. – Im bundesdeutschen Steuersystem (mit teilweisem Sollertragscharakter): Gewerbe-, Vermögen-, Kapitalertragsteuer sowie in finanzwissenschaftlicher Sicht Körperschaftsteuer auf thesaurierte Gewinne. – 3. *„Wert-"* oder *„Kapitalwertbesteuerung":* Die Bemessungsgrundlage ist der kapitalisierte Ertrag (→Kapitalisierung) oder der →Verkehrswert. Die bundesdeutsche Grundsteuer für landwirtschaftlich genutzte Grundstücke und die Grundsteuer für Wohnzwecken dienende Grundstücke wird nach dem →Ertragswert berechnet; die Steuer für bebaute Grundstücke der nichtlandwirtschaftlichen Nutzung wird nach dem →gemeinen Wert, einem Verkehrswert, bemessen.

III. Steuersystematik/Beurteilung: 1. Die *Vorteile* der E. liegen in der steuerlichen Schonung der Privatsphäre der Steuerpflichtigen, was zudem Verwaltungsaufwand vermeidet. – 2. Der systematische Vorteil wird aber nur spürbar, wenn *keine Lücken* in der Besteuerung der ertragbringenden Objekte und Wertschöpfungsfaktoren bestehen, also Arbeit, Boden und Kapital gleichermaßen besteuert werden. – 3. Im *bundesdeutschen Steuersystem* wird derzeit neben den unter II 2 und 3 genannten Ertragsteuern keine Arbeitsertragsteuer erhoben, nachdem die Lohnsummensteuer abgeschafft wurde. – 4. Eine E. neben der Einkommenbesteuerung durchzuführen, wie im bundesdeutschen Steuersystem praktiziert, nennt man den steuerlichen *„Dualismus";* dieser wird kritisiert, weil das Ertragsteuersystem als veraltet gilt und weil der Dualismus zur →*Steueraushöhlung* führt. Soweit man aber an der E. festhält, gilt eine Ergänzung des Systems durch die →Einkommenbesteuerung als unumgänglich zur Verfolgung des Ziels, die persönliche Leistungsfähigkeit zu erfassen. – 5. Die E. ist duch eine *Ungleichbehandlung der Objekte* gekennzeichnet: Gewerbliche und landwirtschaftliche Betriebe werden bei gleichen Erträgen ungleich besteuert; Vermögensarten werden ungleich belastet. – 6. Von theoretischer Bedeutung ist die Kritik, daß Einzel-Ertragsteuern keine isolierten Faktorerträge erfassen können, weil das *Zurechnungsproblem* bei Faktoren nicht zu lösen ist.

Ertragsbeteiligung, Form der →Erfolgsbeteiligung. Grundlage der E. ist der buchhalterisch ermittelte →Ertrag einer Rechnungsperiode.

Ertragsbilanz, →Erfolgsbilanz.

Ertragsfähigkeit, Grundlage der Bodenbewertung (→Bodenbonitierung) hinsichtlich der durchschnittlichen mittleren Hektarerträge von Bodenarten nach Klassen und →Einheitswerten. Als „Nahrungsmittelgrundlage" ein wesentliches Datum für die Berechnung der optimalen →Bevölkerungsdichte.

Ertragsgebirge, dreidimensionale geometrische Darstellung des →Ertragsgesetzes, die die Abhängigkeit des Ertrags von unterschiedlichen Einsatzmengen zweier variabler Produktionsfaktoren aufzeigt.

Ertragsgesetz, *Gesetz vom abnehmenden Grenzertrag*. Ursprünglich von Turgot für die Landwirtschaft (→Bodenertragsgesetz) formuliert, durch Thünen weiterentwickelt.

I. Inhalt: Dem E. liegt eine substitutionale Faktoreinsatzbeziehung zugrunde, die allgemein durch die Produktionsfunktion E = $(r_1, r_2 ..., r_n)$ ausgedrückt werden kann. Wenn einer oder mehrere der →Produktionsfaktoren konstant gehalten (fixer Faktor, limitierender Faktor) und die übrigen sukzessive vermehrt werden, nimmt der Ertrag zunächst überproportional (zunehmende Grenzerträge) und später unterproportional zu (abnehmende Grenzerträge).

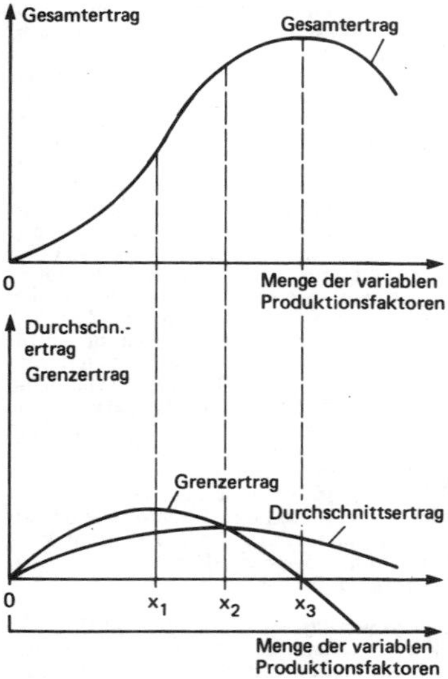

x_1 = Wendepunkt der Gesamtertragskurve = Maximum des Grenzertrages.
x_2 = optimale Kombination der Faktoren = Maximum des Durchschnittsertrages (Grenzertrag = Durchschnittsertrag).
x_3 = Gipfelpunkt der Gesamtertragskurve = Maximum des Gesamtertrages (Grenzertrag = 0).

II. Bedeutung für die Produktions- und Kostentheorie: Das E. wurde lange Zeit als repräsentativ für die betriebliche Produktionstechnik angesehen. Die Fiktion war hier, daß die Betriebsgröße der fixe Faktor ist; die übrigen Produktionsfaktoren wurden als variabel angesehen. Unter diesen Annahmen ergibt sich eine S-förmige Kurve für den Ertragsverlauf (Abb. Sp. 1611). Das E. hat heute v.a. Bedeutung als Erklärungsmodell. – Von diesem Gesetz *abzuleitende Begriffe:* 1. *Grenzertrag:* Zuwachs an Gesamtertrag bei Vermehrung der variablen Faktoren um eine Einheit, die als unendlich klein angenommen wird. – 2. *Durchschnittsertrag:* Gesamtertrag dividiert durch die Menge der variablen Faktoren. – Der Grenzertrag wächst zunächst und erreicht im Wendepunkt der Gesamtertragskurve sein Maximum. Von dort an nimmt er ab und wird schließlich negativ, wenn der Gesamtertrag absolut abnimmt. Der Durchschnittsertrag steigt, solange der Grenzertrag höher ist als der Durchschnittsertrag, da jeder Ertragszuwachs, der höher ist als der bisherige Durchschnittsertrag, den Durchschnitt hebt. Die *optimale Faktorenkombination* liegt also dort, wo der Durchschnittsertrag je Faktoreinheit am höchsten ist; in diesem Punkt sind Durchschnittsertrag und Grenzertrag gleich. Bei weiterer Vermehrung der variablen Faktoren fällt der Durchschnittsertrag, weil die Grenzerträge niedriger sind als der bisherige Druchschnittsertrag und den Durchschnitt senken.

III. Empirische Relevanz: Das E. geht aus betriebswirtschaftlicher Sicht von irrelevanten Prämissen aus. Kurzfristig ist eine Substitution von Produktionsfaktoren nur unter Einbeziehung qualitativer Variationen möglich, bei einer Produktionsausdehnung müssen *alle* Faktoren in einem bestimmten Verhältnis variiert werden. Außerdem berücksichtigt das E. nur die quantitative →Anpassung. Die bei kurzfristiger Ausbringungsmengenveränderung wichtigen Fälle der zeitlichen und intensitätsmäßigen Anpassung können mit dem E. nicht erfaßt werden.Die aus dem E. abgeleitete Kostenfunktion besitzt ebenfalls nur sehr beschränkte empirische Aussagefähigkeit.

IV. Volkswirtschaftliche Ausprägung: In die volkswirtschaftliche Produktionstheorie hat das E. in modifizierter Form Eingang gefunden. Wenn in der allgemeinen Produktionsfunktion $Q = Q(r_1, r_2, \ldots, r_n)$ n – 1 Faktoren konstant gehalten werden und ein Faktor variiert wird, nimmt der Output stets unterproportional zu.

Mathematisch gilt:

$$\frac{\delta Q}{\delta r_i} > 0; \frac{\delta^2 Q}{\delta r^2} 2 < 0; \quad \text{d.h.}$$

der Grenzertrag des variablen Faktors ist positiv, nimmt aber bei der sukzessiven Vermehrung des Faktors ständig ab. Für die geläufigen makroökonomischen Produktionsfunktionen (→Cobb-Douglas-Funktion,

→CES-Funktion) wird die Gültigkeit des (modifizierten) E. in aller Regel vorausgesetzt. Geometrisch kann das volkswirtschaftliche E. wie folgt dargestellt werden:

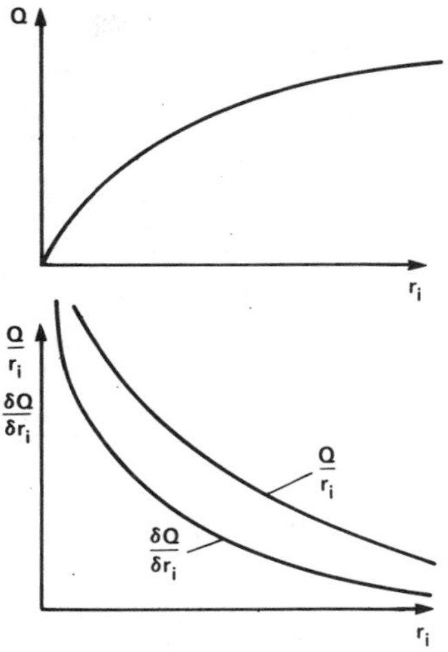

Ertragshoheit, innerhalb des →aktiven Finanzausgleichs zu regelnde Befugnis öffentlicher Aufgabenträger, öffentliche Einnahmen, insbes. Steuern (→Steuerertragshoheit), zu erheben und zu verausgaben. Teilkompetenz der →Finanzhoheit (vgl. auch →Finanzierungshoheit).

Ertragsisoquanten, Kurven gleicher Produktionserträge für unterschiedliche Einsatzmengenkombinationen zweier substituionaler Produktionsfaktoren (→Substitution).

Ertragsrate. durchschnittlicher Einnahmenüberschuß, ausgedrückt in Prozent der Investitionssumme. Gewünschte E. gleich →cutoff rate.

Ertragsrechnung. 1. Synonym für →Erfolgsrechnung. – 2. Zuweilen auch synonym für →Leistungserfassung verwandt.

Ertragsteuern. I. Betriebswirtschaftslehre: Steuern, deren →Steuerbemessungsgrundlage vom wirtschaftlichen Ergebnis (→Ertrag, →Gewinn) abhängt, womit der Fiskus durch die Steuer am ökonomischen Erfolg des Steuerpflichtigen partizipiert; im einzelnen: →Einkommensteuer (neben →Kirchensteuer), →Körperschaftsteuer und →Gewerbeertragsteuer.

II. Finanzwissenschaft: Steuern auf die Erträge aus der Kombination der volkswirtschaftlichen Produktionsfaktoren Arbeit, Boden und Kapital; im einzelnen: Grundsteuer, Gewerbesteuer (beide →Realsteuern) Kapitalertragsteuer und in gewisser Weise auch die Vermögensteuer, soweit sie aus Vermögenserträgen getragen wird. In der Finanzwissenschaft gelten E. als für ein modernes →Steuersystem unpassend, da veraltet und die modernere Einkommensteuer beeinträchtigend. – *Anders:* →Substanzsteuern, →Verkehrsteuern.

Ertragswert. I. Unternehmungsbewertung: 1. *Begriff:* →Barwert bzw. →Kapitalwert zukünftiger Erträge aus einem Investitionsobjekt, die – anders als im Rechnungswesen – als Zahlungsüberschüsse verstanden werden, über die der Eigentümer des Investitionsobjektes verfügen kann. – 2. *Ermittlung:* Die Ertragskapitalisierung verlangt einen Zinsfuß i; ist dieser periodenunabhängig und sicher und sind die Erträge E_t periodenabhängig sowie sicher, so folgt:

$$E. = \sum_{t=1}^{T} E_t/(1+i)^t .$$

Für unendlich lange anfallende Erträge in derselben Höhe geht die Formel über in die *Rentenformel:* E. = E/i, für unendlich lange mit der konstanten Wachstumsrate w anfallende Erträge: E. = $E_1/(i-w)$ mit $i \neq w$ und E_1 als Ertrag der ersten Periode. – Da zukünftige Erträge nicht sicher, Wahrscheinlichkeitsverteilungen unhandlich sind, erfolgt eine *Reduktion der Wahrscheinlichkeitsverteilungen auf →Erwartungswerte,* diskontiert mit einem risikoangepaßten Zinsfuß landesüblicher Zinsfuß zuzüglich Risikoprämie), oder eine Vedichtung der Wahrscheinlichkeitsverteilungen auf Sicherheitsäquivalente, diskontiert mit dem (quasi-sicheren) landesüblichen Zinsfuß (→Unternehmungsbewertung). Die oben angegebenen Formeln lassen sich deshalb mit veränderter Interpretation ihrer Bestimmungsgrößen weiterhin verwenden.

II. Steuerrecht: Anwendung des E. bei Ermittlung des →Einheitswertes; vgl. im einzelnen →Ertragswertverfahren II.

Ertragswertabschreibung, Differenz zweier Ertragswerte (→Ertragswert I) aufeinanderfolgender Perioden.

Ertragswertverfahren. I. Unternehmungsbewertung: Gesamtbewertungsverfahren zur Ermittlung des Wertes einer ganzen Unternehmung. Vgl. →Ertragswert I und →Unternehmungsbewertung.

II. Steuerrecht: Vereinfachtes Reinertragsverfahren zur Ermittlung des Wertes eines →Grundstücks für Zwecke der Einheitsbewertung (§§ 78–82 BewG); →Einheitswert II 2. – 1. *Anwendungsbereich:* Nach dem E. sind i.d.R. zu bewerten →Mietwohngrundstücke, →Geschäftsgrundstücke, →gemischtgenutzte Grundstücke, →Einfamilienhäuser und →Zweifamilienhäuser. – 2. *Wertermittlung:* Der Grundstückswert (→Grund und Boden, →Gebäudewert und der Wert der →Außenanlagen) ergibt sich durch Anwendung eines gesetzlich festgelegten Vervielfältigers auf die →Jahresrohmiete. Für die Bestimmung des Jahresbeitrags ist dabei von den Wertverhältnissen am 1.1.1964 auszugehen. – *Ermäßigungen und Erhöhungen* des so ermittelten Grundstückswerts bis zu 30% bei Vorliegen außergewöhnlicher Grundsteuerbelastung und/oder wertmindernden oder -erhöhenden (wie ungewöhnlich starke Beeinträchtigung durch Lärm, Rauch oder Gerüche, behebbare Baumängel und Bauschäden oder die Notwendigkeit baldigen Abbruchs) Umständen möglich. – Beim Wirtschaftsteil eines *land- und forstwirtschaftlichen Betriebs* ist der Ertragswert der Nutzungen oder Nutzungsteil das 18fache des Reinertrages; er wird durch vergleichendes Verfahren (→Vergleichswert, →Vergleichszahl, →Bewertungsstützpunkte) festgestellt. – Vgl. auch →Abschlag. – 3. *Mindestwert:* Der Grunstückswert darf grundsätzlich nicht geringer sein als der Wert, mit dem der Grund und Boden allein als unbebautes Grundstück zu bewerten wäre (→gemeiner Wert des Grund und Bodens). Ausnahme: Kosten, die wegen des baulichen Zustandes von Gebäuden oder Gebäudeteilen für deren Abbruch entstehen, sind zu berücksichtigen.

Erwachsenenbildung, →Andragogik.

Erwartungen. I. Begriff und Einordnung: Da bei zukunftsbezogenen Entscheidungen meist viele für die Entscheidungsfindung wichtige Größen unbekannt bzw. unsicher sind, können nur E. über die unbekannten Größen herangezogen werden. Nach Knight sind zwei grundsätzlich verschiedene Entscheidungssituationen zu unterscheiden: a) solche, in denen zumindest subjektive Wahrscheinlichkeiten vorliegen *(Risiko)*, und b) solche, in denen dies nicht der Fall ist *(Unsicherheit)*, weil die Informationsbasis zu schmal ist.

II. Erwartungshypothesen:

1. Autoregressive E.: Die E. werden bezüglich einer bestimmten Variablen aus den Vergangenheitswerten dieser Variablen abgeleitet. Bekannteste Hypothese dieser Klasse ist die *adaptive Erwartungsbildung*. Sie beschreibt einen Lernprozeß, bei dem der Erwartungswert der Vorperiode $E(p_{t-1})$ um einen Teil (α) des Erwartungsirrtums der Vorperiode $p_{t-1} - E(p_{t-1})$ korrigiert wird. Der so korrigierte Wert beschreibt die E. für die laufende Periode:

$$E(p_t) = E(p_{t-1}) + \alpha\,[p_{t-1} - E(p_{t-1})].$$

Nach Transformation kann man dies äquivalent schreiben als:

$$E(p_t) = \alpha \sum_{i=1}^{\infty} (1-\alpha)^i\, p_{t-i}.$$

Die Gewichte (1 – α) folgen einer abnehmenden geometrischen Reihe. Kennzeichen dieses und aller anderen autoregressiven Ansätze ist, daß ausschließlich die Realisationen der zu prognostizierenden Variablen für die Erwartungsbildung herangezogen werden.

2. *Rationale E.:* Das ökonomische Optimierungskalkül wird auf die Erwartungsbildung übertragen. Formal basiert dieser Ansatz auf dem *Konzept bedingter E.* Sei p_t eine Zufallsvariable, die eine ökonomische Größe beschreibt (z.B. die Inflationsrate), und I_{t-1} die Informationsmenge, die den Wirtschaftssubjekten zum Zeitpunkt $t-1$ zur Verfügung steht. Der Ausdruck $f(p_t/I_{t-1})$ beschreibt die bedingte Dichtefunktion der Zufallsvariablen p_t, wenn I_{t-1} gegeben ist. Der bedingte Erwartungswert von p_t ist dann

$$E(p_t/I_{t-1}) = \int_{-\infty}^{+\infty} p_t\, f(p_t/I_{t-1})\, dpt.$$

Der Erwartungsirrtum $\varepsilon_t = p_t - E(p_t/I_{t-1})$ weist zwei wesentliche Eigenschaften auf: Der bedingte Erwartungswert des Erwartungsirrtums ist gleich null, d.h.

$$E(\varepsilon_t/I_{t-1}) = E(p_t/I_{t-1}) - E[E(p_t/I_{t-1})/I_{t-1}] = 0.$$

Dies folgt daraus, daß in $t-1$ der bedingte Erwartungswert bekannt ist. Dessen bedingter Erwartungswert ist also gerade der Erwartungswert selbst. Ferner ist der Erwartungsirrtum mit allen verfügbaren Informationen unkorreliert: $E(\varepsilon_t I_{t-1}/I_{t-1}) = 0$. Wäre dies nicht der Fall, könnten die E. durch die Berücksichtigung dieser Korrelationen verbessert werden, d.h. die Informationen würden nicht effizient genutzt. – Die Theorie rationaler E. setzt in der *strengen Form* voraus, daß die Individuen das relevante Modell der Ökonomie und dessen Struktur kennen. Neben der strengen Form rationaler E. werden auch abgeschwächte Modelle rationaler Erwartungsbildung diskutiert (*semirationale E.*), die weniger hohe Ansprüche stellen und etwa lediglich die Ausschöpfung vorhandener Informationen fordern.

III. Beurteilung: Weil die autoregressiven Ansätze nur die vergangenen Realisationen der betreffenden Variablen als Informationsquelle benutzen, kann es zu systematischen Prognosefehlern kommen, aus denen die Individuen keine Konsequenzen ziehen. In vielen Fällen ist ein solches Verhaltensmodell unrealistisch. Rationale Erwartungsbildung schließt systematische Fehler aus. Erwartungsirrtümer können zwar nach wie vor auftreten, sind aber rein stochastischer Natur. – Die Bedeutung der *rationalen E.* wird jedoch stark durch die überzogenen Anforderungen dieses Ansatzes eingeschränkt. Diese setzen Existenz, Eindeutigkeit und Stabilität von Modell und Struktur voraus, Forderungen, die in der Realität nicht gegeben sind. – Die abgeschwächte Form *semirationaler E.* ist häufig nichtssagend. Liegt schließlich echte Unsicherheit vor, ist eine Erwartungsbildung in der oben beschriebenen Weise generell unmöglich.

Erwartungsparameter, Größen, die der Entscheidungsträger indirekt, durch Festlegung seiner →Aktionsparameter beeinflussen kann. – *Beispiel:* Verändert ein Betrieb seinen Preis und verhält er sich nicht als →Optionsfixierer, so erwartet er eine bestimmte Veränderung seiner Absatzmenge, diese ist dann E., der Preis Aktionsparameter.

Erwartungstheorie, →Zinsstruktur 2a.

Erwartungstreue, *Unverzerrtheit,* in der →Inferenzstatistik Bezeichnung für eine wünschenswerte Eigenschaft einer →Schätzfunktion. Eine Schätzfunktion erfüllt das Kriterium der E., wenn ihr →Erwartungswert gleich dem zu schätzenden →Parameter in der →Grundgesamtheit ist. Wenn für eine Schätzfunktion die Eigenschaft der E. gegeben ist, so ist das →arithmetische Mittel ihrer Ausprägung bei einer Vielzahl von →Stichproben mit dem zu schätzenden Parameter in der Grundgesamtheit identisch.

Erwartungs-Valenz-Theorie, Prozeßtheorie der Motivation, die zu erklären beansprucht, wie die Motivation menschlichen Verhaltens zustandekommt. Dabei steht – im Gegensatz zu Inhaltstheorien der Motivation (→Bedürfnishierarchie) – der prozessuale Charakter im Vordergrund. – *Grundgedanken:* a) *Weg-Ziel-Gedanke:* Menschen werden diejenigen Wege einschlagen, von denen sie vermuten, daß sie zu einem als erstrebenswert erachteten Ziel führen. b) *Idee der Gratifikation:* Menschliches Verhalten wird im wesentlichen durch Belohnungen und Bestrafungen (positive und negative Gratifikationen) beeinflußt; eine hohe Leistungsbereitschaft entsteht immer dann, wenn die individuelle Erwartung besteht, ein bestimmtes Verhalten führe zu bestimmten Gratifikationen, und wenn außerdem diese Gratifikationen als wertvoll erachtet werden, d.h. positive Valenz besitzen.

Erwartungswert, Grundbegriff der →Wahrscheinlichkeitsrechnung. Sind x_i die Ausprägungen einer diskreten →Zufalvariablen X und $f(x_i)$ die jeweils zugehörigen →Wahrscheinlichkeiten, so ist

$$EX = \sum x_i f(x_i)$$

der E. von X. Für eine stetige Zufallsvariable gilt eine entsprechende Definition. Der E. einer Zufallsvariablen kennzeichnet die →Lokalisation ihrer Verteilung.

Erwartungswert-Prinzip, →Bayes-Regel.

Erwartungs-Wert-Theorie, auf Vroom zurückgehender Ansatz, wonach der resultierende Leistungseinsatz einer Person dann hoch ist, wenn a) die Erwartung hoch ist, daß der Leistungseinsatz zu vielen positiven Ergebnissen führt, b) diese Ergebnisse in enger instrumenteller Beziehung zu vielen Endresultaten stehen und c) diese Endresultate jeweils hohe Valenz aufweisen. – Im Unterschied zu den bedürfnistheoretischen Konzepten der →Arbeitsmotivation wird in der E.-W.-T. stärker das Planungsverahlten der Person sowie der Zukunftbezug akzentuiert.

erweiterte beschränkte Steuerpflicht. I. Begriff: Im Außensteuergesetz eine Steuerpflicht, der natürliche Personen unterliegen, die in den letzten zehn Jahren vor Beendigung ihrer →unbeschränkten Steuerpflicht als deutscher Staatsangehöriger mindestens fünf Jahre unbeschränkt steuerpflichtig waren und (1) in einem ausländischen Gebiet ansässig sind, in dem sie mit ihrem Einkommen einer niedrigen Besteuerung (vgl. im einzelnen §2 II Nrn. 1 und 2 AStG) unterliegen oder in keinem ausländischen Gebiet ansässig sind und (2) wesentliche wirtschaftliche Interessen im Inland haben (vgl. im einzelnen §2 III Nr. 1–3 AStG).

II. Anwendungsbereich: 1. *Einkommensteuer:* a) Der e. b. St. unterliegt der Steuerpflichtige bis zum Ablauf von zehn Jahren nach Beendigung der unbeschränkten Steuerpflicht. – b) Die e. b. St. erweitert die →beschränkte Steuerpflicht auf alle →Einkünfte, die bei unbeschränkter Steuerpflicht nicht →ausländische Einkünfte i. S. des §34 d EStG sind. Die e. b. St. findet innerhalb des Zehn-Jahres-Zeitraumes jedoch nur für solche Veranlagungszeiträume Anwendung, in denen die erweitert beschränkt steuerpflichtigen Einkünfte mehr als 32000 DM betragen. – c) Auf die erweitert beschränkt steuerpflichtigen Einkünfte wird der *Steuersatz* angewandt, der sich für sämtliche (in- und ausländischen) Einkünfte des Steuerpflichtigen ergibt. – d) Ist die Steuer bei e. b. St. höher, als sie bei unbeschränkter Steuerpflicht gewesen wäre, so wird der Differenzbetrag insoweit nicht erhoben, als er die Steuer bei beschränkter Steuerpflicht überschreitet. – 2. *Vermögensteuer:* a) Soweit für Zwecke der Einkommensteuer die e. b. St. eingreift, gilt sie auch für die Vermögensteuer mit der Maßgabe, daß die beschränkte Steuerpflicht bei der Vermögensteuer sich nicht nur auf das Inlandsvermögen i. S. des §121 II BewG erstreckt, sondern auf alles Vermögen, dessen Erträge bei unbeschränkter Einkommensteuerpflicht nicht ausländische Einkünfte i. S. des §34d EStG wären. – b) Von dem Vermögen, das über das Inlandsvermögen hinaus in die (erweiterte) beschränkte Steuerpflicht einbezogen wird, bleiben 60000 DM steuerfrei. – 3. *Erbschaftsteuer:* a) War bei einem →Erblasser oder Schenker zur Zeit der Entstehung der Steuerschuld die erweiterte beschränkte Einkommensteuerpflicht gegeben, so tritt die Erbschaftsteuerpflicht über das Inlandsvermögen i.S. des § 121 II BewG hinaus für alle Teile des Erwerbs ein, deren Erträge bei unbeschränkter Einkommensteuerpflicht nichtausländische Einkünfte i.S. des § 34c I EStG wären. – b) Dies gilt nicht, wenn auf die über das Inlandsvermögen hinaus in die beschränkte Steuerpflicht einbezogenen Teile des Erwerbs im Ausland einer der deutschen Erbschaftsteuer vergleichbaren Steuer unterliegen, die mindestens 30 v.H. der auf diesen Teil des Erwerbs entfallenden deutschen Erbschaftsteuer beträgt. – 4. Zur Vermeidung von *Umgehungstatbeständen* greift die e. b. St. mit Wirkung für die Einkommensteuer, Vermögensteuer und Erbschaftsteuer auch bei der Einschatung von →Zwischengesellschaften ein.

erweiterte Fondsfazilität, Kreditfazilität des IMF, aus der die Mitglieder ihre normalen →Ziehungsrechte überschreitende Kredite erhalten können. Schaffung der e.F. im September 1974, als sich infolge der ersten Erdölpreisexplosion in vielen Ländern bsonders hartnäckige außen- und binnenwirtschaftliche Strukturverzerrungen ergaben. Kredite aus der e.F. habeneine Laufzeit von vier bis zehn Jahren und betragen maximal 140% der IMF-Quote des betreffenden Landes.

erweiterter Eigentumsvorbehalt, zur Sicherung anderer Forderungen als der Forderung aus dem Vorbehaltsverkauf dienender →Eigentumsvorbehalt, insbes. der Kontokorrent- und der Konzernvorbehalt (Eigentumsvorbehalt bis zur Tilgung aller Forderungen aus dem →Kontokorrent bzw. aller Ansprüche der Konzernfirmen).

Erweiterungsinvestition, Investition zur Vergrößerung der betrieblichen Leistungsfähigkeit (vgl. auch →Ersatzinvestition, →Erhaltungsinvestition). E. kann bewirken: 1. *Horizontale Erweiterung:* Mengenmäßige Ausweitung des Produktions- und Absatzprogramms (z.B. Anpassung an gesteigerte Nachfrage) oder durch Hinzunahme neuer Produkte (Zunahme der Produktionsbreite). – 2. *Vertikale Erweiterung:* Vergrößerung der Produktionstiefe durch Angliederung von Produktionsstufen (z.B. Erweiterung sekundärer Produktionsstufen wie Energieversorgung, Transporteinrichtungen oder Übergang von Fremdbezug zur Eigenherstellung); →Umstellungsinvestition. – Vgl. auch →Diversifikation.

Erwerb eines Handelsgewerbes, kann sich sowohl unter Lebenden als auch von Todes wegen vollziehen. – 1. *E. unter Lebenden* (→Veräußerung): Erfolgt nach den allgemeinen bürgerlich-rechtlichen Vorschriften je nach der Art der zu übertragenden Vermögensbestandteile, z.B. für bewegliche Sachen durch →Übereignung nach §§ 929 ff. BGB, für Grundstücke nach §§ 873 ff., 925 BGB. →Firmenfortführung nur bei ausdrücklicher Einwilligung durch den Veräußerer. →Nachfolgezusätze, z.B. „vormals" oder „Nachf.", sind erlaubt. – 2. *E. von Todes wegen:* Weiterführung des Unternehmens durch den →Erben mit oder ohne →Firma bzw. →Firmenzusatz. Bei Fortführung durch mehrere Erben ist Führung in der alten Form nur für die Zeit des Bestehens der →Erbengemeinschaft gestattet; danach in einer der Rechtsformen des Handelsrechts, z.B. OHG, KG. – Vgl. auch →Betriebsnachfolge.

Erwerb eines Unternehmens, →Betriebsnachfolge.

Erwerbsbetrieb, *Erwerbsunternehmung,* Handels-, Handwerks- oder Industrieunternehmung, deren wirtschaftliche Tätigkeit auf →Gewinnmaximierung (höchstmögliche Rentabilität des investierten →Kapitals) ausgerüstet ist.

Erwerbseinkünfte. 1. *Begriff:* Öffentliche E. sind →öffentliche Einnahmen, die die öffentliche Hand infolge einer Beteiligung an der volkswirtschaftlichen Wertschöpfung im Marktprozeß erzielt, ohne daß sie, wie bei →Abgaben, hoheitliche Gewalt einsetzt. Einnahmen können als E. bezeichnet werden, unabhängig von Organisation, Rechtsform, Zweck der Einnahmenerzeilung und Marktposition der öffentlichen Hand. – *Beispiele:* Erlöse aus dem Verkauf von Gütern und Dienstleistungen der →öffentlichen Unternehmen, Zinsen aus der Kreditvergabe durch die öffentliche Verwaltung. E. werden erzielt von Regiebetrieben, Eigenbetrieben, Kaptialgesellschaften im öffentlichen Eigentum; eine Sonderform stellen Bundesbahn und Bundespost dar als autonome Wirtschaftskörper ohne eigene Rechtspersönlichkeit mit eigenem Sondervermögen, deren Wirtschaftsergebnis als Nettoergebnis in den Haushaltsplan des Bundes eingeht. – 2. *Abgrenzung:* Eine saubere Trennung zwischen öffentlichen E. und →Gebühren bzw. →Beiträgen ist oftmals schwierig, z.B. in der Wasserversorgung. – 3. *Beurteilung:* Probleme hinsichtlich der →Wirtschaftsordnung ergeben sich durch die Monopolstellung von öffentlichen Unternehmen wie auch durch die mit dem öffentlichen Eigentum verbundene Verfügungsmacht in bestimmten Wirtschaftsbereichen. Auch in einer Wirtschaftsordnung mit grundsätzlichem Privateigentum an den Produktionsmitteln existieren Sektoren mit starker öffentlicher Beteiligung (Energiewirtschaft, Urproduktion, Verkehrswirtschaft, Kommunikation, Bankwesen). Ein hoher Anteil öffentlicher E. an den Gesamteinnahmen bringt solche Problematiken deutlich zum Vorschein.

Erwerbsfähige, Begriff der amtlichen →Bevölkerungsstatistik für die im erwerbsfähigen Alter stehenden männlichen und weiblichen Personen (zwischen 15 und 65 Jahren), unabhängig davon, ob sie tatsächlich einer Erwerbstätigkeit nachgehen oder erwerbslos sind. – Vgl. auch →Erwerbsquote.

Erwerbskonzept, Begriff der Statistik der →Erwerbstätigkeit, bei dem die Bevölkerung in Erwerbspersonen (Erwerbstätige, Erwerbslose) und Nichterwerbspersonen gegliedert wird. – *Anders:* →Unterhaltskonzept.

Erwerbslose, Begriff der →amtlichen Statistik für Personen ohne Arbeitsverhältnis, die sich um eine Arbeitsstelle bemühen, unabhängig davon, ob sie beim Arbeitsamt als Arbeitslose gemeldet sind. Insofern ist der Begriff der E. umfassender als der Begriff der →Arbeitslosen. E. und →Erwerbstätige sind →Erwerbspersonen.

Erwerbslosenfürsorge, →Arbeitslosenhilfe.

Erwerbsminderung, →Minderung der Erwerbsfähigkeit (MdE).

Erwerbspersonen, Begriff der →amtlichen Statistik: nach dem →Erwerbskonzept alle Personen mit Sitz im Bundesgebiet (Inländerkonzept), die eine unmittelbar oder mittelbar auf Erwerb gerichtete Tätigkeit ausüben oder suchen (→Selbständige, →mithelfende Familienanghörige, →Abhängige), unabhängig von der Bedeutung des Ertrags dieser Tätigkeit für ihren Lebensunterhalt und ohne Rücksicht auf die von ihnen tatsächlich geleistete oder vertragsmäßig zu leistende Arbeitszeit. E. setzen sich zusammen aus den →Erwerbstätigen und den →Erwerbslosen. – *Gegensatz:* →Nichterwerbspersonen.

Erwerbspersonenpotential, *Arbeitskräftepotential,* Schätzgröße der Arbeitsmarktforschung für das in der Hochkonjunktur maximal im Inland zur Verfügung stehende Arbeitskräfteangebot. Das E. setzt sich zusammen aus der nach dem Beschäftigungsortskonzept festgestellten Zahl der im Inland →Erwerbstätigen (abhängig Beschäftigte, Selbständige und mithelfende Familienangehörige), der Zahl der registrierten Arbeitslosen und einer geschätzten Zahl versteckter Arbeitsloser (stille Reserve des Arbeitsmarktes). Ermittelt wird das E. durch Multiplikation a) der Gesamtbevölkerung mit der allgemeinen →Potentialerwerbsquote oder b) der Bevölkerung im Alter von 15 bis unter 65 Jahren mit der spezifischen Potentialerwerbsquote. Das E. dient u.a. als Bezugsgröße für den gesamtwirtschaftlichen →Beschäftigungsgrad und zur Berechnung des gesamtwirtschaftlichen →Produktionspotentials.

Erwerbspersonentafel, Modell zur Beschreibung der Zugehörigkeit einer tatsächlichen oder fiktiven →Generation von Männern und Frauen zu den Erwerbspersonen bzw. Nichterwerbspersonen im Lebensablauf unter Berücksichtigung der Übergänge vom Personenkreis der Nichterwerbspersonen zum Personenkreis der Erwerbspersonen und umgekehrt sowie der Abgänge durch Tod. Häufig müssen die Daten über die Übergänge durch Daten über die altersspezifische Zugehörigkeit zu den Erwerbspersonen oder Nichterwerbspersonen ersetzt werden, insbes. dann, wenn das Erwerbslebensschicksal der Angehörigen bestimmter Geburtsjahrgänge dargestellt werden soll. – *Ergebnisse:* Altersspezifische Erwerbsquoten; im Lebenslauf insgesamt im Erwerbsleben bzw. außerhalb des Erwerbslebens verbrachte Zeit. – *Bedeutung:* Wichtig u.a. für die Höhe erworbener Rentenansprüche und für Überlegungen allgemeiner Art zu Altersversorgungsproblemen. Besonders aufschlußreich, wenn die Arbeitsverdienste einbezogen werden können.

Erwerbsquote, Maßzahl der amtlichen Bevölkerungs- und Erwerbstätigkeitsstatistik, die die Beteiligung der Gesamtbevölkerung oder bestimmter Bevölkerungsteile am Erwerbsleben beschreibt. E. ist definiert als das Verhältnis der Zahl (durch Volkszählung oder Stichprobe) nach dem Wohnsitzprinzip ermittelten merkmalsspezifischen Erwerbspersonen (= Erwerbstätige + Erwerbslose) zur merkmalsspezifischen Grundgesamtheit in %. – Nach Untersuchungsmerkmalen zu *unterscheiden:* a) *Allgemeine E.:* Zahl aller Erwerbspersonen, bezogen auf die gesamte Wohnbevölkerung. b) *Spezifische E.:* Zahl aller Erwerbspersonen, bezogen auf die Wohnbevölkerung im erwerbsfähigen Alter (15–65 Jahre oder 15 Jahre und älter). c) *Alters-, geschlechts- und familienstandsspezifische E.:* Erwerbspersonen eines bestimmten Alters, Geschlechts und Familienstandes (verheiratet, ledig), bezogen auf die Wohnbevölkerung entsprechenden Alters, Geschlechts und Familienstandes. – *Anders:* →Potentialerwerbsquote.

Erwerbstätige, Begriff der →amtlichen Statistik für Personen, die in einem Arbeitsverhältnis stehen (einschl. Soldaten und →mithelfende Familienangehörige) oder selbständig ein Gewerbe oder eine Landwirtschaft betreiben oder einen freien Beruf ausüben. – Nach der *Stellung im Beruf* zu unterscheiden: Selbständige, mithelfende Familienangehörige und Abhängige (Beamte, Angestellte, Arbeiter, Auszubildende). – Vgl. auch →Erwerbstätigkeitsstatistiken.

Erwerbstätigkeitsstatistiken, übergeordneter statistischer Begriff für die Gesamtheit der Statistiken des Erwerbslebens (→Volkszählung, →Berufszählung, →Mikrozensus, →Beschäftigtenstatistik, →Arbeitsmarktstatistiken),

Verflechtung des Erwerbs- und des Unterhaltskonzepts

Erwerbskonzept		Unterhaltskonzept			
		Personen mit überwiegendem Lebensunterhalt durch ...			
		Erwerbstätigkeit	Arbeitslosengeld/-hilfe	Rente u. dgl.	Angehörige
Erwerbspersonen	*Erwerbstätige*	*Erwerbstätige* mit überwiegendem Lebensunterhalt aus Erwerbstätigkeit	*Erwerbstätige* mit überwiegendem Lebensunterhalt aus Arbeitslosengeld/-hilfe [1])	*Erwerbstätige* mit überwiegendem Lebensunterhalt aus Renten u. dgl.	*Erwerbstätige* mit überwiegendem Lebensunterhalt durch Angehörige
	Erwerbslose		*Erwerbslose* mit überwiegendem Lebensunterhalt aus Arbeitslosengeld/-hilfe	*Erwerbslose* mit überwiegendem Lebensunterhalt aus Renten u. dgl.	*Erwerbslose* mit überwiegendem Lebensunterhalt durch Angehörige
Nichterwerbspersonen				*Nichterwerbspersonen* mit überwiegendem Lebensunterhalt aus Rente u. dgl.	*Nichterwerbspersonen* mit überwiegendem Lebensunterhalt durch Angehörige

[1]) D. s. hauptsächlich registrierte Arbeitslose mit geringfügigem Nebenverdienst aus Erwerbstätigkeit.

dem verschiedenen Konzepte zugrunde liegen. – 1. *Erwerbskonzept:* Gliederung nach der Beteiligung am Erwerbsleben zwischen →Erwerbspersonen und →Nichterwerbspersonen. – 2. *Unterhaltskonzept:* Zuordnung nach der Quelle des überwiegenden Lebensunterhalts: Erwerbstätigkeit, Arbeitslosengeld oder -hilfe, Rente u. a. Unterhalt durch Eltern, Ehepartner, Kinder o. a. Familienangehörige. Zur Verflechtung beider Konzepte vgl. obenstehende Tabelle. Beide Konzepte werden vom Statistischen Bundesamt angewendet. – 3. →*Labor-Force-Konzept* (vgl. dort): Von der OECD angewendet.

Erwerbs- und Wirtschaftsgenossenschaften, zusammenfassende Bezeichnung für die →Genossenschaften.

Erwerbsunfähigkeit. 1. Gesetzliche →*Unfallversicherung* (§ 581 RVO): Unmöglichkeit eines Versicherten, seine Arbeitskraft nach einem Unfall wieder wirtschaftlich zu verwerten (§ 581 RVO). – 2. Gesetzliche →*Rentenversicherung:* Erwerbsunfähig ist der Versicherte, der infolge von Krankheit oder anderer Gebrechen oder von Schwäche seiner körperlichen oder geistigen Kräfte auf nicht absehbare Zeit eine Erwerbstätigkeit in gewisser Regelmäßigkeit nicht mehr ausüber oder nicht mehr als nur geringfügige Einkünfte (höchstens $^1/_7$ der monatlichen Bezugsgröße) durch Erwerbstätigkeit erzielen kann (§ 1247 RVO, § 24 AVG, § 47 RKG). Im *Gegensatz* zur →Berufsunfähigkeit bedeutet E., daß dem Versicherten eine Tätigkeit überhaupt nicht mehr zumutbar ist, d. h. der Versicherte regelmäßig einer Erwerbstätigkeit nicht oder nur in ganz geringem Umfang nachgehen kann. Der Versicherte muß sich hierbei auf jeden Beruf des allgemeinen Arbeitsmarkts verweisen lassen; ein Berufsschutz (→Berufsunfähigkeit) besteht nicht. Kann der Versicherte jedoch aus gesundheitlichen Gründen nur noch Teilzeitarbeit verrichten, ist er nach der Rechtsprechung des Bundessozialgerichts erwerbsunfähig, wenn ihm der Arbeitsmarkt für Teilzeitarbeiten praktisch verschlossen ist. Bei Versicherten, die noch vollschichtig tätig sein können, ist i. d. R. davon auszugehen, daß noch Arbeitsplätze auf dem allgemeinen Arbeitsmarkt vorhanden sind, wobei es nicht darauf ankommt, ob diese in Betracht kommenden Arbeitsplätze besetzt oder nicht besetzt sind. – E. löst beim Vorliegen der versicherungsrechtlichen Voraussetzungen Renten wegen E. (→Erwerbsunfähigkeitsrente) oder →Knappschaftsrente aus. – 3. *Private Versicherung:* Fall der →Invalidität.

Erwerbsunfähigkeitsrente, Leistung der gesetzlichen →Rentenversicherung für einen Versicherungsfall der Erwerbsunfähigkeit. – 1. *Voraussetzungen:* →Erwerbsunfähigkeit, Erfüllung der →Wartezeit von 60 Monaten; seit 1. 1. 1984 müssen außerdem während der letzten 60 Monate vor Eintritt der E. mindestens 36 Monate mit Pflichtbeiträgen belegt sein oder die Erwerbsunfähigkeit aufgrund eines in § 1252 RVO, § 29 AVG, § 52 RKG genannten Tatbestands eingetreten sein. Für die Ermittlung der 60 Kalendermonate, in denen 36 Pflichtbeiträge enthalten sein müssen, werden bestimmte Zeiten nicht mitgezählt (Ersatzzeiten, Ausfallzeiten, Rentenbezugszeiten, Kindererziehungszeiten u. a.) – 2. *Laufzeit:* Die E. wird i. d. R. auf Dauer gewährt. Eine *Zeitrente* ist zu gewähren, wenn begründete Aussicht besteht, daß die Erwerbsunfähigkeit in absehbarer Zeit behoben werden kann oder die Erwerbsunfähigkeit nicht ausschließlich auf dem Gesundheitszustand des Berechtigten beruht (§ 1276 RVO, § 53 AVG). Bei Wegfall der Erwerbsunfähigkeit kann die Rente wieder entzogen werden. – 3. *Höhe:* Die E. beträgt für jedes anrechnungsfähige Versicherungsjahr 1,5% – in der Knappschaftsversicherung 2,0% – der persönlichen Rentenbemessungsgrundlage.

Erwerbsunternehmung, →Erwerbsbetrieb.

Erwerbswert, →Anschaffungswert.

Erwerbswirtschaften, →erwerbswirtschaftliches Prinzip.

erwerbswirtschaftliches Prinzip, normative Vorstellung von wirtschaftlicher Betätigung zum Zweck der *Gewinnerzielung,* zu unterscheiden →Gewinnmaximierung und angemessene Gewinnerzielung bzw. Kostendeckung (→Angemessenheitsprinzip der Gewinnerzielung). Das e.P. gilt als →systembezogener Tatbestand im Sinne von Gutenberg und soll die Leitmaxime von (i.d.R. privaten) Unternehmen innerhalb einer →Verkehrswirtschaft bzw. →Marktwirtschaft zum Ausdruck bringen. Es wird ergänzt durch eine →Bedarfsdeckungsprinzip. – *Anders:* →Wirtschaftlichkeitsprinzip.

Erwerb von Minderjährigen, →Geschäftsfähigkeit.

Erwerb von Todes wegen, Begriff nach §3 ErbStG: a) Der Erwerb durch →Erbfall, →Vermächtnis oder aufgrund eines geltend gemachten Pflichtteilanspruchs; b) der Erwerb durch Schenkung auf den Todesfall; c) der Erwerb von Vermögensvorteilen, der aufgrund eines vom Erblasser geschlossenen Vertrags unter Lebenden von einem Dritten mit dem Tod des Erblassers unmittelbar gemacht wird (→Lebensversicherungen). – *Steuerliche Behandlung:* Vgl. →Erbschaftsteuer, →einmalige Vermögensanfälle.

Erzbergersche Finanzreform (1919/20), nach dem Zentrumsabgeordneten, Ministerpräsidenten und Reichsfinanzminister M. Erzberger benannte →Finanzreform, die zu einer vollständigen Umkehrung der finanzhoheitlichen Kompetenzen (→Finanzhoheit) zwischen Reich und Bundesstaaten führte. Das Reich war zuvor v.a. auf dei Zolleinkünfte unter der Einschränkung der „Franckensteinschen Klausel" und die →Matrikularbeiträge der Länder angewiesen (Reich als „Kostgänger" der Länder; →Clausula Miquel). Durch die E.F. wurde das Reich durch die Ertragshoheit der Einkommen-, Körperschaft- sowie Umsatzsteuer zur entscheidenden Schaltstelle im Finanzausgleich zwischen den Gebietskörperschaften. Unterstützt wurde dies durch die Schaffung von Reichsfinanzbehörden (Finanzämtern). Fortsetzung der E.F.: →Popitz-Schliebensche Finanzreform (1924/25).

Erzeugergemeinschaften, Zusammenschlüsse von Inhabern land- oder fischwirtschaftlicher Betriebe, die gemeinsam den Zweck verfolgen, die Erzeugung und den Absatz den Erfordernissen des Marktes anzupassen. Gesetz zur Anpassung der landwirtschaftlichen Erzeugung an die Erfordernisse des Marktes (Marktstrukturgesetz) i.d.F. vom 26.11.1975 (BGBl I 2943) mit späteren Änderungen. Nach Anerkennung durch die zuständige Behörde können E. staatlich gefördert werden.

Erzeugerhandel, früherer Begriff für →Handel im funktionellen Sinn durch Erzeuger, z. B. Landwirte, Industriebetriebe.

Erzeugnisbestand, Bestand der im eigenen Betrieb hergestellten fertigen und unfertigen Erzeugnisse. – 1. *Bewertung in der →Steuerbilanz:* Ansatz der →Herstellungskosten. – 2. *Bewertung (in der →Vermögensaufstellung) für das Betriebsvermögen* (Substanzbesteuerung): Einzelbewertung mit dem →Teilwert (§109 I BewG). Die Teilwertvermutung für den E. wird geprägt durch (wahlweise) Heranziehung der progressiven oder retrograden Bewertungsmethode: a) *Die progressive Methode* geht von dem Wertansatz in der Steuerbilanz aus; ferner sind zu berücksichtigen: die Kosten für den Transport in Auslieferungslager, für die Verpackung und die bis zum Stichtag angefallenen Vertriebskosten; diese Kosten können auch durch einen pauschalen Zuschlag zu den Herstellungskosten erfaßt werden. b) *Die retrograde Methode* geht von den am Stichtag erzielbaren Veräußerungserlösen aus (→gemeiner Wert); abzusetzen sind alle Kosten, die bis zu einer tatsächlichen Veräußerung noch anfallen würden, z. B. Vertriebs- und Verpackungskosten sowie Herstellungskosten unfertiger Erzeugnisse und der durchschnittliche Gewinnaufschlag.

Erzeugnisgruppen, Zusammenfassung verwandter und ähnlicher Erzeugnisse für Zwecke der Organisation und der Kostenrechnung in Betrieben mit verschiedenartiger Produktion. Eine nach E. vorgenommene Ausgestaltung der →Betriebsabrechnung und Aufspaltung des →Betriebsergebnisses soll es ermöglichen, auf einzelne Gruppen von Produkten abgestimmte Dispositionen zu treffen.

Erzeugniskapazität, →qualitative Kapazität.

Erzeugnislisten zur Abrenzung der Produktionsbereiche, Erzeugnisse der Landwirtschaft und der Jagd sowie Rohholz (ELL), von der Systematik der Wirtschaftszweige in den EG, Fassung für Input-Output-Tabellen (NACE-CLIO) abgeleitete Systematik für Zwecke der land- und forstwirtschaftlichen Gesamtrechnung. In tiefster Gliederung 246 Positionen, die ein Umsteigen auf das →Warenverzeichnis für die Statistik des Außenhandels der Gemeinschaft und des Handels zwischen ihren Mitgliedsstaaten (NIMEXE) ermöglichen (vgl. dort 5.).

Erzeugnisplanung, →Produktplanung.

Erzeugung, →Produktion.

Erziehungsbeihilfe, Leistung im Rahmen der →Kriegsopferfürsorge. – *Berechtigte:* E. wird gezahlt an Beschädigte, die eine Grundrente nach § 31 BVG beziehen, für deren Kinder sowie an Waisen, die Waisenrente oder Waisenbeihilfe nach dem BVG beziehen (§ 27 BVG). – *Voraussetzungen:* Die E. wird gewährt, soweit der angemessene Bedarf für Ausbildung, Erziehung und Lebensunterhalt durch das einzusetzende Einkommen und Vermögen des Hilfesuchenden sowie des Kindes des Beschädigten und des Elternteils der Waise nicht gedeckt ist.

Erziehungsbeistandschaft, Maßnahme im Rahmen der →Jugendhilfe. – 1. *Aufgaben:* Der Erziehungsbeistand unterstützt und berät den Jugendlichen und unterstützt Personensorgeberechtigte bei der Erziehung. – 2. *Bestellung:* E. ist zu bestellen für einen Minderjährigen, dessen leibliche, geistige oder seelische Entwicklung gefährdet oder geschädigt ist, wenn diese Maßnahme zur Abwendung der Gefahr oder zur Beseitigung des Schadens geboten und ausreichend ist (§ 55 JWG). Der Erziehungsbeistand wird auf Antrag des Personensorgeberechtigten vom Jugendamt bestellt. Vormundschaftsgericht ordnet Bestellung an, wenn die Voraussetzungen des § 55 JWG vorliegen; Jugendamt bestellt dann den Erziehungsbeistand (§ 57 JWG). Anordnung der E. auch durch Jugendgericht im Jugendstrafverfahren möglich (§ 12 JGG). – 3. Die E. *endet* mit der Volljährigkeit des Jugendlichen oder der Aufhebung der E. (§ 61 JWG). – *Weitergehend:* →freiwillige Erziehungshilfe.

Erziehungsgeld, Maßnahme der →Familienpolitik. Sozialleistung nach dem →Bundeserziehungsgeldgesetz für alle Mütter (auch nicht berufstätige oder selbständig tätige Mütter sowie Adoptiv- und Stiefmütter) und auch die Väter, vom Bund getragen. – 1. *Voraussetzungen:* a) Anspruchberechtige(r) muß in der Bundesrep. D. (einschl. Berlin-West) wohnen, in einem Hauhalt mit einem nach dem 31.12.1985 geborenen Kind leben, das Personensorgerecht für das Kind haben, das Kind selbst betreuen oder erziehen und keine oder keine volle Erwerbstätigkeit auüben. Anspruchsberechtigung nur, solange diese Voraussetzungen auch vorliegen. Anspruch besteht vom Tag der Geburt bis zur Vollendung des 10. Lebensmonats (ab 1988 bis Vollendung des 12. Lebensmonats) des Kindes. E. wird nur *einem* Anspruchsberechtigten gewährt (Ehegatten können bestimmen, wer E. erhalten soll; Wechsel der Anspruchberechtigung möglich). – b) Vom Beginn des 7. Lebensmonat an kann der Anspruch auf E. aufgrund anrechenbaren Einkommens entfallen oder niedriger sein. Laufend zu zahlendes →Mutterschaftsgeld nach dem →Mutterschutzgesetz oder nach krankenversicherungsrechtlichen Vorschriften wird auf E. angerechnet; ebenso Dienst- und Anwärterbezüge für die Zeit der Beschäftigungsverbote. – Anspruch auf E. ist *ausgeschlosssen* bei Bezug von →Krankengeld, →Verletztengeld, →Versorgungskrankengeld, →Übergangsgeld, →Unterhaltsgeld (§ 44 ff. AFG), →Schlechtwettergeld (§§ 83 ff. AFG), →Kurzarbeitergeld und →Arbeitslosengeld sowie bei vergleichbaren Leistungen, mit denen ausgefallenes Arbeitsentgelt oder Arbeitseinkommen ersetzt wird; Ausnahme: →Arbeitslosenhilfe (mit Einschänkung). – →Renten (auch Teilrenten), Leistungen nach dem BAföG, Ausbildungsgeld, →Ausbildungsbeihilfe (§ 40 AFG) *lassen E. unberührt*. – 2. *Höhe:* 600 DM monatlich. E. wird auf andere einkommensabhängige Sozialleistungen wie →Sozialhilfe, →Wohngeld, Jugendhilfe, Leistungen der →Kriegsopferfürsorge *nicht angerechnet*. – 3. *Sozialversicherung:* Vor der Geburt des Kindes in der gesetzlichen Krankenversicherung versicherte Mütter bleiben während des E. beitragsfrei weiterversichert (§§ 311 II, 383 I RVO); auch in der Arbeitslosenversicherung (§ 107 I Nr. 5c AFG). Sicherung in der Rentenversicherung durch die →Kindererziehungszeit. – 4. *Zuständige Berhörde* (landesrechtlich unterschiedlich geregelt): In Bremen, Hamburg, Niedersachsen, Saarland und Schleswig-Holstein: Arbeitsamt; in Bayern, Hessen und Nordrhein-Westfalen: Versorgungsamt; in Baden-Württemberg: Landeskreditbank; in Berlin (West): Bezirksamt; in Rheinland-Pfalz: Jugendamt. – 5. *Rechtsweg für Streitigkeiten* eröffnet zu den Gerichten der →Sozialgerichtsbarkeit.

Erziehungshilfen, Maßnahmen der →Jugendhilfe zur Unterstützung der Erziehung Jugendlicher. – Vgl. auch →Erziehungsbeistandschaft, →freiwillige Erziehungshilfe, →Fürsorgeerziehung.

Erziehungsmaßregel, Maßnahme nach dem →Jugendstrafrecht. Es stehen zur Verfügung: Erteilung von Weisungen, Anordnung der Erziehungsbeistandschaft oder Fürsorgeerziehung. E. sind im Vergleich zu →Zuchtmitteln und →Jugendstrafe mildere Mittel.

Erziehungsregister, ein beim →Bundeszentralregister geführtes Register. – 1. *Rechtsgrundlage:* Bundeszentralregistergesetz i.d.F. vom 22.7.1976 (BGBl I 2005). – 2. *Aufgabe:* Zentrale Erfassung bestimmter Maßnahmen der Jungendgerichtsbarkeit und des Vormundschaftsrichters. – 3. *Auskunft* nur an Strafgerichte, Staatsanwaltschaft, Familiengerichte, Jugendämter und die Gnadenbehörde. – 4. *Tilgung,* sobald der Betroffene das 24. Lebensjahr vollendet hat, es sei denn, zu diesem Zeitpunkt ist eine Verurteilung des Betroffenen zu Freiheitsstrafe im Bundeszentralregister eingetragen.

Erziehungsrente, Leistung der gesetzlichen Rentenversicherung, eingeführt durch das „Erste Gesetz zur Reform des Ehe- und Familienrechts (1. EheRG)“ vom 14.6.1976 (BGBl I 1421). – 1. *Zweck:* Die E. ist eine Versichertenrente eigener Art und soll in den nach dem 30.6.1977 wirksam werdenden Ehescheidungsfällen beim Tod des versicherten früheren Ehegatten die Versorgungslücke schließen, die wegen Kindererziehung nicht anderweitig geschlossen werden kann. E. kann nur der unverheiratete frühere Ehegatte erhalten. – 2. *Voraussetzung:* Erziehung mindestens eines waisenrentenberechtigten Kindes und Zurücklegung einer Versicherungszeit von 60 Kalendermonaten vor dem Tod des früheren Ehegatten (§ 1265a RVO, § 42a AVG, § 65a RKG). – 3. *Höhe:* I.d.R. in Höhe der Rente wegen →Erwerbsunfähigkeit, wenn mindestens drei Kinder oder zwei Kinder unter sechs Jahren erzogen werden und keine oder nur eine Beschäftigung oder Erwerbstätigkeit ausgeübt wird, die höchstens $^1/_8$ der monatlichen →Beitragsbemessungsgrenze erbringt (1987 in der Arbeiter- und Angestelltenversicherung: monatlich höchsten 712,50 DM). Ansonsten wird die E. in Höhe der Rente wegen →Berufsunfähigkeit gewährt, wobei die Verdienstgrenze $^3/_{10}$ der monatlichen Beitragsbemessungsgrenze beträgt (1987 in der Arbeiterrenten- und Angestelltenversicherung: monatlich höchsten 1710 DM).

Erziehungsurlaub, arbeitsrechtlicher Anspruch des Arbeitnehmers auf Freistellung von der Arbeit nach dem →Bundeserziehungsgeldgesetz im Anschluß an die nachgeburtliche Schutzfrist. – 1. *Rechtsnatur:* Sonderurlaub privatrechtlicher Natur ohne den üblichen urlaubsrechtlichen Charakter; die Vorschriften des Bundesurlaubsgesetzes sind auf E. nicht ohne weiteres anwendbar. Die Vorschriften über den E. (§§ 15ff. BErzGG) lösen die bisherigen Vorschriften über den Mutterschaftsurlaub v. 15.6.1979 (BGBl I 797), die in das Mutterschutzgesetz eingefügt waren, ab. – 2. *Anspruchsberechtigte:* Alle Arbeitnehmer (Frauen und Männer) mit Anspruch auf →Erziehungsgeld (§§ 15 I, 20 BErzGG). Wird Erziehungsgeld wegen Übersteigen der Einkommensgrenzen nicht gewährt, bleibt Anspruch auf E. E. ist jedoch grundsätzlich ausgeschlossen, solange die Mutter als Wöchnerin bis zum Ablauf von acht Wochen, bei Früh- und Mehrlingsgeburten von zwölf Wochen, nicht beschäftigt werden darf (nachgeburtliche Schutzfrist) oder der mit dem Erziehungsgeldberechtigten in einem Hauhalt lebende Ehegatte nicht erwerbstätig ist; letzteres gilt nicht, wenn der Ehegatte arbeitslos ist oder sich in Ausbildung befindet. E. muß von dem Arbeitnehmer rechtzeitig verlangt werden (spätestens vier Wochen vorher). Einer Erklärung des Arbeitgebers bedarf es nicht. – 3. *Dauer:* Für denselben Zeitraum, wie Erziehungsgeld gewährt wird, mit der Ausnahme der Schutzfrist für Wöchnerinnen. E. endet spätestens mit Vollendung des 10. Lebensmonats (ab 1988 des 12. Lebensmonats) des Kindes. Vorzeitige Beendigung des E. mit Zustimmung des Arbeitgebers ist möglich. Der Anspruch auf E. kann sonst vertraglich nicht ausgeschlossen oder beschränkt werden. – 4. *Arbeitsrechtliche Wirkung:* Unbefristetes Arbeitsverhältnis bleibt unverändert bestehen, befristetes läuft zum vereinbarten Termin, wie auch sonst, aus und wird durch E. nicht verlängert. Arbeitgeber kann den Erholungsurlaub kürzen ($^1/_{12}$ je vollen Kalendermonat). Arbeitgeber darf das Arbeitsverhältnis während des E. nicht kündigen; in besonderen Fällen nur mit Zustimmung der zuständigen obersten Landesbehörde im Rahmen der zu § 18 BErzGG ergangenen allgemeinen Verwaltungsvorschriften v. 2.1.1986 (Bundesanzeiger 1986 Nr. 1 S. 4). Der E.berechtigte kann das Arbeitsverhältnis unter Einhaltung einer einmonatigen Kündigungsfrist zum Ende des E. kündigen. Eine Vereinbarung von Teilzeitarbeit (→Teilzeitarbeitsverhältnis) ist möglich, wenn sie unter 19 Wochenstunden liegt und beim bisherigen Arbeitgeber ausgeübt wird.

Erziehungszeiten, Anrechnungszeiten in der gesetzlichen Rentenversicherung. Vgl. →Kindererziehungszeiten.

Erziehungszoll, →Zoll zum Schutz von solchen Wirtschaftszweigen, die bei →Freihandel der ausländischen Konkurrenz unterliegen würden, aber bei einem temporären Schutz die internationale Wettbewerbsfähigkeit in angemessener Zeit erlangen können (Infant-industry-Argument). Das E.-Argument wird im Prinzip auch von Vertretern einer liberalen →Außenwirtschaftspolitik akzeptiert, allerdings mit Hinweis auf Operationalisierungsprobleme, so v.a. auf die Identifikation der im Sinn der Theorie „schutzwürdigen Industrien“ sowie auf den Widerstand der betroffenen Industrien gegen die Rücknahme des gewährten Zollschutzes nach einer gesamtwirtschaftlich als angemessen erachteten Zeit. – Vgl. auch →Protektionismus, →Finanzzoll, →Schutzzoll.

Erzwingungshaft, im Steuerrecht eine Ersatzstrafe für eine steuerrechtliche Erzwingungsstrafe. Die Umwandlung der Erzwingungsstrafe in die E. wird auf Antrag des Finanzamtes vom Amtsgericht durchgeführt. E. kann vom Gericht angeordnet werden, wenn eine durch Strafbescheid festgesetzte Geldstrafe nicht beigetrieben werden kann. – Vgl. auch →Zwangsmittel.

ESA, European Space Agency, Europäische Weltraumorganisation, gegründet 1975 durch Vereinigung von →ELDO und →ESRO. Sitz: Paris – *Mitgliedstaaten:* Belgien, Bundesrep. D., Dänemark, Franreich, Großbritannien,

Irland, Italien, Niederlande, Spanien, Schweden, Schweiz; Norwegen, Österreich (assoziierte Mitglieder); Kanada (Beobachter). – *Hauptziele:* Förderung und Koordinierung der Weltraumforschungsaktivitäten der europäischen Staaten und Anwendung der Weltraumtechnologie für friedliche Zwecke. – *Hautporgan:* Rat, in dem alle Mitgliedstaaten vertreten sind. – Die ESA betreibt folgende wichtige *Forschungszentren:* European Space Research and Technology Centre (ESTEC), European Space Operations Centre (ESOC), Space Documentation Centre (ESRIN). – *Veröffentlichungen:* Annual Report; ESA Bulletin, ESA Journal.

ESCAP, →UN IV 1.

Escapeklausel, →Schutzklausel.

ESOMAR, Abk. für →European Society for Opinion and Marketing Research.

ESRO, European Space Research Organization, Europäische Organisation für Weltraumforschung, gegr. Juni 1962 durch elf europäische Staaten. Die Konvention der ESRO, die die Grundlage für eine Koordinierung der Weltraumforschungsaktivitäten der Mitgliedstaaten bildet, trat 1964 in Kraft. Die ESRO vereinigte sich im Mai 1975 mit der →ELDO zur →ESA.

Essensmarken, *Essenszuschuß,* vom Arbeitgeber gewährte unentgeltliche oder verbilligte Mahlzeiten oder Barzuschüsse. Lohnsteuerfrei, soweit der geldwerte Vorteil 1,50 DM arbeitstäglich nicht übersteigt.

Essenszuschuß, →Essensmarken.

Essentialismus, eine in der platonisch-aristotelischen Philosophie wurzelnde Sichtweise, daß die Aufgabe der Wissenschaft im Erkennen des *Wesens* bzw. der *Essenz* der Dinge besteht. Faktisch zu erreichen versucht wurde dieses Ziel nicht mittels erfahrungswissenschaftlicher →Erklärungen, sondern durch Realdefinitionen (→Definition). – *Bedeutung:* In den forgeschrittenen Wissenschaften gilt der E. allgemein als überholt; Reste davon finden sich in phänomenologisch-hermeneutischen Denkweisen (→Hermeneutik).

Etat. 1. *E. der öffentlichen Hand:* →Staatshaushalt. – *Formen:* Solletat: Voranschlag der Einnahmen und Ausgaben; *Istetat:* nachträglicher Rechnungsabschluß. – Vgl. auch →öffentlicher Haushalt, →Bundeshaushalt, →Budget, →Haushaltsplan. – 2. *E. einer Unternehmung:* →Finanzplan.

Ethernet, →lokales Netz, in der ersten Hälfte der 70er Jahre von der Firma Rank Xerox (USA) entwickelt. Seit 1980 besteht die DIX-Kooperation, mit der die Firmen Digital Equipment (DEC), Intel und Xerox beschlossen, ihre Netzwerkprodukte auf die Grundlage von E. zu stellen; heute existieren über 300 Lizenzprodukte. – *Aufbau:* E. ist ein auf Einfachheit ausgelegtes Netz ohne zentrale Kontrolle; es arbeitet auf einem Basisband-Bus (→Basisband, →Netztopologie) mit einer Übertragungsgeschwindigkeit bis zu 10 Mb/sec. Maximal 1024 Stationen können verbunden werden; Zwangsverfahren: →CSMA/CD. – *Standardisierung:* Weitgehend in die Norm →IEEE 802.3 eingegangen.

Ethik, →Unternehmensethik, →Wirtschaftsethik.

ethischer Normativismus, →normative Betriebswirtschaftslehre.

etw. b. B., etw. b. G., im Kurszettel, Abk. für „etwas bezahlt" und „Brief" bzw. „etwas bezahlt" und „Geld"; zu den betreffenden Kursen konnten nur wenige Aufträge ausgeführt werden. – Vgl. auch →Notierungen an der Börse.

EUA, Abk. für →Europäische Rechnungseinheit.

EUC, Abk. für →end user control.

Eucken, Walter, 1891–1950, einer der führenden deutschen Nationalökonomen, Neoliberalist. – *Lehre:* E. vertrat, anknüpfend an →Böhm-Bawerk, Gedanken, die von Peter und Schneider scharf kritisiert wurden; ebenso ist seine →Marktformenlehre durch v. →Stackelberg und J. L. Zimmermann heftiger Kritik unterzogen worden. – *Bedeutung:* 1. Methodologische Arbeiten. Gegenüber einem in Deutschland damals vorherrschenden Historismus vertrat er die Notwendigkeit theoretischer Forschung, durch „pointierend hervorhebende Abstraktion" die Gesetzmäßigkeiten des Wirtschaftslebens zu erkennen. 2. Wirtschaftspolitische Einstellung. E. vertrat mit außerordentlichem Scharfsinn und größter Konsequenz die marktwirtschaftliche Richtung, sowohl gegenüber dem Nationalsozialismus als auch gegenüber den planwirtschaftlichen Strömungen der Nachkriegszeit. – *Hauptwerke:* „Kapitaltheoretische Untersuchungen" 1934, „Die Grundlagen der Nationalökonomie", 8. Aufl. 1965, „Grundsätze der Wirtschaftspolitik", 4. Aufl. 1968 (postum).

eudynamische Bilanz, →Bilanztheorien IV.

EuGH, Abk. für →Europäischer Gerichtshof.

Eulersches Theorem, *Adding-up-Theorem.* Bei linear homogenen Produktionsfunktionen gilt: $f_1' \cdot r_1 + f_2' \cdot r_2 + \ldots + f_n' \cdot r_n = Q$ mit f_i' = partielle Grenzproduktivität des Faktors i, r_i = gesamte Einsatzmenge des Faktors i, Q = Output. – Bei vollständiger Konkurrenz ist das Wertgrenzprodukt $p \cdot f_i'$ als Produkt aus Güterpreis und partieller Grenzproduktivität gleich dem Faktorpreis q_i. Multiplikation der obigen Relation mit dem Produktpreis p ergibt daher:

$q_1 r_1 + q_2 r_2 + \ldots + q_n r_n = Q \cdot P$. Die Summe der Kosten für die Produktionsfaktoren zehrt den gesamten Erlös auf, es bleibt kein Gewinn.

Eulersche Zahl, Konstante $e = 2{,}71828\ldots$, die z. B. durch $\lim_{x \to \infty} (1 + 1/x)^x$ erklärt ist, und in der Mathematik und Statistik eine wichtige Rolle spielt, u. a. als Basis der natürlichen Logarithmen. – Vgl. auch →Exponentialfunktion.

EURATOM, Europäische Atomgemeinschaft, auch *EAG,* von Belgien, Bundesrep. D., Frankreich, Italien, Luxemburg und Niederlande durch Vertrag vom 25.3.1957 gegründet, der gleichzeitig mit dem EWG-Vertrag am 1.1.1958 in Kraft trat. 1973 Beitritt von Großbritannien, Dänemark und Irland, 1981 Griechenland, 1986 Portugal und Spanien. – *Ziele:* Förderung von Kernforschung und Nutzung der Kernenergie. – *Organe:* Aufgrund der Fusionsverträge vom 8.4.1965 hat EURATOM – bei Fortbestand des EURATOM-Vertrages – seit 1.7.1967 gemeinsame Organe (Versammlung, Ministerrat, Kommission, Gerichtshof) mit der EWG und EGKS (→EG I). – *Aufgaben:* Durch Förderung der Forschung, Verbreitung technischer Kenntnisse, Entwicklung von Sicherheitsnormen für den Gesundheitsschutz der Bevölkerung und der Arbeitskräfte, Erleichterung der Investitionen, Zusammenarbeit mit anderen Ländern und zwischenstaatlichen Einrichtungen soll zugleich zur Hebung des Lebensstandards in den Mitgliedstaaten und zur Entwicklung der Beziehungen mit den anderen Ländern beigetragen werden. – *Tätigkeiten:* Errichtung eines Gemeinsamen Marktes für Kernbrennstoffe und Ausrüstungen (bereits am 1.1.1959 verwirklicht). Die Gemeinsame Kernforschungsstelle (GFS) betreibt vier Forschungsanstalten: Ispra (Italien; nukleare Sicherheit und Brennstoffkreislauf), Karlsruhe (Plutoniumbrennstoffe und Aktinidenforschung), Geel (Belgien; Zentralbüro für Kernmessungen) und Petten (Niederlande; Hochflußreaktor, Hochtemperraturwerkstoffe, Aktivitäten auf dem Gebiet der organischen Chemie); 1977 wurde die Gemeinsame Kernforschungsstelle um das Projekt „Joint European Torus" (JET), dessen Standort Culham (Großbritannien) ist, erweitert. Unterschiedlicher Forschungsstand in den Partnerstaaten, die Forderung nach einer gleichmäßigen Verteilung der EURATOM-Mittel auf alle Mitgliedsländer („juste retour"), v.a. aber die Tatsache, daß die Entwicklung von Atomreaktoren in die Hände der Industrie überging, lösten eine tiefe *Krise* EURATOMS aus. Die Arbeiten am größten EURATOM-Projekt – einer eigenen Reaktorentwicklung (ORGEL) – wurden eingestellt. – Wesentlicher Bestandteil der Energiestrategie der EG ist der Teilbereich *Kernenergie.* Die Planung für diesen Bereich beruht auf dem Dritten Hinweisenden Nuklearprogramm der Gemeinschaft, das gem. Art. 40 EURATOM-Vertrag regelmäßig zu erstellen ist. Das Dritte Nuklearprogramm umfaßt den Planungszeitraum bis zum Jahr 2000 und zeigt die energiepolitischen Zielsetzungen für den Teilbereich der Kernenergie im Rahmen der industriellen und wirtschaftlichen Gesamtentwicklung der EG auf. Das 1982 aufgestellte Fünfjahresprogramm für die Forschung auf dem Gebiet der kontrollierten Thermonuklearfusion umfaßt einen Forschungsetat von 620 Mill. ECU. Dieses Programm enthält auch die Vorbereitung des Nächsten Europäischen Torus (NET). Zielsetzung dieses Reaktorprogramms ist die Entwicklung der Zwischenstufe eines Demonstrationsreaktors. Die Aufwendungen für die Aktivitäten von EURATOM im Gesamthaushaltsplan der EG, insbes. in den Mitteln für Forschungs- und Investitonstätigkeiten, betrugen im Haushaltsplan 1986 für Forschungs- und Investitionsausgaben Aufwendungen von ca. 720 Mill. ECU (Verpflichtungs- und Zahlungsermächtigungen). – Enge *Zusammenarbeit* mit der Internationalen Energie-Agentur (→IEA), der Kernenergie-Agentur (→NEA), der →OECD und der Internationalen Atomenergie-Organisation (→IAEA). Mit der IAEA wurde 1973 ein Kontroll- und Verifizierungsabkommen über die Nichtweiterverbreitung von Kernwaffen abgeschlossen, das 1977 in Kraft trat. – Wichtige *Veröffentlichungen:* Bulletin der Europäischen Gemeinschaften; Gesamtbericht über die Tätigkeiten der EG (jährlich; mit Beilage: Bericht über die soziale Lage in den Gemeinschaften).

EURATOM-Zollbestimmungen, Bestimmungen über die Zollbehandlung der Waren, die in den Listen A 1 und A 2 des Anhangs IV des Vertrages zur Gründung der Europäischen Atomgemeinschaft (→EURATOM) aufgeführt sind. Die Mitgliedstaaten der EURATOM haben untereinander für die in den genannten Listen aufgeführten Waren alle Einfuhr- und Ausfuhrzölle oder Abgaben gleicher Wirkung und alle mengenmäßigen Beschränkungen der Ein- und Ausfuhr beseitigt. Nachweis dafür, daß die Waren aus einem Mitgliedstaat stammen, nach dem gleichen Verfahren wie für EG-Waren.

EUREKA, European Research Coordination Agency, *Agentur für die Koordinierung der europäischen Forschung. Entstehung:* Die EUREKA-Initiative ist durch das Kommuniqué der 1. EUREKA-Ministerkonferenz am 17.7.1985 in Paris ins Leben gerufen worden. 18 Mitglieder (EG und EFTA-Staaten): Belgien, Dänemark, Bundesrepublik Deutschland, Finnland, Frankreich, Griechenland, Großbritannien, Irland, Italien, Luxemburg, Niederlande, Norwegen, Österreich, Portugal, Schweden, Schweiz, Spanien, Türkei sowie die

EG-Kommission. – *Organisation:* Koordinierungsgremium ist die *EUREKA-Ministerkonferenz,* der sämtliche Mitgliedstaaten sowie die EG-Kommission angehören. Dieser Konferenz obliegen die Fortentwicklung der Inhalte, Strukturen und Ziele von EUREKA sowie die Ergebnisbewertung. – Die *EUREKA-Gruppe,* in der gleichfalls die Hohen Repräsentanten aller Mitgliedsstaaten sowie der EG-Kommission vertreten sind, unterstützt die Ministerkonferenz bei der Durchführung ihrer Aufgaben und unterrichtet sie über alle EUREKA-Projekte. Aufgaben der EUREKA-Gruppe im einzelnen: Förderung des Informationsflusses in den Mitgliedsstaaten; Vermittlung der Kontakte zwischen Unternehmen und Instituten in den Mitgliedsländern und Förderung der Durchführung der EUREKA-Vorhaben; Bereitstellung von Informationen über Bereiche, Technologien, Produkte und Dienstleistungen, für die ein Interesse an Zusammenarbeit besteht; Erarbeitung von Lösungen für bestehende Probleme und Erörterung der Finanzierung von EUREKA-Projekten. – Die Aufgaben eines ständigen Büros übernimmt ein kleines flexibles *EUREKA-Sekretariat* mit folgenden Aktivitäten: Informationseinholung und -verbreitung im Sinne der Funktion einer Clearing-Stelle; Kontaktvermittlung zwischen Unternehmen und Forschungseinrichtungen und Partnern für EUREKA-Projekte; Vorbereitung der Sitzungen der Ministerkonferenz und der Gruppe der Hohen Repräsentanten. Sitz in Paris. – *Ziele:* EUREKA soll durch verstärkte Zusammenarbeit von Unternehmen und Forschungsinstituten auf den Gebieten der Hochtechnologien zivile Projekte anregen und unterstützen, die Produktivität und Wettbewerbsfähigkeit der Industrien und Volkswirtschaften Europas auf dem Weltmarkt steigern und damit die Grundlage für dauerhaften Wohlstand und Beschäftigung festigen. *Schwerpunkte:* EUREKA-Projekte werden sich vornehmlich auf Produkte, Verfahren und Dienstleistungen folgender Bereiche der Hochtechnologie beziehen: Informations- und Kommunikationstechnik, Robotertechnik, Werkstoffe, Fertigungstechnik, Biotechnologie, Meerestechnik, Lasertechnik sowie Techniken für Umweltschutz und Verkehr. *Kriterien* für EUREKA-Projekte: Übereinstimmung mit den EUREKA-Zielsetzungen; Zusammenarbeit zwischen Teilnehmern in mehr als einem europäischen Land; Erwartung eines konkreten Nutzens aus einer gemeinsamen Projektdurchführung; Einsatz von Hochtechnologien; Erzielung eines wesentlichen technologischen Fortschritts im Hinblick auf ein Produktverfahren oder Dienstleistung; ausreichende Qualifikation der Teilnehmer; angemessene finanzielle Beteiligung der teilnehmenden Unternehmen. – *Rahmenbedingungen:* Aufgabe der EUREKA-Staaten ist die Schaffung angemessener Rahmenbedingungen bei Durchführung der EUREKA-Vorhaben (u. a. Vollendung des →EG-Binnenmarktes; Beseitigung technischer Handelshemmnisse, beispielsweise durch gegenseitige Anerkennung von Prüfungen und Prüfzeugnissen; frühzeitige Ausarbeitung gemeinsamer Industrienormen). – *Liste* der in Angriff zu nehmenden EUREKA-Projekte: Europäischer Standard für Mikrocomputer, kompakter Vektorrechner, Herstellung amorphen Siliziums, Roboter für Textilverarbeitung, Entwicklung von Filtermembranen, Entwicklung von Eurolasern für Materialbearbeitung und Produktionstechnik, Eurotrac: Europäisches Experiment über den Transport und die Umwandlung von umweltrelevanten Spurenstoffen in der Troposphäre, europäisches Forschungsnetz, Diagnoseentwicklung auf der Basis monoklonaler Antikörper für Krankheiten, die beim Geschlechtsverkehr übertragen werden, flexibles Fabrikationssystem auf der Grundlage von Optoelektronik.

Euroanleihe, →Eurobond.

Euroanleihenmarkt, →Euromärkte II 2.

Eurobond, *Euroanleihe,* an den →Euromärkten begebene, auf den Inhaber lautende Anleihe (→Inhaberschuldverschreibung).

Eurobondmarkt, →Euromärkte II 2.

Eurocard, →Kreditkarte, ausgegeben von der →Gesellschaft für Zahlungssysteme. Wird an einen ausgewählten Kundenkreis nach einer Bonitätsprüfung ausgegeben. Kooperiert mit Master Card (USA) und Asses (Großbritannien).

EUROCHEMIC, Europäische Gesellschaft für die chemische Aufbereitung bestrahlter Kernbrennstoffe, *European Company for the Chemical Processing of Irradiated Fuels,* durch Vertrag vom 20.12.1957 von den Staaten der →OEEC gegründetes Gemeinschaftsunternehmen in Form einer Aktiengesellschaft; Sitz Mol (Belgien). Das Gesellschaftkapital beläuft sich auf 32,475 Mill. ECU auf der Basis von 647 Aktien. – *Mitglieder:* 11 OECD-Länder: Belgien, Bundesrep. D., Dänemark, Frankreich, Italien, Norwegen, Österreich, Portugal, Schweden, Schweiz, Spanien. – *Gegenstand:* Errichtung und Betrieb eines Werkes und eines Laboratoriums für die Aufbereitung bestrahlter Kernbrennstoffe, Entwicklung von Verfahren und Ausbildung von Fachkräften. Die Gesellschaft führt jede Forschungs- und industrielle Tätigkeit aus, um die Mitgliedstaaten in die Lage zu versetzen, die in ihren Atomreaktoren verwandten Kernbrennstoffe unter wirtschaftlichen Bedingungen aufzubereiten. – *Organe:* Generalversammlung und Verwaltungsrat. – *Bekanntmachungen* im „Moniteur Belge“.

Eurocheque, *Euroscheck,* →Scheck auf Einheitsvordruck, Garantiebetrag 400 DM je Einzelscheck. Die →Eurocheque-Karte ist vorzulegen. Seit 1975 Ausstellung in Landeswährung möglich. – Verrechnung von durch Deutsche im Ausland oder Ausländer in der Bundesrep. D. ausgestellte E. erfolgt durch die →Gesellschaft für Zahlungssysteme. – Zu Zahlungsvereinfachung in der Bundesrep. D. verbindlich eingeführt; in den europäischen Ländern (ausgenommen DDR) sowie den wichtigsten nordafrikanischen Reiseländern anerkannt. – An dem E.-System beteiligte Banken sind durch einen speziellen E.-Aufkleber gekennzeichnet. In der Bundesrep. D. auch E. der Deutschen Bundespost. – Weitere Verwendungsform: Vgl. →kartengesteuerte Zahlungssysteme.

Eurocheque-Karte, *Euroscheckkarte,* Instrument zur Förderung des →bargeldlosen Zahlungsverkehrs durch vermehrte Zahlung mit Schecks seitens der privaten Kundschaft der Banken und der Post. Die E.-K. wurde 1968 von den deutschen Kreditinstituten eingeführt, von den Postgiroämtern übernommen. *Einlösung* aller von ihren Kunden begebenen Schecks bis zum Betrag von 400 DM oder einem entsprechendem Wert in ausländischer Währung wird *garantiert,* sofern die E.-K. vorgelegen hat und gewisse Bedingungen vom Schecknehmer erfüllt wurden: 1. Unterschrift und Kontonummer auf Scheck und E.-K. müssen übereinstimmen, 2. die E.-K.-Nummer muß auf der Rückseite des Schecks vermerkt werden, 3. das Ausstellungsdatum des Schecks muß innerhalb der Gültigkeitsdauer der E.-K. liegen, 4. der Scheck muß binnen acht Tagen seit Ausstellung der bezogenen Bank vorgelegt werden. – *Verwendung:* Scheckkarte als Zahlungsinstrument an elektronischen Ladenkassen (point of sale banking) zur Forcierung des bargeldlosen Zahlungsverkehrs sowie Zugangsmöglichkeit für →Geldausgabeautomaten zur Abwicklung von Geschäftsvorfällen, z. B. Barabhebungen. – Seit 1969 haben die Kreditinstitute das *Risiko* des Abhandenkommens und der mißbräuchlichen Verwendung von Scheck und E.-K. durch eine Versicherung abgedeckt. Der Versicherungsschutz ist bei den einzelnen Kreditinstituten unterschiedlich geregelt: (1) mit Selbstbeteiligung (10% bis höchstens 400 DM oder 1000 DM) oder (2) ohne Selbstbeteiligung (i. d. R. auf 400 DM je Scheck und 8000 bis 10000 DM je Scheckkarte begrenzt). Es gibt auch eine differenzierte Schadenserstattung zwischen 50–100% je nach dem Grad der Fahrlässigkeit bei dem Abhandenkommen der E.-K.

Euro-Clear, Clearing-System (→Clearing) für größere internationale Transaktionen in Dividendenwerten. E. wurden 1968 von der Morgan Guaranty Trust Company im Zusammenhang mit der Errichtung der international deposity receipts (IDRs) entwickelt. Benutzer sind vorwiegend institutionelle Anleger (Banken, Versicherungen, Fonds, Makler). Zwischen den teilnehmenden Institutionen werden bei einer der Hinterlegungsstellen zur schnelleren und vereinfachten Abwicklung neben den Wertpapierdepots auch Girokonten unterhalten. Es besteht Verbund mit der Luxemburger Cedel (Centrale de livraison des valeurs mobilières).

Euro-commercial paper (ECP), kurzfristige Schuldtitel (→commercial paper) erstklassiger Adressen, die am →Euromarkt mit Laufzeiten von 1 bis 270 Tagen emittiert werden.

EUROCONTROL, *European Organisation for the Safety of Air Navigation,* internationale Flugsicherungsbehörde, Sitz in Paris. – *Mitglieder:* Bundesrep. D., Belgien, Frankreich, Großbritannien, Irland, Luxemburg, Niederlande. Italien behielt sich einen späteren Beitritt vor. – *Aufgaben:* (1) E. soll die bisher von nationalen Flugsicherungsdiensten durchgeführten Kontrollaufgaben im oberen Luftraum (über 6000 m) übernehmen und eine automatisierte Flugsicherung vorbereiten. Westeuropa ist in zwei Flugsicherungsbereiche eingeteilt: die Flugsicherungszentrale Luxemburg umfaßt die Bundesrep. D., die Beneluxstaaten und Nordost-Frankreich, die Flugsicherungszentrale Paris den übrigen Raum der Mitgliedsländer. (2) Ausgehend von den Richtlinien und Emfpehlungen der →ICAO und unter Berücksichtigung der Erfordernisse der Landesverteidigung Untersuchung der Möglichkeiten einer Vereinheitlichung der innerstaatlichen Dienste und Vorschriften, die für die Sicherheit des Luftverkehrs notwendig sind. (3) Förderung von gemeinsamem Vorgehen auf dem Gebiet der funktechnischen Hilfmittel, Fernmeldeeinrichtungen und entsprechenden Bordausrüstungen, die die Sicherheit der Luftfahrzeuge gewährleisten sollen. (4) Einleitung von zusätzlichen Maßnahmen zur Entlastung und Verbesserung der Ausgangsposition der Flugsicherung außerhalb ihrer Einflußsphäre auf mehreren Gebieten des Luftverkehrs, um so die Verkehrssicherheit insgesamt zu erhöhen. Als *EUROCONTROL-Forschungsinstitutionen* fungieren das EUROCONTROL Experimental Centre, das EUROCONTROL Institute of Air Navigation Services, das Central Route Charges Office sowie das Upper Area Control Centre. Das Budget belief sich (1984) auf 123 Mill. ECU. – *Veröffentlichung:* EUROCONTROL Aeronautical Information Publications.

Eurocurrency, →Eurodollar.

Eurodollar, Guthaben in Dollar oder anderer konvertierbarer Währung *(Eurocurrency),* das bei Banken außerhalb des Gebiets der betreffenden Währung gehalten wird (z. B.

US-Dollar in Singapur, DM in London). – Vgl. auch →Euromärkte.

Eurodollarmarkt, →Euromärkte I.

EURO-ECONOMIE, Europäische Gesellschaft für Betriebswirtschaft, Institut der →Deutschen Gesellschaft für Betriebswirtschaft, gegründet 1959, Sitz in Berlin (West). – *Aufgaben/Ziele:* Verbreitung und Förderung betriebswirtschaftlicher Errkentnisse und betriebswirtschaftlichen Denkens in Verbindung zwischen Wirtschafspraxis und Wirtschaftstheorie, Pflege des Austausches betriebswirtschaftlicher Erfahrung und des persönlichen Kontaktes zwischen den an der Betriebswirtschaft interessierten Kreisen des europäischen Wirtschaftsraumers. Durchführung von internationalen Arbeits- und Diskussionstagungen unter Heranziehung von Fachleuten aus vielen europäischen Ländern.

Eurofazilitäten, Sammelbegriff für Techniken zur Absicherung des revolvierenden Absatzes von kurzfristigen Papieren im Euromarkt (z.B. →note issuance facility (NIF), →revolving underwriting facility (RUF) oder Euronote facility (vgl. →Euronotes)). – *Merkmale:* Mehrjährige Laufzeit; Bilanzunwirksamkeit (garantierte Rückgriffsmöglichkeit auf eine Bank [Standby-Linie], keine direkte Kreditgewährung). – *Funktionen der Banken:* 1. Federführung bei Emission, d.h. Verhandeln der Konditionen sowie der Syndizierung („Arrangeur“); einmalige Vergütung von bis zu 0,15% des gesamten Emissionsbetrages. 2. Organisation der Notes-Placierung („Tender Panel Agent“); jährliche Provision bis 0,10% des Placement. 3. Angebotsabgabe für Notes und Placierung dieser am Markt („Mitglied“ eines Tender Panels); Provision für placierte Notes. 4. Die Bank hat die Übernahme nicht placierter Notes zu einer vereinbarten Rendite („Mitglied eines Standby-Underwriting-Konsortiums“); Vergütung i.d.R. zwischen 1/6 und 1/8% p.a. auf die Zusage.

Eurogeldmarkt, →Euromärkte II 1.

Eurokapitalmarkt, →Euromärkte II 2.

Euromärkte. I. Begriff: Internationale Märkte für finanzielle Transaktionen, die in einer Währung getätigt werden, die nicht Landeswährung eines der beteiligten Geschäftspartner ist. Gehandelt werden frei konvertierbare Währungen: US-Dollar, Deutsche Mark, Schweizer Franken, Holländischer Gulden, Französischer Franc, Britisches Pfund und Japanischer Yen. – E. werden auch als *Eurodollarmärkte* bezeichnet, auf die wichtigste „Eurowährung“ hinweisend. – *Wichtigste Finanzzentren:* London, Luxemburg, Zürich, Frankfurt a.M., Paris, Brüssel und Amsterdam, trotz der Bezeichnung E. auch New York, Toronto, Karibik (insbes. Caymen Islands und Bahamas, die auch als *Off shore-Zentren* bezeichnet werden), Bahrain, Tokio, Singapur und Hongkong (die drei letztgenannten werden auch als *Asien-Dollar-Märkte* bezeichnet).

II. Arten: Nach der Fristigkeit werden Eurogeld- und Eurokapitalmärkte unterschieden. Die Grenzen sind jedoch fließend; aufgrund der neueren Entwicklungen kaum aufrechtzuerhalten. – 1. *Eurogeldmarkt:* Markt für Bankguthaben der wichtigsten konvertierbaren Währungen der Welt. Gehandelt werden: (1) Tagesgelder, tägliche Gelder und Termingelder (→Geldmarktkredit); (2) verbriefte Rechte, z.B. Schutzwechsel von Regierungen, →commercial papers, →banker's acceptences sowie →certificates of deposit (vgl. auch →Geldmarktobjekte); (3) →Festsatzkredite und →-Roll-over-Kredite. Aufgrund des Verzichtes auf die Stellung von Sicherheiten können nur Teilnehmer erster Bonität partizipieren, d.h. große Grschäftsbanken, international tätige Unternehmen und Versicherungen, Notenbanken, Regierungen und internationale Institutionen (vgl. auch →Bonität). Der Markt ist frei von Kontrollen durch nationale Gesetze oder nationale und internationale Währungsbehörden. – Die Abschlüsse erfolgen telephonisch; sie werden schriftlich bestätigt. Es werden meist nur Beträge über 500000 US-Dollar gehandelt. Die unbedingte Einhaltung der vereinbarten Termine aus Bonitätsgründen ist sehr wichtig. Der Zins bildet sich nach Angebot und Nachfrage am Markt, d.h. er wird individuell für jede Transaktion vereinbart. – 2. *Eurokapitalmarkt (Euroanleihenmarkt, Eurobondmarkt):* Markt für internationale Anleihen (Euroanleihen bzw. Eurobonds). Emittenten sind nur Adressen erster Bonität, d.h. private und öffentliche Unternehmen, supranationale Institutionen sowie Regierungen von Ostblockstaaten und Entwicklungsländern. Auch der Eurokapitalmarkt unterliegt keiner Kontrolle durch nationale Gesetze oder nationale bzw. internationale Währungsbehörden. – In diesem Markt gelten die Regeln des freien Wettbewerbs; der Zinssatz bildert sich je nach Bonität des Schuldners. Aufgenommen werden können Beträge bis zu 500 Mill. US-Dollar; Laufzeiten zwischen fünf und fünfzehn Jahren herrschen vor.

III. Bedeutung: Die Bedeutung der E. wird aufgrund der Vor- und Nachteile kontrovers diskutiert. Die E. gewährleisten entsprechend inländischen Kapitalmärkten international eine *effiziente Kapitalallokation;* sie bilden eine wichtige Quelle für die Finanzierung des internationalen Waren- und Dienstleistungsverkehrs und über ihre Fristentransformationsfunktion für langfristige internationale Investitionen. Der Wettbewerb führte zu einem effizienten Markt und zu Verfeinerungen der Finanzierungstechniken, die die Mobilität des Kapitals förderten und einen schnellen Liquiditätsausgleich ermöglichten. Darüber hinaus fördern E. die *Integration der einzelnen nationalen Märkte.* – Gefahren entstanden – insbes. in den letzten Jahren – durch die *Fehleinschätzungen von Länderrisiken.* Durch die hohe Mobilität des Kapitals kann die *nationale Geldpolitik umgangen* werden; bei Währungskrisen können von diesen Geldern destabilisierend wirkende Spekulationswellen ausgehen. – *Überlegungen hinsichtlich einer Reglementierung* der E. war die Folge; sie könnten aber nur bei weltweit gleichzeitiger Einführung Erfolg haben. Die politische Durchsetzbarkeit ist jedoch fraglich.

IV. Weitere Entwicklung: In den 80er Jahren haben sich an den E. eine Vielzahl *neuer Finanzierungstechniken* (→Finanzinnovationen), insbes. →revolving underwriting facilities, →note issuance facilities, →multiple component facilities, →Euro-commercial papers sowie →Swaps herausgebildet. Neben Anleihen werden voraussichtlich Euro-Aktien in Zukunft größere Bedeutung gewinnen. – Da die Gläubiger höhere Flexibilität und Liquidität ihrer Anlagen bevorzugen, versucht man im Wege der →*securitization* die Forderungen handelbar zu machen; durch die Verbriefung der Forderungen ist es möglich, die eingegangenen Verpflichtungen über den Sekundärmarkt weiter zu veräußern. – Eine weitere wichtige Entwicklung ist die *Globalisierung der Märkte:* Die Möglichkeit, in den wichtigsten Finanzzentren der Welt rund um die Uhr alle wichtigen Bankgeschäfte tätigen zu können. Gefördert wird diese Tendenz durch die weitere Deregulierung und Liberalisierung der einzelnen nationalen Märkte.

Euromoney, →Länderrating II 3.

Euronotes, →Geldmarktpapiere; nicht registrierte handelbare →Inhaberpapiere, gleichrangig mit dem ungesicherten Fremkapital des Emittenten. Laufzeit: drei bis sechs Monate, verschiedentlich zwölf Monate. Schuldner bzw. Anbieter von E. sind ca. 50% Industrie- und Handelsunternehmen, 25% Banken sowie 25% staatliche und supranationale Emittenten; aus den USA und Australien sowie (weniger) aus der Schweiz, Bundesrep. D., Benelux-Länder, Frankreich, Italien und Großbritannien. Gläubiger bzw. Nachfolger sind überwiegend Banken; Nichtbanken wie Versicherer, →Geldmarktfonds und →Kapitalanlagegesellschaften zunehmend von Bedeutung. – Vgl. auch →Finanzinnovationen.

Europaeinheitliche Artikelnummer, →EAN.

europäische Aktiengesellschaft, →internationale Unternehmensverfassung, →europäisches Gesellschaftsrecht.

Europäische Atomgemeinschaft (AEG), →EURATOM.

Europäische Datenbank für Abfallwirtschaft, →EWADAT.

Europäische Freihandelsassoziation, →EFTA.

Europäische Gemeinschaften, →EG.

Europäische Gemeinschaft für Kohle und Stahl (Montanunion), →EGKS.

Europäische Gesellschaft für die chemische Aufbereitung bestrahlter Kernbrennstoffe, →EUROCHEMIC.

Europäische Investitonsbank (EIB), *banque européenne d'investissement,* autonome, öffentlich-rechtliche Institution mit eigener Rechtspersönlichkeit, 1958 errichtet durch EWG-Vertrag. Sitz in Luxemburg. Satzung der EIB ist Bestandteil des EWG-Vertrages. – *Mitglieder:* Die Mitgliedstaaten der EG. – *Aufgabe* ist es, (ohne Erwerbscharakter) zu einer ausgewogenen Entwicklung der Gemeinschaft beizutragen (Art. 130 EWG-Vertrag). – *Mittel:* Gewährt werden langfristige Darlehen oder Bürgschaften an Unternehmen, öffentliche Körperschaften oder Finanzinstitute von im Gemeinschaftsinteresse gelegenen Investitionen. Die Bank vergibt Einzeldarlehen für genau definierte Vorhaben sowie Globaldarlehen an Finanzierungsinstitute, die hieraus in Zusammenarbeit mit der Bank Kredite für kleinere und mittlere Investitionsvorhaben bereitstellen. – *Auszahlung der Mittel* in Form von : a) *Standard-Währungscocktails,* deren Laufzeit, Zusammensetzung und Zinssätze im voraus festgelegt sind oder den Wünschen des Darlehensnehmers angepaßt werden; b) *Einzelwährungsdarlehen,* die zu 100% in der Währung eines Mitgliedslandes, in gängigen anderen Währungen oder ECU ausgezahlt werden; c) Darlehen mit variablen Zinssätzen (in begrenztem Umfang). Die Zinssätze richten sich nach den vom Verwaltungsrat für einzelne Auszahlungswährungen und Laufzeiten festgelegten Grundsätzen. – Vgl. auch →Entwicklungsbanken.

Europäische Kernenergie-Agentur, →NEA.

Europäische Konferenz der Verkehrsminister, →ECMT.

europäische Normen, *EN-Normen.* 1. *Charakterisierung:* →Normen, die nicht als eigenständige Dokumente existieren, sondern in ihren nationalen Umsetzungen. Die Zustimmung (oder das Überstimmtwerden) zu einer e. N. verpflichtet das betreffende Mitglied zur unveränderten Übernahme in das nationale Normenwerk. Die Übernahme einer e. N. in das deutsche Normenwerk geschieht i. d. R. durch Hinzufügen einer nationalen Titelseite zu der deutschen Originalfassung der e. N. Die Übernahmeverpflichtung einer e. N. schließt auch die Zurückziehung etwaiger anderer nationaler Normen zum gleichen Thema mit ein. Abweichungen irgendwelcher Art sind bei

e. N. nicht erlaubt. – Kommt aufgrund notwendiger nationaler Abweichungen keine e. N. zustande, wird ein *europäisches Harmonisierungsdokument* erstellt, zu dem nationale Abweichungen erlaubt sind. Es werden A-Abweichungen aufgrund von (Rechts- oder Verwaltungs-) Vorschriften außerhalb der Zuständigkeit des Mitgliedes und B-Abweichungen aufgrund besonderer technischer Bedürfnisse (für eine festgelegte Übergangsfrist) unterschieden. – 2. *Ziel:* Erstellung eines europäischen Normenwerks; Forcierung der Harmonisierung bestehender nationaler Normen. – 3. *Grundlage:* Weitestgehend werden →internationale Normen zugrunde gelegt; (neue) technische Handelshemmnisse der EG gegenüber Drittländern sollen vermieden werden. – 4. *Zuständigkeit:* Die für die Normung in Westeuropa (EG- und EFTA-Staaten) zuständigen, eng miteinander verbundenen Normeninstitutionen sind →CEN (Comité Européen de Normalisation) und →CENELEC (Comité Européen de Normalisation Electrotechnique). Die CENELEC ist für Normungsfragen auf dem Gebiet der Elektrotechnik und Elektronik zuständig. – Vgl. auch →internationale Normen.

Europäische Politische Zusammenarbeit, →EPZ.

Europäischer Ausrichtungs- und Garantiefonds Landwirtschaft (EAGFL), →EWG I 2d).

Europäische Rechnungseinheit (ERE oder **EUA),** vom 1.1.1979 bis 31.12.1980 anstelle der früheren →Rechnungseinheit (RE) in allen Bereichen des EG-Haushalts angewendete Rechnungseinheit; beruhte auf einem *Währungskorb,* zusammengesetzt aus den Währungen der EG-Länder, dessen Wert aufgrund der täglichen Kursrelationen auf den Devisenmärkten festgelegt wurde. Seit 1.1.1981 ist die ERE durch die →ECU im Rahmen des →EWS ersetzt.

Europäischer Fonds, →EWA.

Europäischer Fonds für regionale Entwicklung, →EWG I 10.

Europäischer Fonds für währungspolitische Zusammenarbeit, einer der Sonderfonds im Rahmen der EG, 1973 von den Mitgliedstaaten eingerichtet zur Steuerung des Währungsausgleichsmechanismus innerhalb der Währungsschlage, die im März 1979 durch das EWS ersetzt worden ist. Der Fonds soll nach den Zielsetzungen des EWS in einen *Europäischen Währungsfonds* umgewandelt werden, in den auch die Gold- und Dollarreserven der Gemeinschaftsstaaten eingebracht werden sollen.

europäischer Funkruf, *Eurosignal,* Funkverkehr für bewegliche Teilnehmer (→beweglicher Landfunk) in europäischen Ländern. Von einem Telefonanschluß werden dem Funkrufempfänger über die Funkrufzentrale bis zu vier Signale optisch oder akustisch angezeigt, die ihn zu vorher vereinbarten Handlungen veranlassen (z.B. Anruf zu Hause vom nächsten Fernsprecher aus).

Europäischer Gerichtshof (EuGH), Organ der Europäischen Gemeinschaft (→EG III 1 d), Sitz Luxemburg. – *Besetzung:* 11 Richter; sie entscheiden als Plenum oder in Kammern; außerdem vier Generalanwälte. – *Tätigkeitsbereich:* Rechtsüberwachung bei der Auslegung und Anwendung der Verträge über →EWG, →EGKS und →EURATOM. Der EuGH entscheidet auf Klage eines Gemeinschaftsorgans, eines Mitgliedstaates und ggf. auch einer Einzelperson oder auf Vorlage durch ein nationales Gericht über die Auslegung der Verträge und über die Gültigkeit und die Auslegung der Handlungen der Gemeinschaftsorgane; er stellt ferner fest, ob ein Mitgliedstaat gegen eine vertragliche Verpflichtung verstoßen hat. Auf Ersuchen eines Gemeinschaftsorgans oder Mitgliedstaates fertigt der EuGH Gutachten über die Vereinbarkeit von Abkommen mit anderen Staaten mit dem EWG-Vertrag an.Die Entscheidungen des EuGH sind verbindlich.

Europäischer Sozialfonds, →EWG I 12 b).

Europäischer Währungsfonds, →EWS.

europäisches Gemeinschaftsrecht, →Europarecht.

europäisches Gesellschaftsrecht, Ergebnis bzw. Prozeß der Angleichung der nationalen unternehmensverfassungsrelevanten Rechtsgebiete (→Unternehmensverfassung) mit dem Ziel der Vereinheitlichung der Rahmenbedingungen und der Verhinderung eines negativen Wettbewerbs um die Gründung und Niederlassung von Unternehmen (insbes. Internationaler Unternehmen; →Unternehmensverfassung IV) zwischen einzelnen Ländern.

I. Gegenstand: Gesetze, Verordnungen und Richtlinien (-entwürfe), die das Gesellschaftsrecht einschl. Rechnungslegung sowie das Steuerrecht, spezielle Fragen der Börse und Investmentgesellschaften, der Banken und der Arbeitnehmer zu harmonisieren suchen.

II. Zentrale Ergebnisse: Regelungen zur →*Internationalen Unternehmensverfassung* (Europäische Aktiengesellschaft, Europäische Wirtschaftliche Interessenvereinigung) und zur *Harmonisierung der europäischen Aktienrechte* (insbes. 5. und 9. →EG-Richtlinie). – Das *Gesamtbild* der künftigen AG nationalen Rechts in Europa erinnert stark an deutsche aktienrechtliche Regelungen (→Organisationsverfassung): →Aufsichtsratssystem mit intensiveren Kontrollmöglichkeiten des Aufsichtsrats (Pflichtkatalog zustimmungspflichtiger Geschäfte); Hauptversammlung soll neben den bekannten Grundsatzentscheidungen zusätzlich für die Feststellung des Jahresabschlusses zuständig sein. Die Mitgliedsländer können neben dem Aufsichtsratssystem wahlweise das →Board-System anbieten. – Für AGs mit mehr als 1000 Arbeitnehmern ist die *Aufsichtsratsmitbestimmung* (deutsches Wahl-, niederländisches Kooptationssystem) oder (wahlweise) eine →Mitbestimmung durch ein eigenes Arbeitnehmervertretungsorgan vorgesehen. Beim Board-System haben die Arbeitnehmervertreter den Status von nichtgeschäftsführenden Mitgliedern. Die Unternehmensmitbestimmung soll grundsätzlich durch die Arbeitnehmer selbst abwählbar sein. – Die nationalen Aktienrechte sollen nach deutschem Vorbild um *konzernrechtliche Regelungen* erweitert wrden; Schutz der abhängigen Gesellschaften dadurch deutlich verstärkt. – Für Internationale Unternehmen: vgl. auch →Vredeling-Richtlinie.

europäisches Harmonisierungsdokument, →europäische Normen.

Europäisches Hochschulinstitut, Post Graduate-Lehr- und Forschungsinstitut; Sitz in Florenz. 1976 gegründet. – *Ziel:* Förderung des Gedankens der europäischen Einigung in Lehre und Forschung. – *Forschungsgebiete/-schwerpunkte:* Geschichte und Kulturgeschichte, Wirtschaftswissenschaften, Rechtswissenschaften, Politik und Sozialwissenschaften; vergleichende interdisziplinäre europäische Studien. – *Zulassungsvoraussetzung:* Nationaler Hochschulabschluß; Zulassung erfolgt nach einem Auswahlverfahren. – *European Policy Unit:* 1984 am E.H. gegründet; dient der Politikberatung.

Europäisches Komitee für elektrotechnische Normung, →CENELEC.

Europäisches Komitee für Normung, →CEN.

Europäische Sozialcharta, unterzeichnet am 18.10.1961 von 13 Staaten; durch Gesetz vom 19.9.1964 hat die Bundesrep. D. der Charta zugestimmt (BGBl II 1261), am 26.2.1965 in Kraft getreten (BGBl II 1122). Die E.S. enthält in Teil I einen Katalog sozialer Rechte. Überwiegend sind die Forderungen der E.S. in der Bundesrep. D. erfüllt; soweit noch nicht, besteht die Verpflichtung, das entgegenstehende staatliche Arbeits- und Sozialrecht zu ändern. Nach umstrittener Auffassung sind Teile der E.S. unmittelbar geltendes Recht. Aus Art. 6 Nr. 4 wird z.B. die Anerkennung des Streikrechts (→Streik) und die Zulässigkeit der →Aussperrung als Mittel des Arbeitskampfes abgeleitet.

Europäisches Parlament →EG III 1 a).

Europäisches Patentamt, (EPA), *European Patent Office (EPO)*, 1977 gegründet gemäß Übereinkunft von 21 europäischen Staaten aufgrund der Münchener Konvention von 1973. Sitz in München. – *Mitglieder:* Belgien, Bundesrep. D., Frankreich, Großbritannien, Italien, Liechtenstein, Luxemburg, Niederlande, Österreich, Schweden, Schweiz. – *Aufgabe:* Erteilung von →Europa-Patenten aufgrund von Untersuchungen und Prüfungen von Patentanmeldungen und →Gemeinschaftspatenten.

europäisches Patentrecht →Patentrecht IV 2.

Europäisches Währungsabkommen, →EWA.

Europäisches Währungssystem, →EWS.

Europäische Union, geplante Endstufe des politischen Einigungsprozesses im Rahmen der →EG. – Die *Zielsetzung* ist in der von den Außenministern der EG-Staaten 1986 unterzeichneten →Einheitlichen Europäischen Akte niedergelegt. – Die europäische Einigung im Rahmen der EG *basiert* auf folgendem *Einigungsprogramm:* 1. →Zollunion; 2. gemeinsamer Agrarmarkt auf der Basis von Agrarmarktordnungen im Rahmen einer Gemeinsamen Agrarpolitik; 3. Vollendung des →EG-Binnenmarktes; 4. Schaffung eines Europäischen Währungssystems (→EWS); 5. Verwirklichung der E.U. unter Einbeziehung der →EPZ in ein dafür relevantes Vertragswerk.

Europäische Verkehrsministerkonferenz, →ECMT.

europäische Verkehrspolitik. I. Grundlagen: 1. *Begriff:* E.V. ist die Gesamtheit der Bestrebungen und Maßnahmen der EG zwecks Schaffung eines gemeinsamen Verkehrsmarktes und einer an den Gemeinschaftsbelangen ausgerichteten Verkehrsinfrastruktur. Träger der e.V. sind die EG-Kommission und der EG-Ministerrat, aber auch das Europäische Parlament (EP) sowie der Europäische Gerichtshof (EuGH). – Die e.V. beeinflußt Ziele und Maßnahmen der →staatlichen Verkehrspolitik (vgl. dort).

2. *Rechtsgrundlage:* Der EWG-Vertrag vom 25.3.1957 bildet mit den Art. 74 bis 84 (Titel IV) in Verbindung mit dem von hier aus entwickleten Gemeinschaftsrecht die Grundlage der e.V. Art. 74 verlangt von den Mitgliedstaaten eine an den Zielen des EWG-Vertrags ausgerichtete gemeinsame Verkehrspolitik. Art. 76 betrifft das Verbot der Schlechterstellung ausländischer im Vergleich zu inländischen Verkehrsunternehmern, Art. 77 die Zulässigkeit von Beihilfen, Art. 78 die Berücksichtigung der wirtschaftlichen Lage der Verkehrsunternehmer, Art. 79 die Beseitigung von Diskriminierungen, Art. 80 das Verbot von Unterstützungsmaßnahmen mit Ausnahmen, Art. 81 die Abgaben- und Gebührenerhebung bei Grenzübergang, Art.

europäische Verkehrspolitik

82 erlaubt Ausnahmeregelungen für gewisse deutsche Gebiete, Art. 83 betrifft die Bildung eines beratenden Ausschusses für Verkehrsfragen bei der Kommission. Art. 84 beschränkt die gemeinsame Verkehrspolitik auf die Binnenverkehrsträger Eisenbahn, Straße und Binnenschiffahrt und sieht die Anwendung einzelner Vorschriften auf Seeschiffahrt und Luftfahrt nur bei einstimmigem Ratsbeschluß vor; allerdings stellte 1974 der EuGH fest, daß die allgemeinen Wettbewerbsregeln des EWG-Vertrages auch auf diese Verkehrsträger anzuwenden sind.

3. Der *EWG-Vertrag* enthält kaum konkrete Regelungen, die unmittelbar wirksame Handlungsanweisung für eine gemeinsame Verkehrspolitik sein konnten. Ursache dieser *Unschärfe des Vertragstextes* ist sein typischer Kompromißcharakter, Folge zweier bereits im Vorfeld des Vertragsabschlusses von Rom vertretener divergierender Grundauffassungen: a) *Extensive Position:* Schaffung eines freien gemeinsamen Verkehrsmarktes mit uneingeschränkter Anwendung der allgemeinen Wettbewerbsregeln des Vertrags (Liberalisierungsposition). – b) *Limitative Position:* Gegenposition mit Ablehnung der unmittelbaren Anwendung der allgemeinen Vertragsregeln auf den Verkehrssektor wegen der Besonderheiten des Verkehrs, Vorrang der Harmonisierung gegenüber jeglicher Liberalisierung.

II. Phase des Legalismus (1958–72): 1. *Verkehrspolitisches Grundkonzept:* Die EG-Kommission vertrat von Anfang an die extensive Position einer e. V. Sie berief sich auf das in der Präambel des EWG-Vertrags postulierte Grundprinzip redlichen Wettbewerbs und folgerte daraus, daß auch im Verkehrssektor marktwirtschaftliche Prinzipien durchzusetzen seien; damit war die Schaffung eines staatenübergreifenden Verkehrsmarktes mit gemeinsamer Marktordnung im Sinn der liberalen Auffassung gemeint. Die vom Vertrag geforderte Berücksichtigung der Besonderheiten des Verkehrs interpretierte die Kommission eher im Sinn einer Aufforderung zu einer baldmöglichen Beseitigung der bis zum damaligen Status quo vorgenommenen staatlichen Eingriffe denn als Eingrenzung zukünftiger e. V. Das auf dieser Grundlage entwickelte verkehrspolitische Gesamtkonzept fand seinen Niederschlag in der Denkschrift über die Grundsausrichtung der gemeinsamen Verkehrspolitik vom 10.4.1961 sowie in dem darauf aufbauenden verkehrspoltischen Aktionsprogramm von 1962 mit ersten Ansätzen zur Konkretisierung der e. V. im Sinn der liberalen Position.

2. *Erste Kontroversen:* a) In der Folgezeit verschärfte sich jene verkehrspolitische Kontroverse, die als *„Liberalisierung" versus „Harmonisierung"* bis heute fortwirkt. Vielfältige administrative Eingriffe hatten gravierende Wettbewerbsverzerrungen zwischen den einzelnen Verkehrsträgern sowohl auf nationaler Ebene als auch auf internationaler Ebene – angesichts der Unterschiedlichkeit dieser Eingriffe in den einzelnen Staaten – entstehen lassen. (1) Vertreter der *Liberalisierung:* Schnelle und möglichst weitgehende Lockerung administrativer Restriktionen bei allen Verkehrsträgern durch Aufgabe der Kapazitäts- und Preisregulierungen. – (2) Vertreter der *Harmonisierung:* Erst Angleichung der nationalen Eingriffe in die Wettbewerbsbedingungen der Verkehrsträger, dann sukzessive Freigabe aller Wettbewerbsparameter. – (3) Ein mühsamer Einigungsprozeß führte 1965 zu einem *Harmonisierungskompromiß,* jedoch mit mehr Zielformulierung und Zeitplan als konkreter Handlungsanweisung für die e. V. In der Folgezeit von der EG-Kommission unterbreitete Vorschläge zur Harmonisierung verkehrsspezifischer Steuern und Abgaben sowie zur Entwicklung eines gemeinschaftlichen Systems der Wegekostenanlastung fanden nicht die Zustimmung des Rates.

3. *Wegekostenproblem:* Da Vereinheitlichung der Wegekostenanlastung als Grundvoraussetzung einer durchgreifenden Harmonisierung angesehen wurde, entschied sich der Rat 1970 zur Durchführung einer neuen, umfangreicheren Enquête sowie zum Erlaß einer Verordnung zur Einführung einer Buchführung der staatlichen Ausgaben für Verkehrswege. Über das im März 1971 von der EG-Kommission vorgelegte Memorandum über die Abgeltung der Wegekosten nach Maßgabe der sozialen Grenzkosten konnte im Rat jedoch keine Einigung erzielt werden.

4. *Konkrete Maßnahmen:* a) *Infrastrukturpolitik:* Nach ersten Kommissionsvorschläger bereits im Juni 1960 („trunk route plan" und Konsultationsverfahren) verabschiedete der Rat erst 1966 ein Beratungsverfahren bei Verkehrswegeinvestitionen von gemeinschaftlichem Interesse, das den Mitgliedstaaten eine Konsultationspflicht gegenüber der Kommission bei solchen Projekten auferlegte. Dieser wurde allerdings in der Folgezeit nur ungenügend nachgekommen. Allgemein blieben auch weiterhin die infrastrukturpolitischen Einflußmöglichkeiten der Kommission gering (keine Verfügungsrechte über die Investitionsmittel). – b) *Straßengüterverkehr:* Als Kompromiß zwischen obligatorischen Tarifen in einigen Ländern und freier Preisbildung in anderen konnte 1968 als Harmonisierungsmaßnahme ein Margentarifsystem eingeführt werden (geringe Flexibilität, mangelnde Kontrollen, daher praktisch nur eingeschränkt wirksam). Ferner 1968 Einführung eines Gemeinschaftskontingents bei allerdings weiterbestehendem Übergewicht der bilateralen Kontingente. Ebenso 1968 Richtlinie des Rates zur Vereinheitlichung der Vorschriften über die abga-

benfreie Einfuhr des in den Tankbehältern von Nutzfahrzeugen enthaltenen Kraftstoffs (50 l). 1969 Erlaß von Sozialvorschriften mit Festlegung von Lenk- und Ruhezeiten der Kraftfahrer (jedoch wenig wirksam wegen unterschiedlicher Handhabung und unterschiedlicher Kontrollen). Die Angleichung der Abmessungen und Gewichte von Nutzfahrzeugen sowie die der sehr unterschiedlichen Kraftfahrzeugsteuern konnte nicht erreicht werden. – c) *Eisenbahnverkehr:* Das Rahmenprogramm von 1965 führte im Dezember 1967 zur Vorlage eines Maßnahmenkatalogs zur Harmonisierung der Wettbewerbsbedingungen im Bereich der Eisenbahnen und in der Folgezeit zu einigen Ratsentscheidungen. 1969 Verordnung über das Vorgehen der Mitgliedstaaten bei den mit dem Begriff des öffetnlichen Dienstes verbundenen Verpflichtungen auf dem Gebiet des Eisenbahn-, Straßen- und Binnenschiffsverkehrs; Zielsetzung war insbes. die Steigerung der Eigenwirtschaftlichkeit der Eisenbahnen durch Abbau von Betriebs-, Beförderngs- und Tarifpflichten; praktisch wirkungslos als Folge der Ausnutzung des Ausnahmetatbestandes der ausreichenden Verkehrsbedienung. 1969 Verordnung zur Normalisierung der Konten der Eisenbahnunternehmen; 1970 Verordnung über Beilhilfen im Verkehr; bezweckten einheitliche Regelung der staatlichen Abgeltung betriebsfremder und sonstiger öffentlicher Lasten; auch diese Verordnungen waren weitgehend wirkungslos, erhöhten aber die Transparenz der tatsächlichen Defizite und der Subventionszahlungen. – d) *Binnenschiffsverkehr:* Verbot der Erhebung von Schiffahrtsabgaben gem. Mannheimer Rheinschiffahrtsakte von 1868; damit Lösung der Wegekostenfrage nahezu unmöglich. Ferner waren Kommissionsvorschläge zur Einführung eines Margentarifsystems für alle Binnenverkehrsträger nicht durchsetzbar. Abgesehen von der Kommissionempfehlung über gemeinsame Abwrackaktionen in der Binnenschiffahrt (1968) konnte die Binnenschiffahrt praktisch nicht in die gemeinsame Verkehrspolitik einbezogen werden.

5. *Zwischenbilanz:* Die Vorstellungen der EG-Kommission zur e. V. waren von einer extensiven Vertragsauslegung geprägt. Daher gelang es ihr nicht, einzelstaatliche Interessen im Sinn eines kleinsten gemeinsamen Nenners zu vereinigen. Während es im Bereich des Luft- und Seeverkehrs überhaupt keine Gemeinschaftsaktivitäten gegeben hatte, konnten im Hinblick auf den Eisenbahn-, Straßengüter- und Binnenschiffsverkehr nur sehr begrenzte Erfolge erzielt werden. Die legalistische e. V. der ersten 15 Jahre war damit weitgehend ergebnislos geblieben.

III. Phase des Pragmatismus (1973–85): 1. *Neuorientierung:* Bei grundsätzlicher Beibehaltung der Zielsetzung der Schaffung eines wettbewerblich organisierten gemeinsamen Verkehrsmarktes begann mit der Kommissionsmitteilung vom Oktober 1973 über die weitere Entwicklung der e. V. die Hinwendung zu einer stärker pragmatischen, an kurzfristig erreichbaren Problemlösungen orientierten Politik. Anstelle des unmittelbar nicht realisierbaren völligen Abbaus des nationalstaatlichen Interventionismus wurde nunmehr die Festlegung gemeinsamer Rahmenbedingungen zur Vereinheitlichung der verkehrspolitischen Staatseingriffe angestrebt. Die extensive, legalistische Position war damit zugunsten einer Politik der kleinen Schritte aufgegeben.

2. *Infrastrukturpolitik:* Die Kommissionsmitteilung vom Oktober 1973 regte die Entwicklung eines Orientierungsplanes für die Verkehrsinfrastruktur, die regelmäßige gemeinsame Beratung der nationalen Wegebauprogramme sowie die gemeinsame Finanzierung wichtiger Infrastrukturprojekte an. 1978 beschloß der Rat die Einführung eines Beratungsverfahrens und die Schaffung eines Koordinierungsausschusses auf dem Gebiet der Verkehrsinfrastruktur. 1979 folge das Infrastrukturmemorandum der Kommission, gerichtet auf die Schaffung eines leistungsfähigen Verkehrsnetzes von gemeinschaftlicher Bedeutung im Rahmen eines Aktionsprogramms. Die Kommissionsmitteilung von 1983 betonte aber, daß selbst Infrastrukturprojekte von Gemeinschaftsbedeutung weiterhin in den Aufgabenbereich der nationalen Instanzen fallen werden. Im Dezember 1984 wurde lediglich eine Sonderaktion auf dem Gebiet der Verkehrsinfrastruktur mit EG-Finanzhilfe für einige als dringend erachtete Projekte beschlossen. Die gemeinsame Infrastrukturpolitik ist damit über den Versuch einer Koordination nationaler Vorhaben kaum hinausgekommen.

3. *Wegekostenproblem:* Mit dem Memorandum von 1983 über „Fortschritte auf dem Wege zu einer gemeinsamen Verkehrspolitik – Binnenverkehr“ wurde deutlich, daß sich bei der Kommission eine realistische Einschätzung des Möglichkeitsbereichs einer gemeinschaftlichen Lösung der Wegekostenfrage durchgesetzt hatte; bei grundsätzlicher Beibehaltung des Prinzips der Grenzkostenanlastung stellte die Kommission es jedoch in das Ermessen eines jeden Mitgliedstaates, das „Maß an Kostendeckung anzustreben, das er mit Rücksicht auf seine besonderen Verhältnisse für angemessen hält“.

4. *Straßengüterverkehr:* Bestehende Harmonisierungsvorbehalte und der Schutzgedanke zugunsten der mit wachsenden Defiziten konfrontierten Eisenbahnen verhinderten in diesem Bereich auch nach 1973 entscheidende Liberalisierungsfortschritte. Trotz sukzessiver Aufstockung des Gemeinschaftskontingents

(1981, 1985) blieb die Marktzugangsregulierung im grenzüberschreitenden Straßengüterverkehr durch das System bilateraler Kontingente bestimmt. Das obligatorische Margentarifsystem wurde seit 1978 durch die Möglichkeit der bilateralen Vereinbarung auch unverbindlicher Referenztarife ergänzt. Die Richtlinie über den Zugang zum Beruf des Güterkraftverkehrsunternehmers (1974), Richtlinien über die Ausbildung und Arbeit des Fahrpersonals (1976/77), die Richtlinie zur technischen Überwachung der Fahrzeuge (1977) sowie die Richtlinie über Gewichte, Abmessungen und andere technische Merkmale von Fahrzeugen des Güterkraftverkehrs (1984) prägen die nur sehr begrenzten Erfolge der gemeinsamen Straßengüterverkehrspolitik.

5. *Eisenbahnverkehr:* Die Ratsentscheidung zur Sanierung der Eisenbahnen (1975) war zwar durch weitreichende Zielvorgaben gekennzeichnet, führte aber nicht zu entscheidenden Änderungen der nationalstaatlichen Eisenbahnpolitik (keine Umstrukturierung der Eisenbahnen, weiterhin pauschaler Defizitausgleich). Die Verordnungen des Rates zur Rechnungsführung und Kostenrechnung (1977/78) brachten lediglich mehr Transparenz in die Finanzlage der europäischen Eisenbahnunternehmen. Die Kommissionsmitteilung von 1980 zielte auf eine stärkere Nutzung der Systemvorteile der Bahnen sowie der Kooperation mit anderen Verkehrsträgern ab; die Mitteilung von 1983 enthielt weitere Vorschläge für effizienzsteigernde Maßnahmen sowie für die Abschaffung öffentlicher Verpflichtungen im Güterverkehr und (erstmals) für die staatliche Übernahme der Eisenbahninfrastruktur. Nach vielen ergebnislosen Politikinitiativen konnte sich der Rat immerhin 1982 und 1983 auf zwei Beschlüsse zum grenzüberschreitenden Personen- und Güterverkehr einigen (Verbesserung der technisch-ökonomischen Kooperation, liberalere Preisbildung und höhere Flexibilität der Tarifsystem). Die Intensivierung der Eisenbahnkooperation war auch in der Folgezeit Kernpunkt der europäischen Eisenbahnpolitik.

6. *Kombinierter Verkehr:* Die Richtlinie des Rates von 1975 über den kombinierten Verkehr Schien/Straße bezweckte erstmals eine Förderung der verkehrsträgerübergreifenden Kooperation durch Aufhebung von Kontingenten und Befreiung von der Genehmigungspflicht. Weitere Maßnahmen folgten: Erleichterung der Grenzformalitäten, Steuervergünstigungn, Vereinfachung verschiedener Verwaltungsformalitäten. Die Kommissionsmitteilungen von 1980 zur Eisenbahnpolitik und 1983 zum Binnenverkehr trugen ebenfalls verstärkt dem Komplementaritäts- und nicht nur dem Wettbewerbsgedanken Rechnung.

7. *Binnenschiffsverkehr:* Auch in diesem Bereich führten eng abgegrenzte, pragmatische Vorschläge vielfach zur Ratseinigung, so 1976 und 1978 in der Frage der gegenseitigen Anerkennung von Schiffsattesten und 1982 bei der Angleichung technischer Anforderungen an Binnenschiffe. Die Kommissionsmitteilung von 1983 zum Binnenverkehr wies auf die Notwendigkeit der Harmoniserung der Abwrackaktionen hin; aufgefordert wurde zu einer Überprüfung des Tour-de-rôle-Systems mit seinen de facto-Wettbewerbsbeschränkungen. Die Bemühungen um eine Harmonisierung der Wettbewerbsbedingungen hinsichtlich der Steuer- und Sozialvorschriften sowie der technischen Ausgestaltung der Verkehrsleistungsproduktion scheiterten weitgehend am Widerstand der ZKR. Allerdings zeichnete sich 1979 eine begrenzte Kooperation zwischen EG und ZKR in der Frage des freien Zugangs zur Rheinschiffahrt ab (Problem der Konkurrenz von Staatshandelsländern).

8. *Seeverkehr/Seehäfen:* Nach dem EG-Beitritt Großbritanniens, Irland und Dänemarks (1973) sowie Griechenlands (1980) erlangte der Seeverkehr sowohl als Träger des innergemeinschaftlichen als auch des Verkehrs mit Drittländern größere Bedeutung für die Verkehrswirtschaft der EG. Zugleich entstand in diesem Bereich ein erheblicher gemeinschaftlicher Handlungsbedarf als Folge der Verschärfung der Probleme der internationalen Seeschiffahrt seit Mitte der 70er Jahre: Überkapazitäten bei anhaltender Rezession im Welthandel, zunehmender Protektionismus durch Flaggendiskriminierung und ladungslenkende Maßnahmen, Dumpingpraktiken einzelner Staatshandelsländer. Gemeinsames Vorgehen war zudem angezeigt zur stärkeren Einflußnahme in internationalen Organisationen (z.B. im Hinblick auf den UN-Verhaltenskodex, Ratsverordnung von 1979), bei der Festlegung einheitlicher Sicherheitsvorschriften im Seeverkehr (Ratsbeschluß 1978), bei der Vereinheitlichung der Ausbildungsnormen für Seeleute (1978) sowie zur Frage der Navigationshilfen (1982/83). Die Erfolge der gemeinsamen Seeverkehrspolitik liegen nicht zuletzt darin begründet, daß sie in hohem Maße die Außenbeziehungen der EG betrifft; hier liegen vielfach identische Interessen der einzelnen Länder vor, so daß der Prozeß gemeinschaftlicher Willensbildung vereinfacht wird. Die Durchsetzung einer gemeinsamen Seehafenpolitik wurde dagegen weniger nachdrücklich betrieben, da das zentrale Problem der Hinterlandverbindungen zu eng mit der allgemeinen Marktordnungskontroverse verknüpft ist (Wettbewerbsverzerrungen durch nicht „harmonisierte" Liberalisierungsmaßnahmen). Auch gegenüber dem Problem der Wettbewerbsverzerrungen durch die weitverbreitete Praxis der Schiffbausubventioen nahm die e.V. eine eher zurückhaltende Position ein.

9. *Luftverkehr:* Nachdem der Luftverkehr durch das EuGH-Urteil von 1974 zum Gegen-

stand der e. V. gemacht worden war, stellte die Kommission 1979 in einem ersten Memorandum eine Mängelanalyse des europäischen Luftverkehrs vor: relativ hohe Flugpreise, geringer Preiswettbewerb, überdurchschnittlich hohe Betriebskosten, Inflexibilität der Marktaufteilung, Konzentration auf wenige Hauptflughäfen. Die von der Kommission vorgelegten pragmatischen Lösungsvorschläge zielten auf Kosteneinsparungen und intensiveren Wettbewerb durch erleichterte Marktzutrittsmöglichkeiten für neue Unternehmen, Vereinfachungen bei der Genehmigung neuer Angebote und eine ausgeprägtere Differenzierung der Tarifstruktur ab. 1983 trat die Verordnung über den interregionalen Linienflugverkehr in Kraft mit dem Ziel, die Anbindung peripherer Flughäfen zu verbessern; danach unterlagen bestimmte interregionale Flugverbindungen nur noch einem vereinfachten Genehmigungsverfahren; dennoch blieben viele denkbare Flugrelationen nicht erfaßt, da zusätzlich Schutzregeln für die Eisenbahn, für bereits bestehende Flugverbindungen und für die Hauptflughäfen festgelegt wurden; trotzdem bewirkte die Verordnung eine deutliche Zunahme interregionaler Flugverbindungen. In einem zweiten Memorandum von 1984 schwächte dann die Kommission ihre Kritik von 1979 an der bestehenden Marktordnung aufgrund der Bedenken der Fluggesellschaften und ihrer Verbände wieder ab; die Kommission beschränkte sich nun auf Vorschläge, die lediglich noch eine geringfügige Intensivierung des Wettbewerbs vorsahen, z. B. die Ersetzung der Poolaufteilungen durch garantierte Mindestquoten. In den nicht den Wettbewerb betreffenden Politikbereichen gab es zahlreiche Politikinitiativen, die auch z. T. erfolgreich waren: Richtlinie zur Schallemission (1979), Richtlinie zur Zusammenarbeit bei der Flugunfalluntersuchung (1980). Insgesamt zeigt sich, daß im Bereich des Luftverkehrs zwar Möglichkeiten für „technische" Verbesserungen im Rahmen des bestehenden Ordnungsrahmens existieren, dessen vollständige Abschaffung im Sinn einer Deregulierung nach amerikanischem Vorbild jedoch auf den Widerstand der Regierungen stößt, die ihre nationalen Fluggesellschaften vor stärkerem Wettbewerb zu schützen suchen.

IV. Perspektiven: 1. *Untätigkeitsklage:* Das EP hatte sich bereits sehr früh zum Fürsprecher einer gemeinsamen Verkehrspolitik gemacht. Nach einigen erfolglosen Bemühungen zur Forcierung der e. V. reichte das EP im Januar 1983 beim EuGH die verkehrspolitische Untätigkeitsklage ein. Am 22. 5. 1985 fällte der EuGH folgendes Urteil: „Der Rat der Europäischen Gemeinschaften hat es unter Verletzung des Vertrages unterlassen, die Dienstleistungsfreiheit auf dem Gebiet des internationalen Verkehrs sicherzustellen und die Bedingungen für die Zulassung von Verkehrsunternehmen zum Verkehr innerhalb eines Mitgliedstaates, in dem sie nicht ansässig sind, festzulegen". Der EuGH vertrat die Auffassung, daß der dem beklagten Rat in Ermangelung genauer Vertragsvorschriften eingeräumte Ermessenspielraum ihn nicht von der Verpflichtung entbunden habe, die allgemeinen Vertragsvorschriften über die Dienstleistungsfreiheit auch im Bereich des Verkehrs durchzusetzen; die Dienstleistungsfreiheit sei deshalb durch entsprechende Maßnahmen einzuführen.

2. *Konsequenzen:* Dem EuGH-Urteil kommt in doppelter Hinsicht größte Bedeutung zu: Einerseits wurde das EP als Kontrollorgan des Rates erheblich aufgewertet, andererseits ergibt sich nun auch in der e. V. der Zwang zum Handeln. Im Juni 1985 legte die Kommission dem Rat ein Weißbuch über die Vollendung des Binnenmarktes vor, mit einer Reihe ordnungspolitischer Zielvorgaben auch für den Verkehrssektor. Im einzelnen war folgendes vorgesehen: Auslaufen von Quoten- und Kabotageregelungen im Güterkraftverkehr (1988), Einführung der Dienstleistungsfreiheit bei der Personenbeförderung und im Binnenschiffsverkehr (1989), freie Erbringung von Leistungen zwischen den Mitgliedstaaten im Seeverkehr (1986), Einschränkung der Einflußnahme der Regierungen im Luftverkehr (1987). Auf dem Mailänder Treffen des Rates der Regierungschefs im Juni 1985 beauftragte dieser den Ministerrat mit der Erstellung eines Arbeitsprogramms einschl. eines Zeitplans zur Herstellung des Binnenmarktes bis 1992. Im November 1985 beschloß der Rat die Schaffung eines freien Verkehrsmarktes ohne mengenmäßige Beschränkungen unter Beseitigung der Wettbewerbsverzerrungen bis 1992 und stellte gleichzeitig einen gemeinschaftlichen Gesamtplan für das Verkehrswesen auf. Die neuen Zielvorgaben implizieren, daß mit der jetzt geforderten Liberalisierung auch die Probleme der Hamonisierung der Wettbewerbsbedingungen und der Wegekostenanlastung neu aufgegriffen und gelöst werden müssen; es mag dahingestellt sein, ob dies bis 1992 gelingt.

Literatur: Basedow, J. (Hrsg.), Europäische Verkehrspolitik – Nach dem Untätigkeitsurteil des Europäischen Gerichtshofes gegen den Rat vom 22. Mai 1985, in: Max-Plank-Institut für ausländisches und internationales Privatrecht, Studien zum ausländischen und internationalen Privatrecht, Nr. 16, Tübingen 1987; Erdmenger, J., The European Community Transport Policy – Towards Common Transport Policy, Aldershot (Großbritannien) 1984; o. N., Die Liberalisierung des Verkehrs im gemeinsamen Markt – Ziele und Bedingungen fairen und leistungsstarken Wettbewerbs – Verkehrswissenschaftliches Forum, in: Willeke (Hrsg.), Zeitschrift für Verkehrswissenschaft, 58. Jg., 1987, Heft 1, S. 3–67; Rogge, H., Die verkehrspolitische Untätigkeitsklage des Europäischen Parlaments – Konsequenzen aus dem Urteil des Europäischen Gerichtshofes vom 22. Mai 1985, in: Internationales Verkehrswesen, 37. Jahrgang, 1985, S. 310–314; Seefeld, H., u. a., E.V. Transnationals 20, Bonn 1982.

Prof. Dr. Johannes Frerich

Europäische Währungseinheit, → ECU.

Europäische Wirtschaftliche Interessenvereinigung (EWIV), →Internationale Unternehmensverfassung II.

Europäische Wirtschaftsgemeinschaft, →EWG.

Europäische Zahlungs-Union, →EZU.

Europäische Zentrale für öffentliche Wirtschaft, →CEEP.

Europäische Zivilluftfahrt-Konferenz (ECAC), *European Civil Aviation Conference (ECAC),* 1955 auf Antrag des Europarats von der ICAO konstituierte Institution, Sitz: Straßburg. – *Aufgabe:* Koordinierung des europäischen Luftverkehrs u. a. durch Abfassung von Richtlinien für die Formulierung von bilateralen Verträgen zur Gewährung von Luftverkehrsrechten (ECAC-Mustervertrag mit Standard-Klauseln); Vereinfachung der Formalitäten im grenzüberschreitenden Luftverkehr zwischen den Mitgliedstaaten.

Europa-Patent, vom →Europäischen Patentamt erteiltes Patent. Laufzeit: 20 Jahre. Der Anmelder bestimmt, für welche Staaten der EG der dort national wirksame Schutz gelten soll.

Europarat, Zusammenschluß einer Reihe westeuropäischer Länder zur allgemeinen Zusammenarbeit in politischen, kulturellen, sozialen und wirtschaftlichen Fragen, gegründet am 5. 5. 1949 aufgrund einer Entschließung des Kongresses der Europäischen Unionsbewegung in Den Haag 1948 und der Initiative der Signatuarstaaten des Paktes zur kollektiven Verteidigung und zur wirtschaftlichen, sozialen und kulturellen Zusammenarbeit (Brüsseler Pakt), dem Vorläufer der Westeuropäischen Union (→WEU), Sitz: Straßburg. – *Mitglieder:* Belgien, Bundesrep. D. (seit 1951), Dänemark, Frankreich, Großbritannien, Griechenland, Irland, Island, Italien, Liechtenstein, Luxemburg, Malta, Niederlande, Norwegen, Österreich, Portugal, Schweden, Schweiz (seit 1963), Spanien, Türkei, Zypern (seit 1961); Malta und Zypern z. Z. (1987) ohne parlamentarische Delegation. – *Organe:* a) Ministerkomitee aus je einem Vertreter (Außenminister) der Mitgliedstaaten, b) Parlamentarische Versammlung aus von den nationalen Parlamenten gewählten Vertretern aller Mitgliedstaaten mit verschiedenen Ausschüssen, c) Generalsekretariat. – *Wichtigste Tätigkeitsgebiete:* Wahrung der Menschenrechte (u. a. Europäische Konvention zum Schutz der Menschenrechte und Grundfreiheiten mit Errichtung einer Europäischen Kommission sowie eines Europäischen Gerichtshofs für Menschenrechte), Sozialpolitik (1961 unterzeichneten 13 Mitgliedsländer eine Europäische Sozial-Charta, die 1965 in Kraft trat. Aufgestellt wurde ferner ein Europäischer Kodex der sozialen Sicherheit sowie eine Europäische Konvention für soziale Sicherheit und eine Europäische Konvention über den rechtlichen Status der Wanderarbeitnehmer. Zum Schutz und zur Wiedereingliederung von Flüchtlingen sowie zur Lösung von Problemen der Überbevölkerung wurde der Umsiedlungs-Fonds des E. geschaffen; außerdem ein Teilabkommen, im Rahmen dessen acht Mitgliedstaaten auf dem Gebiet des Gesundheitswesens und des Unfallschutzes zusammenarbeiten), Wirtschafts- und Bevölkerungspolitik, Rechts- und Strafwesen, kulturelle Zusammenarbeit, Sport und Jugendfragen, Umweltprobleme, Fragen der Kommunalverwaltung und Regionalplanung sowie Fragen der Denkmal- und Landschaftspflege. – Die *Ergebnisse* der Arbeiten dokumentieren sich außer in den genannten herausragenden Übereinkommen in zahlreichen weiteren Konventionen, ferner in Empfehlunghen an die Regierungen sowie in europäischen Abkommen auf speziellen Gebieten (z. B. über ein Verbot zur Verwendung bestimmter Detergentien in Wasch- und Reinigungsmitteln, das 1968 in Kraft trat). – Wichtige *Veröffentlichungen:* Forum E. (vierteljährlich); Legal Co-operation in Europe (zweimal jährlich); The Council of Europe; Annual Report of the Secretary General; Information Bulletin and Newsletter of the Documentation Centre for Education in Europe.

Europarecht, *europäisches Gemeinschaftsrecht,* selbständige Rechtsordnung mit unmittelbar normativer Wirkung im innerstaatlichen Bereich. Das E. gilt vorrangig vor jedem nationalen Recht der Mitglieder in der →EG (→EWG, →EGKS, →EURATOM). – Zu *unterscheiden:* a) *primäres E.:* Verträge mit Anhängen und Protokollen; b) *sekundäres E.:* Das von den Organen der EG erlassene Folgerecht.

Europaverband der Selbständigen, →Confédération Européenne des Independants.

European Banks' International Company (EBIC), Zusammenschluß führender Banken aus Belgien, Großbritannien, Niederlande, Frankreich, Österreich und Bundesrep. D. Mit dieser Kooperation wollen die Société Générale de Banque (Brüssel), die Midland Bank (London), die Amsterdam-Rotterdam-Bank, die Société Générale (Paris), die Creditanstalt-Bankverein AG (Wien) und die Deutsche Bank AG ihrer Kundschaft einen Service zur Verfügung stellen, der der fortschreitenden wirtschaftlichen Integration Europas Rechnung trägt. Die Zusammenarbeit erstreckt sich auf überseeische und europäische Länder. In Übersee Gemeinschaftsgründungen; in New York stehen die European-American Banking Corporation und die European-American Bank & Trust Company zur Verfügung; für den pazifischen Raum die Euro-Pacific Finance Corporation Ltd. (Melbourne). Außerdem gemeinsame EBIC-

Repräsentanzen in Djakarta, Johannesburg und Toronto.

European Civil Aviation Conference (ECAC), →Europäische Zivilluftfahrt-Konferenz.

European Computer Manufacturers Association, →ECMA.

European Conference of Ministers of Transport, →ECMT.

European Free Trade Association, →EFTA.

European Monetary Agreement (EMA), →EWA.

European Nuclear Energy Agency, →NEA.

European Patent Office (EPO), →Europäisches Patentamt.

European Recovery Programm, ERP.

European Society for Opinion and Marketing Research (ESOMAR), eine dem amerikanischen Vorbild angeglichene europäische Organisation von Marktforschungsinstituten, außerhalb der internationalen Vereinigungen von Gallup-Instituten. – *Aufgabe:* Verbindliche Aufstellung von Normen für die Durchführung von Marktforschungsaufgaben.

European Waste Data Bank, →EWADAT.

Euroscheck, →Eurocheque.

Eurosignal, →europäischer Funkruf.

Eurosklerose, →Wachstumsschwäche.

EUS, Entscheidungsunterstützungssystem, →decision support system.

E.v., Abk. für →Eingang vorbehalten.

E.V., e.V., Abk. für →eingetragener Verein.

Eventualantrag, →Hilfsantrag.

Eventualaufrechnung, →Aufrechnung, die im Prozeß in zulässiger Weise nur für den Fall erklärt ist, daß andere Einwendungen gegen die Forderung der Gegenseite nicht durchgreifen.

Eventualforderungen und -verbindlichkeiten, nach § 215 HGB unter der Bilanz („unter dem Strich") von jedem →Kaufmann zu vermerkende folgende Haftungsverhältnisse: mögliche Ansprüche aus der Begebung und Übertragung von Wechseln, aus Bürgschaften, Wechsel- und Scheckbürgschaften, aus Gewährleistungen sowie aus der Bestellung von Sicherheiten für fremde Verbindlichkeiten *(Eventualverbindlichkeiten, EV)*. EV sind also Verbindlichkeiten aus Rechtsbeziehungen, aus denen der Kaufmann nur unter bestimmten Bedingungen, mit deren Eintritt er aber nicht rechnet, in Anspruch genommen werden kann. Sobald Inanspruchnahme zu erwarten, Ausweis als →Verbindlichkeit oder →Rückstellung. Stehen den EV Rückgriffsforderungen *(Eventualforderungen, EF)* gegenüber, so hat dies auf den Ausweis von EV keinen Einfluß (Saldierungsverbot gemäß § 246 II HGB). EF können jedoch auf der Aktivseite „unter dem Strich" angegeben werden. – Von den EV zu unterscheiden sind die *sonstigen Haftungsverhältnisse* von finanziellem Gewicht gemäß § 285 Nr. 3 HGB (also nicht passivierungsfähige, mögliche Ansprüche, z. B. mögliche Nachschußpflichten aus einer GmbH-Beteiligung, mögliche Vertragsstrafen, gesetzliche Haftungen); sie sind von nicht kleinen Kapitalgesellschaften (→Größenklassen) im →Anhang aufzuführen.

Eventualhaushalt. 1. *Begriff:* →Haushaltsplan, der ermöglicht, aus konjunturellen Gründen (→fiscal policy) resultierende Ausgabennotwendigkeiten auf eine haushaltsmäßige Grundlage zu stellen. Der E. tritt nur *eventuell,* z. B. bei Über- oder Unterschreiten vorher festgelegter Grenzen von →Konjunkturindikatoren, in Kraft. – 2. Im *Aufstellungsverfahren* besteht eine gewisse Ähnlichkeit mit dem →Nachtragshaushalt oder →Ergänzungshaushalt; der E. verschmilzt jedoch nicht mit dem Hauptetat in der Durchführung, sondern besteht neben diesem. – 3. *Vorteile:* Finanzierung und Auswahl der durchzuführenden Projekte steht schon fest, wenn eine Belebung der Nachfrage notwendig wird; Fehlleitung volkswirtschaftlicher →Ressourcen im Rahmen der →Stabilitätspolitik kann weitgehend vermieden werden. – 4. *Nachteile:* Gefährdung der Einheitlichkeit des Budgets sowie Planungsprobleme, eventuell auch →Mitnahmeeffekte oder allokative Fehllenkungen, da z. B. bei „Schubladenprogrammen", die mittels des E. finanziert werden, die eigentlichen Präferenzen der Nachfrager verzerrt werden können.

Eventualplan, *Alternativplan,* alternativer Plan für eine Periode, der gegenüber einem gegebenen Plan auf anderen Prämissen aufbaut. Mit der Ausarbeitung mehrerer solcher Pläne will man erreichen, daß man auf unterschiedliche Umweltentwicklungen angemessen reagieren kann (→flexible Planung, →Eventualplanung). Zu Beginn einer Periode wird dann der Plan gewählt, der auf den „richtigen" Planprämissen aufbaut.

Eventualplanung, *Schubladenplanung, Alternativplanung.* 1. *Begriff:* Bei Entscheidungen unter →Unsicherheit ergriffene Maßnahme, um sich besser auf die möglichen Situationen einzustellen und so die Auswirkungen der Ungewißheit zu mindern. – 2. *Vorgang:* Bei mehreren möglichen Datenkonstellationen (Umweltsituationen) wird jeweils die dazu optimale Handlungsalternative bestimmt (→Eventualplan), aber die Entscheidung zur Durchführung einer bestimmten Alternative noch nicht getroffen. Die so erstellte mehrwertige Prognose wird „in die Schublade gelegt" und abgewartet, welche der Datenkonstellationen tatsächlich eintrifft, um dann die dazugehörige Entscheidung zu treffen. Es handelt sich also um einen sukzessiven →Entscheidungsprozeß. – 3. *Beurteilung:* E. v. a. dann sinnvoll, wenn die zukünfige Entwicklung sehr undurchsichtig ist und die Unternehmensleitung mit plötzlichen Änderungen der Marktsituation rechnen muß, bei denen keine Zeit bleibt, die erforderlichen Umstellungsmaßnahmen zu planen. Aus diesem Grund und wegen der relativen Aufwendigkeit mehrerer detaillierter Planungen, von denen letztlich nur eine realisierbar wird, in der Praxis nur selten angewendet. – Vgl. auch →flexible Planung.

Evidenzzentrale, Stelle bei der Deutschen Bundesbank, der nach § 14 KWG Kreditinstitute, Versicherungsunternehmen, Sozialversicherungsträger und die Bundesanstalt für Arbeit bis zum 15. der Monate Januar, April, Juli und Oktober diejenigen Kreditnehmer im In- und Ausland melden müssen, deren Verschuldung bei ihnen 1 Mill. DM und mehr (→Millionenkredite) beträgt. Hat ein Kreditnehmer bei mehreren Kreditgebern Millionenkredite aufgenommen, so werden die Kreditgeber durch die Bundesbank benachrichtigt.

EVO, Abk. für →Eisenbahn-Verkehrsordnung.

Evokation, Ansichziehen einer noch nicht erledigten Rechtssache oder Verwaltungsangelegenheit durch die übergeordnete Dienststelle.

evoked set, Begriff aus der Theorie des →Konsumentenverhaltens. Mit dem e. s. wird erfaßt, daß Konsumenten unter den angebotenen Produktalternativen eine Vorauswahl getroffen haben; in einer konkreten →Kaufentscheidung werden nur noch die als akzeptabel eingestuften Marken miteinander verglichen. – Kategorien der Gesamtheit der angebotenen Produkte aus der Sicht des Konsumenten neben dem e. s.: awareness set, unawareness set, reject set.

evolutionäres Management, →strategisches Management.

evolutorische Wirtschaft, eine Wirtschaft, die in makroökonomischen Aggregatgrößen und in der sektoralen Struktur selbstinduziertem Wandel unterliegt. Hauptquelle für diesen Entwicklungverlauf bilden technisch-wirtschaftliche →Innovationen und veränderte Nachfragepräferenzen; diese bewirken eine Verlagerung der Investitionsschwerpunkte in der Wirtschaft. Auf den Einzelmärkten ist das vorübergehende Verlassen von Gleichgewichtslagen zwischen Angebot und Nachfrage typisch, wodurch Preisbewegungen induziert und Signale für die „Andersverwendung von Produktionsfaktoren“ (Schumpeter) gesetzt werden. – *Gegensatz:* →stationäre Wirtschaft.

EWA, Europäisches Währungsabkommen, *European Monetary Agreement (EMA),* abgeschlossen 1955 als Nachfolger der →EZU, in Kraft 1958–72; Sitz in Paris. Am 1.1.1973 durch ein neues Abkommen über die Zusammenarbeit der OECD-Mitgliedstaaten auf währungspolitischem Gebiet abgelöst (→Solidaritätsfonds). *Vertragsparteien* waren die OECD-Länder. *Gegenstand:* Schaffung eines Systems des multilateralen Zahlungsausgleichs. – Als Refinanzierungsinstitution verlor das EWA zunehmend an Bedeutung, da Konditionen bei IMF-Krediten häufig günstiger waren. Als Finanzagentur des EWA fungierte die →BIZ. – Als Instrument der Währungspolitik im Rahmen der OECD hat das EWA praktisch seine Funktion verloren.

EWADAT, European Waste Data Bank, *Europäische Datenbank für Abfallwirtschaft,* von der →EG konzipiertes →Umwelt-Informationssystem. Nach Aufbauabschluß enthält EWADAT abfallspezifische Dateien (u. a. Abfallarten, -mengen, -herkunft), Dateien zur Abfallbehandlung (Verwerter, Technologien, Hersteller für Anlagen zur Rückstands- und Abfallbehandlung), allgemeine Dateien (Rechts- und Verwaltungsvorschriften, Dokumentation, Behörden und Organisatonen); durch Datenverknüofungen und deren Abfragen Unterstützung von Lösungen komplexer Aufgaben.

EWG, Europäische Wirtschaftsgemeinschaft, *Gemeinsamer Markt,* wirtschaftlicher Zusammenschluß von ursprünglich sechs, seit 1973 neun, seit 1986 zwölf europäischen Staaten; eine der drei Europäischen Gemeinschaften (EG). Über die allgemeinen Ziele, Entstehung und Entwicklung, Mitglieder, Organe und Haushalt der Wirtschaftsgemeinschaft vgl. →EG. Die Wirtschaftsgemeinschaft soll durch die Errichtung eines Gemeinsamen Marktes und die schrittweise Annäherung der Wirtschaftspolitik der Mitgliedstaaten den Lebensstandard innerhalb der Gemeinschaft „stetig, ausgewogen und störungsfrei“ heben (Art. 2 EWG-Vertrag). Die Gemeinschaft hat ihr Ziel, einen Gemeinsamen Markt in Westeuropa zu schaffen, weitgehend erreicht. Güter können zollfrei zwischen den Partnerstaaten gehandelt werden, Handelshemmnisse wurden abgebaut. Die Bürger genießen in der Gemeinschaft volle Freizügigkeit. Der Handel innerhalb der Gemeinschaft ist wesentlich schneller gewachsen als der Handel mit der übrigen Welt. Die wirtschaftliche Verflechtung hat zu einer gegenseitigen Abhängigkeit geführt, die auch eine *gemeinsame Orientierung der Wirtschaftspolitik* verlangt. Da diese jedoch tief in die politische Handlungsfreiheit der Mitgliedstaaten eingreifen muß, auch die wirtschaftliche Lage und wirtschaftspolitische Zielsetzung der Partnerstaaten sehr unterschiedlich sind, stehen einer engeren wirtschaftspolitischen Kooperation immer noch starke Hindernisse entgegen. Zu den Problemen, deren Lösung als Prüfsteine der Integrationskraft der EWG betrachtet werden können, gehören u.a. der weitere Ausbau der gemeinschaftlichen Regional-, Industrie-, Sozial- und Landwirtschaftspolitiken als integrationsfördernde Instrumente, ferner die Formulierung einer gemeinschaftlichen Politik zur Bekämpfung der Arbeitslosigkeit, die Verwirklichung einer gemeinschaftlichen Energie- und Umweltpolitik. Dennoch hat der Gemeinsame Markt seine Funkton als Basis für das Wirtschaftswachstum in den Mitgliedstaaten bisher im wesentlichen erfüllt. Dieses Ziel konnte u.a. durch eine Verbesserung der wirtschafts- und währungspolitischen Koordinierungsinstrumente erreicht werden, zu denen insbes. das →EWS gehört (vgl. auch II). Konkrete Zielsetzungen und Maßnahmen des →EG-Binnenmarktes bis zum Jahre 1992 sind in dem EG-Weißbuch niedergelegt.

I. Gemeinsamer Markt: Als erste Stufe der wirtschaftlichen Integration sieht der EWG-Vertrag die Errichtung eines Gemeinsamen Marktes vor. Dieser soll durch die vollständige Anwendung der in Titel II und III niedergelegten „vier Freiheiten" realisiert werden: freier Warenverkehr, Freizügigkeit der Arbeitnehmer, freier Kapitalverkehr, Niederlassungsrecht.

1. Verwirklichung des freien Warenverkehrs auf der Basis einer *Gemeinsamen Handeslpolitik*.

a) Die *Zollunion* wurde zwischen den sechs Gründungsstaaten am 1.7.1968, zwischen den neun EG-Staaten am 1.7.1977 vollendet. Innerhalb des seit 1.1.1986 um Spanien und Portugal als 11. und 12. Gemeinschaftsland erweiterten Zollgebiets werden die Einfuhrzölle und Abgaben der neuen Beitrittsländer stufenweise bis zum 1.1.1993 abgeschafft. Die Ausfuhrzölle und Abgaben gleicher Wirkung zwischen der Gemeinschaft und Spanien sowie Portugal sind seit dem 1.1.1986 entfallen. Für Einfuhren aus Drittstaaten gilt ein Gemeinsamer Außenzolltarif (GAZ). Er wurde ursprünglich als Durchschnittswert der nationalen Zolltarife der sechs Gründungsmitglieder errechnet, jedoch nach internationalen Verhandlungen (Dillon- und Kennedyrunde) mehrfach stark gesenkt. Um eine Zollunion wirksam werden zu lassen, muß über den Abbau der Binnenzölle und die Vereinheitlichung des Außenzolls hinaus (→Gemeinsamer Zolltarif der EG) auch das Zollrecht vereinheitlicht werden. Durch den Erlaß der EG-Richtlinien zur Harmonisierung der Verfahren für die Überführung der Waren in den zollrechtlich freien Verkehr 1979 (Einfuhrrichtlinie) und zur Harmonisierung der Verfahren für die Ausfuhr 1981 (Ausfuhrrichtlinie) ist ein einheitliches Zollgebiet für die Gemeinschaft geschaffen worden. Die Anwendung dieser Richtlinien hat zur Folge, daß bei der Einfuhr eine Ware bereits nach der zollrechtlichen Abfertigung an der Außengrenze eines EG-Landes als eingeführt gilt und zum EG-freien Verkehr zugelassen ist und bei der Ausfuhr erst nach endgültigem Verlassen des EG-Gebiets als Exportgut zu behandeln ist. Rückschläge für den freien Warenaustausch, die im Gefolge der Währungskrisen eintraten (behinderte z.B. Italien 1974 wegen großer Zahlungsbilanzschwierigkeiten auch Einfuhren aus der EG), wurden im wesentlichen rasch überwunden.

b) *Weitere Bereiche der Gemeinsamen Handelspoltik* umfassen den gemeinsamen Agrarhandel (siehe unten 2.), die Beteiligung an der weltweiten Handelspolitik im Rahmen des →GATT, den Abschluß von Assoziierungs- und Freihandelsabkommen mit einer großen Zahl von Staaten und die Vertretung der Gemeinschaft beim Abschluß von Handelsabkommen mit den Staatshandelsländern.

(1) Ein wesentlicher Verdienst kommt der Gemeinschaft an den weltweiten *Zollsenkungen* der Verhandlungsrunden *im Rahmen des GATT* zu. Die EWG hat besonders zu einem Abbau der paratarifären Handelshemmnisse (z.B. verursacht durch technische Normen) und zur Förderung des Handels mit den Entwicklungsländern durch Gewährung zollfreier Kontingente für Industriewaren (allgemeine Präferenzen) beigetragen.

(2) Mit einer großen Zahl von Staaten hat die EWG *Assoziierungs- und Freihandelsabkommen* geschlossen. Assoziierungsverträge sehen eine besonders enge Zusammenarbeit vor, deren Basis meist eine →Freihandelszone ist. Da die Assoziationsabkommen z.T. aber beträchtliche Bereiche des Warenverkehrs vom Freihandel ausnehmen, ist ihre Rechtfertigung nach den Regeln des GATT und damit auch die Assoziationspolitik nie unumstritten geblieben. Assoziationen und Freihandelsabkommen schaffen immer neue Präferenzzonen und durchbrechen so den Gedanken eines von Diskriminierung freien Welthandels. Die Assoziations- und Freihandelsabkommen, die die EWG geschlossen hat, sind sehr differenzierter Natur. – (a) *Assoziation als Vorstufe späterer Vollmitgliedschaft:* Durch enge wirtschaftliche Zusammenarbeit, allmählichen Zollabbau und finanzielle Hilfen sollen assoziierte Länder in den Stand gesetzt werden, Vollmitglieder der EG zu werden. – (b) *Freihandelsabkommen mit den „Rest-EFTA-Staaten"* (→EFTA): Die Abkommen mit den Rest-EFTA-Staaten sind handelspolitisch außerordentlich bedeutend, da einige der beteiligten Staaten (Schweden, Schweiz, Österreich, Finnland, Norwegen, Island) zu den wichtigsten Handelspartner der EG gehören. Die Abkommen führten praktisch,

da im Zentrum der Abkommen die Errichtung einer Freihandelszone steht, zum vollkommenen Zollabbau für gewerbliche Waren in ganz Westeuropa. Der Zollabbau wurde Mitte 1977 abgeschlossen. Für eine Reihe „empfindlicher" Waren (z.B. Papier, hochwertige Metalle) ist ein langsamer Zollabbau (z.T. bis 1984) vorgesehen, gelegentlich auch andere Schutzmaßnahmen. – (c) *Assoziationsabkommen mit verschiedenen Mittelmeerstaaten:* Die Gemeinschaft hat im Laufe der Jahre eine Reihe von Assoziationsabkommen (Zypern, Malta) und Teilassoziationsabkommen (Algerien, Tunesien, Marokko) geschlossen, die im wesentlichen einen begrenzten gegenseitigen Zollabbau vorsehen. Sie sehen die spätere Errichtung einer Freihandelszone vor. Die Vielfalt der Handels- und Assoziationsbeziehungen der EG zu den Mittelmeerstaaten soll seit langem vereinheitlicht werden, doch sind die politischen und wirtschaftlichen Schwierigkeiten groß. – (d) *AKP-Abkommen:* Der Vertrag von Lomé mit 61 Staaten Afrikas, der Karibik und des Pazifiks (AKP-Staaten) löste 1975 die älteren Assoziationsabkomen von Jaunde (1963, 17 afrikanische Partnerstaaten und Madagaskar) und von Arusha (drei ostafrikanische Staaten) ab und erweitere sie auf die ehemaligen Kolonien Großbritanniens im AKP-Raum sowie andere Staaten Afrikas, mit Ausnahme der afrikanischen Mittelmeerländer sowie Simbabwe und der Rep. Südafrika. Am 1.1.1981 trat das zweite AKP-EWG-Abkommen von Lomé in Kraft. Z.Z. (1987) gilt seit 1.5.1986 das Dritte AKP-EWG-Abkommen. Der AKP-Vertrag stellt einen völlig neuen Typ der Zusammenarbeit von Industrie- und Entwicklungsländern dar, wobei den Entwicklungsländern weitgehend einseitige Vorteile eingeräumt werden. Der Begriff Assoziierung wird aus psychologischen Gründen vermieden. – *Inhalt:* (α) Freie Einfuhr für alle gewerblichen Güter und alle Agrarlieferungen der AKP-Staaten in die Gemeinschaft. Die AKP-Länder sind zu Gegenleistungen (z.B. Zollsenkungen) nicht verpflichtet. Sie dürfen die EG lediglich gegenüber anderen Staaten nicht diskriminieren. (β) Für Zucker (wichtigstes Agrarexportgut der Partner) wird Abnahme von 1,3 Mill. t jährlich (13% des EG-Bedarfs zum EG-Preis garantiert. (γ) System zur Stabilisierung der Exporterlöse für 48 in Art. 148 des dritten AKP-EWG-Abkommens aufgeführten Waren (z.B. Kaffee, Bananen) auf der Basis einer EWG-Finanzierung (0,9 Mrd. ECU bis 1990). Für Bergbauerzeugnisse sieht das neue AKP-EWG-Abkommen eine besondere Finanzierungsfazilität (SYSMIN) vor, durch die die Ausfuhrkapazität der AKP-Staaten gesichert werden soll. Gem. Art. 178 wurden für das SYSMIN-System ca. 0,5 Mrd. ECU bereitgestellt (Kupfer, Phosphate, Mangan, Bauxit und Aluminiumoxyd, Zinn, Eisenerz). Dieses *Stabex-Modell* wird inzwischen auch international als Möglichkeit zur Stabilisierung der Exporteinnahmen der Dritten Welt diskutiert. Stabilisiert wird nicht der Preis bestimmter Güter (wie bei Rohstoffabkommen), sondern die Gesamtheit der Einnahmen für bestimmte Produkte.

(3) Seit 1973 ist die Gemeinschaft auch für alle *Handelsabkommen mit den Staatshandelsländern des Ostblocks* zuständig, was allerdings in den Verhandlungen mit dem →COMECON bisher noch nicht zu konkreten Ergebnissen geführt hat. An einem Abkommensentwurf EWG/COMECON wird gearbeitet. Der 1981 unterbrochene Dialog zwischen der EG und dem COMECON soll auf Vorschlag des COMECON neu aufgenommen und intensiviert werden. Die Problematik der gemeinsamen Osthandelspolitik liegt zudem in der Tatsache, daß für den Handel mit Staatshandelsländern Kreditbedingungen und Koppelgeschäfte (Autofabrik wird z.B. mit Erdöl bezahlt) eine wachsende und für die Gemeinschaft bisher unkontrollierbare Rolle spielen. Im Zentrum der Osthandelspolitik stehen deshalb weiterhin zweiseitige Kooperationsabkommen, die national ausgehandelt werden.

c) *Beseitigung rechtlicher und technischer Handelshemmnisse:* Wird von der EG-Kommission als wichtige Voraussetzung zur Realisierung eines freien Warenverkehrs betrachtet. Vom EWG-Ministerrat sind bis Ende 1981 143 Richtlinien über gewerbliche Erzeugnisse zur Anpassung der technischen Verfahren und Standards erlassen worden. Die EG-Kommission hat weitere 30 Richtlinien zur Beseitigung technischer Handslhemmnisse für gewerbliche Erzeugnisse erlassen (z.B. bestimmte Methoden der quantitativen Analyse von binären Textilfasergemischen; Innenausstattung, Sicherheitsgurte und Haltesysteme für Kraftfahrzeuge). Darüber hinaus hat die EG-Kommission über 400 Beschwerden wegen nationaler Verstöße gegen die Bestimmung Art. 30ff. EWG-Vertrag (supranationale Bestimmungen zur Beseitigung der mengenmäßigen Beschränkungen zwischen den Mitgliedstaaten) eingeleitet. Die vorstehenden Hinweise machen deutlich, daß bei der Harmonisierung der handelshemmenden Rechtsvorschriften bereits erhebliche Erfolge erzielt werden konnten.

2. *Gemeinsamer Agrarmarkt:* Die internationalen Währungskrisen sowie die weltwirtschaftliche Stagnation und die sich daraus für viele nationalen Wirtschaften ergebenden außerordentlichen Zahlungsbilanzschwierigkeiten (z.B. Mexiko, Brasilien) haben die protektionistischen Tendenzen auch innerhalb der EG gegen den freien Warenaustausch mit den Drittländern (insbes. Japan) verstärkt. Ein wichtiger Bestandteil des Gemeinsamen Marktes ist der Gemeinsame Agrarmarkt, der

auf einem System von Agrarmarktordnungen für die wichtigstn landwirtschaftlichen Erzeugnisse beruht. Obwohl die tatsächliche Bedeutung der Landwirtschaft innerhalb der Volkswirtschaften in den EG-Mitgliedstaaten zurückgeht (Beitrag zum Bruttoinlandsprodukt in der EWG 1983: 3,6%), wird der Agrarpolitik in allen Industrieländern ein hoher Stellenwert zuerkannt. Dieser Tatbestand schlägt sich auch im EWG-Vertrag nieder, dessen Wortlaut eine *Gemeinsame Agrarpolitik (GAP)* vorsieht, die über einen Gemeinsamen Markt hinaus bereits Elemente einer Wirtschaftsunion beinhaltet. Die GAP stellt somit die wichtigste gemeinsame Politik der EWG dar und nimmt den größten Teil des EG-Haushalts in Anspruch. Die finanziellen Belastungen, die sich aus der GAP für den Haushalt der EG ergeben, haben inzwischen ein Ausmaß angenommen, das eine Reform der GAP unumgänglich macht. Erste Perspektiven für eine Neuorientierung der GAP sind in dem Grünbuch der EG-Kommission von 1985 niedergelegt (nähere Einzelheiten siehe Absatz f)).

a) Als wichtigste Instrumente zur Verwirklichung der GAP sieht der Vertrag die Organisation der Märkte, eine gemeinsame Preispolitik sowie die Schaffung eines Gemeinschaftsfonds vor. Alle *gemeinsamen Agrarmarktordnungen* (z.B. für die wichtigsten Getreidearten, Zucker, Milcherzeugnisse, Fleisch, Weine, Obst und Gemüsearten) beruhen daher auf dem einheitlichen Konzept der garantierten Preise für die Erzeuger innerhalb der Gemeinschaft sowie einem Schleusensystem an den Grenzen. Der Sicherung der den Landwirten in der EWG garantierten *Mindestpreise* (Interventions- oder Ankaufspreise) dient ein Finanzierungsmechanismus im Rahmen des EG-Haushalts (vgl. unten d). – Das Marktordnungskonzept wird bei den unter die gemeinsamen Marktordnungen fallenden Agrarerzeugnissen nicht nach einheitlichem Muster, sondern in modifizierten Formen angewendet. Für ca. 70% der landwirtschaftlichen Erzeugung (für die meisten Getreidearten, Milch, Zucker, Rind- und Schaffleisch) bestehen Interventionsmaßnahmen, die einen Mindestpreis (Stützpreis) garantieren. Die *Interventionsmechanismen* werden wirksam, wenn der Marktpreis auf das Mindestpreisniveau absinkt. Die Interventionsstellen der EG kaufen die zum festgelegten Mindestpreis angebotenen Mengen auf und verkaufen die Erzeugnisse wieder, wenn die Marktlage entspannt ist. Als Marktsicherungsmaßnahmen kommen auch Ausfuhren in Drittländer in Betracht. Für die vorstehend genannte Gruppe der Erzeugnisse wird die Stützung des Binnenmarktes durch eine Absicherung der Ein- und Ausfuhren ergänzt (Abschöpfungen in Form von Einfuhrabgaben bzw. Subventionierungen von Agrarexporten). Für andere Agrarerzeugnisse (Schweinefleisch, eine Reihe Obst- und Gemüsearten, Tafelwein) sind die Interventionsmechanismen weniger umfassend. Hier genügen flexiblere Maßnahmen wie Lager- oder Destillationsbeihilfen zur Stabilisierung der Binnenmärkte. – Bei einer zweiten Gruppe von Agrarerzeugnissen, die etwa 25% der Agrarerzeugnung umfaßt (andere Weinarten als Tafelwein, andere Obst- und Gemüsearten als weiter oben genannt, Blumen, Eier, Gemüse) sehen die bestehenden Marktordnungen im wesentlichen den *Außenschutz* vor, der in unterschiedlich berechneten Abschöpfungen oder in Zöllen oder in einer Kombination aus beiden Abgabeordnungen besteht. – Für eine dritte Gruppe von Agrarerzeugnissen, die lediglich etwa 25% der Gesamterzeugung beinhaltet (Hartweizen, Olivenöl, einige Ölsaaten, Ölfrüchte, Tabak) sehen die Marktordnungen eine *Ergänzungshilfe* vor, die verhältnismäßig niedrige Verbraucherpreise bei gleichzeitiger Stützung der Einkommen der Erzeuger ermöglicht. Ergänzungsbeihilfen erscheinen immer dann sinnvoll, wenn aufgrund internationaler Abkommen (sehr niedrige Zollsätze oder Nullzölle) ein Außenschutz praktisch nicht möglich ist. – Schließlich kennen verschiedene Marktordnungen *Pauschalbeihilfen* (Baumwollsaaten, Flachs, Hanf, Hopfen, Seidenraupen, Saatgut, Trockenfutter), die je ha oder nach Produktionsmengen an die Erzeuger gewährt werden. Diese Erzeugnisgruppe macht knapp 1% der gesamten landwirtschaftlichen Erzeugung der EWG aus.

b) Wichtigster Bestandteil der Agrarmarktordnungen ist die *gemeinschaftliche Agrarpreispolitik*, die die Agrarpreise in den einzelnen Mitgliedstaaten stufenweise angenähert hat, bis ein gemeinsames Preisniveau erreicht worden ist.

(1) Auf Vorschlag der EG-Kommission setzt deshalb der Rat der Landwirtschaftsminister *jedes Jahr* die für das folgende Wirtschaftsjahr geltenden *Agrarpreise* fest. Dabei steht die gemeinsame Agrarpolitik regelmäßig im Brennpunkt des öffentlichen Interesses. Die zu fällenden Preisentscheidungen bestimmen die Einkommen von über 8 Mill. Landwirten in der EG, d.h. sie berühren damit ca. 40 Mill. im Agrarbereich lebende Menschen und darüber hinaus das Budget der 270 Mill. Verbraucher in der EG.

(2) Um reibungslos zu funktionieren, setzt das System gemeinsamer Agrarpreise allerdings voraus, daß die Wechselkurse zwischen den EG-Währungen stabil bleiben. Dieser Tatbestand traf bis 1969 zu; danach erst wieder durch die Einführung des Europäischen Währungssystems (→EWS). Die Wechselkursschwankungen in den 70er Jahren zwangen die EWG jedoch im Interesse einer wenigstens

im Prinzip zu wahrenden Einheit des Gemeinsamen Agrarmarktes zur Einführung des *Grenz- oder Währungsausgleichs* als Korrekturmechanismus. Durch das System der Währungsausgleichsbeträge soll erreicht werden, daß bei Auf- oder Abwertungn nationaler Währungen die notwendigen Anpassungen der Agrarpreise stufenweise erfolgen. Für den Gemeinsamen Agrarmarkt wurde deshalb besondere „repräsentative Kurse", die sogenannten „grünen Wechselkurse" eingeführt, die von den ofiziellen Wechselkursen, den Leitkursen, abweichen. Die Höhe der Währungsausgleichsbeträge richtet sich jeweils nach der Differenz zwischen Leitkursen und grünen Wechselkursen. Ein Land, dessen Währung aufgewertet wurde, gewährt die Ausgleichsbeträge bei der Ausfuhr und erhebt sie bei der Einfuhr. Ein Land, das abgewertet hat, verfährt umgekehrt.

(3) Der gemeinschaftlichen Agrarpreispolitik liegt das nachstehend skizzierte *Preissystem* zugrunde. *Richtpreis:* Der dem Erzeuger durch die EWG-Marktordnungen zu gewährleistende Preis (Erzeugnisse: Getreide, Zucker, Milch, Olivenöl, Raps, Sonnenblumen). – *Orientierungspreis:* Entspricht dem Richtpreis für Rinder, Kälber, Wein. – *Zielpreis:* Entspricht dem Richt- bzw. Orientierungspreis für Tabak. – *Schwellenpreis:* Wird festgestellt, damit der Abgabepreis für das relevante eingeführte Agrarerzeugnis unter Berücksichtigung der Transportkosten dem Richtpreis entspricht. Die Differenz zwischen dem Weltmarktpreis und dem Schwellenpreis wird durch eine Abschöpfung ausgeglichen (auf Erzeugnisse: Getreide, Zucker, Milcherzeugnisse, Olivenöl). – *Einschleusungspreis:* Entspricht dem Selbstkostenpreis für Schweinefleisch, Eier, Geflügel, wenn diese Produkte aus dritten Ländern mit sehr hohem technischen Leistungsstand kommen. Zu den Abschöpfungen kommt dann ein weiterer Betrag bei den Erzeugnissen hinzu, die unter diesem Selbstkostenpreis abgesetzt werden, damit keine Agrarerzeugnisse innerhalb der EWG unter der Höhe des Außenschutzes (Einschleusungspreis plus Abschöpfung) liegen können. – *Referenzpreis:* Wird anhand des EWG-Erzeugerpreises ermittelt und stellt den Mindestpreis dar, zu dem ein Erzeugnis dritter Länder eingeführt werden darf. Eine Abgabe wird erhoben, wenn der Referenzpreis nicht eingehalten wird (Erzeugnisse: Obst, Gemüse, Wein, ausgewählte Fischereierzeugnisse). – *Interventionspreis:* Zu diesem Preis kaufen die Interventionsstellen die ihnen angebotenen Erzeugnisse (Getreide, Zucker, Butter, Milchpulver, ausgewählte italienische Käsesorten, Olivenöl, Raps, Sonnenblumenkerne, Rind- und Schweinefleisch) auf. – *Grundpreis:* Entspricht insofern dem Orientierungs- oder Richtpreis für Schweinefleisch als er zur Festsetzung des Schwellenwertes dient, von dem an die Interventionsmaßnahmen auf dem Markt ergriffen werden.

c) Mit den vorhandenen Instrumenten des Gemeinsamen Agrarmarktes, d.h. den gemeinsamen Marktordnungen und der gemeinsamen Preis- und Handelspolitik lassen sich die Probleme der europäischen Landwirtschaft nicht wirksam lösen. Die strukturelle Vielfalt und die sich daraus ergebenden natürlichen und betrieblichen außerordentlich großen Unterschiede in der europäischen Landwirtschaft lassen sich durch die gemeinsame Markt- und Preispolitik allein nicht ausgleichen. Als weiteres Instrument zur Erhaltung und Steigerung der Leistungsfähigkeit der europäischen Landwirtschaft muß daher eine *gemeinsame Agrarstrukturpolitik* entwickelt werden, die insbes. auf eine Vergrößerung der Betriebe, Verbesserung der Produktionsausrüstungen, Bereitstellung von Ausbildungs- und Fortbildungsprogrammen sowie auf eine regelmäßige technische und wirtschaftliche Beratung abzielt. Basis gemeinschaftlicher Agrarstrukturmaßnahmen muß eine umfassende wirtschaftliche Entwicklung des ländlichen Raumes auf der Grundlage einer modernen Infrastruktur sein. Einzubeziehen in ein Programm zur Modernisierung der europäischen Landwirtschaft sind ferner Strukturverbesserungen bei einer verbraucherorientierten Vermarktung und Verarbeitung landwirtschaftlicher Erzeugnisse. Ein wesentlicher Vorteil einer gemeinsamen Agrarstrukturpolitik gegenüber der Markt- und Preispolitik ist nicht zuletzt die Möglichkeit, durch gezielte regionale und lokale Maßnahmen die bestehenden großen regionalen Ungleichheiten abzubauen. – Grundlage der gemeinschaftlichen Maßnahmen zur Verbesserung der Agrarstruktur in der EWG ist der vom EG-Ministerrat 1971 und 1972 angenommene *Mansholt-Plan*, durch den die vorstehend dargelegten Zielsetzungen verwirklicht werden sollen. – Zu den *wichtigsten Maßnahmen* der Agrarstrukturpolitik der EWG gehört die Förderung der Abwanderung aus der Landwirtschaft durch Berufsumschulung sowie Rentenzahlungen und Betriebsumstellungsprämien für ältere Landwirte und die Förderung konkurrenzfähiger Betriebe durch Rationalisierungshilfen. – Bei aller berechtigten Kritik an der EG-Agrarpolitik darf nicht übersehen werden, daß die Wirkungen einer Strukturpolitik, die den Charakter von zukunftsorientierten Investitionen beinhaltet, nicht kurzfristig, sondern nur *langfristig* sichtbar werden können. Eine solche langfristig angelegte Agrarstrukturpolitik kann nur in Jahrzehnten ihre volle Wirkung zeigen.

d) Der Finanzierung der GAP dient der *Europäische Ausrichtungs- und Garantiefonds für die Landwirtschaft* (EAGFL), der Bestandteil des EG-Haushaltes ist. Der EAGFL umfaßt die Abteilungen Garantien und Ausrichtung. Die Abteilung *Garantie* finanziert die Ausgaben, die durch die Markt- und Preispolitik entstehen (Interventionen zur Regulierung der Agrarmärkte, Erstattungen für die Ausfuhr europäischer Agrarprodukte in dritte Länder einschl. Nahrungsmittelspenden, Währungsausgleichsbeträge). Insgesamt sind die Ausgaben von (1975) 4,5 Mrd. ECU auf (1986) ca. 21,1 Mrd. ECU gestiegen. Eine Aufschlüsselung der Ausgaben nach Sektoren zeigt den hohen Ausgabenanteil für Milchprodukte (6,6 Mrd. ECU), gefolgt von den Ausgabenanteilen für Getreide, Fleisch, Obst, Gemüse, Wein, Tabak, Öle und Zucker. Dieser Tatbestand spiegelt das Problem der Marktungleichgewichte, d. h. der strukturellen Angebotsüberschüsse bei den genannten landwirtschaftlichen Erzeugnissen, wider. – Die Abteilung *Ausrichtung* verwaltet Gemeinschaftsgelder, die für strukturpolitische Maßnahmen bestimmt sind. I. d. R. beteiligt sich die EWG an gemeinsamen Maßnahmen in zu fördernden Regionen der Mitgliedstaaten, z. B. bei der Betriebsmodernisierung. 1964–79 hat sich der EAGFL an der Mitfinanzierung von über 7500 Agrarstrukturvorhaben mit einem Beitrag von mehr als 2 Mrd. ECU beteiligt. Der Haushaltsplan 1985 sah für Strukturmaßnahmen Bindungs- und Zahlungsermächtigungen von 1,4 Mrd. ECU vor. Die Finanzierung der Abteilung Ausrichtung erfolgt im Rahmen einer Fünfjahreszuweisung (3,8 Mrd. ECU für 1980–84; im Rahmen der erweiterten EG 6,6 Mrd. ECU für 1985–89).

e) Grundlage der *Gemeinsamen Fischereipolitik* ist die vom EG-Ministerrat 1981 verabschiedete *Fischereimarktordnung,* die im Januar 1983 in Kraft trat. Aufgrund der Ausdehnung der nationalen Fischereizonen auf 200 Seemeilen hatte es langjähriger Verhandlungen bedurft, bevor die frühere Fischereimarktordnung den veränderten Gegebenheiten angepaßt und im Rahmen der EG wiederum eine globale gemeinsame Politik auf dem Gebiet der Fischerei formuliert werden konnte. Die wesentlichen Änderungen betreffen die Stützung des Binnenmarktes und den Handelsverkehr. Die Erzeugerorganisationen erhalten höhere Startbeihilfen, die auch Fischern außerhalb der Organisationen gewährt werden können. Der von der Gemeinschaft zu zahlende finanzielle Ausgleich richtet sich nach dem Umfang der Rücknahmen. Hinsichtlich des Handelsverkehrs wurde die Einfuhrregelung sowohl gestrafft als auch gelockert, um in flexibler Weise auf sich abzeichnende Marktstörungen des Binnenmarktes und einen erhöhten Einfuhrbedarf reagieren zu können. – *Gegenstand* der Marktordnung sind Regelungen zur Erhaltung und optimalen Nutzung der Fischbestände, die Festlegung der Orientierungs- und Interventionspreise für Fischereierzeugnisse und die Steuerung des Binnenmarktes, eine auf die marktgerechte Umstrukturierung der Küsten- und Seefischerei gerichtete Strukturpolitik und die Wahrnehmung bilateraler und multilateraler Beziehungen zur Aushandlung von Fischereiabkommen mit Drittländern (Norwegen, Kanada, Island, Senegal u. a. Länder) sowie internationale Übereinkommen z. B. über die Erhaltung der lebenden Meeresschätze, der Antarktis und zur Erhaltung der Lachsbestände des Atlantiks.

f) *Beurteilung der Gemeinsamen Agrarpolitik.* Die im EWG-Vertrag niedergelegten Zielsetzungen der GAP wurden durch die Anwendung der Instrumente der GAP im wesentlichen verwirklicht: Steigerung der Arbeitsproduktivität (jährlicher Anstieg ca. 8%), Erhöhung der landwirtschaftlichen Einkommen (jährliche Erhöhung ca. 2,8%), Gewährleistung der Versorgungssicherheit (Selbstversorgungssatz liegt für die meisten EWG-Erzeugnisse bei 100%), Stabilisierung der Verbraucherpreise (Niveau z. T. höher als auf dem Weltmarkt; Stabilität jedoch gewährleistet; weitgehende Selbstversorgung der EWG sichert weitgehende Unabhängigkeit von starken Schwankungen der Weltmarktpreise), Stabilität der Agrarmärkte (d. h. Schutz gegen Mangelsituationen, Vermeidung ständiger Überschüsse). Charakteristisch ist heute die Überschußsituation, z. B. für Milch, Butter, Wein, Getreide, Fleisch. Nach der Verwirklichung dieser Zielsetzungen sieht sich die GAP bis 2000 nunmehr neuen Problemen gegenübergestellt, die u. a. durch ein stetiges Anwachsen der Agrarüberschüsse und durch Ungleichgewichte bei den Preisen und Agrarteilmärkten gekennzeichnet sind. Hinzuweisen ist ferner auf die Problematik der EG-Agrarausfuhren, die nicht in ein Instrument des Absatzes von Agrarüberschüssen umfunktioniert werden dürfen. Hauptzielsetzung einer neuzuformulierenden GAP muß es sein, auf dem Hintergrund der Lösung der aufgezeigten Agrarproblematik ein konstruktives und langfristiges Konzept für die Erhaltung der Bevölkerungs- und Arbeitskräftestruktur in der Landwirtschaft der EG zu entwickeln. Eine Übernahme beispielsweise des Musters der Agrarstruktur in den USA (riesige Anbauflächen mit wenigen Farmern und Arbeitskräften) ist unter europäischen Voraussetzungen weder möglich noch wünschenswert. Ein solches Konzept hat die EG-Kommission 1985 in einem Dokument über die „Perspektiven für die Gemeinsame Agrarpolitik" (Grünbuch der EG) niedergelegt. Das vier Teile umfassende und mit einem statistischen Anhang ausgestattete Grünbuch der EG enthält u. a. eine Analyse der bisherigen Agrarpolitik und entwickelt mit Blick auf die Zwölfergemeinschaft Konzepte für die zukünftigen Agrarmärkte hinsichtlich der Neuausrichtung der Erzeugung, der Diversifizierung der Absatzmöglichkeiten, eines gleichgewichtigen Agraraußenhandels, der Agrarpreispolitik, der Einkommens- und Beschäftigungsentwicklung sowie der Integration von Landwirtschaft und Umwelt und der Integration des Agrarsektors in die Gesamtwirtschaft.

3. *Freizügigkeit:* Grundlage der Freizügigkeit im Rahmen der EG sind die „Vier Freiheiten", die im EWG-Vertrag niedergelegt sind. Die Freizügigkeit der *Personen* sowie des *Gemeinsamen Arbeitsmarktes* beinhaltet Art. 48, der die Freizügigkeit der Arbeitnehmer ausdrücklich vorsieht. Die Mobilität der Arbeitnehmer sowie die in den Art. 52ff. (Niederlassungsrecht) und 59ff. (freier Dienstleistungsverkehr) begründete Freizügigkeit der Selbständigen sind eine weitere wichtige „Freiheit" und Voraussetzung zum guten Funktionieren eines Gemeinsamen Marktes. Die völlige Freizügigkeit der Personen innerhalb der EWG gewährleistet allen Bürgern der Mitgliedstaaten das Recht, in jedem beliebigen Mitgliedsland ohne Diskriminierung gegenüber den heimischen Arbeitskräften oder Wirtschaftssubjekten eine Arbeit zu suchen, zu arbeiten oder eine Wirtschaftstätigkeit auszuüben.

a) Wenn diesem durch den EWG-Vertrag sowie eine Reihe von EG-Rechtsgrundlagen zur Angleichung der Rechtvorschriften der Mitgliedstaaten gesicherten Recht in der Praxis noch *Hemmnisse* entgegenstehen, ist festzustellen, daß die Freizügigkeit der Personen weitgehend realisiert werden konnte. Sie ist besonders Millionen von Arbeitnehmern zugute gekommen, denen sich die Möglichkeit eröffnete, in einem anderen Mitgliedstaat eine berufliche Tätigkeit aufzunehmen und ihren sozialen Status sowie ihre soziale Sicherheit zu verbessern. Der Abau folgender störender Hindernisse war deshalb Gegenstand von Gemeinschaftsmaßnahmen: das Recht auf Lohnerwerb, die Gleichheit der Arbeitsbedingungen, die Anerkennung der Diplome und Befähigkeitsnachweise und die soziale Sicherung der Arbeitnehmer.

b) Mit der *Erweiterung der EG* durch mehrere Mittelmeerländer ist ein neuer Abschnitt für die Freizügigkeit der Personen innerhalb der EWG eröffnet worden. In Anbetracht der Stagnation der Weltwirtschaft wird sich die Gemeinschaftspolitik auf folgende Aspekte konzentrieren: Fortführung der Harmonisierungspolitik in Bereichen, die noch nicht voll in die Freizügigkeit einbezogen sind (z.B. Bank- und Versicherungsgewerbe); neue notwendige Rechtsangleichungen (z.B. in bestimmten Bereichen des Zivilrechts); Bemühungen zur Schaffung einer europäischen Identität der Staatsangehörigen der Mitgliedstaaten (z.B. Einführung eines einheitlichen Reisepasses neben der bereits bestehenden Regelung für einen gemeinsamen Führerschein). In der gegenwärtigen durch hohe Arbeitslosigkeit gekennzeichneten Arbeitsmarktlage kann die Freizügigkeit ein wirksames Mittel sein, um die Beschäftigungssituation zu verbessern, andererseits ergeben sich jedoch aus dem Beitritt Griechenlands sowie Portugals und Spaniens und schließlich aus der für türkische Arbeitnehmer (für die Zukunft absehbar) zu praktizierenden Freizügigkeit im EWG-Raum erhebliche Probleme.

4. Im engen Zusammenhang mit der Freizügigkeit der Personen ist die *Freiheit des Niederlassungsrechts* zu sehen, niedergelegt in Art. 52 EWG-Vertrag, in Art. 59 EWG-Vertrag durch einen *freien Dienstleistungsverkehr* innerhalb der EWG ergänzt. Alle Staatsangehörigen innerhalb der EWG haben – wie der Europäische Gerichtshof 1974 feststellte – seit 1970 das unmittelbare Recht, sich als Selbständige in Industrie, Landwirtschaft und freien Berufen ohne Diskriminierung in allen EG-Staaten niederzulassen. Das gilt entsprechend auch für juristische Personen. Die Niederlassungsfreiheit darf auch durch verwaltungstechnische Einwände nicht behindert werden. Die EWG versucht durch eine Vielzahl von EG-Rechtsakten zu erreichen, daß die Anforderungen in den verschiedenen Berufen (Arzt, Apotheker u.a.) innerhalb der Gemeinschaft harmonisiert werden (gegenseitige Anerkennung der Diplome).

5. Die *Freizügigkeit des Kapitalverkehrs* ist die vierte wichtige „Freiheit", die das vollständige Funktionieren eines Gemeinsamen Marktes und das Erreichen der gleichen Leistungsfähigkeit des Produktionsfaktors Kapital voraussetzt. Der Grundsatz ist in Art. 67 EWG-Vertrag niedergelegt. Gegenüber der Freizügigkeit im Warenverkehr und der Personen sehen jedoch die Bestimmungen im EWG-Vertrag einen freien Kapitalverkehr in eingeschränktem Umfang vor, d.h. „soweit es für das Funktionieren des Gemeinsamen Marktes notwendig ist". Der freie Kapitalverkehr ist erforderlich, um die Gesamtleistungsfähigkeit des gemeinschaftlichen Produktionsapparates zu verbesser; er ist daher von einer globalen Konjunktur- und Wirtschaftspolitik nicht zu trennen.

a) *Grundlage* für die Regelung des gemeinschaftlichen Kapitalverkehrs ist die EG-Richtlinie vom Mai 1960, ergänzt durch eine EG-Richtlinie von 1962, die vier *Listen zur Liberalisierung des Kapitalverkehrs* enthält. Für die Listen A und B gilt eine Liberalisierung ohne Vorbehalt, für die Listen C und D eine Liberalisierung unter bestimmten Bedingungen: A: Direktinvestitionen, Kapitalverkehr mit persönlichem Charakter, Kapitalverkehr in Verbindung mit Handelsgeschäften; b: Transaktionen mit an Börsen gehandelten Wertpapieren; C: Emission von Wertpapieren an den Kapitalmärkte; D: kurzfristiger Kapitalverkehr zwischen Banken.

b) *Realisierung:* Die bedingte Liberalisierung wurde nur in einigen EG-Staaten – darunter die Bundesrep. D. – verwirklicht. Auch die unbeschränkte Liberalisierung wurde wegen der Zahlungsbilanzschwierigkeiten in einigen EWG-Mitgliedstaaten vorübergehend aufgehoben. Die Bemühungen der EWG, die sehr wichtigen verwaltungstechnischen Behinderungen des Kapitalverkehrs zu beseitigen, die jede formale „Liberalisierung" hinfällig machen können (z. B. Regeln über Börsenzulassung von Wertpapieren), führten bisher noch nicht zu konkreten Ergebnissen. Es fehlen somit die Voraussetzungen für einen echten gemeinsamen Kapitalmarkt in der EWG, der im übrigen erst dann entstehen kann, wenn auch die Steuern auf den Kapitalverkehr (z. B. einheitliche Quellensteuer auf Vermögenserträge) und auf lange Sicht auch die direkten Unternehmensteuern (insbes. Körperschaftsteuer) in den Partnerstaaten harmonisiert werden. Hervorzuheben ist jedoch, daß die Wirtschaftssubjekte ungeachtet der rechtlichen Hindernisse mit dem *Euro-Devisenmarkt* einen De-facto-Kapitalmarkt errichtet haben, der weit über die Grenzen der Europäischen Gemeinschaft hinausreicht.

6. Große Bedeutung kommt einer *Gemeinsamen Industriepolitik* zu, für die der EWG-Vertrag nur wenige konkrete Bestimmungen enthält.

a) Eine solche Politik wird lediglich für den Bereich der *Kohle und der Eisen- und Stahlindustrie* (Montanindustrie) durch den EGKS-Vertrag (→EGKS) in sehr detaillierter Weise und mit starken supranationalen Befugnissen begründet.

b) Ein wichtiger Bestandteil einer aktiven Industriepolitik mit dem Ziele einer Umstrukturierung des Produktionsapparates in der EWG ist eine *Gemeinsame Wettbewerbspolitik*, die darauf abzielt, Wettbewerbsverzerrungen, die aus staatlichen Eingriffen (Beihilfen) und Wettbewerbsabreden (Kartellen) herrühren, zu beseitigen.

(1) Die *Wettbewerbsregeln* in der EWG sind in den Art. 85 und 86 EWG-Vertrag enthalten. Art. 85 begründet das allgemeine Verbot von Vereinbarungen, Beschlüssen und aufeinander abgestellten Verhaltensweisen, wenn vier Voraussetzungen vorliegen: a) Vereinbarungen zwischen Unternehmen, b) die eine Verhinderung, Einschränkung oder Verfälschung des Wettbewerbs bezwecken oder bewirken, und zwar c) innerhalb des Gemeinsamen Marktes, d) die den Handel zwischen den Mitgliedstaaten zu beeinträchtigen beeignet sind. Die EG-Komission hat in der Praxis auf der Basis von EG-Rechtsgrundlagen Entscheidungsverfahren herausgebildet, die die Anmeldung aller Vereinbarungn erfordern und u. a. festlegen, daß sich die weniger als 5% des Marktes betreffenden Kartelle (mit einem Umsatz unter 15 Mill. ECU) unerheblich auswirken.

(2) Art. 86 EWG-Vertrag begründet eine *Gemeinsame Konzentrationspolitik* und verbietet die mißbräuchliche Ausnutzung einer beherrschenden Stellung auf dem Gemeinsamen Markt oder auf einem wesentlichen Teil desselben durch ein oder mehrere Unternehmen, beschränkt sich allerdings darauf, die mißbräuchliche Ausnutzung einer beherrschenden Stellung nachträglich zu ahnden. Die EG-Kommission behindert jedoch nicht die Verschmelzung von Unternehmen zu Firmen, die der Größe des Gemeinsamen Marktes Rechnung tragen.

(3) Grundlage für eine *Gemeinsame Politik zur Kontrolle der staatlichen Beihilfen* bildet Art. 92 EWG-Vertrag. Staatliche Beihilfen, die den Wettbewerb verfälschen, sind (von Ausnahmen abgesehen) mit dem Gemeinsamen Markt unvereinbar. Die Anwendung von Art. 92 EWG-Vertrag ist sehr flexibel und nuanciert. Die EG-Kommission hat stets zu berücksichtigen, daß sich die soziale Lage bestimmter Sektoren und Regionen nicht verschlechtern darf, und sie muß gleichzeitig verhindern, daß der Gemeinsame Markt durch die getroffenen nationalen Maßnahmen erneut aufgeteilt wird und daß wettbewerbsunfähige subventionierte Unternehmen zu Lasten der Gemeinschaftsindustrie bestehen bleiben. Die EWG hat erreicht, daß wettbewerbsverzerrende Beihilfen zugunsten bestimmter Wirtschaftszweige stark eingeschränkt wurden, obowhl auch hier die Stagnation der Weltwirtschaft zu Rückschlägen geführt hat (z. B. Werften). Dagegen ist es nur teilweise gelungen, die Beihilfen, die die EG-Staaten in bestimmten Regionen gewähren, z. B. für die Industrieansiedlung, in den Griff zu bekommen. Lediglich für die „zentralen", d. h. nicht strukturschwachen Gebiete gibt es gemeinsame Vorschriften für das zulässige Maß an Subventionierung. Große Schwierigkeiten bestehen auch bei der Beseitigung wettbewerbsbehindernder nationaler Beihilfen in der Landwirtschaft. Für den Bereich der Textilindustrie hat die EG-Kommission Grundsätze aufgestellt, denen die nationalen Beihilferegelungen entsprechen müssen (Strukturanpassungen müssen gefördert werden; Investitionsbeihilfen nur bei schwerwiegenden Beschäftigungsproblemen). Eine entsprechende Strategie wurde für den Schiffbau beschlossen.

7. Der Aufbau einer *Gemeinsamen Energiepolitik* bietet ein heterogenes Bild und ist für die meisten Energiequellen über Ansätze nicht hinausgekommen. Die Energiepoltik für den Energieträger *Kohle* stützt sich auf den EGKS-Vertrag. Ein umfassendes einheitliches energiepolitisches Programm konnte bisher jedoch noch nicht konzipiert werden. Die

bisher im Rahmen des EGKS-, EWG- und EURATOM-Vertrages getroffenen gemeinsamen energiepolitischen Maßnahmen umfassen eine Reihe von Einzelaktionen. Bei der Energieerzeugung ist ein gemeinsames System für Maßnahmen zugunsten des Steinkohlenbergbaus eingeführt und wiederholt verlängert worden. – Ferner werden Beihilfen für Gemeinschaftsprojekte zur Erforschung und Entwicklung neuer Verfahren durch Exploration und Gewinnung von Kohlenwasserstoffen gewährt. Beiträge werden durch Forschungsprojekte zur Grundlagenforschung für die nukleare Fusionsenergie und zur Erschließung neuer Energiequellen einschl. zur Energieeinsparung geleistet (ca. 8% der gesamten öffentlichen Ausgaben für Energieforschung in den EG sind in den letzten Jahren aus Gemeinschaftsmitteln finanziert worden). Schließlich gewährt die EG-Kommission seit 1979 Darlehen für die Einführung neuer energietechnischer Verfahren in der Industrie. Die Perspektiven einer gemeinsamen Energiepolitik werden sehr stark von folgenden Faktoren beeinflußt: Die sehr unterschiedliche nationale Energiesituation, wie sie in der Struktur der Energiebilanzen zum Ausdruck kommt, der enge Zusammenhang zwischen den Modalitäten der Energieversorgung und der Außenpolitik und der langwierige Entscheidungsprozeß auf Gemeinschaftsebene.

8. Ausgangsbasis einer *Gemeinsamen Forschungspolitik* bilden Art. 55 EGKS-Vertrag für Gemeinschaftsaktionen für den Bereich Kohle und Stahl sowie die Bestimmungen des EURATOM-Vertrages für den gesamten Komplex der Nuklearforschung. Die EURATOM-Forschungsaktivitäten sind in der Gemeinsamen Forschungsstelle (GFS) zusammengefaßt. Inzwischen entfallen nur noch 50% der Forschungsarbeiten auf den Sektor Kernenergie (Sicherheit, Kernmessungen). Im übrigen umfassen die Forschungsaktivitäten der GFS die Entwicklung neuer Energien, Umweltschutz, Betrieb von Großanlangen und sektorale Forschungsobjekte der Kommission. Im EWG-Vertrag werden (mit Ausnahme der Agrarforschung) keine Forschungs- und Entwicklungsprobleme geregelt. – Rechtliche Grundlage zur Lösung gemeinschaftlicher forschungspolitischer Aufgabenstellungen kann nur Art. 235 EG-Vertrag sein. Als erste Maßnahme einer gemeinsamen Forschungspolitik ist das vom EG-Ministerrat verabschiedete Aktionprogramm für Wissenschaftspolitik zu betrachten, das eine Koordinierung der nationalen Politiken vorsieht. Hinzuweisen ist ferner auf die vergleichenden Darstellungen der einzelstaatlichen öffentlichen Wissenschaftsprogramme im Rahmen des EWG-Ausschusses für wissenschaftliche und technische Forschung (CREST). Darüber hinaus ist die EG-Kommission bemüht, seit 1980 ein Programm zur Vorauschätzung und Bewertung auf dem Gebiet der Wissenschaft und Technologie auszuarbeiten. – Insgesamt wenden die EG-Mitgliedstaaten etwa 2% ihrer Forschungsmittel für Gemeinschaftsforschungsprojekte im Rahmen ihrer insgesamt 10% für die internationale Zusammenarbeit erbrachten Forschungsmittel auf. Als Grundlage für eine gemeinsame Forschungs- und Entwicklungsstrategie (FuE-Strategie) hat die Kommission ein erstes allgemeins Rahmenprogramm für die wissenschaftlichen und technischen Tätigkeiten einschl. der Aktivitäten zur Stimulierung des FuE-Potentials in der Gemeinschaft entwickelt: *Aktionsplan für 1984–87*, der im einzelnen folgende Forschungsprogramme umfaßt: Stimulierung von Zusammenarbeit und Austausch im wissenschaftlichen und technischen Bereich (1985–88); Grundlagenforschung auf dem Gebiet der industriellen Technologie-Brite (1985–88); Biotechnologie (1985–89); kontrollierte thermonukleare Fusion (1985–89); nichtnukleare Energie (1985–88); Bewirtschaftung und Lagerung radioaktiver Abfälle (1985–89); Strahlenschutz (1985–89); vorbereitende Aktion für ein FuE-Programm auf dem Gebiet der Telekommunikationstechnologien-Race (1985–86); Forschungsprogramm über die Sicherheit von Kernreaktoren (1984–87). Zur Durchführung dieser Programme wurden Gemeinschaftsmittel in Höhe von 1,2 Mrd. ECU bereitgestellt.

9.Für eine *Gemeinsame Verkehrspolitik* sind in Titel IV des EWG-Vertrages (Art. 74–84) präzise Bestimmungen enthalten. Vorgesehen sind a) eine Harmonisierung der Kosten für Verkehrsleistungen zwecks Ausschaltung von wettbewerbsverzerrenden Auswirkungen für die Wirtschaft, b) die Beseitigung von Wettbewerbsverzerrungen zwischen den Verkehrsträgern, c) der Abbau von Hemmnissen für den grenzüberschreitenden Verkehr, d) eine Verbesserung der Verkehrsleistungen zwischen den Mitgliedstaaten sowie im Bereich der Verkehrsinfrastrukturen der einzelnen Verkehrträger. Grundlage für die Aktivitäten der EWG in diesem Bereich ist das *verkehrspolitische Aktionsprogramm* der EWG *für den Zeitraum 1979–80*, das durch ein Prioritätsprogramm für die Jahre 1981 bis Ende 1983 fortgeschrieben worden ist. Die genannten Programme umfassen nicht nur den Binnenverkehr (Schiene, Straßen, Binnenschiffahrt), sondern auch den See- und Luftverkehr. – Die Liste der *prioritären Vorhaben* umfaßt: a) Verbesserung der Situation der Eisenbahn, b) weitere Harmonisierung der Wettbewerbsbedingungen, c) Maßnahmen auf dem Gebiet der Verkehrsinfrastruktur, d) Entwicklung des kombinierten Verkehrs, e) Erleichterung der Grenzabfertigung und Verbesserung des Funktionierens des Verkehrsmarktes, f) Verbesserung von Effizienz und Sicherheit des Verkehrs, g) sozialer Fortschritt im Verkehrswesen, h) Fortführung der Arbeiten des See- und Luftverkehrs. – Wichtige *Instrumente* der gemeinsamen Verkehrspolitik sind u.a. ein Gemeinschaftssystem für die Preisbildung im Güterkraftverkehr, ein Gemeinschaftskontingent für den Straßengüterverkehr zwischen den Mitgliedstaaten, die Einführung eines EG-Führerscheins und die Anwendung der EWG-Verordnung über die Harmonisierung bestimmter Sozialvorschriften im Straßenverkehr und die Erprobung und der Aufbau eines Marktbeobachtungssystems im Binnengüterverkehr. Für den Bereich des Seeverkehrs wird ein Informationssystem über die Tätigkeiten der Reedereien in den Fracht-Liniendiensten entwickelt. Auf dem Gebiet des Luftverkehrs bereitet die Kommission Entwürfe für EG-Rechtsgrundlagen über die Tarife im Linienpassagierverkehr zwischen den Mitgliedstaaten, über die Beförderung von Eilluftfracht, über die Anwendung von Wettbewerbsregeln auf den Luftverkehr und über den interregionalen Luftverkehr vor. – Vgl. auch →europäische Verkehrspolitik.

10. Zu ihren vorrangigen Aufgaben zählt die EG-Kommission den Aufbau einer *Gemeinsamen Regionalpolitik*, durch die die bestehenden regionalen Unterschiede innerhalb eines Mitgliedslandes und im Verhältnis zwischen den Mitgliedstaaten abgebaut werden sollen.

a) Da im EWG-Vertrag keine spezifischen Zielsetzungen für eine solche Politik niedergelegt sind, hat der Ministerrat Leitlinien und Prioritäten für die Regionalpoltik festgelegt und auf der Basis einer EWG-Verordnung 1975 einen *Europäischen Fonds für regionale Entwicklung* (EFRE) eingesetzt. Die Aufgabe dieses Fonds bestand in den ersten Jahren darin, die Beihilfen der Mitgliedstaaten für die von diesen auf nationaler Ebene bereits festgelegten Fördergebiete zu erhöhen. Zu diesen Fördergebieten gehören insbes. Süditalien, der Westen und Südwesten Frankreichs, ganz Irland, der Westen Englands und Schottland sowie einige Gebietsteile der Bundesrep. D., der Beneluxländer und Dänemarks. Von 1975 bis 1982 wurden die höchsten Zuschüsse Italien, Großbritannien und Frankreich gewährt, die auch die höchsten der für alle EG-Mitgliedstaaten festgelegten Förderquoten haben. Insgesamt sind in diesem Zeitraum aus dem EFRE Zuschüsse in Höhe von 7,1 Mrd. ECU zur Förderung von rd. 17800 Investitionsvorhaben gezahlt worden. Die finanzielle Ausstattung des Regionalsfonds ist 1982 auf 1,8 Mrd. ECU festgesetzt worden. Der EFRE unterstützt Investitionsvorhaben in Industrie- und Dienstleistungsbetrieben, die der Schaffung neuer oder der Erhaltung bestehender Arbeitsplätze dienen, sowie Infrastrukturinvestitionen, die in unmittelbarem Zusammenhang mit dem Ausbau von industriellen Tätigkeiten stehen oder die Agrargebiete mit besonderen Schwierigkeiten fördern. 1979 ist durch Ergänzung der rechtlichen Grundlage des Fonds die Effizienz der Tätigkeit des Fonds in der Weise erhöht worden, daß auch Regionen gefördert werden können, die nicht von den Mitgliedstaaten als Fördergebiete ausgewiesen worden sind (quotenfreie Förderungsmaßnahmen).

b) Wichtigstes Ziel der gemeinschaftlichen Regionalpolitik ist die enge Koordinierung der nationalen Regionalpolitiken, da eine effiziente und rationelle Planung der förderungswürdigen Investitionen nur im Rahmen der gesamten EG erfolgen kann. Die Zielsetzungen sind in den *neuen Leitlinien und Prioritäten für die Regionalpolitik* der EG-Kommission niedergelegt worden, die folgende sieben Prioritäten herausstellen: Schaffung produktiver Arbeitsplätze, Steigerung der Produktivität in den schwachen Regionen, Mobilisierung des endogenen Entwicklungspotentials der Regionen, konzentrierter Einsatz der Mittel auf die Regionen mit schwerwiegenden Strukturproblemen und Aufstockung der quotenfreien Mittel, verstärkte Koordinierung der EFRE-Maßnahmen mit anderen Finanzierungsinstrumenten der EG oder der Mitgliedstaaten, verbesserte Koordinierung von Regionalpolitik und anderen Gemeinschaftspolitiken, intensivierte Koordinierung der nationalen und gemeinschaftlichen Regionalpolitiken. Zwecks Verwirklichung dieser Prioritäten hat die EG-Kommission dem Ministerrat eine erneute Revision der EWG-Verordnung für den EFRE vorgeschlagen, die insbes. darauf abzielt, Regeln für die Koordinierung der Regionalpolitiken aufzustellen, einen Maßnahmenkatalog zugunsten von Regionen mit schwerwiegenden Strukturproblemen festzulegen und spezielle Maßnahmen zugunsten von Regionen vorzusehen, die in neuerer Zeit ernste Wirtschaftsprobleme aufweisen.

c) Wirtschaftliche und soziale Förderungsmaßnahmen für Regionen erfolgen ferner *im Rahmen des EGKS-Vertrages* durch Gewährung von *Umstellungsdarlehen* in der Stahlindustrie zur Schaffung von Arbeitsplätzen aufgrund Art. 51 EGKS-Vertrag. Das Förderungsvolumen der Umstellungsdarlehen belief sich im Zeitraum 1961–1982 auf ca. 1,9 Mrd. ECU.

11. Die Aktionen im Rahmen der EWG zur *Harmonisierung der Steuern* umfassen Maßnahmen zur Vereinheitlichung der indirekten Steuern, der Verbrauchsteuern, der Steuerbefreiungen im Reiseverkehr, der direkten Steuern sowie der Verfahren gegen Steuerhinterziehung.

a) Um zu vermeiden, daß in einem EG-Staat einheimische Waren steuerlich besser behandelt werden als Importe aus den anderen EG-Ländern, wurde in allen Mitgliedsländern die *Mehrwertsteuer* eingeführt. Sie weist klar aus, welche Umsatzsteuerlast auf jeder einzelnen

Ware liegt und erlaubt einen genauen Steuerausgleich an den Grenzen. Gezahlte Steuern werden vom Exportland zurückvergütet, das Importland erhebt die gleiche Steuer, die einheimische Waren zu tragen haben. Die wichtigsten Grundsätze des auf sechs Richtlinien beruhenden EG-Mehrwertsteuersystems sind: Vorsteuer- (nicht Vorumsatz-)abzug, Sofortabzug für Investitionen, möglichst wenig Steuerbefreiungen für einzelne Waren- oder Personengruppen (wobei die Staaten jedoch noch viel Bewegungsfreiheit haben). Waren- und Dienstleistungen werden gleichermaßen besteuert. Bankleistungen sind steuerfrei. Bemühungen um eine weitergehende Harmonisierung der Mehrwertsteuer (z.B. einheitliche Behandlung von landwirtschaftlichen Umsätzen) sind bisher nicht erfolgreich gewesen. – Um die Steuergrenzen (d.h. die Notwendigkeit zu dem geschilderten Steuerausgleich an den Grenzen) innerhalb der EWG ganz abzuschaffen, wird langfristig angestrebt, auch die sehr unterschiedlichen *Steuersätze* bei der Mehrwertsteuer und bei den wichtigsten Verbrauchsteuern (Mineralöl-, Tabak-, Alkohol- und Kaffeesteuer) zu vereinheitlichen.

b) Die im Rahmen der EWG bestehende *zweite Stufe zur Hamonisierung* der Verbrauchsteuern auf Tabakwaren ist erneut verlängert worden. Durch eine Richtlinie für eine dritte Stufe zur Harmonisierung der Verbrauchsteuern auf Zigaretten erfolgte seit 1984 eine weitere Vereinheitlichung dieser Verbrauchsteuer, die auf der Basis eines gemischten Besteuerungssystems beruht, das einen angemessenen Kompromiß zwischen den verschiedenen Steuersystemen der Mitgliedstaaten darstellt. – Vorbereitet wird ferner eine Regelung zur Harmonisierung der Verbrauchsteuern auf Alkohol auf der Grundlage eines einheitlichen spezifischen Satzes entsprechend dem Volumen an reinem Alkohol, der Verbrauchsteuern auf Bier auf der Grundlage der Besteuerung des Enderzeugnisses sowie der Verbrauchsteuern auf die Zwischenerzeugnisse unter Anwendung eines verringerten Satzes. Grundlage für Steuerbefreiungen im Reiseverkehr ist die achte EG-Richtlinie von 1985 zur Erhöhung der Steuerfreibeträge im grenzüberschreitenden Reiseverkehr, die die bisherigen Freibeträge erhöht.

c) Im Bereich der *direkten Steuern* werden Regeln zur Harmonisierung der Vorschriften für die Ermittlung des steuerpflichtigen Gewinns der Unternehmen, ferner EG-Richtlinien zur Vermeidung der Doppelbesteuerung bei Gewinnberichtigungen zwischen verbundenen Unternehmen und zur Harmonisierung von Regelungen im Bereich der Einkommensteuer im Hinblick auf die Freizügigkeit der Arbeitnehmer in den EG vorbereitet.

d) Der *Bekämpfung der Steuerhinterziehung* dienen die EG-Richtlinien von 1977 und 1979 über die gegenseitige Amtshilfe zwischen den Steuerverwaltungen der Mitgliedstaaten, der sich die nordischen Staaten anschließen sollen.

12. Als Eckpfeiler der Gemeinschaftspolitik ist die *Gemeinsame Sozialpolitik* zu betrachten, die wie in der Präambel zum EWG-Vertrag niedergelegt, dem Zweck dient, „die stetige Besserung der Lebens- und Beschäftigungsbedingungen ihrer Völker als wesentliches Ziel anzustreben".

a) Die *sozialpolitischen Zielsetzungen* sind im einzelnen in Titel III des EWG-Vertrages formuliert. Art. 118 EWG-Vertrag zählt die Gebiete auf, auf denen eine Zusammenarbeit insbes. zu verwirklichen ist: Beschäftigung, Arbeitsrecht und Arbeitsbedingungen, berufliche Ausbildung und Fortbildung sowie Sicherheit, Verhütung von Berufsunfällen und Berufskrankheiten, Gesundheitsschutz bei der Arbeit, Koalitionsrecht und Kollektivverhandlungen zwischen Arbeitgebern und Arbeitnehmern. Art. 119 EWG-Vertrag beinhaltet den Grundsatz des gleichen Entgelts für Männer und Frauen ohne Diskriminierung aufgrund des Geschlechts. Da die sozialpolitischen Zielsetzungen als auch die Mittel einer gemeinsamen Sozialpolitik im EWG-Vertrag weitgehend sehr allgemein formuliert worden sind, konnte in den vergangenen zwei Jahrzehnten nur eine schrittweise Entwicklung dieser Politik erfolgen. Hervorzuheben ist, daß sozial- und regionalpolitische Zielsetzungen der EWG weitgehend den gleichen Zweck verfolgen und daß diese Politiken daher in engem Zusammenhang zu sehen sind (siehe auch unter 10.).

b) Zwecks Harmonisierung der Arbeitsbedingungen und zur Hebung des Beschäftigungsniveaus errichtete der Ministerrat und die Kommission einen *Europäischen Sozialfonds*, der die Aufgabe hat, innerhalb der Gemeinschaft die berufliche Verwendbarkeit und die örtliche und berufliche Freizügigkeit zu fördern (Art. 123 EWG-Vertrag, siehe auch 3.). Das jährliche Budget des Fonds beläuft sich auf ca. 1,6 Mrd. ECU. 1985 wurden vom Fonds Verpflichtungsermächtigungen in Höhe von 2,3 Mrd. ECU erteilt. Das Gesamtvolumen der zuschußfähigen Anträge erreichte 1985: 4,6 Mrd. ECU und überschritt das Budget des Sozialfonds um ca. 99%. Eine Aufgliederung der genehmigten Zuschüsse nach Mitgliedstaaten weist Italien als größtes Nehmerland aus, gefolgt von Großbritannien, Frankreich, Irland und Griechenland. Der größte Teil der Beihilfen des Fonds wurde 1985 für Maßnahmen zur Verbesserung der Beschäftigungslage in bestimmten Gebieten eingesetzt, ferner für Berufsausbildungsmaßnahmen und Beschäftigung für Jugendliche sowie Maßnahmen zugunsten Behinderter.

c) Weitere Förderungsmittel in Höhe von 215 Mill. ECU für die berufliche Anpassung von

Arbeitnehmern konnten 1985 im Rahmen des EGKS-Vertrages als *herkömmliche Beihilfen* eingesetzt werden, die zum größten Teil Großbritannien zuflossen, ferner der Bundesrep. D., Belgien und Frankreich. Ergänzend zu den herkömmlichen Beihilfen tritt eine *Zusatzfinanzierung* im Rahmen der sozialen Maßnahmen für die Eisen- und Stahlindustrie durch Sonderbeihilfen 1981–84 in Höhe von 162 Mill. ECU, die sich auf die Länder Frankreich, Großbritannien, Belgien, Italien, Bundesrep. D., Niederlande und Luxemburg verteilen.

d) Entscheidend ausgebaut wurde ferner die soziale Sicherheit der *Wanderarbeitnehmer* auf der Basis von Verordnungen des Ministerrates, deren Anteil an der Zahl der abhängig Beschäftigten in der EWG sich auf ca. 7% beläuft (aus EG-Ländern stammend: ca 2%). Nach Schätzung der EG-Kommission kamen die gemeinschaftlichen Schutzmaßnahmen 1982 ca. 1,8 Mill. Wanderarbeitnehmern zugute. Inzwischen sind die sozialfördernden Bestimmungen für Wanderarbeitnehmer auf Selbständige und deren Familien ausgedehnt worden.

e) Auf dem Gebiet des Arbeitsentgelts hatte die EG-Kommission zur Überwachung der Anwendung der Richtlinie des Rates von 1976 zur Verwirklichung des Grundsatzes der *Gleichbehandlung von Männern und Frauen* beim zugang zur Beschäftigung, zur Berufsbildung und zum beruflichen Aufstieg sowie bei den Arbeitsbedingungen ein Aktionsprogramm 1982–85 beschlossen. Die Bedeutung läßt sich aus dem wachsenden Anteil der weiblichen Arbeitnehmer an der Gesamtzahl der abhängig Beschäftigten in der EWG ableiten. Das Kontrollverfahren der EG-Kommission hat zur Einleitung von Verstoßverfahren nach Art. 169 EWG-Vertrag gegen alle Mitgliedstaaten (Ausnahme Griechenland) geführt. Das Aktionsprogramm 1982–85 wurde durch ein neues mittelfristiges Programm zur Förderung der Chancengleichheit der Frauen für 1986–90 ergänzt, das eine umfassende und vielseitige Gemeinschaftspolitik für eine optimale Umsetzung der geltenden Vorschriften in der Praxis zum Ziel hat.

f) *Weitere sozialpolitische Maßnahmen* der EG: Aufstellung von Leitlinien für die Verbesserung der Arbeitsumwelt und Errichtung einer Europäischen Stiftung zur Verbesserung der Lebens- und Arbeitsbedingungen (Sitz: Dublin), die Programme der EG-Kommission zum Bau von EGKS-Sozialwohnungen, Erlaß von EG-Richtlinien zur Angleichung der Rechtsvorschriften über Massenentlassungen sowie über bestimmte Aspekte der Sicherheit und des Strahlenschutzes (EURATOM-Vertrag), Aktionsprogramm für Sicherheit und Gesundheitsschutz am Arbeitsplatz (ein weiteres Programm für 1983–88 wurde aufgestellt und EG-Richtlinien über die Gefahren schwerer Unfälle bei bestimmten Industrietätigkeiten, z. B. Arbeiten mit metallischem Blei und Asbest. Zu nennen sind ferner das EG-Programm über gezielte Maßnahmen zur Bekämpfung der Armut, das mit dem Aktionsforschungsvorhaben angelaufen ist, sowie das Aktionsprogramm zur Eingliederung der Behinderten in die Gesellschaft. Auf dem Gebiet des umfassenden Sozialschutzes (Renten-, Arbeitslosen-, Krankenversicherung, Familienzulagen usw.) erschien eine Hamonisierung auf EG-Ebene bisher nicht erforderlich, da der Gesamtbetrag der Sozialausgaben der Mitgliedstaaten in Prozent des Bruttoinlandsprodukts von Land zu Land nur wenig differiert. Mit Blick auf Griechenland und die neuen Mitgliedsländer Protugal und Spanien könnten künftig harmonisierende Maßnahmen der EG hinsichtlich der Sozialschutzsysteme erforderlich sein.

13. Wichtiger Bestandteil der Außenbeziehungen der EG ist die *Gemeinsame Entwicklungspolitik*, die eine systematische Förderung der wirtschaftlichen, menschlichen und kulturellen Ressourcen in den Entwicklungsländern, die Errichtung eines neuen Systems internationaler Wirtschaftsbeziehungen auf dem Grundsatz der Gleichberechtigung im Rahmen des Nord-/Süddialogs sowie eine dauerhafte Festigung der Beziehungen zwischen Europa und seinen Partnerländern zum Ziel hat. Die Entwicklungspolitik der EG stützt sich auf vier Instrumente:

a) *Abkommen von Lomé* mit den den EG assoziierten Entwicklungsländern Afrika, der Karibik und im Pazifik (AKP-EWG-Abkommen). Dem ersten AKP-Abkommen von Jaunde 1963 folge das I. Lomé-Abkommen, das 1980 von dem II. Lomé-Abkommen und seit 1.3.1985 von dem III. AKP-EWG-Abkommen abgelöst wurde, das ebenfalls in Lomé unterzeichnet wurde. Es beruht auf einer institutionellen Basis mit einem paritätisch besetzten Ministerrat AKP-EWG und einer paritätisch besetzten Beratenden Versammlung und gewährt den 65 AKP-Staaten eine großzügige handelspolitische, industrielle, landwirtschaftliche sowie finanzielle und technische Zusammenarbeit. Gefördert werden ferner die regionale Entwicklung in den drei spezielle Gruppen bildenden besonders förderungsbedürftigen AKP-Staaten (Gruppe 1: 43 am wenigsten entwickelte AKP-Staaten; Gruppe 2: 14 AKP-Binnenstaaten; Gruppe 3: 24 AKP-Inselstaaten). Das Abkommen hat eine Laufzeit von fünf Jahren bis Februar 1990. – Das *Finanzierungsvolumen* des III. AKP-EWG-Abkommens, dessen Mittel von der EG-Kommission und der Europäischen Investitionsbank verwaltet werden, umfaßt 8,5 Mrd. ECU und verteilt sich auf folgende Sektoren: Investitionsvorhaben, Programme sektorieller Art für jeden AKP-Staat,

Reaktivierung von Vorhaben und Programmen, Programme für technische Zusammenarbeit, Unterstützung der Eigeninitiative der kleinen Gemeinden. Fortgeführt wird ferner die im II. Lomé-Abkommen vorgesehene Hilfe in Form von Transfers zur Stabilisierung der Ausfuhrerlöse (Stabex), für die eine Gesamthilfe von ca. 1 Mrd. ECU bereitgestellt werden kann (weitere Einzelheiten siehe 1. b). – Parallel zum AKP-EWG-Abkommen haben die EG ein *Abkommen über die Assoziation der überseeischen Länder und Gebiete* (ÜLG) abgeschlossen, das diesem vergleichbar ist. – Finanzierungsinstrument für das AKP-EWG- sowie das ÜLG-Abkommen ist der *Europäische Entwicklungsfonds* (EEF), der von den EG-Mitgliedstaaten unterhalten wird und Bestandteil des Gemeinschaftshaushalts ist.

b) *Assoziations- und Kooperationsabkommen* mit einer Reihe von *Mittelmeerländern* mit dem Ziel des Aufbaus einer globalen Mittelmeerpolitik (Einzelheiten siehe oben 1. b).

c)Das allgemeine System der *Handelspräferenzen für Entwicklungsländer,* der Abschluß von Warenabkommen und die Nahrungsmittelhilfe der EG im Rahmen der gemeinsamen Politiken (siehe insbes. oben 1.).

d) Das System der einseitig von den EG gewährten *Hilfen:* Diese umfassen Soforthilfen in Katastrophenfällen, Beteiligung an der Finanzierung von Vorhaben nichtamtlicher Organisationen, Beiträge zur finanziellen und technischen Hilfeleistung an nichtassoziierte Entwicklungsländer, insbes. für die ärmsten Länder Lateinamerikas und Asiens.

e) Als *Ziel der achtziger Jahre* strebt die EG-Kommission an, daß die EG 1‰ (gegenüber derzeitig 0,5‰ des Bruttosozialprodukts) des Bruttoinlandsprodukts der Gemeinschaft für die gemeinschaftliche Entwicklungshilfe bereitstellen, wobei dieses Ziel in den nächsten zehn Jahren in Etappen erreicht werden soll. Das *Konzept* der gemeinschaftlichen Entwicklungspolitik der kommenden Dekade beruht (1) auf dem Hinwirken auf eine autonome und auf Dauer angelegte Entwicklung der Nehmerländer, (2) der besonderen Förderung der internationalen wirtschaftlichen Zusammenarbeit auf der Ebene der direkten Beziehungen zu den Entwicklungsländern und auf der Nord-/Südebene.

14. Zu den vorrangigen Gemeinschaftspolitiken gehört die *Umweltpolitik*. Grundlage der Aktivitäten im Rahmen der EG ist das 3. Aktionsprogramm für Maßnahmen zum Schutz der Umwelt von 1983, das die vielfältigen umweltrelevanten Vorhaben der EG in einen gemeinschaftspolitischen Gesamtrahmen einbezieht. Prioritäre Gebiete sind Verhütung und Verringerung von Umweltbelastungen (bleifreies Benzin und Schadstoffemissionen von Kraftfahrzeugen, Gewässerschutz, Bekämpfung der Luftverschmutzung, Lärmbekämpfung, Umweltchemikalien), Schutz und Verwertung der Ressourcen (Abfallwirtschaft, Erhaltung der natürlichen Umwelt), Aktionen allgemeiner Art (Umweltverträglichkeitsprüfungen für ausgewählte öffentliche und private Vorhaben, Finanzhilfen für Demonstrationsvorhaben auf dem Gebiet der sauberen Technologien, Pilotarbeiten zur Bereitstellung eines gemeinschaftlichen Systems der Umweltindikatoren), internationale Zusammenarbeit. Die EG haben 1987 zum Europäischen Jahr des Umweltschutzes proklamiert.

15. *Weitere Bereiche Gemeinsamer Politiken* sind die Entwicklung einer gemeinsamen Bildungs-, Gesundheits-, Verbraucher- und Kulturpolitik. Zu erwähnen sind ferner die Bestrebungen zur Entwicklung einer gemeinsamen Rechtspolitik auf den Gebieten des Zivil-, Handels-, Wirtschafts- und Strafrechts.

II. Wirtschafts- und Währungsunion (WWU): Zukunftsweisende Zielsetzung der EG ist die stufenweise Verwirklichung der WWU, niedergelegt im *Werner-Bericht* (benannt nach dem luxemburgischen Ministerpräsidenten Pierre Werner). Danach soll eine Entwicklung in drei Stufen zu einer Wirtschaftsunion führen, in der die wichtigsten wirtschaftspolitischen Entscheidungen gemeinsam und verbindlich für alle Mitglieder getroffen werden; insbes. sollen auch die Eckdaten der öffentlichen Haushalte (Wachstum der Budgets, Größe und Finanzierung der Defizite) gemeinschaftlich festgelegt werden. Die Währungen der EG-Staaten sollen zu festen und unveränderlichen Kursen gegeneinander tauschbar sein. Die Einführung eines einheitlichen europäischn Geldes wäre dann nur noch ein wirtschaftlich unbedeutender Schritt. Ein europäisches Zentralbanksystem soll währungs- und kreditpolitische Fragen entscheiden. Diese Zielsetzung der makroökonomischen Steuerung einer Wirtschaftsgemeinschaft auf der Basis einer gemeinsamen Konjunkturpolitik, mittelfristigen Wirtschaftspolitik und Währungspolitik konnte bisher *nur teilweise verwirklicht* werden.

1. Grundlage für die Entwicklung einer *Gemeinsamen koordinierten Wirtschaftspolitik* ist eine Entscheidung des Rates von 1974 zur Erreichung eines hohen Grades an Konvergenz der Wirtschaftspolitiken der Mitgliedstaaten der EWG. Als Ergebnis erläßt der Ministerrat regelmäßig konjunktur- und wirtschaftspolitische Leitlinien, die im Jahreswirtschaftsbericht der Gemeinschaft niedergelegt sind, und verabschiedet Programme für die mittelfristige Wirtschaftspolitik. Das *Fünfte Programm* umfaßte den Zeitraum 1981–1985 und war auf die grundlegenden Ziele: Eindämmung der Inflation und Strukturanpassung, ausgerichtet. Die wirtschafts- und währungs-

politischen Zielsetzungen für den Zeitraum 1985–1989 sind in dem Arbeitsprogramm der EG-Kommission für 1985 niedergelegt. Zu den prioritären Zielen gehören die Vollendung des EG-Binnenmarktes bis 1992. Zur Realisierung dieser außerordentlich wichtigen Zukunftsaufgabe der Gemeinschaften hat die EG-Kommission in ihrem Dokument über die Vollendung des Binnenmarktes von 1985 (EG-Weißbuch) einen Maßnahmenkatalog aufgestellt. Die Schaffung eines einzigen großen Marktes ohne zollrechtliche Schranken und Binnengrenzen ist als Meilenstein der Gemeinschaftspolitik und als Basis einer echten Wirtschafts- und Währungsunion zu betrachten. Weitere wichtige Zielsetzungen sind die Formulierung einer gesamtwirtschaftlichen Politik u.a. im Hinblick auf die Förderung des Wirtschaftswachstums und der Beschäftigung, ferner im Hinblick auf die Gestaltung des europäischen Sozialraums und auf die stärkere Ausformung einer gemeinsamen Außenpolitik. Die Grundlage für eine harmonisierte Außenpolitik und damit die Schaffung einer →Europäischen Union bildet die →Einheitliche Europäische Akte, die von den EG-Staaten 1986 unterzeichnet worden ist und den Parlamenten der Mitgliedstaaten zur Ratifikation vorliegt. Nach Inkrafttreten dieser Akte, d.h. nach Hinterlegung der letzten Ratifikationsurkunde, wird die bisherige inoffizielle →EPZ Bestandteil der EG-Verträge.

2. Die Bemühungen zur Entwicklung einer *Gemeinsamen Währungspolitik* haben zur Schaffung des *Europäischen Währungssystems* (→EWS) geführt, das umfangreiche Interventionsmöglichkeiten ermöglicht und eine weitgehende währungspolitische Zusammenarbeit der Mitgliedstaaten sicherstellt. Das EWS ist aus dem früheren europäischen Währungsverbund (Währungsschlange) hervorgegangen und erfüllt seine Funktion in enger Abstimmung mit dem internationalen Währungssystem des →IMF.

Arthur Borkmann

ewige Anleihe, →Anleihe, deren Rückzahlungstermin weit hinausgeschoben, nicht vorausbestimmt oder unbekannt ist (z.B. bei Pfandbriefen). Der Schuldner behält sich dabei i.d.R. das Recht zur →Tilgung vor.

EWIV, Europäische Wirtschaftliche Interessenvereinigung, →internationale Unternehmensverfassung II.

EWS, Europäisches Währungssystem. I. Wesen, Ziele: Währungspolitischer Zusammenschluß innerhalb der EWG (vgl. auch →EWG II), in Kraft seit 13.3.1979, angeschlossen alle EWG-Länder auch Großbritannien, Portugal und Spanien. Griechenland ist seit 1.7.1985 Mitglied, es nimmt jedoch noch nicht an dem Wechselkursmechanismus teil. Das EWS übernahm alle Elemente der früheren währungspolitischen Zusammenarbeit (Währungsschlange): stabile Wechselkurse, Währungsbeistand; baut sie jedoch erheblich aus. Es entspringt der Erkenntnis, daß ohne währungspolitische Stabilität auch der Gemeinsame Markt gefährdet bleibt. *Ziel* ist es, eine „Zone währungspolitischer Stabilität" in Europa zu erreichen, in der über stabile Wechselkurse hinaus auch allgemeine Geldwertstabilität angestrebt wird. Großbritannien ist an dem System zunächst nur formal beteiligt. Es kann allerdings auch den stark erweiterten Währungsbeistand in Anspruch nehmen. Ferner ist Zielsetzung, das EWS weiter auszubauen und einen *Europäischen Währungsfonds* einzurichten, dem die Mitgliedstaaten einen Teil ihrer Devisen- und Goldreserven (voraussichtlich 20%) fest übertragen sollen. Die Funktion einer Währungsausgleichszentrale im Rahmen des EWS erfüllt zunächst noch der *Europäische Fonds für währungspolitische Zusammenarbeit (EFWZ),* der von den EG-Mitgliedstaaten 1973 im Rahmen der Europäischen Währungsschlange geschaffen wurde.

II. Elemente: Das EWS besteht aus folgenden Elementen: 1. Zwischen den europäischen Währungen gibt es ein *System fester Leitkurse,* wobei der Wert jeder Währung in einer Europäischen Währungseinheit (→ECU; vgl. unten 3.) festgelegt ist. Zwischen den beteiligten Währungen werden „Bandbreiten" von ± 2,25% vereinbart, innerhalb derer die Kurse schwanken dürfen. Diese Bandbreiten lassen Kursschwankungen von bis zu 4,5% zu. In Ausnahmefällen können Länder, die der Europäischen Währungsschlange nicht angehören, eine Bandbreite von ± 6% beanspruchen, wovon Italien Gebrauch macht. Nach Mitteilung der Bundesbank (in dem vierteljährlichen Beiheft zum Monatsbericht „Die Währungen der Welt", August 1986) galten am 15.8.1986 folgende bilaterale Leitkurse in DM innerhalb des EWS:

	Errechneter DM-Leitkurs
100 Belgische/Luxemburgische Francs	4,89590
100 Dänische Kronen	27,0028
100 Französische Francs	30,7109
1 Irländisches Pfund	2,75934
1000 Italienische Lire	1,42917
100 Niederländische Gulden	88,7526
nachrichtlich:	
100 Griechische Drachmen	1,54020
1 Britisches Pfund Sterling	3,10756

Sobald zwei Währungen die „Bandbreite" ausgeschöpft haben, müssen die beteiligten Notenbanken durch Käufe und Verkäufe der beteiligten Währungen die Kurse stützen. Die Notenbank, deren Währung unter Abwertungsdruck gerät, kann, wenn sie knapp an eigenen Devisenreserven ist, für solche Operationen unbegrenzten, „sehr kurzfristigen"

Währungskredit (Fazilitäten) beanspruchen. 45 Tage nach Ende des Monats, in dem die Kurse gestützt werden, müssen die „Salden" aus solchen Investitionen jedoch wieder ausgeglichen werden, d. h. das Land, dessen Währung gestützt werden mußte, muß den sehr kurzfristigen Währungskredit zurückzahlen. Es muß aber auch die eigene Währung, die andere Notenbanken zur Kursstützung aufkauften, zurückkaufen. Der Saldenausgleich wird in ECU abgewickelt, die den Partnerstaaten gegen Hinterlegung von 20% ihrer Gold- und Devisenreserven (insgesamt rund 25 Mrd. ECU = 62 Mrd. DM) zur Verfügung gestellt wurden.

2. Die in der Europäischen Währungsschlange bestehenden *Kreditmechanismen* wurden beibehalten und ausgeweitet. Insgesamt stehen 25 Mrd. ECU an Kredit zur Verfügung, davon 14 Mrd. kurzfristig (drei Monate, auf neun Monate verlängerbar), 11 Mrd. mittelfristig, d. h. für fünf Jahre.

3. Die *Europäische Währungseinheit (→ECU)* spiegelt den relativen Wert aller am EWS teilnehmenden Währungen wider (Parität am 10. 9. 1987: 2,07207 DM). Sie wird als zentraler Punkt des Währungssystems bezeichnet. Die Einheit wird im EWS außer als Bezugsgröße für die Leitkurse auch als Rechengröße für Forderungen und Verbindlichkeiten im EWS sowie als Instrument für den Saldenausgleich zwischen den EG-Zentralbanken sowie als Indikator für Wechselkursabweichungen (Abweichungsindikator) verwandt: Weicht eine einzelne Währung stark vom Durchschnittskurs der übrigen Währungen ab und überschreitet sie dabei eine bestimmte „Abweichungsschwelle", so soll das betroffene Land Gegenmaßnahmen ergreifen. Diese Regel war heftig umstritten, weil v. a. in der Bundesrep. D. befürchtet wurde, die DM werde infolge der Stabilitätspolitik häufig vom Kursdurchschnitt abweichen und dann gezwungen sein, inflationsträchtige Gegenmaßnahmen zu ergreifen. Die Bestimmungen wurde deshalb nicht alzu streng formuliert.

4. *Beurteilung:* Das EWS hat sich in der Praxis als wirkungsvolles und als eines der wichtigsten Instrumente der währungspolitischen Zusammenarbeit in den EG erwiesen. Dieser Tatbestand wurde u. a. durch die reibungslose Neufestsetzung der Leitkurse im EWS am 20. 7. 1985 demonstriert, die zu keinerlei Spekulationsdruck auf eine der Partnerwährungen führte. Zur Verbesserung der monetären Eigenschaften des EFWZ ist ein neues Abkommen vom 1. 7. 1985 geschlossen worden, das die Bestimmungen über das Funktionieren des EWS sowie die Regeln für die Operationen des EFWZ modifiziert. Die rechtliche Grundlage für diese verbesserte Funktion des EWS bildet die Verordnung des EG-Ministerrates Nr. 3066/85 vom 28. 10. 1985 zur Änderung des Art. 2 der Verordnung (EWG) Nr. 3181/78 hinsichtlich der Verwendung von ECU durch sonstige Besitzer. Diese EG-Verordnung begründet insbes. den Erwerb und das Halten von ECU durch Dritthalter. Die EG-Ausschüsse der Zentralbankpräsidenten und für Währungsfragen sind damit befaßt, ein mittel- und langfristiges Entwicklungskonzept des EWS auszuarbeiten, das der Funktion des EWS in den erweiterten EG und im Rahmen des Weltwährungssystems optimal gerecht werden soll.

Exa (E), Vorsatz für das Trillionenfache (10^{18}fache) der Einheit. Vgl. →gesetzliche Einheiten Tab. 2.

ex-ante-Analyse. 1. *Volkswirtschaftstheorie:* Analysemethode, zielt ab auf Erklärung (zukünftiger) volkswirtschaftlicher Zusammenhänge mit Hilfe von Planungs- und Erwartungsgrößen. – *Beispiele:* →Beschäftigungstheorie, →Wachstumstheorie. – 2. *Marktforschung:* Zukunftsorientierte Untersuchung der Wirkung bestimmter Werbe- oder Marketingmaßnahmen (→Pretest). – *Gegensatz:* →ex-post-Analyse.

ex-ante-Koordination, →Koordination 2 b).

excess burden, neben der fiskalischen Belastung entstehende Nutzen- bzw. Wohlfahrtseinbuße für ein Wirtschaftssubjekt bei Besteuerung. – *Beispiele:* 1. Bei *Verbrauchsbesteuerung* trägt der Nachfrager des besteuerten Gutes bei angenommener →Überwälzung nicht nur einen Teil der Steuerzahllast, sondern muß wegen veränderter Preisrelationen seine Konsumstruktur anpassen; modelltheoretisch heißt das, daß er sein bisheriges Pareto-Optimum verläßt, sein neues Gleichgewicht auf einer niedrigeren Indifferenzkurve liegt und er neben dem Einkommenseffekt auch einen Substitutionseffekt bei seiner Nachfrage hinnehmen muß. – 2. Bei *„Luxussteuern"* wird u. a. Beziehern niedriger Einkommen der Kauf von Luxusgütern zusätzlich erschwert.

exclusions principle, →Ausschlußprinzip.

ex cp., Abk. auf Kurszetteln bei festverzinslichen Papieren (ex coupon); der fällige →Kupon ist abgetrennt, der Handel erfolgt ohne diesen.

Exekution, →Zwangsregulierung, →Zwangsvollstreckung.

Exekutive, die vollziehende Gewalt, die Verwaltung. – Vgl. auch →Gewaltenteilung.

Exequatur, die formelle Bestätigung einer Regierung, mit der dem Konsul eines fremden Staates genehmigt wird, im Zuständigkeitsgebiet dieser Regierung oder für ein genau abgegrenztes Teilgebiet seine beratende Tätigkeit auszuüben. Je nach der räumlichen Ausdehnung und sachlichen Abgrenzung seiner

Zuständigkeit wird das Konsulat als *Generalkonsulat, Konsulat, Vizekonsulat* oder *Konsularagentur* bezeichnet.

Exergie, →Energie, die sich in jede Energieform verwandeln läßt. – *Gegensatz:* →Anergie.

ex factory, →ab Werk.

Existenzaussage, *singulärer Satz,* Aussage, die sich auf einen nur für den betreffenden Einzelfall geltenden Sachverhalt bezieht. Spielt im Zusammenhang mit (Kausal-) →Erklärungen in Form von Anwendungsbedingungen eine Rolle. – *Gegensatz:* →Allaussage.

Existenzgründungshilfen. 1. Durch *Bund und Länder:* Finanzierungshilfen (zinsgünstige Darlehen, Kapitalbeteiligung, Eigenkapitalhilfen, Bürgschaften), Gründungsberatung (verbilligt oder kostenlos), Marktanalysen, Hilfe bei Standortsuche, Ausbildungsplatzzuschüsse und ähnliches. – 2. Durch *Kommunen:* Vgl. →Wirtschaftsförderung II 4 c).

Existenzminimum, *living wage,* nach dem Lebensstandard der einzelnen Länder und nach dem technischen und kulturellen Stand der wirtschaftlichen Entwicklung für den Lebensunterhalt als notwendig anerkannte Lohnhöhe. Zu Unterscheiden: a) physiologische E. und b) kulturelles (auch soziales) E. – Vgl. auch →Existenzminimum-Theorien des Lohns.

Existenzminimum-Theorien des Lohns, diejenigen →Lohntheorien, nach denen Abweichungen des Lohnes (→Effektivlohn) vom Existenzminimumlohn (= Lohn zur Sicherung des physiologischen bzw. kulturellen →Existenzminimums) nur kurzfristig möglich sind. – Vgl. auch →ehernes Lohngesetz.

Existenzsatz, →Dualitätstheorie der linearen Optimierung II 1.

Exklusionsvertrag, →Ausschließlichkeitserklärung, →Ausschließlichkeitsbindung.

Exklusivvertrag, →Ausschließlichkeitserklärung.

Exklusivvertrieb, →Alleinvertrieb.

exogen, →exogene Variable.

exogene Handelsvorteile, Vorteile eines einzelnen Unternehmens aus Charakteristika seines Landes, wie etwa Faktorausstattung und sonstige Produktionsbedingungen. – *Anders:* →endogene Handelsvorteile.

exogene Konjunkturmodelle, Klasse von →Konjunkturmodellen, in denen beständige exogene Störungen (→Schocks) erforderlich sind, um anhaltende signifikante →Konjunkturschwankungen zu erzeugen. Ohne anhaltende Störungen flachen die Schwingungen im Zeitablauf ab. Die theoretische Möglichkeit von zufällig eintretenden Schwingungen mit konstanter Amplitude oder von explodierenden Schwingungen ist empirisch nicht relevant. Zu den e.K. zählen Multiplikator-Akzeleratormodelle und Konjunkturmodelle der →Neuen Klassischen Makroökonomik.

exogene Variable, *erklärende Variable, unabhängige Variable,* diejenige Variable eines →ökonometrischen Modells, die nur eine erklärende Rolle hat, selbst aber nicht erklärt wird. Ihre Werte werden also als außerhalb des Modellzusammenhanges bestimmt angenommen. Wie →endogene Variablen können auch e.V. *unverzögert* oder *verzögert* auftreten, je nachdem, welchen Zeitbezug sie haben.

Exoten. 1. *Wertpapiere* (Aktien, Festverzinsliche, Investmentanteile) von Emittenten aus „exotischen Ländern“ (z.B. Cayman Islands). – 2. Auch: *Spekulative Werte,* die nicht amtlich notiert und außerhalb des Freiverkehrs nach Börsenschluß gehandelt werden.

Exotenfonds, →Investmentfonds auf Wertpapier- oder Immobilienbasis mit juristischem Sitz in einem „Exotenland“ (überwiegend Steueroasen im ostasiatischen und pazifischen Raum).

Expansion, im Konjunkturablauf die Phase des Wirtschaftsaufschwungs (→Konjunkturphasen).

Expansionspfad, geometrischer Ort aller →Minimalkostenkombinationen, die sich bei konstanten Faktorpreisen und sukzessiver Variation der Ausbringungsmenge ergeben. – Im Fall einer *linearhomogenen Produktionsfunktion* ist die E. eine Gerade durch den Ursprung mit konstanten Faktorintensitäten entlang dieser Geraden (→Prozeßstrahl).

Expansionswerbung, →Werbung zwecks kontinuierlicher Erhöhung des Umsatzes, des Absatzes oder des Marktanteils gegenüber dem vorangegangenen Zeitabschnitt. – *Anders:* →Erhaltungswerbung. – *Gegensatz:* →Reduktionswerbung.

expansive Lohnpolitik, →Lohnpolitik III 3.

expenditure lag, →lag II.

Experiment, Instrument in der →Marktforschung.

I. Begriff: Planmäßige →Erhebung empirischer Sachverhalte zur Prüfung von Hypothesen. Eine unabhängige Variable, deren Einfluß auf eine andere abhängige Variable Gegenstand der Hypothese ist, wird planmäßig variiert, wobei alle übrigen Variablen konstant gehalten werden. Dies geschieht in der empirischen Sozialforschung durch Bildung entsprechender Versuchs- und Kontrollgruppen.

II. Arten: 1. *Laboratoriums-E.:* E. unter künstlich geschaffenen Bedingungen; *Feld-E.:*

E. unter normalen sozialen Umweltbedingungen. – 2. *Projektive E.:* Der Forscher schafft von sich aus die Bedingungen, die das zu untersuchende Geschehen beeinflussen; *ex-post-facto-E.:* Im normalen Ablauf der Ereignisse werden nachträglich bereits abgeschlossene Wirkungszusammenhänge rekonstruiert. – 3. Eine weitere Differenzierung der E. ergibt sich aus der Kombination der *Zahl verwendeter Untersuchungsgruppen* (experimental group = E, control group = C) sowie der *Zeitpunkte der Messung* (vor Eintritt des Wirkungsfaktors = B, nach Eintritt des Wirkungsfaktors = A): (1) *EBA-Typ:* Eine Gruppe, innerhalb der die vom Wirkungsfaktor erreichten und nicht erreichten Personen nicht getrennt werden. (2) *EB-CA-Typ:* Unterschied zum EBA-Typ besteht nur darin, daß die Messung nach Auswirkung der unabhängigen Variablen bei einem zweiten repräsentativen Bevölkerungsquerschnitt vorgenommen wird. Auch hier liegt keine Trennung der vom Wirkungsfaktor erreichten und nicht erreichten Zielpersonen vor. (3) *EBA-CBA-Typ:* Dieser Typ entspricht den klassischen Grundsätzen des Experiments. Es erfolgt eine Trennung in Personen, die dem Wirkungsfaktor ausgesetzt waren (Versuchsgruppe), und in solche, die von ihm nicht erreicht wurden (Kontrollgruppe). Für beide Gruppen wird das Untersuchungsmerkmal vor und nach Eintritt des Wirkungsfaktors gemessen. (4) *EA-CA-Typ:* Hier wird zwar zwischen Versuchs- und Kontrollgruppe unterschieden, man beschränkt sich aber auf eine Messung des Untersuchungsmerkmals, die zeitlich nach der Auswirkung des Faktors liegt.

experimental design, →experimentelle Versuchsforschung.

experimenteller Markt, →Testmarkt, in dem die Zuordnung von Marketingmaßnahmen (z.B. Werbung) zu Haushalten mit Hilfe moderner Kommunikationstechnologien wie Bildschirmtext, Kabelfernsehen oder durch gezielte Steuerung von Werbematerialien ermöglicht wird. Messung der Wirkung der Marketingmaßnahme auf den Haushalt i.d.R. durch Erfassung der Einkäufe der Haushalte im Markt mit Hilfe der →Scanner-Technologie. – *Vorgehen:* Das →Scanner-Haushaltspanel wird in Test- und Kontrollgruppen aufgeteilt, wobei entweder nur die Testgruppe der Werbung ausgesetzt wird, ober beide Gruppen unterschiedliche Werbebotschaften emfpangen. Da beide Gruppen im gleichen Markt einkaufen, ist das „Matching" (→matched samples) von Test- und Kontrollgruppe praktisch perfekt gelöst. Die Messung ist nichtreaktiv. – E.M. in US-Städten durch mehrere Firmen realisiert. In der Bundesrep. D. hat die GfK-Nürnberg mit dem ERIM-Scanner-Haushaltspanel (→Gfk-Erim-Panel) ein ähnliches System installiert.

experimentelle Versuchsforschung, *experimental design,* Komplex von statistischen Verfahren zur Auswertung der Ergebnisse von Experimenten. Dabei bedeutet Experiment den Fall einer Studie, bei welcher die verschiedenen →Untersuchungseinheiten verschiedenen „Behandlungen" (treatments) unterworfen werden. Das Analyseziel der e.V. besteht darin, die Wirkung der Behandlungen statistisch zu dokumentieren und zu vergleichen.

experimentelle Wirtschaftsforschung, Zweig der →Wirtschaftswissenschaften innerhalb der empirischen quantitativen Wirtschaftsforschung neben der historisch-statistischen Forschung. – 1. *Wesen:* Experimentelle Versuche werden wie in anderen Wissenschaften – z.B. in den Naturwissenschaften, aber auch in der Psychologie und Sozialpsychologie – als Laboratoriumsexperimente durchgeführt, indem von Versuchspersonen unter speziell geschaffenen Bedingungen, etwa im Rahmen eines oligopolistischen Marktmodells, wirtschaftliche Entscheidungen zu treffen sind, die festgehalten, geordnet und ausgewertet werden. Die in den Experimenten getroffenen wirtschaftlichen Entscheidungen der Versuchpersonen geben genauso gut Auskunft über das reale Verhalten wie die Fakten oder Daten der Wirklichkeit. Außerdem haben diese Entscheidungsdaten den Vorzug, daß sie auf die zu untersuchende Fragestellung gerichtet sind. Indem die e.W. Aufschlüsse über das tatsächliche Entscheidungsverhalten liefert, werden die Grundlagen für neue, realistischere Verhaltensannahmen geschaffen. – 2. *Entwicklung:* a) Mit den ersten wirtschaftswissenschaftlichen Experimenten sollten die Nutzentheorie und die Theorie der Präferenzordnungen auf experimentelle Weise bestätigt bzw. widerlegt werden. Andere Experimente dienten dazu, durch experimentelle Untersuchungen zu zeigen, daß die Erkenntnisse aus der Theorie des vollkommenen Wettbewerbs nicht auf unvollkommene Märkte übertragen werden können. – b) Eine außergewöhnliche Förderung hat die e.W. durch die →Spieltheorie erhalten, mit deren Hilfe wirtschaftliche Probleme als Spielsituation erfaßt und ökonomische Modelle spielbar gemacht werden. Die Unternehmensspiele (→Planspiele für Unternehmungsführung), die seit Beginn der 70er Jahre in großer Zahl entwickelt worden sind, dienen also nicht nur als Ausbildungsinstrumente für Führungskräfte in der Wirtschaft, sondern stellen ein wichtiges Hilfsmittel der e.W. dar.

Experte, →Sachverständiger, →Gutachter.

Expertenbefragung, Verfahren der qualitativen →Prognose. Anwendung in Situationen, in denen nur wenige oder vorwiegend qualitative Daten vorliegen. →Befragung von internen (dem untersuchenden Unternehmen zugehördend) und externen Experten; häufig in Form der →Delphi-Technik.

Expertensystem. 1. *Begriff:* In der →Künstlichen Intelligenz wird ein →Programm oder ein →Softwaresystem als E. bezeichnet, wenn es in der Lage ist, Lösungen für Probleme aus einem begrenzten Fachgebiet (→Wissensdomäne) zu liefern, die von der Qualität her denen eines menschlichen Experten vergleichbar sind oder diese sogar übertreffen (→Expertenwissen). – Besonders bwährt als E. haben sich →*wissensbasierte Systeme;* deshalb werdern beide Begriffe oft synonym verwendet. – 2. *Bestandteile* (Regelfall): →Wissensbasis, →Inferenzmaschine, →Wissenserwerbskomponente, →Dialogkomponente und →Erklärungskomponente. – 3. *Klassifikation* nach Aufgabenstellung: a) *Diagnosesysteme,* die auf der Basis teils gegebener, teils zu suchender Symptome Fälle klassifizieren; b) *Beratungssysteme,* die im Dialog mit dem Menschen eine auf den vorliegenden Fall bezogene Handlungsempfehlung geben; c) *Konfigurationssysteme,* die auf der Basis von Selektionsvorgängen unter Berücksichtigung von →Schnittstellen, Unverträglichkeiten und Benutzerwünschen komplexe Gebilde zusammenstellen; d) *Planungssysteme,* die einen Ausgangszustand durch eine Folge von Aktionen in einen Endzustand überführen. – Vgl. auch →Dendral, →Hearsay II/III, →Macsyma, →Mycin, →Xcon, →Xsel.

Expertenwissen, *expertise,* Kenntnisse und intellektuelle Fähigkeiten einzelner Personen, deren Leistungen auf einem bestimmten Fachgebiet weit über dem Durchschnitt liegen. E. besteht i. d. R. aus sehr großen Informationsmengen in Verbindung mit Vereinfachungen, wenig bekannten Fakten, Faustregeln und klugen Verfahrensweisen (→Heuristiken), die eine effiziente Problemlösung (in diesem Gebiet) ermöglichen. – Vgl. auch →Expertensystem, →Künstliche Intelligenz.

expertise, →Expertenwissen.

Expertise, Untersuchung, Gutachten, Begutachtung durch einen Sachverständigen.

expert system shell, Begriff bei der Entwicklung von →Expertensystemen; uneinheitlich verwendet: a) →Softwarewerkzeug für die Erzeugung von Expertensystemen; b) *problem-invariante Teile* eines Expertensystems (i. d. R. alle Bestandteile mit Ausnahme der →Wissensbasis).

Explanandum, →Erklärung.

Explanans, →Erklärung.

Exploitation, →Ausbeutung.

Exploration, Verfahren der Forschungsplanung im Rahmen der empirischen Sozialforschung. E. dient zur Vervollständigung und Erweiterung vorhandener Problembeschreibung. Sie geschieht u. a. durch sekundäranalytische Auswertungen von Datenmaterial und Durchführung von Vorstudien bzw. Pilotprojekten. – Vgl. auch →explorative Datenanalyse, →explorative Verfahren.

explorative Datenanalyse, zusammenfassende Bezeichnung für deskriptive statistische Verfahren zur Aufdeckung von Datenstrukturen und von Abweichungen der Einzelbefunde von einer vorhandenen Grundstruktur (→Datenanalyse). Die e. D., insbes. durch J. Tukey (1970; 1977) konzipiert, entwickelte sich aus der Erkenntnis gewisser Grenzen der →Inferenzstatistik. Die Analyse erfolgt ohne Modellannahmen (z. B. Normalverteilungsannahme). E. D. umfaßt insbes. graphische Verfahrensweisen, Verfahren der Transformation von Variablenwerten (→Variablentransformation) und Bevorzugung von Kenngrößen mit gewissen Robustheitseigenschaften (→robuste Statistik), etwa Bevorzugung des →Medians vor dem →arithmetischen Mittel.

explorative Verfahren, Teilbereich der →psychologischen Testverfahren. Alle Formen der qualitativen unstrukturierten →Interviews mit Einzelpersonen oder auch Gruppen, die der Erhebung erlebter und reaktivierbarer Sachverhalte dienen.

Explosion, auf dem Ausdehnungsbestreben von Gasen oder Dämpfen beruhende plötzlich verlaufende Kraftäußerung, die bei einem Behälter (Kessel, Rohrleitungen) nur dann gegeben ist, wenn seine Wandung in einem solchen Umfang zerrissen wird, daß ein plötzlicher Ausgleich des Druckunterschieds innerhalb und außerhalb des Behälters stattfindet (§ 3 II Zusatzbedingungen für Fabriken und gewerbliche Anlagen). Wird in Innern eines Behälters eine E. durch chemische Umsetzung hervorgerufen, so ist ein dadurch am Behälter entstehender Schaden in der →Feuerversicherung auch dann zu ersetzen, wenn seine Wandung nicht zerrissen ist. Schäden durch Unterdruck (Implosion) sind von der Versicherung ausgeschlossen, desgl. Schäden durch unechte E., z. B. durch „Schwungrad-E.". In der Feuerversicherung haftet der Versicherer für E. im oben definierten Sinn, es sei denn, Krieg, innere Unruhen, Erdbeben oder Atomenergie haben die E. herbeigeführt.

explosionsgefährliche Stoffe. 1. *Begriff:* Die in den Anlagen I und II mit späteren Änderungen und Ergänzungen zum Gesetz über e. St. (Sprengstoffgesetz – SprengG) i. d. F. vom 17. 4. 1986 (BGBl I 577) aufgeführten Stoffe sowie feste oder flüssige Stoffe, die bei Durchführung der in der Anlage III zu diesem Gesetz bezeichneten Prüfverfahren durch Erwärmung ohne vollständigen festen Einschluß oder durch eine nicht außergewöhnliche Beanspruchung durch Schlag oder Reibung ohne zusätzliche Erwärmung in dem in den Vorschriften über die Prüfverfahren bestimmten Ausmaß zu einer chemischen Umsetzung gebracht werden, bei der entweder hochgespannte Gase in so kurzer Zeit entstehen, daß eine plötzliche Druckwirkung hervorgerufen wird (Explosion) oder bei der eine Wirkung eintritt, die der Explosion gleichgestellt ist. – 2. *Verkehr:* Neben einer Zulassung durch die →Bundesanstalt für Materialprüfung bedarf der →Erlaubnis, wer gewerbsmäßig, selbständig im Rahmen einer wirtschaftlichen Unternehmung oder eines land- oder forstwirtschaftlichen Betiebes oder bei der Beschäftigung von Arbeitnehmern mit e. St. umgehen, den Verkehr mit e. St. betreiben oder e. St. befördern will. Besondere Fachkunde ist erforderlich; besondere Anzeige- und Aufzeichnungspflichten. Errichtung und Betrieb von Lagern mit e. St. ist genehmigungspflichtig. Umgang, Verkehr und Beförderung e. St. unterliegen der Überwachung durch die zuständige Behörde. Vgl. auch 1. VO zum Sprengstoffgesetz i. d. F. vom 10.3.1987 (BGBl I 793), 2. VO vom 23.11.1977 (BGBl I 2189) sowie 3. VO vom 23.6.1978 (BGBl I 783) und 4. VO vom 14.4.1978 (BGBl I 503) sowie 5. VO vom 31.10.1984 (BGBl I 1323). – 3. Bei *Verstößen* Freiheitsstrafe bis zu fünf Jahren oder Geldstrafe oder Geldbußen bis zu 10000 DM. Auch →Einziehung möglich. – Vgl. auch →gefährliche Arbeitsstoffe, →gefährliche Güter.

Exponent, mathematischer Ausdruck. Vgl. →Potenzieren.

Exponentialfunktion, →Funktion, deren Gleichung von der Form $y = b^x$ oder auch $y = c \cdot b^x$ ist, wobei b, die „Basis", eine positive feste Zahl und c eine beliebige feste Zahl („Konstante") sind. Eine besondere Rolle spielt für viele Rechnungen die Basis $e \approx 2{,}72$ (→Eulersche Zahl).

exponential smoothing, →exponentielles Glätten.

Exponentialverteilung, stetige theoretische →Verteilung im Sinne der Statistik. Eine stetige Zufallsvariable X heißt exponentialverteilt mit Parameter $\lambda > 0$, falls sie die Dichtefunktion

$$f_X(x) = \lambda e^{-\lambda x}$$

für $x > 0$ besitzt. Die E. spielt in der Praxis im Zusammenhang mit der statistischen Analyse von Verweildauern und Lebensdauern unter speziellen Voraussetzungen eine Rolle: Befindet sich ein Element in einer Bestandsgesamtheit und weist es die von seiner bisherigen Verweildauer unabhängige Abgangsrate λ auf, besitzt es also ungefähr die Wahrscheinlichkeit $\lambda \cdot \Delta t$, in einem kleinen Zeitintervall $[t; t + \Delta t)$ aus der Gesamtheit auszuscheiden, dann ist seine Verweildauerverteilung die E. mit Parameter λ.

exponentiell, Anwachsen oder Abnehmen einer Größe y, wenn sich ihre Abhängigkeit von einer anderen Größe x (z. B. der Zeit) durch eine →Exponentialfunktion beschreiben läßt.

exponentielles Glätten, *exponential smoothing,* Verfahren der kurzfristigen direkten →Prognose auf der Grundlage einer →Zeitreihe. Ist y(T–1,T) der Prognosewert für die Periode T, berechnet unter Verwendung der Vergangenheitsbeobachtungen bis zur Periode T–1, und x_T der Beobachtungswert der Periode T, so ist (rekursive Definition)

$$y(T, T+1) = \alpha x_T + (1-\alpha)\, y(T-1, T)$$

die Prognose für Periode T + 1 unter Berücksichtigung von Vergangenheitswerten bis zur Periode T (verwendbar nur bei konstantem →Trend). Der Wert $\alpha\,(0 < \alpha < 1)$ heißt *Glättungskonstante* und wird aus dem Sachzusammenhang heraus festgelegt. Man kann zeigen, daß die Vergangenheitswerte mit abnehmender Aktualität mit den abnehmenden Gewichten α; $\alpha(1-\alpha)$; $\alpha(1-\alpha)^2$; ... (geometrische Folge) in die Prognose eingehen. Liegt ein linearer Trend vor, ist e. G. geeignet zu variieren *(e. G. 2. Ordnung; e. G. mit Trendkorrektur).* Das Verfahren des e. G. zeichnet sich aus durch Einfachheit und Schnelligkeit in der Rechnung, geringen Speicherbedarf bei der Berechnung mit Hilfe von Elektronenrechnern sowie eine gewisse Anpassungsfähigkeit. – *Anwendung:* Z. B. bei der Bedarfs-, Bestell- und Bestandsrechnung (→Bedarfsmengenplanung).

exponentielles Wachstum, Begriff der Wachstumstheorie. E. W. ist dann gegeben, wenn über einen – in gleichgroße Intervalle eingeteilten – Zeitraum die Größe y derart zunimmt, daß ihre absolute Änderung $\frac{dy}{dt}$ einen bestimmten (konstanten oder variablen) Anteil g (t) des im jeweiligen Intervall erreichten Werts y (t) ausmacht:

$$\frac{dy}{dt} = g(t) \cdot y(t).$$

Wenn *g eine Konstante* ist, ergibt sich der Wachstumspfad der Größe y aus nachstehender Lösung der Differentialgleichung (e = Basis der natürlichen Logarithmen, y_0 = Ausgangswert):

$$y(t) = y_0 \cdot e^{gt}.$$

Problem exponentieller Wachstumsmodelle: Die in der →Wachstumstheorie dominierenden →Wachstumsmodelle, deren Gleichgewichtslösung eine exponentielle Expansion darstellt, vernachlässigen mögliche →Grenzen des Wachstums im Gegensatz zu Wachstumsmodellen mit logistischem Wachstumspfad, der die Existenz von Wachstumsbarrieren unterstellt.

Export, →Ausfuhr.

Exportagent, →Ausfuhragent.

Exportberatungsstellen, bei einer Reihe westdeutscher →Handwerkskammern nach 1945 wieder eingerichtete Institutionen; sie nehmen Mittlerstellung ein zwischen exportfähigen und -willigen Betrieben des →Handwerks und den Ausfuhrförderungsstellen und erteilen Auskunft in allen den Export betreffenden Fragen.

Exportbeschränkung, →Exportrestriktion.

Exporteur, →Ausfuhrhändler.

Exportfactoring, →Factoring.

Exportfähigkeit, Fähigkeit eines Unternehmens, den zusätzlichen Aufgabenstellungen, die mit dem Auslandsengagement verbunden wären, gerecht zu werden. – *Gegenstände einer E.sanalyse*: a) *Produkt:* Überprüfung, ob das Produkt auf (zusätzlichen) Auslandsmärkten ohne größere Variationen/Anpassungsmaßnahmen abgesetzt werden könnte; erfolgt parallel zur Marktselektion (→Selektion von Auslandsmärkten) in Gegenüberstellung zu den einzelnen Ländererfordernissen und – falls Anpassungsmaßnahmen erforderlich wären – unter Kosten-/Nutzen-Aspekten. – b) *Produktionstechnische Gegebenheiten/technisches Entwicklungspotential:* Feststellung des aktuellen Grades der Kapazitätsauslastung (qualitativ, quantitativ) und der Möglichkeit (einschl. quantitativer, qualitativer, zeitlicher und intensitätsmäßiger Variation sowie Kapazitätserweiterung) im Hinblick auf (1) Steigerung des Output und (2) Anpassungsmaßnahmen (→Produktvariation). – c) *Kapazitäten, Know-how, Management, Organisation, Kapital* (Finanzierungssituation), auf die zurückgegriffen werden könnte bzw. zusätzlich geschaffen werden müßten. – d) *Auswirkungen auf die Kosten-, Ertrags-, Deckungsbeitrags-, Ergebnis- und Rentabilitätsentwicklung des Gesamtunternehmens:* Einflüsse, die im optimistischsten bzw. pessimistischsten Fall von einem (zusätzlichen) Auslandsengagement auf die betriebswirtschaftliche Situation eines Unternehmens ausgehen können; läßt sich erst konkreter beantworten, wenn – neben den in die engere Wahl gezogenen Ländern – auch die dort zu praktizierenden Arten und Erscheinungsformen der Auslandsbetätigung feststehen.

Exportfähigkeitsanalyse, →Exportfähigkeit.

Exportfinanzierung, →Ausfuhrfinanzierung.

Exportförderung, *Ausfuhrförderung.* 1. *Begriff und Ziele:* (1) *Begriff:* Gesamtheit aller Maßnahmen zur Steigerung der Exporte eines Landes, darunter a) private Maßnahmen wie Gemeinschaftswerbung, gemeinschaftliche Exportkreditfinanzierung der Exporteure, Tätigkeit von Auslandshandelskammern etc., (2) mittelbare und unmittelbare staatliche Maßnahmen (E. i. e. S.). – b) *Ziele:* I. d. R. Verminderung eines Handelsbilanzdefizits, wenn die Einfuhr nicht gedrosselt werden soll, auch Aufrechterhaltung bzw. Erzielung eines hohen Beschäftigungsgrades, bei staatlichen →Außenhandelsmonopolen häufig politische Motive. – 2. *Instrumente der staatlichen E.:* a) *Unmittelbare fiskalische Maßnahmen:* →Exportsubventionen, →Ausfuhrprämien, →Ausfuhrgarantien und -bürgschaften sowie →Wechselkursgarantien und -bürgschaften (z. B. in der Bundesrep. D. durch die →Hermes Kreditversicherungs-AG), Ausfuhrerstattungen bei agrarischen Marktordnungsprodukten, Zinszuschüsse bei Exportkrediten, Investitionshilfen (auch für Auslandsniederlassungen), Ausnahmetarife der Verkehrsmittel für Exportgüter (z. B. Seehafenausnahmetarife). – b) *Kreditpolitische Maßnahmen:* Schaffung besonders günstiger Kreditbedingungen für Ausfuhrgeschäfte, besonderer Finanzierungsmittel, differenzierter Zinssätze. – c) *Währungspolitische Maßnahmen:* →Abwertung, Schaffung →gespaltener Wechselkurse, managed floating. – d) *Steuerliche Maßnahmen:* Befreiung oder Ermäßigung von Steuern (z. B. Umsatzsteuer), Erlaubnis zur Bildung steuerfreier Rücklagen, Sonderabschreibungen auf Exportforderungen u. a. – e) Förderung der *Bildung internationaler Exportpreiskartelle* (z. B. →OPEC). – f) *Staatliche Auslandswerbung,* finanzielle Unterstützung von Messen und Ausstellungen, Beratung und Information der Exportwirtschaft durch staatliche Stellen (Bundesstelle für Außenhandelsinformation, diplomatische Vertretungen im Ausland). – 3. *Beschränkung der E. durch internationale Abkommen:* a) Der *IMF* verbietet eine Manipulation des →Wechselkurses. – b) Das *GATT* verbietet direkte Ausfuhrsubventionen (Art. XVI). – c) Die *OECD* fordert die Abschaffung verschiedener „künstlicher Exportbeihilfen", wie Prämien, direkte Subventionen, über der inländischen Steuerlast liegende Steuervergütungen oder staatlich ermäßigte Versichungsprämien und Rohstoffpreise. – d) Die *EG* verbietet im innergemeinschaftlichen Handel grundsätzlich alle staatlichen Beihilfen (Art. 92) und gibt Vorschriften über die zulässigen Steuerrückvergütungen (Art. 96). – Von internationalen Vereinbarungen *nicht* betroffen sind nichtdiskriminierende Förderungsmaßnahmen (außer Abwertung), wie angemessene Werbung, Information, angemessene Kreditgarantien und Bürgschaften, angemessene Vergütung indirekter Steuern. – 4. *Wirkungen:* a) Staatliche E. in Form von *Subventionen* und sonstigen Maßnahmen, die eine „künstliche" Verbilligung der Exporte darstellen, wirkt auf eine Abweichung des Außenhandels von den komparativen Vorteilen hin und ist insofern

i. d. R. eine Ursache von Fehlallokation. Solche Maßnahmen können bestenfalls sinnvoll sein, wenn sie zeitlich begrenzt sind und jungen entwicklungsfähigen Industrien in →Entwicklungsländern zugute kommen (→Erziehungszoll). – b) Relativ unbedenklich sind staatliche E.-Maßnahmen die allgemein der *Verbesserung der Marktübersicht* und der Information dienen. – c) Hinsichtlich der Wirkung von *internationalen Exportpreiskartellen* ist neben den Nachteilen für die Weltwirtschaft insgesamt deren beschränkte Funktionsfähigkeit (→Rohstoffkartelle) zu beachten.

Exportgarantie, →Garantie II a).

Exportgemeinschaft, Zusammenschluß mehrerer Unternehmen zur teilweisen oder gänzlichen Ausgliederung einzelner Exportfunktionen aus den beteiligten Unternehmen. Die einzelnen Kooperationsaufgaben werden entweder einer gemeinsamen Institution übertragen oder wechselseitig von den Partnern wahrgenommen. – *Intensitätsstufen:* a) Gemeinsame Wahrnehmung von Teilaufgaben, die dem eigentlichen Exportabschluß vorgelagert sind *(Anbahnungs- und Begleitfunktionen)*. – b) Zusätzlich Realisierung von *Verkaufsabschlüssen* (im eigenen oder fremden Namen); Alternativen sind →Anschlußexport und Exportzentrale (vgl. c)). – c) Die gemeinsame *Exportzentrale* ist unabhängiger und selbstverantwortlich (in eigenem Namen und auf eigene Rechnung) handelnder Träger der einzelnen Exportgeschäfte. – *Zielsetzung:* Kombination des Produktionsprogramms von Herstellerfirmen, deren Erzeugnisse zwar verwandt sind, aber nicht in unmittelbarer Konkurrenz zueinander stehen; das Grundprinzip einer E. kann (1) in der gegenseitigen Ergänzung der Leistungsprogramme der Partner gesehen werden, um damit ein breites, leistungsfähiges Sortiment auf Auslandsmärkten anbieten zu können; (2) werden auf dieser sortimentspolitisch ausgerichteten Basis alle anderen Kooperationsaufgaben abgedeckt. – *Abgrenzung zum →Exportkartell* (vgl. dort).

Exporthandel, →Ausfuhrhandel.

Exportintensität, →Exportquote.

Exportkalkulation, →Kalkulation von Exportwaren. – *Besonderheit:* Je nach den zugrunde gelegten →Incoterms-Klauseln, Liefer- und Zahlungsbedingungen sowie Versandart und -weg ergeben sich unterschiedliche Kalkulationsmöglichkeiten und -erfordernisse. – Vgl. auch →Kalkulation im Außenhandel. – *Kalkulationsschemata:* Vgl. Übersichten Sp. 1701–1704. – *Methoden:* a) *Progressive Methode:* Die Kosten der Lagerung, Verladung, des Transports und der Versicherung usw. je nach den Kontraktbedingungen werden zum Herstellungs- oder Einstandspreis kumulativ hinzugerechnet, bis sich der Endbetrag als Rechnungspreis ergibt, der dann ggf. mit einem Marktpreis im Exportland verglichen werden kann. – b) *Retrograde Methode:* Es wird vom Marktpreis in dem Exportland ausgegangen, die bei der Exportlieferung anfallenden Kosten werden abgezogen, bis der Vergleich des Restbetrages mit dem Herstellungs- bzw. Einstandspreis ergibt, ob das geplante Geschäft lohnend ist.

Exportkartell. 1. *Begriff:* Zusammenschluß von Unternehmen (→Kartell), wobei zwischen den Partnern für einzelne Auslandsmärkte oder Ländergruppen konkrete vertragliche Vereinbarungen im Hinblick auf Absatzquoten, Grundpreis und einzuräumende Konditionen (einschl. Rabatte und Boni bzw. Rückvergütungen sowie Provisionen) bestehen. Häufig mit der zusätzlichen Verpflichtung verbunden, die Exporte ausschließlich oder teilweise über das E. zu tätigen. Es kann sich um Partner aus dem eigenen Wirtschaftsgebiet oder/und aus Drittländern handeln, die auf diese Art und Weise einen bestimmten Auslandsmarkt bzw. eine Ländergruppe erschließen oder die dortigen Absatzmöglichkeiten stabilisieren bzw. verbessern wollen. – *Abgrenzung zur →Exportgemeinschaft:* Konstituierende Unterschiede zwischen Exportgemeinschaft und E. liegen in der sortimentspolitischen Ausrichtung und den sich hieraus zwangsläufig ableitbaren wettbewerbspolitischen Konsequenzen: a) Die von den einzelnen Mitgliedern hergestellten und vertriebenen Produkte stehen in substitutiver Beziehung zueinander, während bei der Exportgemeinschaft die Schwerpunkte auf Komplementarität, Sortimentsbreite und -tiefe liegen; b) Bestehen von Verträgen. – 2. *Arten:* a) *E. ohne Inlandswirkung (reines E.):* Nicht mit wettbewerbsbeschränkenden Regelungen auf den Inlandsmärkten verbunden; nach § 6 I GWB Anmeldekartell (→Kartellgesetz VII 3 a)). b) *E. mit Inlandswirkungen:* Mit wettbewerbsbeschränkenden Regelungen auf den Inlandsmärkten verbunden; nach § 6 II GWB Erlaubniskartell mit Anspruch auf Erlaubnis (→Kartellgesetz VII 3 c)). – *Gegensatz:* →Importkartell.

Exportkommissionär, *Ausfuhrkommissionär, Auslandskommissionär,* auf den Außenhandel spezialisierter →Kommissionär.

Exportkontrolle, *Aufuhrkontrolle, Ausfuhrüberwachung.* 1. *Zweck:* E. fallen in das Gebiet nationalen und internationalen Rechts. E. dienen der Verhinderung unerwünschter Exportentwicklungen, aus wirtschaftspolitischen Überlegungen geboten, oder der Verbesserung der Transparenz hinsichtlich der Zusammenarbeit auf dem Gebiet des internationalen Handels, die es ermöglicht, daß ggf. notwendig werdende Steuerungsmaßnahmen auf staatlicher Ebene eingeleitet werden können. Politische Gründe für E. und →Export-

Tabelle 1: Seetransport

Selbstkosten – ab Werk (unverpackt)
+ Gewinnzuschlag
+ Kosten für Exportverpackung
+ Kosten für die Beschaffung der erforderlichen Dokumente

= Verkaufswert „ab Werk“ *) (ex works/EXW)
+ Kosten für Vortransport-Abschnitt Werk – Abgangsbahnhof

= Verkaufswert „frei Waggon“ *) (free on rail/FOR)
+ Transportkosten und -versicherung für Vortransport-Abschnitt Abgangsbahnhof – Bahnhof/Verschiffungshafen und Längsseite Seeschiff

---

= Verkaufswert „frei Verschiffungshafen bzw. Längsseite Seeschiff“ *) (free alongside ship/FAS)
+ Kosten für: Hafengebühren (Lagergeld), Hafenspediteur, Ausfuhr- und Zollabfertigung, Kaiumschlag

---

= Verkaufswert „frei Seeschiff im Verschiffungshafen bzw. frei an Bord“ *) (free on board/FOB)
+ Seefracht – Bestimmungs-/Löschhafen

= Verkaufswert „Kosten und Fracht“ *) (cost and freight/CFR)
+ Kosten der Seetransportversicherung und der Kontraktabwicklung

---

= Verkaufswert „Kosten, Versicherung und Fracht“ *) (cost, insurance, freight/CIF)

oder bei gleichzeitigem Kosten- und Gefahrenübergang (Einpunktklausel):

= Verkaufswert „ab Seeschiff im Bestimmungshafen“ *) (ex ship/EXS)
+ Löschkosten, z. B. für: Kaiumschlag, Hafenspedition, Hafengebühr

---

= Verkaufswert „ab Kai Bestimmungshafen – unverzollt“ *) ex quai – duties on buyer's account/E & Q)

oder bei getrenntem Kosten- und Gefahrenübergang (Zweipunktklausel):

= Verkaufswert „cif landed“ *)
+ Kosten der Einfuhrabfertigung

= Verkaufswert „ab Kai Bestimmungshafen – verzollt“ *) (ex quai – duties paid)
+ Kosten für Nachtransport Seehafen – Bestimmungsort (z. B. Werk des Käufers)

= Verkaufswert „frachtfrei benannter Bestimmungsort“ *) (freight or carriage paid to … /DCP)

oder bei Einpunktklausel:

= Verkaufswert „geliefert benannter Bestimmungsort im Einfuhrland – verzollt“ *) (delivered duties paid/DDP)
+ Kosten der Versicherung Seehafen – Bestimmungsort

= Verkaufswert „frachtfrei benannter Bestimmungsort – versichert“ *) (freight, carriage and insurance paid to … /CIP)

*) Hinzu kommen noch (fallweise) Kosten für: Zahlungsabwicklung, Finanzierung und Kreditversicherung; Kommission; spezielle Risikoversicherung (w = war risk). Hieraus kann sich im Falle von „cif landed“ z. B. der Verkaufswert „cif ci & w“ landed ergeben. Eine Erhöhung um die im Text erwähnten sog. „nützlichen Abgaben“ sowie um die „Verhandlungsmarge“ ist im Einzelfall nach Wettbewerbs- und insbes. nach Kunden-/Länderaspekten zu überprüfen.

Tabelle 2: Landtransport

Selbstkosten – ab Werk (unverpackt)
+ Gewinnzuschlag
+ Kosten für Exportverpackung
+ Kosten für die Beschaffung der erforderlichen Dokumente

= Verkaufswert „ab Werk" **) (ex works/EXW)
+ Kosten für: Verladung (Lkw oder Waggon bei eigenem Gleisanschluß);
Spedition, einschl. Versicherung (bei Transport zum Umschlagebahnhof bzw. -platz)

= Verkaufswert „frei Waggon/Lkw benannter Abgangsort" *)
(free on rail/free on truck/FOR/FOT)

oder

= Verkaufswert „frei Frachtführer" **) (free carrier/FRC)
+ Ausfuhrabfertigung
+ Transportkosten Abgangsort – Grenze

= Verkaufswert „geliefert Grenze benannter Lieferort an der Grenze" **)
(delivered at frontier/DAF)
+ Transportkosten Grenze – Bestimmungsort im Einfuhrland

= Verkaufswert „frachtfrei benannter Bestimmungsort" **)
(freight or carriage paid to . . . /DCP)
+ Transportversicherung

= Verkaufswert „frachtfrei versichert" **) (freight, carriage and insurance paid to . . . /CIP)
+ Einfuhrabfertigung (einschl. Zölle)
+ Entladekosten

= Verkaufswert „geliefert benannter Bestimmungsort im Einfuhrland verzollt" **)
(delivered duties paid/DDP)

**) Hinzu kommen noch (fallweise) Kosten für: Zahlungsabwicklung; Finanzierung; Kreditversicherung; Kommission beschränkung können v.a. dann von Bedeutung sein, wenn durch Ein- oder Ausfuhrgeschäfte das Ansehen des exportierenden Staates, die Sicherheit einer Nation, mögliche Beeinträchtigung des Weltfriedens oder unerlaubte Handlungen (z.B. Verstöße gegen Staatsverträge, Vorschriften für Schutz- oder Förderungsabkommen, Regelungen über den Handel mit hochqualifizierter Technologie, über die Zusammenarbeit in Rüstungsprogrammen sowie der Export von Waffen) einer einheitlichen und strengen Regelung bedürfen. – 2. *Nationale Bestimmungen/nationale Zuständigkeit:* a) In den *nationalen Vorschriften* ist die Regelung über die gesetzlichen Bestimmungen für die Abwicklung des Waren-, Dienstleistungs- und Kapitalverkehrs über die Grenzen maßgebend (in der Bundesrep. D. Außenwirtschaftsgesetz, Außenwirtschaftsverordnung und Zollgesetze). In den nationalen Bestimmungen finden auch die Auswirkungen aus zwischenstaatlichen Vereinbarungen sowie aus internationaler Gesetzgebung ihren Niederschlag. – b) *Nationale Zuständigkeit* für die Genehmigungsverfahren nach dem Außenwirtschaftsrecht liegt beim →Bundesamt für Wirtschaft (BAW), für Fragen der Land- und Forstwirtschaft sowie auf den Gebieten der Lebensmittelwirtschaft beim →Bundesamt für Ernährung und Forstwirtschaft. – 3. *Internationale Bestimmungen* (dargestellt am Beispiel der *US-Exportkontrollbestimmungen*): Die Regelung der E. bzw. der Re-E. der USA greift bei Ausfuhren (auch in das europäische Ausland) so weit, daß der Endverbleib der ausgeführten Waren unter Kontrolle gehalten wird, wobei der Empfänger der Waren auch außerhalb des amerikanischen Hoheitsgebietes die volle Verantwortung hinsichtlich der an ihn gelieferten, von ihm erworbenen Waren trägt. D.h. der Empfänger muß seinerseits prüfen, ob er mit seinem Geschäft unter die US-Exportkontroll- bzw. -Exportregeln fällt. Bereits bei der Erteilung von Ausfuhrgenehmigungen, Exportlizenzen aus den USA sind entsprechende Verfahren so zu gestalten, daß die Verfügungsberechtigung über die Waren und deren schließlicher Endverbleib unter ständiger Kontrolle bleibt. Mit einer laufenden Überprüfung durch die Überwachungsbehörden oder deren beauftragte Organe beim Lizenzhalter sowie bei Empfänger und Endverbraucher der Waren ist zu rechnen. – *Erleichterungen:* Einzelne Lizenzverfahren bieten Erleichterungen, Vereinfachungen oder die Möglichkeit zum Sammeln verschiedener Einzelvorgänge in gebündelten Genehmigungsverfahren. Weitere Erleichterungen sind in der Festlegung von Freimengen für Exporte gegeben sowie in den Kontrollgrenzen bei Endverbrauchern (Betrieben, die US-Zulieferungen in den eigenen Produkten verarbeiten), je nach der Warenbeschaffenheit sind Prozentsätze festgelegt, die ihrerseits wiederum im jeweiligen Verhältnis zum Re-Exportwert des Gesamtgutes stehen.

Exportkooperation, →Kooperation II.

Exportkreditversicherung, →Ausfuhrkreditversicherung.

Exportlizenz, →Ausfuhrlizenz.

Exportmakler, →Ausfuhragent.

Exportmarktforschung, Disziplin der →Auslandsmarktforschung, die sich speziell mit der Gewinnung, Aufbereitung und Interpretation von Informationen befaßt, die mit dem Export (→Ausfuhr) als Teil des →Auslandsgeschäfts in Zusammenhang stehen.

Exportmultiplikator, reziproker Wert der Summe aus marginaler →Sparquote (s) und →marginaler Importquote (q). Meßzahl, die angibt, um wieviel das Einkommen eines Landes (Y) steigt (sinkt), wenn die Exporte (Ex) um eine Geldeinheit steigen (sinken):

$$dY = \frac{1}{s+q} \cdot dEx$$

mit dY = Veränderung des Einkommens, dEx = Veränderung der Exporte und

$$\frac{1}{s+q} = E.$$

Die Einkommensänderung wird um so größer sein, je kleiner s und q sind, d.h. je weniger Einkommen durch Sparen und Importe versickert. – In Erweiterung des o.a. Multiplikators, der keine Rückwirkungen aus dem Ausland beachtet, wird im *Zwei-Länder-Fall* die Abhängigkeit der inländischen Einkommensentwicklung von der des Auslandes berücksichtigt. So stellt z.B. eine Exporterhöhung des Inlandes eine entsprechende Importzunahme des Auslandes dar, was dort eventuell das Einkommen und damit auch die (einkommensabhängigen) Importe reduziert; andererseits ergibt eine exportbedingte Erhöhung der inländischen Importe (infolge der induzierten Einkommenssteigerung) eine positive Einkommenswirkung für das Ausland, die wiederum durch die dort ausglösten Importe die ursprünglichen positiven Impulse auf Export und Einkommen verstärkt usw. – Vgl. auch →Importmultiplikator, →Multiplikator.

Exportmusterlager, *Ausfuhrmusterlager,* gemeinschaftliche Verkaufsstellen mehrer Produzenten, die nicht notwendigerweise einer Branche angehören, für den Export ihrer Erzeugnisse; in dieser gemeinschaftlichen Verkaufsstelle wird ein Musterlager aller Güter unterhalten. Das E. soll nach Möglichkeit im Importland liegen. – *Vorteile:* Durch die

Einrichtung des gemeinsamen E. des Exportlandes im Importland oder an den Exportzentralen werden die hohen Kosten des direkten Auslandsvertriebes verteilt; außerdem wird die gemeinschaftliche Auswertung von Erfahrungen und Verbindungen ermöglicht.

Exportprämie, →Ausfuhrprämie.

Exportpreisprüfung, Durchführung von Preisprüfungen für Importwaren und -dienstleistungen. 1983 erstmalig von 14 Schwellen- und Entwicklungsländern aus devisenpolitischen Gründen eingeführt; 1987 waren es 25 Länder: Äquatorial, Guinea, Angola, Bolivien, Burundi, Ecuador, Elfenbeinküste, Ghana, Guatemala, Guninea, Haiti, Jamaika, Liberia, Madagaskar, Mexiko (bei Lieferung an [halb-]staatliche Institutionen), Nigeria, Paraguay, Ruanda, Sambia, Tansania, Uganda, Venezuela, Volksrepublik Kongo und Zaire. – Gemäß § 44a AWV muß für jeden Einzelfall, der im Vertrag eine E. vorsieht, beim →Bundesamt für Wirtschaft (BAW) eine *Genehmigung* eingeholt werden; das BAW prüft den Vertrag und kann durch Auflagen erreichen, daß sich die Prüfmaßnahmen in einem außenwirtschaftspolitisch vertretbaren Rahmen bewegen. E. sind häufig mit Qualitäts- und Mengenkontrollen verbunden. – *Exportpreisprüfverfahren:* In der Bundesrep. D. werden E. von speziellen Prüfungsgesellschaften (Adressen vom Bundesamt für Wirtschaft erhältlich) vorgenommen. – *Anders:* →Preisprüfung. – *Ausgangsbasis für die Bestimmung von Prüfkriterien,* die für alle Exportländer möglichst einheitlich gestaltet werden sollen, sind u. a.: a) Berücksichtigung aller kaufmännischer und technischer Aspekte; b) bei fehlendem Marktpreis, der zur vergleichenden Beurteilung herangezogen werden könnte, Bestimmung von Waren oder Dienstleistungen, die dem zur Überprüfung anstehenden Angebot am nächsten kommen; c) Einzelbeurteilungen dürfen sich nicht beziehen auf: (1) technische Unterlagen, (2) Vertragsbeziehungen und (3) firmeninterne Kalkulationsunterlagen.

Exportquote. 1. *Außenhandelstheorie:* Der Anteil des Werts des Exports am Bruttosozialprodukt zu Marktpreisen. Die E. wird als Indikator für die Außenhandelsverflechtung einer Volkswirtschaft angesehen. – 2. *Außenhandelspolitik:* Die zum Export freigegebenen →Kontingente bestimmter Warenmengen je Zeitraum (sog. *E.-Verfahren*). Die jeweils festgelegte E. bezieht sich auf Waren allgmein, Markenartikel, Rohstoffe, Metalle oder Devisen; Einhaltung der E. wird im Wege der Ausfuhrüberwachung erstrebt. – Vgl. auch →Auslandsgeschäftsquote, →Außenhandelsquote. – 3. *Statistik:* Im →Produzierenden Gewerbe Anteil der Auslandslieferungen an der Gesamtheit des Umsatzes; Gliederung nach der Systematik der Wirtschaftszweige, Ausgabe 1979, Fassung für die Statistik im Produzierenden Gewerbe (→SYPRO).

Exportrestriktion, *Exportbeschränkung, Ausfuhrrestriktion, Ausfuhrbeschränkung,* Begriff für alle staatlichen Maßnahmen, die die Ausfuhr einschränken oder gar unterbinden, wie →Embargo, →Ausfuhrverbot, →Ausfuhrzoll, →Exportkontrolle.

Exportring, Kooperation von Herstellerunternehmen sowie von Exportfirmen, Banken und Transportunternehmen. – *I. e. S.:* Kooperation zwischen Herstellerfirmen und (einem) Unternehmen des Exporthandels, wobei der Handelsebene i. d. R. die Führungsrolle zukommt. Die Zusammenarbeit ist vertraglich geregelt und beinhaltet die Durchführung von Exporten. Im Gegensatz zu einer Einschaltung im Rahmen des indirekten Exports durch Hersteller betreibt das Exporthandelsunternehmen hier keinen Eigenhandel. Es erhält von dem an den einzelnen Partner (Hersteller) gezahlten Rechnungsbetrag eine Provision und gegebenenfalls noch zusätzlich Regiekostenerstattung und Funktionsrabatte.

Exportrisiko, →Ausfuhrrisiko.

Exportschutzversicherung, zusätzliche Versicherung des Transportrisikos im Ausfuhrgeschäft. Werden Exportgeschäfte aus der Basis „ab Werk", „frei Grenze", „fob" und dgl. abgeschlossen, beschafft häufig der ausländische Käufer den Versicherungsschutz für den Teil der Reise, für den er die Gefahr trägt. – E. *tritt ein,* wenn aufgrund eines durch sie versicherten Ereignisses die Zahlung des fälligen Kaufpreises oder die Vergütung einer vom Exporteur geleisteten Havarie-grosse-Zahlung der Käufer nicht leistet. Nicht zu verwechseln mit der →Ausfuhrkreditversicherung. – E. *leistet nicht,* wenn die Güter beim Empfänger unbeschädigt und vollständig angekommen sind und der Käufer den Kaufpreis nicht zahlt.

Exportselbstbeschränkungsabkommen, →Selbstbeschränkungsabkommen.

Exportstreckengeschäft, →Streckengeschäft.

Exportsubstitution, Export von Halb- oder Fertigprodukten anstelle eines zuvor erfolgten Exportes der jeweiligen Rohstoffe.

Exportsubvention, vom Staat bei der Ausfuhr geleisteter Zuschuß, um sonst nicht konkurrenzfähige Waren auf dem Weltmarkt wettbewerbsfähig zu machen; i. d. R. mit dem Ziel verbunden, Produktion und Beschäftigung anzuregen oder wenigstens zu erhalten. E. *verstoßen* gegen die internationalen Handelsregeln (→GATT). Eine Reihe von Maßnahmen der →Exportförderung sind häufig *versteckte E.,* z. B. die in manchen Ländern an die Exporteure gezahlten Steuerrückvergütungen.

Exporttratte, Finanzierungsmittel im Rahmen der kurzfristign →Ausfuhrfinanzierung. Der Exporteur zieht nach Versand der Exportwaren eine Tratte (→gezogener Wechsel) in deutscher oder ausländischer Währung auf seinen ausländischen Kunden, ohne daß sie diesem zum Akzept vorgelegt wird.

Exportüberschuß, →Ausfuhrüberschuß.

Exportvertreter, →Ausfuhragent.

Export von Arbeitslosigkeit, →Beggar-my-neighbour-Politik.

Exportzentrale, →Exportgemeinschaft 3.

ex-post-Analyse. 1. *Volkswirtschaftstheorie:* Analysemethode, zielt ab auf eine (rückschauende) Beschreibung volkswirtschaftlicher Zusammenhänge. – *Beispiel:* →Volkswirtschaftliche Gesamtrechnung. – 2. *Marktforschung:* Vergangenheitsorientierte Untersuchung der Wirkung bestimmter Werbe- oder Marketingmaßnahmen (→Posttest). – *Gegensatz:* →ex-ante-Analyse.

ex-post-Koordination, →Koordination 2a).

ex-post-Limitationalität, Sachverhalt der makroökonomischen Betrachtung, bei dem vor Installation von Betriebsmitteln diese substituierbar sind (→Substitutionalität), danach aber ein bestimmtes Verfahren mit einem gegebenen Faktoreinsatzverhältnis (→Limitationalität) vorliegt.

Expreßgut, →Stückgut, das die Deutsche Bundesbahn in Gepäckwagen von Personenzügen befördert.

Express-IC-Netz, Postzugnetz auf den Intercity(IC)-Zugstrecken; dient der Entlastung des Nachtluftpostverkehrs.

Expropriation, im →Marxismus a) die Enteignung der Privatunternehmer durch Vergesellschaftung der Produktionsmittel im Zuge der sozialistischen bzw. kommunistischen Revolution, b) die →Ausbeutung der Arbeiter durch die Unternehmer sowie c) die Übernahme kleinerer, im Wettbewerbsprozeß unterliegender Unternehmen durch erfolgreichere im Prozeß der →Konzentration (nicht berücksichtigt wird, daß einer Unternehmensübernahme durch einen anderen Unternehmer i.d.R. ein Kaufvertrag zugrunde liegt und sie die Folge der freien unternehmerischen Disposition aller Beteiligten ist).

ex quay, →ab Kai.

extendable bond, →Anleihe mit dem Recht für den Inhaber, die urprünglich vereinbarte Laufzeit bei gleichzeitiger Neufestlegung des Kuponzinses zu verlängern. – *Gegensatz:* →retractable bond.

Extended-coverage-Versicherung, →EC-Versicherung.

Externalitäten, →externe Effekte.

externe Datenbank. 1. *Begriff:* Eine →Datenbank, deren Inanspruchnahme externen Interessenten, die i.d.R. auch räumlich entfernt sind, vom Betreiber (i.a. gegen Entgelt) eingeräumt wird. – 2. *Formen:* a) *Faktendatenbanken,* z.B. über Wertpapiernotierungen, statistische Daten und Zeitreihen; *bibliographische Datenbanken* (zur Auffindung von Literaturstellen o.ä.); *Volltextdatenbanken,* die von vollständigen Text einer Quelle zur Verfügung stellen. – b) Nach der *inhaltlichen Orientierung:* Brachendienste (z.B. im Finanz- und Bankensektor) und allgemeine Informationsdienste. – 3. *Zugang:* Über →Netze und Übertragungsdienste (z.B. →DATEX-P, →Bildschirmtext).

externe Effekte, *Externalitäten.* 1. *Begriff:* Wirkungen, bei denen Verursacher und Betroffener nicht überinstimmen. E.E. stellen (Inter-)Dependenzen zwischen ökonomischen Aktivitäten verschiedener Wirtschaftssubjekte dar, die nicht über marktmäßige Austauschbeziehungen vermittelt werden. – 2. Zu unterscheiden: *externe Vor- und Nachteile.* Sie liegen vor, wenn durch die Produktion in einem Betrieb oder den Verbrauch in einem Haushalt anderen Betrieben oder Haushalten Vor-(Nach-)teile entstehen. – *Beispiel* für externe Nachteile: Umweltbelastungen durch Produktion und Konsum; für externe Vorteile: Erholungsgebiet nach Anlage eines Stausees zur Energieerzeugung. – 3. In der *ökonomischen Theorie* wird behauptet, e.E. seien das Ergebnis von →Marktversagen, eng mit →öffentlichen Gütern zusammenhängend. Einzel- und volkswirtschaftliche Kostenrechnungen ökonomischer Aktivitäten stimmen nicht überein. Folge sind →soziale Kosten (bei Vorteilen →soziale Erträge) und damit verbunden eine Fehlallokation der Ressourcen.

externe Prüfung, →Prüfung.

externe Rechnungslegung, →externes Rechnungswesen.

externer Konsumeffekt, Interdependenz zwischen den Konsumentscheidungen verschiedener Wirtschaftseinheiten. I.d.R. geht man in der Theorie des Haushalts von in ihrer Entscheidung unabhängigen Wirtschaftseinheiten aus. Dies ist eine zu grobe Vereinfachung, z.B. beim Phänomen der Mode. Es gibt eine Reihe von Verhaltenshypothesen, die diese interdependenten Bedarfsstrukturen erfassen. – 1. *Mitläufereffekt (Bandwagon-Effekt):* Ein Wirtschaftssubjekt fragt von einem Gut bei einem gegebenen Preis mehr (weniger) nach, weil einige oder alle anderen Wirtschaftssubjekte ebenfalls mehr (weniger) von diesem Gut nachfragen. – 2. *Snobbeffekt:* Ein Wirtschaftssubjekt fragt von einem Gut bei gegebenem Preis mehr (weniger) nach, weil einige andere Wirtschaftssubjekte von diesem Gut weniger (mehr) nachfragen. Dieser Effekt beschreibt das umgekehrte Verhalten wie der Mitläufereffekt. Die individuelle Nachfrage ist negativ mit der Gesamtnachfrage korreliert. – 3. *Vebleneffekt:* Der Nutzen eines Gutes hängt nicht nur von den objektiven Eigenschaften ab, sondern auch vom Preis. Man unterscheidet zwischen einem tatsächlichen Preis, den der Käufer zu zahlen hat, und einem auffälligen Preis, von dem die anderen glauben, der Käufer habe ihn bezahlt. Je höher der auffällige Preis bei gegebenem tatsächlichen Preis ist, um so größer ist die Nachfrage.

externer Speicher, jeder Speicher eines →Computers, der nicht zum →Zentralspeicher gehört; bei größeren Computern (vgl. →Rechnergruppen) meist auf einem getrennten Gerät. E.Sp. mit hoher Kapazität: →Massenspeicher. – *Gegensatz:* →Zentralspeicher. – Vgl. auch →Peripheriegeräte.

externes Datenmodell, →Datenmodell, das die Daten in einer für eine spezielle Anwendung geeigneten Form beschreibt. Das e.D. wird aus dem →konzeptionellen Datenmodell abgeleitet; für verschiedene Anwendungen unterschiedliche e.D. – Vgl. auch →externes Schema. – Gegensatz: →internes Datenmodell.

externes Rechnungswesen, *externe Rechnungslegung,* Teil des →Rechnungswesens, dessen Adreassaten primär unternehmensexterne Personen oder Institutionen (Banken, Kunden und Lieferanten, Staat usw.) sind. Zum e.R. wird zumeist die Aufwands- und Ertragsrechnung gezählt (→Bilanz, →Gewinn- und Verlustrechnung).

externes Schema, *Subschema, Datensicht,* Darstellung eines →externen Datenmodells in einer →Datenbeschreibungssprache.

externe Varianz, *Zwischenklassenvarianz,* bei einer klassierten →Häufigkeitsverteilung die Größe

$$s_b^2 = \sum (\bar{x}_j - \bar{x})^2 p_j,$$

wobei $\bar{x}_j$ das →arithmetische Mittel und p_j den →Anteilswert der j-ten Klasse und $\bar{x}$ den Gesamtdurchschnitt bezeichnen. Die e.V. kennzeichnet die →Streuung der →Klassendurchschnitte um den Gesamtdurchschnitt. Sie ergibt zusammen mit der →internen Varianz die *Gesamtvarianz* (→Varianz).

externisische Motivation, →Anreize.

Externspeicher, →Anschlußspeicher.

Extrapolation, *Trendextrapolation,* in der →Zeitreihenanalyse die Fortführung empirisch beobachteter Reihen in die Zukunft aufgrund von Regelmäßigkeiten, die aus den Vergangenheitswerten ermittelt wurden (→Trend).

ex works, →ab Werk.

Eye-Catcher, →Blickfang.

EZU, Europäische Zahlungs-Union, *European Payments Union (EPU),* gegr. am 19.9.1950, nach Einführung der Konvertibilität, aufgelöst am 27.12.1958 (→EWA), regelte im Rahmen eines multilateralen Verrechnungs- und Kreditsystems den Zahlungsverkehr zwischen den Mitgliedstaaten der OEEC bzw. der OECD; Sitz in Paris.

F

f, Vorsatz für →Femto.

F/A, Abk. für Februar/August; im Bankwesen: Zinstermin bei Anleihen 1.2. und 1.8. (selten); meist →A/O.

Fabrik, historischer Begriff für eine Betriebsform der Industrie (→Industrieunternehmung). Die F. ist durch eine stark mechanisierte (→Mechanisierung) Produktion gekennzeichnet, die vorwiegend für den anonymen Markt erfolgt. Durch die Produktion großer, gleichartiger Produktmengen bei weitgehender Arbeitsteilung wird der Einsatz von ungelernten oder angelernten Arbeitskräften möglich. Weitere historische Betriebsformen sind das →Verlagssystem und die →Manufaktur.

Fabrikatekonto, im →Gemeinschaftskontenrahmen industrieller Verbände (GKR) vorgesehenes Konto zur Aufnahme der hergestellten Fertigerzeugnisse zu →Herstellkosten (Konto der →Fertigerzeugnisse, Kontenklasse 7). Das F. ist eingeschaltet zwischen Herstellungs- und Verkaufskonto.

Fabrikation, älterer Begriff für →Produktion; als Firmenzusatz oder als bloße Geschäftsbezeichnung zulässig.

Fabrikationsgeheimnis, →Betriebs- und Geschäftsgeheimnis.

Fabrikationskonto, →Herstellkonto.

Fabrikationsprogramm, →Produktionsprogramm.

Fabrikationsteuer, *Produktionsteuer,* besondere Erhebungsweise einer →Verbrauchsteuer, sog. „innere" →Verbrauchsbesteuerung. Erhebung der F. erfolgt im Verlauf des Produktionsprozesses und knüpft dabei an bestimmte Merkmale an, z.B. an Rohstoffe (Zuckerrüben), Herstellungsapparatur (Maischbottich-Volumen) oder Halbfabrikat (Bierwürze). – Die *Rohstoffsteuer* reizt zur Steuereinholung durch Verbesserung des Ausbeuteverhältnisses, z.B. wird die Steigerung der Zuckerausbeute aus Rübenschnitzeln von 1:11 auf 1:6 wesentlich der Zuckerrohstoffbesteuerung zugeschrieben. Die Steuergesetzgebung belohnt rationelle Betriebsführung. Aus diesem Grund wurde die Zuckerrübensteuer durch eine →Fabrikatsteuer ersetzt.

Fabrikatsteuer, Art der →Verbrauchsteuer; Erhebung erfolgt nach völligem Abschluß des Herstellungsprozesses, wenn das Produkt die Fabrikationsstätte verläßt, z.B. →Tabaksteuer, →Spielkartensteuer, →Mineralölsteuer. – *Vorteile* für Finanzverwaltung: a) Betrieblicher Versand ist leicht zu kontrollieren; b) Exportmengen sind ggf. unmittelbar von der Besteuerung auszunehmen, so daß Steuerrückvergütungsverfahren entfällt. – *Anders:* →Fabrikationsteuer.

Fabrikbuchhaltung, →Buchhaltung von Industriebetrieben, die nach einem besonderen Kontenrahmen aufgebaut ist. Die ihr eigentümlichen Konten sind in den Kontenklassen 3–7 untergebracht (in 3 die Konten der Roh-, Hilfs- und Betriebstoffe, in 4 die weit gegliederten Kostenarten-Konten, in 5 die für die Betriebsabrechnung maßgebenden Verrechnungskonten, in 6 evtl. Konten der Kostenstellen und in 7 die Konten der Halb- und Fertigerzeugnisse). Die Konten 3–7 werden häufig zu einer →Betriebsbuchhaltung zusammengefaßt, während die Konten 0–2 und 8–9 die Konten der Geschäfts- oder →Finanzbuchhaltung enthalten. Als Begriff heute kaum noch gebräuchlich.

Fabrik der Zukunft, →factory of the future.

Fabrikgebäude, Zweckbauten für industrielle Fertigung. – 1. *Bilanzierung* und *Kostenrechnung:* F. sind getrennt zu erfassen von Lager-, Verwaltungs- und Wohngebäuden, mit Rücksicht auf folgende Erfordernisse: a) höherer Abschreibungsbedarf (→Gebäudeabschreibungen) als bei Büro- und Wohnhäusern: (1) wegen stärkerer Beanspruchung, z.B. bei Erschütterungen druch Pressen und andere Maschinen; (2) wegen vorzeitigen Veraltens und mangelnder Anpassungsfähigkeit bei Änderung des Fabrikationsverfahrens (→AfA-Tabellen); b) höhere →Instandhaltungskosten. – 2. *Steuerbilanz:* Bewertung von F. in der Steuerbilanz: →Anschaffungskosten oder →Herstellungskosten vermindert um →Absetzungen für Abnutzung oder niedrigerer →Teilwert. – 3. Wertermittlung nach dem *Bewertungsgesetz:* Vgl. →Sachwertverfahren, →Betriebsvorrichtungen.

Fabrikgrundstücke, für betriebliche Zwecke industrieller Unternehmungen genutzte Grundstücke. F. werden ohne den Wert evtl. Baulichkeiten aktiviert und nicht abgeschrieben (evtl. Herabgehen auf den niedrigeren →Teilwert möglich). – *Sonderregelung für*

Abbaubetriebe: Sie müssen die mit ihrer Fertigung zusammenhängende Wertminderung des Grundstücks durch →kalkulatorische Abschreibung berücksichtigen. – *Steuerliche Behandlung:* Vgl. →Betriebsgrundstücke.

Face-to-face-Kommunikation, →Kommunikation in Form eines persönlichen Gesprächs, bei dem sich die Kommunikationspartner auch physisch an einem Ort befinden.

Fachakademie, Schultyp in einigen Bundesländern, der den Realschulabschluß oder einen gleichwertigen Schulabschluß voraussetzt und i.d.R. im Anschluß an eine dem Ausbildungsziel dienende berufliche Ausbildung oder praktische Tätigkeit auf den Eintritt in eine gehobene Berufslaufbahn vorbereitet. Der Ausbildungsgang dauert bei Vollzeitunterricht mindestens zwei Jahre. Durch eine staatliche Ergänzungsprüfung zur Abschlußprüfung kann die Zugangsberechtigung zu einer entsprechenden →Fachhochschule erworben werden. – *Ähnlich:* →Berufskolleg, →Kollegschule.

Fachanwalt, Anwalt mit besonderer Kenntnis eines Spezialgebiets. Die Bezeichnung F. darf ein →Rechtsanwalt i.d.R. nicht verwenden, auch nach außen nicht auf besondere Fähigkeiten hinweisen; zulässig aber Patentanwalt sowie in wenigen Ländern F. für Steuerrecht Verwaltungsrecht, Sozialrecht und Arbeitsrecht.

Facharbeiter, aus der tariflichen Praxis übernommene Bezeichnung für: a) denjenigen Arbeitnehmer, der aufgrund eines Berufsausbildungsverhältnisses in einem anerkannten →Ausbildungsberuf die vorgeschriebene Ausbildungsabschlußprüfung abgelegt hat und auch im erlernten Beruf beschäftigt ist (auch gelernter Arbeiter genannt); b) denjenigen Arbeitnehmer, dessen Fähigkeiten und Kenntnisse denen unter a) gleichzusetzen sind. – *Anders:* →angelernter Arbeiter.

Fachaufsicht, Form der Überwachung der öffentlichen →Verwaltung, bei der die Aufsichtsbehörde sowohl die Rechtmäßigkeit als auch die Zweckmäßigkeit des Verwaltungshandelns überprüft. Die F. ist die übliche Aufsichtsform im Bereich der →Auftragsverwaltung. – *Anders:* →Rechtsaufsicht.

Fachausschuß, Gruppe von sachverständigen Personen, die zur Prüfung einer oder einer Reihe spezifischer Fragen und/oder zur Ausarbeitung von Gutachten zusammentritt: (1) innerhalb der Regierung; (2) innerhalb des Parlaments (→Bundestagsausschüsse); (3) innerhalb von Interessenverbänden oder politischen Parteien; (4) innerhalb von Unternehmungen (→Gremium).

Fachausschuß für moderne Abrechnungssysteme (FAMA), Unterausschuß des →Instituts der Wirtschaftsprüfer in Deutschland e.V. (vgl. im einzelnen dort). Von Bedeutung in Anbetracht der in der Buchführung und Bilanzierung angewandten neuen Technologien.

Fachausstellung, →Ausstellung.

Facheinzelhandel, →Fachgeschäft.

Fachgeschäft. 1. *Begriff:* Traditionelle Betriebsform des →Einzelhandels. Die von einem Branchen-Fachmann, i.d.R. mit einschlägiger Ausbildung, geleitete, typisch mittelständische Einzelhandelsunternehmung. F. finden sich in nahezu allen Branchen des Einzelhandels. – *Besondere Kennzeichen:* Eher schmales, häufig sehr tiefes, in sich geschlossenes Branchen-Sortiment. Beratung durch speziell geschulte Verkaufskräfte sowie weitergehende Dienstleistungen (z.B. Zustellung, Warenversand, Geschenkverpackung, Reparatur, Installation, Umtausch). Standort bevorzugt an innerstädtischen Haupt- oder Nebenanlagen, möglichst in der Nachbarschaft von F. anderer Branchen (→Agglomeration). Preise wegen hoher Personal- und sonstiger Handlungskosten relativ hoch. – 2. *Bedeutung:* a) Viele Hersteller sehen den Vertrieb über den Fachhandel als geeigneten →Absatzweg für ihre hochwertigen Produkte (z.B. →Markenartikel). Insbes. wegen ihres Beratungsangebots werden F. für die Einführung neuer Produkte bevorzugt; dabei wird häufig versucht, durch →Vertriebsbindungen den Weg der Ware im →Absatzkanal möglichst weitgehend zu kontrollieren. – b) F. konnten durch vielfältige Anpassungsprozesse, zumeist des →trading down, ihre Wettbewerbsfähigkeit zu großen Teilen erhalten. Hierbei hat der Anschluß an →kooperative Gruppen zu Kostenreduzierungen in Beschaffung und Verwaltung sowie zur Verbesserung von Entscheidungen des Handelsmarketing geführt.

Fachgymnasium, *berufliches Gymnasium,* Gymnasium mit Fachcharakter; nach Berufsfeldern gegliedert (musische, technische, sozialpädagogische, wirtschaftliche Bereiche u.a.). F. führen zur fachgebundenen Hochschulreife, bei zwei Fremdsprachen zur allgemeinen Hochschulreife. – *F. mit wirtschaftlichem Charakter:* Vgl. →Wirtschaftsgymnasium.

Fachhandel, →Fachgeschäft.

Fachhochschulen (FH), in fast allen Bundesländern und Berlin (West) selbständige oder integrierte Einrichtungen des Hochschulbereichs, hervorgegangen aus den früheren höheren Fachschulen (Ingenieurschulen, höhere Wirtschaftsfachschulen usw.). I.d.R. umfassen sie Einrichtungen des ingenieurwissenschaftlichen, wirtschaftswissenschaftlichen, sozialpädaogischen und künstlerischen Studienbereichs. – *Rechtsform:* Körperschaften des öffentlichen Rechts (Regelfall). –

Formen: Einige Bundesländer haben sich für *regionale FH* entschieden, die in Fachbereiche unterteilt sind. Wenige Bundesländer (z. B. Rheinland-Pfalz) verfügen über *Landesfachhochschulen*, die in regionale Abteilungen mit jeweils mehreren Fachrichtungen gegliedert sind. – *Aufgaben:* Die FH vermitteln eine anwendungsorientierte Lehre auf wissenschaftlicher Grundlage und befähigen zu selbständiger Anwendung wissenschaftlicher Methoden und Erkenntnisse in Beruf und Gesellschaft. Sie dienen der kritischen Reflexion technischer, wirtschaftlicher und sozialer Zusammenhänge und bieten darüber hinaus Weiterbildungsmöglichkeiten für Erwachsene und Kontaktstudien an. Sie arbeiten mit allen anderen Einrichtungen des Hochschulbereichs in kooperativer oder integrierter Weise zusammen. Fachhochschulprofessoren sind in angemessener Weise an anwendungsorientierter Forschung zu beteiligen. – *Aufnahmevoraussetzungen:* Mittlere Reife oder Fachschulreife mit anschließendem Besuch der Fachoberschule und damit verbundener Fachhochschulreife oder abgeschlossene kaufmännische Lehre, Fachschulreife und zusätzliche Fachhochschulreife nach verkürztem Besuch der Fachoberschule. – *Studiengang:* I. d. R. sechs- bzw. siebensemestrig mit der Möglichkeit, bereits nach der Vorprüfung den Studiengang fachgebunden im Hochschulsystem an anderer Stelle fortzusetzen. Stärkere Spezialisierung nach dem 3. oder 4. Studiensemester in Seminaren mit der Möglichkeit zu weiteren Kontaktstudien. Maßvolle Spezialisierung der wirtschaftswissenschaftlichen Fachbereiche in den Fachrichtungen oder Studienschwerpunkten Management, Rechnungswesen, Wirtschaftsinformatik, Betriebliches Steuerwesen, Personal- und Ausbildungswesen, Vertriebswesen und Marktforschung, Produktions-, Außenwirtschaft, Fremdenverkehr usw. Im technischen Bereich Fortführung der wichtigsten Fachrichtungen der bisherigen Ingenieurschulen und neue Errichtung von Fachrichtungen für Sozialarbeit und Sozialpädagogik. – *Abschluß:* Diplom. Mit dem erworbenen Abschlußzeugnis ist die Hochschulreife und damit die Zugangsberechtigung für Universitäten und Technische Universitäten verbunden. – *FH in der Bundesrep. D.:* a) *Baden-Württemberg:* FH Aalen, FH für Bauwesen Biberach, FH für Sozialwesen Esslingen, FH für Technik Esslingen, FH Furtwangen, FH Heilbronn, FH Karlsruhe, FH für öffentliche Verwaltung Kehl, FH Konstanz, FH für Sozialwesen Mannheim, FH für Technik Mannheim, FH Nürtingen, FH Offenburg, FH für Gestaltung Pforzheim, FH für Wirtschaft Pforzheim, FH Ravensburg-Weingarten, FH für Technik und Wirtschaft Reutlingen, FH für Forstwirtschaft Rottenburg, FH für Gestaltung Schwäbisch Gmünd, FH für Technik Sigmaringen, FH für Bibliothekswesen Stuttgart, FH für Druck Stuttgart, FH für Technik Stuttgart, FH für öffentliche Verwaltung Stuttgart, FH Ulm. – b) *Bayern:* FH Augsburg, FH Coburg, FH Weihenstephan, FH Kempten, FH Landshut, FH München, FH Nürnberg, FH Regensburg, FH Rosenheim, FH Würzburg/Schweinfurt. – c) *Berlin (West):* Technische FH, FH für Wirtschaft, FH für Sozialarbeit und Sozialpädagogik, Evangelische FH für Sozialarbeit und Sozialpädagogik. – d) *Bremen:* Hochschule Bremen, Hochschule Bremerhaven. – e) *Hamburg:* FH Hamburg. – f) *Hessen:* FH Darmstadt, FH Frankfurt a. M., FH Fulda, FH Gießen-Friedberg, FH Wiesbaden, Hochschule für Gestaltung Offenbach a. M. – g) *Niedersachsen:* FH Braunschweig/Wolfenbüttel, FH Hannover, FH Hildesheim/Holzminden, FH Nordostniedersachsen (Lüneburg), FH Oldenburg, FH Osnabrück, FH Ostfriesland (Emden), FH Wilhelmshaven, Niedersächsische FH für Verwaltung und Rechtspflege Hildesheim. – h) *Nordrhein-Westfalen:* FH Aachen, FH Bielefeld, FH Bochum, FH Dortmund, FH Düsseldorf, FH Hagen, FH Köln, FH Lippe (Lemgo), FH Münster, FH Niederrhein (Krefeld). – i) *Rheinland-Pfalz:* FH des Landes Rheinland-Pfalz (Mainz). – j) *Saarland:* FH des Saarlandes (Saarbrücken), Katholische FH für Sozialwesen (Sozialarbeit/Sozialpädagogik) (Saarbrücken). – k) *Schleswig-Holstein:* FH Flensburg, FH Kiel, FH Lübeck, FH für Verwaltung, Polizei und Steuerwesen Altenholz.

Fachkenntnisse, Inbegriff eines →Anforderungsmerkmals bezüglich der Arbeitsschwierigkeit im Rahmen der →Arbeitsbewertung. – F. setzen sich zusammen aus: 1. *Berufsausbildung:* a) *Zweckausbildung:* (1) Anweisung (bis 1 Jahr): Notwendigste Stoff- und Maschinenkenntnisse, bloßes Vertrautsein mit bestimmten Bewegungabläufen; (2) Anlernen (etwa ½–1½ Jahre): Regelmäßige, praktische und theoretische Anlernung, die begrenzte und genau umrissene Kenntnisse bezüglich Werkstoff und Betriebsmittel vermittelt; (3) Anlernausbildung (etwa 1½–2½ Jahre): Systematische Anlernung einer als Anlernberuf anerkannten Tätigkeit mit festgelegter Prüfungsordnung. – b) *Fachausbildung* (drei Jahre): (1) abgeschlossene Handwerkslehre, so daß alle Arbeiten des Berufs fachgemäß ohne fremde Hilfe ausgeführt werden können; (2) höchstes fachliches Können: Besondere langjährige Berufserfahrung und Schulung durch umfassende Praxis und fundierte theoretische Kenntnisse. – 2. *Berufserfahrung:* Kenntnisse, die außerhalb der Fach- und Zweckausbidung nur durch zusätzliche praktische Tätigkeit im Berufszweig erworben werden können.

Fachkraft für Arbeitssicherheit, rechtliche Regelung in dem Gesetzes über Betriebsärzte, Sicherheitsingenieure und andere Fachkräfte für Arbeitssicherheit vom 12.12.1973 (BGBl I 1885) mit späteren Änderungen. Arbeitgeber haben F. f. A. (Sicherheitsingenieure, -techniker und -meister) unter den gleichen Voraussetzungen wie →Betriebsarzt schriftlich zu bestellen und ihnen bestimmte Aufgaben zu übertragen (v.a. Unterstützung des Arbeitgebers beim Arbeitsschutz und bei der Unfallverhütung in allen Fragen der →Arbeitssicherheit einschl. der menschengerechten Gestaltung der Arbeit). – Vgl. auch →Sicherheitsingenieur.

Fachliteratur, im Gegensatz zu unterhaltendem oder allgemeinbildendem Lesestoff Druckwerke, die geeignet sind, Aus- und Fortbildung in einem Fachgebiet zu vermitteln: Fachbücher, Fachzeitschriften, Fernkurse. – *Steuerliche Behandlung:* F. sind als Aufwendungen für →Betriebsausgaben oder als →Werbungskosten bei der →Einkünfteermittlung abzugsfähig.

Fachmarkt, Betriebsform des Einzelhandels. Bestimmte Teile des Sortiments von →Fachgeschäften werden zielgruppenorientiert neu zusammengestellt; Mischung von Selbstbedienung und Beratung bei Bedarf; großflächige, offene Warenpräsentation (→Display); tendenziell niedriges bis allenfalls mittleres Preisniveau. – *Beispiele:* Hobby-, Bau-, Drogerie-, Bekleidungs-, auch Sportfachmärkte.

Fachmesse, →Messe.

Fachoberschule, berufsbildende Schule, die, auf dem Realschulabschluß oder einem als gleichwertig anerkannten Abschluß aufbauend, allgemeine, fachtheoretische und fachpraktische Kenntnisse und Fähigkeiten vermittelt. Zahlenmäßig wichtigste Fachbereich: Ingenieurwesen und Wirtschaft. Die F. umfaßt die Klassen 11 und 12. – *Lern- und Ausbildungsinhalte:* a) Die *fachpraktische Ausbildung* findet in der Klasse 11 häufig als Praktikantenausbildung statt; sie wird von jenen Schülern besucht, die den Realschulabschluß oder einen entsprechenden Bildungsstand aber noch keinen beruflichen Abschluß besitzen. b) Die *allgemeine und fachtheoretische Ausbildung* erfolgt in der Klasse 12, in die Schüler direkt aufgenommen werden können, wenn sie einen beruflichen Abschluß oder Berufserfahrung in der entsprechenden Fachrichtung nachweisen können. – *Abschluß:* Fachhochschulreife.

Fachpromotoren, →buying center.

Fachschulen, berufsbildende Schulform, die nach Abschluß ener Berufsausbildung und entsprechender Berufserfahrung oder nach einschlägiger praktischer Berufstätigkeit besucht wird. Ziel ist eine vertiefte berufliche Fachbildung sowie ein Ausbau der Allgemeinbildung. Die F. befähigt i.d.R. zur Übernahme von Funktionen, die i.a. vom im Beruf erfahrenen Praktikern nicht mehr erfüllt werden können und nicht den Einsatz von Fachhochschul- oder Hochschulabsolventen erfordern. *Dauer der Ausbildung:* Bei Vollzeitunterricht zwischen einem halben Jahr und drei Jahren, bei Teilzeitunterricht kann sie bis zu vier Jahren betragen. – Durch die Wahrnehmung von Zusatzunterricht kann mit dem F.-Abschluß auch der *Realschulabschluß* oder *Fachhochschulreife* erworben werden. – *F. mit wirtschaftlicher Orientierung:* Vgl. →Fachschule für Betriebswirtschaft.

Fachschule für Betriebswirtschaft, *Fachschule für Wirtschaft, Wirtschaftsfachschule,* öffentliche oder private →Fachschule zur Ausbildung kaufmännischer Fachkräfte, die fähig sind gehobene Tätigkeiten in der Wirtschaft und der Verwaltung auszuüben. – 1. *Aufnahmevoraussetzungen:* a) Fachschulreife, Realschulabschluß oder gleichwertiger Bildungsstand und b) Abschlußprüfung in einem kaufmännischen Ausbildungsberuf mit anschließender mindestens zweijähriger (bei allgemeiner oder fachgebundener Hochschulreife einjähriger) Berufserfahrung oder i.d.R. sechsjähriger kaufmännischer Berufserfahrung mit Abschlußprüfung. – 2. *Ausbildungsgang:* Insgesamt vier Halbjahre, gegliedert in Grundstufe und Fachstufe von je zwei Halbjahren. a) Grundstufe als Vollzeitschule oder Teilzeitschule (Abend- und Samstagunterricht) umfaßt allgemeine Grundfächer; b) Fachstufe als Vollzeitschule mit Fachstufenkursen nach betriebswirtschaftlichen Funktionen. – 3. *Abschlußprüfung* als *„Staatlich geprüfter Betriebwirt"* für die Absolventen der F. sowie für Schulfremde bei Vorliegen bestimmter Voraussetzungen.

Fachschule für Wirtschaft, →Fachschule für Betriebswirtschaft.

Fachstatistiken, Statistiken für einzelne Zweige des →Produzierenden Gewerbes, mit deren Hilfe Vorgänge im Wirtschaftsablauf dieser Zweige statistisch durchleuchtet werden, um der Verwaltung und Wirtschaft die für internationale Verhandlungen notwendigen Einblicke zu verschaffen. F. bieten auch für die →Volkswirtschaftlichen Gesamtrechnungen und für die Input-Output-Tabellen (→Input-Output-Analyse) wichtige Informationen. – Im einzelnen *gehören dazu:* →Eisen- und Stahlstatistik, →Nichteisen- und Edelmetallstatistik, →Düngemittelstatistik, →Mineralölstatistik, →Textilstatistik (bis 1984). – *Veröffentlichung* in verschiedenen Reihen der Fachserie 4 „Produzierendes Gewerbe" des Statistischen Bundesamtes. – Vgl. auch →Sonderstatistiken.

Fachteil in der Vorschriftensammlung Bundesfinanzverwaltung (VSF), Dienstanweisungen des Bundesminister der Finanzen an die Zolldienststellen zu den Rechtsgrundlagen des →Zollrechts. Der F. hat administrativen Charakter, begründet daher keine Rechte und Pflichten Dritter und bindet nicht die Gerichte. Kenntnis kann trotzdem für Zollbeteiligte von Bedeutung sein, weil er mitunter Grundsätze der Verwaltung enthält.

Fachwirt, nach der Weiterbildungskonzeption des Deutschen Industrie- und Handelstages mittlere kaufmännische Führungskraft, Branchen- bzw. Wirtschaftszweigspezialist mit erweiterten beruflichen Kenntnissen in einem Wirtschaftszweig, z.B. Industriefachwirt, Handelsfachwirt, Versicherungsfachwirt, Verkehrsfachwirt, Bankfachwirt. – Fortbildungsmöglichkeiten bei Industrie- und Handelskammern und anderen Bildungsträgern sowie durch Fernkurse mit Direktunterricht. – *Fachwirteprüfungen* bei Industrie- und Handelskammern. – *Zulassungsvoraussetzungen zur Prüfung:* a) abgeschlossene Ausbildung in einem entsprechenden kaufmännischen Ausbildungsberuf; weitere Berufspraxis in dieser Fachrichtung von mindestens drei Jahren; b) ohne abgeschlossene kaufmännische Berufsausbildung mindestens 6jährige einschlägige Berufspraxis.

facility. 1. *Operations Research:* Vgl. →Abfertigungseinheit. – 2. *Bankwesen:* Vgl. →Kreditfazilität.

Façonwert, →Firmenwert.

fact, →Faktum.

factor comparison, →Merkmalsvergleich.

Factoring. I. Begriff: Finanzierungsgeschäft, bei dem ein spezialisiertes Finanzierungsinstitut (Factor) von einem Verkäufer dessen Forderungen aus Warenlieferungen und Dienstleistungen laufend oder einmalig ankauft und die Verwaltung (Fakturierung, Buchführung, Mahnwesen, Inkasso) der Forderungen übernimmt. F. ist kein Bankgeschäft im Sinn von §1 KWG. Nach §10a II KWG sind F.-Töchter jedoch von Banken in die Berechnung des konsolidierten haftenden Eigenkapitals der →Kreditinstitutsgruppe miteinzubeziehen, wenn das Spitzeninstitut mindestens 40% der Kapitalanteile an der F.-Gesellschaft unmittelbar oder mittelbar hält oder auf diese einen beherrschenden Einfluß ausüben kann.

II. Arten: 1. *Fälligkeits-F. (maturity f.)* liegt vor, wenn der Factor die Forderungen Valuta Fälligkeitstag oder ohne Übernahme des Delkredere ankauft und keine Bevorschussung erfolgt. – 2. *Echtes F. (old-line f.)* liegt dann vor, wenn neben der Verwaltung der Forderungen auch Finanzierungsleistungen erbracht und Kreditrisiken übernommen werden. Bleibt das Kreditrisiko beim Forderungsverkäufer, spricht man von *unechtem F.*. – 3. F. wird hinsichtlich der Erkennbarkeit der Abtretung für den Schuldner des Forderungsverkäufers in *offenes F. (notification f.)*, *halboffenes F.* und *verdecktes F. (non-notification f.)* eingeteilt.

III. Hauptfunktionen: 1. *Finanzierungsfunktion* besteht darin, daß der Factor bei Forderungsankauf per Zahlungseingang bzw. in einem durchschnittlichen oder individuellen Fälligkeitstag einen Vorschuß auf die Bezahlung der Forderung gewährt oder bei Übernahme der Forderung dem Forderungsverkäufer den Kaufpreis sofort gutschreibt. – 2. Die *Dienstleistungsfunktion* des F. besteht in der Übernahme sämtlicher im Zusammenhang mit der Forderung stehender Verwaltungsaufgaben durch den Factor. – 3. Die *Delkrederefunktion* besteht in der Übernahme des vollen Kredit (Delkredere-)Risikos durch den Factor. Um das Risiko für den Factor zu begrenzen, wird der Klient im F.-Vertrag verpflichtet, durch →Globalabtretung alle während des Vertragsverhältnisses entstehenden Forderungen bzw. alle Forderungen eines bestimmten Umsatzbereichs abzutreten.

IV. F. im Außenhandel: 1. *Export-F.:* Der Exporteur reicht dem inländischen Factor seine Rechnungskopie ein, die alle Bedingungen des Exportauftrags enthält. Der inländische Factor reicht diese an den ausländischen Factor weiter, der nach Prüfung der Bonität des Käufers dem inländischen Factor eine Haftungszusage erteilt (credit approval). Aufgrund dieser sagt der inländische Factor dem Kreditnehmer den Kredit zu. Der inländische Factor erhält beim Versand die üblichen Warendokumente, die dann entsprechend dem inländischen F.-Geschäft mit 80–95% „Valuta Verfalltag" kreditiert werden. – 2. *Import-F.:* Der inländische Factor übernimmt gegenüber dem ausländischen Factor die Haftung für die Zahlungsfähigkeit der Abnehmer. Im übrigen gleicht das Verfahren dem Export-F.

V. Vorteile: Für die Unternehmensführung liegen sie v.a. in der Entlastung sowie Erleichterung ihrer Planungs- und Überwachungsarbeit. Im Finanzierungsbereich sichert ein F.-Vertrag dem Forderungsverkäufer unabhängig von der Lage auf den Finanzmärkten ein mittelfristiges Finanzierungsvolumen, das sich der Umsatzentwicklung und damit dem Mittelbedarf für Außenstände und Lagerhaltung automatisch anpaßt. In der Bilanz führt die F.-Finanzierung zu einemm Aktivtausch zwischen Forderungen aus Lieferung und Leistung und Bankguthaben. Für den Fall der Tilgung von Warenschulden mit F.-Mitteln tritt eine Bilanzverkürzung und damit eine Verbesserung des Liquiditätsbildes und der Eigenkapitalrelationen ein.

factory of the future, *Fabrik der Zukunft*. 1. *Begriff:* Gesamtkonzeption zur Integration von betriebswirtschaftlich und technisch orientierten →Computersystemen und →Anwendungen in einem Fertigungsbetrieb. – 2. *Elemente:* Im Rahmen des Konzepts →CIM Einbeziehung von →PPS-Systemen,

Konstruktion, Produkt-, Arbeitsplanung und Fertigung (vgl. auch →CAD, →CAE, →CAP, →CAQ, →CAM), insbes. automatisierter Transport-, Lager- und Fertigungssysteme (→Fertigungsautomation, →fahrerloses Transportsystem). Darüber hinaus Integration mit Bürokommunikationssystemen (→Bürokommunikation, vgl. auch →Büro der Zukunft) und →Schnittstellen zu externen Computersystemen (→zwischenbetriebliche Integration der Datenverarbeitung). – 3. *Voraussetzungen:* Gemeinsame Datenbasis (→Datenbanksystem) und Vernetzung der Einzelsysteme (→Computerverbund, →Netz).

Fähigkeit, Gesamtheit der individuellen Bedingungen, die für die Erreichung einer bestimmten Leistung neben der →Motivation erforderlich sind (Leistung = Motivation + F.). F. können sowohl angelegt *(Begabungen)* als auch erworben *(Fähigkeiten)* sein und variieren nach dem Grad ihrer Ausprägung von Person zu Person. – Die Feststellung von *Fähigkeitsunterschieden* zum Zwecke der individuellen Leistungsvorhersage ist Gegenstand der →Eignungsuntersuchung.

Fahrenheit, *Grad-Fahrenheit,* Temperatureinheit in Großbritannien und USA. Zwischen Fahrenheit-(t_F) und Celsius-Temperatur (t_c) gilt:

$$t_c = \frac{5}{9}(t_F - 32).$$

Vgl. auch Grad Celsius.

Fahrerflucht, →unerlaubtes Entfernen vom Unfallort.

Fahrerlaubnis. I. Begriff: Bezeichnung der von der zuständigen Behörde durch Verwaltungsakt erteilten Ermächtigung zur Führung eines →Kraftfahrzeugs auf öffenltichen Wegen und Plätzen. – 1. *Erteilung:* F. wird für jede Betriebsart erteilt (§ 5 StVZO); sie ist nach Erfüllung der →Altersgrenzen zu erteilen, wenn die Befähigung durch eine Prüfung, die u. a. die Gefahrenlehre und die lärmmindernde Fahrweise umfaßt, dargetan und nachgewiesen ist, daß die Grundzüge der energiesparenden Fahrweise und der Versorgung Unfallverletzter im Straßenverkehr beherrscht werden (§2 StVG). Die F. setzt ferner die Ablegung eines Sehtestes und für Klasse 2 eine ärztliche Untersuchung voraus. – 2. Bei erstmaligem Erwerb wird die *F. auf Probe* erteilt; Probezeit 2 Jahre. Werden innerhalb dieser Zeit bestimmte →Straftaten oder →Ordnungswidrigkeiten begangen und ergeht deshalb eine rechtskräftige Entscheidung, die in das →Verkehrszentralregister einzutragen ist, so muß an einem Nachschulungskurs teilgenommen sowie u. U. auch eine weitere Prüfung abgelegt werden (§2a StVG). – 3. Eine *ausländische F.* gilt unbefristet. Erst nach Begründung eines ständigen Aufenthalts im Inland ist die Berechtigung auf 12 Monate befristet und muß umgeschrieben werden. – 4. *Nachweis* der F. durch →Führerschein.

II. Klassen: *Klasse 1:* Krafträder über 50 ccm (vor dem 1.12.1954: über 250 ccm) oder mit einer durch Bauart bestimmten Höchstgeschwindigkeit von mehr als 15 km/h; *Klasse 1a:* Krafträder der Klasse 1, jedoch mit einer Nennleistung von nicht mehr als 20 kW und einem Leergewicht von nicht weniger als 7 kg/kW, ab 1.4.1988 darf eine Fahrerlaubnis der Klasse 1 erst nach zweijährigem Besitz der Klasse 1a erteilt werden (Stufenführerschein); *Klasse 1b:* →Leichtkrafträder; *Klasse 2:* Kfz über 7,5 t und Züge mit mehr als 3 Achsen; *Klasse 3:* alle Kfz außer Klassen 1, 1a, 1b, 2, 4 oder 5; *Klasse 4:* →Kleinkrafträder und →Fahrräder mit Hilfsmotor (vor dem 1.12.1954 ausgestellte F.: bis 250 ccm); *Klasse 5* (ab 1.4.1961): Krankenfahrstühle, Kfz mit einer durch Bauart bestimmten Höchstgeschwindigkeit von nicht mehr als 25 km/h und Kfz mit einem Hubraum von nicht mehr als 50 ccm mit Ausnahme der zu den Klasse 1, 1a, 1b und 4 gehörenden Fahrzeugen sowie Zugmaschinen mit einer durch die Bauart bestimmten Höchstgeschwindigkeit bis zu 32 km/h. – Klasse 1, 1a, 1b, 2 und 3 berechtigt auch zur Führung von Fahrzeugen der Klasse 4 und 5. Klasse 1 gilt auch für Klasse 1a und 1b; Klasse 1a für 1b; Klasse 2 für Klasse 3 und Klasse 4 für Klasse 5. – Eine *besondere F.* ist erforderlich für die Beförderung von Personen durch →Droschken oder →Kraftomnibusse (§§ 15d. ff. StVZO).

III. Entziehung der F.: 1. Durch das *Gericht,* v. a. bei strafbaren Handlungen, wenn der Täter sich durch die Tat als ungeeignet zum Führen von Kraftfahrzeugen erwiesen hat. Das Gericht bestimmt zugleich eine Frist (sechs Monate bis fünf Jahre), vor deren Ablauf keine neue F. erteilt werden darf oder untersagt die Erteilung für immer. Das Gericht kann seine Entscheidung ändern, wenn die Maßnahme nicht mehr erforderlich ist; Einzelheiten in §§ 69, 69a StGB. Bereits vor Verurteilung kann bei dringendem Verdacht die vorläufige Entziehung der F. durch das Gericht angeordnet werden (§ 111a StPO). – Vgl. auch →Fahrverbot. – 2. Durch die *Verwaltungsbehörde,* falls der Inhaber der F. körperlich oder geistig ungeeignet ist, z. B. wegen Gebrechens oder häufiger Verstöße im Straßenverkehr, die sich aus dem Verkehrszentralregister ergeben (§4 StVG, §15b StVZO). Die Verwaltungsbehörde kann auch eine unbeschränkt erteilte F. einschränken oder mit Auflagen versehen. – Die *Wiedererteilung* einer entzogenen F. kann ohne besondere Fahrprüfung erfolgen (§ 15c StVZO).

IV. Fahren ohne F. oder trotz Entzugs der F.: Wird mit Freiheitsstrafe bis zu einem Jahr oder mit Geldstrafe bestraft (§ 21 StVG).

fahrerloses Transportsystem (FTS), *computergestütztes Transportsystem,* computergesteuerte (→Computersystem) Fördereinrichtung, die automatisch Güter durch Produktionshallen bewegt. Die „Fahrstraßen" werden durch Induktionsschleifen gebildet. Der Rechner kann dabei die Transportwege optimieren und überwachen. – Vgl. auch →PPS-Systeme, →factory of the future, →Fertigungsautomation, →Hochregallager, →Prozeßsteuerung.

Fahrgemeinschaft, Zusammenschluß von Arbeitnehmern zur gemeinsamen Benutzung eines Kfz bei Fahrten zwischen Wohnung und Arbeitsstätte, Familienheimfahrten, Dienstreisen zwecks Kostenersparnis. – *Arten* (unterschiedliche steuerliche Folgen für Aktiv- und Passivfahrer): 1. Mehrere Arbeitnehmer, die jeweils einen eigenen Pkw haben, benutzten *wechselweise für einen gewissen Zeitraum einen Pkw* gemeinsam. Jedes Mitglied erhält die Fahrtkostenpauschale für die mit dem eignen Pkw durchgeführten Fahrten; eine gegenseitige Verrechnung am Jahresende soll unschädlich sein. – 2. Mehrere Arbeitnehmer benutzen *entgeltlich oder unentgeltlich* ständig das Fahrzeug eines Arbeitskollegen. F., auch Mitnahmen gegen Entgelt, gelten nicht als gewerbsmäßige Personenbeförderung; erhaltene Mitfahrvergütungen gehören aber zu den Einkünften gem. § 22 Nr. 3 EStG. Der Arbeitnehmer selbst kann nur die Pauschbeträge für die kürzeste Fahrstrecke beanspruchen. Kosten für die Umwegstrecken sind in tatsächlicher Höhe von der Mitfahrvergütung abzuziehen. – *Versicherungsschutz:* Erstreckt sich auf Haftpflichtansprüche sämtlicher Fahrzeuginsassen gegen den (berechtigten) Fahrer. Ausgeschlossen sind jedoch Ansprüche aus Sach- und Vermögensschäden des Versicherungsnehmers, Halters oder Eigentümers gegen mitversicherte Personen.

fahrlässige Herbeiführung des Versicherungsfalles. 1. *Einfache Fahrlässigkeit* führt i. d. R. nicht zum Verlust des Versicherungsschutzes. – 2. Bei *grobfahrlässiger* oder *vorsätzlicher* Herbeiführung des Schadens ist der Versicherer grundsätzlich von der Leistungspflicht frei. – Fahrlässigkeit wird i. S. des Zivilrechts (→Fahrlässigkeit I) verwendet. – 3. *Wichtige Ausnahmen:* →Haftpflichtversicherung schließt grobe Fahrlässigkeit ein; →Lebensversicherung leistet laut allgemeinen Versicherungsbedingungen nach einer Karenzzeit von drei Jahren auch bei Selbsttötung; →Transportversicherung nimmt Fahrlässigkeit (evtl. schon einfache F.) aus.

Fahrlässigkeit. I. Zivilrecht: Außerachtlassen der im Verkehr erforderlichen Sorgfalt (§ 276 BGB). Im Gegensatz zum Strafrecht objektiver Maßstab. Weder Verkehrsunsitten noch Fähigkeiten oder Einsicht des Schuldners werden berücksichtigt, jedoch wird innerhalb gewisser Gruppen differenziert (z. B. Sorgfalt eines ordentlichen Kaufmanns, § 347 HGB). – F. *setzt voraus,* daß der Schuldner den schädlichen Erfolg bei Anwendung der im Verkehr erforderlichen Sorgfalt hätte voraussehen müssen (aber nicht daran gedacht hat: *unbewußte F.).* – Bisweilen wird nur für *grobe F.* (besonders schwere Verletzung der erforderlichen Sorgfalt, wenn Schuldner nicht beachtet, was jedem einleuchten muß) gehaftet, z. B. Schenker, Verleiher, Schuldner bei Annahmeverzug. – Nur für *konkrete F.,* d. h. Verletzung der Sorgfalt, die der Schuldner in eigenen Angelegenheiten anzuwenden pflegt, hat z. B. der Gesellschafter einzusetehen. Wer für konkrete F. haftet, muß immer für grobe F. einstehen (§ 277 BGB).

II. Strafrecht: Die nichtgewollte Verwirklichung eines strafbaren Tatbestandes, falls damit der Täter die ihm mögliche und zumutbare Sorgfalt außer acht gelassen hat und den nach dem Gesetz erforderlichen Erfolg hätte voraussehen können. *Unbewußte F.,* wenn der Täter den voraussehbaren Erfolg nicht bedacht hat, *bewußte F.,* wenn er den Erfolg zwar als möglich vorausgesehen, aber darauf vertraut hat, daß er nicht eintreten werde.

III. Versicherungswesen: Vgl. →fahrlässiges Herbeiführen eines Versicherungsfalls.

Fahrlehrer. 1. *Begriff:* Personen, die entgeltlich oder geschäftsmäßig Fahrschüler ausbilden, die den Führerschein der Klasse 1 bis 5 erwerben wollen. – 2. Der F. bedarf einer besonderen Fahrerlaubnis *(Fahrlehrerschein).* Voraussetzungen: Alter von 23 Jahren, Zuverlässigkeit, →Fahrerlaubnis für alle Klassen, Führen von Kraftfahrzeugen der Klassen 3 und 2 über mindestens drei Jahre innerhalb der letzten fünf Jahre, fachliche Eignung, die in einer Prüfung nachzuweisen ist. Der Fahrlehrerschein ist bei Fahrten mit Fahrschülern mitzuführen. – 3. Für die Führung des *Übungsfahrzeuges* ist der F. verantwortlich. – 4. Wer geschäftsmäßig Fahrschüler selbständig ausbildet oder sie durch F., die von ihm beschäftigt werden, ausbilden läßt, bedarf der *Fahrschulerlaubnis,* die insbes. voraussetzt: Alter von 25 Jahren, Besitz der Fahrlehrererlaubnis, zweijährige Fahrlehrerpraxis, sachliche Unterrichtsmittel (Raum, Lehrmittel, Fahrzeug). Bei Ausbildung von F. ist die Anerkennung als Fahrlehrerausbildungsstätte erforderlich. – 5. Unter besonderen Voraussetzungen ist zur Ausbildung von Fahrschülern eine *Einzelausbildungserlaubnis* möglich, so u. a. für eine Nachschulung bei einer Fahrerlaubnis auf Probe. – 6. *Rechtsgrundlage und Einzelheiten:* Gesetz über das Fahrlehrerwesen vom 25. 8. 1969 (BGBl I 1336) mit späteren Änderungen und DVO vom 16. 9. 1969 (BGBl I 1763) mit Änderungen, Fahrschüler-Ausbildungsordnung vom 31. 5. 1976 (BGBl I 1366) mit späteren Änderungen und Fahrlehrer-Ausbildungsordnung vom 13.5.1977 (BGBl I 733) nebst Prüfungsordnung.

Fahrlehrerschein, →Fahrlehrer.

Fahrnis, →bewegliche Sachen.

Fahrnisgemeinschaft, →eheliches Güterrecht III 3.

Fahrnisvollstreckung, →Mobiliarvollstrekkung.

Fahrplan, Programm der räumlichen und zeitlichen Abwicklung von Personen- und/oder Gütertransporten im →Linienverkehr, das i.d.R. Interessenten bekanntgegeben wird (im Luftverkehr: *Flugplan*). Der F. einer Linie (→Relation) oder eines Liniennetzes enthält mindestens Angaben über die Stationen je Linie mit Transportmittelankufts- und/oder -abfahrtszeiten je Station. – *Betriebswirtschaftlich* ist ein F. das Ergebnis der verkehrsbetrieblichen Produktionsprogrammplanung für eine bestimmte Periode (Fahrplanperiode).

Fahrplanpflicht. 1. *Öffentlicher Personennahverkehr:* Für den Verkehr mit Straßenbahnen (§40 PBefG) und Obussen (§41 PBefG) sind Fahrpläne vorgeschrieben, die die Führung der Linie mit Anfangs- und Endpunkt, Haltestellen und Fahrzeiten ausweisen. Fahrpläne und ihre Änderung bedürfen der Zustimmung der Genehmigungsbehörde; ferner sind die Fahrpläne sowie die Änderungen ortsüblich bekanntzumachen und an den Haltestellen oder in für den Aufenthalt der Fahrgäste vorgesehenen Räumen auszuhängen. – *Befreit:* (1) Linienverkehr mit Kraftfahrzeugen (§42 PBefG); (2) Sonderformen des Linienverkehrs gem. §43 PBefG *können* von der Genehmigungsbehörde (wird von der Landesregierung bestimmt, §11 PBefG) ganz oder teilweise von der F. freigestellt werden (§45 IV PBefG). – 2. *Eisenbahnverkehr:* F. besteht auch im nationalen (§17 BbG) und internationalen (Art. 9 CJV) Eisenbahnverkehr. – 3. Für den *Personenlinienluftverkehr* gibt es keine F.; die aufgestellten Fahrpläne bedürfen aber gem. §21 LuftVG der besonderen Genehmigung durch die Aufsichtsbehörde (Bundesminister für Verkehr im internationalen Verkehr; Luftfahrtbehörde des entsprechenden Bundeslandes im nationalen Verkehr).

Fahrrad, verkehrssicher mit Bremse, Klingel, Rückstrahler (auch an den Pedalen) und Beleuchtung. – Radfahrer dürfen Gegenstände nur *mitnehmen*, falls diese ihre Bewegungsfreiheit nicht beeinträchtigen und Personen oder Sachen nicht gefährden. Die Mitnahme von Personen ist verboten, ausgenommen Kinder unter sieben Jahren auf geeigneter Sitzgelegeheit (§21 III StVO). – An *zweirädrigen Fahrrädern* ist das Mitführen von Anhängern und Seitenwagen nur gestattet, wenn sie mit dem Fahrrad fest verbunden sind.

Fahrrad mit Hilfsmotor, →Mofa.

Fahrradversicherung, Versicherungsschutz v.a. bei Diebstahl, Unterschlagung und zahlreichen weiteren Gefahren (z.B. Brand, Blitzschlag, Unfälle aller Art). – Die *Fahrradverkehrsversicherung* verbindet das Fahrradkaskorisiko mit einer Haftpflicht- und Unfallversicherung.

Fahrschulerlaubnis, →Fahrlehrer.

Fahrstrahl, geometrische Hilfskonstruktion zur Ableitung der zu einer bestimmten (Gesamt-)Kurve zugehörigen Durchschnittskurve. Der F. stellt die Verbindung eines beliebigen Kurvenpunktes mit dem Koordinatenursprung dar. Der Tangens des Winkels, den der F. dieses Punktes mit der positiven Richtung der Abszissenachse bildet, gibt den durchschnittlichen Wert der ursprünglichen Kurve in diesem Punkt an. Diesen Tangens kann man auf der Ordinate ablesen, und zwar im Schnittpunkt mit dem um eine Einheit auf der Abszisse nach links verschobenen (also in –1 beginnenden) F.

Fahrtenbuch, in bestimmten Fällen von einem Kraftfahrzeug-Halter zu führendes Verzeichnis über die einzelnen Fahrten jedes Fahrzeuges (§31a StVZO) als zuverlässiger Nachweis über alle Fahrzeugführer des Halters. Das F. ist auf Verlangen der Polizei vorzuzeigen, braucht aber im Gegensatz zum →Fahrtennachweis nicht mitgeführt zu werden und ist sechs Monate lang aufzubewahren. Die Führung eines F. kann polizeilich oder von der Verwaltungsbhörde angeordnet werden.

Fahrtennachweis, gem. Straßenverkehrs-Zulassungs-Ordnung für Lastkraftwagen von 7,5 t und Kraftomnibusse mit mehr als 14 Fahrgastplätzen für jeden Kalendertag zu führendes Buch. Eintragungen: Amtliches Kennzeichen des →Kraftfahrzeuges, Führer des Kfz, Zeit der Lenkung, Dauer der Pause. Aufbewahrung: Ein Jahr.

Fahrtgebiet, →Relation.

Fahrtkosten, Aufwendungen für Fahrten mit öffentlichen Verkehrsmitteln oder privaten Fahrzeugen. – *Steuerliche Behandlung:* 1. Kosten für Fahrten *zwischen Wohnung und Arbeitsstätte:* a) F. des Arbeitnehmers werden im Einkommensteuerrecht als →Werbungskosten anerkannt, bei Benutzung öffentlicher Verkehrsmittel in Höhe der gültigen Beförderungstarife, wobei die Wahl des Verkehrsmittels und der Wagenklasse frei ist. Bei Fahrten mit eigenem Kraftfahrzeug werden F. durch feste Pauschbeträge abgegolten, wobei pro Arbeitstag für jeden Kilometer Entfernung zwischen Wohnung und Arbeitsstätte (kürzeste oder verkehrsgünstigste Straßenverbindung) bei Pkw 36 Pf. (43 Pf. 1989; 50 Pf. ab 1990), bei Motorrädern/-rollern 16 Pf. angesetzt werden. – b) Bei *Übernahme der F. durch den Arbeitgeber* sind sie je nach der Verursachung den Fertigungs-, Verwaltungs- oder Vertriebsgemeinkosten zuzurechnen. Die ersetzten Beträge gehören beim Arbeitnehmer nicht zum →Arbeitslohn, soweit sie die nachgewiesenen Aufwendungen des Arbeitnehmer nicht übersteigen und nur eine Hin- und Rückfahrt arbeitstäglich betreffen. Der Ersatz von Kosten für die Benutzung eines eigenen Kraftfahrzeuges des Arbeitnehmers ist bis zu den unter 1a) aufgeführten Pauschsätzen ebenfalls steuerfrei. Dem Ersatz von Aufwendungen steht es gleich, wenn der Arbeitgeber dem Arbeitnehmer eine Fahrkarte unentgeltlich oder verbilligt überläßt. Soweit der Arbeitgeber Aufwendungen steuerfrei ersetzt, können beim Arbeitnehmer keine Werbungskosten für Fahrten zwischen Wohnung und Arbeitsstätte geltend gemacht werden. – 2. Aufwendungen, die Unternehmern für Fahrten *zwischen Wohnung und Betrieb* entstehen, sind ebenfalls nur in Höhe der unter 1a) genannten Beträge abzugsfähig; soweit diese überstiegen werden, nicht abziehbare →Betriebsausgaben. – 3. *Sonderregelung für Körperbehinderte:* Unter bestimmten Voraussetzungen auf Antrag Abzug der tatsächlichen Aufwendungen (§§ 4 V Nr. 6, 9 II EStG). – 4. *Geschäfts- und Dienstreisen:* Vgl. →Reisekosten.

Fahrtschreiber, *Tachograph,* geeichte mechanische Vorrichtung, die in Kraftfahrzeuge eingebaut wird und zur Kontrolle der Fahrtgeschwindigkeit und der Fahrweise dient. Gem. Straßenverkehrsordnung erforderlich für Lastkraftwagen von 7,5 t, Zugmaschinen über 55 PS und Kraftomnibusse mit mehr als 14 Fahrgastplätzen. – F. hält im Schaublatt den Fahrtvorgang (zurückgelegte Wege, Geschwindigkeiten und Halte) fest und muß ununterbrochen in Betrieb sein. Die Kontrollblätter sind vor Antritt der Fahrt mit Namen der Führer, dem Ausgangspunkt sowie dem Datum der Fahrt zu bezeichnen; ferner ist der Stand des Wegstreckenmessers bei Beginn und Ende der Fahrt vom Kfz-Halter oder dessen Beauftragten einzutragen.

Fahrverbot. 1. Durch *Verurteilung eines Strafgerichts* ausgesprochenes Verbot, im Straßenverkehr Kraftfahrzeuge jeder oder einer bestimmten Art auf die Dauer von ein bis drei Monaten zu führen (§ 44 StGB). F. kann ausgesprochen werden gegen Personen, die wegen einer strafbaren Handlung im Zusammenhang mit dem Führen eines Kraftfahrzeugs zu Freiheits- oder Geldstrafe verurteilt werden. – 2. Durch richterlichen Beschluß falls dringende Gründe vorhanden sind, daß die Fahrerlaubnis entzogen wird (§ 69 StPO). – 3. Durch den *Bußgeldbescheid* festgesetztes Verbot bei grober oder beharrlicher Verletzung der Pflichten eines Kraftfahrzeugführers (§ 25 StVG). – 4. *Wirksam* wird F. mit Rechtskraft des Urteils oder Bußgeldbescheids. Die Frist des F. rechnet ab amtlicher Verwahrung des Führerscheines. – Vgl. auch →Fahrerlaubnis II.

Fahrverkauf, Abgebot von Waren mittels eines Verkaufwagens *(rollende Läden).* Gebräuchlich in mit stationärem Handel unterversorgten Gebieten, z. B. manchen städtischen Vorortzonen, ländlichen bzw. Gebirgsregionen, auf Campingplätzen und Großveranstaltungen. Hersteller oder Händler bieten auf planmäßigen Touren oder sporadisch Waren des meist kurzfristigen Bedarfs an (→Haustürgeschäft). Rollende Läden haben oft feste Haltestellen und -zeiten. – Vgl. auch →Verkaufsrundfahrt.

Fahrzeugbau, →Straßenfahrzeugbau, →Schiffbau, →Luft- und Raumfahrzeugbau.

Fahrzeugbrief, Bescheinigung über die Beschaffenheit eines bestimmten Kraftfahrzeuges (Kfz) oder Anhängers, für das/den der F. ausgestellt ist, i. a. vom Hersteller des Kfz/Anhängers. Der F. dient statistischen Zwekken und der Eigentumssicherung. Von Bedeutung für den →gutgläubigen Erwerb eines Kfz/Anhängers, da i. a., obwohl der →Halter im F. eingetragen wird, nur der Eigentümer im Besitz des F. ist. Wer sich bei dem Erwerb eines Kfz/Anhängers den F. nicht vorlegen läßt, handelt grob fahrlässig. – Die Angaben im F. unterstützen das *Zulassungsverfahren* (Vorlagezwang). F. hat öffentlich-rechtliche Bedeutung und wird mit dem Eigentum am Kfz/Anhänger erworben. Eigentumswechsel wird eingetragen. – Bei *Verlust* wird auf besonderen Antrag von der Zulassungsstelle *Ersatzbrief* ausgestellt, ggf. nach Aufgebotsverfahren (§ 25 StVZO). – *Anders:* →Fahrzeugschein.

Fahrzeugdichte, →Kraftfahrzeugdichte.

Fahrzeugerfolgsrechnung, kurzfristige Erfolgsrechnung zur Ermittlung der Einsatzergebnisse einzelner Fahrzeuge (Kraftfahrzeug, Flugzeug, Schiff) mit Personal während einer Periode; meist eine →Deckungsbeitragsrechnung.

Fahrzeugschein, amtlicher Nachweis, daß →Betriebserlaubnis für ein Kraftfahrzeug oder einen Anhänger erteilt und ein →Kennzeichen zugeteilt ist. F. wird von der Zulassungsbehörde ausgestellt und ist bei Betrieb des Kraftfahrzeugs/Anhängers mitzuführen. – *Anders:* →Fahrzeugbrief.

Fahrzeugteile, Einrichtungen an Kraftfahrzeugen, die nach § 22 III StVZO in amtlich zugelassener Bauart ausgeführt werden müssen. Das Zulassungsverfahren ist geregelt in der F.-VO i. d. F. vom 30. 9. 1960 (BGBl I 782) mit späteren Änderungen.

fair average quality (faq), „mittlere" Warenqualität, die allgemein im Handelsverkehr angenommen (erwartet) wird. – *Anders:* →middling.

Faksimilegerät, Gerät zur Erfassung, Übertragung und Ausgabe von Text- und unbewegten Bildvorlagen, das v.a. als Fernkopierer (Telefax) beim →Telefaxdienst zum Einsatz kommt.

Faksimilestempel, Stempel mit Faksimile-Unterschrift, der es ermöglicht, zahlreiche Unterschriften in verhältnismäßig kurzer Zeit zu leisten bzw. durch eine Hilfsperson ausführen zu lassen. – *Rechtliche Gültigkeit:* a) Soweit für ein Rechtsgeschäft durch Gesetz →Schriftform vorgeschieben ist, genügt Unterzeichnung durch F. zur Wahrung der Form nicht (Ausnahme: bei Inhaberschuldverschreibungen, § 793 BGB, bei Aktien, § 13 AktG). b) Anders bei vertraglich vereinbarter Schriftform, sofern kein anderer Parteiwille ersichtlich ist.

Faksimile-Übertragung, →Formkopierer.

faktische Gesellschaft, genauer *fehlerhafte Gesellschaft,* →Personengesellschaft, der kein →Gesellschaftsvertrag zugrundeliegt, weil er nicht abgeschlossen oder nichtig ist.

faktische Präferenz, →Theorie der faktischen Präferenz.

faktisches Arbeitsverhältnis, liegt vor, wenn der →Arbeitsvertrag von vornherein nichtig oder durch →Anfechtung rechtsunwirksam ist, der Arbeitnehmer die Arbeit aber bereits aufgenommen hat. In Anlehnung an das Gesellschaftsrecht (→faktische Gesellschaft) entwickelte Rechtsfigur; es wurde als unbefriedigend angesehen, daß Anfechtung und Nichtigkeit von Arbeitsverträgen zu einer Rückabwicklung des →Arbeitsverhältnisses nach dem Recht der →ungerechtfertigten Bereicherung (§§ 812 ff. BGB) führen. – *Wirkung:* a) Für die *Vergangenheit:* Das f. A. wird nach den Regeln über wirksame Arbeitsverhältnisse behandelt; der Arbeitnehmer hat also Anspruch auf Arbeitsvergütung, Bezahlung von (auch verbotener) Mehrarbeit, Einhaltung der Vorschriften des →Arbeitsschutzes. b) Für die *Zukunft* besteht jedoch keine Bindung mehr, sobald sich der Arbeitsvertrag als nichtig herausstellt; es gelten also nicht die Vorschriften des →Kündigungsschutzes.

Faktor. 1. *Allgemein:* Wichtiger Umstand, Gesichtspunkt. – 2. *Wirtschaftstheorie:* An der Erzeugung wirtschaftlicher Güter mitwirkende Größen (→Produktionsfaktoren). – 3. *Mathematik:* Multiplikant und Multiplikator, deren Zusammenwirken das Produkt ergibt.

Faktoreinkommen, das den →Produktionsfaktoren aus der Beteiligung am Produktionsprozeß zufließende Entgelt, wie Löhne, Gehälter, Honorare, Zinsen, Gewinnanteile, Mieten und Pachten. Die Verteilung des Gesamteinkommens auf die Faktoren bezeichnet man als funktionelle →Einkommensverteilung. Im *Gegensatz* zu den F. stehen die →Transfereinkommen, die ohne (gleichzeitige) ökonomische Gegenleistung erlangt werden.

Faktoreinsatzfunktion, Funktion aus der Produktionstheorie. F. gibt die Verbrauchsmenge r_i einer beliebigen Faktorart i in Abhängigkeit von der während eines bestimmten Zeitraumes geleisteten Anzahl Arbeitseinheiten b an, wobei die Intensität in diesem Zeitraum konstant ist. v_i bezeichnet den auf eine Arbeitseinheit (bearbeitetes Stück, gebohrtes Loch usw.) entfallenden Faktorverbrauch, wobei v_i allgemein von der Intensität d abhängt. $r_i = v_i \cdot b = f_i(d \cdot b$.

Faktorenanalyse, *Dimensionsanalyse,* Komplex von statistischen Methoden zur Analyse verbundener Beobachtungen mehrerer statistischer Merkmale. Gegenstand einer F. ist es insbes., eine ggf. hohe Anzahl beobachteter →Variablen auf wenige wesentliche Variablen (Faktoren) zurückzuführen (Dimensions- und Datenreduktion). – *Probleme:* (1) meist umfangreiche Annahmesysteme; (2) Problematik der statistischen Inferenz (→Inferenzstatistik); (3) sachliche Interpretation von rechnerisch ermittelten Faktoren. – *Anwendungsgebiete:* Psychologische Ursachenforschung, Ökonometrie sowie andere Gebiete der mathematischen Statistik.

Faktorengewichtung, Gewichtung im Rahmen der →Arbeitsbewertung. Gleiche Anzahl Stufennummern (Punkte), z. B. 1–100 für jede Anforderungsart werden mit einem Gewichtungsfaktor multipliziert. Die daraus resultierenden gewichteten Wertzahlen werden zum Arbeitswert der betreffenden Tätigkeit summiert.

Faktorgrenzkosten, Produkt aus →Faktorpreis und dem reziproken Wert der →Grenzproduktivität des entsprechenden Faktors:

$$k_i' = q_i \cdot \frac{1}{\frac{\partial x}{\partial x_i}}$$

In der →Minimalkostenkombination gleichen sich die F. aller Produktionsfaktoren aus. Bei Mengenanpassung entsprechen die F. im Gewinnmaximum dem Produktpreis und damit auch den totalen Grenzkosten.

Faktorintensität. I. Produktionstheorie: Das bei einer bestimmten Produktionsmenge realisierte Einsatzverhältnis der →Produktionsfaktoren. – 1. Bei →*limitationalen Produktionsfunktionen* ist die F. für eine gegebene Ausbringungsmenge konstant, kann aber für alternative Ausbringungsmengen variieren. – 2. Bei →*linear limitationalen Pro-*

duktionsfunktionen ist die F. unabhängig von der Höhe der Ausbringungsmenge konstant. Bei beiden Funktionstypen wird die F. ausschließlich durch technische Faktoren determiniert. – 3. Bei →*substitutionalen Produktionsfunktionen* ist die F. von der Höhe der Ausbringungsmenge unabhängig, sie wird allein durch das Faktorpreisverhältnis festgelegt (→Minimalkostenkombination) und kann daher auch bei konstanter Ausbringungsmenge variieren.

II. Außenwirtschaftstheorie: F. dient zu Klassifizierung von Gütern. Unterschieden wird z. B. zwischen arbeits- und kapitalintensiven Gütern. Ein Gut ist arbeitsintensiv (kapitalintensiv), wenn bei seiner Produktion relativ mehr Arbeit (Kapital) eingesetzt wird als bei der Produktion eines anderen Gutes. Vgl. im einzelnen →Arbeitsintensität, →Kapitalintensität.

Faktorkoeffizient →Produktionskoeffizient.

Faktorkosten, eine in Anlehnung an den Begriff des →Faktoreinkommens entwickelte Zusammenfassung desjenigen Teils des →Sozialprodukts, der auf die Produktionsfaktoren Arbeit, Kapital, Boden und Unternehmerleistung verteilt wird. Es werden ausgewiesen das Nettoinlandsprodukt zu F. (= Summe aller im Inland entstandenen Erwerbs- und Vermögenseinkommen; vgl. →Wertschöpfung) sowie das Nettosozialprodukt zu F. (= Summe aller von Inländern bezogenen Erwerbs- und Vermögenseinkommen; vgl. →Volkseinkommen).

Faktormarkt, →Faktor, →Produktionsfaktor.

Faktormobilität, die räumliche, qualifikatorische und sektorale Beweglichkeit der Produktionsfaktoren. F. ist eine der wesentlichen Voraussetzungen zur Entwicklung einer effizienten Wirtschaftsstruktur, da die →Allokationsfunktion des Preises nur bei mobilen Faktoren wirdsam werden kann. Erhaltung und Erhöhung der F. ist daher eine der Hauptaufgaben der staatlichen Strukturpolitik. – Vgl. auch →Arbeitsmobilität.

Faktornachfrage, Nachfrage einer Unternehmung nach den im →Produktionsprozeß eingesetzten →Produktionsfaktoren.

Faktorpreis, Preis der zur Erfüllung der betrieblichen Aufgaben erforderlichen Produktionsfaktoren an den Beschaffungsmärkten. Dabei wird sowohl die Problematik der Bestimmung des Einstandspreises als auch die der Mehrwertigkeit von Beschaffungspreisen außer acht gelassen. Steigt oder sinkt der Preis eines Gutes oder der Lohnsatz einer Arbeitsleistung (Faktorpreisänderung), so verändern sich die Produktionskosten; →Faktorkosten sind also das Produkt aus Faktoreinsatzmengen und F.

Faktorpreisausgleichstheorem, auf der Basis der Annahmen des →Faktorproportionentheorems behauptete Tendenz zum Ausgleich der Faktorpreise zwischen den verschiedenen Ländern durch →Freihandel. Sie wird damit erklärt, daß sich jedes Land bei Aufnahme des Handels mehr auf die Produktion der Güter spezialisiert, die den dort relativ reichlich vorhandenen Faktor relativ stark beanspruchen, was zur Steigerung der Nachfrage nach diesem und damit zur Verschiebung der Faktorpreisrelationen zu seinen Gunsten führt.

Faktorproduktivität, Quotient aus dem Gesamtertrag, der durch Einsatz aller →Produktionsfaktoren erzielt wird, und der Einsatzmenge eines Faktors (partielle F.) bzw. den totalen Faktorkosten (totale F.). – Vgl. auch →Arbeitsproduktivität.

Faktorproportionen, Verhältnis des mengenmäßigen Einsatzes der verschiedenen Einsatzgüter (Faktoreinsatzmengen) eines Produktionsprozesses.

Faktorproportionentheorem, *Heckscher-Ohlin-Theorem,* Erklärung der komparativen Kostenunterschiede und der Richtung der Handelsströme im Rahmen der realen Außenwirtschaftstheorie mit der divergierenden Ausstattung der handelstreibenden Länder mit Produktionsfaktoren (→Theorem der komparativen Kostenvorteile, →Substitutionskostentheorie). Betrachtet wird nicht die absolute Verfügbarkeit von Produktionsfaktoren, sondern die relative Faktorausstattung (Faktorproportionen). Bei abweichender Knappheit der Faktoren ergeben sich unterschiedliche Faktorpreis- und demzufolge (wegen divergierender →Faktorintensitäten bei der Produktion verschiedener Güter) auch unterschiedliche Güterpreisverhältnisse. Nach dem F. spezialisiert sich jedes Land auf die Produktion des Gutes, bei dessen Produktion der relativ reichlich vorhandene Faktor relativ intensiv eingesetzt wird. – Das F. basiert auf einer Reihe von *Annahmen,* wie Vollbeschäftigung, gleiche Güter- und Faktorqualität, für alle Länder identische linear-homogene Produktionsfunktionen und ein Nichtumschlagen der Faktorintensitäten bei Veränderung der Faktorpreise. – *Beurteilung:* Einige empirische Untersuchungen, so zuerst von Leontief für die USA (→Leontief-Paradoxon), ergaben für die untersuchten Länder eine vom F. abweichende Außenhandelsstruktur, allerdings bei Einbeziehung von lediglich zwei Produktionsfaktoren, nämlich Arbeit und Kapital. Bei Berücksichtigung der Differenziertheit der Produktionsfaktoren in der Realität, z. B. Unterscheidung zwischen unausgebildeten und qualifizierten Arbeitskräfen, fand das F. eine beachtliche empirische Bestätigung (→Neo-Faktorproportionentheorem). – Vgl. auch →Produktzyklustheorie.

Faktorqualität, →Kostenbestimmungsfaktor, beschreibbar durch die Güte und Eigenart der Leistungen, zu deren Erstellung der betreffende Produktionsfaktor beiträgt. Als Maßgröße für die F. läßt sich die Produktivität (Verhältnis zwischen Faktorertrags- und Faktoreinsatzmengen) verwenden, doch bereitet ihre Messung oft praktische Schwierigkeiten. Veränderungen der F. können Auswirkungen auf das Faktoreinsatzverhältnis und/oder die Produktionsmenge haben.

faktortheoretischer Ansatz. 1. *Begriff:* Bezeichnung für den von Gutenberg konzipierten betriebswirtschaftlichen Ansatz. Den Mittelpunkt bildet die Vorstellung von einem Prozeß der *Kombination von Produktionsfaktoren.* Unterschieden wird dabei zwischen →Elementarfaktoren (Werkstoffe, Betriebsmittel, objektbezogene Arbeit) und dem dispositiven Faktor (Geschäftsleitung nebst Planung und Organisation). – 2. *Bedeutung:* Der f.A. hat die Entwicklung der →Betriebswirtschaftslehre nach dem Zweiten Weltkrieg nachhaltig beeinflußt. Hervorzuheben sind insbes. die Fortschritte auf den Gebieten der Produktions-, Kosten- und Investitionstheorie sowie die Impulse zur Entwicklung quantitativer Methoden (→Operations Research). Charakteristisch ist aber auch eine Vernachlässigung von ebenfalls zentralen Aspekten der Leistungserstellung bzw. des Wirtschaftens überhaupt (Unternehmensführung, Personal, Marketing). – 3. *Entwicklung:* Die auch von der Praxis zunehmend als wichtig empfundenen „qualitativen" Aspekte lösten ab Mitte der 60er Jahre die *Suche nach Alternativen* zum f.A. aus, so daß sich das Fach seither in einer pluralistischen Phase befindet (→Pluralismus). Als Konkurrenten bzw. Nachfolger des f.A. sind insbes. zu nennen: →entscheidungsorientierte Betriebswirtschaftslehre, →systemorientierte Betriebswirtschaftslehre, →verhaltenstheoretische Betriebswirtschaftslehre sowie →arbeitsorientierte Einzelwirtschaftslehre; für sie alle ist eine Öffnung gegenüber den sozialwissenschaftlichen Nachbardisziplinen charakteristisch.

Faktum, *Tatsache, fact,* eine Aussage, deren Gültigkeit feststeht bzw. vorausgesetzt wird. Bei →wissensbasierten Systemen werden F. z.B. über Objekte (z.B. Haus) mit Attributen (z.B. Farbe), die objektspezifische Werte (z.B. blau) aus festgelegten Wertemengen (z.B. blau, grün, ...) besitzen, konstatiert: „Das Haus ist blau".

Faktura, →Rechnung.

Fakturiermaschine, rechnende Schreibmaschine, auf der zugleich mit der Rechnungsausstellung in einem Arbeitsgang beschriftet werden: Rechnungsausgangsbuch und verschiedene Kopien für Expedition, Vertreter, Buchhaltung, Korrespondenz, Registratur usw. Durch →Bürocomputer weitgehend ersetzt.

Fakultät. 1. *Hochschulwesen:* Ein bestimmtes Fachgebiet umfassender Zweig einer wissenschaftlichen Hochschule (z.B. juristische, medizinische, naturwissenschaftliche F.), neuerdings meist *Fachbereich* genannt. – 2. *Mathematik:* Zu einer vorgegebenen →natürlichen Zahl n (das Produkt der Zahlen von 1 bis n, also $1 \cdot 2 \cdot 3 \cdot \ldots \cdot (N-1) \cdot n$. Zeichen: n! – *Beispiel:* $5! = 1 \cdot 2 \cdot 3 \cdot 4 \cdot 5 = 120$.

fakultativ, nach freiem Ermessen. – *Gegensatz:* →obligatorisch.

fakultatives Geld, Geld, dessen Annahme freiwillig ist.

Fakultativklausel, *oder ein anderes Konto des Empfängers,* Vermerk im Überweisungsauftrag (→Überweisung), der besagt, daß die Überweisungsgutschrift nicht unbedingt auf das im Überweisungsvordruck angegebene Konto des Zahlungsempfängers gutgeschrieben werden muß, sondern auch auf einem anderen Konto des Begünstigten – auch bei einer anderen Bank – verbucht werden kann. Wenn F. gestrichen ist, muß das ursprünglich angegebene Konto angesprochen werden.

FAL, Abk. für →Bundesforschungsanstalt für Landwirtschaft.

Falkland-Inseln, →Großbritannien.

Fallibilismus, Bezeichnung für ein erkenntnistheoretisches Programm, dessen Grundgedanke die *prinzipielle Fehlbarkeit* aller Problemlösungen ist; handelt sich um wichtiges Merkmal des →kritischen Rationalismus. – Als Konsequenz besteht die Aufgabe der Wissenschaft nicht im Nachweis der Wahrheit wissenschaftlicher Aussagen (→Verifikation), sondern in der Elimination von Irrtümern (→Falsifikation). – Die Aufgabe der →Wissenschaftstheorie besteht darin, Regeln, Methoden oder Verfahren zu entwickeln, die eine Entdeckung und Elimination von Irrtümern ermöglichen. Wissenschaftliche →Theorien sind auf widerlegbare Weise zu formulieren (→Popper-Kriterium); ihre Überprüfung kann dann durch Feststellung logischer Widersprüche (→Deduktion), v.a. durch Vergleich mit der Wirklichkeit und ggf. mit alternativen Theorien erfolgen (→Pluralismus).

Fälligkeit eines Anspruchs, tritt ein, sobald der Schuldner auf Verlangen des Gläubigers leisten muß. – *Zeitpunkt* der F. je nach dem Inhalt des entsprechenden →Rechtsgeschäfts verschieden; ist eine Zeit für die Leistung weder bestimmt noch aus den Umständen zu entnehmen, so kann der Gläubiger die Leistung sofort verlangen, der Schuldner sie sofort bewirken (§ 271 BGB). Oft ist die F. (bei den sog. verhaltenen Ansprüchen) von einer fristgerechten vorhergehenden →Kündigung abhängig (z. B. meist beim Darlehen). – *Bedeutung:* F. ist Voraussetzung für Eintritt des →Schuldnerverzugs.

Fälligkeits-Factoring, →Factoring II 1.

Fälligkeitsgrundschuld, zu einem bestimmten Termin ohne Kündigung fällige, bis dahin unkündbare →Grundschuld (§ 1193 II BGB). Mangels Eintragung im Grundbuch wirkt die Abrede nicht gegen gutgläubige Dritte. – *Gegensatz:* →Kündigungsgrundschuld.

Fälligkeitshypothek, zu einem bestimmten Termin fällige, bis dahin unkündbare →Hypothek. – *Gegensatz:* →Kündigungshypothek.

Fälligkeitsprinzip, mit der →Haushaltsreform von 1969 eingeführter Grundsatz der Kassenwirksamkeit. Nur solche Einnahmen und Ausgaben dürfen in den →Haushaltsplan eingestellt werden, die auch in dem betreffenden Haushaltsjahr fällig werden. Durch die Plandarstellung der reinen Geldbewegungen soll die ökonomische Transparenz des Haushaltsplans gefördert werden. Das. F. führt zu einer klaren Trennung von Ausgabe- und →Verpflichtungsermächtigungen.

Fälligkeitsteuern, Bezeichnung für Steuern, die kraft Gesetz fällig werden, z. B. →Lohnsteuer, →Kapitalertragsteuer. →Veranlagung ist i. d. R. nicht erforderlich. – *Anders:* →Veranlagungsteuern.

Fall-Methode, *case method,* betriebswirtschaftliche Ausbildungsmethode im Hochschulunterricht sowie bei der Aus- und Weiterbildung von Führungskräften (→Personalentwicklung). Schwierige Fälle aus der betrieblichen Praxis werden in Arbeitsgruppen analysiert mit dem Ziel, die besten Entscheidungsmöglichkeiten zu erarbeiten. – *Hauptvarianten,* deren Anwendung meist von der Art des Falles abhängig ist: a) *incident method:* Es werden nur wenige Informationen über den Fall gegeben, weitere Einzelheiten sind durch eigene Untersuchungen und Erfragungen zu beschaffen; b) *case study method:* Alle nötigen Informationen werden von vornherein gegeben und können vom Diskussionsleiter erfragt werden; c) *case problem method:* Nicht nur alle Informationen, sondern auch die Problemstellungen werden gleich mitgeteilt. – Die *Bearbeitung* eines Falles, die eine Lehrkraft leitet, dauert je nach seinem Umfang mehrere Stunden bis mehrere Wochen; umfangreiche Fallbearbeitungen werden meist mit einem gemeinschaftlich verfaßten Gutachten abgeschlossen. – Die F.-M. wird in den USA vereinzelt als ausschließliche oder vorherrschende *Unterrichtsmethode* angewandt, im übrigen als Ergänzung des Studiums betrachtet, um durch Anwendung des theoretischen Wissens auf reale Fälle zum Handeln und zur Situationsbeherrschung zu erziehen. – Als beachtliche *Weiterentwicklung* der F.-M. kann man die →Planspiele für Unternehmensführung ansehen.

Fallstudie, didaktisches Mittel im Rahmen von Bildungs- und Ausbildungsmaßnahmen wie auch methodisches Instrument v. a. im Bereich sozialwissenschaftlicher und psychologischer Forschung. – Im Rahmen des Wirtschafts- und Arbeitslehreunterrichts sollen, ausgehend von einem konkreten Fall, für komplexe wirtschaftliche und soziale Entscheidungstatbestände von den Schülern in einer aktiven Problemauseinandersetzung alternative Lösungsmöglichkeiten gefunden und rational begründet werden. Ein derartiger handlungs- und entscheidungsorientierter Unterricht sollte nicht nur nach formalen, entscheidungslogischen Kriterien konzipiert sein, sondern ebenso auch Wertvorstellungen und Wertkonflikte thematisieren. I. a. bearbeiten jeweils vier bis sechs Personen das Fallmaterial und stellen ihren Lösungsansatz im Plenum zur Diskussion. In der Praxis haben sich verschiedene methodische Varianten herausgebildet, die sich in der Darstellung der Fallgrundlage, der Form der Informationsgewinnung, der Strategie zur Findung alternativer Lösungen sowie in der Art der Lösungskritik unterscheiden.

Falscheid, →Meineid.

Falschlieferung, →Aliud-Lieferung.

Falschmünzerei, →Geld- und Wertzeichenfälschung.

Fälschung. 1. *F. von Münzen und Noten:* Vgl. →Geld- und Wertzeichenfälschung. – 2. *F. eines Schecks:* a) Gefälschte Unterschriften begründen gegen denjenigen, dessen Unterschrift gefälscht wurde, keine Verpflichtung. Die Bank, die den gefälschten Scheck einlöst, haftet nach den Scheckbedingungen nur, wenn sie nachweislich ein Verschulden trifft. Im übrigen hat der Kontoinhaber alle Folgen einer F. von Schecks zu tragen. b) Bei Änderung des Textes (z. B. des Betrags) haften diejenigen, die ihre Unterschrift nach der Änderung auf den Scheck gesetzt haben, entsprechend dem geänderten Text; wer früher unterschrieben hat, haftet nach dem ursprünglichen Text. Macht die F. den Scheck formal unvollständig, so ist er nichtig. – 3. *F. eines Wechsels:* a) Gefälschte Unterschriften verpflichten den, dessen Unterschrift gefälscht wurde, nicht; sie machen den Wechsel nicht ungültig (Art. 7 WG). b) Bei Textänderungen gilt das gleiche wie beim Scheck (Art. 69 WG). Macht die F. den Wechsel formal unvollständig, ist er nichtig. – 4. *F. von Eurocheques und Eurocheque-Karten:* Freiheitsstrafe bis zu zehn Jahren (§ 152a StGB). Die Tathandlungen sind mit denen der Geld- und Wertzeichenfälschung vergleichbar. – 5. *F. von Wertpapiere:*

Vgl. →Geld- und Wertzeichenfälschung. – 6. *F. von Urkunden:* (allgemein): Vgl. →Urkundenfälschung. – 7. *F. von beweiserheblichen Daten:* Vgl. →Fälschung beiweiserheblicher Daten.

Fälschung beweiserheblicher Daten, spezieller Tatbestand der →Urkundenfälschung. Strafbar ist, wer zur Täuschung im Rechtsverkehr beweiserhebliche Daten so speichert oder verändert, daß bei ihrer Wahrnehmung eine unechte oder verfälschte Urkunde vorliegen würde oder derart gespeicherte oder geänderte Daten gebraucht (§ 269 StGB). – *Strafe:* Freiheitsstrafe bis zu fünf Jahren oder Geldstrafe. *Versuch* ist strafbar.

Falsifikat, →Fälschung.

Falsifikation, Nachweis der Falschheit einer empirisch-wissenschaftlichen Aussage (→Empirismus), im einfachsten Fall durch Vorlage eines hypothesenkonträrer Befundes (→Hypothese). Neuere wissenschaftstheoretische Untersuchungen ergaben, daß endgültige F. in der Realwissenschaft kaum möglich sind. Im Zuge der notwendigen Liberalisierung spricht man daher von *(vorläufigen) Eliminationen.* – *Gegensatz:* →Verifikation.

Falsifizierbarkeit, →Informationsgehalt, →Popper-Kriterium.

FAMA. 1. Abk. für Fachausschuß für moderne Abrechnungssysteme (→Institut der Wirtschaftsprüfer in Deutschland e. V.). – 2. Abk. für →Fachverband Messen und Ausstellungen e. V.

Familie, i. S. d. Statistik Ehepaare bzw. alleinstehende Väter oder Mütter, die mit ihren ledigen Kindern zusammenleben (Zweigenerationenfamilie). In der →Familienstatistik wird von einem idealtypisch abgegrenzten →Familienzyklus ausgegangen, d. h. als Familie gelten auch Ehepaare vor der Geburt eines Kindes (→*Kernfamilie*). Haben die Kinder den elterlichen Haushalt verlassen, verbleibt eine *Restfamilie,* zu dieser Kategorie gehören auch verheiratete Getrenntlebende, Verwitwete, Geschiedene, d. h. Personen, die zu einem früheren Zeitpunkt verheiratet waren, nicht jedoch alleinstehende Ledige. In einem Privathaushalt können danach mehrere F. leben. – Vgl. auch →Haushaltstyp.

Familienaktiengesellschaften, nach Definition des BetrVG und des AktG →Aktiengesellschaften, „deren Aktionär eine einzelne natürliche Person ist oder deren Aktionäre untereinander im Sinne von § 15 I Nr. 2–8, II AO verwandt oder verschwägert sind" (§ 76 VI BetrVG, § 157 IV AktG). Bei F. mit weniger als 500 Arbeitnehmern keine Verpflichtung zur Drittelbeteiligung von Arbeitnehmern im →Aufsichtsrat. Die Gewinn- und Verlustrechnung braucht die Angaben nach § 157 I Nr. 1–5 AktG nicht zu enthalten (also v. a. kein Ausweis des Brutto-Umsatzes nötig), wenn die Aktien von F. nicht zum amtlichen Börsenverkehr (ebenfalls: kein geregelter Freiverkehr) zugelassen sind und die Bilanzsumme 10 Mill. DM nicht übersteigt. – Vgl. auch →Familiengesellschaften.

Familienarbeitskräfte, in der Landwirtschaft der Betriebsinhaber und seine mit ihm auf dem Betrieb lebenden Familienagehörigen und Verwandten. In der Statistik Untergliederung nach Geschlecht, Alter, Tätigkeit im Betrieb, Haushalt des Betriebsinhabers und anderweitiger Erwerbstätigkeit. Umrechnung in Vollarbeitskräfte mit Hilfe der →Arbeitskräfte-Einheit. – *Gegensatz:* →familienfremde Arbeitskräfte.

Familienberichte, in regelmäßigen Abständen von der Bundesregierung veröffentlichte Berichte über die wirtschaftliche, soziale und kulturelle Situation der Familien in der Bundesrep. D. Bisherige Schwerpunkte waren allgemeine Grundlegung (1. F., 1968) Familie und Sozialisation (2. F., 1975), Entwicklung des Lebensniveaus, der Plazierungsfunktion (d. h. der Bedeutung der Familie für den Bildungsweg der Kinder) und des generativen Verhaltens der Familie (3. F., 1979) sowie die Situation der älteren Menschen in der Familie (4. F., 1986; vgl. →Altenhilfepolitik). – F. gibt es z. B. auch in der Schweiz und in den USA.

Familieneinkommen, das in der Vorstellung der Indexfamilie (→Haushaltstyp) zur Ermittlung der Veränderungen der Preise für die Lebenshaltungsausgaben enthaltene Konzept einer statistischen Erfassung der innerhalb eines Haushaltes oder einer Familie kumulierten Individualeinkünfte aller Haushaltsangehörigen. Allenfalls in der Landwirtschaft realisierbar (nur dann, wenn von keinem Familienangehörigen gewerbliche Nebeneinkünfte einfließen und wenn sämtliche Familienangehörige als →Familienarbeitskräfte ganz oder überwiegend an der Produktion mitwirken). Ob die in der →Wirtschaftsrechnung ermittelten Angaben zutreffend und ob sie repräsentativ sind, ist nicht festzustellen.

familienfremde Arbeitskräfte, Begriff der →Landwirtschaftsstatistik. – *Arten:* 1. *Ständige f. A.:* In einem unbefristeten oder auf mindestens drei Monate abgeschlossenen Arbeitsverhältnis zum Betrieb stehende familienfremde Personen; hierzu rechnen auch Verwandte des Betriebsinhabers, die nicht auf dem Betrieb leben. – 2. *Nichtständige f. A.:* Alle übrigen Arbeitskräfte, die, auch wenn nur gelegentlich, mit betrieblichen Arbeiten beschäftigt waren; nicht dazu zählen Arbeitskräfte, die im Rahmen der Nachbarschaftshilfe oder im Auftrag von Lohnunternehmen im Betrieb tätig waren. – *Untergliederung* nach Geschlecht, Alter, Tätigkeit und Stellung im Betrieb. – *Umrechnung in Vollarbeitskräfte* mit Hilfe der →Arbeitskräfte-Einheit.

Familiengericht, eine beim →Amtsgericht gebildete Abteilung für →Familiensachen (§ 23b GVG). Durch Rechtsverordnung der Landesregierungen können für die Bezirke mehrerer Amtsgerichte Familiensachen einem Amtsgericht als F. zugewiesen werden.

Familiengesellschaften, erwerbswirtschaftliche Unternehmungen in Gesellschaftsform, bei denen zwischen den Gesellschaftern verwandtschaftliche Beziehungen bestehen. F. entstehen meist durch Aufnahme von Kindern oder anderen Verwandten. – *Steuerliche Behandlung:* 1. *F. als Personengesellschaft:* Voraussetzung für die steuerrechtliche Anerkennung: Echte →Mitunternehmerschaft. Übereinstimmung von formeller und tatsächlicher Gestaltung, keine Beschränkung der Gesellschafter bei der Ausübung ihrer Gesellschaftsrechte. Außerbetriebliche Motive (auch steuerrechtliche), die zur Gründung einer F. geführt haben, stehen der Anerkennung durch Finanzbehörden nicht entgegen. Die Gewinnverteilung muß Kapitalanteile, Haftung und Tätigkeit der einzelnen Gesellschafter angemessen berücksichtigen; liegt Mißbrauch von Gestaltungsmöglichkeiten des bürgerlichen Rechts im Sinne von § 42 AO vor, so können die Finanzbehörden den Gewinn für die Besteuerung anders verteilen. – 2. *F. als Kapitalgesellschaft:* Vorwiegend GmbH, wegen Haftungsbeschränkung; Entstehen bei Erwerb der Kapital- und Stimmenmehrheit durch Familienangehörige. Die F. unterliegen der →Körperschaftsteuer. – Vgl. auch →Familienaktiengesellschaften.

familienhafte Beschäftigung, →Familienmitarbeit.

Familienheim, →Eigenheime, →Kaufeigenheime und →Kleinsiedlungen, die nach Größe und Grundriß ganz oder teilweise dazu bestimmt sind, dem Eigentümer und seiner Familie oder einem nahen Angehörigen und dessen Familie als Heim zu dienen. Zu einem F. in der Form des Eigenheims oder des Kaufeigenheims soll nach Möglichkeit ein Garten oder sonstiges nutzbares Land gehören (§ 7 WobauG). Das F. verliert seine Eigenschaft, wenn es für die Dauer nicht seiner Bestimmung entsprechend genutzt wird. Es verliert seine Eigenschaft nicht, wenn weniger als die Hälfte der Wohn- und Nutzfläche des Gebäudes anderen als Wohnzwecken, insbes. gewerblichen oder beruflichen Zwekken dient. – Vgl. auch →Wohnungsbau.

Familienhilfe, Leistung der gesetzlichen Krankenversicherung, die einem Mitglied für bestimmte Familienangehörige, denen es Unterhalt leistet, im Fall der Krankheit (*Familienkrankenhilfe,* § 205 RVO) oder der Entbindung (*Familienmutterschaftshilfe,* § 205a RVO) gewährt wird. – 1. *Kreis der Angehörigen:* a) *Ehegatten;* b) *Kinder* (eheliche, für ehelich erklärte, an Kindes Statt angenommene und nichteheliche Kinder, Stief-, Enkel- und Pflegekinder) bis zum vollendeten 18. Lebensjahr, während Schul- oder Berufsausbildung bis zum vollendeten 25. Lebensjahr, ohne Altersgrenze für Kinder, die sich wegen ihrer Behinderung nicht selbst unterhalten können; c) aufgrund einer Satzungsbestimmung auch *sonstige Angehörige des Versicherten,* die mit ihm in häuslicher Gemeinschaft leben, von ihm ganz oder überwiegend unterhalten werden und sich im Inland aufhalten. – 2. *Leistungsausschluß:* Keine Leistungen aus der F. bei einem →Gesamteinkommen des Angehörigen von mehr als $^1/_6$ der monatlichen →Bezugsgröße nach § 18 SGB IV; außerdem für Kinder, wenn der mit den Kindern verwandte Ehegatte des Versicherten a) nicht Mitglied einer gesetzlichen Krankenkasse ist und b) sein Gesamteinkommen regelmäßig im Monat ein Zwölftel der Jahresarbeitsverdienstgrenze (§ 165 I Nr. 2 RVO) übersteigt und c) regelmäßig höher als das Gesamteinkommen des Versicherten ist. – 3. *Sachleistungen* für die Familienangehörigen im gleichen Umfang und unter den gleichen Voraussetzungen wie für den Versicherten selbst; *Geldleistungen* der Krankenhilfe (Krankengeld) dagegen nicht für die Familienangehörigen. Leistungen für sonstige Angehörige können durch die Satzung eingeschränkt werden.

Familienkrankenhilfe, →Familienhilfe.

Familienlastenausgleich. 1. *Begriff:* a) *F. i. e. S.:* Direkte staatliche Transfers an Familien mit Kindern (→Kindergeld); häufig werden alle übrigen staatlichen Maßnahmen (z. B. Preis- und Tarifvorteile bei der Benutzung öffentlicher Verkehrsmittel, Schulgeldfreiheit) zur finanziellen Entlastung von Familien und die spezielle familienfreundliche Gestaltung der Einkommensteuer (→Splitting-Verfahren, →Kinderfreibeträge) miteinbezogen. – b) *F. i. w. S.:* Im Ausland vorkommende familienbezogene Lohn- und betriebliche Sozialleistungen. – 2. *Ziele:* Schutz der Institution Familie, Entgelt der gesellschaftlichen Bedeutung der Kinder, einkommensunabhängige Entwicklungschancen für Kinder, bevölkerungspolitische Ziele und im Rahmen der Steuergesetze Besteuerung nach der Leistungsfähigkeit (→Leistungsfähigkeitsprinzip).

Familienlohn, Bezeichnung für die Bemessung des →Arbeitsentgeltes unter Berücksichtigung der Kopfzahl und des Alters der Familienmitglieder eines Arbeitnehmers; Sonderform des →Soziallohns. Der F. steht damit im Widerspruch zum →Leistungslohn; heute nicht mehr gebräuchlich. – Vgl. auch →Bedürfnislohn.

Familienmitarbeit, *familienhafte Beschäftigung.* 1. Wird Arbeit aufgrund *familienrechtlicher Verpflichtung* (für Kinder gem. § 1619

BGB) geleistet, liegt kein →Arbeitsverhältnis vor (vgl. auch →Arbeitnehmer). Zwischen Eheleuten oder Eltern und Kindern kann jedoch auch ein Arbeitsverhältnis über die kraft Gesetzes geschuldeten und darüber hinausgehenden Leistungen begründet werden. Fehlt eine ausdrückliche Vereinbarung, spricht für Vorliegen eines Arbeitsverhältnisses Zahlung des ortsüblichen oder tariflichen Lohnes, Entrichtung von Lohnsteuern und Sozialversicherungsbeiträgen, Eingliederung in den Betrieb und erhebliche, familienrechtliche Verpflichtung überschreitende Arbeitsleistung. – Zum *Schutz des Gläubigers* ist ein Arbeitsverhältnis anzunehmen, wenn die Arbeitsleistung das familiär Übliche übersteigt, auch wenn keine oder eine ungewöhnlich niedrige (oder eine verschleierte) Vergütung gewährt wird (§850h II ZPO; vgl. →Lohnschiebung). – 2. Vielfach erbringen sich Eheleute, Verlobte oder Verwandte *wechselseitig Arbeitsleistungen,* ohne daß ein →Arbeitsentgelt vereinbart wurde. Streitigkeiten entstehen, wenn eine Erwartung fehlschlägt, z.B. die Ehe geschieden, die Verlobung aufgelöst oder das Kind enterbt wird. Streitig ist, ob ein Anspruch auf Vergütung der zweckverfehlenden Arbeitsleistung aus Arbeitsvertrag (§§611, 612 BGB) oder aufgrund eines Gesellschaftsverhältnisses besteht oder ein Ausgleich nach den Grundsätzen über die ungerechtfertigte Bereicherung (§§812ff. BGB) zu erfolgen hat. Nach der Rechtsprechung des BAG besteht ein Vergütungs- oder Nachzahlungsanspruch entsprechend §612 BGB, wenn ein unmittelbarer Zusammenhang zwischen der unterwertigen oder fehlenden Zahlung und der Erwartung besteht, daß durch eine in Zukunft erfolgende Übergabe eines Vermögensbestandteils die in der Vergangenheit geleisteten Dienste abgegolten werden.

Familienmutterschaftshilfe, →Familienhilfe.

Familienname. I. Bürgerliches Recht: Familienrechtliche Bestimmungen über den →Namen. – 1. *Geburtsname:* Der F. wird mit der Geburt erworben. Das →eheliche Kind erwirbt den Ehenamen seiner Eltern (§1616 BGB), das →nichteheliche Kind erhält den F., den die Mutter zur Zeit der Geburt führt (§1617 BGB). – Den *Vornamen* erteilt derjenige, dem die →Personensorge für das Kind zusteht; bei ehelichen Kindern die Eltern, bei nichtehelichen Kindern die Mutter. – 2. *Ehename:* Mit der Eheschließung haben die Ehegatten einen gemeinsamen F. (Ehenamen) zu führen. Zum Ehenamen können sie bei der Eheschließung durch Erklärung gegenüber dem Standesbeamten den →Geburtsnamen des Mannes oder den der Frau bestimmen. Wird keine Bestimmung getroffen, ist es der Geburtsname des Mannes (§1355 II BGB). Der Ehegatte, dessen Geburtsname nicht Ehename wird, ist berechtigt, durch Erklärung gegenüber dem Standesbeamten (mit öffentlicher Beglaubigung) dem Ehenamen seinen Geburtsnamen (Begleitname) voranzustellen (§1355 III BGB). – Nach *Scheidung* oder *Tod* behalten die Ehegatten den Ehenamen. Er kann jedoch durch Erklärung gegenüber dem Standesbeamten (öffentliche Beglaubigung) seinen Geburtsnamen oder den Namen wieder annehmen, den er zur Zeit der Eheschließung geführt hat (§1355 IV BGB). – 3. *Änderungen des F. kraft Gesetzes* sind möglich: a) beim *nichtehelichen Kind,* wenn der Vater die Mutter heiratet (Legitimation durch nachfolgende Ehe, §1719 BGB), jedoch bei einem 14 Jahre alten Kind nur dann, wenn es sich der Namensänderung anschließt (§1720 BGB), wenn es der Vater für ehelich erklären läßt (Ehelichkeitserklärung, §§1736, 1737 BGB), oder wenn der Ehemann der Mutter oder der Vater des Kindes diesem durch Erklärung gegenüber dem Standesbeamten mit Einwilligung des Kindes und der Mutter seinen Namen erteilt. Die Erklärungen bedürfen öffentlicher Beglaubigung (§1618 BGB). Das Kind erhält den Familiennamen des Vaters bzw. den des Ehemannes der Mutter. – b) Bei der *Annahme als Kind* (Adoption) erhält das Kind den F. des Annehmenden (§1757 BGB). Auch kann auf Antrag des Annehmenden mit Einwilligung des Kindes das Vormundschaftsgericht Vornamen des Kindes ändern, wenn dies aus schwerwiegenden Gründen zum Wohle des Kindes erforderlich ist. – 4. *Änderung des F. durch Verwaltungsbehörde:* Vgl. →Namensänderung.

II. Handelsrecht: F. als *Firmenbezeichnung.* – 1. *Einzelkaufmann:* Hat den F. mit mindestens einem ausgeschriebenen Vornamen in der Firma zu führen (§18 I HGB), auch dann, wenn im gleichen Ort bereits eine Firma mit gleichem F. und Vornamen existiert, jedoch ist dann die Beifügung eines unterscheidenden →Firmenzusatzes Pflicht (§§18 II 2 HGB); ein rechtmäßig geführter Doppelname ist in die Firma aufzunehmen. – 2. *Offene Handelsgesellschaft:* Der F. mindestens eines Gesellschafters mit entsprechendem Firmenzusatz oder die F. aller Gesellschafter sind zu führen (§19 I HGB); ein Vorname ist nicht nötig. – 3. *Änderung des F. bei ununterbrochener Fortführung des Unternehmens durch den gleichen Inhaber:* Nicht erforderlich ist die Änderung der Firma, i.d.R. vorausgesetzt, daß die Firma bereits vor Eintritt der Namensänderung im Handelregister eingetragen war (§21 HGB). – 4. Gewerbetreibende, für die *keine Firma* im Handelsregister eingetragen ist, müssen sich im schriftlichen rechtsgeschäftlichen Verkehr ihres F. mit mindestens einem ausgeschriebenen Vornamen bedienen (§15b GewO); vgl. auch →Aufschrift.

Familienplanung. 1. *Begriff:* Eine nach freiem Ermessen der Paare getroffene Entscheidung über die Anzahl der gewünschten Kinder und den zeitlichen Abstand zwischen den Geburten. F. kann durch Kontrazeptiva und/oder medizinische Eingriffe (z.B. Sterilisation) unterstützt werden; vgl. →Geburtenkontrolle. – 2. *Sozialhilfe:* Zur F. ist Hilfe zu gewähren. Sie besteht v.a. in der Übernahme der Kosten der notwendigen ärztlichen Beratung einschl. der erforderlichen Untersuchung und Verordnung sowie der ärztlich verordneten empfängnisregelnden Mittel (§ 37b BSHG).

Familienpolitik, Bereich staatlicher →Sozialpolitik. Sie will die Familien in ihrer Struktur schützen und bei ihren für die Gesellschaft unentbehrlichen Aufgaben *fördern.* Familie als Institution scheint in entwickelten Industriegesellschaften, in denen gesellschaftlicher Status in erheblichem Ausmaß über Erwerbstätigkeit vermittelt wird, einer Wertschätzung ausgesetzt zu sein, die ihrer gesellschaftlichen Bedeutung nicht entspricht. F. hat deshalb das Handlungspotential der Familien in ihrem gesellschaftlichen Umfeld zu stärken und die Schaffung günstiger Rahmenbedingungen für Familien zu gewährleisten. Dazu gehören Maßnahmen im Bereich der eigenständigen sozialen Sicherung für Frauen, der flexibleren Ausgestaltung von Arbeitsverhältnissen (Wahlfreiheit für Frauen und Männer im Bereich von Familien- und Erwerbstätigkeit), der familiengerechteren Planung von Wohnumwelten und des Verkehrsnetzes; auch stärkere finanzielle Anerkennung der Leistungen der Familie für die Gesellschaft. – Vgl. auch →Erziehungsgeld, →Erziehungsurlaub, →Erziehungszeiten, →Generationenvertrag, →Familienberichte.

Familienrecht, Gesamtheit der gesetzlichen Vorschriften, die von den Rechtsbeziehungen der Familie handeln, also dem Kreis der durch →Ehe, →Verwandtschaft (Schwägerschaft) und →Vormundschaft (→Pflegschaft) verbundenen Personen. – *Gesetzliche Regelungen:* a) *4. Buch des BGB* (§§ 1297–1921 BGB). Es enthält personen- und vermögensrechtliche Bestimmungen meist zwingender Natur, also einer vertragsmäßigen Regelung nicht zugänglich. b) Andere *familienrechtliche Bestimmungen,* insbes. das *Ehegesetz* vom 20.2.1946, ein Sondergesetz, in dem die ursprünglich im BGB stehenden und späterhin durch das Ehegesetz vom Jahr 1938 neu geregelten Bestimmungen über die Eheschließung zusammengefaßt sind. Durch das Erste Gesetz zur Reform des Ehe- und Familienrechts vom 14.6.1976 (BGBl I 1421) wurden die Bestimmungen über die Ehescheidung wieder in das BGB (§§ 1564–1587 BGB) eingefügt.

Familienrichter, der beim →Familiengericht mit Familiensachen betraute Richter. Ein Richter auf Probe darf Geschäfte des F. nicht wahrnehmen.

Familiensachen. 1. *Begriff:* Rechtsstreitigkeiten, die zum Gegenstand haben: a) Ehesachen (Scheidungsantrag, Eheaufhebungs-, Ehenichtigkeits-, Feststellungs- und Herstellungsklage); b) Regelung der elterlichen Gewalt über ein eheliches Kind, soweit nach dem BGB hierfür das Familiengericht zuständig ist; c) Regelung des persönlichen Verkehrs des nicht sorgeberechtigten Elternteils mit dem Kind; d) Herausgabe des Kindes an den anderen Elternteil; e) gesetzliche Unterhaltspflicht gegenüber einem ehelichen Kind; f) durch Ehe begründete Unterhaltspflicht; g) →Versorgungsausgleich; h) Regelung der Rechtsverhältnisse an der Ehewohnung und am Hausrat; i) Ansprüche aus dem ehelichen Güterrecht, auch wenn Dritte am Verfahren beteiligt sind; j) Verfahren nach den §§ 1382, 1383 BGB, Stundung der Ausgleichsforderung und Übertragung von Vermögensgegenständen (§§ 606, 621 ZPO). – 2. Die sich *aus der Ehescheidung ergebenden Folgesachen* sollen i.d.R. zusammen mit der Scheidung in einem Verhandlungs- und Entscheidungsverbund geregelt werden. – 3. *Zuständig* für F. ist das →Familiengericht beim Amtsgericht. – 4. *Rechtsmittel:* Berufung oder Beschwerde zum Oberlandesgericht. Einzelheiten in §§ 606–638 ZPO geregelt.

Familienstand. I. Familienrecht: Familienrechtlich begründetes Verhältnis zwischen Personen, die durch Geburt (→Personenstand), Verehelichung, Ehetrennung bzw. Tod ledig, verheiratet, geschieden oder verwitwet sind.

II. Amtliche Statistik: Dem F. entsprechen Merkmale der Bevölkerungsstatistik. – *Probleme:* a) *Absichtliche* Täuschung durch Fehleintragung geschiedener Frauen (verwitwet), lediger Mütter (verheiratet, verwitwet), auszuschalten durch Kontrollfragen über Tag der Eheschließung, Wohnsitz, Geburtstag und -ort des Ehemannes. – b) *Schwierig die Erfassung* der mehrfach verwitweten oder geschiedener Partner und ihrer Kinder. – *Zwischenstaatlicher Vergleich* zufolge unterschiedlicher Rechtsordnung häufig irreführend.

Familienstatistik, Teil der →Bevölkerungsstatistik, bei der – ausgehend von den als private Haushalte erfaßten Lebensgemeinschaften – jene Personengemeinschaften erfaßt und charakterisiert werden, die sich als Ein- oder Zwei-Generationen-Familien bzw. ausgreifende Groß-Familien (Mehrgenerationen-Familie) darstellen (→Familie). – In den europäischen Staaten dominiert die Ausrichtung der F. auf die →Kernfamilien. – Die in der Bundesrep. D. mittels der Volkszählungen 1950, 1961, 1970 ermittelten Informationen über Anzahl, Größe und Struktur der Familien sind durch Zusatzfragen zum →Mikrozensus ersetzt worden. Damit entfallen einige für →Bevölkerungsprognosen nützliche

Informationen über das generative Verhalten (Kinderzahl nach Heiratsalter der Frau, Ehedauer; Altersunterschied zwischen den Ehepartner, Erwerbsbeteiligung der Mütter vor und nach der ersten, zweiten, ... Niederkunft usw.). Dagegen werden sozio-ökonomische Einflußgrößen auf die Kinderzahl auch künftig mit dem Mikrozensus ermittelt (Zahl der Kinder nach der sozialen Stellung bzw. dem Bildungsstand des Familienvorstands, nach Einkommensgrößenklassen und der Erwerbsbeteiligung der Mutter im Zeitpunkt der Befragung). – Vgl. auch →Haushaltsstatistik.

Familiensterbegeld, Leistung der gesetzlichen Krankenversicherung im Rahmen der →Familienhilfe. Der Versicherte erhält beim Tod des Ehegatten oder eines lebend geborenen Kindes oder eines mit ihm in häuslicher Gemeinschaft und von ihm überwiegend unterhaltenen weiteren Angehörigen Sterbegeld. Für totgeborene Kinder kein Sterbegeld. – *Höhe:* Das F. beträgt die Hälfte des satzungsmäßigen Sterbegeldes für das Mitglied, mindestens jedoch 50 DM. Eigenes Sterbegeld des Verstorbenen ist auf das F. anzurechnen (§ 205 b RVO).

Familienstiftung, →Stiftung.

Familienversicherung. 1. In der →*Lebensversicherung* wird beim Tode des Versorgers an die Hinterbliebenen ein Teil der Versicherungssumme oder ein speziell versichertes Sterbegeld ausgezahlt, darauf folgt die Gewährung einer Zeitrente bis zum vereinbarten Vertragsablauf, bei dem noch einem als Schlußleistung eine weitere Kapitalzahlung erbracht wird. – 2. In der privaten →*Krankenversicherung* können die Familienangehörigen in die Versicherung des Versicherungsnehmers (Haushaltsvorstand) einbezogen werden.

Familienzulage, Erhöhung des →Arbeitsentgelts aus wohlfahrts- oder bevölkerungspolitischen Motiven; im deutschen Sozialrecht berücksichtigt durch das →Kindergeld seit 1.1.1955. Zuvor seit 1952 ähnliche Einrichtung im Bergbau, die aufgrund von Versuchen am Ende des vorigen Jh. erstmalig 1918 in Frankreich eingeführt worden war und später auch in Belgien und Großbritannien analog der französischen Gesetzgebung gesetzlich geregelt wurde. – In der Bundesrep. D. sind F. sowohl *lohnsteuer-* als auch *sozialversicherungspflichtige* Lohnbestände.

Familienzyklus *Lebenszyklus,* Bezeichnung der Bevölkerungswissenschaft für die zeitliche Begrenzung im Dasein einer primären →Kernfamilie, die vom Zeitpunkt der Eheschließung zweier Partner bis zur Auflösung der Ehe durch eine gerichtliche Scheidung oder durch den Tod eines Ehegatten gegeben ist. Die statistische Beschreibung der Stadien dieses Zyklus beruht auf einer Kombination von Angaben über charakteristische Ereignisse mit dem jeweiligen mittleren Alter der Ehefrauen. – *Charakteristika der Stadien im F.:* In vielen Staaten läßt sich der F. nur näherungsweise anhand von Zensusergebnissen schätzen. Auch für die Bundesrep. D. bietet die →Familienstatistik künftig keine ausreichenden Daten zur Bestimmung des F. – Vgl. auch →Rowntree-Zyklus.

Stadium	beendet durch das Ereignis	erforderliche Altersangabe oder -schätzung
1.	Eheschließung	∅ Heiratsalter der Frau
2.	Geburt des 1. Kindes	∅ Lebensalter der Frau (ggf. getrennt für Geburtsjahr-Kohorten)
3.	Geburt des letzten Kindes	∅ Alter des Partners gleicher Ehedauer
4.	Erste Eheschließung des letztes Kindes	
5. a)	Tod eines Ehepartners α – Im Falle des Überlebens beider Eheleute bis zum Stadium 4 β – im Falle des Überlebens nur eines Ehepartners bis zum Stadium 4	∅ Ehedauer für Kohorten gleichaltriger Ehefrauen ∅ Lebensalter der Verwitweten
5. b)	Auflösung der ehelichen Gemeinschaft durch Scheidung	

FAO, Food and Agriculture Organization, Ernährungs- und Landwirtschaftsorganisation der UN, erste nach dem Zweiten Weltkrieg, wenige Tage vor den UN, am 16.10.1945 gegründete zwischenstaatliche Organisation (→Sonderorganisationen der UN); *Sitz* in Rom, vier regionale Büros (für Asien und den Fernen Osten, Lateinamerika, Afrika, den Nahen Osten). – *Aufbau:* a) *Generalversammlung (Konferenz)* der Delegierten aller Mitgliedstaaten (1986: 158 ordentliche Mitglieder), die alle zwei Jahre zusammentritt, als oberstes Organ, die Politik festlegt, den Haushalt verabschiedet, das Arbeitsprogramm bestimmt und ggf. Empfehlungen an die Mitglieder ausspricht. – b) *Council (Welternährungsrat)* aus gewählten Abgeordneten von 49 Mitgliedstaaten handelt als ständiges Exekutivorgan der Konferenz. – c) Welternährungsrat wird beraten von verschiedenen *Ausschüssen* auf den Gebieten der Land-, Forstwirtschaft und Fischerei sowie des Ernährungswesens. Als Sonderorgane des Rates fungieren regionale Kommissionen und Fischereikommissionen. – d) *Sekretariat* mit den Hauptabteilungen: Entwicklung, Wirtschafts- und Sozialpolitik, Landwirtschaft, Fischerei, Forstwirtschaft, Verwaltung und Finanzen und für allgemeine Fragen und Information. Verbindungsbüros in New York und Genf. – *Ziele:* Hebung des Ernährungs- und Lebensstandards in der ganzen Welt; Verbesserung der Produktion und Verteilung von Erzeugnissen der Landwirtschaft, Forstwirtschaft und Fischerei; Verbesserung der Lebensbedingungen der ländlichen Bevölkerung; Ausweitung der Weltwirtschaft. – *Aufgaben und Arbeitsgebiete:* a) Aufstellung und regelmäßige Fortschreibung des zweijährigen Arbeitsprogramms, das sämtliche Vorhaben der FAO umfaßt und die Grundlage ihrer Arbeitsplanung bildet; b) Abwicklung eines Großteils der Vorhaben (ca. ⅓) in enger Zusammenarbeit mit dem →UNDP als Entwicklungsvorhaben; c) Durchführung von gemeinsamen Programmen auf bestimmten Gebieten, insbes. mit →UNICEF, →IBRD, →WHO, →ILO; d) laufende Planung und Durchführung des 1960 initiierten weltweiten Programms zur Bekämpfung des Hungers und zur Förderung der Entwicklung (Worldwide Freedom from Hunger Campain/Action for Development), das insbes. auf die Aktivierung nichtstaatlicher Aktivitäten zur Bekämpfung des Hungers abzielt; e) Förderung des Welthungerhilfeprogramms (World Food Programme, WFP). Das WFP ist als autonome Behörde im Rahmen der FAO von den Mitgliedstaaten finanziert. Es umfaßte (Stand: 30.6.1983) ca. 1200 Vorhaben in 113 Ländern mit einem Gesamtaufwand von 5,62 Mrd. US-$. Schwerpunkte sind die Länder Afrikas. Darüber hinaus hat das WFP im Rahmen von ca. 650 Soforthilfeaktionen in ca. 100 Ländern Hilfeleistungen von 1,2 Mrd. US-$ erbracht. Hilfsprogramme für Nahrungsmittelhilfe und finanzielle Zuwendungen umfaßten (1985/86) 1,4 Mrd. US-$. Wichtiges Informationsinstrument des Ernährungssicherungssystems der FAO (Food Security Assistance Scheme) ist das globale Informations- und Frühwarnsystem (Global Information and Early Warning System) zur laufenden Beobachtung der Welternährungssituation; f) Abschluß von Treuhandfonds-Abkommen mit staatlichen Entwicklungsorganisationen; g) Durchführung des 1976 gestarteten technischen Hilfeleistungsprogramms zur Förderung der kleinlandwirtschaftlichen Entwicklung. Das landwirtschaftliche technische Hilfeleistungsprogramm zur Förderung der kleinlandwirtschaftlichen Entwicklung. Das landwirtschaftliche, technische Hilfeleistungsprogramm (Field Programmes) der FAO umfaßte (1983) ein Gesamtvolumen von 260,1 Mill. US-$. – Die Arbeitsergebnisse der FAO werden in einem umfassenden Dokumentations- und Publikationsprogramm niedergelegt; *Wichtige Publikationen:* The Regular Programme of Work; The State of Food and Agriculture; World Food Report (jährlich); Food Outlook (monatlich); Animal Health Yearbook; Production Yearbook; Trade Yearbook; Yearbook of Fisheries Statistics; Yearbook of Forest Products Statistics; Timber Statistics for Europe; Food and Agriculture Legislation.

faq. 1. Abk. für →fair average quality. – 2. Abk. für free at (on) quay; vgl. →foq.

Farad (F), →gesetzliche Einheiten, Tabelle 1.

Farben. I. Arbeits- und Organisationspsychologie: Von Bedeutung hinsichtlich Arbeitsleistung und Arbeitsklima; vgl. →Farbgestaltung.

II. Werbung: Wichtiges Werbelement, das durch Helligkeitswirkung und Farbkontrast die →Aufmerksamkeit des Umworbenen erwecken und sein Gefühl (→Emotion) ansprechen soll.

Farbenblindheit, →Farbenschwäche.

Farbenschwäche, fälschliche Bezeichnung: *Farbenblindheit,* fehlende Empfindung für die Farben rot, grün oder blau (meist bei Männern, etwa 8% der Bevölkerung). *Prüfung* der F. erfolgt durch kleine Wollknäuel, die aus verschiedenfarbigen Wollfäden bestehen und aus denen die Versuchsperson einige Fäden bestimmter Färbung herauszusuchen und zu benennen hat. Verwendet werden auch die Stillingschen Farbtafeln, auf denen Ziffern und Figuren in verschiedenen Farben gleicher Helligkeit dargestellt sind. – F. macht *ungeeignet* für zahlreiche Berufe (z.B. in der Textilwirtschaft, im Druck- und Verlagsgewerbe).

Farbgestaltung, Maßnahme der arbeitspsychologischen Gestaltung, dient psychologischen, organisatorischen und sicherheittechnischen Zwecken. – 1. *Psychische Auswirkungen:* Unter Ausnutzung der farbpsychologischen Erkenntnisse werden →Arbeitsräume farblich so gestaltet, daß diese je nach zu leistender Arbeit emotional stimulierend, beruhigend, die Konzentration fördernd oä. wirken: *Rot* wirkt sehr beunruhigend, aufreizend und täuscht räumliche Nähe vor; *grün* wirkt sehr beruhigend und täuscht als neutrale Farbe relative Entfernung vor. – 2. *Organisatorische Zwecke:* Die unterschiedliche farbliche Gestaltung von Abteilungsräumen kann die organisatorische Gliederung verdeutlichen. Auch farbige Bleistifte können zu organistorischen Zwecken herangezogen werden, zB. zur Kenntlichmachung unterschiedlicher hierarchischer Stellungen. Durch farbliche Gestaltung von Medien, Unterlagen und Handhabungselementen können diese schnell und irrtumsfrei erfaßt werden. – 3. *Sicherheitstechnische Zwecke:* Die signalisierende Wirkung von Farbe wird zu gezieltem Einsatz im sicherheitstechnischen Bereich verwendet, insbes. kontrastierende Farben (rot/weiß) schwarz/gelb). Die Lichtquellen können durch entsprechende farbliche Gestaltung des Untergrundes besser ausgenutzt werden.

fare calculation unit (FCU), Recheneinheit der →International Air Transport Association (IATA) zur Festlegung der Luftverkehrstarife (für Personen) im Rahmen der IATA-Gesellschaften.

fas, free alongside ship (= frei Längsseite Schiff)... (benannter Hafen), Vertragsformel im Überseeverkehr (→Incoterms). Der Verkäufer hat die Ware dem Hafenbrauch entsprechend auf seine Kosten und Gefahren längsseits des vom Käufer benannten Schiffes im angegebenen Hafen zu liefern.

Fassongründung, →Mantelgründung.

Fassonwert, →Firmenwert.

Fastbanken, →near banks.

Faustpfand, die im (i.d.R. unmittelbaren) Besitz des Gläubigers befindliche →bewegliche Sache, an der ein →Pfandrecht besteht.

Favoriten, an der Börse Bezeichnung für besonders begehrte Wertpapiere.

Fayol, Henry, 1841–1925, französischer Mineningenieur, einer der bekanntesten Begründer der betriebswirtschaftlichen Organisationslehre, betonte die Notwendigkeit des Verwaltungsunterrichts neben der technischen Ausbildung („Administration industrielle et générale" 1916). *Einteilung der Verwaltungsfunktionen* in: Vorausplanen, Organisieren, Aufträge erteilen, Zuordnen, Kontrollieren.

Fayol-Brücke, eine auf Fayol zurückgehende horizontale →Kommunikationsbeziehung zwischen Handlungsträgern der gleichen Ebene der Hierarchie, mit der zur Steigerung der →Dispositionsfähigkeit von der strengen Anwendung des →Einliniensystems abgewichen wird.

Fazilität, →Kreditfazilität.

F.C.S., free of capture and seizure, →Handelsklausel, nach der das →Beschlagnahmerisiko ausgeschlossen wird.

FCU, Abk. für →fare calculation unit.

FDIC, Abk. für →Federal Deposit Insurance Corporation.

Feasibility-Studie, *Durchführbarkeitsstudie,* im →Anlagengeschäft und →Systemgeschäft übliche Vorstudie zur Prüfung, ob ein bestimmtes Großprojekt überhaupt durchführbar und ob es technisch und ökonomisch sinnvoll ist. Der Leistungsumfang des durchzuführenden Projekts soll eingegrenzt werden. F.-S. kann von Anlagen- und Systemanbietern auch als Marketing-Instrumente des →*Pre-Sales-Service* eingesetzt oder von Nachfragern zur Anfragenstrukturierung herangezogen werden.

Federal Deposit Insurance Corporation (FDIC), 1934 aufgrund der Banking Act von 1933 (Änderungen 1935) als Bundesinstitution für die →Depositenversicherung in den USA errichtete Pflichtversicherung mit Sitz in Washington; für alle Mitgliedsbanken des →Federal Reserve System; für Nicht-Mitgliedsbanken und Sparbanken freiwillig.

Federal Home Loan Bank Board, US-amerikanisches Zentralbankensystem der Savings and Loan Associations (→thrift institutions). Die Aufsichtsfunktionen erstrecken sich auf die Konzessionierung, Einlagenversicherung, Genehmigung von Geschäftsstellen und Fusionen ihrer Mitglieder sowie auf den Erlaß von Vorschriften, die z.B. die Mindestreserve oder Geschäftsbefugnisse betreffen.

federal reserve bank, →Federal-reserve-System.

federal reserve note, →Federal-reserve-System.

Federal-Reserve-System. I. Begriff: Geld- und Kredit-Organisation der USA, *geschaffen* durch die Federal Reserve Act 1913. In zwölf federal reserve districts sind jeweils *federal reserve banks* (Bundesreserve-Banken) errichtet worden als alleinige →Notenbanken und Zentralinstitute, bei denen die dem F.R.S. angehörenden Banken ihre →Liquiditätsreserven zu halten haben. *Sitz* der federal reserve banks in Boston, New York, Philadelphia, Cleveland, Richmond, Atlanta, Chicago, St. Louis, Mineapolis, Kansas City, Dallas, St. Francisco. Dem F.-R.-S. *müssen* alle national banks als *Mitglied* angehören. Banken mit einzelstaatlichem Aufgabenbereich, state banks, *können* freiwillig Mitglied sein. Die federal reserve banks sind →Aktiengesellschaften, ihr Kapital wird von den Mitgliedsbanken aufgebracht. Die Einzahlung beträgt 6% des Eigenkapitals jeder Bank, 50% müssen bar hinterlegt werden.

II. Geschäfte der federal reserve banks: Die üblichen Aufgaben von Zentralbanken. Die ausgegebenen Noten (federal reserve notes) müssen zu 40% durch Gold oder Goldzertifikate, im übrigen durch Handelswechsel und kurzfristige Staatspapiere gedeckt sein; keine Einlösungspflicht in Gold. Die federal reserve banks besorgen die Bankgeschäfte der Regierung, erledigen das zwischenstaatliche Scheckclearing und kaufen bzw. verkaufen Obligationen im Offenmarktgeschäft auf Anweisung des Open Market Committee. Sie arbeiten nur mit Kreditinstituten. Einlagen unterhalten nur Banken und Regierungsstellen.

III. Organisation: 1. *Oberste Leitung* jeder federal reserve bank durch neun auf drei Jahre gewählte Direktoren. – 2. Der *Board of Governors of the FRS* (bestehend aus sieben auf 14 Jahre vom Präsidenten der USA ernannten und vom Senat bestätigten Mitgliedern) führt die Aufsicht über die Federal Reserve Banks. Aufgaben: Kontrolle ihrer Tätigkeit, Bestimmung der Währungs- und Geldpolitik der USA, Prüfung und Bestätigung der von der federal reserve bank festgesetzten Diskontraten, Festsetzung der von den Mitgliedsbanken zu haltenden Mindestreserven. – 3. Die sieben Mitglieder des Board of Governors haben auch in dem aus zwölf Mitgliedern bestehenden *Federal Open Market Commitee,* das die Richtlinien für das Offenmarktgeschäft gibt, die ausschlaggebende Stimme.

Federal Savings and Loan Insurance Corporation, US-amerikanische Einlagenversicherung für Savings and Loan Associations (→thrift institutions).

Federal Trade Commission (FTC), 1914 gemäß →Federal Trade Commission Act errichtete amerikanische Kartellbehörde; Sitz in Washington, D.C. Neben der Antitrust Devision des Justizministers für die Einhaltung des Wettbewerbsrechts zuständig.

Federal Trade Commision Act, amerikanisches Gesetz zur Errichtung einer Kartellbehörde mit Aufgaben in der →Antitrust-Gesetzgebung.

Fédération des Experts Comptables Européens (FEE), europäischer Zusammenschluß von 29 Organisationen von wirtschaftsprüfenden Berufen, Sitz in Brüssel. – *Entstehung:* 1986 aus dem Zusammenschluß der Union Européene des Experts Comptables Economiques et Financiers (UEC) und der Groupe d'Etudes des Experts Comptables de la C.E.E., die aufgelöst wurden. – Mitglied ist u.a. das →Institut der Wirtschaftsprüfer in Deutschland e.V.

FEE, Abk. für →Fédération des Experts Comtables Européens.

feet (Singular = foot), engl. Längenmaß. 1 ft. = 30,48 cm.

Fehlallokation, Abweichung von der optimalen →Allokation. Eine Reallokation der Ressourcen ist derart möglich, daß die bestehende Knappheit an Gütern verringert wird.

Fehlbelegung, Belegung von Sozialwohnungen durch Personen, die früher eine Berechtigung zum Bezug einer Wohnung innerhalb des sozialen Wohnungsbaus haben nachweisen können, heute aber infolge von Einkommenserhöhungen und/oder Verringerung der Familiengröße die Einkommensgrenze überschreiten. Ca. 30% (geschätzt) der Mieter in Sozialwohnungen werden damit unberechtigterweise finanziell stark entlastet.

Fehlbestand, →Mankohaftung.

Fehlbetrag. 1. Begriff der *Revisionspraxis* für ein festgestelltes Bestandsmanko (v.a. →Kassenmanko). – 2. Ist bei *Kapitalgesellschaften* im Jahresabschluß das Eigenkapital durch Verluste aufgebraucht und ergibt sich ein Überschuß der Passiva über die Aktiva (buchmäßige Überschuldung), so ist dieser Betrag am Bilanzende auf der Aktivseite als „Nicht durch Eigenkapital gedeckter Fehlbetrag" auszuweisen (§368 II HGB). – Vgl. auch →Überschuldung, →Unterbilanz.

Fehler, *statistischer Fehler,* Grundbegriff der Statistik mit drei hauptsächlichen Erscheinungsformen: 1. Ein *ermittelter Wert eines →Merkmals weicht vom tatsächlichen* (wahren) *Wert* mehr oder weniger *ab.* Ist x_i der tatsächliche und x_i' der beobachtete Wert, so heißen $(x_i' - x_i)$ bzw. $|x_i' - x_i|$ bzw. $(x_i' - x_i)/x_i$ F. bzw. absoluter F. bzw. relativer F. Grund: Z.B. falsche Antworten, falsches Vorgehen des Interviewers oder falsche Beobachtungen. Die Konzeption eines wahren Wertes ist oft problematisch. – 2. Der *berechnete Wert eines →Parameters* der →Grundgesamtheit, etwa des →arithmetischen Mittels oder der →Varianz, *ist nicht mit dem wahren Wert identisch.* Grund: Falsche Merkmalswerte (→Fehlerfortpflanzung), falsche Abgrenzung der →Grundgesamtheit (→Coverage-Fehler; →Non-Response-Problem), falsche Verarbeitung der Beobachtungswerte. Gegenseitige Neutralisierung von Fehlereinflüssen ist hier möglich. – 3. Ein *→Schätzwert aus einer →Stichprobe unterscheidet sich* mehr oder weniger stark *vom zu schätzenden Parameter in der Grundgesamtheit.* Grund: Die unter 1. und 2. genannten Ursachen, die als →Nichtstichprobenfehler zusammengefaßt werden; ein Schätzwert aus einer Stichprobe weicht zufallsbedingt vom wahren Wert ab (→Stichprobenzufallsfehler). In der modernen →Stichprobentheorie gilt das Augenmerk der simultanen Verminderung von Stichproben- und Nichtstichprobenfehlern. – 4. Zusätzlich wird statistischer F. zur Bezeichnung von *falschen Entscheidungen* (→Fehlerrisiko, →Alpha-Fehler, →Beta-Fehler) bei →statistischen Testverfahren verwendet.

Fehler erster Art, →Alpha-Fehler.

Fehlerfolgekosten, →Qualitätskosten 3.

Fehlerfortpflanzung, die Erscheinung, daß die bei der Verarbeitung von fehlerbehafteten Daten (→Fehler) resultierenden Größen, z.B. Kennwerte, ebenfalls mehr oder minder fehlerbehaftet sind. Der Fehler einer abgeleiteten Größe kann als Funktion der Fehler der verarbeiteten Werte angegeben werden. Beispiele: Der (nicht relativierte) Fehler eines →arithmetischen Mittels ist gleich dem durchschnittlichen Fehler der Einzelwerte; der relative Fehler eines Produktes von fehlerbehafteten Werten ist ungefähr gleich der Summe der relativen Fehler der Faktoren.

fehlerhafte Gesellschaft, →faktische Gesellschaft.

fehlerhafter Besitz, durch →verbotene Eigenmacht erlangter →Besitz. Die Fehlerhaftigkeit muß der Nachfolger im Besitz gegen sich gelten lassen, wenn er Erbe des Besitzvorgängers ist oder die Fehlerhaftigkeit des Besitzes seines Vorgängers beim Erwerb kannte (§858 BGB). Binnen eines Jahres seit Verübung der verbotenen Eigenmacht kann der frühere Besitzer gegen denjenigen, der die Fehlerhaftigkeit des Besitzes gegen sich gelten lassen muß, im Besitzprozeß auf Wiedereinräumung des Besitzes klagen; die Eigentumsverhältnisse bleiben dabei unberücksichtigt.

Fehlerrisiko, bei →statistischen Testverfahren die →Wahrscheinlichkeit dafür, einen →Alpha-Fehler bzw. →Beta-Fehler zu begehen.

Fehlerverhütungskosten, →Qualitätskosten.

Fehler zweiter Art, →Beta-Fehler.

fehlgegangene Vergütungserwartung, →Familienmitarbeit 2.

Fehlgeld, →Fehlgeldentschädigung.

Fehlgeldentschädigung, *Fehlgeld, Mankogeld, Zählgeld,* an im Kassen- oder Zähldienst beschäftigte Arbeitnehmer gezahlte pauschale Entschädigung. – *Lohnsteuer:* 1. Ist der Arbeitnehmer *ausschließlich oder im wesentlichen* im Kassen- oder Zähldienst beschäftigt, so kann die Entschädigung steuerfrei gewährt werden, soweit sie für jeden Kalendermonat 30 DM nicht übersteigt. – 2. Ist der Arbeitnehmer in *geringerem Umfang* im Kassen- oder im Zähldienst beschäftigt, so kann die Entschädigung steuerfrei gewährt werden, wenn der Barumsatz an Zahlungsmitteln voraussichtlich 500 DM im Monatsdurchschnitt übersteigt und die Entschädigung für jeden Monat nicht höher als 10 DM ist.

Fehlhandlung, in der Psychologie gelegentlich auftretende Unzulänglichkeit bei normalerweise korrekt ausführbaren Leistungen. *Beispiele:* zeitweiliges Vergessen von Worten und Namen, Vergessen von Vorsätzen, Versprechen, Verlesen, Verschreiben, Verlieren und Verlegen von Gegenständen, anscheinend unabsichtliche, zufällige Beschädigung der eigenen oder fremden Person oder eines Gegenstandes, manche Irrrtümer. – Zu den naheliegenden *Erklärungsweisen* (Ermüdung, starke Abgelenktheit, seelische Erregung und körperliches Unwohlsein) fügte Freud, der die F. zum erstenmal systematisch untersuchte, eine tiefenpsychologische hinzu: F. sei das Ergebnis des Zusammengeratens zweier Tendenzen, und zwar einer die korrekte Leistung unterdrückenden Tendenz und einer unterdrückten, die sich dennoch im letzten Augenblick mit durchsetzt, wobei die störende Tendenz entweder direkt an die Stelle der gestörten tritt oder Mischbildungen (z. B. Mischwörter beim Versprechen) entstehen.

Fehlinvestition, unwirtschaftliche und/oder unrentable →Investition (→Wirtschaftlichkeit, →Rentabilität). – *Folgen:* a) Aus *einzelwirtschaftlicher Sicht:* F. führt gemessen am Wert der Alternativinvestition zu einer Positionsverschlechterung des Investors. F. ist Ergebnis von Planungsfehlern infolge falscher Beurteilung der technischen und wirtschaftlichen Entwicklung und/oder ungenauer →Investitionsrechnung. – b) Aus *gesamtwirtschaftlicher Sicht:* F. beeinträchtigen die soziale Wohlfahrt; sie binden Ressourcen in unproduktiven Verwendungen, senken die Wachstumsrate des Bruttosozialprodukts und führen zu Verzerrungen der Produktionsstruktur (→Fehlallokation).

Fehlkarte, *Sperrkarte,* Hilfsmittel der →Registratur, an Stelle eines entnommenen Aktenstücks, einer Karteikarte usw. einzuordnen. F. ragen zweckmäßig mit einer Spitze oder anderen auffälligen Kennzeichnungen so über den Rand der übrigen Karten hinaus, daß sie das Fehlen des Originalstücks auffällig anzeigen.

Fehlmengen, Bedarf, der die verfügbaren Mengen überschreitet. F. können *auftreten* z. B. a) in der *Produktion,* wenn Roh-, Hilfs-, Betriebsstoffe oder Ersatzteile nicht in genügender Menge durch die Materialwirtschaft bereitgestellt werden können oder sollen; b) im *Absatzsektor,* wenn das Lager geräumt ist [nachholbare F. (back order-Fall)/nicht nachholbare F. (lost sales-Fall)]. – *Ursache* ist meist stochastischer Lagerabgang. *Vermeiden* von F. u. a. durch →eisernen Lagerbestand. Die *betriebliche Planung* kann aus Kostenüberlegungen F. in Kauf nehmen und sie als Entscheidungsvariable in Modelle des Operations Research einbauen. – Vgl. auch →Fehlmengenkosten.

Fehlmengenkosten, Kosten, die durch das Vorhandensein von →Fehlmengen bedingt sind; echte Kosten (z. B. Konventionalstrafen) oder →Opportunitätskosten als entgangener Gewinn. Bestimmung der F. in der Praxis oft schwierig, da nicht alle Einflußfaktoren quantifizierbar sind. Fehlmengen in der →Materialwirtschaft bewirken Stillstands- und ggf. vermeidbare Umrüstungskosten. – Vgl. auch →Logistikkosten.

Fehlzeiten, Differenz zwischen der vom Betrieb geplaten Soll-Arbeitszeit und der vom Individuum realisierten Ist-Arbeitszeit. →*Fehlzeitenquoten* verteilen sich u. a. geschlechts- und altersspezifisch, wobei der motivationsbedingte Anteil nicht exakt bestimmbar ist. Die Fehlzeitenrate ist empirisch mit der Fluktuationsrate (→Fluktuation) positiv *verbunden,* so daß in der Fehlzeitenrate ein Frühwarnsignal gesehen werden kann; sie ist empirisch mit der →Arbeitszufriedenheit negativ korreliert.

Fehlzeitenquote, *Fehlzeitenrate,* definiert als Quotient

$$\frac{\text{versäumte Arbeitstage}}{\text{Soll-Arbeitstage}} \times 100.$$

F. lassen sich häufig durch Maßnahmen der →Arbeitsgestaltung, durch Einführung neuer →Arbeitszeitmodelle usw. reduzieren.

Fehlzeitenrate, →Fehlzeitenquote.

Feierliche Deklaration zur Europäischen Union, Erklärung des 26. Europäischen Rats vom 17.–19.6.1983 in Stuttgart zur Feierlichen Deklaration zur Europäischen Union. Wichtigste Zielsetzung der F.D.z.E.U. ist die Stärkung und der weitere Ausbau der EG im wirtschaftlichen und politischen Bereich mit der Perspektive der Verwirklichung der →Europäischen Union. Da die EG-Verträge noch keine gemeinsame Außenpolitik vorsehen, vollzieht sich die erforderliche Harmonisierung der nationalen Außenpolitiken bisher im Rahmen der informellen Europäischen Politischen Zusammenarbeit (→EPZ). Der Wortlaut der Deklaration enthält ferner konkrete Ausführungen zu den Institutionen einer Europäischen Union sowie zu den wirtschafts-, außen-, kultur- und rechtspolitischen Wirkungsbereichen der angestrebten Union. Die F.D.z.E.U. ist wesentliche Grundlage der →Einheitlichen Europäischen Akte, durch die die EG-Verträge im Hinblick auf die schrittweise Bildung einer Europäischen Union ergänzt werden sollen.

Feierschicht, im Gegensatz zur Schichtzeit derjenige Teil der Kalenderzeit, in dem der Betrieb ruht. – 1. *Regelmäßige F.:* Beträgt in einschichtig arbeitenden Betrieben mit achtstündiger Schichtdauer 16 Stunden. – 2. *Außerordentliche F.:* Entsteht durch Übergang des Betriebs zu →Kurzarbeit (z.B. Betrieb arbeitet nur noch mit zwei Schichten statt mit dreien) bei ungenügendem Auftragseingang. – 3. *Kürzung der F.:* Durch Überstunden, kostensteigernd, und zwar nicht allein bei Arbeitsentgelten.

Feiertage, →gesetzliche Feiertage.

Feiertagslohn, geregelt im Gesetz zur Regelung der Lohnzahlung an Feiertagen vom 2.8.1951 (BGBl I 479), geändert durch das Haushaltsstrukturgesetz vom 18.12.1975 (BGBl I 3091). Arbeitgeber im gesamten Bundesgebiet sind verpflichtet, Arbeitnehmern für die infolge eines →gesetzlichen Feiertags (welche Feiertage gesetzlich sind bestimmt sich nach Landesrecht) ausfallende Arbeitszeit den Arbeitsverdienst zu zahlen, den sie ohne den Arbeitsausfall erhalten hätten (also unter Berücksichtigung von Überstunden und Lohnzuschlägen). Die Vorschrift gilt nicht: für Feiertage, an denen ohnehin nicht gearbeitet worden wäre (z.B. am arbeitsfreien Sonnabend bei der 5-Tage-Woche); wenn regelmäßig sonntags gearbeitet wird, so besteht die Pflicht zur Lohnzahlung, falls ein gesetzlicher Feiertag auf einen Sonntag fällt. Der Anspruch entfällt, wenn der Arbeitnehmer am letzten Arbeitstage vor oder am ersten Arbeitstage nach dem Feiertag der Arbeit unentschuldigt fernbleibt.

Feiertagszuschlag, Zuschlag zum normalen →Arbeitsentgelt, den der Arbeitnehmer dafür erhält, daß er an →gesetzlichen Feiertagen arbeitet. Gesetzlich ist diese Zahlung allein für Jugendliche (§ 18 V Jugendarbeitsschutzgesetz) und für Besatzungsmitglieder von Seeschiffen (§ 90b Seemannsgesetz), sonst durch →Tarifvertrag oder →Betriebsvereinbarung geregelt. Die Höhe des F. kann bis zu 100% zum effektiven Lohn betragen; für Arbeit an hohen Feiertagen (Weihnachten, Ostern, Pfingsten, Neujahr und 1. Mai) bis zu 150%. – *Steuerliche Behandlung:* F. ist ab 1989 steuerpflichtig.

Feinabstimmung, *Feinsteuerung, fine tuning,* in der Makroökonomik eine Wirtschaftspolitik, die versucht, auch schon auf sehr kleine Störungen zu reagieren. – Vgl. auch →aktivistische Wirtschaftspolitik.

Feingehalt, Anteil an reinen Edelmetallen in Edelmetallegierungen. Der F. wird i.d.R. in Promille angegeben (F. von Goldmünzen: 900 ‰). – Gold- und Silberwaren sind oft mit einem Stempel über die Höhe des F. gekennzeichnet (Silber 800; Gold 585 oder 333). F. von Gold wurde früher in →Karat angegeben.

Feinkeramik, Teil des →Verbrauchsgüter produzierenden Gewerbes. Produktionsgebiet: Haushalts-, Wirtschafts- und Zierwaren aus Porzellan und Porelit. Dentalporzellan, Steingut, Feinsteinzeug, Ton- und Töpferwaren, sanitäre und technische Keramik, Fliesen, Baukeramik, Kacheln, Kachelöfen.

Feinkeramik

Jahr	Beschäftigte in 1000	Lohn- und Gehaltssumme	darunter Gehälter	Umsatz gesamt	darunter Auslandsumsatz	Nettoproduktionsindex 1980 = 100
		in Mill. DM				
1970	69	872	222	2 152	667	–
1971	66	916	243	2 256	661	–
1972	66	1 016	272	2 532	729	–
1973	67	1 154	310	2 799	846	–
1974	64	1 220	314	2 944	950	–
1975	58	1 162	321	2 815	882	–
1976	57	1 195	300	2 997	982	89,2
1977	57	1 282	318	3 170	993	94,3
1978	57	1 350	344	3 347	1 054	94,2
1979	57	1 424	368	3 599	1 156	98,0
1980	58	1 527	384	4 037	1 313	100
1981	57	1 594	404	4 102	1 388	98,9
1982	43	1 558	416	3 999	1 417	90,8
1983	54	1 521	407	3 968	1 290	91,3
1984	50	1 542	414	4 143	1 399	91,5
1985	49	1 524	417	4 140	1 465	91,4
1986	48	1 553	429	4 195	1 466	89,6

Feinmechanik, Optik, Herstellung von Uhren, Teil des →Investitionsgüter produzierenden Gewerbes; das Produktionsprogramm umfaßt: Augengläser aller Art, Mikroskope, mikrofotografische und Mikroprojektionsgeräte, Prismenferngläser, Fotoapparate, Projektions- und Kinogeräte, Feinmeß- und Feinprüfgeräte, Orthopädiemechanik, Armbanduhren und Großuhren. Stark exportorientiert; vgl. →Exportquote 1986: 37,9%.

Feinmechanik, Optik, Herstellung von Uhren

Jahr	Beschäftigte in 1000	Lohn- und Gehaltssumme	darunter Gehälter	Umsatz gesamt	darunter Auslandsumsatz	Nettoproduktionsindex 1980 =100
		in Mill. DM				
1976	164	3 799	1 557	12 171	3 882	86,6
1977	163	4 142	1 695	12 933	4 223	93,7
1978	160	4 357	1 827	13 633	4 484	94,3
1979	164	4 743	2 012	14 545	4 779	96,7
1980	167	5 175	2 235	15 833	5 139	100
1981	161	5 244	2 324	15 577	5 301	94,8
1982	155	5 212	2 360	15 195	5 379	88,9
1983	140	4 875	2 250	14 757	5 259	87,4
1984	138	4 996	2 294	15 720	5 653	90,9
1985	144	5 453	2 503	18 349	6 931	99,8
1986	148	5 793	2 691	19 147	7 262	103,6

Feinplanung, *Detailplanung,* kurzfristige Planung mit weitgehender Differenzierung der durchzuführenden Maßnahmen, so daß eine Abstimmung zwischen den einzelnen Teilplänen möglich ist. – *Gegensatz:* →Grobplanung.

Feinsteuerung, →Feinabstimmung.

Feld, →Array.

Feldanteil, eine den →Marktanteil verwandte →Kennzahl; beruht auf der Gegenüberstellung von Käuferzahlen (nicht Umsatzgrößen). F. des Unternehmens U_1 an der Produktkategorie

$$X = \frac{\text{Zahl der Käufer des Produkts } XU_1}{\text{Zahl der Käufer eines Produkts } X(U_1 \ldots U_n)}$$

Der F. ermöglicht, insbes. im Vergleich mit dem Marktanteil, wichtige Aufschlüsse über die Marktposition.

Feldesabgabe, eine vom Inhaber einer Erlaubnis zur Aufsuchung bergfreier Bodenschätze jährlich zu zahlende →Abgabe. F. beträgt im ersten Jahr 10 DM je angefangener qkm und erhöht sich in den folgenden Jahren jeweils um 10 DM bis höchstens 50 DM.

Feldforschung, *field research,* Bezeichnung der →Marktforschung für primär-statistische Erhebungen (→Primärstatistik) in einer natürlichen Umgebung. – *Gegensatz:* →Laborforschung, →Schreibtischforschung.

Feldzeit, Richtwert beim schriftlichen →Interview für die Zeit bis zur Erreichung einer ausreichenden →Rücklaufquote. F. kann durch Repräsentativitätsverzicht verkürzt oder durch zusätzliche →Nachfaßaktionen verlängert werden.

Femto (f), Vorsatz für das Billiardstel (10^{-15}fache) der Einheit. Vgl. →gesetzliche Einheiten, Tabelle 2.

Fenster, →Fenstertechnik.

Fenstertechnik, *Window-Technik,* Technik für die Gestaltung der →Benutzeroberfläche von →Dialogsystemen, bei der sich die Bildschirmfläche (→Bildschirm) in mehrere Bereiche (Fenster, Window) aufteilen läßt. Diese können zur gleichen Zeit unabhängig voneinander Informationen (z. B. Daten aus verschiedenen Dateien) darstellen. Die Fenster werden vom →Benutzer bei Bedarf geöffnet und können dann verschoben, verkleinert, vergrößert, manchmal auch überlagert und wieder geschlossen werden. In einem Fenster arbeitet man wie sonst auf dem ganzen Bildschirm. Bei →Mehrprogrammbetrieb können zusätzlich in den Fenstern unabhängig voneinander unterschiedliche Programme parallel ablaufen.

Feriensachen, →Gerichtsferien.

Ferienziel-Reisen. 1. *Begriff:* Sonderform des →Gelegenheitsverkehrs; Reisen zu Erholungsaufenthalten, die der Unternehmer mit Kraftomnibussen oder Personenkraftwagen nach einem von ihm aufgestellten Plan zu einem Gesamtentgelt für Beförderung und Unterkunft mit oder ohne Verpflegung anbietet und ausführt. Eine Unterwegsbedienung ist grundsätzlich unzulässig; alle Fahrgäste sind zum gleichen Reiseziel zu bringen und an den Ausgangspunkt der Reise zurückzubefördern. – 2. Der F.-R.-Verkehr bedarf der *Genehmigung* nach dem Personenbeförderungsgesetz; Genehmigung nur für im Reiseverkehr erfahrene Unternehmer (§ 48 PBefG).

Fernamt, →Fernvermittlungsstelle.

Fernbuchführung. 1. Häufig benutzte Form der →Buchführung für nicht buchführungspflichtige Kleingewerbetreibende, Handwerker, Landwirte und Angehörige freier Berufe, z. B. Ärzte, durch eine →Buchstelle, Steuerberater. Tägliche Grundaufzeichnungen des Steuerpflichtigen selbst über Betriebseinnahmen und Betriebsausgaben, Umsatzentgelte usw. sowie Führung des Wareneingangsbuches sind unerläßlich. Gewinnermittlung durch Überschußrechnung (§ 4 III EStG, Einkommensermittlung I A 2). – 2. F. durch *EDV-Rechenzentren* außer Haus. Datenerfassung beim Steuerpflichtigen. Datenauswertung extern, z. B. Abschluß der Finanzbuchhaltung, Ergebnisermittlung, Umsatzsteuervoranmeldung.

Fernbuchstelle, →Buchstellen.

Ferngespräch, Gespräch zwischen Sprechstellen verschiedener Ortsnetze im Inland, die nicht in einer →Nahtarifzone liegen, und mit Sprechstellen im Ausland. F. sind heute weltweit (mit wenigen Ausnahmen) durch →Selbstwählferndienst möglich. – Die Gebühren sind nach drei Ferngesprächszonen gestaffelt; Normaltarif (Montag bis Freitag 8–18.00 Uhr; Sprechzeit je Einheit: 45, 20, 12

Sekunden) und Billigtarif (Montag bis Freitag in der übrigen Zeit, Wochenenden, bundeseinheitliche Feiertage: 67,5, 38,6, 38,6 Sekunden) werden unterschieden.

Fernkopierer, *Telefax.* 1. *Begriff:* Technisches Gerät, das die originaltreue Übertragung von Schrift- und Graphikvorlagen (→graphische Darstellung) über größere Entfernungen ermöglicht. – 2. *Arbeitsweise:* Der sendende F. tastet die Vorlage optisch ab und überträgt die dadurch entstehenden (einzelne Punkte repräsentierenden) Abtastsignale in analoger (→analoge Darstellung) oder digitaler (→digitale Darstellung) Form über Fernmeldewege. Der empfangende F. zeichnet anhand dieser Signale die Vorlage wieder auf (evtl. auf Spezialpapier). – 3. *Verwendung:* Die Deutsche Bundespost erlaubt seit 1966 den Anschluß von F. an das öffentliche Telefonnetz (über ein →Modem), seit 1979 bietet sie den →Telefax-Dienst an.

Fernmeldeamt, Dienststelle der →Deutschen Bundespost, der das gesamte Fernmeldewesen unterstellt ist, z. B. Telegrafen- und Fernsprechbetriebsdienst, Entstörungsdienst, Fernsprechbuchstelle sowie Planung, Errichtung, Pflege und Wartung der Anlagen. F. bearbeiten das →amtliche Telefonbuch. – Vgl. auch →Funkamt.

Fernmeldeanlagen, Sammelbezeichnung für Telegrafen-, Fernspech- und Funkanlagen.

Fernmeldeanlagengesetz, Gesetz über Fernmeldeanlagen i. d. F. vom 17. 3. 1977 (BGBl I 459, 573 mit späteren Änderungen). – *Inhalt:* 1. Dem Bund steht das *ausschließliche Recht* zu, →Fernmeldeanlagen zu errichten und zu betreiben (→Fernmeldemonopol). Dieses Recht wird vom Bundesminister für das Post- und Fernmeldewesen ausgeübt und kann vom Bundesministerium dritten Personen verliehen werden. Postalische Fernmeldeanlagen können Dritten, z. B. Fernsprechteilnehmern, zwecks Benutzung zur Verfügung gestellt werden. – 2. *Genehmigungsfrei* sind Errichtung und Betrieb der Anlagen für den inneren Dienst einzelner Behörden und der Eisenbahnen, Straßenbahnen, Schiffahrtsunternehmen, Autobahnen sowie der Anlagen innerhalb der Grenzen ein und desselben Grundstückes, unter bestimmten Voraussetzungen auch auf nicht zusammenhängenden Grundstücken. – 3. *Alleinrecht* für den Postbetrieb: Vgl. →Beförderungsvorbehalt.

Fernmeldedienst, Kommunikationsdienst, der im öffentlichen Netz der Deutschen Bundespost betrieben wird.

Fernmeldemonopol. 1. *Begriff:* Ausschließlich dem Bund zustehendes und durch die →Deutsche Bundespost ausgeübtes Recht, Fernmeldeanlagen (Telegrafen-, Fernsprech- und Funkeinrichtungen) zu errichten und zu betreiben (gem. Gesetz über Fernmeldeanlagen i. d. F. vom 17. 3. 1977, BGBl I 459, 573). – 2. *Probleme:* (1) Das Monopol der Netzträgerschaft und die Regulierung des Marktzuganges für Endgeräte beeinträchtigt die Entwicklung und Nutzung von Innovationen in der informationstechnischen Industrie; aus diesem Grund wird die →Privatisierung des gewinnträchtigen Fernmeldebereichs der Deutschen Bundespost gefordert. (2) Weitere Probleme des F. resultieren aus dem Recht der Deutschen Bundespost, die technische Infrastruktur für neue Kommunikations- bzw. Datenübertragungsmedien einschl. der Endgeräte festzulegen und damit verbunden aus der Mölgichkeit, die gesamte Kommunikationsstruktur und den Betrieb von Datenübertragungseinrichtungen direkt oder indirekt zu beeinflussen.

Fernmeldetechnisches Zentralamt (FTZ), als mittlere Bundesbehörde zur →Deutschen Bundespost gehördend, Sitz in Darmstadt. – *Aufgabenbereich:* Vorarbeiten für die ministeriellen Leistungsentscheidungen auf dem Gebiet der Technik, des Betriebs und der Verwaltung im Fernmeldewesen; insbes. Steuerung der fernmeldetechnischen Entwicklung, nachrichtentechnische Forschung, zentrale Betriebslenkung und zentrale Beschaffung der Deutschen Bundespost. – *Organisation:* FTZ wird von einem Präsidenten geleitet; verfügt über vier Hauptabteilungen mit mehreren Abteilungen sowie über ein Forschungsinstitut mit fünf Forschungsbereichen.

Fernmelde-Union, 1865 als Welt-Telegrafenverein gegründet, seit 1947 Sonderorganisation der Vereinten Nationen (→UN), Sitz in Genf. – *Ziel:* Verbesserung der internationalen Zusammenarbeit zum zweckmäßigen Einsatz der Fernmeldedienste aller Art und Förderung der technischen Entwicklung. – Vgl. auch →internationaler Fernmeldevertrag.

Fernmeldevertrag, →internationaler Fernmeldevertrag.

Fernmeldeweg, Sammelbegriff für Wähl-, Standverbindungen oder andere Fernmeldeleitungen. F. zur Datenübertragung sind →Telexnetz, →Telefonnetz, Datexnetz (→DATEX-L, →DATEX-P), →Direktrufnetz, →internationale Mietleitungen, internationale digitale Festverbindungen.

Fernschreib..., →Telex...

Fernschreibdienst, →Telexdienst.

Fernschreiben, *Telex,* übertragen von Texten zwischen Fernschreibstationen in einem privaten Netz, Sondernetz oder öffentlichen Netz. Verbindungsaufbau, Zeichenvorräte, Code und Geschwindigkeiten sind nach CCITT-Empfehlungen international genormt.

Fernschreiber, Endeinrichtung für den Fernschreibverkehr (→Telex-Netz). Zu unterscheiden: a) elektronische und elektromechanische

F.; b) sende- und empfangsfähig, bzw. nur empfangsfähig.

Fernschreibnetz, →Telexnetz.

Fernsehempfängerversicherung, Sonderzweig der Elektronikversicherung. Die F. ersetzt Schäden an Fernsehgeräten; sehr weitreichender Deckungsumfang.

Fernsehen, Übertragung von Bild und Ton durch die Fernsehstationen an die Fernsehempfänger bedürfen in der Bundesrep. D. der Genehmigung zur Errichtung einer Empfangsanlage durch die Deutsche Bundespost gegen Zahlung der Fernsehrundfunkgebühr.

Fernsehkonferenz, →Telekonferenzsystem 2a).

Fernsehspot, *TV-Spot, TV Commercial,* auf Film oder Videoband (MAZ) aufgezeichnetes Werbemittel mit Verbreitung über das Fernsehen (→Fernsehwerbung); Länge 7 bis 60 Sekunden (gelegentlich auch länger); Informationsübertragung zweikanalig (Bild und Ton), die hohe Realitätsnähe, hohe Glaubwürdigkeit, starke Aktivierung und hohe Identifikationsbereitschaft beim Zuschauer bedingt. – *Gestaltungselemente:* (1) Text (geschrieben, gesprochen, gesungen), (2) Bild (statisch, bewegt), (3) Ton (Musik, Geräusche); diese Elemente können simultan oder einzeln eingesetzt werden, so daß vielfältige Variationen möglich sind. – F. ist mit großem sachlichen und finanziellen Aufwand verbunden. – Vgl. auch →Funkspot.

Fernsehwerbung, Form der →elektronischen Werbung mittels →Fernsehspots. Kommunikation mit dem Werbesubjekt über Bild und Ton, einzeln oder kombiniert. In der Bundesrep. D. führen F. insbes. die öffentlich-rechtlichen Fernsehanstalten (ARD mit acht regionalen Anstalten und ZDF) durch; daneben zunehmend auch neue Anbieter (Kabel- und Satellitenfernsehen). – Schaffung einheitlicher Voraussetzungen und (heute noch gültiger) *Rahmenbedingungen für F.* (Staatsvertrag vom 6.6.1961): (1) Werbungsverbot nach 20.00 Uhr und an Sonn- und Feiertagen; (2) deutliche Trennung der Werbesendungen vom übrigen Programm, wodurch Werbeblöcke entstehen; (3) Ausschluß jeglichen Einflusses von Werbetreibenden, →Werbeagenturen oder anderen auf das übrige Programm, wodurch →Schleichwerbung verhindert werden soll (vgl. auch →product placement). – →Werbewirkung und →Reichweite aufgrund der hohen Gerätedichte rechtfertigen die relativ hohen Kosten der F. (ca. 50000 DM plus Produktionskosten für einen 30 Sekunden-Spot; vgl. auch →Tausenderpreis); problematisch erscheint jedoch das aktuell zu beobachtende Zuschauerverhalten bei Fernsehspots (→Zapping). – Vgl. auch →Rundfunkwerbung.

Fernsprech..., →Telefon...

Fernsprechansagedienste, fernmündliche Auskunftsdienste der Deutschen Bundespost mit laufend aktualisierten Informationen von allgemeinem Interesse (z.B. Wetter- und Straßenzustandsberichte, Börsennachrichten, Toto, Kinoprogramme). F. sind *gebührenpflichtig* zum Ortstarif. – Vgl. auch →Fernsprechauftragsdienst, →Fernsprechauskunftsdienst.

Fernsprechanschluß, *Telefonanschluß.* I. Allgemein: 1. *Begriff:* Sprechstelle des →öffentlichen Fernsprechnetzes, deren Herstellung, Änderung, Übertragung und Kündigung bei Anmeldestellen für Fernmeldeeinrichtungen zu beantragen ist, die sich bei den zuständigen Ämtern befindet (ersichtlich aus →amtlichem Telefonbuch). – 2. *Anschlußarten:* a) *Fernsprechhauptanschlüsse* sind unmittelbar mit einer Vermittlungsstelle verbundene Einzelanschlüsse. – b) *Fernsprechnebenstellenanlagen* verbinden mehrere Sprechstellen untereinander und mit dem Hauptanschluß (Amtsleitung), auch ohne Verbindung mit der Amtsleitung; i.a. im gleichen →Ortsnetzbereich wie der Hauptanschluß. Nach Besitz und Unterhaltungspflicht zu unterscheiden sind folgende Nebenstellenanlagen: (1) *posteigen:* von der Deutschen Bundespost unterhalten und an die Teilnehmer vermietet; (2) *teilnehmereigen:* von der Post dem Teilnehmer gegen Erstattung der Kosten übereignet. Unterhaltung der Anlagen gegen monatliche Gebühr durch die Post; (3) *privat:* von Privatunternehmern hergestellt und unterhalten, nur zugelassen, wenn die Hersteller ihre Fachkenntnisse durch Zeugnis nachweisen. Anschluß an das öffentliche Fernsprechnetz mit Genehmigung der Post. – c) *Fernsprech-Querverbindungen* verbinden Fernsprechnebenanlagen miteinander. – d) F. *in Fahrzeugen:* →öffentlicher beweglicher Landfunkdienst. – 3. *Fernsprechteilnehmer* sind die Inhaber eines →Hauptanschlusses; bei Fernsprechnebenanlagen, an die Haupt- und Nebenanschlüsse verschiedener Teilnehmer angeschlossen sind, gelten die Inhaber dieser Anschlüsse nebeneinander als Teilnehmer und haften der Post gegenüber als →Gesamtschuldner.

II. Rechtsverkehr: 1. Die Bedienung eines F. in einem kaufmännischen Betrieb bevollmächtigt nicht gleichzeitig zur *Abgabe von* bindenden *Erklärungen* namens des Geschäftsinhabers. a) Der die Erklärung Annehmende muß sich vergewissern, ober der Erklärende zur Abgabe befugt ist. b) Erlangt der Geschäftsinhaber Kenntnis von einer mittels F. unbefugt abgegebenen Erklärung, so hat er dem Dritten gegenüber sofort zu widersprechen. Mit Rücksicht auf die →Verkehrssitte bedeutet Schweigen nach →Treu und Glauben hier die Genehmigung. – 2. Zur

Entgegennahme einer Erklärung die üblicherweise auch fernmündlich abgegeben wird, z. B. Angebot, Rüge usw. durch F., bedarf der Annehmende jedoch keiner besonderen Vollmacht, da hierzu jeder Angestellte des Kaufmannes, der den F. bedient, befugt ist. Die so empfangene Erklärung gilt als zugegangen, auch wenn der Geschäftsherr nichts davon erfährt. – 3. *Vertragsschluß* durch F.: Vgl. →Vertrag IV.

Fernsprechauftragsdienst, Dienst der Deutschen Bundespost, gegen Gebühr a) Anrufe für abwesende Teilnehmer entgegenzunehmen, b) Weckaufträge auszuführen, c) Benachrichtigungen zu übermitteln, d) Erinnerungsaufträge abzuwickeln.

Fernsprechauskunftsdienst, Dienst der Deutschen Bundespost. Auskunft über Rufnummern der Telefonanschlüsse und Ortsnetzkennzahlen, Telefax-Rufnummern, Gesprächsgebühren u.a. – Gebühren: a) *Inlandsauskunft:* Gebührenpflichtig nach Ortstarif; b) *Auslandsauskunft:* Gebührenfrei.

Fernsprechbücher, →amtliche Telefonbücher.

Fernsprechen, Sprechen zwischen entfernten Partnern. Mit →Nebenstellenanlagen sind Verbindungen zwischen Arbeitsplätzen untereinander ohne Inanspruchnahme des öffentlichen Netzes (→Fernsprechnetz) bzw. zwischen Arbeitsplätzen und Teilnehmern im öffentlichen Netz möglich.

Fernsprechgebühren. 1. Beträge, die Inhaber von →Telefonanschlüssen zu zahlen haben; umfaßt Grundgebühr für den Hauptanschluß und Zusatzeinrichtungen sowie Gebühren für benutzte Einheiten. – 2. F. sind als →*Kosten* auf einem besonderen Kostenarten-Konto zu erfassen und bei der →Betriebsabrechnung auf die →Kostenstelle „Allgemeine Verwaltung" zu übertragen. In kleinen Betrieben meist direkt auf das Sammelkonto „Allgemeine Verwaltungskosten" übernommen.

Fernsprechnetz, →Telefonnetz.

Fernsprechvermittlungsstellen, Fernamt zur Herstellung von Gesprächsverbindungen ins Ausland, soweit dies nicht durch Selbstwahl (→Selbstwählferndienst) möglich ist.

Fernstudium. 1. *Begriff:* Ein raum- und zeitüberbrückendes, aus der Ferne gesteuertes, überregionales Studium. Die Kommunikation der Lehrinhalte erfolgt mittels technischer (speichernder) Medien. Kontrollfunktionen (Verständniskontrolle und Leistungsbestätigung) können direkt (durch zentrale und dezentrale Tutorials oder Seminare) wie auch indirekt (über technische Medien) vorgenommen werden. – 2. *Abweichungen* gegenüber anderen Lernformen: a) *Lehrobjektivierung:* Lehrinhalte und Lehrmeinungen verschiedener Dozenten werden durch technische (speichernde Medien) „objektiviert" bereitgestellt; b) *Individualisierung:* individuelle Aus- und Weiterbildung, Selbstbestimmung des Lerntempos. – 3. *Formen (Typologie):* F. mittels Studienbrief (Grundtyp, Fernstudium der traditionellen Art), Fernsehen (Ausstrahlung von Fernsehsendungen), Kassette (EVR-Verfahren), computerunterstützte Unterweisung (programmierte Instruktion), Kombination von Direkt- und Fernstudium (sandwich-study). – Vgl. auch →Fernsehstudium im Medienverbund. – *Anders:* →Fernunterricht.

Fernstudium im Medienverbund, im Bereich des →Fernstudiums ein Integrationsprozeß von Medienorganisationsformen und Humanaggregaten (Fernstudiengruppen); Fernstudium mit Übernahme von Direktstudienteilen. (Medienverbund: technische, dispositive, arbeitsteilige Verbindung [Kombination] von Medien; Medien: persönliche Rede des Dozenten, Studienbrief, Fernsehen, Kassette [EVR] usw.) Medienorganisationen nach Zweckmäßigkeitsgründen: didaktische Zweckmäßigkeit, technische (mengenmäßige) Wirtschaftlichkeit (Rationalprinzip) und Erreichen der vorgegebenen bildungspolitischen Ziele. – Keine integrative Strukturierung mit dem Direktstudium zu einem einheitlichen Studiensystem.

Fernunterricht, nach dem Gesetz zum Schutz der Teilnehmer am Fernunterricht vom 24.8.1976 (BGBl I 2525) die auf vertraglicher Grundlage erfolgende, entgeltliche Vermittlung von Kenntnissen und Fähigkeiten, bei der a) der Lehrende und der Lernende ausschließlich oder überwiegend räumlich getrennt sind und b) der Lehrende oder sein Beauftragter den Lernerfolg überwachen. – Alle entgeltlich angebotenen Fernlehrgänge, soweit sie nicht auf Freizeitbeschäftigung oder Unterhaltung gerichtet sind, unterliegen ab 1.1.1977 einer *Zulassungspflicht.* – Die auf den *Vertragsschluß* gerichtete →Willenserklärung des Teilnehmers bedarf der →Schriftform. – *Zuwiderhandlungen* werden als →Ordnungswidrigkeit geahndet. – *Anders:* →Fernstudium.

Fernvermittlungsstelle, *Fernamt,* Einrichtung der →Deutschen Bundespost zur Handvermittlung von Ferngesprächen, soweit sie nicht im →Selbstwählferndienst möglich sind.

Fertigerzeugnis, *Fertigfabrikat,* Produkt, das den Produktionsprozeß des Betriebes bis zum Ende durchlaufen hat und das zur weiteren Verwendung bereitsteht: a) am Markt (Verkauf an nachgelagerte Betriebe oder an Endverbraucher); b) zum Verbrauch im eigenen Betrieb (Selbstverbrauch). Die rechnerische Übernahme auf Fertigwarenlager erfolgt zumeist mit den bis dahin aufgelaufenen Ist-, Plan- oder Standardkosten (→Herstellungskosten) auf die Kostenträgerkonten. – *Gegensatz:* →unfertige Erzeugnisse.

Fertigfabrikat, →Fertigerzeugnis.

Fertighaus, aus vorgefertigten Bauteilen schlüsselfertig zusammengefügtes Haus. Der →Eigentumsvorbehalt des Herstellers wird i.d.R. durch Verbindung mit dem Grundstück erlöschen; das Haus wird →wesentlicher Bestandteil des Grundstücks sein. →Dingliche Rechte am Grundstück, z.B. Hypotheken und Grundschulden, erfassen dann auch das F., das deshalb als Beleihungsobjekt in Betracht kommt. Bei der *Festsetzung des Beleihungswertes* ist möglicherweise verkürzte Nutzungsdauer zu berücksichtigen.

Fertigpackungen Erzeugnisse in Verpackungen beliebiger Art, die in Abwesenheit des Käufers abgepackt und verschlossen werden, wobei die Menge des darin enthaltenen Erzeugnisses ohne Öffnen oder merkliche Änderung der Verpackung nicht verändert werden kann. Wer gewerbsmäßig F. in den Verkehr bringt, hat auf der F. leicht erkennbar und deutlich lesbar die Füllmenge nach Gewicht, Volumen oder Stückzahl anzugeben. Es darf keine größere Füllmenge vorgetäuscht werden, als in ihnen enthalten ist. Wer zur Abgabe an Letztverbraucher F. mit Lebensmitteln, Futtermitteln für Heimtiere und freilebende Vögel, Wasch- und Reinigungsmitteln, kosmetischen Mitteln, Putz- und Pflegemitteln, Klebstoffen, gebrauchsfertigen Lacken und Anstrichmitteln, Mineralölen und Brennstoffen in Nennfüllmengen von nicht weniger als 10 g oder ml und nicht mehr als 10 kg oder Liter feilhält, anbietet oder für sie wirbt, hat den von ihm geforderten Preis für ein kg oder ein l oder, wenn die Nennfüllmenge 250 g oder ml nicht übersteigt, den Preis für 100 g oder ml (Grundpreis) des Erzeugnisses anzugeben. – *Ausnahmen* gelten u.a. für F., die zur Ausfuhr bestimmt sind, für Zigaretten, Zigarren, →Gratisproben, geeichte formbeständige Behältnisse, außerdem u.a. für F., deren Preis 1 DM nicht übersteigt, bei leicht verderblichen Lebensmitteln (§§ 14 ff. Eichgesetz und Fertigpackungsverordnung vom 18.12.1981 (BGBl I 1585; 1982, 155 mit späteren Änderungen).

Fertigteile, Begriff der Kostenrechnung für →bezogene Teile.

Fertigung, →Produktion.

Fertigungsauftrag, *Fertigungslos,* in der Produktionsplanung und -steuerung (→PPS-System) eine Menge von →Teilen einer Teileart, die auf einer →Fertigungsstufe als eine dispositive Einheit behandelt und zusammen hergestellt werden.

Fertigungsautomation, Automatisierung der industriellen Produktion (→Automation) durch Einsatz von computergestützten Fertigungsanlagen; vgl. insbes. →flexibles Fertigungssystem, →Industrieroboter, →NC-Anlagen, →CNC-Anlagen, →DNC-Anlagen, →Bearbeitungszentrum. – Vgl. auch →PPS-Systeme, →factory of the future.

Fertigungseinzelkosten, zur Erstellung eines Erzeugnisses im Fertigungsbereich anfallende →Einzelkosten (vgl. auch →Fertigungskosten). Zu den F. werden häufig Einzellohnkosten (→Fertigungslöhne) und →Sondereinzelkosten der Fertigung gezählt. – Die F. oder Teile von ihnen dienen in der *traditionellen Vollkostenrechnung* als Bezugsgrößen für die Verteilung der →Fertigungsgemeinkosten auf die Kostenträger, werden selbst von der →Kostenartenrechnung direkt in die →Kostenträgerrechnung übernommen. – In der *Einzelkosten- und Deckungsbeitragsrechnung* gilt die direkte Erfaßbarkeit der Mengenkomponente für die Anerkennung als F. als nicht ausreichend. Zusätzlich ist die Zurechenbarkeit der Ausgaben nach dem →Identitätsprinzip erforderlich. Deshalb sind v.a. die Einzellohnkosten, in geringem Umfang auch Teile der Materialeinzelkosten und Sondereinzelkosten der Fertigung, keine F. – *Gegensatz:* →Fertigungsgemeinkosten.

Fertigungsendkostenstellen, *Fertigungsendstellen,* →Fertigungshauptkostenstellen, Kostenstellen des Fertigungsbereichs, die in der traditionellen Vollkostenrechnung im Gegensatz zu den Vorkostenstellen (i.d.R. den Fertigungshilfsstellen) bei der Kostenstellenumlage (→innerbetriebliche Leistungsverrechnung) nur Kosten empfangen, aber nicht weitergeben. Die Summe der bei ihnen gesammelten Kosten wird im Rahmen der Kostenträgerrechnung auf die Kostenträger verrechnet (häufig mittels →Bezugsgrößenkalkulation).

Fertigungsendstellen, →Fertigungsendkostenstellen.

Fertigungsgemeinkosten, die im Fertigungsbereich entstandenen, dem einzelnen Kostenträger nur mittelbar zurechenbaren Gemeinkosten (Hilfslöhne, Hilfsmaterial, Energiekosten, kalkulatorische Abschreibungen und Zinsen usw.). F. werden in der traditionellen Vollkostenrechnung für →Fertigungsendkostenstellen erfaßt bzw. auf diese im Rahmen der →innerbetrieblichen Leistungsverrechnung verrechnet und anschließend in der Kostenträgerrechnung den einzelnen Kostenträgern zugeschlüsselt. – *Gegensatz:* →Fertigungseinzelkosten.

Fertigungshauptkostenstellen, *Fertigungshauptstellen,* Bereiche (→Kostenstellen) innerhalb von Produktionsbetrieben, in denen die eigentliche Fertigung der Erzeugnisse durchgeführt wird. Für Anzahl und Abgrenzung der F. sind verschiedene Gesichtspunkte maßgebend, wie z.B. Größe des Betriebes, Ausmaß des Erzeugungsprogramms und Erfordernisse der →Arbeitsvorbereitung, der →Kontrolle und der Kostenüberwachung. F. bilden zusammen mit →Fertigungsnebenkostenstellen die →Fertigungsendkostenstellen.

Fertigungshauptstellen, →Fertigungshauptkostenstellen.

Fertigungshilfskostenstellen *Fertigungshilfsstellen,* Bezeichnung für Produktionsbereiche, die an der Fertigung nur indirekt beteiligt sind, deren Leistungen aber notwendig sind, um die Arbeitsabläufe in den →Fertigungshauptkostenstellen zu ermöglichen. Ihre Anzahl richtet sich, wie die der Fertigungshauptkostenstellen, nach der Größe und Organisation des Betriebes, den Erfordernissen der Kostenüberwachung usw. Die Summen der Gemeinkosten der einzelnen F. (→Fertigungsgemeinkosten) werden in der traditionellen Vollkostenrechnung nach bestimmten Verteilungsschlüsseln auf die Fertigungshauptstellen umgelegt (→innerbetriebliche Leistungsverrechnung).

Fertigungshilfsstellen, →Fertigungshilfskostenstellen.

Fertigungsinsel, →Produktionsinsel.

Fertigungskontenrahmen, jetzt: →Industriekontenrahmen.

Fertigungskontrolle, →Produktionskontrolle.

Fertigungskosten, *Produktionskosten,* im Fertigungs- bzw. Produktionsbereich eines Unternehmens zur Erstellung von Produkten anfallende →Kosten. F. werden zumeist in →Fertigungseinzelkosten und →Fertigungsgemeinkosten aufgeteilt. Zuweilen zählt man zu den F. auch →Materialkosten und versteht dann F. als bis zum Vertrieb anfallende Kosten eines Produkts.

Fertigungskostenstellen, *Fertigungsstellen,* zusammenfassende Bezeichnung für →Fertigungshauptkostenstellen, innerhalb derer die Fertigung der Erzeugnisse erfolgt, sowie für die Nebenkostenstellen, auf denen Nebenerzeugungen verrichtet werden, wie z. B. die Verarbeitung von Abfallstoffen, und →Fertigungshilfskostenstellen (Fertigungshilfsstellen), wie z. B. Werkzeugmacherei, Reparaturwerkstatt o. ä. Häufig werden auch Forschungs-, Entwicklungs- und Konstruktionskostenstellen zu den F. gezählt.

Fertigungslogistik, *Produktionslogistik, innerbetriebliche Logistik,* Subsystem der →Logistik eines Betriebes zur interenen physischen Ver- und Entsorgung der Fertigungsstelle mit Material, Vorprodukten, Hilfs- und Betriebsstoffen und von Zwischenerzeugnissen, Endprodukten, Ausschuß und Abfall.

Fertigungslöhne, *Einzellöhne, Einzellohnkosten,* Löhne für direkt am Werkstück verrichtete Arbeit, fälschlich „produktive Löhne" genannt, die im Gegensatz zu den →Hilfslöhnen unmittelbar erfaßt werden. Die F. werden i. d. R. dem Erzeugnis als Einzelkosten direkt zugerechnet (→Fertigungseinzelkosten). Nach Auffassung der Einzelkosten- und Dekkungsbeitragsrechnung sind die F. im Rahmen der üblichen Arbeitsverhältnisse (abgesehen von stundenweisen Aushilfen, Überstunden und Zulagen für auftragsspezifische Tätigkeiten) weder als →Einzelkosten der Kostenträger noch als →variable Kosten in bezug auf die Beschäftigung anzusehen. Die Erfaßbarkeit der Tätigkeitszeit als Kriterium (→Disponierbarkeit, →Identitätsprinzip) gilt als nicht ausreichend.

Fertigungslohnzettel, organisatorisches Hilfsmittel zur Erfassung der unmittelbar für die Erzeugnisse verbrauchten Löhne. – Vgl. auch →Bruttolohnermittlung, →Akkordzettel.

Fertigungslos, →Fertigungsauftrag.

Fertigungsmaterial, zusammenfassender Begriff für →Einzelmaterial und →Gemeinkostenmaterial.

Fertigungsmaterialscheine, organisatorische Hilfsmittel zur rechnerischen Erfassung der unmittelbar in die Erzeugnisse eingehenden Materialien. – Vgl. auch →Materialentnahmeschein.

Fertigungsnebenkostenstellen, *Fertigungsnebenstellen,* →Fertigungsendkostenstellen, die mit der Bearbeitung von Nebenprodukten befaßt sind.

Fertigungsnebenstellen, →Fertigungsnebenkostenstellen.

Fertigungsorganisation, *Produktionsorganisation,* →Teilbereichsorganisation für den organisatorischen Teilbereich „Fertigung". – 1. *Gestaltung der →Aufbauorganisation:* Die Ebene der →Hierarchie unterhalb der Fertigungsleitung kann z. B. nach unterschiedlichen Ressourcen (etwa Werken), Fertigungsverfahren oder herzustellenden Produkten gegliedert werden (→Segmentierung). – 2. *Gestaltung der →Ablauforganisation:* Z. B. Straßenproduktion, Werkstattproduktion.

Fertigungsplanung, →Produktionsplanung.

Fertigungsprogramm, →Produktionsprogramm.

Fertigungsprogrammplanung, →Produktionsprogrammplanung.

Fertigungsqualitätskontrolle, Verfahren der Qualitätskontrolle (→Qualitätssicherung). Ziel der F. ist die Überwachung des Produktionsprozesses. Hierzu werden Prüfvorgänge während des Fertigungsablaufes durchgeführt, die Informaitonen über den Prozeßzustand liefern, die eine Steuerung des Prozesses ermöglichen, so daß sich ein Qualitätsmerkmal eines herzustellenden Produktes innerhalb vorgeschriebener Grenzen bewegt. Die Qualitätsregelkarte (→Kontrollkartentechnik) ist das statistische Instrument der F.

Fertigungssonderkosten, →Sondereinzelkosten der Fertigung.

Fertigungsstellen, →Fertigungskostenstellen.

Fertigungsstufe, *Produktionsstufe,* in der Produktionsplanung und -steuerung (→PPS-System) die Gesamtheit aller Bearbeitungsschritte eines →Teils, die an den einem →Fertigungsauftrag zur Herstellung des Teils durchzuführen sind. Bei mehrstufiger Fertigung werden bis zur Erzeugung des Endprodukts mehrere F. durchlaufen.

Fertigungstechnik, →Produktionstechnik.

Fertigungsverfahren, →Produktionstypen, →Produktionstechnik.

Fertigungsvollzugsplanung, →Produktionsprozeßplanung.

Fertigungszuschlag, Prozentsatz mit dem bei →Zuschlagskalkulation die anteiligen Fertigungsgemeinkosten den Fertigungseinzelkosten zugeschlagen werden, um die gesamten →Fertigungskosten zu ermitteln.

Fertilität, Zahl der Kinder, die eine Person, eine Gruppe von Personen oder eine ganze Bevölkerung im Lebenslauf oder in einer bestimmten Zeitperiode hervorbringt. – Vgl. auch →Fertilitätsmaße.

Fertilitätsmaße, Verhältniszahlen zur Charakterisierung des Ausmaßes der Erneuerung (Fortpflanzung) einer Bevölkerung durch Geburten *(Geburtenhäufigkeit).* Die Zahl der Lebendgeborenen wird nicht (wie bei der →Geburtenziffer) auf die Gesamtbevölkerung bezogen; die „unbeteiligten Massen" werden in unterschiedlichem Ausmaß ausgegrenzt. – *Arten:* 1. *Allgemeine Fruchtbarkeitsziffer:* Lebendgeborene eines Kalenderjahres, bezogen auf die durchschnittliche Zahl der Frauen (F) im Gebäralter von 15 bis 44 oder 49 Jahren. Zur Erhaltung des Bevölkerungsstandes aus Geburten und Sterbefällen ist ca. der Wert 70 erforderlich. – 2. *Altersspezifische Geburtenziffer:* Lebendgeborene eines Kalenderjahrs, bezogen auf die Anzahl der Frauen in einem bestimmten Alter in einem Kalenderjahr. Zusätzliche Unterscheidung: a) ehelich Lebendgeborene von Müttern in einem bestimmten Alter, bezogen auf die verheirateten Frauen in diesem Alter; b) nichtehelich Lebendgeborene von Müttern in einem bestimmten Alter, bezogen auf die unverheirateten (ledigen, verwitweten und geschiedenen) Frauen in diesem Alter. – 3. *Ehedauerspezifische Geburtenziffer:* Lebendgeborene eines Kalenderjahres, bezogen auf die seit n Jahren verheirateten Frauen; sie kann nach der Parität oder Ordnungsnummer der Geburten (1., 2., 3. Kind usw.) berechnet werden. – 4. *Zusammengefaßte Geburtenziffern:* Summe der altersspezifischen Geburtenziffern. Sie geben für eine fiktive Frauengeneration die Zahl der Lebendgeborenen im Lebensablauf (ohne Berücksichtigung der Sterblichkeit) an. Zur Erhaltung des Bevölkerungsstands sind bei einer →Sexualproportion der Lebendgeborenen von 1060 Jungen auf 1000 Mädchen 2060 Kinder erforderlich. Beschränkt man sich auf Mädchengeburten, erhält man die *Bruttoreproduktionsrate,* bei zusätzlicher Berücksichtigung der Sterblichkeit die *Nettoreproduktionsrate.* – 5. *Zusammengefaßte Geburtenziffern verheirateter Frauen:* Summe der ehedauerspezifischen Geburtenziffern. Sie geben für einen fiktiven Ehejahrgang die Zahl der Lebendgeborenen bis zum Abschluß des Familienbildungsprozesses an.

Festbewertung, →Festwert.

feste Kosten, →fixe Kosten.

fester Funk, Funkverkehr (→Funk) der Deutschen Bundespost zwischen Funkstellen an bestimmten festen Punkten. Umfaßt: a) Europa- und Überseefunk, b) Lichtfunk für öffentlichen Fernmelde- und Funknachrichtenverkehr und c) f. F. der Behörden und Organisationen mit Sicherheitsaufgaben (z. B. Polizei). – *Gegensatz:* →beweglicher Funk.

fester Verrechnungspreis, *Standardpreis,* rechnerisches Hilfsmittel der industriellen Kostenrechnung. – *Anwendungszwecke:* a) Vereinfachung von Abrechnungsvorgängen im Rahmen der Bewertung innerbetrieblicher Lieferungen und Leistungen (→innerbetriebliche Leistungsverrechnung); b) Ausschaltung außerbetrieblicher Preisschwankungen; erbringt ebenfalls eine Rechnungsvereinfachung sowie eine verbesserte →Kostenkontrolle. – *Bildung von f. V.:* Erfolgt auf der Grundlage von Durchschnittswerten der Vergangenheit oder Planpreisen unter Berücksichtigung zukünftig zu erwartender Preisentwicklung, um Differenz zwischen dem auf längere Zeit stabil zu haltenden f. V. und tatsächlichem Preis möglichst niedrig zu halten. – Die *Differenzen* zwischenden f. V. und den exakten Wertansätzen werden häufig direkt in das →Betriebsergebnis übernommen. Bei Anwendung des →Gemeinschaftskontenrahmens werden die Preisdifferenzen auf einem Konto der Klasse 2 (→Preisdifferenzkonto) erfaßt, dessen Saldo über das neutrale Ergebniskonto bzw. ein Verrechnungspreiskonto gebucht wird, bei Anwendung des →Industriekontenrahmens im Rechnungskreis II (Klasse 9). – Vgl. auch →Verrechnungspreise.

fester Wechselkurs, *fixierter Wechselkurs,* von Regierung oder Zentralbank festgesetzter →Wechselkurs. Das Wechselkurssystem des

→Bretton-Woods-Abkommens basierte auf dem Prinzip f. W. Währungsreserven und Auslandskredite sollen die Finanzierung von Zahlungsbilanzdefiziten ermöglichen. Da jedoch kein Land bei anhaltenden Zahlungsbilanzdefiziten (-überschüssen) eine Abwertung (Aufwertung) auf Dauer umgehen kann, werden die Wechselkurse *nicht völlig fest* gehalten. So wurde bereits im Bretton-Woods-System bei →strukturellen Zahlungsbilanzungleichgewichten eine Kursanpassung durch Paritätsveränderung zugelassen *(adjustable peg)*, sog. *System f. W. mit stufenweiser Flexibilität*. – Zusätzlich zum adjustable peg wurden im Bretton-Woods-System Kursschwankungen innerhalb bestimmter Bandbreiten zugelassen. – Schließlich wurde auch eine sog. *formula flexibility* (→Formelflexibilität) diskutiert, eine Paritäts- bzw. Bandbreitenverschiebung automatisch entsprechend der Veränderung bestimmter Wirtschaftsindikatoren (wie Abweichung der Preisniveauentwicklung vom Ausland). In diesem Sinn wird auch vom →*crawling peg* bzw. *movable peg* gesprochen.

Festgehaltsklausel, →Wertsicherungsklausel, bei der die Höhe einer Geldforderung (Rente) nicht in einem nominellen Betrag, sondern auf das jeweilige Gehalt einer bestimmten Gehaltsgruppe bezogen ausgedrückt ist, z. B.: „Zwei Monatsgehälter eines Beamten der Gehaltsgruppe B 6 im Zeitpunkt der Zahlung".

Festgelder. 1. Einlagen mit fester Laufzeit von mindestens einem Monat; gehören zu den →Termineinlagen. – 2. Geldkapital am Börsengeldmarkt (auch Einlagen), das auf längere Fristen mit festem Verfalltag ausgeliehen wird (z. B. Dreimonatsgehalt). – 3. Bei der Währungsreform im Bundesgebiet zunächst auf gesperrten Konten festgeschriebene Guthaben.

Festgeschäft, →Fixgeschäft.

Festgrundschuld, →Grundschuld, bei der das Kapital an festem Termin fällig wird. – *Gegensatz:* →Tilgungsgrundschuld.

Festhypothek, →Hypothek, bei der das Kapital an festem Termin fällig wird. – *Gegensatz:* →Tilgungshypothek.

Festmeter (fm), früher im Holzhandel verwendete Bezeichnung für 1 Kubikmeter fester Holzmasse.

Festofferte, →Offerte a).

Festplatte, *Winchesterplatte*. 1. Magnetplatte (→Magnetplattenspeicher), die fest in das Plattenlaufwerk eingebaut ist. – 2. In einem Diskettenlaufwerk fest eingebaute, vom Benutzer nicht austauschbare →Diskette. – *Gegensatz:* →Wechselplatte.

Festpreis, staatlich oder vertraglich normierter Preis.

I. Staatliche Preispolitik: Im System der staatlichen Preisregelung (v. a. bei Erzeugnissen der Landwirtschaft und im Verkehrswesen, z. B. Eisenbahntarife) angewandt a) als *Ordnungstaxe*, die bei funktionierendem Preismechanismus den Preis darstellt, der sich im vollkommenen Wettbewerb bilden würde (z. B. Herabsetzung von Monopolpreisen); b) als *echte Taxe*, die höher bzw. niedriger liegt als der Konkurrenzpreis (Mindestpreis bzw. Höchstpreis). Höchstpreise haben zur Folge, daß Nachfrage größer wird als Angebot, so daß der Staat entweder die Produktionsmenge bestimmen bzw. Subventionen gewähren, oder aber die Nachfrage (durch Rationierung) reduzieren muß. Bei Mindestpreisen wird Angebot größer als Nachfrage. Regulierung durch Regierungsaufkäufe oder Produktionseinschränkung (Zwang oder Prämiensystem). – Vgl. auch →Preisstopp.

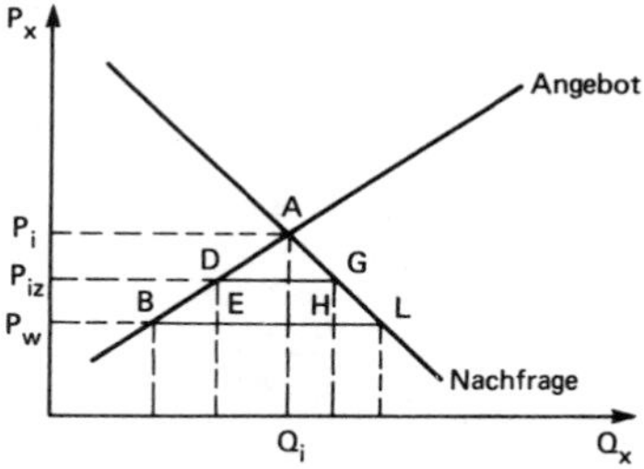

(X = nachgefragte bzw. angebotene Menge, NN = Nachfrage-, AA = Angebotsfunktion, P_M = Mindest-, P_H = Höchstpreis).

II. Bilanzierung und Kostenrechnung: 1. In →Konzernen oder →Kartellen vereinbarter Preis zur Vereinfachung der *Abrechnung zwischenbetrieblicher Leistungen* und der Gewinnverteilung. – 2. *Bewertung zu F.:* Vgl. →Festwert.

Festpreis-Modell, *fix price model*, in der Makroökonomik ein Modell mit starren Preisen, bei dem als Reaktion auf Ungleichgewichtssituationen die Mengen angepaßt werden. – Vgl. auch →Neue keynesianische Makroökonomik.

Festpreisverfahren, →innerbetriebliche Leistungsverrechnung II 5.

Festsatzkredit, →Kredit mit festvereinbartem, unveränderlichem Zinssatz für die gesamte Kreditdauer.

Festsetzungsverjährung. 1. *Gegenstand:* Die F. regelt, wann eine →Steuerfestsetzung sowie ihre Aufhebung oder Änderung nicht mehr zulässig ist (§ 169 I AO). *Gegensatz:* →Zahlungsverjährung. – 2. *Frist:* Die Festsetzungsfrist beträgt grundsätzlich für →Zölle, →Verbrauchsteuern, Zoll- und Verbrauchsteuervergütungen ein Jahr, für andere Steuern und Steuervergütungen vier Jahre; sie beträgt zehn Jahre soweit →Steuerhinterziehung, fünf Jahre soweit leichtfertige →Steuerverkürzung vorliegt (§ 169 II AO). Die Frist beginnt mit Ablauf des Kalenderjahres, in dem der Anspruch entstanden ist, soweit keine Anlaufhemmung vorliegt (§ 170 AO). Das Ende der F. wird vielfach durch Ablaufhemmung hinausgezögert (§ 171 AO), insbes. durch →offenbare Unrichtigkeit beim Erlaß eines Steuerbescheids, durch Antrag auf Steuerfestsetzung oder Anfechtung eines Steuerbescheids, durch Beginn einer →Außenprüfung oder →Steuerfahndung. Der Zeitraum der Hemmung wird bei der Berechnung des Laufs der Festsetzungsfrist nicht berücksichtigt. – 3. *Wirkung:* Durch Ablauf der Festsetzungsfrist erlischt der nicht festgesetzte Anspruch (§ 47 AO). Die Änderung oder Aufhebung einer Steuerfestsetzung ist nicht mehr möglich. Der Fristablauf ist von Amts wegen zu beachten, ein dennoch erlassener Verwaltungsakt ist rechtswidrig.

Festspeicher, →Festwertspeicher.

Feststellung, Teilprozeß des Soll-Ist-Vergleichs im Rahmen einer →Prüfung, der der vertrauenswürdigen Ermittlung gegebener Sachverhalte dient. F. durch Anlegen eines vorgegebenen Maßstabs an den realen Tatbestand (Messen, Zählen, Wiegen oder Schätzen realer Größen) oder Einblicknahme in Dokumente.

Feststellungsbescheid, gesonderter Bescheid des Finanzamts über Feststellung von →Besteuerungsgrundlagen (§§ 179 ff. AO). – 1. Über die Feststellung der →*Einheitswerte:* a) für die →wirtschaftlichen Einheiten (Betriebe der Land- und Forstwirtschaft, Grundstücke und gewerbliche Betriebe); b) für die wirtschaftlichen Untereinheiten (→Betriebsgrundstücke, →Mineralgewinnungsrechte). – 2. Über die Feststellung der →*Einkünfte:* a) einkommen- und körperschaftsteuerpflichtige Einkünfte, wenn an den Einkünften mehrere Personen beteiligt und die Einkünfte diesen steuerlich zuzurechnen sind; b) in anderen als den unter 2. a) genannten Fällen über die Einkünfte aus Land- und Forstwirtschaft, Gewerbebetrieb oder freiberuflicher Tätigkeit, wenn das für die gesonderte Feststellung zuständige Finanzamt nicht auch für die Steuern vom Einkommen zuständig ist. – 3. Über den *Wert der vermögenssteuerpflichtigen Wirtschaftsgüter* sowie der Schulden und sonstigen Abzüge, wenn sie mehreren Personen zuzurechnen sind. Der Wert wird den Beteiligten ihren Anteilen entsprechend zugerechnet. – Der gesonderte F. muß den Anforderungen an →Steuerbescheide entsprechen. – Entscheidungen im F. können nur durch dessen *Anfechtung,* nicht auch durch Anfechtung des Steuerbescheids angegriffen werden, dessen Grundlage sie sind (§ 42 FGO, § 351 AO). Der F. ist selbständig anfechtbar mit →Einspruch (§ 348 AO).

Feststellungsklage, Form der →Klage.

I. Zivilprozeßordnung: Klage auf Feststellung des Bestehens oder Nichtbestehens eines Rechtsverhältnisses. Die F. ist nur bei rechtlichem Interesse an alsbaldiger richterlicher Feststellung zulässig, das regelmäßig fehlt, wenn auf Leistung (z. B. Zahlung) geklagt werden kann (§ 256 ZPO). – Vgl. auch →Zwischenfeststellungsklage.

II. Verwaltungsrecht: Klage auf Feststellung des Bestehens oder Nichtbestehens eines Rechtsverhältnisses, für das der Verwaltungsrechtsweg zulässig ist, oder der Nichtigkeit eines →Verwaltungsaktes. Die Zulässigkeit der F. setzt ein berechtigtes Interesse der Kläger an der alsbaldigen Feststellung voraus. Sie ist nicht zulässig, wenn der Kläger sein Recht durch →Anfechtungsklage, oder Verpflichtungsklage verfolgen kann oder hätte verfolgen können; Ausnahme bei Nichtigkeit eines Verwaltungsaktes (§ 43 VwGO). – Entsprechend in der *Sozialgerichtsbarkeit.*

III. Finanzgerichtsordnung: Mit der F. kann die Feststellung des Bestehens oder Nichtbestehens eines Rechtsverhältnisses oder die Nichtigkeit eines Verwaltungsaktes begehrt werden, wenn der Kläger ein berechtigtes Interesse an der alsbaldigen Feststellung hat (§ 41 FGO). Es gelten die gleichen Einschränkungen wie bei der Anfechtungsklage. Die F. ist nicht zulässig, wenn der Kläger sein Recht durch Anfechtungs- oder Verpflichtungsklage geltend machen kann oder hätte geltend machen können.

Feststellungszeitpunkt, Begriff des Steuerrechts. Zeitpunkt, auf den die Feststellung eines →Einheitswertes erfolgt; i. d. R. 1. 1. eines Jahres. – *Zu unterscheiden* nach dem BewG: →Hauptfeststellungszeitpunkt, →Fortschreibungszeitpunkt, →Nachfeststellungszeitpunkt.

festverzinsliche Wertpapiere, →Anleihen, →Schuldverschreibungen.

Festwert. I. Begriff: Unveränderter Wertansatz für einen Bestand bestimmter Vermögensgegenstände einer Unternehmung für mehrere aufeinanderfolgende Geschäftsjahre, wenn die Vermögensgegenstände unter gleichbleibenden Produktionsverhältnissen (Kapazität, Produktionsverfahren, Beschaffung) eine gleichbleibende Funktion zu erfüllen haben und ihr ständiger Verbrauch oder ihre ständige Abnutzung durch laufende Wiederbeschaffung und Wiederherstellung zur Erhaltung der Leisungsfähigkeit ungefähr ausgeglichen werden. *Änderungen* des F. sind also unter veränderten Produktionsbedingungen (und damit veränderter Leistungsabgabe oder veränderten Ersatzinvestitionen) erforderlich. – *Anders:* →Festpreis.

II. F. im Anlagevermögen: 1. *Allgemein:* Beim *Sachanlagevermögen,* v.a. dem beweglichen, zur Erleichterung der →Inventur und der →Bewertung, nicht jedoch zum Ausgleich von Preisschwankungen, sowohl handels- als auch steuerrechtlich zugelassener Wert. *Voraussetzungen:* Bestand, Wert und Zusammensetzung dieser Vermögensgegenstände dürfen nur geringen Schwankungen unterliegen, d.h. u.a., diese Vermögensgegenstände müssen regelmäßig ersetzt werden; typische Beispiele: Werkzeuge, Geräte, Hotelgeschirr (vgl. →eisener Bestand). Der F. der Vermögensgegenstände muß für das Unternehmen von nachrangiger Bedeutung sein (§240 III HGB). Handelsrechtlich ist i.d.R. alle drei Jahre eine körperliche Bestandsaufnahme durchzuführen. Steuerlich ist mindestens an jedem dem Hauptfeststellungszeitpunkt für die Feststellung des Einheitswerts des Betriebsvermögens vorangehenden Bilanzstichtag, spätestens aber an jedem fünften Bilanzstichtag eine körperliche Bestandsaufnahme vorzunehmen; übersteigt der für diesen Bilanzstichtag ermittelte Wert den bisherigen um mehr als 10%, so ist der ermittelte Wert als neuer F. maßgebend, bei weniger als 10% des bisherigen F. kann der alte F. fortgeführt werden (Abschn. 31 V EStR). – 2. Die *vor Inkrafttreten des BiRiLiG* gebildeten F. müssen darauf geprüft werden, ob sie die (gegenüber dem alten Recht neue) Voraussetzung des §240 III HGB „nachrangige Bedeutung" des F. erfüllen. Vgl. aber die Übergangsregeln von Art. 24 III EGHGB.

III. F. im Umlaufvermögen: Innerhalb des Vorratsvermögens ist der Ansatz von F. bei *Roh-, Hilfs- und Betriebsstoffen* handels- und steuerrechtlich zulässig. Auch hier darf der Bestand in seiner Größe, seinem Wert und seiner Zusammensetzung nur geringen Veränderungen unterliegen. Ebenso gelten die übrigen Voraussetzungen wie bei Vermögensgegenständen des Sachanlagevermögens (s. oben II).

Festwertspeicher, *Festspeicher,* →Speicher eines Computers, von dem während des normalen Betriebs nur gelesen werden kann. Gebräuchliche *Typen:* →EPROM, →PROM und →ROM. – *Gegensatz:* →Schreib-/Lese-Speicher.

Festzinsblock, Gesamtbetrag der für die gesamte oder einen Teil der Laufzeit zu einem fest vereinbarten Zinssatz herausgelegten Kredite oder hereingenommenen Einlagen. Bei nicht zinskongruenter Refinanzierung bzw. Anlage sind F. mit einem →Zinsänderungsrisiko behaftet. Ein aktivischer F.-Überhang führt bei steigenden, ein passivischer F.-Überhang, bei fallenden Zinssätzen zu einer Verengung der →Zinsspanne. Bei entgegengesetzter Zinsentwicklung ergibt sich jeweils eine Ausweitung der Zinsspanne. Zur Überwachung des Zinsänderungsrisikos aus F. bedienen sich die Kreditinstitute besonderer Verfahren (→Ablaufbilanz).

Feuerbetriebsunterbrechungsversicherung, →Betriebsunterbrechungsversicherung.

Feuerhaftungsversicherung, Versicherungsschutz für den Fall, daß der Versicherungsnehmer aufgrund gesetzlicher Haftungsbestimmungen privatrechtlichen Inhalts von einem Dritten auf Schadenersatz in Anspruch genommen wird; wie in den allgemeinen →Haftpflichtversicherung. *Beschränkt* auf: a) übergreifende Schadenereignisse, die von Brand, Blitzschlag, Explosion, Flugzeugabsturz oder -anprall auf dem Versicherungsgrundstück ausgehen; b) Sachsubstanz- und Vermögensfolgeschäden. – Auch die *Ausschlüsse* vom Versicherungsschutz entsprechen denen der allgemeinen Haftpflichtversicherung. – Die F. tritt *subsidiär* nach anderen Versicherungen und nach Haftungs-, Ersatz- oder Regreßverzichtserklärungen ein.

Feuerlöschkostenversicherung, →Feuerversicherung.

Feuer-Regreßverzichtsabkommen, Abkommen vom 1.11.1961, Verpflichtung der ihm beigetretenen Feuerversicherer, keinen Gebrauch zu machen von einem auf sie übergegangenen Schadenersatzanspruch (Regreßanspruch) gegen den Schadenstifter, der für das von seinem →Versicherungsort auf die fremden Objekte, für die der regreßanspruchsberechtigte Feuerversicherer Entschädigung geleistet hat, übergegriffene Brand- oder Explosions-Ereignis verantwortlich ist. – *Unentgeltlicher Grundverzicht* für Regreßansprüche zwischen 100000 und 400000 DM, Erhöhung der oberen Grenze gegen Entgelt möglich.

Feuerschutz im Betrieb, *Werkfeuerwehr,* Sicherungsvorkehrung zur Erhaltung von Werksgebäuden, ungeachtet ausreichender →Feuerversicherung. Je nach örtlichen Gegebenheiten im Einvernehmen mit der Berufsfeuerwehr zu treffen und deren ständiger Kontrolle unterstellt (Feuerlöschordnung, Feuerproben). – 1. *Vorkehrungen:* a) *Alarmanlagen:* (1) automatisch auf Hitzewirkung ansprechend; (2) Feuermelder; (3) Anschlag der Notrufnummer an jedem Fernsprechapparat mit Amtsanschluß. – b) *Löschanlagen:* (1) Einrichtung von Steigrohren, Hydranten und Kupplungen für die Benutzung durch die Berufsfeuerwehr unter Beachtung der feuerpolizeilichen Vorschriften; (2) Schläuche zum Anschluß an Wassersteigrohre; (3) Bereithaltung von Naß- oder Trocken-Handfeuerlöschern; (4) Sprinkleranlagen für besonders gefährdete Räume. – c) Feuersicherung für *wertvolles Schriftgut und Geräte:* (1) durch Unterbringung in feuersicheren Gebäuden oder Tresoren; (2) durch Anfertigung von Duplikaten und Aufbewahrung an getrennten Orten. – 2. *Kostenverrechnung:* Kosten der betrieblichen Feuerwehr (besonders für Instandhaltung und Abschreibung der Geräte sowie Arbeitsentgelt) in der →*Betriebsabrechnung* auf die Hilfskostenstelle Gebäude zu übernehmen (besser: eigene Hilfskostenstelle; vgl. →Feuerwehrkosten).

Feuerschutzsteuer, →Verbrauchsteuer (in finanzwissenschaftlicher Sicht) bzw. →Verkehrssteuer (in steuerrechtswissenschaftlicher Sicht), die zur Förderung des Feuerlöschwesens und des vorbeugenden Brandschutzes erhoben wird. *Ähnlich:* →Feuerwehrabgabe. – 1. *Rechtsgrundlage:* Feuerschutzsteuergesetz (FeuerschG) vom 21.12.1979 (BGBl I 2353), geändert durch Gesetz vom 13.2.1984 (BGBl I 241). – 2. *Steuergegenstand:* Entgegennahme des Versicherungsentgeltes aus Feuer- sowie Gebäude- und Hausratversicherungen, wenn das Versicherungsentgelt teilweise auf Gefahren entfällt, die Gegenstand einer F. sein können. – 3. *Steuerberechnung:* a) *Bemessungsgrundlagen:* Versicherungsentgelte bzw. Feueranteile von Gebäude- (25%) und Hausratversicherung (20%). b) Der *Steuersatz* beträgt bei bestimmten öffentlich-rechtlichen Versicherugen 12%, bei den übrigen 5%. – 4. *Steuerschuld/Verfahren: Schuldner* ist regelmäßig die Versicherung. Sie hat die im Monat der Entgegennahme bzw. der Anforderung der Versicherungsentgelte entstehende F. *selbst zu berechnen* und im Folgemonat an das zuständige Finanzamt *abzuführen* (Steueranmeldung). – 5. *Finanzwissenschaftliche Beurteilung:* Die F. ist zweckgebunden (Zweckbindung), entsprechend eine →*Verwendungszwecksteuer* ähnlich der Kraftfahrzeug- und Mineralölsteuer. – Sie wird von den Landesverwaltungen verwaltet (→Landessteuer); ihr Aufkommen fließt größtenteils den Gemeinden zu (→Bagatellsteuer). – *Reform* der F. wird diskutiert. – 6. *Aufkommen:* 1986: 365 Mill. DM (1985: 355 Mill. DM, 1981: 276 Mill. DM).

Feuerungsanlage, Anlage, die für den Einsatz fester, flüssiger und gasförmiger Brennstoffe bestimmt ist. Nach der VO über Feuerungsanlagen vom 5.2.1979 (BGBl I 165) unterliegen Errichtung, Beschaffenheit und Betrieb von F. Beschränkungen im Interesse des →Immissionsschutzes. – *Verstöße* werden als Ordnungswidrigkeit geahndet. – Vgl. auch →Großfeuerungsanlage.

Feuerversicherung. I. Rechtsgrundlagen: Neben dem Versicherungsvertragsgesetz (VVG) gelten die Allgemeinen Feuerversicherungs-Bedingungen (AFB) bzw. die Allgemeinen Bedinungen für die Neuwertversicherung von Wohngebäuden gegen Feuer-, Leitungswasser- und Sturmschäden (VGB) bzw. die Allgemeinen Hausratversicherungsbedingungen (VHB 84) sowie zahlreiche besondere Bedingungen und →Klauseln.

II. Umfang: 1. *Versicherte Gefahren:* Der →Versicherer leistet nach dem Eintritt des →Versicherungsfalles Entschädigung für versicherte Sachen, die zerstört oder beschädigt werden durch Brand (Feuer, das ohne einen bestimmungsmäßigen Herd entstanden ist oder ihn verlassen hat und sich aus eigener Kraft auszubreiten vermag: Schadenfeuer), Blitzschlag, →Explosion oder durch Anprall oder Absturz eines bemannten Flugkörpers, seiner Teile oder seiner Ladung; auch Entschädigung für versicherte Sachen, die durch Löschen, Niederreißen oder Ausräumen infolge eines versicherten Ereignisses zerstört oder beschädigt werden oder bei einem der oben genannten Schadensereignisse abhanden kommen. Soweit der Versicherungsnehmer Aufwendungen zur Abwendung oder Minderung des Schadens für geboten halten durfte, werden auch diese nach Maßgabe der Bedingungen übernommen. – Besonders vereinbart werden muß die Versicherung von Aufräumungs- und Abbruchkosten (bei Wohngebäuden prämienfrei bis zu 1% der Versicherungssumme mitversichert), Mietverlust (bei Wohngebäuden bis zu sechs Monaten mitversichert), Feuerlöschkosten, Bewegungs- und Schutzkosten, entgangenem Gewinn sowie von Mehrkosten infolge Preissteigerungen. – 2. *Nichtversicherte Gefahren und Schäden:* Schäden durch Kriegsereignisse jeder Art, innere Unruhen, Erdbeben oder Kernenergie; ferner Bearbeitungs-, Betriebs- und Sengschäden sowie Folgeschäden aus der Unterbrechung des Herstellungsprozesses; letztere können jedoch durch eine Feuerbetriebsunterbrechungsversicherung (→Betriebsunterbrechungsversicherung) gedeckt werden.

III. Entschädigung: 1. *Höhe:* Vgl. →Ersatzwert. Die Versicherungssumme muß dem vollen Wert der versicherten Objekte (→Versicherungwert) entsprechen. Ist sie niedriger (→Unterversicherung), so wird die Entschädigung im gleichen Verhältnis gekürzt (→Vollwertversicherung). – 2. Für Gebäude, technische und kaufmännische Betriebseinrichtungen sowie Gebrauchsgegenstände von Betriebsangehörigen ist →*Neuwertversicherung* (→gleitende Neuwertversicherung) möglich; höhere Entschädigung als bei →Zeitwertversicherung (→Vorsorgeversicherung). Bei der →Verbundenen Hausratversicherung ist seit 1984 grundsätzlich eine Neuwertversicherung vorgesehen. – 3. Das System der →*Stichtagsversicherung* und die →*Verkaufspreisklausel* ermöglichen bei der Vorräteversicherung in jedem Fall ausreichende Entschädigung.

IV. Versicherungsort: Die F. ist, sofern keine →Außenversicherung besteht, ortsgebunden. Bewegliche Sachen sind nur in den Räumen bzw. auf dem Grundstück versichert, die im →Versicherungsschein bezeichnet sind.

Feuerwehrabgabe in einigen Ländern erhobene Gemeindeabgabe zum Ausgleich für die Nichtleistung von Feuerwehrdienst; wird für Feuerwehrzwecke verwendet.

Feuerwehrkosten, anfallende Kosten für betrieblichen →Feuerschutz. F. werden meist auf einer gesonderten →Vorkostenstelle gesammelt. Ihre Schlüsselung auf die →Endkostenstellen im Rahmen der →innerbetrieblichen Leistungsverrechnung erfolgt häufig auf Basis der jeweiligen Anlagewerte.

FIBOR, Frankfurt interbank offered rate, →Referenzzinssatz, zu dem international tätige Banken Geldmarktgeschäfte in Frankfurt a. M. abschließen. Wird von der Privatdiskont AG als Durchschitt der Angebotssätze/Verkaufskurse für Drei- und Sechs-Monatsgeld im Geldmarkt von zwölf Banken um 11.30 Uhr gebildet; unberücksichtigt bleiben der höchste und der niedrigste gemeldete Wert.

Fidschi, parlamentarische Monarchie, 322 Inseln, im Süden des Pazifiks, davon ca. 110 bewohnt. – *Fläche:* 18272 km² (nach eigenen Angaben 18333 km²). Größte Inseln: Viti Levu (10429 km²), Vanua Levu (5556 km²). – *Einwohner* (E): (1985, geschätzt) 707000 (38,7 E/km²); *Bevölkerungswachstum:* (1984) 1,9%. – *Hauptstadt:* Suva (auf Viti Levu; Agglomeration 120000 E); weitere Städte: Lautoka City (25000 E), Nadi (7000 E). – F. ist in 13 Provinzen (Yasana) und weiter in Verwaltungszentren (Tikina) *gegliedert.* – *Amtssprachen:* Englisch und Fidschi.

Wirtschaft: *Landwirtschaft:* Durch den Südostpassat bedingte Niederschläge ermöglichen intensive Plantagenwirtschaft. Anbau von Zuckerrohr, Baumwolle, Reis, Tabak, Ananas und Bananen. 40% der Erwerbstätigen in der Landwirtschaft, Anteil am BSP 23% (1984). An wirtschaftlicher Bedeutung gewinnen die auf den Inseln wachsenden Edelhölzer (Sandelholz); – Goldgewinnung (1982: 1423 kg). – *Fremdenverkehr:* (1982) 203636 Touristen. – *BSP:* (1985, geschätzt) 1190 Mill. US-$ (1790 US-$ je E). – *Inflationsrate:* (1983) 6,7%. – *Export:* (1985) 236 Mill. US-$, v.a. Zucker (bis 70%), Kokosöl, Bananen, Gold, Holz. – *Import:* (1985) 442 Mill. US-$, v.a. Baustoffe, Transportmittel, Industrieerzeugnisse, Nahrungsmittel. – *Handelspartner:* Großbritannien, Australien, Neuseeland, Japan.

Verkehr: F. infrastrukturell kaum erschlossen; – Länge des *Straßennetzes* ca. 800 km. – Verbindung zwischen den Inseln wird von *Küstenschiffen* aufrechterhalten. – *Haupthafen:* Suva. – Internationaler *Flughafen* in Nandi bei Suva.

Mitgliedschaften: UNO, AKP, UNCTAD u.a.; Commonwealth; Colombo-Plan.

Währung: 1 Fidschi-Dollar (F$) = 100 Cents.

fiduziare Notenausgabe, nicht metallisch (Gold), sondern durch Staatsanleihen gedeckte →Notenausgabe.

fiduziarische Sicherheiten, *nichtakzessorische Sicherheiten,* selbständige Rechte, die unabhängig von dem Bestand einer gesicherten Forderung bestellt werden. Eine f.S. hat deshalb unabhängig von dieser Forderung Bestand. Nach Wegfall des Sicherungszwecks hat der Sicherungsgeber nur noch einen schuldrechtlichen Anspruch gegenüber dem Sicherungsnehmer. Nach Beendigung des Kreditverhältnisses ist die f.S. freizugeben; das Verwertungsrecht darf nur bei Nichterfüllen der Kreditvertragspflichten ausgeübt werden. – *Vorteile:* Wiederholte Kreditinanspruchnahme ohne neuerliche Sicherungsbestellung; Einwendungen gegen die gesicherte Forderung haben keinen Einfluß auf die Verwertbarkeit der f.S. – *Formen:* →Sicherungsabtretung von Forderungen und Rechten, →Sicherungsübereignung, →Grundschuld, Sicherung mittels →Wechsel, →Garantie.

field research, →Feldforschung.

Fifo, first-in-first-out. I. Allgemein: Prioritätsprinzip (→Priorität) der Warteschlangentheorie, nach dem zuerst ankommende Transaktionen zuerst bedient werden. Angewandt u.a. bei der Reihenfolgeplanung. – Vgl. auch →Hifo, →Lifo.

II. Handels-/Steuerrecht: Verfahren zur Bewertung gleichartiger Gegenstände des Vorratsvermögens (§ 256 HGB). Da die Vorräte zu unterschiedlichen Preisen eingekauft (oder hergestellt) werden, entsteht die Frage, welche Anschaffungs- bzw. Herstellungskosten für die Bewertung der Bestände am Bilanzstichtag maßgebend sind. Beim Fifo-Verfahren wird unterstellt, daß die zuerst gekauften Waren auch zuerst verbraucht oder weiterveräußert werden. Deshalb sind bei der Bewertung die Preise der letzten Einkäufe zugrunde zu legen. – *Steuerliche Anerkennung:* Vgl. →Steuerbilanz III.

fifth generation computer project, von der japanischen Regierung initiiertes Großprojekt zur Entwicklung einer neuen Generation von Computersystemen mit dem Ziel, die Vormachtstellung der USA in der Computertechnik zu brechen. 1981 vom Japan Information Processing Development Center vorgestellt, Laufzeit 1982–1991. *Grundlegende Merkmale* dieser Computergeneration: Neue Architektur der →Hardware, große Zahl von spezialisierten →Prozessoren; Verarbeitung von Wissen

(→wissensbasiertes System, →Expertensystem), Anwendung von Methoden und Ergebnissen der →künstlichen Intelligenz; logische →Programmierung, als Programmiersprache v.a. →Prolog.

Figur-Grund-Prinzipien, Tendenz der →Wahrnehmung, sensorische Informationen selektiv zu verarbeiten und zu organisieren (→Informationsverarbeitung). – *Voraussetzung* zur Informationsaufnahme ist die Einteilung des Wahrnehmungsfeldes in Figur und (Hinter-)Grund (Abhebungsprozeß), die in vier Teilprozessen erfolgt: (1) Abgrenzung von Teilstücken, (2) Differenzierung der Teilstücke in Figur (Hervorhebung und weitere Differenzierung) und Grund (Abschwächung und weitere Homogenisierung), (3) Merkmalsausgliederung der Teilstücke, (4) Verknüpfung der Teilstücke. Der Abhebungsprozeß folgt keinen festen Regeln; i.a. ist die Figur begrenzt, gegenstandsartig und auffallend, der Grund unbegrenzt, unbestimmt und unscheinbar (wird häufig ganz übersehen). – In der *Werbung* ist darauf zu achten, daß Bilder eine klare Figur-Grund-Differenzierung aufweisen, wodurch Informationsaufnahme und -verarbeitung beschleunigt werden; die Figur-Grund-Differenzierung kann mit Hilfe des →Tachistoskops gemessen werden.

fiktive Prämie, versicherungstechnischer Begriff. Maßstab für den Wert des Pensionsrechts bei gleichmäßiger Aufwandsverteilung vom Zeitpunkt der Pensionszusage bis zum vertraglich vorgesehenen Eintritt des Versorgungsfalls, auch *Jahresbetrag* genannt. F.P. ist gleich dem Betrag Nettoprämie, d.h. gleich dem Betrag, der jährlich ohne Abschluß- und Verwaltungskosten an eine Versicherungsgesellschaft zu zahlen wäre, wenn diese die zugesagte Pensionsleistung versichern würde. Die f.P. ist Bestandteil der Berechnung der steuerlich berücksichtigungsfähigen →Pensionsrückstellungen, der jährlich anzusetzende Wert der Gegenleistung des Arbeitnehmers für das Pensionsrecht. Bei Gesellschafter-Geschäftsführern wird das Pensionsrecht zur Feststellung der Gesamtvergütung und zur Prüfung deren Angemessenheit in Höhe der f.P. angesetzt.

fiktive Rechengrößen, →abgeleitete Rechengrößen.

file access, Dienst in einem →Computerverbund bzw. einem →Netz oder bei einem →Mehrplatzrechner, mit dem ein Teilnehmer auf fremde, d.h. nicht von ihm selbst erzeugte Dateien, lesend und/oder schreibend zugreifen kann. – *Restriktiv kontrolliert* wird dieser Zugriff i.d.R. durch die Vergabe von Zugriffsrechten durch den jeweiligen Ersteller einer Datei. – Vgl. auch →file transfer.

file transfer, Dienst in einem →Computerverbund bzw. einem →Netz oder bei einem →Mehrplatzrechner, mit dem ein Teilnehmer Kopien fremder Dateien für seine persönliche Verwendung erzeugen und Kopien eigener Dateien an andere Stellen des Gesamtsystems übertragen kann. – *Restriktiv kontrolliert* wird dieser Zugriff i.d.R. durch die Vergabe von Zugriffsrechten durch den jeweiligen Ersteller einer Datei. – Vgl. auch →file access.

Filialbetrieb, →Filialunternehmung.

Filialbuchführung, buchmäßige Aufzeichnungen der →Filialunternehmung. Verschiedene *Formen* möglich: 1. Die Filiale nimmt nur Mengenverrechnungen der erhaltenen und abgegebenen Waren in Nebenbüchern vor, die dann von der Zentrale als Buchungsunterlage benützt weden. – 2. Die Filiale trägt in →Grundbücher den Bargeldverkehr mit Kasse und Bank bzw. den Warenein- und -ausgang ein. Die Bücher werden periodisch der Zentrale zur Übertragung in die Hauptbuchkonten gegeben. – 3. Buchung wie 2., getrennte Debitorenbuchführung in den Filialen. Kreditorenbuchführung nur im Hauptgeschäft; häufig bewährt. – 4. Hauptgeschäft und Filialen unterhalten getrennte und in sich abgeschlossene Buchführungen mit gegenseitigen Übergangs- oder Verrechnungskonten, d.h. in der Hauptgeschäftsbuchführung ein Konto „Zweiggeschäft“ und in der Filiale ein Konto „Hauptgeschäft“, ähnlich den Kontokorrentkonten.

Filiale. I. Handelsbetriebslehre: Einzelne Betriebsstätte einer →Filialunternehmung (sowohl bei Handels- als auch bei Produktionsbetrieben).

II. Handelsrecht: F. nur bei Selbständigkeit in gewissem Umfang als →Zweigniederlassung bedeutsam.

Filialkalkulation, im Bankwesen erfolgsrechnerische Beurteilung einer Bankfiliale durch Festlegung von Erfolgsbeiträgen für gewonnene Einlagen, ausgelegte Kredite und vermittelte Dienstleistungen, wie z.B. Wertpapiergeschäfte sowie Anrechnung von Kostensätzen für Personal-, Sach- und Betriebsmittel und in Anspruch genommene EDV-Serviceleistungen der Zentrale. Die F. ist ein wichtiges Steuerungsinstrument der Bankunternehmensführung für die Wirtschaftlichkeit des Kreditinstituts.

Filialklausel, im Handelsregister der Hauptniederlassung und der Zweigniederlassung einzutragende Beschränkung der Prokura als →Filialprokura auf den Betrieb einer oder mehrerer Niederlassungen eines Unternehmens (§ 50 III HGB).

Filialprokura, auf eine oder mehrere Niederlassungen eines Unternehmens beschränkte →Prokura. Die Beschränkung ist Dritten gegenüber nur wirksam, wenn die Niederlassungen unter verschiedenen Firmen (Zusatz, der Zweigniederlassung erkenntlich macht, genügt hier) betrieben werden und die →Filialklausel im Handelsregister eingetragen ist (§ 50 III HGB).

Filialscheck, →Kommanditscheck.

Filialunternehmung, *Filialbetrieb.* 1. *Begriff:* Betrieb mit mindestens fünf, räumlich voneinander getrennen Filialen, die unter einheitlicher Leitung stehen. Verkaufsfilialen des Einzelhandels unterhalten sowohl Hersteller bei →direktem Verkauf, Großhändler als →Regiebetriebe als auch Großbetriebsformen des →Einzelhandels (z. B. →Warenhäuser). – 2. *Funktionsweise:* Wegen des lokal begrenzten →Einzugsgebiets einer Betriebsstätte stärkste Verbreitung im Einzelhandel. Von einem zentralen Management wird die Unternehmenspolitik einheitlich festgelegt und teils zentral (Beschaffung, Abrechnung, Kontrolle), von weisungsgebundenen Mitarbeitern der Zentrale, teils dezentral (Absatz, Personaleinsatz) von angestellten Filialleitern durchgeführt. *Vorteile:* Erhebliche Rationalisierungsmöglichkeiten; rasches Agieren auf sich wandelnden Märkten. Mögliche *Nachteile:* Unterordnung unter die Entscheidung des zentralen Managements, wenn ein räumlich stark differenzierendes Handelsmarketing zur erfolgreichen Marktausschöpfung angebracht wäre oder wenn Filialleiter mit Eigeninitiative gebremst, langfristig sogar demotiviert werden. – 3. *Bedeutung:* Die Filialisierung hat sich in den letzten Jahrzehnten stark durchgesetzt, sogar die Entwicklung der →kooperativen Gruppen in hohem Maß beeinflußt. Durch die Möglichkeit der zentralen Steuerung von →Warenwirtschaftssystemen mittels EDV-Anlagen, unterstützt durch neue Medien wie Btx, kann eine weitere Zunahme der Filialisierung bewirkt werden; es sei denn, Ausbildung, Kompetenz, Eigeninitiative sowie dezentrale, technische Ausstattung (z. B. mit Personalcomputern) der Einzelhändler werden entscheidend verbessert bzw. gestärkt.

Filmförderung, geregelt durch Gesetz über Maßnahmen zur Förderung des deutschen Films i. d. F. vom 18.11.1986 (BGBl II 2046) und VO vom 22.7.1976 (BGBl I 2021).

Filmförderungsanstalt, →Bundesoberbehörde im Geschäftsbereich des Bundesministers für Wirtschaft (BMWi), Sitz in Berlin. Errichtet durch Gesetz über Maßnahmen zur Förderung des deutschen Films (Filmförderungsgesetz – FFG) vom 22.12.1967 (BGBl I 1352), letzte Neufassung vom 18.11.1986 (BGBl I 2046). – *Aufgaben:* V. a. Förderung der deutschen Filmwirtschaft, Gewährung von Förderungshilfen zur Herstellung neuer deutscher Spiel- und Kurzfilme sowie von Drehbüchern, zur Förderung des Filmabsatzes und des Filmabspiels, der Planung und Vorbereitung von Filmvorhaben, der Weiterbildung, Forschung, Rationalisierung und Innovation auf filmwirtschaftlichem Gebiet.

Filmwerk, Begriff des Urheberrechts für die durch →Verfilmung entstandenen urheberrechtlich geschützten →Werke.

Filterfrage, Frage mittels der Auskunftspersonen, die eine bestimmte Voraussetzung nicht erfüllen, von den nachfolgenden Fragen eies →Fragebogens ausgeschlossen werden.

Finalprinzip. I. Kostenrechnung: Variante des →Kostenverursachungsprinzips, das alle jene Kosten einer Leistung zuordnet, die um dieser Leistung willen bewußt in Kauf genommen worden sind. Das F. verrechnet damit auf Kostenträger neben →variablen Kosten auch anteilige →fixe Kosten. Für Systeme →entscheidungsorientierter Kostenrechnung ist das F. deshalb nicht verwendbar.

II. Sozialpolitik: Prinzip bezüglich der organisatorischen Grundlegung sozialpolitischer Maßnahmen. Das F. richtet sich auf die Herstellung eines erwünschten Endzustandes aus (z. B. eigenständige soziale Sicherung auch der nichterwerbstätigen Frau). – *Gegensatz:* →Kausalprinzip. – Zwischen beiden Prinzipien bestehen *enge Wechselbeziehungen.* – *Bedeutung:* Der Trend geht in Richtung auf eine Verstärkung des „vorwärts" gewandten F., u. a. deshalb, weil die hohe Komplexität der sozialen Wirklichkeit nicht alle möglichen Ursachen sichtbar werden läßt, an die dann Sicherungsmaßnahmen anzuknüpfen hätten. Mit der Betonung des Aspekts der Finalität will die „neue" Sozialpolitik v. a. dazu beitragen, daß keine unerwünschten Lücken im Sicherungsnetz verbleiben.

finance company. 1. Sonderform der →Finanzierungsgesellschaft, die als Kapitalgesellschaft eines Konzers die Finanzierung nur der dem Konzern angeschlossenen Unternehmungen betreibt. – 2. In den *USA* Spezialunternehmungen, die sich u. a. mit der Verbraucher-Finanzierung befassen.

financial auditing, Aufgabengebiet der →Internen Revision; auf das Finanz- und Rechnungswesen bezüglich.

financial engineering. I. Bankwesen: Kombinierte, umfassende Finanzierungs-, Beratungs- und Betreuungsleistungen von Banken, hauptsächlich für institutionelle Großkunden.

II. Investitionsgüter-Marketing: Kombinierter Einsatz finanzierungs- und versicherungstechnischer Möglichkeiten im Anlagenmarketing. Spezielle Bedeutung im →Ausfuhrhandel.

financial futures, *Finanztermingeschäfte.* 1. *Entwicklung:* In den 60er Jahren kam es in den USA infolge einer Zunahme der Inflation und der Lockerung der staatlichen Zinsbindungen zu einem Anstieg des Zinsniveaus. Mit der Abkehr von dem Bretton-Woods-Abkommen sowie der Volatilität auf den Finanzmärkten stieg das allgemeine Zins- und Wechselkursrisiko. Das daraus erwachsende Bedürfnis der Marktteilnehmer nach Möglichkeiten zur Risikoabsicherung (→Hedging) führte zur Entsteheung eines entsprechenden Marktes (→Finanzinnovation). Seit Anfang der 70er Jahre Devisentermingeschäfte; seit 1975 Wertpapiertermingeschäfte. – 2. *Begriff:* Kauf bzw. Verkauf einer dem Geld-, Kapital- oder Devisenmarkt zugeordneten, hinsichtlich Qualität und Quantität standardisierten Basisgröße zu einem bestimmten Preis bzw. Kurs zu einem bestimmten Zeitpunkt. Durch f.f. Contract (Finanzterminkontrakt) vereinbart. – 3. *Arten:* a) *foreign exchange futures* (Devisentermingeschäfte): Termingeschäfte mit international dominierenden Währungen (v.a. US-Dollar) als Basisgröße, älteste Form der f.f.; b) *interest rate futurs* (Zinstermingeschäfte): Termingeschäfte mit festverzinslichen Wertpapieren (z.B. Treasury Bonds, Certificates of Deposits und Eurodollar-Guthaben) als Basisgröße; c) *stock index futures* (Aktienindextermingeschäfte): Termingeschäfte mit Aktienindizes (→Aktienindex) als Basisgröße; neueste Form der f.f.; d) *precious metals futures* (Edelmetall-Termingeschäfte). – 4. *Geschäftsabwicklung:* F.f. werden an den wichtigsten Börsen der Welt (u.a. London International Financial Futures Exchange, Chicago Board of Trades, International Monetary Market Chicago, New York Futures Exchange) in öffentlichen Auktionen gehandelt *(Terminbörsen);* Basis-Index der f.f. ist i.d.R. der →Dow Jones Index der New Yorker Börse. Eine besondere Einrichtung der Terminbörsen ist das *Clearinghouse,* das sämtliche Transaktionen zwischen den Börsenmitgliedern abwickelt sowie die Erfüllung des Kontraktes gegenüber den Kontrahenten garantiert. Diese Sicherheit der Vertragserfüllung wird durch einen im voraus zu leistenden Betrag (maintenance margin) oder durch einen ebenfalls im voraus zu leistenden standardisierten Betrag (initial margin) bei dem Makler geführten Kunden-Konto gewährleistet. – *Basis* der f.f. ist die Preisdifferenz zwischen einem Finanzinstrument am Kassamarkt (Barpreis) und dem Futures-Markt-Preis, wobei das Preisniveau auf den Futures-Märkten wegen der Risikoprämie und der Opportunitätskosten i.d.R. höher als auf dem Kassamarkt liegt. – 5. *Motive:* a) →*Hedging:* Risikotransformation durch Abschluß eines Gegengeschäftes; entsprechend wird vom Hedger gesprochen. *Bedeutung:* 1982 betrug der Umsatz pro Tag 10000 Kontrakte; seit 1983 ist der Umsatz in Index-Futures größer als der eigentliche Aktienumsatz der New Yorker Börse. Entwickeln sich Kassa- und Futures-Preis völlig parallel, hat der perfect hedger die Möglichkeit, seine Cash-Position durch eine exakte Gegenposition am Futures-Markt auszugleichen (Risikokompensation). Verlaufen Kassa- und Futures-Preis nicht parallel, ergeben sich Absicherungsgewinne bzw. -verluste. – b) *Traiding:* Profitierung von zukünftigen Zins- und Wechselkursschwankungen gemäß der Erwartungen über die Marktentwicklung; entsprechend wird vom Trader gesprochen. Zu unterscheiden: (1) Arbitrage-Geschäfte: Ausnutzung der Preisdifferenz verschiedener Börsenplätze; (2) Spreading: Ausnutzung der Preisdifferenz verschiedener Futures-Kontrakte; (3) Spekulation: Aufbau einer Chance-Risiko-Position auf der Grundlage subjektiver Erwartungen über Preisentwicklungen.

Financial-Leasing, →Leasing.

financial services, *Finanzdienstleistungen,* Gesamtheit aller von Kreditinstituten sowie von banknahen und bankfremden Substitutionskonkurrenten (Versicherungen, Bausparkassen, Kredikartenorganisationen etc.) angebotenen Leistungen, z.T. unter Einsatz moderner Informations- und Kommunikationstechniken.

financial supermarket, *Finanzsupermarkt,* organisatorische Form einer Bankstelle bzw. Bankzweigstelle, die es den Kunden ermöglichen soll, alle Finanzdienstleistungen wie Zahlungsverkehr, Versicherungen, Immobilienvermittlung, Hypotheken- und Konsumentenkredite, Kreditkartenausgabe, Steuerberatung im →one-stop banking zur selben Zeit am selben Ort in Anspruch zu nehmen. Der Begriff gewinnt v.a. in den USA im Zug der →Deregulierung an Bedeutung.

Finanzakzept, →Bankakzept 2.

Finanzamt, die örtliche Landesfinanzbehörde (§2 FVG). – Vgl. auch →Finanzverwaltung.

Finanzanalyse. 1. *Begriff:* Untersuchung zur Gewinnung von Aussagen über die wirtschaftliche Lage, insbes. im Hinblick auf künftige Erfolgsermittlung und Zahlungsfähigkeit (→Liquidität) von Unternehmen. Die F. basiert auf Daten der →Bilanz, der →Gewinn- und Verlustrechnung, dem →Geschäftsbericht, der Branche und der konjunkturellen Entwicklung. – 2. *Arten:* a) *Interne F.:* Durch das in Frage stehende Unternehmen selbst durchgeführte Analyse. Sie soll Planungs- und Kontrollinformationen für Entscheidungen der Unternehmensleitung zur Verfügung stellen. – b) *Externe F.:* Von unternehmensexternen Personen durchgeführte Analyse. Sie bildet die Grundlage für Entscheidungen wie Kauf einer →Beteiligung, Gewährung von Lieferantenkrediten oder von →Darlehen. – Vgl. auch →Finanzierungskennzahl.

Finanzanlagen, im Gegensatz zu Sachanlagen und immateriellen Vermögensgegenständen (→immaterielle Wirtschaftsgüter) diejenigen Werte des →Anlagevermögens in der Bilanz, die auf Dauer finanzellen Anlagezwekken (Ausleihungen und Wertpapiere) bzw. Unternehmensverbindungen (→Beteiligungen und Anteile an →verbundenen Unternehmen sowie damit zusammenhängende Ausleihungen) dienen; vgl. §266 II HGB.

Finanzausgleich. I. Begriff, Arten, Ziel: 1. *Begriff:* Entscheidet sich ein Staat für einen gegliederten Staatsaufbau (→Förderalismus), so hat er den einzelnen Ebenen die für sie geeigneten Aufgaben zuzuordnen und ihnen die Möglichkeit entsprechender Einnahmebeschaffung zu eröffnen. Alle hierfür erforderlichen Regelungen werden unter dem Begriff F. zusammengefaßt. Die englische Bezeichnung *„intergovernmental fiscal relations“* umschreibt den Bereich exakter.

2. *Teilbereiche:* Das Regelwerk F. läßt sich in verschiedene Teilbereiche gliedern, die zugleich eine logische Abfolge der zu lösenden Probleme darstellen. – a) In einem ersten Schritt werden die →öffentlichen Aufgaben von den privaten Aufgaben abgegrenzt und auf die verschiedenen →öffentlichen Aufgabenträger (→Marktwirtschaft, →Planwirtschaft, →optimales Budget) verteilt *(passiver F.)*. – b) Der sich im zweiten Schritt anschließende *aktive F.* regelt die Einnahmeverteilung. Dabei kann zwischen einem originären und einem ergänzenden aktiven F. unterschieden werden: – (1) Beim *originären F.* geht es um die Verteilung originärer Einnahmequellen zwischen öffentlichen Aufgabenträgern gleicher Ebene *(horizontaler F.)* oder verschiedener Ebenen *(vertikaler F.)*. Erhalten die einzelnen Aufgabenträger jeweils eigene Einnahmequellen, so liegt ein →*Trennsystem* vor; bei einem →*Zuweisungssystem* fließen alle originären Einnahmen einer einzigen Ebene zu, die ihrerseits Überweisungen an die übrigen Ebenen vornimmt; sind an verschiedenen Gebietskörperschaften gemeinsam erhobene Einnahmen beteiligt, so ist ein →*Mischsystem* (→*Verbundystem)* verwirklicht. – (2) Da nach der Verteilung der originären Einnahmen i. d. R. ein Ausgleichsbedarf verbleibt, schließt sich der *ergänzende aktive F.* an *(F. im engsten Sinne)*. Er umfaßt die Überweisung bereits einzelnen öffentlichen Aufgabenträgern zugeflossener Einnahmen an andere Aufgabenträger und kann ebenfalls in horizontaler und vertikaler Richtung vorgenommen werden. Innerhalb dieses ergänzenden aktiven F. werden Zuweisungen verschiedener Art gezahlt: Die →*Ausgleichszuweisungen* verfolgen das Ziel, Ungleichgewichte zwischen Finanzbedarf und Deckung zu beseitigen oder zu mildern; sie sind als Zuweisungen ohne Verwendungsauflagen gestaltet. Demgegenüber sollen →*Lenkungszuweisungen (Zweckzuweisungen)* das Verhalten der Zuweisungsempfänger verändern; es handelt sich daher um Zuweisungen mit Verwendungsauflagen.

3. *Ziel:* Durch die Erfüllung der o.g. Teilaufgaben bezweckt der F. insgesamt die bestmögliche Erfüllung der öffentlichen Aufgaben im föderativen Staat.

II. Probleme des originären passiven und aktiven F.: 1. Die *Zuteilung von Aufgaben* auf die einzelnen staatlichen Ebenen kann sich in gewissem Maße an *rationalen Kriterien* orientieren, wie sie von der ökonomischen Theorie des →Förderalismus entwickelt worden sind. Dabei geht es darum, den Bereich öffentlicher Wohlfahrtswirkung mit dem Gebiet des jeweiligen Aufgabenträgers in Übereinstimmung zu bringen. So werden z. B. gesamtstaatliche Aufgaben wie Konjunkturpolitik und Landesverteidigung auf der obersten staatlichen Ebene anzusiedeln sein; Aufgaben mit geringer räumlicher Ausdehnung sind hingegen das Tätigkeitsfeld der Gemeinden. Auch die unterschiedlichen Kosten der Informationsbeschaffung und -verarbeitung sind zu berücksichtigen. – Da derartige Überlegungen jedoch i. d. R. nur grobe Anhaltspunkte liefern, geben vielfach *rational nicht exakt begründbare Kalküle* den Ausschlag bei der Aufgabenzuweisung. Bekanntes Beispiel für dieses Dilemma sind die Bildungsausgaben, bei denen sich überzeugende Argumente für zentrale wie für dezentrale Lösungen finden lassen. – Als *Teilkompetenzen der Aufgabenhoheit* sind die Gesetzgebungshoheit (→Gesetzgebungskompetenz), →Verwaltungshoheit und →Finanzierungshoheit zu unterscheiden, die – dem →*Konnexitätsprinzip* folgend – i. d. R. dem gleichen Aufgabenträger zugeordnet sind, bei bestimmten Aufgaben aber auch unterschiedlichen Aufgabenträgern zustehen oder zwischen mehreren Aufgabenträgern aufgeteilt sein können (→*Gemeinschaftsaufgaben)*.

2. Auch die *Verteilung originärer Einnahmequellen* kann sich in gewissem Maße auf rationale Kriterien stützen. Grundsätzlich gilt dabei, daß die zugewiesenen Einnahmequellen in konjunktureller, verteilungspolitischer und allokationspolitischer Hinsicht auf die zugewiesenen Aufgaben abgestimmt sind und diese bestmöglich zu erfüllen erlauben. So sollten →Zölle dem Zentralstaat zufallen, desgleichen Steuern, deren Erhebung am Produktionsort erfolgt (Beispiel: Tabaksteuer), weil ansonsten – d. h. bei örtlicher Steuerhoheit – eine zu große Ungleichheit des Steueraufkommens die Folge wäre. Konjunkturpolitische Überlegungen legen ebenfalls eine Konzentration derjenigen Steuern beim Zentralstaat nahe, die zur Konjunktursteuerung besonders geeignet sind (progresssive →*Einkommensteuer,* →Konkunkturpolitik). Andererseits empfiehlt es sich, solche Steuern der örtlichen Ebene zuzuweisen, deren Bemessungsgrundlagen am

leichtesten in der Gemeinde selbst ermittelt und von ihr beeinflußt werden können (Grundsatz der örtlichen Radizierbarkeit). Dies gilt insbes. für die →*Grundsteuer*. Daneben erklärt sich die Verteilung bei vielen Steuern aber auch aus historischen Gegebenheiten oder aus machtpolitischen Entscheidungen. Auch beim aktiven F. unterscheidet man mehrere Teilkompetenzen: Gesetzgebungs-, Verwaltungs- und →Ertragshoheit; wie im passiven F. können auch hier alle Teilkompetenzen einer Aufgabe einem einzigen Aufgabenträger zugeordnet, die (ungeteilten) Teilkompetenzen unterschiedlichen Aufgabenträgern zugewiesen oder auch die Teilkompetenzen selbst auf mehrere Aufgabenträger(ebenen) verteilt sein (→*Mischsystem*, →*Gemeinschaftssteuern*).

III. Der originäre F. in der Bundesrep. D.: Der originäre passive F. ist in Art. 70ff. GG im einzelnen geregelt (→Finanzverfassung). Die Verteilung der einzelnen Steuern auf die unterschiedlichen Aufgabenträger regelt Art. 106 GG. Danach gilt in der Bundesrep. D. ein (gebundenes) Trennsystem und ein Mischsystem, d. h. man unterscheidet zwischen Steuern, die nur einer Ebene zustehen, und solchen, die mehreren Ebenen zustehen (→Gemeinschaftssteuern im sog. →Steuerverbund).

1. Steuern, die *einer* Gebietskörperschaft zufließen: a) Bund: Einnahmen aus Finanzmonopolen, Verbrauchssteuern (ohne Biersteuer), Kapitalverkehrssteuern, Vermögensabgaben, evtl. Ergänzungsabgabe zur Einkommen- und Körperschaftsteuer; b) Länder: Vermögensteuer, Erbschaftsteuer, Kfz-Steuer, Verkehrsteuern, Biersteuer, Spielbankenabgabe; c) Gemeinden und Gemeindeverbände: Realsteuern (Grundsteuer), örtliche Verbrauch- und Aufwandsteuern (z. B. Hundesteuer, Jagdsteuer, Vergnügungssteuer); d) Europäische Gemeinschaften: Zölle, Abschöpfungsbeträge, Anteil der Mehrwertsteuereinnahmen.

Gemeinschaftsteuern (Steuerverbund): a) Lohnsteuer und veranlagte Einkommensteuer: Bund und Länder je 42,5%, Gemeinden 15% des Aufkommens; b) Körperschaftsteuer und Kapitalertragsteuer: Bund und Länder je 50%; c) Umsatzsteuer (Mehrwertsteuer): Bund 65%, Länder 35% (Stand 1987); d) Gewerbesteuer: Bund und Länder je ca. 7%, Gemeinden ca. 86%.

IV. Methodische Fragen des ergänzenden aktiven F.: Es ist zu unterscheiden zwischen →*Ausgleichszuweisungen*, die zur Beseitigung bzw. Verringerung von Unterschieden in den →Deckungsrelationen vergeben werden und →*Lenkungszuweisungen*, mit denen ein Zuweisungsgeber das Verhalten von Zuweisungsnehmern zu beeinflussen versucht.

1. Nach der Zuordnung originärer Finanzquellen stimmen vielfach →Finanzkraft und →Finanzbedarf des einzelnen Aufgabenträgers nicht überein; *Ausgleichszuweisungen* sollen diese Differenz verringern, wobei das Ausmaß der Verringerung von der verfügbaren Finanzmasse und von politischen Zielen abhängt. Probleme ergeben sich vornehmlich bei der Messung des Finanzbedarf und der originären Finanzkraft. – a) *Finanzbedarf* ist die Summe der Finanzmittel, die ein öffentlicher Aufgabenträger bei wirtschaftlichem Finanzgebaren zur Erfüllung seiner Aufgaben benötigt. Zur Quantifizierung dieser Summe ist sowohl die exakte Festlegung des Aufgabenkatalogs als auch die Definition des jeweils ordnungsgemäßen Finanzgebarens erforderlich. Es ist leicht ersichtlich, daß dieses Vorhaben in der Realität scheitern muß. Daher behilft sich die finanzpolitische Praxis mit der Konstruktion von Indikatoren, die den relativen Finanzbedarf der einzelnen Aufgabenträger widerspiegeln sollen. Am häufigsten dient hierzu der Einwohner, dem ein „normierter Finanzbedarf" zugeordnet wird. – b) Bei der Messung der originären *Finanzkraft* ist zunächst zu entscheiden, welche Einnahmearten einbezogen werden sollen. Dabei sind solche Einnahmen auszuscheiden, denen Leistungsabgaben in gleicher Höhe auf der Ausgabenseite gegenüberstehen (Gebühren und Beiträge) oder die keine endgültige Einnahmen darstellen (Kredite). Praktisch beschränkt man sich meist auf die Erfassung der Steuern. Gemessen wird daher nicht die Finanz-, sondern die →Steuerkraft. Das wird allerdings problematisch, wenn die sonstigen Einnahmen nicht mehr vernachlässigbar klein sind. – Eine Frage ist weiterhin, welcher *Ausschöpfungsgrad* der Steuer einer Finanzkraftmessung zugrunde gelegt werden soll. I. d. R. werden Durchschnittswerte gewählt, um Verfälschungen infolge unterschiedlicher Anspannung der Steuerquellen zu vermeiden (→Steueranspannung). – Schließlich ist zu entscheiden, ob als notwendig angesehene Ausgleichszahlungen zwischen Aufgabenträgern der gleichen Ebene oder verschiedener Ebenen erfolgen sollen. Da ein rein horizontaler Ausgleich i. d. R. an politischen Widerständen scheitert, werden vielfach vertikale Ausgleichsvorgänge so ausgestaltet, daß der horizontale Ausgleichszweck gleichzeitig erreicht wird. Man sprich dann vom vertikalen F. mit horizontalem Effekt.

2. *Lenkungszuweisungen* werden gewährt, um das Verhalten der Zuweisungsempfänger zu beeinflussen. Im Gegensatz zu den Ausgleichszuweisungen sind sie daher mit Verhaltensbzw. Verwendungsauflagen verbunden. Begründet wird dies mit der Notwendigkeit zur Internalisierung von externen Effekten, die von der Aufgabenerfüllung des Zuweisungsempfängers ausgehen, mit höherer Entschei-

dungskompetenz des (i. d. R. übergeordneten) Zuweisungsgebers oder mit dessen „Meritorisierungsbestreben“.

V. *Der ergänzende aktive F. in der Bundesrep. D.*: Entsprechend dem föderalistischen Staatsaufbau sind zu unterscheiden: vertikaler F. zwischen Bund und Ländern, horizontaler F. zwischen den Ländern, vertikaler F. zwischen Land und Gemeindeebene, horizontaler F. zwischen den Gemeinden (bzw. Gemeindeverbänden).

1. *Vertikaler F. zwischen Bund und Ländern:* Die Aufgaben von Bund und Ländern sind im Grundgesetz lediglich allgemein und unvollständig aufgeführt (→Finanzverfassung). Auch ist jede Ebene haushaltswirtschaftlich selbständig. Daher kann ein Vergleich des Finanzbedarfs beider Ebenen nicht quantitativ exakt erfolgen. Dasselbe gilt für einen Vergleich der Finanzkraft. Derartige Überlegungen finden Eingang in den originären F. beim Aushandeln der →*Umsatzsteueranteile* zwischen Bund und Ländern. Ein ergänzender aktiver F. zwischen beiden Ebenen findet nach Art. 106 IV GG dann statt, wenn der Bund den Ländern durch Bundesgesetz zusätzliche Ausgaben auferlegt. Außerdem kann der Bund nach Art. 107 II Satz 3 GG leistungsschwachen Ländern Zuweisungen zur ergänzenden Deckung ihres allgemeinen Finanzbedarfs (→*Ergänzungszuweisungen*) gewähren. Diese Zuweisungen gehen seit 1970 an die Länder Bayern, Niedersachsen, Rheinland-Pfalz, Saarland und Schleswig-Holstein, seit 1985 auch an Bremen. Ab 1974 wurden sie auf 1,5% des Umsatzsteueraufkommens festgelegt. Sie sin seitdem kontinuierlich gestiegen und werden zunehmend kritisiert, insbes. da der starre Schlüssel keine Beziehungn zu einem besonderen Bedarf erkennen läßt. Wegen des Urteils des Bundesverfassungsgerichts aus dem Jahr 1986 ist eine grundsätzliche Neuregelung der Ergänzungszuweisungen für 1987 zu erwarten.

2. *Horizontaler F. zwischen den Ländern:* a) Die Finanzkraft der einzelnen Bundesländer differiert infolge der verschiedenartigen Wirtschaftsstrukturen erheblich; das gleiche gilt für den Finanzbedarf, der z. B. in Ballungsgebieten und in ländlichen Räumen verschieden groß ist. Die *Notwendigkeit* von F.-maßnahmen ist daher offensichtlich (→Länderfinanzausgleich). – b) Maßnahmen des F. erfolgen in mehreren Stufen: (1) Ein erster Ausgleich wird durch den *Verteilungsmodus des Länderanteils* an der Umsatzsteuer erreicht, die zu 75% nach der Einwohnerzahl, zu 25% nach der mangelnden Steuerkraft verteilt sind. (2) In einer zweiten Stufe erfolgt der eigentliche *(horizontale) Länder-F.* Er beginnt mit der Ermittlung der →*Ausgleichsmeßzahl*, die den Finanzbedarf eines jeden Landes ausdrückt. Sie ergibt sich aus der Zahl der Landeseinwohner, multipliziert mit den bundesdurchschnittlichen Landessteuereinnahmen je Einwohner, zuzüglich der Summe der (veredelten, d. h. nach Gemeindegrößenklassen gewichteten) Gemeindeeinwohner des Landes, multipliziert mit den bundesdurchschnittlichen Gemeindesteuereinnahmen je Einwohner. – Der so ermittelten Ausgleichsmeßzahl wird die →*Steuerkraftmeßzahl* als Maßstab der originären Finanzkraft gegenübergestellt. Sie ergibt sich aus der Summe der Steuereinnahmen des einzelnen Landes zuzüglich der Steuereinnahmen seiner Gemeinden. Das Verhältnis zwischen Ausgleichsmeßzahl und Steuerkraftmeßzahl eines Landes ergibt seine *Deckungsrelation*. – c) Das Länderfinanzausgleichsgesetz setzt fest, in welchem Ausmaß Abweichungen von einem bestimmten Mittelwert ausgeglichen werden sollen. Dabei steht die Gruppe der traditionellen Nehmerländer der der Geberländer gegenüber. *Ausgleichsberechtigte Länder* (Nehmerländer) sind z. Zt. (1987) Bayern, Niedersachsen, Rheinland-Pfalz, Schleswig-Holstein, Saarland und Bremen; *ausgleichspflichtige Länder* (Geberländer) sind Baden-Württemberg, Hessen und Hamburg. In den letzten Jahren haben sich allerdings größere Verschiebungen ergeben. So ist z. B. das noch vor zehn Jahren größte Geberland Nordrhein-Westfalen mittlerweile (seit 1986) zu einem Nehmerland geworden, umgekehrt hat die Finanzkraft Bayerns fast den Bundesdurchschnitt erreicht. Die Ausgleichsmasse des gesamten Länderfinanzausgleichs betrug im Jahre 1986 2,4 Mrd. DM.

3. *Vertikaler F. zwischen Land und Gemeinde:* Auch zwischen einem Land und seinen Gemeinden ist ein exakter rechnerischer Ausgleich von Finanzbedarf und Finanzkraft nicht möglich. Der Ausgleich wird daher vom Grundgesetz lediglich pauschal geregelt. Art. 106 VII GG bestimmt: Von dem Länderanteil am Gesamtaufkommen der Gemeinschaftsteuern fließt den Gemeinden und Gemeindeverbänden insgesamt ein von der Landesgesetzgebung zu bestimmender Hundertsatz zu. Die Höhe dieser Beteiligungsquote (→Steuerverbundquote) ist von Land zu Land unterschiedlich, weil auch die Aufgabenverteilung zwischen beiden Ebenen von Land zu Land variiert.

4. *Horizontaler F. zwischen Gemeinden:* Auch die Finanzausstattungen der einzelnen Gemeinden weisen große Unterschiede auf. Der deswegen notwendige F. erfolgt wiederum als vertikaler Ausgleich mit horizontalem Effekt; Ausgleichsmasse ist die o.a. Beteiligungsquote an den Ländersteuereinnahmen. Das F.-verfahren beginnt wiederum mit der Ermittlung des *Finanzbedarfs*, ausgedrückt in der →Bedarfsmeßzahl oder →Ausgleichsmeßzahl. Diese basiert auf der (in vielen Bundesländern nach Größenklassen gewichteten) Einwohnerzahl der einzelnen Gemeinde

(→Hauptansatz) zuzüglich evtl. →Ergänzungsansätze (z. B. Zahl der Schüler). Der so ermittelte →Gesamtansatz wird mit dem →Grundbetrag multipliziert, einer Geldgröße, die sich aus dem insgesamt zur Verfügung stehenden Zuweisungsvolumen ergibt. Bei der Berechnung der *originären Finanzkraft* der Gemeinden werden nur die wichtigsten Steuereinnahmen der Gemeinden berücksichtigt. Mit landeseinheitlichen →Hebesätzen wird daraus eine fiktive →Steuerkraftmeßzahl berechnet. Bedarfsmeßzahl und Steuerkraftmeßzahl werden gegenübergestellt. Die Differenzen werden durch →*Schlüsselzuweisungen* (teilweise) ausgeglichen. Das Ausgleichsmaß ist von Land zu Land unterschiedlich. Neben diesen Ausgleichszuweisungen bestehen diskretionär vergebene →Bedarfszuweisungen an die →Ausgleichsstockgemeinden sowie vielfältige Lenkungszuweisungen, durch die die Länder das Ausgabengebaren der Gemeinden zu beeinflussen versuchen, mit denen z. T. aber auch eine weitere Verringerung der kommunalen Finanzkraftunterschiede angestrebt wird.

Literatur: R. Peffekoven, Finanzausgleich I, Wirtschaftstheoretische Grundlagen, in: HdWW, Bd. 2, Stuttgart/New York 1980, S 608–635; H. Fischer-Menshausen, Finanzausgleich II: Grundzüge des Finanzausgleichsrechts, in: HdWW, Bd. 2 Stuttgart/New York 1980, S. 636–662; W. Ehrlicher, Finanzausgleich III, Der Finanzausgleich in der Bundesrepublik Deutschland, In: HdWW, Bd. 2, Stuttgart/New York 1980, S. 662–689; D. Biehl, Die Entwicklung des Finanzausgleichs in ausgewählten Bundesstaaten, a) Bundesrep. D., in: Handbuch der Finanzwissenschaft, Bd. IV, 3. Aufl., Tübingen 1981, S. 69–122; H. Zimmermann, Allgemeine Probleme und Methoden des Finanzausgleichs, in: Handbuch der Finanzwissenschaft, Bd. IV, 3. Aufl., Tübingen 1981, S. 3–52.

Prof. Dr. Karl-Heinrich Hansmeyer
Dr. Manfred Kops

Finanzausschuß, in Großunternehmungen, Konzernen, Trusts usw. aus den Mitgliedern der Aufsichts- und Geschäftsführungsorgane (→Aufsichtsrat, →Verwaltungsrat, →Vorstand) gebildeter Kreis von Sachverständigen, der zum Hilfsorgan der Unternehmung wird, mit der Aufgabe, die Tätigkeit der Finanzverwaltung (Betriebsabteilung für Finanzierung) zu überwachen. F. kann der Finanzverwaltung Anweisungen erteilen, sie prüfen und hat Mitwirkungsbefugnis bei wichtigen Finanzierungsaufgaben.

Finanzbedarf. I. Finanzwissenschaft: Von den →öffentlichen Aufgabenträgern zur Erfüllung der ihnen im →passiven Finanzausgleich übertragenen Aufgaben erforderlichen Finanzmittel. Der F. ist für den einzelnen öffentlichen Aufgabenträger und für die öffentliche Hand insgesamt zu bestimmen und mit den im Privatsektor zu belassenden Finanzmitteln ins Verhältnis zu setzen (→optimales Budget). – *Messung des F.* öffentlicher Aufgabenträger gestaltet sich infolge der nicht präzisen und erschöpfenden Aufgabenzuständigkeiten schwierig und in der Praxis mit Hilfe grober (Bedarfs-)Indikatoren: (1) Die *Einwohnerzahl* ist wichtigster Indikator (→Hauptansatz) bei der Messung des F. der Gemeinden (zum Zwecke des kommunalen Finanzausgleichs) und der Länder (zum Zwecke des Länderfinanzausgleichs); z. T. modifiziert durch die Größe der Gebietskörperschaft (Hauptansatzstaffelung). (2) *Weitere Indikatoren* werden z. T. ergänzend herangezogen (→Ergänzungsansätze). – Dem derart gemessenen F. wird im →ergänzenden Finanzausgleich die originäre →Finanzkraft bzw. →Steuerkraft gegenübergestellt; Differenzen zwischen beiden Größen werden z. T. durch →Schlüsselzuweisungen ausgeglichen. – Vgl. auch →Ausgleichsmeßzahl (relativer F.).

II. Finanzplanung: Vgl. →Kapitalbedarf.

Finanzbericht, vom Bundesminister der Finanzen zusammen mit dem Entwurf des →Haushaltsgesetzes und des →Haushaltsplans jährlich vorgelegte Schrift, in der die volkswirtschaftlichen Grundlagen und die wichtigsten finanzwirtschaftlichen Probleme des eingebrachten Bundeshaushaltsplans erläutert werden. Der F. hat sich aus den „Allgemeinen Vorbemerkungen" der Bundeshaushaltspläne seit 1949 entwickelt; die Herausgabe unter der Bezeichnung „Finanzbericht" erfolgt seit 1961. – Auf der *Ebene der Bundesländer* sind die Berichtspflichten bei der Haushaltseinbringung unterschiedlich; meist wird der F. mündlich im Rahmen der Haushaltsrede des Landesfinanzministers erstattet.

Finanzbuchhaltung, *Geschäftsbuchhaltung, pagatorische Buchhaltung, kaufmännische Buchhaltung,* erfaßt den außerbetrieblichen Werteverkehr einer Unternehmung (den äußeren Kreis) aus Geschäftsbeziehungen zur Umwelt (Kunden, Lieferanten, Schuldner, Gläubiger) und die dadurch bedingten Veränderungen der Vermögens- und Kapitalverhältnisse. F. liefert das Zahlenmaterial zur Erstellung der →Bilanz und der →Gewinn- und Verlustrechnung, aus denen sich Lage und Gesamterfolg des Betriebs erkennen lassen. – *Ergänzung* der F. bietet die →Betriebsbuchhaltung, die, auf den Werten der F. aufbauend, der innerbetrieblichen Abrechnung dient (innerer Kreis). – Vgl. auch →computergestützte Finanzbuchhaltung.

Finanzdecke, im Rahmen der Finanzierung einer Unternehmung für einen bestimmten Zeitraum zur Deckung betriebsnotwendiger Ausgaben verfügbare flüssige Mittel. Zu „kurze F." erzwingt zusätzliche →Kapitalbeschaffung.

Finanzdienstleistungen, →financial services.

Finanzdisposition, laufende Verfügungen über die Verwendung oder den Einsatz von finanziellen Mitteln sowie die kurzfristige →Finanzplanung.

Finanzentscheidungen. I. Begriff/Problemstellung: Finanzierung wird zuweilen als Beschaffung von finanziellen Mitteln für Investitionszwecke definiert. Diese Definition ist zu eng, weil sie die Mehrzahl der Fragen, die F. gerade kompliziert machen, verdeckt. Abgesehen von sehr seltenen Einzelfällen – etwa der GmbH, in der der Geschäftsführer zugleich der einzige Gesellschafter ist, der seine GmbH ausschließlich mit Eigenkapital finanziert – sind auch Personen, die nicht an der Unternehmensführung teilnehmen, Geldgeber (Financiers). Gerade aus der Trennung von Kapitalhingabe und Verfügung über die Entscheidungskompetenzen im Unternehmen resultieren die Probleme, die F. interessant und kompliziert machen. – 1. *Eigenkapitalgeber,* die nicht zugleich an der Geschäftsführung des Unternehmens beteiligt sind (z. B. stille Gesellschafter, außenstehende Gesellschafter in der GmbH, Aktionäre in der AG, Genossen in der Genossenschaft) beauftragen die Unternehmensleitung, in ihrem Interesse die Geschäfte zu führen und verlangen regelmäßige Berichte und Kontrollrechte, um ggf. ihre Rechte wahren zu können. – 2. *Fremdkapitalgeber,* die Festbetragsansprüche (Zinsen, Tilgungen) haben, fordern Unterlagen zur Überprüfung der Kreditfähigkeit (z. B. § 18 KWG) vor Kreditvergabe, bedingen sich Kontrollrechte während der Kreditlaufzeiten aus (Periodische Jahresabschlüsse, Bilanzbesprechungen), besichern ihre Ansprüche (→Kreditsicherheiten) oder vereinbaren Negativklauseln in Form einzuhaltender Bilanzrelationen, Entnahmebegrenzungen oder Kontrahierungsverbote mit anderen Kreditgebern. Diese Vorkehrungen, die z. T. gesetzlich verankert sind (z. B. im HGB, GmbHG, AktG, GenG) bzw. Bestandteile von Kreditverträgen sind, dienen dem Ziel, die aus der Diskrepanz von Anspruch auf Gewinnanteile bzw. Zins und Tilgung und fehlender Entscheidungskompetenz resultierenden Probleme zu überbrücken. – F. umfassen deshalb die Gesamtheit der Maßnahmen, die die Gestaltung von Kapitalüberlassungsverträgen mit Eigen- bzw. Fremdkapitalgebern zum Gegenstand haben, mit dem Ziel, Kapitalbedarfe kostengünstig, unter Beachtung von Risikoaspekten und Erfordernissen der Flexibilität zu decken.

II. Systematik der Finanzierungsformen: Es ist üblich, zwischen Außen- und Innenfinanzierung (→Außenfinanzierung, →Innenfinanzierung) zu unterscheiden: 1. Zur *Außenfinanzierung* zählt die Zufuhr von Eigenmitteln durch bisherige Eigentümer (→Eigenfinanzierung), durch neue Eigentümer (→Beteiligungsfinanzierung) sowie die Zufuhr von kurz-, mittel- bzw. langfristigem Fremdkapital durch Gläubiger (→Fremdfinanzierung). Auch Eigenschaften von Eigen- und Fremdkapital vermischende Formen der Mittelbeschaffung (z. B. Gewinnobligationen, Genußscheine, Wandelschuldverschreibungen, Warrants) zählen zur Außenfinanzierung. – 2. Zur *Innenfinanzierung* zählt die Mittelbindung, die – jedenfalls bei haftungsbeschränkten Rechtsformen – generell durch die Ausschüttungssperrwirkungen des →Jahresabschlusses bewirkt wird: →Abschreibungen, Zuführungen zu sonstigen →Rückstellungen, direkte Zusagen auf betriebliche Altersversorgung, die zu Pensionsrückstellungen führen (→betriebliche Ruhegeldverpflichtungen). Zur Innenfinanzierung zählen weiterhin die Mittel, die im Bilanzsinn ausschüttungsfähig sind, aber auf Beschluß der entscheidenden Gremien (Gesellschafterversammlung, Hauptversammlung) nicht ausgeschüttet werden (→Selbstfinanzierung). Zuordnungsprobleme ergeben sich u. U. bei der →Mitarbeiterkapitalbeteiligung, wenn anteilige Gewinnüberschüsse (aus steuerlichen Überlegungen) in Darlehensansprüche der Mitarbeiter umgewandelt werden.

III. Grundprobleme: 1. *Eigenkapital versus Fremdkapital:* Eine wichtige F. betrifft die Aufteilung der gesamten Finanzmittel in Eigen- und Fremdkapital bzw. die Menge der Financiers in solche, die vertraglich fixierte Festbetragsansprüche und solche, die Restbetragsansprüche halten. Ansprüche, die sich bilanziell in Rückstellungen niederschlagen, werden hier zum Fremdkapital gezählt. Von Zwischenformen der Finanzierung sei zur Vereinfachung abgesehen. – Die Frage der *Gestaltung der Kapitalstruktur* von Unternehmen hat in der Literatur und (gelegentlich) in der öffentlichen Diskussion *große Aufmerksamkeit* gefunden: Die Literatur sucht nach Bestimmungsfaktoren einer optimalen Kapitalstruktur; die öffentliche aktuelle Diskussion beschäftigt sich mit der Eigenkapitallücke deutscher Unternehmen, unterstellt also, daß die Verschuldungsgrade deutscher Unternehmen im Durchschnitt nicht optimal, sondern zu hoch sind. – Seit einem Aufsehen erregenden Artikel von *Modigliani* und *Miller* 1958 (→Modigliani-Miller-Theorem) ist bekannt, daß die Kapitalstruktur von Unternehmen unter bestimmten Bedingungen auch dann *nicht von Bedeutung* für die Eigentümer ist, wenn diese den →Leverage-Effekt, d. h. erhöhte Renditen auf das Eigenkapital, für sich in Anspruch nehmen können. Der Grund für die Bedeutungslosigkeit eines höheren Verschuldungsgrades und einer höheren Eigenkapitalrendite ist simpel: Die höheren Renditen werden nicht kostenlos erzielt; sie sind nur um den Preis eines höheren Risikos zu haben. – *Bedeutung* gewinnen die die Kapitalstruktur betreffenden F. erst dann, wenn Ansprüche von Fremd- bzw. Eigenkapitalgebern steuerlich unterschiedlich behandelt werden, wenn die Beschaffungskosten für Eigen- und Fremkapital ungleich sind, wenn der Verschuldungsgrad im Vergleich zum Geschäftsrisiko des Unternehmens so hoch ist, daß die Wahrscheinlichkeit für eine nicht vertragskonforme Bedienung der Festbetragsansprüche spürbar ist, wenn die von Gläubigern gesetzten Nebenbedingungen die Entscheidungsautonomie des Managements zum Nachteil der Eigentümer einengen. Diesen skizzierten Überlegungen zufolge sollte man erwarten, daß Unternehmen aus steuerlichen Gründen generell teilweise fremdfinanziert sind, daß aber die (aus Bilanzen erkennbaren) Verschuldungsgrade negativ mit dem Geschäftsrisiko von Unternehmen korreliert sind.

2. *Selbstfinanzierung versus Eigen- bzw. Beteiligungsfinanzierung:* Eigenkapital kann auf verschiedenen Wegen beschafft werden: Über die Einbehaltung von Jahresüberschüssen (Selbstfinanzierung), über die Einlage von Mitteln der Alteigentümer (Eigenfinanzierung), über die Einlage von Mitteln von neuen Eigentümern (Beteiligungsfinanzierung). Welche Möglichkeit die bessere ist, hängt ab vom Selbstfinanzierungsspielraum, von steuerlichen Regelungen, von den Kapitalkosten für „neues" Eigenkapital, von Transaktionskosten und den Ausschüttungs(Entnahme)bedürfnissen der Eigentümer. – a) *Alternative Selbstfinanzierung und Eigenfinanzierung:* Ob das Unternehmen Mittel einbehält oder ausschüttet, hängt bei gegebenem Kapitalbedarf für Investitionen zunächst von steuerlichen Regelungen und sonstigen Transaktionskosten ab. Beträgt die Steuerbelastung bei Einbehaltung z.B. 50%, bei Ausschüttung beim Ausschüttungsempfänger nur 30% und kostet die Wiedereinlage der Mittel 3%, dann lohnt volle Ausschüttung auch dann, wenn das Unternehmen die gesamten Mittel zur Reinvestition benötigt. Der Verbund Unternehmen-Eigentümer minimiert die Steuerbelastung durch Vollausschüttung und Wiedereinlage (→Schütt-aus-hol-zurück-Politik). – Bei *Aktiengesellschaften* könnte diese Politik auf Vorbehalte stoßen, weil sie (trotz erheblicher Bewertungswahlrechte) zu unregelmäßigen Ausschüttungsstrukturen führen kann, die der Markt als Signale falsch deuten könnte (→Dividendenpolitik). – b) *Alternative Selbstfinanzierung und Beteiligungsfinanzierung:* Letztere ist insbes. den Unternehmen erschwert, deren Eigenkapitalanteile nicht an funktionsfähigen Börsen handelbar sind. Die Kosten der Suche potentieller Eigenkapitalgeber, die Verhandlungs- und Bewertungskosten stellen ebenso Hindernisse dar wie der u.U. reduzierte Autonomiebereich der Alteigentümer und die Befürchtung, neue Konfliktpotentiale zu schaffen. Vor diesem Hintergrund sehen die aktuellen Vorschläge, handelbare Genußscheine und ggf. GmbH-Anteile zu schaffen und auf dem sog. zweiten Marktsegment (→geregelter Markt) zu handeln, vielversprechend aus. Sie ermöglichten nicht nur einen wesentlich erleichterten Eintritt, sondern auch einen einfachen Austritt aus dem Unternehmen. – Erstaunlicherweise machen emissionsfähige Unternehmen von der Beteiligungsfinanzierung nicht nennenswerten Gebrauch. Nur ein geringer Prozentsatz ihres gesamten Mittelbedarfs wird auf diese Weise gedeckt. Ob dieses Verhalten der Unternehmen Ausfluß rationalen Verhaltens im Interesse der Eigentümer ist, ist ungeklärt.

IV. Ausgewählte Detailprobleme: 1. *Gesellschafterdarlehen:* Eigentümer haftungsbeschränkter Gesellschaften können zugleich Gläubigerpositionen einnehmen. Dies kann vorteilhaft sein: Es besteht erhebliche Anpassungsfähigkeit in bezug auf die Vertragsbedingungen; die Eigentümer gewinnen Leverage-Ertrag ohne Zunahme des Insolvenzrisikos, weil sie die üblichen Gläubigerreaktionen im Falle nicht erüllter Festbetragsansprüche gerade nicht in Gang setzen werden. Die Rechtsprechung des BGH und der Gesetzgeber mit der Schaffung des § 32a GmbHG haben Vorkehrungen getroffen, damit die Eigentümer-Gläubiger keine Sondervorteile vor Drittgläubigern erlangen.

2. *Finanzierungs-Leasing-Verträge* (vgl. auch →Leasing): Finanzierungs-Leasing-Verträge sind während einer vertraglich definierten Grundmietzeit unkündbar. Der Leasinggeber finanziert den Leasinggegenstand i.d.R. vor; der Leasingnehmer bezahlt diesen einschl. Kapitalkosten durch Leasingraten. Diese Form der Finanzierung ist verbreitet. Ob sie vorteilhaft ist, hängt von den Vertragsbedingungen und insbes. der problementsprechenden Beachtung der Finanzierungsalternative und der Berücksichtigung aller steuerlich relevanten Regelungen ab. Die von Leasinggesellschaften vorgelegten Muster-Rechnungen, die die Vorteilhaftigkeit von Finanzierungs-Leasing-Verträgen belegen sollen, sind i.d.R. stark vereinfacht und auch deshalb nicht selten angreifbar.

Literatur: Bierich, M./Schmidt, R., Finanzierung deutscher Unternehmen heute, Stuttgart, 1984; Drukarczyk, J., Finanzierungstheorie, München 1980; ders., Finanzierung, 3. Aufl. Stuttgart 1986; Gerke, W./Philipp, F., Finanzierung, Stuttgart, Berlin 1985; Perridon, L./Steiner, M., Finanzwirtschaft der Unternehmung, 4. Aufl. München 1986; Schneider, D., Investition und Finanzierung, 5. Aufl., Wiesbaden 1986; Spremann, K., Finanzierung, München, Wien 1985; Süchting, J., Finanzmanagement, 4. Aufl., Wiesbaden 1984; Swoboda, P., Betriebliche Finanzierung, Würzburg, Wien 1981.

Prof. Dr. Jochen Drukarczyk

Finanzflußrechnung, →Kapitalflußrechnung.

Finanzgericht, erstinstanzliches Gericht der →Finanzgerichtsbarkeit in den Ländern (§ 2 FGO). Es besteht aus dem Präsidenten, den Vorsitzenden Richtern und weiteren Richtern. – 1. *Organisation:* Bei den F. werden Senate gebildet. Zoll-, Verbrauchsteuer- und Finanzmonopolsachen sind in besonderen Senaten zusammenzufassen (§ 5 FGO). Das F. entscheidet durch Senate in der Besetzung mit einem Präsidenten, zwei weiteren →Berufsrichtern und zwei ehrenamtlichen →Finanzrichtern, bei Beschlüssen außerhalb der mündlichen Verhandlung und bei Vorbescheiden (§ 90 III FGO) ohne die ehrenamtlichen Finanzrichter. Bei jedem Gericht wird eine Geschäftsstelle errichtet. – 2. *Sachliche Zuständigkeit:* Das F. entscheidet im ersten Rechtszug über alle Streitigkeiten, für die der Finanzrechtsweg gegen ist, soweit nicht nach § 37 FGO der →Bundesfinanzhof zuständig ist (§ 35 FGO). Das F. ist daher i. d. R. die einzige Tatsacheninstanz im gerichtlichen Rechtsbehelfsverfahren über →Abgabenangelegenheiten. – 3. *Örtliche Zuständigkeit:* Örtlich zuständig ist das F., in dessen Bezirk die Behörde, gegen die die Klage gerichtet ist, ihren Sitz hat. Ist dies eine oberste Finanzbehörde, so ist das F. zuständig, in dessen Bezirk der Kläger seinen Wohnsitz, seine Geschäftsleitung oder seinen gewöhnlichen Aufenthalt hat; bei Zöllen, Verbrauchsteuern und Monopolabgaben ist das F. zuständig, in dessen Bezirk ein Tatbestand verwirklicht wird, an den das Gesetz die Abgabe knüpft (§ 38 FGO). – Hält sich das Gericht für örtlich oder sachlich *unzuständig*, so hat es sich auf Antrag des Klägers für unzuständig zu erklären und den Rechtsstreit an das zuständige Gericht zu verweisen (§ 70 FGO). – 4. *Rechtsmittel:* Gegen Urteile des F. ist die →Revision, gegen andere Entscheidungen des F. oder des Vorsitzenden des Senats die →Beschwerde an den Bundesfinanzhof statthaft (§§ 115–118 FGO). – 5. Alle Gerichte und Verwaltungsbehörden leisten dem F. *Rechts- und Amtshilfe.*

Finanzgerichtsbarkeit. I. Begriff: Zweig des staatlichen Rechtsschutzsystems, geregelt durch die →Finanzgerichtsordnung (FGO). – 1. Die F. wird ausgeübt durch unabhängige, von den Verwaltungsbehörden getrennte, besondere →Verwaltunggerichte. In den Ländern bestehen →Finanzgerichte, beim Bund der →Bundesfinanzhof. – 2. Die Finanzgerichte sind *sachlich zuständig* für alle Streitigkeiten, für die der →Finanzrechtsweg gegeben ist. In erster Instanz entscheiden grundsätzlich die Finanzgerichte, ausnahmsweise der Bundesfinanzhof; in zweiter und letzter Instanz entscheidet stets der Bundesfinanzhof.

II. Klagearten: 1. →*Anfechtungsklage,* gerichtet auf die Aufhebung, in den Fällen des § 100 II FGO auf die Änderung eines →Verwaltungsaktes (§ 40 I FGO). – 2. →*Verpflichtungsklage,* gerichtet auf die Verurteilung zum Erlaß eines abgelehnten oder unterlassenen Verwaltungsakts oder zu einer anderen Leistung (§ 40 I FGO). – 3. →*Feststellungsklage,* gerichtet auf die Feststellung des Bestehens oder Nichtbestehens eines Rechtsverhältnisses oder der Nichtigkeit eines Rechtsverhältnisses oder der Nichtigkeit eines Verwaltungsakts (§ 41 FGO).

III. Vorverfahren: Soweit das Gesetz einen außergerichtlichen Rechtsbehelf (→Beschwerde, →Einspruch) vorsieht, ist die Klage i. d. R. nur zulässig, wenn das Vorverfahren erfolglos geblieben ist (§ 44 I FGO). Ausnahmsweise ist die Klage unmittelbar zulässig: a) in den Fällen des § 348 AO, wenn die Behörde zustimmt *(Sprungklage,* § 45 I FGO), b) wenn die Rechtswidrigkeit der Anordnung eines Sicherungsverfahrens geltend gemacht wird (§ 45 II FGO), c) wenn über einen außergerichtlichen Rechtsbehelf ohne Mitteilung eines zureichenden Grundes in angemessener Frist sachlich nicht entschieden worden ist (*Untätigkeitsklage,* § 46 FGO).

IV. Gerichtliches Verfahren: 1. Die Klage ist grundsätzlich nur *zulässig,* wenn der Kläger geltend macht, durch den Verwaltungsakt oder durch die Ablehnung oder Unterlassung eines Verwaltungsakts oder einer anderen Leistung in seinen Rechten verletzt zu sein (§ 40 II FGO). Eine →Popularklage ist unzulässig. – 2. Die Klage ist grundsätzlich innerhalb der Klagefrist (§ 47 FGO) schriftlich oder zur Niederschrift bei Gericht zu *erheben.* Sie ist gegen die Behörde zu richten, die den Verwaltungsakt erlassen, den beantragten Verwaltungsakt oder die andere Leistung unterlassen oder abgelehnt hat (§ 63 FGO) und muß den Kläger, den Beklagten und den Streitgegenstand, bei →Anfechtungsklage auch den angefochtenen Verwaltungsakt oder die angefochtene Entscheidung bezeichnen (§ 65 FGO). Sie soll einen Antrag enthalten. – 3. Mit der Klageerhebung tritt →*Rechtshängigkeit* ein; der Vollzug des angefochtenen Verwaltungsakts wird dadurch nicht gehemmt. Der Kläger kann jedoch →Aussetzung der Vollziehung beantragen (§ 69 FGO). – 4. Am Verfahren sind Kläger, Beklagte, Beigeladene und die Behörden, die dem Verfahren beigetreten ist (→Beitritt), *beteiligt* (§ 57 FGO). Die Beteiligten können sich durch Bevollmächtigte vertreten lassen und sich in der mündlichen Verhandlung eines Beistandes bedienen (§ 62 FGO). Vor dem Bundesfinanzhof besteht Vertretungszwang (Art. 1 Nr. 1 Gesetz zur Entlastung des Bundesfinanzhofs, BGBl 1975 I 1861). – 5. Das Gericht erforscht den Sachverhalt *von Amts wegen.* Die Beteiligten sind zur Wahrheit verpflichtet, sie sollen zur Vorbereitung Schriftsätze einreichen. Das Gericht kann das persönliche Erscheinen eines Beteiligten anordnen; es erhebt in der mündlichen Verhandlung den →Beweis vorbehaltlich der §§ 83–89 FGO, durch die allgemeinen →Beweismittel der ZPO. Die Beteiligten haben das Recht auf →Akteneinsicht. Finanzbehörden sind zur *Vorlage* von Akten und Urkunden und zu Auskünften verpflichtet, soweit nicht das →Steuergeheimnis eingreift oder aus anderen Gründen ein Bedürfnis nach Geheimhaltung besteht (§86 FGO). – 6. Das Gericht entscheidet aufgrund mündlicher Verhandlung durch *Urteil*, mit Einverständnis der Beteiligten auch ohne mündliche Verhandlung. Weitere Ausnahme: →Vorbescheid. Das Gericht darf über das Klagebegehren nicht hinausgehen (Verbot der →Verböserung). Vgl. →Zwischenurteil, →Teilurteil, →Grundurteil, →Rechtskraft. – 7. Vor der Entscheidung kann →einstweilige Anordnung ergehen.

V. Rechtsmittel: Gegen Urteile der →Finanzgerichte →Revision, sonst weitgehend →Beschwerde. – Vgl. auch →Wiederaufnahme des Verfahrens.

VI. Kosten des Verfahrens: Trägt grundsätzlich der unterliegende Beteiligte (§135 AO). Die Regelung entspricht der für den Zivilprozeß (→Kostenentscheidung, →Kostenfestsetzung, →Kostenfestsetzungsbeschluß, →Prozeßkosten, →Prozeßkostenhilfe). Die vom Gericht des ersten Rechtszugs angesetzten Gebühren und Auslagen des Gerichts werden vom Finanzamt erhoben.

VII. Vollstreckung: Vollstreckungsbehörden sind die Finanzämter. Soll zugunsten des Bundes, eines Landes, eines Gemeindeverbandes, einer Gemeinde oder einer Körperschaft, Anstalt oder Stiftung des öffentlichen Rechts vollstreckt werden, richtet sich die Vollstreckung nach der AO (§150 FGO).

Finanzgerichtsordnung (FGO), Gesetz vom 6.10.1965 (BGBl I 1477), in Kraft seit 1.1.1966; regelt die →Finanzgerichtsbarkeit. Ergänzend sind die Bestimmungen des Gerichtsverfassungsgesetzes und der Zivilprozeßordnung anzuwenden (§155 FGO). – Für Verfahren vor dem →Bundesfinanzhof gelten die besonderen Vorschriften des Gesetzes zur Entlastung des Bundesfinanzhofs vom 8.7.1975 (BGBl I 1861) mit späteren Änderungen; vor den Finanzgerichten gelten bis zum 31.12.1990 die besonderen Vorschriften des Gesetzes zur Entlastung der Gerichte in der Verwaltungs- und Finanzgerichtsbarkeit vom 31.3.1978 (BGBl I 446) mit späteren Änderungen. – Es ist beabsichtigt, die FGO in ein einheitliches Verwaltungsgerichts-Verfahrensgesetz einzubringen.

Finanzhilfe, →Ausgleichszuweisung oder →Lenkungszuweisung, die der Bund den Ländern gewähren kann: a) für besonders bedeutsame Investitionen der Länder und Gemeinden (bzw. Gemeindeverbände), b) zur Abwehr einer Störung des gesamtwirtschaftlichen Gleichgewichts, c) zum Ausgleich unterschiedlicher Wirtschaftskraft im Bundesgebiet oder d) zur Förderung des wirtschaftlichen Wachstums (Art. 104a 4 GG). – Vgl. auch →Finanzausgleich, →Finanzverfassung.

Finanzhoheit, Befugnis zur autonomen Regelung der eigenen Finanzwirtschaft sowie zur Begrenzung der finanzwirtschaftlichen Rechte der übrigen Körperschaften. F. *umfaßt* Gesetzgebungshoheit (→Gesetzgebungskompetenz), →Verwaltungshoheit und →Ertragshoheit über öffentliche Einnahmen, insbes. Steuereinnahmen. – Vgl. auch →Finanzverfassung, →Finanzierungshoheit.

finanzielles Gleichgewicht, *finanzwirtschaftliches Gleichgewicht*. 1. *I.w.S.:* Langfristige strukturelle Entsprechung von Kapitalbeschaffung und -verwendung. d.h. das beschaffte Kapital hat nach Art und Fristigkeit dem Kapitalbedarf zu entsprechen, der sich aus der besonderen Vermögensstruktur der Unternehmung ergibt. – 2. *I.e.S.:* Gleichgesetzt mit dem Aspekt des kurzfristigen Ausgleichs der Zahlungsströme (→Liquidität).

finanzielle Zusammenarbeit, →Kapitalhilfe.

Finanzierung. 1. *Begriff:* Maßnahmen der Mittelbeschaffung und -rückzahlung und damit der Gestaltung der Zahlungs-, Informations-, Kontroll- und Sicherungsbeziehungen zwischen Unternehmen und Kapitalgebern (vgl. im einzelnen →Finanzentscheidungen). – 2. *Formen:* a) →*Außenfinanzierung:* (1) Finanzierung durch bisherige Eigentümer (→*Eigenfinanzierung*); (2) Finanzierung durch neue Eigentümer (→*Beteiligungsfinanzierung*); (3) Finanzierung durch Gläubiger (→*Fremdfinanzierung*). – b) →*Innenfinanzierung:* (1) Finanzierung durch zwangsweise erfolgende Bindung von Mitteln an Unternehmen (z.B. Finanzierung aus →Abschreibungen, Finanzierung über die Dotierung von →Rückstellungen); (2) Finanzierung durch Einbehaltung von ausschüttungsfähigem, aber nicht ausgeschüttetem Überschuß (→*Selbstfinanzierung*). – 3. F. *im öffentlichen Bereich:* Vgl. →duale Finanzierung.

Finanzierungsbeiträge, →Abstand, →Baukostenzuschuß.

Finanzierungsbilanz, Sonderform der Bilanz. Die F. dient als Unterlage für die →Finanzplanung einer Unternehmung (Kreditaufnahme, Kapitalerhöhung); sie stellt das Vermögen (Aktiva) nach dem Liquiditätsgrad, das Kapital (Passiva) nach Fristigkeit dar. Die Wertansätze können von denen der →Handelsbilanz abweichen. – Vgl. auch →Status V.

Finanzierungsgemeinschaft, organisatorischer Zusammenschluß rechtlich selbständig bleibender Unternehmungen zur gemeinsamen Finanzierung finanzschwacher Mitglieder der F. – *Motive:* a) Vorbereitung eines →Unternehmenszusammenschlusses in Form des Trusts oder Konzerns; b) Durchsetzung wirtschaftlicher Forderungen gegenüber anderen Wirtschaftszweigen.

Finanzierungsgesellschaft. 1. *Wesen:* Unternehmung, deren Betriebszweck die Beschaffung von Finanzierungsmitteln, insbes. →Kapitalbeschaffung, für nahestehende Unternehmungen ist. F. neigen zur Beherrschung der von ihnen finanzierten Unternehmungen. – 2. *Abrenzung:* Grenzen zum *Kreditinstitut* fließend; F. leisten keinesfalls Dienst im Zahlungsverkehr, sondern kaufen von anderen Unternehmungen zwecks dauernder Übernahme (i.d.R.) oder zum Weiterverkauf Aktien oder Obligationen auf mit Kapital, das sie durch eigene Emission von Aktien oder Obligationen erwerben. F. vereinfachen und beschleunigen die Kapitalbeschaffung der zu finanzierenden Unternehmungen und vermindern das Risiko für Kapitalgeber. – 3. *Arten:* Investment-Trust, Effektenhandelsgesellschaft (kauft Effekten meist nur zu Spekulationszwecken auf), Voting-Trust, Holding-Gesellschaft oder Übernahmegesellschaft (kauft Effekten von am Kapitalmarkt unbekannten Unternehmungen auf, sog. nichtmarktfreie Effekten), finance company. – Die deutschen F. sind mitunter auf bestimmte Industriezweige spezialisiert. Manche F. haben internationale Bedeutung; zahlreich vertreten in der Schweiz.

Finanzierungsgrundsatz, von der Unternehmensleitung im Hinblick auf die Finanzierungssituation und die →Finanzpolitik ausgearbeitete Richtlinie für die Finanzierungsentscheidungen des Unternehmens. – Vgl. auch →Finanzierungsregel.

Finanzierungshoheit, Kompetenz bzw. Verpflichtung, die bei der Erfüllung öffentlicher Aufgaben entstehenden Kosten zu tragen; innerhalb des →passiven Finanzausgleichs zu regeln. Die F. ist gem. Art. 104a GG grundsätzlich demjenigen Aufgabenträger zugewiesen, der die Aufgaben „wahrnimmt" (→Konnexitätsprinzip); ob hierfür die Gesetzgebungs- oder Verwaltungszuständigkeit (→Gesetzgebungskompetenz, →Verwaltungshoheit) maßgeblich sein soll, ist umstritten. Bei vielen öffentlichen Aufgaben ist die F. (deshalb) zwischen Bund, Ländern und Gemeinden aufgeteilt (→Gemeinschaftsaufgaben). – Vgl. auch →Finanzhoheit, →Ertragshoheit.

Finanzierungskennzahl, Quotient bestimmter Positionen aus Bilanz, Gewinn- und Verlustrechnung und Geschäftsbericht, die als Indikatoren für die finanzielle Lage des Unternehmens dienen sollen (→Finanzanalyse). – *Zu unterscheiden:* a) Liquiditätskennzahlen (→Liquiditätsgrad); b) Kennzahlen zur Messung der Aktivität des Unternehmens (→Umschlagshäufigkeit); c) Rentabilitätskennzahlen (→Rentabilität).

Finanzkontrolle. 1. *I.e.S.:* Laufender Vergleich und entsprechende Abstimmung der Soll- und Istzahlen des →Finanzplans im Rahmen der betrieblichen Finanzpolitik. – 2. *I.w.S.:* Überprüfung der Finanzlage hinsichtlich →Liquidität und →Rentabilität. – *Anders:* →Finanzkontrolle.

Finanzierungsmakler, →Finanzmakler.

Finanzierungsorgane, Personen oder Personengruppen in einer Unternehmung, denen Planung, Abwicklung oder Kontrolle der →Finanzierung obliegen. In Klein- und Mittelbetrieben der oder die Unternehmer selbst, in Großbetrieben Finanzverwaltung und →Finanzausschuß.

Finanzierungsrechnung, Teilrechnung der →Geldstromanalyse. Die F. erfaßt die Kreditbeziehungen zwischen den finanziellen und nicht-finanziellen Sektoren einer Volkswirtschaft als Nettogrößen. Die Deutsche Bundesbank weist in der F. halbjährlich die Nettoveränderungen der Finanzaktiva und -passiva nach den verschiedenen Wirtschaftssektoren gegliedert aus. Diese ergänzt sie durch die Ersparnisse und Vermögensbildung der einzelnen Sektoren aus den →volkswirtschaftlichen Gesamtrechnungen zu einer detaillierten Beschreibung der Vermögensbildung und ihrer Finanzierung.

Finanzierungsregel. I. Begriff: Bilanzstrukturnorm, die auf die Liquiditätssicherung abstellt (→Liquidität). Die F. stellt eine Sollvorschrift bezüglich der Zusammensetzung des Kapitals dar.

II. Arten: 1. *Vertikale F. (Kapitalstrukturregel):* Bezieht sich auf die Zusammensetzung des Kapitals zum Inhalt; keine Beziehung zur Verwendung der finanziellen Mittel (Sollvorschrift bezüglich des Verschuldungsgrades). – 2. *Horizontale F.:* Bezieht sich auf Kapital- und Vermögensstruktur: a) *Goldene F.:* Fristen zwischen Kapitalbeschaffung und -rückzahlung einerseits und Kaptialverwendung andererseits sollen sich entsprechen. b) *Goldene Bilanzregel:* Die Forderung nach Fristenkongruenz zwischen Kapital und Vermögen wird mit der Forderung nach der Verwendung bestimmter Finanzierungsarten verbunden.

III. Beurteilung: Der F. liegt die Vorstellung zugrunde, die Einhaltung der F. gewährleiste eine gesicherte →Finanzierung, insbes. die Liquidität des Unternehmens. Die zukünftige Liquidität wird jedoch nicht von der Vermögens- und/oder Kapitalstruktur, sondern der Qualität künftiger Einzahlungen bestimmt. F. sind daher kaum geeignet, zur Beurteilung der Finanzierung eines Unternehmens herangezogen zu werden.

Finanzierungsreserve, im Rahmen der →Finanzplanung einer Unternehmung derjenige Betrag, der sicherheitshalber im Finanzplan pauschal auf die Summe des →Kapitalbedarfs (Differenz von zu erwartenden Einnahmen und Ausgaben innerhalb eines bestimmten Zeitraums) aufgeschlagen wird.

Finanzierungsrisiko, Risiko der Eigentümer, das durch die Finanzierungsform (→Finanzierung) zusätzlich zum →Investitionsrisiko entsteht.

Finanzierungssaldo. I. Volkswirtschaftliche Gesamtrechnungen: Saldo aus Veränderungen von Forderungen und Verbindlichkeiten einzelner Wirtschaftssektoren. Ein positiver F. *(Finanzierungsüberschuß)* gibt an, daß anderen Sektoren per Saldo Mittel abgegeben wurden. Diese Situation trifft für den Sektor „private Haushalte" zu. Ein negativer F. *(Finanzierungsdefizit)* gibt an, daß aus anderen Sektoren per Saldo Kredite aufgenommen wurden. – Der Staat und die privaten Unternehmen sind i.d.R. typische Defizitsektoren.

II. Finanzwissenschaft: 1. →*Budgetkonzept* zur Beurteilung des →konjunkturellen Impulses des öffentlichen Haushalts (expansiv oder kontraktiv). Der F. setzt sich zusammen aus der Nettoneuverschuldung (Nettotilgung) am Kreditmarkt, dem Saldo der kassenmäßigen Überschüsse bzw. Defizite, dem Saldo der Rücklagenbewegungen und den Münzeinnahmen (§13 BHO). – 2. Im *Haushaltsplan:* Einnahmen-/Ausgabensaldo. Vgl. im einzelnen →Finanzierungsübersicht.

Finanzierungsschätze, →Schatzanweisungen.

Finanzierungstheorie, normative Theorie der →Finanzierung mit dem Ziel, Entscheidungskriterien zur optimalen Gestaltung von Investition, Finanzierung und Ausschüttung zu entwickeln. Die F. bedient sich abstrakter Modelle, um Grundzusammenhänge der Finanzierung aufdecken zu können. Sie unterstellt dabei das Ziel der Anteilswertmaximierung (→agency problem). Durch die explizite Berücksichtigung der Beziehungen zwischen Kapitalanbietern und Kapitalnachfragern ergänzt die F. die →Investitionstheorie, da eine Erklärung der relevanten Kapitalkosten nur im Marktzusammenhang möglich ist. – Vgl. auch →Kapitalmarkttheorie, →capital asset pricing model.

Finanzierungsübersicht, Teil des →Haushaltsplans, der eine Berechnung des Finanzierungssaldos enthält. Der Finanzierungssaldo ergibt sich aus einer Einnahmen-/Ausgaben-Gegenüberstellung; ausgenommen sind: Einnahmen aus Krediten vom Kreditmarkt, Entnahmen aus Rücklagen, Einnahmen aus kassenmäßigen Überschüssen sowie Münzeinnahmen, Ausgaben zur Schuldentilgung am Kreditmarkt, Zuführungen an Rücklagen und Ausgaben zur Deckung eines kassenmäßigen Fehlbetrags. Gem. der →Haushaltssystematik der BHO ist die F. dem Haushaltsplan beizufügen.

Finanzinformationssystem. 1. *Begriff:* In der →betrieblichen Datenverarbeitung ein →Softwaresystem zur Informationsbereitstellung, Planung und Steuerung der Finanzen eines Unternehmens (→Finanzmanagement, →Finanzplanung) und zur Ableitung von Anforderungen an die gesamte →Unternehmensplanung. – 2. *Elemente:* Ein vollständiges F. unterstützt die Ergebnis- und Liquiditätsplanung, Risikoanalyse und Simulationen zur Entscheidungsunterstützung. – 3. F. werden auf →mainframes und auf →Arbeitsplatzrechnern, häufig auch von →Service-Rechenzentren als Dienstleistung im →Online-Verfahren angeboten.

Finanzinnovationen. I. Charakterisierung: *I.w.S.* neue Märkte (→Euromärkte) und Geschäftsformen (z.B. →Fortfaitierung, →Swapgeschäfte), die sich seit dem Zweiten Weltkrieg entwickelt haben, begünstigt durch neue Kommunikationstechnologien; *i.e.S.* neue Formen des Einlage- und Kreditgeschäfts, insbes. in den USA entwickelt. – *Entstehung::* In den USA haben die →paramonetären Finanzierungsinstitute, die keine Girokonten führen durften, mit NOW-Konten (negotiable order of with drawal = übertragbarer Abhebungsauftrag) eine verzinsliche Anlageform geschaffen, über die wie bei Sichtguthaben jederzeit verfügt werden kann. Die konkurrierenden Geschäftsbanken wiederum fanden Wege, das (bis 1986) bestehende Zinsverbot auf Sichteinlagen zu umgehen, z.B. durch Einführung von Sparguthaben, von denen automatisch Beträge auf Girokonten übertragen werden, wenn Zahlungen zu leisten sind (ATS-Konten; ATS = automatic transfer service). – Die F. in Form marktgerecht verzinslicher Sichtguthaben hat in der *Bundesrep. D.* noch keine nennenswerte Verbreitung gefunden. – Die marktbestimmte Verzinsung von Giralgeld stellt die geldpoltischen Instanzen vor die Aufgabe, die Geldmengenabgrenzungen sowie die Wirkungen monetärer Impulse zu überdenken. Das gilt ebenso für andere F., die im Zuge der Internationalisierung und Liberalisierung der →monetären Märkte geschaffen wurden.

II. Innovative Finanzierungsinstrumente: Es handelt sich im wesentlichen um Geldmarktfondsanteile, Geldmarkteinlagekonten, variabel verzinsliche Anleihen, verbriefte Bankkredite sowie standardisierte Formen der Sicherung von Kurs- und Zinsänderungsrisiken (→Hedging). – 1. *Geldmarktfondsanteile* (money market mutual fund; MMMF) sind verzinsliche Anteile an einem Fonds, der seine Geldmittel in kurzfristige, zinsbringende Wertpapiere (z.B. →certificate of deposit) und Schatzwechsel investiert. Über diese MMMFs kann per Scheck verfügt werden. – 2. *Geldmarkteinlagekonten* (money market deposit account; MMDA) sind MMMFs, die bei Geschäftsbanken gehalten werden und der staatlichen Einlagenversicherung unterliegen. In den USA substituierten die MMMFs bzw. MMDAs wegen ihrer marktgerechten Verzinsung weitgehend die Spar- und Termineinlagen mit staatlich reglementierten Höchstzinssätzen. – 3. Die *variabel verzinslichen Kredite und Anleihen (→floating rate notes (FRN))* haben in den USA und auf den Euromärkten Bedeutung erlangt. Die Floater, die auch die Deutsche Bundesbank im Zuge der Restliberalisierung für den inländischen Emissionmarkt genehmigt hat, bieten insbes. in Zeiten steigender Zinsen für den Anleger eine interessante Alternative wegen der weitgehenden Vermeidung von Kursrisiken. – 4. Die *verbrieften Kredite in Form von kurzfristigen, nicht börsenorientierten Schuldtiteln* (→revolving underwriting facilities (RUF)) werden von den Banken am Markt plaziert. Die Bank garantiert die Unterbringung und fungiert zunächst nur als Kreditvermittler. Bei Plazierungsproblemen muß sie allerdings ihre Kreditzusage selbst einlösen. Eine bekannte Variante sind die *→notes issuance facilities (NIF)*, bei denen die Plazierung nicht von einer einzelnen Bank, sondern von von einer Bankengruppe vorgenommen wird bei Vereinbarung einer Zinsobergrenze für den Schuldner. – 5. Formen der Sicherung von Kurs- und Zinsänderungsrisiken stellen eine Verbindung von Anleihen mit Swaptransaktionen dar, d. h. Finanztiteln mit Terminkontrakten *(financial futures)*; vgl. auch →Hedging.

III. Die geldpolitischen Kosequenzen der F. werden v. a. in einer Minderung der Effizienz nationaler Geldpolitiken gesehen, woraus die Forderung nach einer stärkeren internationalen Abstimmung resultiert.

Finanzinvestition, Erwerb von Forderungs- und Beteiligungsrechten (→Beteiligung). – Vgl. auch →Investition, →Realinvestition, →immaterielle Investition.

Finanzkapital, durch Hilferding eingeführter Begriff. Das F. umfaßt das Geldkapital der Banken und anderer Kapitalsammelbecken. Die *Bedeutung* des konzentrierten F. liegt in dem Einfluß, den die – relativ wenigen – Besitzer bzw. Verwalter des F. (die „Finanzaristokratie“) auf den Wirtschaftsprozeß, insbes. die Investitionstätigkeit auszuüben vermögen. Die Erscheinung des F. ist eines der typischen Kennzeichen des →Kapitalismus, insbes. des →Spätkapitalismus, erwachsend aus der Konzentrationstendenz im Bankwesen und zunehmend im Versicherungswesen.

Finanzkonten, Sammelbegriff für die verschiedenen Aktiv- oder Passivkonten der Klasse 1 des →Gemeinschaftskontenrahmens, beim →Industriekontenrahmen auf die Klassen 2 und 4 verteilt. F. sind: Kasse, Banken, Postscheck, Besitzwechsel, Schulwechsel, Wertpapiere, Forderungen und Verbindlichkeiten.

Finanzkontrolle. 1. *Begriff:* Überwachung und Prüfung der sich im jeweiligen →Haushaltsplan konkretisierenden Finanzpolitik des Staatssektors. Es handelt sich um die Kontrolle der Ordnungsmäßigkeit der Finanzgebarung, denn der Erfolg oder Mißerfolg einer Finanzpolitik insgesamt ist nur schwer zu beurteilen bzw. abhängig von Werturteilen, bestimmten subjektiven Zielfunktionen und dem zugrunde gelegten Zeithorizont, z. B. die komplexen Probleme und die eingeschränkte Aussagefähigkeit von Kosten-Nutzen-Analysen. – 2. *Arten:* a) Nach dem *Gegenstand* der Kontrolle: (1) *Rechnungskontrolle:* Rechnerische (formelle) Prüfung der Belege, Kassen- und Rechnungsbücher. (2) *Verwaltungskontrolle:* Sachliche Prüfung der „Planmäßigkeit“, „Gesetzmäßigkeit“, „Zweckmäßigkeit“ und „Wirtschaftlichkeit“. – b) Nach dem *Kontrollzeitpunkt:* (1) Vorherige Kontrolle (Visakontrolle). (2) Mitschreitende Kontrolle. (3) Nachträgliche Kontrolle. – 3. *Zuständigkeit:* Die F. obliegt v. a. dem weitgehend unabhängigen →Bundesrechnungshof (BRH), dessen Aufgaben in der →Bundeshaushaltsordnung (§ 88 BHO) konkretisiert werden. – Diskutiert wird die Frage, wie „weit“ das materielle Prüfungsrecht des BRH reicht, da es eine offene Frage ist, ob durch eine solche Prüfung das „Primat der Politik“ verletzt werden kann. Kristallisationspunkt solcher Überlegungen sind u. a. die durch den BRH vorgenommenen Subventionskontrollen bezüglich Effizienz und Effektivität. – 4. *Ergebnis:* In „Bemerkungen“ werden vom BRH die Prüfungsergebnisse zusammengefaßt, auf deren Basis nach Beratungen im →Rechnungsprüfungsausschuß des Bundestages das Entlastungsverfahren vor dem Plenum des Bundestages stattfindet. – Vgl. auch →Haushaltskontrolle.

Finanzkonzern, →Konzern, der primär die Verfolgung finanzieller Interessen und damit Kapitalkonzentration verbunden mit Risikostreuung anstrebt. Diese Ziele bewirken oft eine anorganische Zusammensetzung, d. h. es besteht kaum ein betriebswirtschaftlich zwingender Zusammenhang zwischen den einzelnen Konzerngliedern; Unternehmen der Investitions- und Konsumgüterindustrien sind z. B. mit Kreditinstituten, Versicherungs-, Verkehrsunternehmen und Betrieben des Beherbergungsgewerbes verbunden. – Vgl. auch →Sachkonzern.

Finanzkraft. I. Finanzwissenschaft: Von öffentlichen Auftraggebern bei normaler bzw. durchschnittlicher Anspannung ihrer Einnahmequellen erzielbare Einnahmen. Im *kommunalen Finanzausgleich* und im *Länderfi-*

nanzausgleich beschränkt sich die Messung der F. auf die (quantitativ wichtigen) Steuereinnahmen (→Steuerkraft); nicht-steuerliche Einnahmen bleiben z. T. aus theoretischen Gründen, z. T. mit dem Ziel der Erhebungsvereinfachung unberücksichtigt. – Im Rahmen des →*ergänzenden Finanzausgleichs* wird die F. dem relativen Finanzbedarf (→Ausgleichsmeßzahl) gegenübergestellt. Unterscheiden sich die damit gebildeten →Deckungsrelationen zwischen den Aufgabenträgern, so werden die Unterschiede durch →Ausgleichszuweisungen beseitigt bzw. vermindert.

II. Wettbewerbsrecht: Merkmal, das eine überragende Marktstellung i. S. des § 22 I 2 GWB begründen kann (→Marktbeherrschung).

Finanzmakler, Sammelbezeichnung für berufsmäßige Vermittler v. a. von mittel- und langfristigen Krediten (Schuldscheindarlehen, Hypotheken und revolvierenden Wechselkrediten) sowie von Beteiligungen und ganzen Unternehmungen. Z. T. vermitteln F. Industriekredite aus Geldern der Kapitalsammelstellen (Lebensversicherungsunternehmen, Sozialversicherungsträger und Arbeitslosenversicherung usw.); z. T. betreiben sie neben dem Finanzmaklergeschäft auch Finanzberatung. Die F. arbeiten z. T. in privatem Auftrag, z. T. als Agenten von Teilzahlungsbanken, Hypothekenbanken und der filiallosen Universalbanken. Bei kleinen F. häufig Koppelung mit Versicherungsvertretungen.

Finanzmanagement. 1. *Begriff:* Zielgerichtete, situationsgemäße Planung, Steuerung und Kontrolle aller betrieblichen Zahlungsströme. F. umfaßt alle →Finanzentscheidungen sowie Investitionsentscheidungen (→Investition, →Investitionsplanung, →Investitionsobjektplanung und -kontrolle, →Investitionspolitik). – Der Begriff ist auf den *managerial approach* zurückzuführen, der dadurch gekennzeichnet ist, daß er die →Finanzierung aus dem internen Aspekt der Unternehmensleitung im Rahmen ihrer operativen und strategischen Dispositionen in allen Teilbereichen der Unternehmung, d. h. ganzheitlich, betrachtet. – 2. *Ziele:* a) Sicherung und Erhaltung der →Liquidität; b) Maximierung der →Rentabilität (Eigenkapital- und Gesamtkapitalrentabilität); c) Risikopräferenzkonformität (vgl. auch →Risiko, →Investitionsrisiko, →Finanzierungsrisiko); b) und c) lassen sich zu dem gemeinsamen Ziel der *Optimierung der Rendite-Risiko-Position* der Unternehmung zusammenfassen; d) in der Literatur zur Zeit auch aus Elastizität in der Vermögensbildung und Flexibilität in der Deckung des Kapitalbedarfs. – 3. *Prozeß:* a) Bedarfsermittlung (→Kapitalbedarf); b) Bedarfsdeckung (→Finanzierung); c) Kapitalallokation (→Investition), d) Kontrolle der Kaptialverwendung und e) Freisetzung finanzieller Mittel (→Desinvestition). – 4. *Arten:* a) *Strategisches F.:* Tendenziell langfristige Planung, Steuerung und Kontrolle der Erfolgs- und Risikoposition des Unternehmens, somit insbes. die Kapitalallokation und Kapitalstrukturierung (→Kapitalstruktur). b) *Operatives F.:* V. a. Liquiditätssicherung (→Liquidität), um einen reibungslosen Ablauf der betrieblichen Transformationsprozesse zu gewährleisten (→Finanzplan). – Die Erfolgs- und Risikoposition bildet dabei die Vorsteuerungsgröße für die Liquiditätssicherung; das strategische F. ist dem operativen F. vorgelagert. – 5. *Wichtigstes Instrument des F.:* →Finanzanalyse, um die Finanz- und Investitionsentscheidungen an die relevanten Einflußfaktoren anpassen zu können.

Finanzmarkttheorie des Wechselkurses, →Wechselkursdeterminanten 4.

Finanzmathematik, Teilgebiet der angewandten Mathematik. Innerhalb der Wirtschaftsmathematik steht die F. zwischen dem kaufmännischen Rechnen und der Versicherungsmathematik. Sie liefert das rechnerisch-technische Rüstzeug für die Behandlung langfristiger Kapitalvorgänge. d. h. der Hergabe, Verzinsung und Rückzahlung von Kapital. – *Aufgaben im Rahmen der betieblichen Dispositionen:* Bestimmung des Barwertes laufender Leistungen oder Erträge, Bewertung von Kapitalanlagen und Unternehmungen, Abschreibungen vom Buchwert, Vergleich verschiedener zukünftiger Leistungen, Berechnung des Zeitwertes verschieden fälliger Beträge oder regelmäßiger Zahlungen (→Rentenrechnung) und ihre Ablösung zu einem mittleren Verfalltermin, Aufstellung von Plänen zur Tilgung von Hypotheken und Anleihen, Bestimmung von Tilgungsdauer (→Tilgungsrechnung), Ermittlung von Kursen bei gegebenem Marktzinsfuß, Berechnung der →Effektivverzinsung, Zusammenhang zwischen Begebungskurs, Rückzahlungsagio und tatsächlicher Verzinsung, Ermittlung der Rentabilität von Kapitalanlagen usw. – *Mathematische Grundlagen:* →Folgen und →Reihen, →Zinseszinsrechnung, →Zinsrechnung. Ferner kann aus der Zinseszinsformel q und damit der Zinsfuß p ermittelt werden oder auch die Verzinsungsdauer n. Die Betimmung des Endkapitals nennt man auch Aufzinsung, die des Barwertes bezeichnet man als Abzinsung (Diskontierung).

Finanzmonopol. 1. *Begriff/Charakterisierung:* Aus fiskalischen und/oder wirtschaftspolitischen Gründen staatlicherseits erfolgter Ausschluß des freien →Wettbewerbs; alleinige Befugnis des Staates, zu Einnahmezwecken bestimmte Waren als Monopolist herzustellen und/oder zu vertreiben. Anders: Allgemeines →Monopol. – Die ausschließliche Gesetzgebung über F. hat nach Art. 105 I GG der Bund. – F. wird verwaltet durch eine *Monopolbehörde* (→Monopolamt); diese erhebt zugleich die organisatorisch mit der Monopolisierung kombinierte Steuer auf die Waren (*Monopolsteuer*). – 2. *Formen:* a) *Total-* oder *Vollmonopol:* Produktion und Verteilung der Waren bis zur Einzelhandelsstufe liegen in Händen der Monopolverwaltung. – b) *Teilbranchenmonopol:* Ein oder mehrere Produktionszweige einer Warengattung sind von der Produktion bis zum Einzelhandel monopolisiert. – c) *Einstufiges (Teil-Phasen-) Monopol:* Lediglich eine Stufe aus der gesamten Produktions- und Handelskette ist monopolisiert. – (1) Beim *Handelsmonopol* erfolgt die Erzeugung durch autorisierte private Unternehmen; die Monopolverwaltung übernimmt den Vertrieb auf der Großhandelsstufe. – (2) Beim *Erzeugermonopol* erfolgt die Erzeugung in staatlichen Monopolbetrieben; der Vertrieb wird von privaten Händlern vorgenommen. – Das Beispiel des deutschen Branntweinmonopols zeigt, daß seine fünf Teilmonopole teils Handels-, teils Erzeugermonopolcharakter haben. – 3. *Monopolwaren:* International sind die häufigsten Waren Tabak, Zündwaren, Zigaretten, alkoholische Getränke, ferner Salz, Zucker und Petroleumprodukte. – 4. *Ziele:* a) Ziele des F. sind Einflußnahme auf die Produktion, Marktversorgung, Absatzsicherung, Strukturpolitik, wie etwa der Mittelstandsförderung, der Abwehr von Auslandskonkurrenz usw. – b) Dem *fiskalischen Ziel* entspricht es, daß mit der Monopolisierung die Monopolsteuer erhoben wird (→Verbrauchsbesteuerung, →Branntweinsteuer, →Zündwarensteuer). Soweit das Aufkommen aus dieser Steuer die Aufwendungen für die →Monopolverwaltung einschl. der staatlichen Übernahmepreise für Ablieferungen an das Monopol nicht deckt, wird das *nichtfiskalische Zielspektrum* des Monopols offensichtlich. – 5. *Finanzwissenschaftliche Beurteilung:* In der Zeit des Absolutismus waren F. ein bevorzugtes Finanzierungsinstrument. Heute gilt die Verbrauchsbesteuerung als überlegen, das F. sowohl aus fiskalischer wie aus wirtschaftspolitischer Sicht als veraltet. – 6. *Bedeutung:* In der Bundesrep. D. noch ein F., das →*Branntweinmonopol* (Gesetz vom 8.4..1922, RGBl I 335, 405; zuletzt geändert durch Gesetz vom 22.12.1981, BGBl I 1625). Das *Zündwarenmonopol* wurde durch Gesetz vom 27.8.1982 (BGBl I 1241) abgeschafft.

finanzorientiertes Deckungsbudget, *ausgabenorientiertes Deckungsbudget.* 1. *Begriff:* →Deckungsbudget, bestehend aus der Gesamtheit der für die Budgetperiode vordisponierten, geplanten und erwarteten Auszahlungen sowie vorgesehene Erhöhungen von Zahlungsmittelbeständen, die in dieser Periode durch Auftragsbeiträge der abgesetzten Leistungen erwirtschaftet werden sollen (Riebel). Dazu können auch Zahlungen für Investitionen, Fremdkapitalzinsen, Tilgung von Darlehen, Gewinnsteuern und -ausschüttungen gehören. F. sollte innerhalb der Periode nach Disponierbarkeit und Zahlungsterminen differenziert werden. – 2. *Zweck:* Verbindung von kurz- und langfristiger Planung; Verbindung der periodenbezogenen Finanzplanung und Sachplanung bzw. Kostenrechnung; Erleichterung der Abschätzung der Liquiditätsentwicklung, wenn die aufgrund der Absatzprognose bzw. -planung, des Auftragseingangs oder der Fakturierung zu erwartenden Deckungsbeiträge (→Liquiditätsbeiträge) fortlaufend kumuliert gegenübergestellt werden.

Finanzplan. I. Finanzwissenschaft: Von einer Gebietskörperschaft verfaßte überschlägliche Einnahmen- und Ausgabenaufstellung für einen längeren, überschaubaren Zeitraum. Der F. besitzt als bloße Exekutivplanung im Gegensatz zu dem von der Legislative als Gesetz verabschiedeten →Haushaltsplan keine Rechtsverbindlichkeit. – Vgl. auch →mehrjährige Finanzplanung.

II. Betriebliche Finanzplanung: Zukunftsbezogene Rechnung, die für eine bestimmte Zeitspanne (Planungszeitraum) Ein- und Auszahlungen für jede zu definierende Periode (Tag, Woche, Monat, Quartal, Jahr) gegenüberstellt. – *Erstellung:* Sie folgt dem Bruttoprinzip: Ein- und Auszahlungen sind zu den relevanten Zeitpunkten unsaldiert auszuweisen. Weiterhin gelten der Grundsatz der Vollständigkeit, der Grundsatz der Termingenauigkeit und der Grundsatz der Betragsgenauigkeit. – *Bedeutung:* Der F. ist ein Instrument der operativen →Finanzplanung und dient daher vorrangig der Liquiditätsplanung (→Liquidität). – Vgl. auch →Zahlungsplan.

Finanzplanung. I. F. von Unternehmungen: 1. *Begriff:* Prozeß der zielgerichteten, d.h. an definierten Liquiditäts-, Rentabilitäts- und Risikozielen (→Liquidität, →Rentabilität) ausgerichteten Gestaltung zukünftiger →Finanzentscheidungen. – 2. *Einordnung:* Teilgebiet der Unternehmensplanung. Einerseits basiert die F. auf vorgelagerten betrieblichen Teilplänen, insbes. auf Absatz- und Produktionsplänen; andererseits beeinflußt die Finanzierung die übrigen betrieblichen Teilpläne. Aufgrund dieser Interdependenzen gilt die F. nur integriert im Gesamtplanungsprozeß als durchführbar (→integrierte Finanzplanung). – 3. *Aufgaben:* a) Ermittlung des zukünftigen →Finanzbedarfs; b) Bestimmung von Art, Höhe und Zeitpunkt vorzunehmender Finanzierungsmaßnahmen. – 4. *Arten:* a) *Strategische F.:* Festlegung der Rahmendaten für vorzunehmende Finanzentscheidungen; an Rentabilitäts- und Risikozielen orientiert. b) *Operative F.:* Detailentscheidungen innerhalb der durch die strategische F. festgelegten Rahmendaten; an Liquiditätszielen orientiert. Konkretisierung der operativen F. im →Finanzplan.

II. F. öffentlicher Haushalte (Bund, Länder und Kommunen): Vgl. →Haushaltsplan, →mehrjährige Finanzplanung.

Finanzplanungsrat. 1. *Begriff:* Politisches Beratungsgremium, das Empfehlungen für die Koordinierung der Finanzplanungen von Bund, Ländern und Gemeinden abgibt; gem. § 51 I HGrG zu bilden. – 2. *Mitglieder:* Bundesminister für Finanzen (Vorsitzender), Bundesminister für Wirtschaft, die für die Finanzen zuständigen Minister der Länder, vier Vertreter der Gemeinden und Gemeindeverbände und – mit dem Recht der Teilnahme an den Beratungen – die Deutsche Bundesbank. – 3. *Aufgaben:* Ermittlung einer einheitlichen Systematik (erfüllte Aufgabe des F.), einheitlicher volks- und finanzwirtschaftlicher Annahmen (nicht in jedem Jahr eine gemeinsame Position des F.) sowie der Schwerpunkte im Bereich der öffentlichen Aufgaben (bisher kaum eine gemeinsame Position des F.).

Finanzpolitik. I. Betriebliche F.: Summe aller Maßnahmen der Finanzierung einer Unternehmung zur Befriedigung des →Kapitalbedarfs, unterstützt durch →Finanzplanung (vgl. dort I). F. ist als Teil der Unternehmenspolitik in Zielen und Methoden abzustimmen mit →Investitionspolitik, →Einkaufspolitik, →Absatzpolitik, →Dividendenpolitik sowie der Gestaltung des Produktionsprogramms und dessen Ablauf. – Vgl. auch →Finanzentscheidungen, →Finanzmanagement.

II. Öffentliche F.: 1. *Begriff:* Die F. ist neben der Geldpolitik (→monetäre Theorie und Politik) und den Ge- und Verboten vielfältiger Art ein Instrument der →Wirtschaftspolitik. Sie verfolgt das Ziel, Struktur und Höhe des Sozialprodukts einer Volkswirtschaft mit Hilfe öffentlicher Einnahmen, öffentlicher Ausgaben sowie der öffentlichen Haushalte zu beeinflussen; sie dient aber auch anderen Politikbereichen, sofern dort öffentliche Mittel eingesetzt werden (vgl. 2.). – F. ist Ordnungs- und Prozeßpolitik. Unter ordnungspolitischem Aspekt gehört zu einer Wettbewerbswirtschaft z. B. ein Steuersystem, das den Wettbewerbsmechanismus möglichst wenig verfälscht; unter prozeßpolitischem Aspekt verändern staatliche Einnahmen und Ausgaben die volkswirtschaftlichen Gesamtgrößen, aber auch Entscheidungen auf Einzelmärkten. Finanzpolitische Maßnahmen gehören wie die Instrumente der Geldpolitik vorwiegend zu den indirekt wirkenden Instrumenten. Im Gegensatz zu direkt verhaltensändernden Kontrollen (z. B. Preisstop) beeinflussen sie i. d. R. die Daten für privatwirtschaftliches Handeln, weniger das Handeln der privaten Wirtschaftssubjekte selbst. Ausnahmen sind prohibitiv wirkende Einnahmen, die einem Ge- oder Verbot gleichkommen (Beispiel: Prohibitivzoll).

2. *Ziele:* Es gibt kaum einen ökonomischen oder politischen Bereich, der nicht von Maßnahmen der öffentlichen Finanzwirtschaft berührt wird; daher dient die F. einer Vielfalt von Zielen. Letztlich ist jeder politische Zielkatalog eines Staates mit den möglichen Zielen der F. identisch.

a) *Fiskalisches Ziel* (Aufgabe der staatlichen Einnahmesicherung): Der Staat benötigt Einnahmen, mit deren Hilfe er sich die zur Erfüllung seiner Aufgaben nötigen Ressourcen beschafft. Das fiskalische Ziel ist immer ein Vorziel.

b) *Allokatives Ziel:* Umfaßt eine Vielzahl von Teilzielen, die alle auf eine Veränderung der Ressourcenverteilung gerichtet sind; dabei kann es sich um eine Veränderung zwischen Privaten handeln (Probleme bei der regionalen und sektoralen Strukturpolitik), um eine Veränderung der Ressourcenverteilung zwischen Staat und Privaten (Problem der →Staatsquote), sowie um eine Veränderung der Ressourcenverteilung innerhalb des Staates (Probleme des staatlichen →Finanzausgleichs).

c) *Distributionsziel* bzw. *Ziel der →Einkommensverteilung:* Für eine soziale Marktwirtschaft von zentraler Bedeutung. Das Ergebnis des marktwirtschaftlichen Prozesses, der selbst möglichst wenig gestört werden soll, ist unter sozialen Gesichtspunkten (→gerecht) zu korrigieren, z. B. durch die Zuteilung des →Transfereinkommens für nicht mehr im Arbeitsprozeß stehende Bürger. – Allokative und distributive F. können von den Zielen her exakt getrennt werden, bei einer Analyse der Wirkungen ergeben sich viele Überschneidungen. So gibt es kaum allokative Maßnahmen, die keine distributiven Folgewirkungen haben und umgekehrt.

d) *Stabilisierungsziel:* Seit der Weltwirtschaftskrise zunehmend in den Vordergrund der F. getreten. Es ist dogmenhistorisch eng verknüpft mit dem der *keynesianischen Theorie* (→Keynessche Lehre), die im Gegensatz zur Klassik und Neoklassik davon ausgeht, daß die Volkswirtschaft auf einem nicht-optimalen Niveau verharren kann (z. B. stabiles Unterbeschäftigungsgleichgewicht). Die öffentliche Hand soll in diesem Fall durch gezielte konjunkturelle Impulse (Beeinflussung der gesamtwirtschaftlichen Nachfrage) Abhilfe schaffen. In der Bundesrep. D. hat das *Stabilitäts- und Wachstumsgesetz* von 1967 das stabilisierungspolitische Gesamtziel in die Einzelziele Preisniveaustabilität, hoher Beschäftigungstand, außenwirtschaftliches Gleichgewicht und stetiges wie angemessenes Wachstum gegliedert und damit konkreter gefaßt. Mit dem Gesetz ist zugleich ein umfangreiches Instrumentarium für eine derartige stabilisierungsorientierte Politik (→fiscal policy) bereitgestellt worden.

3. *Träger:* Im Gegensatz zum Zentralstaat hat die F. in einem föderalistisch organisierten Staatswesen mehrere Entscheidungsebenen, in der Bundesrep. D. sind neben dem Bund Länder und Gemeinden Träger der F. Jeder Entscheidungsebene obliegen bestimmte Aufgaben, dem Bund z. B. die Verteidigung und die soziale Sicherung, den Ländern die Bildungspolitik, den Gemeinden der Aufbau der örtlichen Infrastruktur. Sobald eine Aufgabe mehrere Ebenen betrifft, kommt es zur Mischfinanzierung. Auf jeder staatlichen Ebene sind die Entscheidungsprozesse durch die Gewaltenteilung nach Legislative, Exekutive und Jukikative sowie durch den Einfluß von Parteien und Verbänden vielfältig strukturiert. Hinzu kommt der Einfluß supranationaler Institutionen; hinzuweisen ist auf das Gewicht der EG und der NATO bei nationalen finanzpolitischen Entscheidungen.

a) *Legislative:* Das Parlament als gesetzgebende Körperschaft beschließt den →Haushaltsplan, das zentrale Planungsinstrument der F.

b) *Exekutive:* Sie gewinnt gegenüber dem Parlament gerade im Bereich der F. zunehmend an Gewicht. Sachkompetenz und Verfahrensrationalität geben der Exekutive bei der Entstehung von finanzpolitischen Entscheidungen und bei ihrer Durchführung einen Vorsprung. Die Bedeutung der Exekutive ist insbes. durch das Stabilitäts- und Wachstumsgesetz weiter gesteigert worden.

c) *Judikative:* Finanzgerichte, aber auch das Bundesverfassungsgericht beeinflussen durch ihre Entscheidungen Richtung und instrumentelle Ausgestaltung der F. Beispiele sind Grundsatzurteile des Verfassungsgerichts zur Umsatzsteuer, zum Ehegattensplitting sowie zu verschiedenen Sonderausgaben.

4. *Instrumente:* a) *Einnahmenpolitik:* (1) →*Steuerpolitik:* Steuern können fiskalische und nichtfiskalische Ziele verfolgen. Konflikte beginnen i. d. R. dort, wo nichtfiskalische Ziele den fiskalischen Einnahmenzweck gefährden. Die Politik der Gebühren und Beiträge richtet sich vornehmlich auf die Lenkung personell oder gruppenmäßig zurechenbarer staatlicher Leistungen (Äquivalenzprinzip). Hier geht es z. B. um die Frage, ob und wie mit derartigen Abgaben preispolitische Signale bei staatlichen Gütern und Diensten gesetzt werden können. – (2) Einen besonderen Bereich der öffentlichen Einnahmenpolitik bildet die *Schuldenpolitik* (→Debt Management). Sie ist in den 70er Jahren weltweit immer bedeutsamer geworden, weil nachlassende Steuereinnahmezuwächse und v. a. sozialpolitisch motivierte Ausgabensteigerungen nur durch wachsende Kreditaufnahmen in Übereinstimmung gebracht werden konnten. Dieser Vorgang war zum Teil stabilisierungspolitisch sinnvoll; gleichzeitig liefert er aber wachsenden Konfliktstoff, weil die Staatsverschuldung kommenden Generationen Zahlungsverpflichtungen auferlegt, evtl. private Kreditnachfrage vom Kapitalmarkt verdrängt (→Crowding Out) und den Haushaltsplan mit wachsenden Zinskosten belastet. Vgl. auch →öffentliche Kreditaufnahme, →Verschuldungsgrenzen.

b) *Ausgabenpolitik:* Sie verfolgt grundsätzlich alle Ziele, die mit Hilfe öffentlicher Ausgaben verfolgt werden können. Insofern ist ihr Zielkatalog nahezu unbegrenzt. Im Rahmen einer →Stabilitätspolitik fällt ihr die zentrale Aufgabe zu, durch Konjunktur- und Ausgabenprogramme die Gesamtnachfrage antizyklisch zu variieren, um auf diese Weise eine Veränderung der Investitions- und Konsumtätigkeit zu bewirken. Für eine derartige konjunkturorientierte Ausgabenpolitik sind vornehmlich Investitionsausgaben geeignet, die sich nicht nur im Falle der Rezession erhöhen, sondern auch in Boomsituationen reduzieren lassen (Problem der Reversibilität). Allerdings kann diese konjunkturell motivierte Expansion und Kontraktion lediglich eines Teils der öffentlichen Ausgaben ein Element der Unsicherheit in Bereiche der Wirtschaft bringen, die – wie die Bauwirtschaft – von solchen Maßnahmen besonders betroffen sind. Verbreitetes Instrument der Ausgabenpolitik im Bereich der Allokations- und Distributionsaufgabe sind →Subventionen und →Transfers.

c) Auch das *Budget als ganzes* ist als Instrument der F. anzusehen. Je nach seiner Einnahme- und Ausgabestruktur und nach seinen Veränderungen gegenüber der Vorperiode kann ein Haushalt mehr oder weniger expansiv sein und damit entsprechend auf die Gesamtwirtschaft einwirken. Zur Quantifizierung dieser expansiven bzw. kontraktiven Effekte sind im Laufe der beiden Jahrzehnte mehrere Meßkonzepte entwickelt worden, von denen in der Bundesrep. D. insbes. das Konzept des →konjunkturneutralen Haushalts Beachtung gefunden hat.

5. *Probleme finanzpolitischer Steuerung:* Der Einsatz finanzpolitischer Instrumente hat eine lange Tradition. Seit dem Merkantilismus sind vornehmlich die Steuern dazu benutzt worden, privatwirtschaftliche Verhaltensweisen zu verändern. Dabei hat sich gezeigt, daß der Steuerzahler sich vornehmlich an den Vermeidungsmöglichkeiten der Steuern orientiert; für die meisten steuerpolitischen Instrumente sind daher die →Signalwirkungen von zentraler Bedeutung, die darauf gerichtet sind, die gewünschten Verhaltensänderungen durch steuerliche Entlastungen zu bewirken. – Die Probleme zielorientierter F. haben seit dem bewußten Einsatz für gesamtwirtschaftliche Stabilisierungsaufgaben zugenommen. Hierbei stellen die Schwierigkeiten der Prognose

und Planung besonders hohe Anforderungen. Auch ist der richtige zeitliche Einsatz der Instrumente (Timing) außerordentlich schwierig (→time lag). Diese Nachteile einer →*diskretionären Finanzpolitik*, die bei der Wahl von Zeitpunkt, Art, Dosierung und Dauer des Einsatzes der Instrumente vielfältig variieren kann, haben zur Suche nach Alternativen geführt. Mögliche Lösungen bietet eine →*regelgebundene Finanzpolitik*, die durch Vorwegregelung finanzpolitischer Maßnahmen in Rahmengesetzen die vorzunehmenden Eingriffe an bestimmte Signale binden will. Dies setzt freilich eine besonders leistungsfähige Theorie voraus, die bisher nicht existiert. Erschwerend kommt hinzu, daß expansive und kontraktive Maßnahmen der F. auf unterschiedliche Interessenlagen stoßen: Positive Maßnahmen werden angenommen, Sanktionsversuche dagegen häufig unterlaufen (vgl. auch →konzertierte Aktion). Dies führt zu einer Asymmetrie der F.: Die Durchsetzung von Maßnahmen zur Überwindung einer Rezession ist normalerweise wegen der dann harmonierenden Interessen leichter als eine entsprechende Kontraktionspolitik. Hier zeigt sich, daß einer Steuerung der Wirtschaftsprozesse mittels finanzpolitischer Instrumente politische Grenzen gesetzt sind. In neuerer Zeit wird die staatliche Steuerung v.a. im Bereich der Stabilisierungspolitik, aber mit Ausstrahlungen auf die gesamte F., kritisiert. Als Reflex der Renaissance neoklassischer Denktraditionen – neben anderen theoretischen Ansätzen ist oft auch eine andere normative Konzeption auszumachen – bezweifeln die Monetaristen und Angebotstheoretiker die Funktionalität der staatlichen Steuerung, einmal abgesehen von ordnungspolitischen Rahmensetzungen. Sie setzen auf „mehr Markt“ und die „Stabilität des privaten Sektors“ (→Monetarismus). Auch diese Konzeption der F. ist aber empirisch nur schwer zu beurteilen, ihre Evaluation kontrovers. Damit bleibt die ständige Überprüfung der Legitimation und die Anpassung der F. an unveränderte Rahmenbedinungen auch weiterhin ihr vordringliches Problem.

Literatur: Albers, W., Ziele und Bestimmungsgründe der F., in: Handbuch der Finanzwissenschaft, 3. Aufl., hrsg. v. F. Neumark u.a., Bd. I, Tübingen 1977, S. 123–163; Atkinson, A. B./Stiglitz, J. E., Lectures on public economics, London 1980; Haller, H., Finanzpolitik, 5. Aufl., Tübingen, Zürich 1972; Mackscheidt, K./Steinhausen, J., Finanzpolitik Bd. I, 3. Aufl., Tübingen, Düsseldorf 1978, Bd. II, Tübingen, Düsseldorf 1977; Matzner, E., Der Wohlfahrtstaat von morgen, Wien 1982; Musgrave, R. A./Musgrave, P. B./Kullmer, L., Die öffentlichen Finanzen in Theorie und Praxis, Bd. IV, Tübingen 1978; Neumark, F., Wirtschafts- und Finanzprobleme des Interventionsstaates, Tübingen 1961; Pätzold, J., Stabilisierungspolitik, Bern, Stuttgart 1985; Recktenwald, H. C. (Hrsg.), Finanzpolitik, Köln, Berlin (West) 1969; Schmölders, G., Finanzpolitik, 3. Aufl., Berlin (West), Heidelberg, New York 1970; Wittmann, W., Einführung in die Finanzwissenschaft. IV. Teil: Finanzpolitik, 2. Aufl., Stuttgart, New York 1977; Zimmermann, H., Instrumente der Finanzpolitik, in: Handbuch der Finanzwissenschaft, 3. Aufl., hrsg. v. F. Neumark, Bd. I, Tübingen 1977, S. 165–192.

Prof. Dr. K.-H. Hansmeyer

finanzpolitische Allokationsfunktion. 1. *Begriff:* Beschreibung der Eingriffe des Staatssektors in den Wirtschaftsprozeß, die sich auf die Struktur der Produktion bzw. die Verteilung der Produktionsfaktoren richten; neben der →finanzpolitischen Distributionsfunktion und der →finanzpolitischen Stabilisierungsfunktion eine der Grundfunktionen der Staattätigkeit (nach R. A. Musgrave). Vgl. auch →Finanzpolitik. – 2. *Begründung:* Ursache für die Wahrnehmung der Allokationsfunktion durch den Staatssektor ist das →Marktversagen: a) Bei den *Internalisierungskonzepten* (→Internalisierung externer Effekte) geht man davon aus, daß spezifische Eigenschaften eines Gutes eine private Produktion verhindern bzw. einschränken, v.a. →externe Effekte und/oder die typischen Kriterien kollektiver bzw. öffentlicher Güter. Durch Steuern oder Subventionen stellt der Staat die nicht vorhandene „Pareto-optimale Allokationseffizienz“ gemäß den Kriterien der →Wohlfahrtstheorie wieder her. – b) Bei den *Meritorisierungskonzepten* wird der Boden des methodologischen Individualismus verlassen, indem die Entscheidungssouveränität der Wirtschaftssubjekte angezweifelt oder für unvollkommen erklärt wird (theoretische Konzepte sind u.a. Unsicherheit und Risiko). Seitens des Staatssektors werden bestimmte Daten über Höhe und Struktur des Angebots bestimmter Güter festgelegt (z.B. Zuschüsse im Kulturbereich).

finanzpolitische Distributionsfunktion. 1. *Begriff:* Beschreibung der Eingriffe des Staatssektors in den Wirtschaftsprozeß, die sich auf die Veränderung der Einkommenserzielungsmöglichkeiten oder die direkte →Einkommensumverteilung durch Steuern oder Transfers richten (Redistribution). Neben der →finanzpolitischen Allokationsfunktion und der →finanzpolitischen Stabilisierungsfunktion eine der Grundfunktionen der Staatstätigkeit (nach R. A. Musgrave). – Vgl. auch →Finanzpolitik. – 2. *Begründung:* Die sich aus dem Marktprozeß ergebende primäre →Einkommensverteilung wird seitens der Gesellschaft und/oder des Staates als nicht →gerecht angesehen, wobei a priori kein Maßstab gewonnen werden kann. Dieser Aspekt hängt oft eng mit dem Meritorisierungsargument der finanzpolitischen Allokationsfunktion zusammen, so daß Allokations- und Distributionsaufgabe, die sich auch in ihren Wirkungen nur schwer isolieren lassen, häufig gemeinsam als Versorgungspolitik behandelt werden.

finanzpolitische Stabilisierungsfunktion. 1. *Begriff:* Beschreibung der Eingriffe des Staatssektors in den Wirtschaftsprozeß, die sich auf eine konjunkturelle Verstetigung der wirtschaftlichen Entwicklung richten. Neben der →finanzpolitischen Allokationsfunktion und →finanzpolitischen Distributionsfunktion eine der Grundfunktionen der Staatstätigkeit (nach R. A. Musgrave). – Vgl. auch →Finanzpolitik. – 2. *Begründung:* Ausgangspunkt der Stabilisierungspolitik seitens des Staatssektors ist die keynesianische Theorie; in deren Rahmen sind die auftretenden Unterbeschäftigungsgleichgewichte durch gezieltes antizyklisches Verhalten des Staatssektors, d.h. durch die Beeinflussung der gesamtwirtschaftlichen Nachfrage, zu heilen. Die Nachfrageimpulse des Staatssektors sollen i.d.R. durch eine Schuldenaufnahme finanziert werden (→Deficit Spending), die im Boom wieder zurückgeführt werden kann. Vgl. näher →fiscal policy. – 3. *Konkretisierung:* In der Bundesrep. D. ist die Handlungsempfehlung der keynesianischen Theorie mit dem →Stabilitätsgesetz vom 8.7.1967 aufgenommen worden, das die Ziele konkretisiert und die Instrumente gesetzlich fixiert. – 4. *Probleme:* a) Seit Mitte der 70er Jahre befindet sich die keynesianisch ausgerichtete Stabilisierungspolitik auf dem Rückzug; die Gründe liegen in einer von ihr nicht lösbaren →*Stagflation,* der wachsenden *Verschuldungsproblematik* (→öffentliche Kreditaufnahme) sowie weiteren instrumentellen Schwachpunkten (z.B. →time lag). – b) Eine resultierende *Stop and go-Politik* führt zu weiterer Verunsicherung der Wirtschaftssubjekte und damit zu Destabilisierung des Marktsystems. – c) *Struktur-* und/oder *angebotstheoretische Ansätze,* die die strukturellen Probleme in den Vordergrund konjunktureller Symptome stellen oder eine Steuerungskompetenz des Staates im Bereich der Stabilisierungsaufgabe generell ablehen (im Sinne einer neoklassischen Denktradition, die von der „Stabilität des privaten Sektors" ausgeht, die durch konjunkturelle Staatseingriffe stets gestört wird), greifen die Stabilisierungspolitik an. Ein Ergebnis dieser Auseinandersetzung verschiedener ökonomischer Theoriesysteme ist auch aufgrund ihrer oft mit impliziten Werturteilen verbundenen Argumente nicht abzusehen.

Finanzpsychologie. 1. *Begriff:* Ein von G. Schmölders in der →Finanzwissenschaft entwickelter Ansatz, der versucht, gegenüber der von den traditionellen „reinen" ökonomischen Theorien aufgestellten Verhaltenskonzepten als Prämissen ihrer Aussagen ein realitätsnäheres Bild über die Wirkung finanzpolitischer Maßnahmen (→Finanpolitik) zu gewinnen. Die F. ist ein explizit interdisziplinärer sozialwissenschaftlicher Ansatz. – 2. *Ausgangspunkt der F.* bildet die vielfach empirisch fundierte Ansicht, daß die von den „reinen" ökonomischen Theorien unterstellten Verhaltensannahmen nur ein ungenaues Bild in der Realität wiedergeben. Damit ist es für den Finanztheoretiker und -politiker unmöglich, auch nur einigermaßen genaue Transmissionsprozesse finanzpolitischer Impulse zu isolieren; Deskriptions- und Prognoseaufgabe sind somit nicht adäquat lösbar. – Hauptpunkt ist das in den traditionellen ökonomischenTheorien als Verhaltensmaxime unterstellte „klassische" Rationalitätskalkül der Wirtschaftssubjekte (→Rationalprinzip) gemäß dem methodologischen Individualismus (→homo oeconomicus), das von einer autonomen Maximierung der Nutzen oder Gewinne bei jedem einzelnen Wirtschaftssubjekt – unbeeinflußt von anderen – ausgeht. – 3. *Inhalt:* Die F. versucht, das rationale, aber auch das auf den ersten Blick im traditionellen Kontext irrationale Verhalten der Wirtschaftssubjekte genauer empirisch zu beschreiben (sozialökonomische Verhaltensforschung). Von besonderer Bedeutung sind die wechselnden Einflüsse zwischen Individuen und Gruppen, ihre Einstellungen und Motive im sozialen Umfeld sowie die Eigengesetzlichkeit sozialer Institutionen. – 4. *Anwendung:* Derzeit v.a. im Bereich der →Steuerpsychologie und in der Psychologie der finanzpolitischen Willensbildung.

Finanzrechtsweg, Möglichkeit der Anrufung des →Finanzgerichts. 1. Der F. *ist gegeben* (§33 I FGO): a) in allen öffentlich-rechtlichen Streitigkeiten über →Abgabenangelegenheiten, soweit die Abgaben der Gesetzgebung des Bundes unterliegen und durch Bundesfinanzbehörden oder Landesfinanzbehörden verwaltet werden; b) in öffentlich-rechtlichen Streitigkeiten über die Vollziehung von →Verwaltungsakten in anderen Angelegenheiten, soweit die Verwaltungsakte durch Bundes- oder Landesfinanzbehörden nach den Vorschriften der AO zu vollziehen sind und ein anderer →Rechtsweg nicht ausdrücklich gegeben ist; c) in öffentlich-rechtlichen und berufsrechtlichen Streitigkeiten über Angelegenheiten, die durch die §§1–31, 35–48, 154–157, 159 des →Steuerberatungsgesetzes geregelt werden; d) in anderen öffentlich-rechtlichen Streitigkeiten, soweit durch Bundesgesetz oder Landesgesetz der F. eröffnet ist. – 2. Der F. *ist nicht gegeben* im →Steuerstrafverfahren (§33 II 2 FGO). – 3. Die Gerichte der →Finanzgerichtsbarkeit entscheiden über die Zulässigkeit des zu ihnen beschrittenen Rechtswegs mit der Möglichkeit der *Verweisung* an das Gericht, zu dem sie den Rechtsweg für gegeben halten (§34 FGO).

Finanzreform. 1. *Begriff:* Gesamtheit der Bemühungen, die im Grundgesetz geregelte →Finanzverfassung und damit das Finanzsystem dem Wandel der politischen, wirtschaftlichen und sozialen Verhältnisse anzupassen; eng zusammenhängend mit →Steuerreform und →Haushaltsreform. – 2. *Ziele:* a) Die *Zielfunktion* des Finanzsystems kann sich analog zur allgemeinen volkswirtschaftlichen Zielfunktion im Zug politischen und/oder sozialen Wandels ändern. Eine bestehende Zielfunktion kann bei sich ändernden Rahmenbedingungen dauernd optimiert werden.

Eine F. versucht, diesen Aspekten durch eine einmalige oder permanente Anpassung des Finanzsystems gerecht zu werden. – b) Der *Konkretisierung der Ziele* sind a priori keine Grenzen gesetzt. In der Geschichte der F. ging es i. d. R. um eine „zweckmäßige" Aufgaben-, Ausgaben- und Einnahmenverteilung zwischen den Gebietskörperschaften eines föderalen Staates und damit um die Gestaltung des →Finanzausgleichs (so bei der letzten F. 1969); auch die Rolle der Besteuerung zwischen Staatssektor und Bürger überhaupt sowie die konkrete Gestalt des Steuersystems stehen oft mit im Mittelpunkt einer F. – 3. *Ansatzpunkte:* a) (häufig) Die konkrete Ausgestaltung des passiven und aktiven Finanzausgleichs zwischen Bund, Ländern und Gemeinden, d. h. die Verteilung der Aufgaben und der dazu gehörenden Ausgaben. b) Gesetzgebungs-, Ertrags- und Verwaltungshoheit bei den Einnahmen. c) Die konkrete Ausgestaltung des horizontalen und vertikalen Finanzausgleichs gem. GG. Weitere Ansatzpunkte sind oft identisch mit den Ansatzpunkten einer Steuerreform. – Vgl. auch →Erzbergersche Finanzreform, →Miquelsche Finanzreform.

Finanzreformgesetz vom 12.5.1969 (BGBl I 359), Kernstück der Bemühungen um die große Finanzreform. – *Inhalt:* Einführung der Gemeinschaftsaufgaben; Regelung der Ausgabenlast zwischen Bund und Ländern; Erweiterung der Gesetzgebungskompetenz für einzelne Steuerarten (Steuergesetzgebungskompetenz); Neuverteilung des Steueraufkommens einschl. Länderfinanzausgleich.

Finanzrichter, →Richter am →Finanzgericht. Für die →Berufsrichter gilt das allgemeine Richterrecht. Die ehrenamtlichen F. (→ehrenamtliche Richter) wirken bei der mündlichen Verhandlung und Urteilsfindung mit gleichen Rechten wie die Berufsrichter mit. Sie müssen Deutsche sein und sollen das 30. Lebensjahr vollendet haben; sie werden von einem Wahlausschuß gewählt, dem unter anderem der Präsident des Finanzgerichts und sieben vom Landtag gewählte Vertrauensleute angehören (§ 23 FGO).

Finanzstatistik, z. T. von den statistischen Ämtern, z. T. auch von der Finanzverwaltung als Geschäftsstatistik geführte Aufzeichnungen. – *Rechtsgrundlage:* Gesetz über die Finanzstatistik i. d. F. vom 11.6.1980 (BGBl I 673).

I. Finanzstatistik i. e. S.: Enthält Ergebnisse über die Finanzwirtschaft der Gebietskörperschaften (Bund, Länder und Gemeinden) einschl. Lastenausgleichsfonds und ERP-Sondervermögen. Zur Vervollständigung des öffentlichen Sektors sind seit 1974 Sozialversicherungsträger usw. einbezogen worden. Es erscheinen regelmäßige, meist jährliche Veröffentlichungen über (1) Haushaltswirtschaft (Haushaltspläne, Jahresabschlüsse und Finanzausgleich), (2) Steuerhaushalt (kassenmäßige Einnahmen und Steuern), (3) Schuldenstatistik (Ausweis nach Höhe und Art der Schulden), (4) Personalstandstatistik (dargestellt werden Dienstverhältnis, Besoldungsgruppe, Aufgabenbereich u. ä.); (5) Sonderbeiträge über Rechnungsergebnisse der öffentlichen Hand für Bildung, Wissenschaft und Kultur, für soziale Sicherung und Gesundheit, Sport und Erholung.

II. Steuerstatistik: 1. Die mehrjährigen *Veranlagungsstatistiken* bezüglich der Steuern vom Einkommen (Lohn-, Einkommen- und Körperschaftsteuerstatistik), vom Vermögen, über die Einheitswerte gewerblicher Betriebe, die Umsätze (→Umsatzsteuerstatistik) bringen tief gegliederte Daten über die jeweiligen Steuerpflichtigen, die Steuerbemessungsgrundlagen und die Steuerschuld. Dem sekundärstatistischen Charakter der Steuerstatistiken entsprechend sind Erhebungseinheiten und Merkmale steuerrechtlich definiert und abgegrenzt. – 2. In *Verbrauchsteuerstatistiken* wird u. a. die Belastung bestimmter Nahrungs- und Genußmittel und Mineralölprodukte dargestellt. – 3. Der *Realsteuervergleich* umfaßt u. a. Angaben über das Istkaufkommen, die Grundbeträge und die Streuung der Hebesätze bei einzelnen Realsteuern. – *Rechtsgrundlage:* Gesetz über Steuerstatistiken vom 6.12.1966 (BGBl I 665), zuletzt geändert durch das 1. Statistikbereinigungsgesetz vom 14.3.1980 (BGBl I 294.).

Finanzstatus, →Status V.

Finanzsupermarkt, →financial supermarket.

Finanztermingeschäfte, →financial futures.

Finanztheorie. I. Begriff: F. ist die theoretisch-analytische Grundlage der Finanzwissenschaft im Hinblick auf ihr methodisches Vorgehen bei der Analyse von Umfang, Struktur und Inzidenz des →öffentlichen Haushalts sowie im Hinblick auf die Verknüpfung der *Budgettheorie* mit den gesamtwirtschaftlichen Grundproblemen der *Stabilisierung* (von Preisen und Beschäftigung; →Beschäftigungstheorie, →Inflation), der →*Allokation* (von knappen Gütern und Produktionsfaktoren samt den Wachstumskräften, →Wohlfahrtstheorie) und der *Distribution* (von Einkommen und Vermögen →Verteilungstheorie). – Die F. berücksichtigt namentlich in ihrer Ausprägung als Budgettheorie, daß die öffentliche Finanzwirtschaft in den volkswirtschaftlichen Kreislauf eingebettet ist und kraft ihrer Anbieter- und Nachfragerpotenz an den Güter- und Faktormärkten (Anbieter von Arbeitsstellen, entgeltlichen Leistungen, Wertpapieren; Nachfrager von Kapital, Gütern und Diensten) das marktwirtschaftliche System zu einer „gemischten" Wirtschaft macht (→Politische Ökonomie; →Wirtschaftsordnung). Die F. berücksichtigt ferner, daß die öffentliche Finanzwirtschaft als Gewährleister von Versorgung und →öffentlichen Gütern sowie als Hoheitsträger von Besteuerungsakten und Transferzahlungen das politische System prägt. Die öffentliche Finanzwirtschaft ist somit eine *„politische Wirtschaft"*.

II. Methodik: Die F. geht bei ihren Analysen der Wirkungsmöglichkeiten und Wirkungsweisen staatswirtschaftlicher Maßnahmen und Einrichtungen teils von *normativen* (z. B. wohlfahrtstheoretischen), teils von *positiven Frageansätzen* aus. Auf unterschiedliche Akzeptanz stoßen finanztheoretische Methoden, wenn sie mit Hilfe der *Differentialanalyse* solche Wirkungsanalysen durchführen. Viele kritisieren mit Blick auf die Realitätsferne solcher Ergebnisse den Ansatz als zu eng, wenn z. B. die Wirkungen einer veränderten Einnahmestruktur unter Anwendung der ceteris paribus-Klausel analysiert werden ohne simultane Feststellung und Beurteilung einer u. U. ebenfalls veränderten Ausgabenstruktur. Gleichwohl ist die *ceteris paribus-Analyse* mit Rücksicht auf die dadurch schärferen logischen Ergebnisse üblich. Im übrigen ist die F. wie auch die in den westlichen Ländern entwickelte allgemeine Wirtschaftstheorie *individualistisch orientiert,* wenngleich über das Angebot an →öffentlichen Gütern wie auch die zwangsweise Finanzierung dieses Angebots qua Steuern kollektiv entschieden wird. In ihrem grundlegenden Konzept geht die F. davon aus, daß die ökonomischen Pläne und Handlungen auf Entscheidungen Einzelner beruhen und daß alle Austauschvorgänge von Faktoren und Gütern über Märkte geschehen. Erst wenn die Koordination der individuellen Einzelpläne über den Markt sich als unvollkommen oder als unmöglich erweist, wird auf die *Koordination der Individualpläne in Kollektiven,* insbes. im Staat, zurückgegriffen.

III. Angebot und Finanzierung der öffentlichen Güter: Entsprechend den →Kollektivbedürfnissen werden Güter durch den Staat angeboten, 1. sofern der Markt seine *Allokationsfunktion* nicht erfüllen kann oder soll, wenn a) die (Mengen-)*Versorgung* als unzureichend oder nicht zielentsprechend angesehen wird, b) der Preis keine Funktion haben soll oder es keinen *Preis* gibt (weil bei öffentlichen Gütern das →Ausschlußprinzip des Preises nicht gilt), c) →*externe Effekte* vorliegen und nach einem Mechanismus zur Internalisierung dieser Effekte gesucht wird; 2. sofern der Markt an die Grenzen der *Distributionsfunktion* stößt, weil die Vorstellungen in den politischen Kollektiven über die personelle Einkommensverteilung sich nicht mit den Verteilungsergebnissen aus dem anonymen Marktgeschehen decken; 3. sofern der Markt die *Stabilisierungsfunktion* in Krisenlagen wegen fehlender oder nur verzögert wirksam werdender Selbstheilungskräfte nicht erfüllen kann. 4. Dem kollektiven Angebot bestimmter Versorgungsgüter und deren kollektivem Verzehr entspricht auch die kollektive (Zwangs-)*Finanzierung* (über Steuern), weil jeder Einzelne, könnte er jederzeit mit einem kollektiven Angebot unteilbarer öffentlicher Güter rechnen, seine Prämissen für sie nicht zu offenbaren brauchte (Problem der *„free rider-Haltung"*, der „Trittbrettfahrer"), und es somit keine Möglichkeit gäbe, freiwillig zu zahlende, preisähnliche Entgelte für Staatsleistungen zu finden.

IV. Budgettheorie: In verschiedenen Ansätzen versucht die Theorie ein in Struktur und Volumen *optimales Budget* zu bestimmen. Da individuelle Präferenzen nicht vorliegen, konstruiert man *soziale Wohlfahrtsfunktionen* (→Wohlfahrtstheorie), die (in theoretisch anfechtbarer Weise) auf Annahmen über Individualpräferenzen und -ziele beruhen und unterstellen, die Individualnutzen ließen sich in Zahlenwerten ausdrücken und zu einer Gesamtfunktion addieren. Die bekanntesten Ansätze sind das wohlfahrtstheoretische Modell von Samuelson und Musgrave, die Einstimmigkeitsregeln von Wicksell und das Modell der Mehrheitswahl von Arrow. Die tatsächlichen Nutzen- und Belastungswirkungen sind aber nur durch empirische Budgetinzidenzanalysen aufzufinden. Dabei läßt sich die →Budgetinzidenz methodisch nur durch eine Aufspaltung in die Ausgaben- und die →Steuerinzidenz lösen, wobei die genauen Wirkungsverläufe und Inzidenzlagen in den Lehrstoff der allgemeineren Finanzwissenschaft gehören. Eine Abgrenzung ist hier nicht immer eindeutig zu treffen.

V. Ausgabentheorie: 1. Die Theorie der →Staatsausgaben (→öffentliche Ausgaben) wird bewußt ohne die für eine Gesamtbeurteilung der Budgetwirkungen notwendige Verbindung mit der Theorie der Staatseinnahmen entwickelt, um unter Beachtung der →*ceteris paribus-Klausel* zu Aussagen über die *Wirkungsabläufe* und *Inzidenz* von Staatsausgaben zu kommen, seien es allokative Wirkungen (wie solche auf die Produktion, das Wachstum, die Sektoren und Regionen der Wirtschaft), seien es distributive Wirkungen (die je nach dem Ausgabenempfänger bzw. je nach Nutznießer von öffentlichen Gütern gruppenspezifisch unterschiedlich auftreten) oder seien es stabilisierende Wirkungen (vgl. →Staatsausgabenmultiplikator, →Transfermultiplikator). – 2. Über den Einsatz von Staatsausgaben für bestimmte wirtschaftspolitische *Ziele* unterrichtet die Theorie der →Finanzpolitik.

VI. Einnahmentheorie: Ebenso wird die Theorie der →öffentlichen Einnahmen (die Lehre von den Gebühren und Beiträgen, die Steuertheorie und die Theorie der öffentlichen Schuld) getrennt von der Staatsausgabentheorie entwickelt. Sie ist das zweite wichtige Lehrgebiet der Finanzwissenschaft. Über den zielorientierten Einsatz der steuerlichen Instrumente unterrichtet die Finanzpolitik. – 1. *Steuertheorie:* Eine eher steuertheoretische Frage von zunehmender Bedeutung ist, ob und wie angesichts vermehrter Staatsaufgaben vor dem Hintergrund steigender Belastungen durch eine die Leistungsfähigkeit des Einzelnen berührende „direkte" Besteuerung die allokativen Nachteile einer Leistungslähmung zu mildern und statt dessen eine Expansion der Gebühren- und Beitragshaushalte aus dem →Äquivalenzprinzip heraus zu betreiben sei. – 2. *Steuersystemtheorie:* Gleichzeitig wird diskutiert, wie die direkte Besteuerung mit einer Erhöhung der Mehrwertsteuer zu ergänzen sei, ohne daß Distributionsnachteile wegen der ihr innewohnenden Regressivität in Kauf genommen werden müssen. In systemtheoretischem Zusammenhang wird auch diskutiert, inwieweit ein Einkommensteuersystem durch ein Ausgabensteuersystem abzulösen sei, um die negativen Wirkungen der Einkommensbesteuerung zu vermeiden. Auch die Theorie der →*optimalen Besteuerung* („optimal taxation") ist hier anzusiedeln, da sie danach fragt, welches System an (allgemeinen oder speziellen) Verbrauchsteuern die allgemeine Wohlfahrt am wenigsten beeinträchtigt. Von diesen eher speziellen Problemen abgesehen befaßt sich die Steuersystemtheorie ganz grundsätzlich mit der Kompatibilität des →Steuersystems mit dem →*Wirtschaftssystem.*

VII. Theorie der Staatsschulden: Seit je gehört die Frage, ob eine höhere Staatsquote durch *Steuern oder Anleihen* zu finanzieren sei, zu den grundsätzlichen theoretischen Fragen (→öffentliche Kreditaufnahme, →Last der Staatsverschuldung). Spricht eine Vermehrung zu zukunftswirksamen öffentlichen Strukturinvestitionen zunächst für eine Anleihefinanzierung, so sind aber je nach dem Auslastungsgrad des Produktionspotentials und je nach den präferierten wirtschaftspolitischen Zielen die stabilisierenden, allokativen und distributiven Effekte, die die beiden alternativen Finanzierungsweisen haben können, unterschiedlich und nur mit Hilfe der *Differentialinzidenzmethode* festzustellen. Allgemein ist bei ausgelastetem Produktionspotential die höhere Staatsquote nur auf Kosten der privaten Investitionen und Konsumausgaben möglich *(„crowding out")*. Eine Steuerfinanzierung würde je nach der zu wählenden Steuerart entweder eine Einbuße an privaten Investitionen und damit an Wachstum (im Falle der Gewinnbesteuerung) bedeuten oder Verteilungsnachteile (im Falle der Mehrwertbesteuerung) haben. Demgegenüber läßt sich bei der Kreditfinanzierung hinsichtlich der Verteilungswirkungen kein Nachteil feststellen (Gandenberger-These), doch würden sich die im Zuge der Zinssteigerungen zu erwartenden Wachstumsverluste nach einem längeren oder kürzeren Zeitablauf wegen der Umwegsrentabilität und des längeren Reifeprozesses der öffentlichen Investitionen wettmachen lassen.

Literatur: Arrow, K. J., Social Choice and Individual Values, New York 1951; Buchanan, J. M. Flowers, M. R., The Public Finances. An Introductory Textbook, 1975; Kirsch, G., Neue politische Ökonomie, 2. Aufl., Düsseldorf 1983; Littmann, K., Problemstellung und Mehtoden der heutigen Finanzwissenschaft, in: Handbuch der Finanzwissenschaft, 3. Aufl., Bd. I, Tübingen 1975; Mackscheidt, K., Zur Theorie des optimalen Budgets, 1973; Musgrave, R. A./ Musgrave, P. B./ Kullmer, L., Die öffentlichen Finanzen in Theorie und Praxis, 3. Aufl., 1984ff.; Musgrave, R. A./ Musgrave, P. B., Public Finance in Theory and Practice, 4. Aufl., Tokyo u.a. 1984; Samuelson, P. A., Diagrammatic Exposition of a Theory of Public Expenditure, Review of Economics and Statistics, Bd. 37 (1955); Wicksell, K., Finanztheoretische Untersuchungen, Jena 1896; Glastetter, W. u.a. (Hrsg.) Handwörterbuch der Volkswirtschaft, 2. Aufl., Wiesbaden 1980; Zimmermann, H./ Henke, K.-D., Finanzwissenschaft. Eine Einführung in die Lehre von der öffentlichen Wirtschaft, 4. Aufl., München 1985.

Privatdozent Dr. Heinz D. Hessler

Finanzverfassung, Gesamtheit der finanzrechtlichen Grundregelungen zur Aufgaben- und Einnahmenverteilung zwischen öffentlichen Aufgabenträgern, insbes. zur →Gesetzgebungskompetenz, →Ertragshoheit und →Verwaltungshoheit der Steuern. – 1. *Aufgabenverteilung:* Geregelt durch einschlägige Bestimmungen im GG, v.a. Art. 20–37 und 70–91 a/91 b GG: Die ausschließliche bzw. konkurrierende Gesetzgebungshoheit steht für die meisten Aufgaben dem Bund zu, die Verwaltungshoheit dagegen obliegt – mit einigen wichtigen Ausnahmen – grundsätzlich den Ländern. – 2. *Einnahmenverteilung:* Die Steuern sind überwiegend als Verbundsteuern (→Verbundsystem) ausgestaltet, bei denen die Gesetzgebungskompetenz dem Bund zusteht, das Aufkommen aber zwischen Bund und Ländern (Umsatzsteuer, Körperschaftsteuer) bzw. Bund, Ländern und Gemeinden (Einkommensteuer, Gewerbesteuer) aufgeteilt wird. Daneben existieren Steuern nach dem →Trennsystem, deren Aufkommen dem Bund (Finanzmonopole, die meisten Verbrauchsteuern) oder den Lädnern (Bier-, Vermögen-, Erbschaft-, Kraftfahrzeugsteuer) ausschließlich zufließen. – Vgl. auch →Finanzausgleich, →Konnexitätsprinzip.

Finanzvermögen. I. Finanzwissenschaft: 1. *Begriff:* Der Teil des Vermögens der öffentlichen Hand, der wirtschaftlich genutzt wird. Das. F. unterliegt – abgesehen von haushalts- und aufsichtsrechtlichen Bestimmungen – dem Privatrecht, ohne die für das Verwaltungsvermögen geltenden Abweichungen und Einschränkungen. – *Gegensatz:* →Verwaltungsvermögen. – 2. *Bestandteile:* a) Betriebsvermögen (Wirtschaftsbetriebe, Kapitalbeteiligungen; b) allgemeine Kapital- und Sachvermögen, soweit diese nicht Verwaltungs- oder Betriebsvermögen sind (z.B. Darlehen und Treuhandvermögen). – 3. *Zwecke:*

a) Aus den typischen Aufgabenfeldern der öffentlichen Hand abgeleitete Zwecke, z. B. Tätigkeiten, die durch freie Unternehmerinitiativen nicht oder nur unvollkommen wahrgenommen werden bzw. den Unternehmern nicht überlassen bleiben sollen; b) F. als Folge von Sanierungen; c) Einnahmeerzielung; d) Einflußnahme auf Unternehmen und Märkte. – 4. In der *neueren Diskussion* wird die Legitimation dieser Form der Staatstätigkeit kritisch hinterfragt; dabei geht es v. a. um die Privatisierung des F.

II Volkswirtschaftliche Gesamtrechnungen: Synonym für →Geldvermögen.

Finanzverwaltung. 1. *Begriff:* Gesamtheit aller Behörden, die Einzug und Verwaltung der öffentlichen Gelder durchführen. – 2. *Gesetzliche Grundlagen:* Abschn. X GG; Finanzverwaltungsgesetz (FVG) vom 30. 8. 1971 (BGBl I 1426) mit späteren Änderungen. – 3. *Gliederung:* a) *Bundesfinanzbehörden:* (1) *Oberste Behörde:* Bundesminister der Finanzen (BdF); (2) *Oberbehörden:* Bundesschuldenverwaltung, Bundesmonopolverwaltung für Branntwein, Bundesamt für Finanzen, Bundesbaudirektion; (3) *Mittelbehörden:* Oberfinanzdirektion; (4) *örtliche Behörden:* Hauptzollämter einschl. ihrer Dienststellen, Zollfahndungsämter, Bundesvermögensämter, Bundesforstämter. b) *Landesfinanzbehörden:* (1) *Oberste Behörde:* die für die Finanzverwaltung zuständige oberste Landesbehörde (Landesfinanzministerium, Finanzbehörde, Finanzsenator); (2) *Mittelbehörden:* Oberfinanzdirektion; (3) *örtliche Behörden:* Finanzämter. – Die Oberfinanzpräsidenten sind als Leiter einer Oberfinanzdirektion sowohl Bundes- als auch Landesbeamte. – 4. *Aufgaben:* Den Bundesfinanzbehörden obliegt die Verwaltung der →Zölle, →Finanzmonopole, bundesgesetzlich geregelten →Verbrauchsteuern einschl. der →Einfuhrumsatzsteuer und der Abgaben im Rahmen der EG. Die übrigen Steuern werden durch Landesfinanzbehörden verwaltet. In →Auftragsverwaltung können von den Landesfinanzbehörden Aufgaben der Bundesverkehrswege und des Lastenausgleichs sowie auch die Steuern verwaltet werden, die ganz oder zum Teil dem Bund zufließen; ebenso können auch staatliche Aufgaben durch die Gemeinden wahrgenommen werden. Für die den Gemeinden allein zufließenden Steuern (→Steueraufkommen) kann die den Landesfinanzbehörden zustehende Verwaltung ganz oder zum Teil den Gemeinden übertragen werden (Art. 108 GG).

Finanzwechsel, *Leerwechsel,* →Wechsel, dem kein Warengeschäft zugrunde liegt, sondern das der Geldbeschaffung dient: Debitorenziehungen, →Bankakzepte, →Privatdiskonten. F. dürfen grundsätzlich nicht diskontiert werden (Ausnahme: Privatdiskonten). – *Gegensatz:* →Warenwechsel.

Finanzwirtschaft, *öffentliche Finanzwirtschaft,* die besondere Wesensmerkmale aufweisende Wirtschaft der →Körperschaften des öffentlichen Rechts, bzw. – ökonomisch gesehen – des öffentlichen Sektors. Forschungsobjekt der →Finanzwissenschaft. – 1. F. *beruht* darauf, daß es eine Vielzahl von Aufgaben und Bedürfnissen gibt, die durch Privatinitiative nicht ausreichend befriedigt werden können, die →öffentlichen Güter (z. B. Verteidigung, Polizei- und Gesundheitswesen, Straßenbau). – 2. *Wesensmerkmale der F.:* a) Einnahmebeschaffung durch Zwangserwerb. Im Gegensatz zu den natürlichen und juristischen Personen des Privatrechts, die die von ihnen benötigten Güter im Wege des Tauschs erwerben, beschränken sich die öffentlichrechtlichen Körperschaften nahezu vollständig auf die hoheitliche Erhebung ihrer Einnahmen, d. h. auf die kollektive Finanzierung der öffentlichen Güter. – b) Nach der älteren Auffassung ist F. eine Bedarfsdeckungswirtschaft, keine Erwerbswirtschaft, die einen Überschuß ihrer Einnahmen über die Ausgaben anstrebt. Sie hat den Charakter einer Hauswirtschaft, ihr Ziel ist der Ausgleich zwischen Ausgaben und Einnahmen. Der Erfolg der Haushaltsführung läßt sich, da eine →Gewinn- und Verlustrechnung fehlt, formal nur an der Einhaltung des aufgestellten →Haushaltsplans prüfen und materiell, ob die erstrebten Ziele mit den eingesetzten Mitteln auf die rationellste Weise erreicht wurden. – c) Nach moderner Auffassung ist F. eine „politische Wirtschaft“, in der für Gestaltung und Ausmaß der Haushaltswirtschaft und ihres Einflusses auf den privatwirtschaftlichen Sektor die Spielregeln des politischen Meinungsbildungs- und Abstimmungsprozesses maßgeblich sind. – 3. Der *Anteil* der öffentlichen Ausgaben am Sozialprodukt ist in allen modernen Industriestaaten seit Mitte des 19. Jahrhunderts ständig gestiegen. In der Bundesrep. D. betrug der Anteil der öffentlichen Ausgaben (Gebietskörperschaften und Sozialversicherung) am Bruttosozialprodukt zu Marktpreisen 1985 49,2%.

finanzwirtschaftliche Bewegungsbilanz, häufig auch *„Bauersche Bewegungsbilanz“* genannt, Methode zur Kontrolle der finanziellen Vorgänge im Betrieb, eine Form des →Bilanzvergleichs.

I. Methode: Aufstellung als einfache Übersicht aus zwei aufeinanderfolgenden →Bilanzen, indem die Differenzen der einzelnen Positionen zwischen dem jüngeren mit dem älteren Jahresabschluß in einer bestimmten Weise zusammengestellt werden. Die Aktivseite der Bewegungsbilanz zeigt die *Mittelverwendung,* die Passivseite die *Mittelherkunft.* Die Mittelverwendung gibt an, wohin die

Gelmittel geflossen sind; die Mittelherkunft zeigt, aus welchen Quellen sie gekommen sind. Die einzelnen Positionen der Aktiv- und Passivseite sind weitgehend aufzugliedern, je nach Betriebsgröße und dem verfolgten Zweck der Untersuchung. Darstellung der f. B. in knappster Form:

Bewegungsbilanz

Mittelverwendung	Mittelherkunft
Erhöhungen der Aktivposten Verminderungen der Passivposten	Erhöhungen der Passivposten Verminderungen der Aktivposten

Jede Erhöhung der Passivposten (des Kapitalkontos durch neuen Kapitalzufluß, der Kreditoren durch erhöhte Kreditinanspruchnahme) sowie eine Verminderung der Aktivposten (z. B. wenn der Lagerbestand veräußert wird) führen dem Unternehmen neue Mittel zu. Umgekehrt zeigt die Aktivseite jede Erhöhung der Aktivposten und Verminderung der Passivposten, die zu einem Geldabfluß führen (indem z. B. der Maschinenpark vergrößert oder bestehende Schuldverpflichtungen abgebaut werden). – Eine *Verfeinerung* der f. B. ist die →Kapitalflußrechnung.

II. Funktionen: 1. Vermögens- und Kapitalbewegungen werden sichtbar gemacht. Die f. B. zeigt bei einer Aufgliederung in lang- und kurzfristige Mittelbewegungen in klarer Weise die Finanzierungsvorgänge im Betrieb auf und ist deshalb auch für die Zwecke der →Bilanzanalyse und →Bilanzkritik geeignet, insbes. zur Beurteilung der →Liquidität. – 2. Daneben dient die f. B. auch als Mittel der Beurteilung von Unternehmen hinsichtlich ihrer wirtschaftlichen Lage *durch Außenstehende,* jedoch ist ihr Aussagewert dabei von dem Ausmaß der Gliederung der veröffentlichten und zu untersuchenden Bilanzen abhängig. Ihr Aussagewert wird insbes. dadurch beeinträchtigt, daß auch nur buchmäßige Veränderungen als Mittelbewegungen dargestellt werden (z. B. erscheinen →Zuschreibungen als Mittelverwendung, Abwertungen als Mittelzufluß, obgleich in beiden Fällen kein Geld geflossen ist). Ferner sind die ausgewiesenen Beträge z. T. von der Höhe der Bewertung und den Zufälligkeiten der Bilanzstichtage beeinflußt. Da nur die Bestandsveränderungen aufgenommen werden, wird das Gesamtvolumen der Mittelbewegungen nicht sichtbar.

finanzwirtschaftliche Ordnungsfunktion, Teilfunktion der →Haushaltsfunktionen. Durch planmäßige Gegenüberstellung von Einnahmen und Ausgaben sollen für die Planungsperiode das finanzielle Gleichgewicht und die Rationalität des Regierungshandelns gewährleistet werden.

finanzwirtschaftliches Gleichgewicht, →finanzielles Gleichgewicht.

Finanzwissenschaft. I. Einordnung: Teildisziplin in der Volkswirtschaftslehre. Fachliche Überschneidungen gibt es mit der →Betriebswirtschaftslehre, sofern sie sich mit →öffentlichen Unternehmen oder z. B. mit →Betriebswirtschaftlicher Steuerlehre befaßt. Ähnliche Fragestellungen verbinden die F. und die Politikwissenschaften (→Public-choice-Theorie, →Politische Ökonomie). Soziologie und Psychologie dienen als Hilfswissenschaften.

II. Entwicklung: Ursprünglich war die F. eine *Lehre der ordentlichen Führung öffentlicher Haushalte.* Besonders in Deutschland war diese kameralistische Ausprägung stark vertreten. Obwohl Ricardo, Wicksell, Edgeworth und Pigou theoretische Arbeiten über die Besteuerung und die öffentlichen Ausgaben leisteten, beschränkte sich die F. bis ca. 1930 auf historische und institutionelle Fragen und praktische Probleme der Finanzgesetzgebung und -verwaltung. Die Rückwirkungn der Budgetpolitik (→Finanzpolitik IV 3) auf die Funktionsweise der Gesamtwirtschaft blieben weitgehend unberücksichtigt. Erst die im Anschluß an Keynes entwickelten Konzeptionen der →fiscal policy und der makroökonomischen Theorie (→Makroökonomik) veranlaßten Forschungen auf diesem Gebiet.

III. Methoden: Die moderne F. bedient sich aller Methoden, über die die Wirtschaftstheorie heute verfügt, um die Wirkungen der staatlichen Einnahmen- und Ausgabenpolitik zu analysieren, insbes. der Instrumente der →Wohlfahrtstheorie, der →Preistheorie, der →Konjunkturtheorie, der →Beschäftigungstheorie und der →Wachstumstheorie.

IV. Untersuchungsbereich: Die F. analysiert das wirtschaftliche Handeln des Staates. – *Hauptbereiche* (auch andere Einteilungen sind möglich bzw. finden sich in allgemeinen Lehrbüchern der F.): 1. *Ökonomische Theorie der öffentlichen Haushalte (positive Theorie der F.):* Sie liefert systematische Aussagen über Funktionsweise des öffentlichen Sektors, Zielsetzungen der Budgetpolitik, institutionelle und funktionelle Regelungen (Finanzausgleich, Haushaltsaufstellung, Einnahme- und Ausgabenpolitik). Der historische Untersuchungsgegenstand der F. findet hier noch am ehesten Beachtung.

2. *Probleme der Budgetbestimmung (normative Theorie der F.):* Die F. geht von einem durch die gesellschaftliche Struktur und die politischen Entscheidungsinstanzen gesetzten Zielsystem aus und untersucht, wie das optimale →Budget gestaltet sein soll. Das Zentralproblem ist, wie eine optimale Aufteilung der

Produktivkräfte und eine gerechte Einkommensverteilung erreicht werden kann, d.h. welche spezifischen öffentlichen Bedürfnisse befriedigt werden sollen und wer dafür zu zahlen hat. Die Theorie der öffentlichen Verschuldung (→öffentliche Kreditaufnahme) ist damit ebenfalls in diesem Komplex enthalten.

3. *Wirkungen der Budgetpolitik:* Die Inzidenz der budgetpolitischen Maßnahmen auf mikroökonomischer Basis (Reaktion der Unternehmer und Haushalte auf Veränderungen von Steuern und Staatsausgaben) und deren Einkommenverteilungswirkungen (mikro- und makroökonomische Steuerüberwälzung) steht hier im Mittelpunkt der Untersuchungen (→Budgetinzidenz, →Steuerinzidenz). Darunter fallen auch konjunktur- oder wachstumspolitisch motivierte Analysen der Staatstätigkeit (→fiscal policy).

Finanzzoll, *Fiskalzoll,* →Zoll auf Waren, die im Importland meist aus klimatischen oder anderen Gründen nicht oder nur in geringen Mengen hergestellt werden (in europäischen Ländern z.B. Kaffee, Tee, Tabak). F. belastet die Waren nach Art einer indirekten →Verbrauchsteuer. F. ist mit der Politik der Nichteinmischung des Staates in den Außenhandel vereinbar. – Vgl. auch →Erziehungszoll, →Schutzzoll.

Finanzzuweisung, →Ausgleichszuweisung, die der Bund den Ländern zum Ausgleich kurzfristiger Mehrbelastungen gewährt, die ihnen entstehen, wenn ihnen durch Bundesgesetz zusätzliche Ausgaben auferlegt oder Einnahmen entzogen werden. Durch eine F. kann der Bund die Neufestsetzung der Anteile an Gemeinschaftsteuern (z.B. Umsatzsteuer) vermeiden (Art. 106 IV GG). – Vgl. auch →Ergänzungszuweisung, →Finanzhilfe.

Finderlohn, dem ehrlichen Finder einer verlorenen Sache auf Verlangen Zug um Zug zu zahlende Belohnung. Der F. beträgt bei einem Wert bis 1000 DM 5%, von dem Mehrwert 3%; bei Tieren 3% (§971 BGB). – *Kein* F. beim Fund in Behördenräumen oder öffentlichen Verkehrsmitteln (§978 BGB).

fine tuning, →Feinabstimmung.

fingierte Order, Scheinauftrag, den der →Handelsvertreter zur Erschleichung einer →Provision oder aus anderen Gründen dem Geschäftsherrn vorlegt. F.O. ist wichtiger Grund zur →außerordentlichen Kündigung.

Finnland, Staat in Nordeuropa zwischen der UdSSR, Norwegen, Schweden und der Ostsee (Bottnischer Meerbusen und Finnischer Meerbusen). – *Fläche:* 337032 km². – *Einwohner* (E): (1985) 4,89 Mill. (14,5 E/km²); 60% der Bevölkerung wohnen in Städten. – *Hauptstadt:* Helsinki (482399 E, Agglomeration 780320 E); weitere wichtige Städte: Tampere (240000 E), Turku (235000 E), Espo (149057 E). – Parlamentarisch-demokratische Republik, *untergliedert* in zwölf Provinzen. – *Amtssprachen:* Finnisch und Schwedisch.

Wirtschaft: *Landwirtschaft:* Nur 8,5% der Fläche werden landwirtschaftlich genutzt. Ackerbau v.a. mit Gerste, Roggen und Hafer im Süden und Südwesten; Rinder- und Schweinehaltung, im Norden Rentiere. Nach der UdSSR verfügt F. über die größten *Waldreserven* Europas. 61% der Fläche sind mit Wäldern (Kiefern, Fichten, Birken) bedeckt (an anderer Stelle: 75%) Der jährliche Holzeinschlag beträgt im Durchschnitt der letzten Jahre 40–50 Mill. Festmeter. *Fischfang,* im Bottnischen Meerbusen (Hering, Lachs, Hecht, Scholle). Anteil der Landwirtschaft am BSP 8% (1984), bei einer Beschäftigungsrate von 13% (1984). – *Bergbau und Industrie:* Die wichtigsten Wirtschaftszweige sind (neben der Forstwirtschaft) Holzverarbeitung, metallverarbeitende und chemische Industrie, sowie Lebensmittel- und Textilindustrie. Der Norden ist unterentwickelt. Industrie im Süden und Südwesten, in denen größere Vorkommen von NE-Metallen vorzufinden sind. Bei Outokompu größtes Kupfererzlager Europas. Weitere Kupfervorkommen bei Orijärvi, ferner Vanadium-, Zink-, Nickel-, Blei-, Uranvorkommen. Bedeutend sind Eisenerzvorkommen in Otanmäki und die Lagerstätten von 90%igem Magnesit. Das größte Kobaltlager der Welt befindet sich bei Outokompu. 36% des BSP (1984) werden von der Industrie erwirtschaftet, 33% der Erwerbstätigen sind in der Industrie beschäftigt. – *BSP:* (1985, geschätzt) 53450 Mill. US-$ (10870 US-$ je E). – *Inflationsrate:* durchschnittlich 10,7%. – *Export:* (1985) 13616 Mill. US-$, v.a. Papier, Pappe, Zellstoff, Schnittholz und Holzwaren (bis zu 60% des Exportwerts, Anteil am BSP bis zu 15%), Maschinen, Metallwaren, Schiffe (bis zu 35% des Exportwerts). – *Import:* (1985) 13215 Mill. US-$, v.a. Erdöl und Erdölprodukte, Maschinen, Fahrzeuge, Nahrungs- und Genußmittel. – *Handelspartner:* UdSSR (20%), Schweden, Bundesrep. D., Großbritannien, USA, Niederlande, Dänemark.

Verkehr: Gesamtlänge des *Eisenbahnnetzes* 6079 km (mit sowjetischer Spurbreite). – Nur im Süden engmaschiges *Straßennetz,* Länge ca. 76000 km, davon die Hälfte mit fester Decke. – Reger inländischer *Flugverkehr,* Mittelpunkt ist Helsinki, eigene *Luftverkehrsgesellschaft* FINNAIR. – 3500 km (nach anderen Angaben 6645 km) *Binnenwasserstraßen.* – Wichtigste *Seehäfen:* Helsinki, Kotka, Turku, Hamina (81,4% des grenzüberschreitenden Verkehrs wird per Schiff abgewickelt).

Mitgliedschaften: UNO, BIZ, CCC, ECE, EFTA, OECD, UNCTAD u.a.; Nordischer Rat.

Währung: 1 Finnmark (Fmk) = 100 Penniä (p).

Firma. I. Rechtsgrundlagen: §§17 bis 37 HGB; und zwar: a) für Einzelkaufmann: §18 HGB; b) für Personengesellschaften: §19 HGB; c) für Aktiengesellschaften: §4 AktG; d) für Gesellschaften mit beschränkter Haftung: §4 GmbHG; e) für Genossenschaften: §3 GenG.

II. Begriff: 1. *Allgemein:* Name, unter dem ein →*Vollkaufmann* im Handel seine Geschäfte betreibt und die Unterschrift abgibt. Das *Recht* des Kaufmanns auf seine F. ist ein gegen jeden Dritten wirkendes absolutes Recht (→Firmenschutz). Der Kaufmann muß seine F. zwecks Eintragung im Handeslregister zur Anmeldung bringen (§29 HGB). – *Minderkaufleute* haben keine F. im handelsrechtlichen Sinne, ihre Firmenbezeichnung genießt nur den rechtlichen Schutz als gewöhnlicher Name. Die F. muß Aufschluß über die Person des Inhabers und die Art seines Unternehmens geben (Grundsatz der →Firmenwahrheit). – 2. Die *F. des Einzelkaufmanns* muß den Familiennamen und mindestens einen ausgeschriebenen Vornamen führen. – 3. Die *F. der OHG* muß den Familiennamen mindestens eines Gesellschafters und einen die Gesellschaft andeutenden Zusatz (z. B. Lehmann & Co.) oder die Namen aller Gesellschafter, die *F. der KG* wenigstens den Namen eines persönlich haftenden Gesellschafters und den Zusatz wie bei OHG enthalten. Die Namen der Kommanditisten und der stillen Gesellschafter dürfen nicht in die F. aufgenommen werden. Bei der *GmbH & Co.* muß die F. gleichfalls einen entsprechenden Hinweis enthalten. – 4. Die *F. der AG und KGaA* ist i.d.R. →Sachfirma, d.h. dem Gegenstand des Unternehmens zu entnehmen. Die Gesellschaft kann aber auch die F. eines von ihr erworbenen Handelsgeschäftes fortführen. In beiden Fällen muß die F. die Bezeichnung „Aktiengesellschaft" bzw. „Kommanditgesellschaft auf Aktien" enthalten (§4 AktG). Eine Ausnahme gilt gem. Art. 22 EGHGB nur für Firmen aus der Zeit vor dem 1.1.1900. – 5. Die *F. der GmbH* kann Sachfirma sein oder die Namen eines oder mehrerer Gesellschafter enthalten; ihr muß der Zusatz „mit beschränkter Haftung" beigefügt werden (§4 GmbHG). – 6. Die *F. der Genossenschaft* muß dem Gegenstand des Unternehmens entlehnt sein, darf keine Personennamen enthalten und muß den Zusatz „mit unbeschränkter" bzw. „beschränkter Haftpflicht" (eGmuH, eGmbH) tragen. – 7. In die *F. der Steuerberatungsgesellschaft* muß die Bezeichnung „Steuerberatungsgesellschaft" (§19 StBerG), in die *F. der Wirtschaftsprüfungsgesellschaft* die Bezeichnung „Wirtschaftsprüfungsgesellschaft" aufgenommen werden (§31 WPO). – 8. *Fremdsprachliche F.* ist begrenzt zulässig.

III. Rechtswirkung: Der Kaufmann kann unter seiner F. klagen und verklagt werden (§17 II HGB), →Partei ist aber nicht die F., sondern der Inhaber. Das Urteil wirkt i.a. nur gegen und für den, der bei Eintritt der →Rechtshängigkeit Inhaber war.

IV. Löschung: Die F. erlischt auch ohne Löschung im Handelsregister mit Aufgabe des Gewerbebetriebes, nicht aber durch vorübergehende Einstellung (z.B. infolge Kriegseinwirkung). Anmeldung des Erlöschens im Handelsregister kann nach §14 HGB erzwungen oder das Löschungsverfahren nach §141 FGG eingeleitet werden. Sinkt das Unternehmen zum Kleingewerbe, erlischt die Firma erst mit Löschung im Handelsregister, die ebenfalls erzwungen werden kann. Erfolgt bei den Handeslgesellschaften eine Abwicklung, erlischt die Firma erst mit der sog. →Vollbeendigung.

V. Veräußerung: Der →Firmenkern kann nur mit dem Unternehmen veräußert werden (§23 HGB). – Vgl. auch →Firmenfortführung.

Firmenausschließlichkeit, Grundsatz des Firmenrechts, der bedeutet, daß die Firmen an demselben Ort sich von bereits bestehenden deutlich unterscheiden müssen (§30 HGB), damit Verwechslung ausgeschlossen ist.

Firmenbeständigkeit, Grundsatz der Erhaltung des Rufes und der Geschäftsbeziehungen des Unternehmens, der die →Firmenfortführung rechtfertigt, auch wenn dies dem Grundsatz der →Firmenwahrheit widerspricht.

firmenbezogener Verbandstarifvertrag, →betriebsbezogener Verbandstarifvertrag.

Firmenfortführung. I. Erbschaft: Durch Tod des Einzelkaufmannes erlischt die →Firma nicht. Erben bedürfen zur F. keiner besonderen Bewilligung. – *Haftung:* a) Der Erbe haftet für die früheren Geschäftsverbindlichkeiten *unbeschränkt* mit seinem ganzen Vermögen, wenn er oder ein →gesetzlicher Vertreter das Unternehmen unter der bisherigen Firma mit oder ohne Nachfolgezusatz fortführt, auch wenn sich seine Haftung im übrigen nach bürgerlichem Recht auf den Nachlaß beschränkt (§27 I HGB). – b) Die *unbeschränkte Haftung* kann *abgewendet* werden: (1) durch →Einstellung des Geschäftsbetriebs innerhalb drei Monaten nach Kenntnis von dem Anfall der Erbschaft oder bis zum Ablauf der Ausschlagungsfrist (→Überlegungsfrist; §27 II HGB); (2) durch Bekanntgabe in einer nach §25 II HGB zugelassenen Form, daß für alle Geschäftsverbindlichkeiten nur mit dem Nachlaß gehaftet wird; (3) durch →Ausschlagung der ganzen Erbschaft. – Wird das Unternehmen unter *neuer Firma* fortgeführt, so tritt keine handelsrechtliche Haftung, dagegen aber i.d.R. die →Erbenhaftung ein.

II. Veräußerung des Unternehmens: Bringt die Firma nicht notwendig zum Erlöschen, da dem Erwerber die F. gestattet werden kann. Vgl. wegen Schuldenhaftung und Forderungsübergang →Veräußerung.

III. Übernahme des Unternehmens: Die für die Veräußerung geltenden Bestimmungen finden für F. bei Übernahme des Unternehmens aufgrund eines →Nießbrauches, Pachtvertrages oder ähnlichen Verhältnissen entsprechende Anwendung (§ 22 II HGB). Hier wird die F. nur auf Zeit gestattet, so daß bei Beendigung des Verhältnisses die Berechtigung zur F. auf den vorherigen Inhaber ohne Bewilligung des Nutzungsberechtigten zurückfällt.

IV. Eintritt bzw. Ausscheiden eines Gesellschafters in eine bestehende Einzelfirma oder in eine OHG oder KG: F. ist möglich (§ 24 HGB). – 1. Im ersteren Falle ist Einwilligung des oder der bisherigen Inhaber zur F. erforderlich, sie liegt bereits in der erforderlichen →Anmeldung zum →Handelsregister (§§ 107, 108, 161 HGB). – 2. Einwilligung des ausscheidenden Gesellschafters zur F. ist nur erforderlich, wenn sein Name in der Firma enthalten ist. – 3. Tritt die GmbH als persönlich haftender Gesellschafter in eine KG oder OHG ein, so ist trotz F. ein Zusatz mit Hinweis auf die Haftungsbeschränkung erforderlich.

V. F. ausgeschlossen: F. ist nicht möglich, wenn Gesellschaft sich aufgelöst hat und →Abwicklung beendet ist. Auf →Löschung im Handelsregister kommt es nicht an. Die F. ist nur für das bestehenbleibende Unternehmen gestattet; nach Beendigung der Abwicklung muß das Unternehmen neu gegründet werden.

Firmengeschichte, →Unternehmungsgeschichte.

Firmengründung, →Gründung.

Firmen-Gruppenversicherung. 1. *Vertrag* (Rahmenvertrag) zwischen dem Versicherer und einem Arbeitgeber oder einer besonderen betrieblichen Einrichtung, in dem die Bedingungen für den Geschäftsablauf und für den einzelnen Versicherungsvertrag der Gruppe festgelegt werden. – Wird eine bestimmte Mindestbeteiligung und eine bestimmte Mindestquote erreicht, darf der Versicherer die aufsichtsbehördlich festgelegten Begünstigungen einräumen *(Begünstigungsverträge):* a) *Mindestbeteiligung:* In der Lebensversicherung Versicherungen auf das Leben von zehn Arbeitnehmern oder ihnen gem. § 17 I BetrAVG gleichgestellten Personen (z. B. Handelsvertreter); In der Krankenversicherung Verträge für zwanzig Personen. b) *Mindestquote:* In der Krankenversicherung mindestens 90% eines objektiv umschriebenen Personenkreises. In der Lebensversicherung zwei Grenzwerte: (1) Eine *obligatorische Gruppe* (auch *qualifizierte Gruppe*) bei mindestens 90%. (2) Eine *fakultative Gruppe* (auch *einfache Gruppe*) bei unter 90%, aber mindestens 50% (bei 5000 Personen 40%) eines festumschriebenen Personenkreises. – 2. *Vorteile:* Prämiennachlaß, Wegfall von Aufnahmegebühren, evtl. niedrigere Zuschläge bei Ratenzahlungen u.a. Bei der obligatorischen Gruppe kann überdies die Gesundheitsprüfung wesentlich vereinfacht werden oder sogar entfallen; in der Lebensversicherung dürfen zudem spezielle Gruppenversicherungstarife verwendet werden. Für die Gewährung dieser Vorteile ist immer die Sammelzahlung der Prämien erforderlich, auch wenn der Arbeitnehmer an der Prämienbezahlung beteiligt wird. – 3. *Verwendung:* Für Versicherungen zugunsten der versicherten Personen (z. B. →Direktversicherungen), für Rückdeckungsversicherungen (→Lebensversicherung VIII). Darüber hinaus kann der Betrieb bestimmten Personen (Öffnung der Gruppe und mögliche Einbeziehung ist in den Richtlinien des Bundesaufsichtsamtes exakt abgegrenzt) auch die Möglichkeit einer günstigen Eigenvorsorge erschließen.

Firmen-Image, →Public Relations.

Firmenjubiläum, →Jubiläumsgeschenke, →Jubiläumsverkauf.

Firmenkern, wesentlicher Teil der →Firma, den diese notwendig enthalten muß (z. B. Vor- und Zuname des Einzelkaufmanns) im Gegensatz zum →Firmenzusatz.

Firmenmantel, Bezeichnung für sämtliche Anteilsrechte an einer Kapitalgesellschaft (AG-Mantel, GmbH-Mantel). F. werden gehandelt, wenn eine nicht mehr aktive AG oder GmbH veräußert werden soll, um einer neuen Unternehmung die →Gründungskosten zu sparen.

Firmenmarke, →Marke 3b).

Firmenschutz, Rechtsvorschriften zur Sicherung des Rechtes des Kaufmannes an seiner →Firma gegen →unbefugten Firmengebrauch. – 1. Das Registergericht hat von Amts wegen oder auf Antrag durch Festsetzung von Ordnungsgeld die Unterlassung des Gebrauchs einer den Vorschriften der §§ 17 ff. HGB zuwider benutzten Firma zu erzwingen (§ 37 I HGB); unzulässige Firmeneintragungen unterliegen der Löschung (§ 142 FGG). – 2. Ist jemand außerdem in seinen Rechten verletzt, kann er selbst auf Unterlassung klagen (§ 37 II HGB); →Abwehranspruch. – 3. Weitergehenden Schutz gewährt meist das →Namensrecht (§ 12 BGB) und Wettbewerbsrecht (→geschäftliche Bezeichnung; § 16 UWG) und, wenn die Firma widerrechtlich als Warenzeichen (→Marke II) benutzt wird, das Warenzeichenrecht (§ 24 WZG). – Evtl. Schädenersatzansprüche aus §§ 823, 826 BGB,

§§1, 16 UWG usw. bei Verschulden des Verletzers.

Firmentarifvertrag, *Unternehmenstarifvertrag, Haustarifvertrag, Werkstarifvertrag,* →Tarifvertrag, bei dem als Vertragspartei auf Arbeitgeberseite ein einzelner →Arbeitgeber auftritt (§2 I TVG); vgl. auch →Tariffähigkeit. Der Arbeitgeber bleibt auch als Mitglied eines Arbeitgeberverbandes gem. §2 I TVG tariffähig. Die Gewerkschaft kann deshalb, wenn ein tarifloser Zustand besteht, von ihm den Abschluß eines F. fordern und nach überwiegender Auffassung diese Forderung auch kampfweise (→Streik) durchsetzen. Die Gewerkschaft kann aber nicht verlangen und durchsetzen, daß der Arbeitgeber aus dem Arbeitgeberverband austritt. Insoweit ist der Arbeitgeber durch die →Koalitionsfreiheit (Art. 9 III GG) geschützt.

Firmenwahrheit, Grundsatz, der besagt, daß jede →Firma ihren Inhaber und die rechtliche Natur des Unternehmens erkennen lassen muß, und daß →Firmenzusätze, die unzutreffenderweise ein Gesellschaftsverhältnis andeuten oder geeignet sind, über Art und Umfang des Geschäftes oder über die Verhältnisse des Geschäftsinhabers zu täuschen, als →irreführende Firmen bzw. Zusätze firmen- und wettbewerbsrechtlich nicht zulässig sind. – *Ausnahmen:* Bei Namensänderung des Inhabers bleibt Firma bestehen (§21 HGB); ebenso bei Veräußerung eines Unternehmens, wenn Veräußerer einwilligt (§22 HGB), und bei Aufnahme, Eintritt und Ausscheiden eines Gesellschafters (§24 HGB); →Firmenfortführung. Ist kein persönlich haftender Gesellschafter eine natürliche Person, so muß die Firma, auch wenn sie nach den §21, 22, 24 HGB fortgeführt wird, eine Bezeichnung enthalten, welche die Haftungsbeschränkung kennzeichnet (§19 V HGB).

Firmenware, Gesamtheit der →Mikroprogramme eines (mikroprogrammgesteuerten) →Computers.

Firmenwerbung, →institutionelle Werbung.

Firmenwert, *Geschäftswert, Goodwill, Faconwert, Fassonwert.*

I. Unternehmensbewertung: 1. *Begriff:* F. ist der Betrag, den ein Käufer bei Übernahme einer Unternehmung als Ganzes und unter Berücksichtigung künftiger Ertragserwartungen (→Unternehmungswert, →Ertragswert) über den Wert der einzelnen Vermögensgegenstände nach Abzug der Schulden (=Substanzwert) hinaus zu zahlen bereit ist. Der F. entspricht der Differenz von Ertrags- und Substanzwert. – *Firmenwertbildende Faktoren* sind z.B. gutes Management, rationelle Herstellungsverfahren, Facharbeiterstamm und Betriebsorganisation, verkehrsgünstige Lage, Stammkundschaft. – 2. *Arten:* Für die Bilanzierung in Handels- und Steuerrecht zu unterscheiden: (1) *originärer (selbstgeschaffener) F.;* (2) *derivativer (abgeleiteter) F.* Der derivative F. wird durch Kauf erworben und entspricht der Differenz zwischen (objektiviertem) Kaufpreis und Substanzwert. – *Anders:* →Praxiswert.

II. Handelsrecht: Nur der derivative F. darf in der Handelsbilanz aktiviert werden. Er ist gesondert unter den immateriellen Vermögensgegenständen (→immaterielle Wirtschaftsgüter) auszuweisen, soweit es sich um Kapitalgesellschaften handelt (§266 II HGB) und dann in den folgenden vier Geschäftsjahren oder planmäßig auf die voraussichtliche Nutzungsdauer verteilt abzuschreiben (§255 IV HGB).

III. Steuerrecht: 1. Ansatz in der *Steuerbilanz:* a) Der *originäre F.* ist nicht ansatzfähig, der *derivative* hingegen ansatzpflichtig; er ist mit den →Anschaffungskosten zu aktivieren (§6 I Nr. 1 EStG) und um →Absetzungen für Abnutzung zu vermindern. Als →betriebsgewöhnliche Nutzungsdauer des F. gilt ein Zeitraum von 15 Jahren (§7 I 3 EStG). – b) *Herabsetzung:* des F. ist nur bei gesunkenem →Teilwert möglich, doch in der Praxis durch die von BFH vertretende Einheitstheorie – danach wird der Wegfall einzelner (derivativer) Faktoren des F. durch andere (originäre) ausgeglichen – sehr erschwert. – 2. Regelung gem. *Bewertungsgesetz:* a) Bei der Ermittlung des →Einheitswerts des →Betriebsvermögens für *Zwecke der Substanzbesteuerung* (VSt, Gew[kap]St) ist nur der *derivative* (entgeltlich erworbene) *F.* anzusetzen (§101 Nr. 4 BewG). – b) Die Bewertung für das Betriebsvermögen erfolgt – gleichfalls nach Änderung durch das BiRiLiG – mit dem Wertansatz für die →*Steuerbilanz* (§109 IV BewG). Wegen der Anwendungsvorschrift des EStG und den allgemeinen bewertungsrechtlichen Vorschriften (→Abschlußzeitpunkt, →Feststellungszeitpunkt) kommt ein unter den →Anschaffungkosten liegender Wertansatz allerdings erst ab dem Bewertungsstichtag 1.1.1988 in Frage.

Firmenzeichen, →Logo.

Firmenzusatz, dem →Firmenkern beigefügter Zusatz. – 1. *Jede neue Firma* muß sich von allen an demselben Ort bereits bestehenden eingetragenen Firmen deutlich unterscheiden. (§30 HGB); →Firmenausschließlichkeit. Die Firma einer Gesellschaft erfordert einen F., der das Vorhandensein einer Gesellschaft oder gar die Art der Gesellschft andeutet (§19 HGB, §§4, 220 AktG, §4 GmbHG, §3 GenG). – 2. *Firma in Abwicklung* (Liquidation): Diese muß z.B. den F. „in Liquidation" oder „i.L." enthalten (§153 HGB, §210 III AktG, §68 GmbHG, §85 GenG). – 3. Im übrigen kann ein F. *beliebig* dem Firmenkern hinzugefügt werden, muß aber der →Firmenwahrheit entsprechen (§18 HGB).

fiscal dividend, fiskalischer Effekt eines built in stabilisators, der die Steuereinnahmen bei Steuern mit einer Aufkommenselastizität von größer Eins im Aufschwung überproportional steigen und im Abschwung überproportional schrumpfen läßt. – Vgl. auch →fiscal drag.

fiscal drag (= fiskalische Bremse), Effekt progressiver Besteuerung, der das Anwachsen des Bruttosozialproduktes im Aufschwung bremst, weil die Steuerbelastung aufgrund ihrer Aufkommenselastizität von größer als Eins überproportional steigt (vgl. auch →built-in flexibility, →fiscal dividend). In einer wachsenden Wirtschaft mit ständig steigendem Bruttosozialprodukt bzw. in einer Wirtschaft mit schleichender Inflation wird so ein immer größer werdenden Staatsanteil erzeugt; es entsteht die Notwendigkeit, das Progressionsmaß der Steuern von Zeit zu Zeit zu senken und so die Umverteilung von den Privaten zum Staat zu korrigieren.

fiscal policy, *Fiskalpolitik*. 1. *Begriff:* Alle finanzpolitischen Maßnahmen des Staatssektors im Dienst der Konjunktur- und Wachstumspolitik (→finanzpolitische Stabilisierungsfunktion). Die f.p. ist die finanzpolitische Umsetzung der keynesianischen Wirtschaftstheorie (→Keynessche Lehre). Es geht v.a. um eine antizyklische Finanzpolitik (→antizyklische Wirtschaftspolitik) zur Beeinflussung der gesamtwirtschaftlichen Nachfrage gemäß den makroökonomischen Ansätzen der keynesianischen Theorie, häufig verbunden mit einer Verschuldungspolitik (→deficit spending) zur Erreichung der für die Nachfragebeeinflussung notwendigen Einnahmen, wenn z.B. Ausgaben- bzw. Konjunkturprogramme zur Nachfragestimulierung eingesetzt werden. – Ihre *rechtliche Kodifizierung in der Bundesrep. D.* fand die f.p. im →Stabilitätsgesetz. – 2. *Kritik:* In neuerer Zeit ist die f.p. als vorwiegend diskretionäre (antizyklische) Finanzpolitik (d.h. am Einzelfall orientiert) zur Erreichung stabilisierungs- bzw. konjunkturpolitischer Ziele vielfacher Kritik ausgesetzt. So wird bestritten, daß die f.p. überhaupt in der Lage ist, die von ihr zielgerichtet zu beeinflussenden volkswirtschaftlichen Aggregate zu erreichen. Der Transmissionsprozeß zwischen fiskalpolitischem Impuls und der Wirkung auf die Zielgrößen ist abhängig von der spezifischen Konstruktion des Transmissionsmechanismusses, einer ganzen Reihe von diesbezüglichen Prämissen (hier = Verhaltensannahmen über die Wirtschaftssubjekte) und ceteris-paribus-Klauseln. Besonders die Vertreter eher neoklassischer Denkrichtungen (→Monetarismus, →Angebotsökonomik) bezweifeln die theoretische Gültigkeit des keynesianischen Transmissionsprozesses; sie betonen die „Stabilität des privaten Sektors" in einer störungsfreien Marktwirtschaft, erst die Eingriffe des Staatssektors führen zu einer negativen konjunkturellen Wirkung aufgrund nicht adäquater Steuerungsimpulse oder Verunsicherung der Wirtschaftssubjekte. – Ein *empirisch eindeutiger Befund* steht aber – nicht zuletzt weil in beiden Lagern auch normative Elemente eine Rolle spielen – noch aus. – 3. Die Kritik an der f.p. führte innerhalb der Theorie zu *Weiterentwicklungen*. Die Probleme der zeitpunktgerechten Auslösung von konjunkturpolitischen Impulsen sind in der Debatte um die →lags analysiert und in der Diskussion um die →built-in flexibility, die →Formelflexibilität bzw. in weiteren regelgebundenen Verfahren weitergeführt worden. Die Kritik an einer allzu einseitigen Ausrichtung der Finanzpolitik an der f.p. unter Vernachlässigung der stets mit berührten →finanzpolitischen Allokationsfunktion und →finanzpolitischen Distributionsfunktion ist z.B. in Konzepten der →social fiscal policy aufgefangen worden. – Vgl. auch →Überschußpolitik.

Fischereisteuer, →Gemeindesteuer.

Fishbein-Modell von Fishbein (1963) entwickeltes Modell zur Messung der →Einstellung. Zugrunde liegt die Annahme, daß zwischen der Einstellung einer Person zu einem Objekt und der kognitiven Basis dieser Person ein funktionaler Zusammenhang besteht. Es werden die affektive und die kognitive Komponente einer Eigenschaft dieses Objekts multiplikativ zum sog. Eindruckswert verknüpft.

Fisher, Irving, 1867–1947, amerikanischer Nationalökonom. – *Hauptwerke:* „Mathematical Investigations in the Theory of Value and Price" 1892, „The Purchasing Power of Money" 1911, „Stabilizing the Dollar" 1919, „The Money Illusion" 1928. – *Lehre:* F. ist Vertreter der mathematischen Nationalökonomie; Hauptarbeitsgebiet: Geldtheorie. Seine „Mathem. Invest." bringen eine vollständige mathematische Behandlung der Theorie des →Grenznutzens und der darauf basierenden Preistheorie. Später v.a. Untersuchung der →Quantitätstheorie des Geldes (vgl. die nach F. benannte „Fishersche →Verkehrsgleichung") sowie Vorschläge zur Währungsstabilisierung mittels des „100%-Money".

fiskalische Äquivalenz, Übereinstimmung zwischen dem Nutzen aus der Inanspruchnahme öffentlicher Leistungen und dem Nutzenentgang durch die Finanzierung dieser Leistungen. – *Formen:* a) *Individuelle Äquivalenz:* Äquivalenz bezüglich einzelner Personen; kaum realisierbar, bei manchen Leistungen nicht gewollt; b) *gruppenmäßige Äquivalenz:* Äquivalenz bezüglich Gruppen, insbes. regional abgegrenzter Gruppen; wichtiges Kriterium für die Bemessung →öffentlicher Einnahmen und deren Verteilung im aktiven Finanzausgleich.

fiskalische Besteuerung, Oberbegriff für alle steuerlichen Maßnahmen des Staates, die darauf abzielen, dem Staat Einnahmen zur Erfüllung seiner Aufgaben zu verschaffen. Früher vorwiegender Zweck der Besteuerung, heute mehr und mehr von nichtfiskalischen Zielsetzungen (→nichtfiskalische Besteuerung) überlagert. – Theoretische Überlegungen zur f.B. zeigen sich in den →Grenzen der Besteuerung.

fiskalische Rechtsverhältnisse, Rechtsverhältnisse, an denen der Staat oder eine Körperschaft des öffentlichen Rechts beteiligt ist, jedoch nicht als ein dem anderen Partner übergeordneter Träger von Hoheitsrechten, sondern als gleichberechtigter Inhaber von Vermögensrechten, die sich nach bürgerlichem Recht beurteilen. – Für *Rechtsstreitigkeiten* über f.R. ist der ordentliche Rechtsweg gegeben (§ 13 GVG).

Fiskalisten, *Keynesianer,* Vertreter der →Keynesschen Lehre (→Neue keynesianische Makroökonomik) zur Konjunkturanalyse, die die Effizienz der Fiskalpolitik betonen. – *Gegensatz:* →Monetaristen. – Die differierenden Schlußfolgerungen beider Richtungen werden teilweise auf *unterschiedliche Vorstellungen über die Größenordnungen der Zinselastizitäten* zurückgeführt. F. glauben an relativ hohe Elastizität der Geldnachfrage und unelastische Investitionsnachfrage; Monetaristen haben umgekehrten Standpunkt.

Fiskalpolitik, →fiscal policy.

Fiskalzoll, →Finanzzoll.

Fiskus, ursprüngliche Bezeichnung für das Staatsvermögen, genauer: für den Staat als Träger vermögenswerter Berechtigungen. Von besonderer Bedeutung bis in das 19. Jh., da der Staat bis dahin überwiegend als Hoheits- und Vermögensträger aufgefaßt wurde. – Obwohl heute Hoheits- und Vermögensfunktion wieder als Einheit, wenn auch nunmehr mit differenziertem Rechtsschutz, gesehen werden und auch verschiedene Verwaltungszweige mit dem Begriff F. gekennzeichnet werden (Post-, Militär-, Steuer-, Justiz-, Forst- und Domänenfiskus), hat sich der Begriff F. für die Bezeichnung des Staatsvermögens gehalten. Dazu gehört auch eine Gruppe von klassischen →Parafisci, die „Sondervermögen", wie z.B. Deutsche Bundespost und Deutsche Bundesbahn.

fixe Ausgaben, von der jeweils betrachteten Einflußgröße (z.B. Bestellmenge, räumlich-zeitliche Inanspruchnahme eines gemieteten Lagerraums Laufzeit eines Vertrags) unabhängige Höhe von →Ausgaben (einschl. Zahlungsverpflichtungen) oder Teilen davon. Führen stets zu →fixen Kosten bzw. →Gemeinkosten bei der Verwendung oder Nutzung der mit f.A. beschafften Gütereinheiten. –Vgl. auch →Ausgabenverbund, →Disponierbarkeit.

Fixed-charge-Transportproblem. I. Begriff: Variante des →klassischen Transportproblems, bei dem neben mengenproportionalen Transportkosten auf jedem Transportweg noch fixe (d.h. mengenunabhängige) Transportkosten zu berücksichtigen sind, die anfallen, wenn auf dem betreffenden Weg tatäschlich ein Transport vorzunehmen ist.

II. Mathematische Formulierung: Zielfunktion:

$$x_0 = \sum_{i\in I} \sum_{i\in J} c_{ij}\, x_{ij} + \sum_{i\in I} \sum_{i\in J} k_{ij}\, y_{ij}$$

Restriktionssystem:

$$(6) \quad y_{ij} = \begin{cases} 1, & \text{wenn } x_{ij} > 0 \\ 0 & \text{sonst} \end{cases} \qquad \text{für } i\in I,\ j\in J.$$

$$(7) \quad x_{ij} - M\,y_{ij} \leqq 0 \qquad \text{für } i\in I,\ j\in J$$

$$(8) \quad y_{ij} \in \{0, 1\} \qquad \text{für } i\in I,\ j\in J$$

Es gilt: $M = \max_{i\in I} (a_i)$.

(mit k_{ij} = fixe Transportkosten, die auf dem Transportweg vom Vorratsort i ($i \in I$) zum Bedarfsort j ($j \in J$) anfallen, wenn auf diesem Weg ein Transport vorzunehmen ist;
y_{ij} = Binärvariable).

Restriktion (7) sichert in Verbindung mit (8) und der Minimierungsvorschrift, daß (6) stets gewährleistet ist.

III. Lösungsverfahren: 1. Zur Bestimmung optimaler Lösungen für F.-c.-T. eignen sich grundsätzlich alle *Verfahren der (gemischt-) ganzzahligen bzw. der (gemischt-) binären linearen Optimierung*. Bei realen Problemen der Praxis kommen v.a. →*Branch-and-Bound-Verfahren* zum Einsatz. – 2. Ein *heuristisches Verfahren,* das häufig recht gute Lösungen liefert, besteht darin, ein klassisches Transportproblem mit

$$x_0 = \sum_{i\in I} \sum_{i\in J} c_{ij} + k_{ij}/\min(a_i, b_j)\, x_{ij}$$

zu lösen. Auf der Grundlage von (6) ermittelt man die zugehörigen Werte der Variablen y_{ij} ($i \in I$, $j \in J$) und schließlich durch Einsetzen in die Zielfunktion den zugehörigen Zielwert x_0.

fixed-trust, Form der →Investmentgesellschaft, bei der das Kapital nach bestimmten, mit Zustimmung der Aktionäre festgelegten Geschäftsgrundsätzen angelegt wird. – *Gegensatz:* →management-trust.

fixe Einnahmen, analog zu dem Begriff →fixe Ausgaben definiert.

fixe Kosten, *feste Kosten.* I. Begriff: 1. *Allgemein:* →Kosten, die von der jeweils betrachteten Einflußgröße unabhängig sind, d.h. Kosten, die sich nicht automatisch mit der jeweils betrachteten Einflußgröße ändern. Entscheidend ist nicht das Verhalten der Mengenkomponente, sondern der Einfluß auf die Höhe der Ausgaben bzw. Auszahlungen (vgl. auch →entscheidungsorientierter Kostenbegriff, →Einzelkosten). – 2. *Begriffsausprägungen* (je nachdem welche Kosteneinflußgröße zugrundegelegt wird): Zumeist gilt als Kosteneinflußgröße die →Beschäftigung einer Kostenstelle oder des Gesamtunternehmens, z.B. im System des direct costing oder der flexiblen Plankostenrechnung. Daneben finden sich spezielle Ausrichtungen, wie es z.B. in der Bezeichnung losgrößenfixe Kosten zum Ausdruck kommt. Zuweilen wird auf das Kostenverhalten bezüglich bestimmter Entscheidungen abgestellt; in diesem Sinne sind entscheidungsfixe Kosten irrelevante Kosten (→relevante Kosten). – *Gegensatz:* →variable Kosten.

II. Bedeutung: Die Trennung der Kosten in variable und fixe Bestandteile (→Kostenauflösung) ist eine wesentliche Voraussetzung, die Kostenrechnung zur Fundierung und Kontrolle von unternehmerischen Entscheidungen heranziehen zu können. Nur auf ihrer Basis ist eine exakte Erfolgsprognose und -beurteilung möglich (→Deckungsbeitragsrechnung).

III. Kostenverhalten (bezogen auf die Kosteneinflußgröße Beschäftigung): 1. *Absolut-f. K.:* Sie entstehen allein durch die Existenz des Betriebs ohne Rücksicht darauf, ob produziert wird oder nicht, sog. Stillstandskosten (Zinsen, Mieten, Kosten der Unternehmensleitung). – 2. *Intervall-f. K.:* Sie bleiben für bestimmte Beschäftigungsintervalle unverändert und steigen sprunghaft an, sobald ein Beschäftigungsstand erreicht ist, von dem aus eine Vergrößerung der Ausbringungsmenge den Einsatz zusätzlicher nicht beliebig teilbarer Betriebsmittel oder sonstiger Elementarfaktoren erfordert (z.B. bei Maschinenkosten, Löhnen für Vorarbeiter, leitende Angestellte). Vgl. auch →intervallfixe Kosten. – 3. *Abbaufähige f. K.:* Teil der bei einem Beschäftigungsrückgang (unter Beachtung der →Kostenremanenz) abgebaut werden kann. Die betreffenden Produktionsfaktoren müssen eine entsprechende Teilbarkeit besitzen und dürfen nicht nur stillgelegt, sondern müssen verkauft bzw. entlassen werden. Der Abbau f. K. ist eine mittel- bis langfristige Entscheidung.

fixen, Börsenausdruck für den Abschluß eines →Leerverkaufs (oder Leerkaufs) im Termingeschäft.

fixer Erlös, von der jeweils betrachteten Einflußgröße (z.B. der effektiven Abnahmemenge im Rahmen eines Liefervertrags, der Fahrleistung bei Mietwagen) unabhängiger →Erlös oder Erlösteil, Relativierung analog zu →fixe Kosten.

fixer Verbrauch, von der jeweils betrachteten Einflußgröße (z.B. Losgröße, Fahrzeugauslastung, Prozeßtemperatur, Schichtdauer) unabhängiger Verbrauch. I.w.S. auch auf die zeitliche Inanspruchnahme von Personen oder räumlich-zeitliche Inanspruchnahme von Anlagen und anderen Potentialen angewandt. Führt nicht zu →fixen Kosten, wenn das Entgelt bzw. die Ausgaben unabhängig vom Verbrauch vereinbart oder irreversibel vordisponiert (→irreversible vordisponierte Ausgaben) sind. – Vgl. auch →Ausgabenverbund, →Disponierbarkeit, →fixe Ausgaben.

Fixgeschäft. I. Handelsrecht: Gegenseitiger Vertrag, bei dem nach der Vereinbarung der Parteien die Leistung des einen Teils zu einem fest bestimmten Zeitpunkt oder innerhalb einer fest bestimmten Frist bewirkt werden soll. Wenn nicht anderes vereinbart, ist der andere Teil bei Fristüberschreitung zum →Rücktritt bzw. zur →Ablehnung der Leistung berechtigt (§361 BGB). – Besondere Vorschriften beim →Handelsfixkauf.

II. Börsenwesen: Synonym für →Leerverkauf.

fixierter Wechselkurs, →fester Wechselkurs.

Fixkostenanalyse, methodisches Vorgehen zur Strukturierung der →fixe Kosten hinsichtlich ihrer Zurechenbarkeit zu Dispositions- bzw. Bezugsobjekten, ihrer zeitlichen Abbaufähigkeit (→Bereitschaftskosten) und ihrer Veränderbarkeit bezüglich mittelfristig wirksamer Variationen des Leistungsvolumens (→intervallfixe Kosten). Angesichts steigender Fixkostenintensität der Unternehmen kommt F. eine ständig steigende Bedeutung zu. – Vgl. auch →Gemeinkostenwertanalyse, →Leerkostenanalyse.

Fixkostendeckung, unternehmenspolitisches Postulat, nach der die gesamten →Deckungsbeiträge zur Deckung der →fixen Kosten ausreichen müssen. Diese Forderung ist nur für die Gesamtunternehmung sinnvoll, einzelne Produkte brauchen (anteilige) Fixkosten nicht in jedem Fall zu decken, da ihre Herstellung sinnvoll ist, solange ihre Deckungsbeiträge positiv sind und sie günstigere Produkte nicht verdrängen. – Vgl. auch →Fixkostendeckungsrechnung.

Fixkostendeckungsrechnung, System einer →Teilkostenrechnung, das den Grundaufbau des →direct costing erweitert um eine Schichtung der →fixen Kosten nach ihrer „Nähe“ zu den einzelnen Erzeugnissen. Gebildet werden so. z.B. Erzeugnisfixkosten (z.B. Kosten einer Spezialmaschine), Erzeugnisgruppenfixkosten (z.B. Kosten einer erzeugnisgruppenbezogenen Werbekampagne) und Erzeugnisspartenfixkosten (z. B. Kosten des Spartenleiters). Durch den damit möglichen Ausweis unterschiedlicher Stufen von Deckungsbeiträgen läßt die F. im Vergleich zum direct costing einen besseren Einblick in die Erfolgsstruktur des Unternehmens zu. – Vgl. auch →stufenweise Fixkostendeckungsrechnung.

Fixkostendegression, Abnahme der →fixen Kosten pro Stück bei steigender Ausbringungsmenge. – Vgl. auch →Kostenverlauf.

Fixkostenkoeffizient, prozentualer Anteil der →fixen Kosten an den Gesamtkosten (→Kosten) eines Betriebs.

Fixkostenproblem. 1. *Charakterisierung:* Mathematisches Optimierungsproblem der Form

$$(1)\quad x_0 = \sum_{j=1}^{n} c_j x_j + \sum_{j=1}^{n} k_j y_j$$

$$(2)\quad \sum_{j=1}^{n} a_{ij} x_j \;\square_i\; b_i, \qquad i = 1, 2, \ldots, m,$$

$$(3)\quad x_j - My_j \leqq 0, \qquad j = 1, 2, \ldots, n,$$

$$(4)\quad x_j \geqq 0, \qquad j = 1, 2, \ldots, n,$$

$$(5)\quad y_j \in \{0, 1\}, \qquad j = 1, 2, \ldots, n,$$

$$(6)\quad x_0 \longrightarrow \text{Max!}$$

mit $k_j > 0$, $j = 1, 2, \ldots, n$ und wobei M eine geeignete große Zahl ist. – 2. *Lösungsverfahren:* Bei dem System ((1)–(6)) handelt es sich um ein gemischt-binäres lineares Optimierungssystem, für das grundsätzlich verschiedene exakte Lösungsverfahren (u. a. Modifikation von Verfahren der →lineraren Optimierung) zur Verfügung stehen. Bei derartigen Optimierungsproblemen ist man in der ökonomischen Praxis jedoch häufig auf den Einsatz heuristischer Verfahren angewiesen, da exakte Lösungsverfahren in vielen Fällen zu unbefriedigenden Rechenzeiten führen. – 3. *Ökonomische Bedeutung:* F. treten bei der Modellierung ökonomischer Entscheidungsprobleme dann auf, wenn entscheidungsrelevante Fixkosten zu berücksichtigen sind. So lassen sich die Größen k_j etwa im Zusammenhang mit einem Problem der Produktionsprogrammplanung als Rüstkosten interpretieren, die anfallen, wenn die Produktion des Gutes j aufgenommen wird.

Fixkostenschichten, Gruppen von →fixen Kosten mit unterschiedlicher Erzeugnisnähe, z. B.: Erzeugungsfixkosten, Erzeugnisgruppenfixkosten, Kostenstellenfixkosten, Bereichsfixkosten, Unternehmensfixkosten. – Vgl. auch →Fixkostendeckungsrechnung, →stufenweise Fixkostendeckungsrechnung.

fix price model, →Festpreis-Modell.

Fixum, fester Teil des Entgelts, das ein →Handelsvertreter neben →Provision bezieht, unabhängig davon, ob seine Tätigkeit zu einem sofort greifbaren Erfolg führt oder nicht.

Flächenerhebung, →Bodennutzungserhebung 1.

Flächengraphik, →Rastergraphik.

Flächennutzungsplan. 1. *Begriff:* Gem. →Baugesetzbuch im Rahmen der →Bauleitplanung vorgesehener Bauleitplan einer Gemeinde, in dem für das ganze Gemeindegebiet die beabsichtigte Art der Bodennutzung nach den voraussehbaren Bedürfnissen der Gemeinde in den Grundzügen darzustellen ist (Bauflächen, öffentlich Gebäude, Parkanlagen, Land- und Forstwirtschaft). – 2. Bei der *Art der baulichen Nutzung* sind die Wohnbauflächen, gemischte Bauflächen, Sonderbauflächen und erforderlichenfalls die einzelnen Siedlungsgebiete anzugeben. – 3. *Einzelheiten* in der Baunutzungsverordnung in der Fassung vom 15.9.1977 (BGBl I 1763). – Vgl. auch →Bebauungsplan.

Flächenrecycling, gewerbliche Wiedernutzung brachgefallener gewerblicher →Liegenschaften. Bei vorsichtigerem zusätzlichem Landschaftsverbrauch (→Naturschutz) und bei enger werdenden kommunalen Flächenreserven gewinnt F. im Rahmen der kommunalen →Wirtschaftsförderung an Bedeutung. *Industrie- und Gewerbebrachen* entstehen durch Konkurse, durch Verlagerung aus privatwirtschaftlichen Gründen (Erweiterung, Änderungen der Produktionstechnik, →Standortwahl) oder aus stadtplanerischen Gründen (Vermeidung von →Emissionen, Auflösung von Gemengelagen, Flächennutzungs- oder Bebauungsplanänderung, →Bauleitplanung). Stadtnahe, i. d. R. bebaute Industrie- und Gewerbebrachen können durch geeignete, mit der Stadtplanung in Einklang zu stellende Umbaumaßnahmen einem gewerblichen F. zugeführt werden, insbes. in der speziellen Form des in kommunaler Regie geführten Gewerbehofes oder Gewerbeparks. Hier können mehrere emissionsarme Klein- und Mittelbetriebe (z. B. Dienstleistungshandwerker) und Existenzgründer nach einem bestimmten Belegungsplan stadt- und kundennah untergebracht werden (→Gewerbebestandspflege), wobei die Kommune bestimmte Gemeinkosten übernehmen kann. So können durch F. auch bestimmte Formen von unschädlichen Gemengelagen (Mischgebieten) geschaffen und erhalten werden. – Vgl. auch →Wirtschafsförderung II.

Flächenstichprobenverfahren, *area sampling,* Spezialfall eines →höheren Zufallsstichprobenverfahrens. Besteht eine Untersuchungsgesamtheit aus der Wohnbevölkerung eines Gebietes oder aus Einheiten, die regional eindeutig zugeordnet werden können (z. B. landwirtschaftliche Betriebe), so wird diese häufig durch Abgrenzung von Regionen (Wohnbezirken; Straßenzügen, Landkreisen, Regierungsbezirken) in Primäreinheiten im Sinne der höheren Zufallsstichprobenverfahren zerlegt. Je nachdem, ob die Elemente der erststufig ausgewählten Regionen (Primäreinheiten) voll erhoben werden oder nicht, ist die F. eine →Klumpenstichprobe oder eine allgemeine zwei- oder mehrstufige Zufallsstichprobe.

Flächenverkehr, Verkehr zur Verbindung vieler relativ nahe beieinander liegender Orte. – *Gegensatz:* →Streckenverkehr.

Flaschenpfand, beim Verkauf von Getränken usw. in Flaschen vom Erwerber an den Lieferer für die Flaschen gezahlter Geldbetrag. F. unterliegt beim Lieferer der →Umsatzsteuer, da es zum →Entgelt, (Getränkepreis plus F.) gehört. Wird das F. von dem Lieferer bei Rücknahme der Flasche zurückgewährt, so ist dieser Betrag vom Entgelt abzugsfähig.

flat rate tax, Steuertarifform (→Tarifformen) mit einem konstanten Steuersatz, in den letzten Jahren bei der amerikanischen Einkommensteuerreform diskutiert. Bei einer weitgehenden Erfassung aller Einkommenstatbestände, einem allgemeinen Steuerfreibetrag (Existenzminimum) und ohne weitere Steuervergünstigungen soll dieser Tarif die Steuergerechtigkeitsanforderungen (→Steuergerechtigkeit) und die →Steuerzwecke besser erfüllen als die bisherigen progressiven Tarifformen.

flexible Altersgrenze. I. Personalwesen: Vgl. →Arbeitszeitflexibilisierung, →Arbeitszeitmodelle.

II. Beschäftigungspolitik: Vgl. →Arbeitszeitpolitik.

III. Gesetzliche Rentenversicherung: Möglichkeit, bereits mit 60 oder 63 Jahren →Altersruhegeld zu beziehen, wenn die hierfür geltenden Voraussetzungen im einzelnen erfüllt sind (§ 1248 RVO, § 25 AVG, § 48 RKG). Kernstück der Rentenreform von 1972. – Vgl. auch →Altersruhegeld.

IV. Betriebliche Altersversorgung: Vgl. →Betriebsrentengesetz II 6.

flexible Arbeitszeit, →Arbeitszeitflexibilisierung, →Arbeitszeitmodelle.

flexible Magnetplatte, →Diskette.

flexible Plankostenrechnung, Form der →Plankostenrechnung (vgl. im einzelnen dort), bei der die Planungsdaten nicht starr beibehalten, sondern den jeweiligen Verhältnissen, insbes. den Änderungen des →Beschäftigungsgrades, angepaßt werden. – Vgl. auch →Prognosekostenrechnung.

flexible Planung. 1. *Begriff:* Entscheidungsverfahren zur Lösung →mehrstufiger Entscheidungen unter Ungewißheit; diese Entscheidungssituation läßt sich prinzipiell in Form eines →Entscheidungsbaumes abbilden. Im Falle quantifizierbarer Alternativen auch →lineare Optimierung und →dynamische Optimierung. – 2. *Vorgehensweise:* Da mit zunehmender Informationsverbesserung im Zeitablauf zu rechnen ist, werden zukünftige →Aktionen im Planungszeitpunkt noch nicht endgültig fixiert, andererseits können sie wegen zeitlicher Interdependenzen bei der gegenwärtigen Entscheidung nicht unbeachtet bleiben, da diese auch die Ergebnisse zukünftiger Aktionen beeinflußt. Bei f.P. wird daher nur die gegenwärtig zu ergreifende Maßnahme endgültig festgelegt, während zukünftige Aktionen nur bedingt geplant werden, indem für jeden künftigen Umweltzustand eine optimale Aktion ermittelt wird. – 3. *Ergebnis:* →Eventualpläne. – 4. *Ähnlich:* →Eventualplanung.

flexible Produktionszelle, Erscheinungsform der →Zentrenproduktion. Die f.P. besteht aus mehreren numerisch gesteuerten Werkzeugmaschinen, Steuerungs-, Meß-, und Überwachungssystemen sowie Spannmittel-, Werkzeug und Handhabungssystemen. Über die numerische Produktionszellensteuerung versorgt das automatisierte Handhabungssystem die Werkzeugmaschinen und die Meßeinrichtungen mit den erforderlichen Werkstücken, Spannzeugen, Werkzeugen und Meßzeugen aus den entsprechenden Magazinen bzw. Speichern. Das Überwachungssystem umfaßt die Qualitätskontrolle der Werkstücke und die Zustandsüberwachung der Produktionszelle. Zusätzlich kann auch die Werkstückver- und Werkstückentsorgung automatisiert sein. In f.P. können ähnliche aber im Detail unterschiedliche Werkstücke über einen längeren Zeitraum automatisch bearbeitet werden. – Vgl. auch →Produktionsinsel, →Bearbeitungszentrum, →flexibles Produktionssystem

flexibler Diskontsatz, beweglicher →Diskontsatz, 1956–1962 in Kanada. Der D. wurde jeweils für eine Woche ¼ v.H. über den Satz festgesetzt, der für Drei-Monats- Schatzwechsel ermittelt war. Der f.D. soll verhindern, daß Kreditnehmer bei der Zentralbank zu einem Zins borgen können, der niedriger liegt als der Ertrag der liquideren Form von Treasury Bonds (Schatzanweisungen).

flexibler Wechselkurs, Bildung des →Wechselkurses am Devisenmarkt im freien Spiel der Kräfte von Angebot und Nachfrage (Floating). Da der Politikträger in einem System f.W. keine Verpflichtungen hat, zur Erhaltung eines bestimmten Wechselkurses durch Devisenangebot oder -nachfrage zu intervenieren

(→fester Wechselkurs), ist die →Devisenbilanz stets ausgeglichen. – F.W. sind nach der zweiten Änderung des Status des *IMF* von 1976, die nach dem Zusammenbruch des auf dem →Bretton Woods-Abkommen basierenden Wechselkurssystems notwendig wurde, zulässig.

flexibles Budget, Kostenbudgetierung in der →Plankostenrechnung, die darin besteht, daß die in der ursprünglichen →Kostenplanung für den Grad der →Basisbeschäftigung festgelegten →Plankosten als →Sollkosten auf den wirklich erreichten →Beschäftigungsgrad abgewandelt werden. Dabei sind fixe und variable Kosten gesondert zu behandeln.

flexibles Produktionssystem, Erscheinungsform der →Zentrenproduktion. Das f.P. ist eine Weiterentwicklung der →flexiblen Produktionszelle, denn es besteht aus material- und informationsflußmäßig vernetzten flexiblen Produktionszellen. Ein automatisches Werkstücktransportsystem verknüpft die automatischen Arbeitsstationen in der Weise, daß unterschiedliche Werkstücke gleichzeitig im gesamten System bearbeitet werden können. Die anfallenden Umrüstvorgänge sind dabei in den gesamten →Produktionsprozeß des f.P. integriert, denn die Umrüstzeiten (→Rüstzeiten) an den Systemelementen werden so gestaltet, daß die übrigen Elemente während des Umrüstvorganges ungestört arbeiten können. Das gesamte System wird von einem Computer gesteuert, der auch die einzelnen Produktionsanlagen mit Steuerungsprogrammen (NC-Programmen) versorgt (→DNC-System). Das f.P. besteht somit aus einem Bearbeitungssystem, einem Materialflußsystem und einem Informationsflußsystem, die jeweils miteinander verbunden sind. – Vgl. auch →Produktionsinsel, →Bearbeitungszentrum, →flexible Produktionszelle.

Flickering, →Zapping.

fliegender Händler, Warenverkauf ohne stationäres Verkaufslokal an wechselnden Orten mit temporärer Nachfrageballung (→ambulanter Handel), z.B. bei Sportveranstaltungen, Stadtteilfesten, an touristischen Attraktionspunkten.

Fließbandproduktion, Ausprägungsform der →Fließproduktion, bei der die Potentiale sowohl räumlich als auch zeitlich gekoppelt sind.

Fließbandverarbeitung, →Pipelining.

Fließinselproduktion, →Produktionsinsel, →Zentrenproduktion.

Fließprinzip, →organisatorisches Prinzip der industriellen Produktion bei dem ein weitgehend zerlegter Arbeitsprozeß durch Arbeitsvorbereitung, u.U. auch durch Verwendung von Fließbändern oder anderen Fördermitteln, kontinuierlich abläuft. – Vgl. auch →Fließproduktion.

Fließproduktion, Elementartyp der Produktion (→Produktionstypen), der sich aus dem Merkmal der Anordnung der Arbeitssysteme (→Fließprinzip) ergibt. – 1. *Charakterisierung:* Bei F. werden die Produktionseinrichtungen bzw. Arbeitssysteme in der Abfolge der für die Produkterstellung erforderlichen Verrichtungsarten aufgestellt. Jeder Teilbetrieb nimmt in diesem Fall verschiedenartige Produktionseinrichtungen auf. Die Bildung der Teilbetriebe erfolgt nach dem →Objektprinzip. Jedes Produkt bzw. jeder Auftrag durchläuft bei F. eine fest vorgegebene Maschinenfolge. Dabei ist es möglich, daß einzelne Stationen von bestimmten Produkten bzw. Aufträgen übersprungen werden. Nur bei Massen-, Großserien- und Sortenproduktion ist eine Anordnung nach der Folge der Verrichtungsarten zweckmäßig und wirtschaftlich vorteilhaft. Ein einzelner Betrieb kann aus einer Fließstrecke oder aber aus parallel arbeitenden Teilbetrieben mit mehreren Fließstrecken zur Herstellung gleicher oder verschiedener Produkte bestehen. – 2. Vier *Ausprägungsformen* in Abhängigkeit von der räumlichen und zeitlichen Kopplung der Potentiale: a) *Straßenproduktion (Reihenproduktion, Linienproduktion);* ohne zeitliche und räumliche Kopplung der Potentiale; b) *Fließreihenproduktion:* Ohne zeitliche, aber mit räumlicher Kopplung der Potentiale; c) *Taktproduktion:* Mit zeitlicher, aber ohne räumliche Kopplung der Potentiale; d) *Fließbandproduktion:* Mit zeitlicher und räumlicher Kopplung der Potentiale.

Fließreihenproduktion, Ausprägungsform der →Fließproduktion, bei der die Potentiale räumlich, aber nicht zeitlich gekoppelt sind.

Fließtext, *body copy,* verbindende Bestandteile eines Werbetextes (insbes. einer →Anzeige) zwischen der →Headline und der →Baseline zwecks einer das Gesamtkonzept unterstützenden argumentativen Beweisführung der zentralen Aussage. – *Anforderungen:* Der F. muß sprachlich korrekt, gedanklich in sich logisch stimmig, anschlaulich und lebendig sowie zielgruppenorientiert sein; er sollte eine angemessene Textlänge haben.

Float, im Bankwesen die schwebenden Überweisungen und Schecks. Der F. entsteht durch die Zeitdifferenz zwischen der wertstellungsmäßigen Gutschrift auf dem Konto des Zahlungsempfängers und der wertstellungsmäßigen Belastung auf dem Konto des Zahlungsauftraggebers und ist bedingt durch die Bearbeitungs- und Postlaufzeiten sowie durch die Wertstellungsusancen bei Gutschriften und Lastschriften. Aus der zwischenzeitlichen Verzinsung des F. zum Tagesgeldsatz erzielen die Kreditinstitute einen Wertstellungsgewinn, der die Kosten des Zahlungsverkehrs

z. T. kompensiert. – *Anders:* Floating (→flexibler Wechselkurs).

Floating, →flexibler Wechselkurs.

floating rate note (FRN), →Anleihe mit variabler Verzinsung und einer Laufzeit zwischen 5 und 10 Jahren. Die Verzinsung wird regelmäßig (i. d. R. halbjährlich) festgelegt; abhängig i. d. R. von einem ausgewählten Geldmarktzins (→Referenzzinssatz) und einem von der Bonität des Anleiheschuldners abhängigen Aufschlagzins (spread), meist ⅛ bis ¾%. Vereinbarung eines Mindestzins. Seit 1. 5. 1985 sind FRN auch auf DM-Basis zugelassen. – *Abwandlungsformen:* Vielfältig, u. a. FRN mit Zinsobergrenze (Zinscap), mit Optionsscheinen für Aktienbezug. – *Vorteile* der FRN: (1) höhere Verzinsung, (2) vermindertes Zinsänderungsrisiko für den Anleger und (3) ständiger Liquiditätsanschluß entfällt für den Schuldner. – Zur Begrenzung des Kreditrisikos werden die FRN mit einer *Put-Option* ausgestattet, die die Kündigung des Nennbetrages vor Endfälligkeit durch den Anleger garantiert; das sich für den Schuldner ergebende höhere Liquiditätsrisiko wird oft durch eine →Eurofazilität ausgeschaltet. – *Anteilsschuldner* sind überwiegend Großbanken, sonstige Finanzintermediäre und Staaten; *Anleihegläubiger* sind Großbanken, Kapitalsammelstellen sowie Industrieunternehmen. – Vgl. auch →Finanzinnovationen.

floor, *Minimalzinssatz,* ein Hedge-Instrument zur Absicherung gegen fallende Zinsen (→Hedging, →financial futures). Der F.-Verkäufer garantiert dem F.-Käufer (Kreditgeber) die Zahlung der Differenz zwischen dem vereinbarten Zinssatz und dem darunterliegenden realen Marktzinssatz. *Beispiel:* Ein F.-Käufer vereinbart mit einem F.-Verkäufer einen F. von 6%; der F.-Verkäufer muß bei einem angenommen realen Marktzinssatz von 4,5% dem F.-Käufer 1,5% ersetzen. Der Kreditgeber begrenzt bei variabel verzinstem Kredit sein Zinsänderungsrisiko auf den F. Der Verkäufer erhält bei Vertragsabschluß eine einmalige Prämie, die sich analog der Prämie für einen →cap ergibt. Vgl. →collar.

Flop, ein neueingeführtes Produkt, das seine Marketing- und Marktziele nicht erreicht hat und deshalb vom Markt genommen wird. U. U. erfolgt zu einem späteren Zeitpunkt ein →Relaunch.

floppy disk, →Diskette.

Flößereirecht, gesetzliche Sonderregelung der Flößerei mit verbundenen Hölzern. Es gilt Gesetz betreffend die privatrechtlichen Verhältnisse der Flößerei vom 15. 6. 1895 (RGBl 341) sowie ergänzend §§ 425 ff. HGB über das Frachtgeschäft.

Flotte, Gesamtheit aller Fahrzeuge (insbes. Schiffe oder Flugzeuge) einer organisatorischen Einheit (z. B. Unternehmung, Land) und/oder bestimmter Bauart und/oder für eine bestimmte Einsatzart (z. B. Handels-, Fischerei-, Kriegs-, Tanker-, Luftfracht-F.). – Vgl. auch →Fuhrpark.

flow chart, →Programmablaufplan.

Flucht in Sachwerte, →Inflation III 1 b) und 3 b).

Flüchtlinge, →Bundesvertriebenengesetz.

Fluchtlinie, Begrenzung der Bebauungsfreiheit von Grundstücken, die von den Baubehörden z. B. für die Anlegung von Straßen, Plätzen usw. im →Bebauungsplan festgesetzt wird.

Flughafen, Station des →Luftverkehrs mit Einrichtungen für das Ein-, Aus- und Umsteigen von Reisenden (Flugkartenverkauf, Warteräume, Gepäckein- und -auslieferung), Umschlag von Gütern und Service für Reisende, Flugpersonal und Flugzeuge. – Vgl. auch →Hafen.

Flughafengesellschaft, öffentliches Unternehmen zur Betreibung der internationalen Flugverkehrshäfen in der Bundesrep. D. (Berlin, Bremen, Düsseldorf, Frankfurt, Hamburg, Hannover, Köln/Bonn, München, Münster/Osnabrück, Nürnberg, Stuttgart und Saarbrücken), i. d. R. in der Rechtsform der GmbH. Beteiligt sind der Bund, die Länder sowie die jeweiligen Gemeinden (→öffentliche Unternehmen). Die Finanzierung erfolgt u. a. über die Zuschüsse, Start-, Lande- und Flughafengebühren, Mieteinnahmen. – *Aufgaben:* Die F. übernehmen in zunehmendem Maße Aufgaben der Fluggesellschaften (Versorgungs-, Zubringerleistungen, Frachtabrechnungen, Bearbeitung von Bordpapieren usw).

Fluglärm, →Lärm, →Lärmschutzbereich.

Flugplan, →Fahrplan.

fluid drachm, →drachm.

Fluktuation, ein aus der Medizin und Vererbungslehre in den wirtschaftlichen Sprachgebrauch übernommener Begriff, insbes. für den zwischen den Unternehmen eines Ortes oder zwischen verschiedenen Gemeinden sich vollziehenden Personalwechsel (Zu- und Abgang) innerhalb eines Zeitraums (Monat, Quartal oder Jahr). – 1. *Entstehung:* a) im Zusammenhang mit der natürlichen Bevölkerungsveränderung (Verheiratung, Tod), b) in Abhängigkeit von Marktschwankungen durch Kündigung, Neueinstellung oder Entlassung, c) in Abhängigkeit von Lebens-, Wohn- und Arbeitsbedingungen (Entlohnung). – 2. *Schwankung* nach Wirtschaftszweigen und Jahreszeiten; als *Ergebnis* der F. entstehen →Binnenwanderung oder →Pendelverkehr. – 3. *Folgen:* Hohe F. verursacht verhältnismäßig hohe Arbeitsnebenkosten durch Insertions-, Einstell-, Anlernkosten u. a. m.; außerdem meist auch vermehrtes Aufsichts- und Kontrollpersonal. Deshalb sollte übergebührlich hohe F. für einzelne Betriebe Anlaß zur Ursachenforschung sein; die Fragen der Arbeitsbedingungen, der Lohngerechtigkeit, des günstigen →Betriebsklimas u.a.m. sind zu prüfen. – 4. Die F. ist auch für die *Berechnung* der →Pensionsrückstellungen zu berücksichtigen, wenn sie wesentlichen Umfang hat und auf den besonderen Verhältnissen des Betriebes beruht (z.B. schwere Arbeitsbedingungen, weibliche Arbeitnehmerschaft). – 5. *Die Fluktuationsquote:*

$$\frac{\text{Austritte} \times 100}{\text{durchschnittl. Personalbestand}}$$

dient v.a. zur Analyse und Beeinflussung der F. – Vgl. auch →Arbeitsplatzwechsel, Arbeitsgestaltung.

fluktuierende Gelder, Geldbeträge, die aus Angst vor Geldentwertungen von Land zu Land geschoben werden. – Vgl. auch →internationale Devisenspekulation.

Flurbereinigung. 1. *Flurbereinigungsgesetz:* Umlegung landwirtschaftlicher Grundstücke zur wirtschaftlicheren Einteilung unzweckmäßig abgegrenzten ländlichen Grundbesitzes. Die betroffenen Grundstücke werden zusammengefaßt, nach dem Verhältnis des Wertes der ursprünglichen Einzelgrundstücke geteilt und den beteiligten Eigentümern zugewiesen. – *Gesetzliche Regelung* bundeseinheitlich durch Flurbereinigungsgesetz i.d.F. vom 16.3.1976 (BGBl I 547) mit späteren Änderungen und durch Ausführungsgesetze der Länder. – 2. *Baugesetzbuch:* Zur Erschließung oder Neugestaltung bestimmter Gebiete können bebaute und unbebaute Grundstücke durch Umlegung so neugeordnet werden, daß für die bauliche oder sonstige Nutzung zweckmäßig gestaltete Grundstücke entstehen.

Flurbuch, amtliches Verzeichnis über sämtliche in einem Gemeindebezirk befindlichen Grundstücke, geordnet nach Gemarkung und Flurnummer unter Bezeichnung von Lage, Nutzungsart, Fläche usw. Die Bezeichnung im F. ist auch für die im →Grundbuch aufzunehmenden Angaben maßgebend. Das F. ist Teil des →Katasters. Soweit es noch nicht angelegt ist, werden Grund- bzw. Gebäudesteuerbücher und ähnliche Register benutzt.

Fluß, →Flußgraph.

Flußdiagramm, →Programmablaufplan.

Flußfrachtgeschäft. 1. *Begriff:* Gewerbsmäßige Güterbeförderung durch →Frachtführer (oder sonstigen Kaufmann) auf Flüssen oder anderen Binnengewässern. – 2. *Rechtsgrundlagen:* §§ 26–76 BSchVG und Vorschriften der §§ 425–451 HGB (vgl. § 26 BSchVG). – 3. *Charakterisierung:* F. ist ein Gemisch von Land- und Seefrachtgeschäft mit einigen selbständigen Regeln. Der Begriff bestimmt sich nach dem Landfrachtgeschäft. Es sind zu unterscheiden: →Frachtführer, →Absender, →Empfänger. Entsprechend dem See- (fracht-) geschäft gibt es den →Charterverkehr und den →Stückgütervertrag. Der Abschluß des Vertrages ist formlos. Der Frachtführer kann die Ausstellung eines →Frachtbriefes, der Absender die Ausstellung eines →Ladescheins fordern. – 4. Meist liegen dem F. allgemeine *Verfrachtungsbedingungen* der einzelnen Flußschiffahrtsunternehmungen (z.B. Elbebedingungen) zugrunde.

Flußgraph, →bewerteter Digraph mit genau einer →Quelle q und genau einer →Senke s. Eine reellwertige Abbildung $f(f_{i,j} = f(i,j))$ auf der Menge der Pfeile heißt *Fluß* (der Stärke v), wenn gilt:

a) $\sum_{i \in N_q} f_{q,i} = v$,

N_q Menge der Nachfolger der Quelle q

b) $\sum_{i \in V_s} f_{i,s} = v$,

V_s Menge der Vorgänger der Senke s

c) $\sum_{j \in V_i} f_{j,i} = \sum_{k \in N_i} f_{i,k}$,

für alle $i \in E/\{q,s\}$ mit V_i Menge der Vorgänger von i, N_i Menge der Nachfolger von i;

d.h. der gesamten aus der Quelle fließende Fluß (der Stärke v) mündet in die Senke, wobei in allen anderen Knoten der einmündende mit dem ausfließenden Fluß identisch ist. – *Untersuchungsgegenstand bei F.* sind maximale oder kostenminimale Flüsse (→Netzplantechnik, →Transportproblem, →Travelling-salesman-Problem, →Chinese-postman-Problem).

flüssige Mittel, Bestand eines Betriebes an Geld- und Vermögenswerten, die bei Bedarf in Geld verwandelt werden können (→Liquidität). Zu den f.M. gehören: Kassenbestände, Bank- und Postgiroguthaben, Wechsel (soweit sie diskontfähig sind), Schecks und (börsengängige) Wertpapiere. – Bei Mangel an f.M. kann die Unternehmensleitung auf die einzugsbedingte Liquidität der kurzfristigen Forderungen zurückgreifen; meist muß mit Hilfe eines Zwischenkredits (Bankkredit) das nötige Bargeld beschafft werden.

Flußkaskoversicherung, →Transportversicherung, →Kaskoversicherung.

Flußproblem, →Flußgraph.

fob, free on board, *frei an Bord* ... (benannter Verschiffungshafen), besonders häufig verwandte, neben →cif die bedeutendste Klausel im Welthandelsverkehr entsprechend den →Incoterms.

I. Pflichten des Verkäufers: 1. Die Ware in Übereinstimmung mit dem Kaufvertrag zu liefern und zugleich alle vertragsgemäßen Belege hierfür zu erbringen. – 2. Die Ware an Bord des vom Käufer angegebenen Seeschifffes im vereinbarten Verschiffungshafen zu dem vereinbarten Zeitpunkt oder innerhalb der vereinbarten Frist, dem Hafenbrauch entsprechend, zu liefern und dem Käufer unverzüglich mitzuteilen, daß die Ware an Bord des Seeschiffes geliefert worden ist. – 3. Auf eigene Kosten und Gefahr die Ausfuhrbewilligung oder jede andere amtliche Bescheinigung zu beschaffen, die für die Ausfuhr der Ware erforderlich ist. – 4. Alle Kosten und Gefahren der Ware bis zu dem Zeitpunkt zu tragen, in dem die Ware im vereinbarten Verschiffungshafen die Reling des Schiffes tatsächlich überschritten hat, einschl. aller mit der Ausfuhr zusammenhängenden Gebühren, Abgaben und Kosten sowie auch die Kosten aller Formalitäten, die für die Verbringung der Ware an Bord erforderlich sind, vorbehaltlich jedoch der Bestimmungen der nachfolgenden Artikel B. 3 und B. 4.–5. Auf eigene Kosten für die übliche Verpackung der Ware zu sorgen, sofern es nicht Handelsbrauch ist, die Ware unverpackt zu verschiffen. – 6. Die durch die Lieferung der Ware bedingten Kosten des Prüfens (wie der Qualitätsprüfung, des Messens, Wiegens und Zählens) zu tragen. – 7. Auf eigene Kosten das zum Nachweis der Lieferung der Ware an Bord des benannten Schiffes übliche reine Dokument zu beschaffen. – 8. Dem Käufer auf dessen Verlangen und Kosten das Ursprungszeugnis zu beschaffen (s. II. 6). – 9. Dem Käufer auf dessen Verlangen, Gefahr und Kosten neben dem im vorhergehenden Artikel genannten Dokument bei der Beschaffung des Konnossements und aller im Verschiffungs- und/oder Ursprungslade auszustellenden Dokumente, die der Käufer zur Einfuhr der Ware in das Bestimmungsland (und ggf. zur Durchfuhr durch ein drittes Land) benötigt, jede Hilfe zu gewähren.

II. Pflichten des Käufers: 1. Auf eigene Kosten ein Seeschiff zu chartern oder den notwendigen Schiffsraum zu beschaffen und dem Verkäufer rechtzeitig den Namen und den Ladeplatz des Schiffes sowie den Zeitpunkt der Lieferung zum Schiff bekanntzugeben. – 2. Alle Kosten und Gefahren für die Ware von dem Zeitpunkt an zu tragen, in dem die Ware im vereinbarten Verschiffungshafen die Reling des Schiffes tatsächlich überschritten hat, sowie den Preis vertragsgemäß zu zahlen. – 3. Alle zusätzlich entstehenden Kosten zu tragen, wenn das von ihm benannte Schiff zu dem festgesetzten Zeitpunkt oder bis zum Ende der vereinbarten Frist nicht eintrifft oder die Ware nicht übernehmen kann oder bereits vor dem vereinbarten Zeitpunkt keine Ladung mehr annimmt, sowie alle die Ware betreffenden Gefahren von dem Ablauf der vereinbarten Frist an zu tragen, vorausgesetzt, daß die Ware in geeigneter Weise konkretisiert, d.h. als der für den Käufer bestimmte Gegenstand abgesondert oder auf irgendeine andere Art kenntlich gemacht worden ist. – 4. Wenn er das Schiff nicht rechtzeitig bezeichnet oder wenn er sich eine Frist für die Abnahme der Ware und/oder die Wahl des Verschiffungshafens vorbehalten hat und nicht rechtzeitig genaue Anweisungen erteilt, alle sich hieraus ergebenden Mehrkosten sowie alle die Ware betreffenden Gefahren von dem Zeitpunkt an zu tragen, in dem die für die Lieferung festgesetzte Frist abläuft, vorausgesetzt, daß die Ware in geeigneter Weise konkretisiert, d.h. als der für den Käufer bestimmte Gegenstand abgesondert oder auf irgendeine andere Art kenntlich gemacht worden ist. – 5. Die Kosten und Gebühren für die Beschaffung eines Konnossements zu tragen, falls dies gemäß vorstehendem Artikel A.9 verlangt worden ist. – 6. Alle Kosten und Gebühren für die Beschaffung der oben in den Artikeln A.8 und A.9 erwähnten Dokumente zu tragen, einschl. der Kosten der Ursprungszeugnisse und der Konsulatspapiere.

fob airport, →Incoterms.

fob Flughafen, →Incoterms.

fob gestaut, →fob stowed.

fob-Kalkulation, die Berechnung des Ausfuhrpreises auf fob-Basis (→fob). Die sich aufgrund der f.-K. ergebenden Preise sind neben den grundsätzlich verwendeten Warenpreisen „frei Grenze" Grundlage der Ausfuhrwerte in der amtlichen →Außenhandelsstatistik.

fob stowed, *fob gestaut,* Handelsklausel (→Incoterms), zu der sowjetischen Staatsstellen abschließen. Der Verkäufer hat zusätzlich zu den Kosten entsprechend →fob die Staukosten zu tragen.

foc, free of charge, Handelsklausel, bei der alle etwaigen Kosten zu Lasten des Partners gehen.

fod, free of damage, Handelsklausel, bei der alle etwaigen Schäden zu Lasten des Partners gehen.

Föderalismus. 1. *Begriff:* Politisches Strukturprinzip, nach dem sich ein Gemeinwesen aus mehreren, ihre Entscheidungen abstimmenden, aber ihre Eigenständigkeit bewahrenden Gemeinschaften zusammensetzen soll („Einheit in der Vielfalt"). – Bei einer nach regionaler Ausdehnung und/oder funktionaler Zuständigkeit abgestuften Abgrenzung der Gemeinschaften wird dann eine Aufgabenverteilung gemäß dem Subsidiaritätsprinzip möglich, bei der die Vorteile kleinerer Gemeinschaften mit denen größerer kombiniert werden können (→ökonomische Theorie des Föderalismus; vgl. auch →ökonomische Theorie der Clubs.) – 2. Die *Bundesrep. D.* ist eine Föderation (Bundesstaat, Art. 20 I GG) mit Bund, Ländern und Gemeinden als föderalen Ebenen (die Gemeinden werden verfassungsrechtlich als Bestandteile der Länderebene betrachtet) und funktional abgegrenzten →Parafisci (insbes. Sozialversicherungsträger); →öffentliche Aufgabenträger. Zuständigkeiten der einzelnen Ebenen sowie Art der Zusammenarbeit (→kooperativer Föderalismus) sind prinzipiell in der →Finanzverfassung festgelegt, wobei zwischen Gesetzgebungs-, Verwaltungs- und Finanzierungs- bzw. Ertragshoheit unterschieden wird.

Föhl-Kontroverse, →Steuerparadoxon.

Folder-Test, *Anzeigen-Wirkungs-Test,* Verfahren zur Messung der Wiedererkennung (→Recognitiontest) von Werbebotschaften. Den Versuchspersonen werden Zeitschriftenhefte mit publizierten und nachträglich eingefügten Anzeigen (Testanzeigen) vorgelegt, wobei die Wiedererkennung abgefragt wird. Insbes. ein Instrument zur Überprüfung der Werbewirksamkeit von Anzeigen vor der Schaltung. Eine Werbekonzeption wird im Vergleich zu den Werbekonzeptionen der Mitwettbewerber überprüft. – Vgl. auch →Adrem-Verfahren.

Folge. 1. *Begriff:* gesetzmäßige Aufeinanderfolge von Zahlen (Glieder). – 2. *Arten:* a) *Arithmetische F.:* die Differenz aus einem beliebigen Glied und dem vorhergehenden ergibt stets den gleichen Betrag. Beispiel: Die Zahl 4 fortlaufend um 3 vermehrt, ergibt die arithmetische F. 4, 7, 10, 13, 16, 19, 22, 25... usw. Die Differenz ist bei steigenden Folgen positiv, bei fallenden negativ. – b) *Geometrische F.:* der Quotient aus einem beliebigen Glied und dem vorhergehenden ergibt stets den gleichen Betrag. Multipliziert man z.B. die Zahl 4 fortlaufend mit 2, so entsteht die F. 4, 8, 16, 32... usw. Dabei ist der Quotient kleiner als 1. – c) *Unendliche F.:* Anzahl der Glieder einer F. ist unendlich groß.

Folgeinvestition, alle →Investitionen während der Lebensdauer eines Betriebes, die nach der →Gründungsinvestition vorgenommen werden, als Ersatz vorhandener Produktionsmittel, zur Erweiterung usw. Die Summe der Folgeinvestitionen sowie die Gründungsinvestition bilden zusammen die Gesamtinvestition während der Lebensdauer eines Betriebs.

Folgeprämie, jede Prämie oder Prämienrate für eine Versicherung, die zeitlich nach der ersten Prämie oder Prämienrate fällig wird. – *Gegensatz:* →Erstprämie. – Wird eine F. *nicht rechtzeitig gezahlt* so kann der →Versicherer dem Versicherungsnehmer, auf dessen Kosten eine Zahlungsfrist unter Angabe der evtl. Rechtsfolgen bestimmen, die mindestens zwei Wochen (bei Gebäude-, Feuerversicherung mindestens einen Monat) betragen muß. Ist diese Frist erfolglos abgelaufen, so ist der Versicherer a) bei Gebäude-Feuerversicherung verpflichtet, dem Hypothekergläubiger unverzüglich Mitteilung zu machen; b) bei Eintritt des Versicherungsfalles von der Leistungspflicht frei; c) zur fristlosen Kündigung berechtigt; d) bei der Kraftverkehrsversicherung im Rahmen der Dritthaftung verpflichtet. Die Wirkungen der Kündigung werden aufgehoben, wenn der Versicherungsnehmer innerhalb eines Monats nach Kündigung oder, falls die Kündigung mit der Fristbestimmung verbunden war, innerhalb eines Monats nach Ablauf der Frist die Zahlung nachholt, sofern nicht der Versicherungsfall dann schon eingetreten ist. Trotz Kündigung kann der Versicherer die Prämie für die laufende →Versicherungsperiode verlangen.

Folgeprodukt-Marketing, Marketingstrategie, bei der versucht wird, den Abnehmer der eigenen Produkte bei der Vermarktung seiner Produkte (Folgeprodukte) zu unterstützen, mit dem Ziel, über eine Absatzmengensteigerung des Kunden eine Absatzsteigerung für die eigenen Produkte zu erreichen; auch als Form des →vertikalen Marketing anzusehen.

Folgeprüfverfahren, →Sequentialtestverfahren.

Folgerecht, Recht eines Urhebers auf Beteiligung an dem aus einer Weiterveräußerung seines →Werks der bildenden Kunst, nicht jedoch Werks der Baukunst und der angewandten Kunst erzielten Erlös (§ 26 UrhRG). Das F. besteht bei jeder Veräußerung des Originals eines Werks der bildenden Künste, an der ein Kunsthändlicher oder Versteigerer beteiligt ist, nicht jedoch bei rein privaten Verkäufen. Es hat zum Inhalt, daß der Veräußerer dem →Urheber einen Anteil in Höhe von 5% des Veräußerungserlöses (nicht des Mehrerlöses) zu entrichten hat. Das F. besteht auch dann, wenn kein Mehrerlös erzielt wird oder das Werk in seinem Wert gesunken ist. Das F. besteht nicht, wenn der Veräußerungserlös weniger als 100 DM beträgt. – Der Urheber kann auf den Anteil im voraus nicht verzichten; die Anwartschaft unterliegt nicht der Zwangsvollstreckung, eine Verfügung über die Anwartschaft ist unwirksam.

Folgeschaden, durch einen Versicherungsfall ausgelöster (adäquat verursachter) weiterer Schaden. Grundsätzlich muß der Schadenstifter auch für den F. einstehen. – Die *Leistungspflicht des Versicherers* ist in den einzelnen Versicherungssparten unterschiedlich; In der *Feuerversicherung* eingeschlossen, wenn unvermeidliche Folge eines versicherten Ereignisses (z.B. Vorräte können infolge eines Brandes nicht weiterverarbeitet werden). In den *anderen Versicherungszweigen* unmittelbare F. durchweg in bestimmtem Umfang mitversichert.

Folgesteuern, Steuern, durch die Steuervermeidungswirkungn erfaßt und verhindert werden sollen, z. B. Schenkungssteuer (Folge der Erbschaftsteuer). – Vgl. auch →Surrogatsteuer.

Fonds. 1. *Allgemein:* Geldmittelbestand für bestimmte Zwecke. – 2. →*Investmentfonds.* – 3. →*Immobilienfonds.*

fondsgebundene Lebensversicherung, →Lebensversicherung II 7a).

Fondspolice, →Lebensversicherung II 7a).

Fondswirtschaft, Form der öffentlichen Finanzwirtschaft, bei der bestimmte Einnahmen nur zur Finanzierung bestimmter Ausgaben verwendet werden dürfen. Die F. ist heute i. a. durch den einheitlichen →Haushaltsplan (vgl. auch →Nonaffektationsprinzip) abgelöst worden; ausnahmsweise angewandt im Falle der →Sondervermögen (Bundespost, Bundesbahn, ERP) u. a.

Fontänentheorie. 1. *Begriff:* Eine Argumentationskette in der Theorie der öffentlichen Verschuldung (→Finanztheorie VII), die ein zinssteigerungsbedingtes →crowding out verneint (W. Stützel). – 2. *Aussagen:* Die F. behauptet, daß die vom Staat aufgenommenen Mittel über die Verausgabung wieder auf die Kreditmärkte zurückfließen, das Geldkapitalangebot sich insofern ständig revolviert und somit flexibel ist. Durch die Schuldaufnahme wird das Geldkapitalangebot demnach nicht verknappt; Zinssteigerungen, die private Konsum- und/oder Investitionsentscheidungen berühren, bleiben aus. – 3. *Kritikansatz:* Die F. vernachlässigt Sickerverluste und Friktionen, die einem vollständigen Rückfluß der vom Staat aufgenommenen Mittel entgegenstehen, v. a. das Anlageverhalten der Wirtschaftssubjekte, denen die verausgabten Mittel zufließen. – Vgl. auch →Quellentheorie II.

Food-Sortiment, Sortimentsteile des Lebensmittelhandels: alle Nahrungs- und Genußmittel. – *Non-food-Waren:* Alle übrigen Sortimentsteile (z. B. Wasch- und Putzmittel, Zeitungen, Blumen, Haushaltswaren).

foot, →feet.

foq, free on quay ...(Hafen), Handelsklausel, v. a. im Überseehandel. Der Verkäufer hat auf seine Kosten und Gefahren die Waren am Kai des Verschiffungshafens zu übergeben. Heute wird meist →fas abgeschlossen.

for, free on rail ...(Abgangsort), Handelsklausel (→Incoterms). Der Verkäufer hat die Waren bei voller Wagonladung auf einen von ihm zu beschaffenden Waggon am Versandort zu verladen, bei Stückgut die Waren am Versandort der Güterabfertigung zu übergeben; er trägt alle Kosten und Gefahren bis zur Übergabe des beladenen Waggons oder der Stückgüter an die Eisenbahn.

Förderabgabe, →bergrechtliche Förderabgabe.

Förderung der Allgemeinheit, →gemeinnützige Zwecke.

Förderung der Arbeitsaufnahme, Leistungen der Bundesanstalt für Arbeit an Arbeitslose um Arbeitsaufnahme zu erleichtern. F. d. A. *umfaßt:* Bewerbungskosten, Reisekosten, Fahrtkostenbeihilfe, Umzugskosten, Arbeitsausrüstung, Trennungsbeihilfe, Überbrückungsbeihilfe, Übergangshilfe, Verdienstausfall, andere Hilfs- und Beförderungsmittel, soweit der Arbeitsuchende die erforderlichen Mittel nicht selbst aufbringen kann. Die Leistungen können als Zuschuß, teilweise auch als Darlehen gewährt werden (§ 53 AFG).

Förderung der beruflichen Bildung, Leistung der Bundesanstalt für Arbeit nach dem →Arbeitsförderungsgesetz zur *individuellen Förderung* der Eignung und Neigung entsprechenden beruflichen Ausbildung durch die Gewährung von →Berufsausbildungsbeihilfen, wenn die Aufbringung der Mittel nicht in anderer Weise möglich ist. Teilnehmern an Maßnahmen zur beruflichen Fortbildung oder Umschulung mit ganztätigem Unterricht wird ein →Unterhaltsgeld gewährt, soweit nicht andere öffentlich-rechtliche Stellen zur Gewährung solcher Leistungen gesetzlich verpflichtet sind (Nachrang der →Sozialhilfe wird nicht berührt). Neben dem Unterhaltsgeld werden auch notwendige Kosten für Lernmittel, Lehrgangsgebühren, Fahrkosten, Kosten für Arbeitskleidung, bei auswärtiger Unterbringung Kosten der Unterkunft und Verpflegung ganz oder teilweise übernommen. – Förderung von *Ausbildungsstätten* vgl. →institutionelle Förderung der beruflichen Bildung.

Förderung der Landwirtschaft in benachteiligten Gebieten, Aufgabe der →Agrarpolitik in der Bundesrep. D. – 1. *Voraussetzungen:* In höheren Lagen mit ungünstigem Klima und erschwerten topographischen Verhältnissen (Mittelgebirge, alpiner Raum) ist die Landwirtschaft aufgrund eingeschränkter Produktionsmöglichkeiten, wesentlich geringerer Produktionsmengen je Flächeneinheit und erheblich höherer Produktionskosten benachteiligt und in ihrer Existenz bedroht. – 2. *Maßnahmen:* Besonders seit 1974 Förderung der Landschaftspflege v. a. durch günstigere Konditionen bei der Investitionsförderung und Ausgleichszahlungen je →Großvieh-Einheit (entspricht etwa einer Kuh) für Rindvieh, Schafe, Ziegen und Pferde. Seit Oktober 1985 Ausweitung der benachteiligten Gebiete auf rund 6,0 Mio. Hektar (rund die Hälfte der

Landwirtschaftsfläche). Höchstbeiträge 1985 bei 240 Dm je Großvieh-Einheit.

Förderung der Rationalisierung des Steinkohlenbergbaus, →Rationalisierungsverband des Steinkohlenbergbaus.

Förderung der Wirtschaft, →Wirtschaftsförderung.

Förderung der Wirtschaft von Berlin (West), steuerliche Vergünstigungen (sog. *Berlinpräferenz*) mit dem Ziel, die Berliner Wirtschaftsstruktur politisch zu stabilisieren und ihre Fortentwicklung zu gewährleisten. – *Gesetzliche Grundlage*: Gesetz zur Förderung der Berliner Wirtschaft (Berlinförderungsgesetz, BerlinFG) vom 10.12.1986 (BGBl I 2415).

I. Umsatzsteuervergünstigungen. 1. *Kürzungsanspruch des Berliner Unternehmers (sog Herstellerpräferenz):* a) *Begünstigt* sind: (1) Lieferungen von Gegenständen, auch als Teile einer Werklieferung, (2) Werkleistungen, (3) Vermietung und Verpachtung von Gegenständen, (4) Überlassung von Filmen zur Auswertung, (5) bestimmte sonstige Leistungen an bzw. für westdeutsche Unternehmer. – b) *Umfang der Begünstigung:* 6 v.H. des Entgelts im Falle (4), 10 v.H. im Falle (5), im übrigen abhängig von der Wertschöpfungsquote zwischen 3 v.H. und 10 v.H. des Entgelts, bei Werklieferungen und -leistungen von nicht in Berlin hergestellten Gegenständen max. 3 v.H. – c) *Wertschöpfungsquote:* Verhältnis der Berliner Wertschöpfung zum wirtschaftlichen Umsatz. Berliner Wertschöpfung ist die Summe aus Berliner Gewinn, Arbeitslöhnen, Zukunftssicherungsleistungen, Zinsen, Abschreibungen, Erhaltungsaufwendungen und Vorleistungen (vgl. §§ 6a, 6b, 6c BerlinFG). – d) *Herstellung in Berlin:* Jede Be- oder Verarbeitung des Gegenstandes in Berlin (West), durch die ein Gegenstand anderer Marktgängigkeit entsteht, ggf. muß die Berliner Wertschöpfungsquote mindestens 10 v.H. betragen. – 2. *Kürzungsanspruch des westdeutschen Unternehmers (sog. Abnehmerpräferenz):* a) Es gelten 1 a) und d) entsprechend. – b) *Kürzungssatz:* 4 v.H., bei einer Wertschöpfungsquote von mindestens als 15 gestaffelt ansteigend auf maximal 11% der Wertschöpfungsquote plus 1 v.H., höchstens 10 v.H. des Verrechnungsentgelts. – c) Ein Kürzungsanspruch nach 1. darf nicht gegeben sein. – 4. *Allgemeiner Kürzungsanspruch* (unabhängig von 1 und 3): 4 v.H. des Entgelts, höchstens 720 DM bzw. 1200 DM jährlich, wenn ein Finanzamt in Berlin (West) für die Umsatzsteuer des Unternehmers zuständig ist und der →Gesamtumsatz 200000 DM nicht übersteigt. – 5. *Belegnachweis:* Nachzuweisen sind a) die Herstellung in Berlin (West) durch →Ursprungsbescheinigung des Senators für Wirtschaft und Arbeit in Berlin und b) das Gelangen der Gegenstände ins Bundesgebiet durch einen Versendungsbeleg. – 6. *Besonderer Buchungsnachweis* und *Belegnachweis* über die einzelnen Voraussetzungen erforderlich. – 7. *Kürzungsverfahren:* Die Kürzungsbeträge sind mit der für einen Voranmeldungs- oder Besteuerungszeitraum geschuldeten Umsatzsteuer zu verrechnen. Rückzahlung der Kürzungsbeträge bei Entgeltminderung.

II. Einkommen- und Ertragsteuervergünstigungen: 1. Für natürliche Personen mit Wohnsitz oder →gewöhnlichem Aufenthalt in Berlin (West) ermäßigen sich *Einkommensteuer* und *Lohnsteuer* für →Einkünfte aus Berlin (West) um 30 v.H. Die Ermäßigung wird u.U. durch die Arbeitnehmerzulage (vgl. IV) abgegolten. – 2. Für Körperschaften, Personenvereinigungen und Vermögensmassen mit →Geschäftsleitung und →Sitz ausschließlich in Berlin (West) ermäßigt sich die tarifliche *Körperschaftsteuer* für Einkünfte aus Berlin (West) um 22,5 v.H., in bestimmten Fällen um 10 v.H. – 3. *Besondere Vergünstigungen:* Unter besonderen Voraussetzungen a) →erhöhte Absetzungen für abnutzbare Wirtschaftsgüter des Anlagevermögens sowie Wohngebäude und Eigentumswohnungen, b) Steuerermäßigung bei Darlehensgewährungen (→Berlin-Darlehen).

III. Investitionszulage: 1. *Begünstigte Personen:* Einkommen- und körperschaftsteuerpflichtige Personen, die in Berlin (West) einen Betrieb (Betriebsstätte) haben. – 2. *Begünstigter Vorgang:* a) Anschaffung oder Herstellung von neuen abnutzbaren beweglichen Wirtschaftsgütern, die zum Anlagevermögen eines Betriebs in Berlin (West) gehören und mindestens drei Jahre in einem solchen verbleiben. b) Herstellung von abnutzbaren unbeweglichen Wirtschaftgütern sowie Ausbauten, Erweiterungen und andere nachträgliche Herstellungsarbeiten daran, wenn sie in Berlin (West) vorgenommen werden und mindestens drei Jahre nach ihrer Herstellung zu mehr als 80% bestimmten betrieblichen Zwekken dienen. – 3. *Höhe:* 10 bis 40 v.H. der Anschaffungs- oder Herstellungskosten. – 4. *Verfahren:* Gewährung durch das zuständige Finanzamt auf Antrag, der innerhalb von neun Monaten nach Ablauf des Kalenderjahres zu stellen ist. – 5. *Ertragsteuerliche Behandlung:* Die Investitionszulage gehört nicht zum →Einkommen i.S. des EStG und mindert auch nicht die steuerlichen →Anschaffungskosten oder →Herstellungskosten.

IV. Arbeitnehmerzulage. 1. *Begünstigter Personenkreis:* Arbeitnehmer, die Arbeitslohn für eine Beschäftigung in Berlin (West) aus einem gegewärtigen Dienstverhältnis beziehen oder Lohnersatzleistungen erhalten. – 2. *Bemessungsgrundlage:* I.d.R. der in einem Lohnabrechnungszeitraum bezogene →Arbeitslohn. – 3. *Höhe der Zulage:* 8 v.H.

des Bruttoarbeitslohns zuzüglich 49,50 DM monatlich für jedes Kind, das steuerlich beim Arbeitnehmer berücksichtigt wird. – 4. *Auszahlung und Finanzierung:* Die Zulage ist bei monatlichen oder längeren Lohnabrechnungszeiträumen mit dem Arbeitslohn auszuzahlen, vom Arbeitgeber der einbehaltenen Lohnsteuer zu entnehmen und in der folgenden →Lohnsteueranmeldung von dem an das Finanzamt abzuführenden Lohnsteuerbetrag abzusetzen. – 5. *Kontenführung:* Die Zulage ist bei jeder Lohnabrechnung im →Lohnkonto oder in entsprechenden Aufzeichnungen einzutragen sowie in steuerlichen Bescheinigungen und Lohnabrechnungen zu vermerken. Die Zulage gilt nicht als steuerpflichtige Einnahme i. S. des EStG.

Forderungen, Anspruch auf Entgelt für eine erbrachte →Leistung. In der Bilanz sind F. im Umlaufvermögen auszuweisen und zu untergliedern (→Bilanzgliederung). – Vgl. auch →Besitzwechsel.

Forderungen Gebietsansässiger an Gebietsfremde, analog *Verbindlichkeiten Gebietsansässiger bei Gebietsfremden.* 1. Forderungen (Verbindlichkeiten) durch alle Gebietsansässige (ausgenommen Geldinstitute) gegenüber Gebietsfremden sind bei der Deutschen Bundesbank zu melden, wenn diese innerhalb eines Monats insgesamt 500000 DM übersteigen (§ 62 I AWV). – 2. Meldefrist für Forderungen und Verbindlichkeiten aus dem *Dienstleistungs- und Warenverkehr (Ausfuhrforderungen bzw. -verbindlichkeiten)* einschl. der geleisteten und entgegengenommenen Anzahlungen gem. § 62 III AWV: Monatliche Meldung bis zum 20 Folgemonat nach dem Stand des letzten Werktages des Monats. – 3. Meldefrist für Forderungen und Verbindlichkeiten aus *Finanzbeziehungen mit Gebietsfremden* gem. § 62 II AWV: Monatliche Meldung bis zum 10. des Folgemonats nach dem Stand des letzten Werktages des Vormonats.

Forderungsabtretung, *Zession,* Übertragung einer Forderung von dem bisherigen Gläubiger (Zedenten) auf einen neuen Gläubiger (Zessionar). – *Rechtsgrundlage:* §§ 398 ff. BGB.

I. Zulässigkeit: 1. Grundsätzlich sind alle Forderungen *abtretbar,* auch bedingte, betagte und zukünftige, sofern sie genügend bestimmbar sind. – 2. *Nicht abtretbar* sind Forderungen: a) wenn die F. durch Vereinbarung mit dem Schuldner ausgeschlossen ist (häufig z. B. bei Ansprüchen aus Versicherungsverträgen), b) wenn die F. nicht ohne Veränderung des Inhalts der Forderung erfolgen kann (z. B. bei Ansprüchen auf Dienstleistungen), c) wenn die F. unpfändbar ist (→Unpfändbarkeit), d) wenn die F. gesetzlich verboten ist (z. B. bei Postscheckguthaben).

II. Form: 1. Die F. erfordert einen →*Vertrag* zwischen dem Zedenten und dem Zessionar. Mitwirkung des Schuldners nicht erforderlich, auch nicht Anzeige der F. an ihn. Der F.-Vertrag bedarf keiner Form, auch dann nicht, wenn zur Begründung der abgetretenen Forderung Wahrung einer bestimmten Form erforderlich gewesen wäre. – *Sondervorschriften* für die Abtretung hypothekarisch gesicherter Forderungen (§§ 1154–1159 BGB, →Hypothek). – 2. Die Abtretung von Forderungen, die in →*Wertpapieren* verbrieft sind, z. B. Wechsel- oder Scheckforderungen, ist zwar zulässig und auch bei →Rektapapieren die einzig mögliche Übertragungsform, aber sonst nicht üblich. Weil der Erwerber die Forderung nur geltend machen kann, wenn er im Besitz der Urkunde ist, verlangt die herrschende Meinung zur Wirksamkeit der F. auch →Übergabe des Wertpapiers an den Erwerber.

III. Wirkung: Die abgetretene Forderung geht mit allen Sicherungs- und Vorzugsrechten, z. B. Pfandrechten, Bürgschaften, Hypotheken und Schiffshypotheken, auf den neuen Gläubiger über (§ 401 BGB). Dem Schuldner stehen auch gegenüber dem Zessionar ohne Rücksicht auf dessen Kenntnis alle Einwendungen zu, die er dem Zedenten gegenüber hatte (§ 404 BGB); er kann sich aber nicht darauf berufen, daß er die Forderung nur zum Schein eingegangen sei, wenn er eine Urkunde über die Schuld ausgestellt und der Zedent diese Urkunde bei der Abtretung vorgelegt hat (§ 405 BGB). Einen →gutgläubigen Erwerb von Forderungsrechten gibt es nicht, abgesehen von den Sonderfällen des Wertpapierrechts. – Bei zulässiger *Abtretung der Lebensversicherung* tritt der Zessionar in alle Rechte des →Versicherungsnehmers ein; letzterer bleibt Prämienzahler und muß wegen der →Inhaberklausel den Versicherungsschein dem Zessionar aushändigen.

IV. Mehrfache F.: Tritt ein Gläubiger eine Forderung mehrfach ab, so ist nur die erste Abtretung wirksam. Ist dem Schuldner jedoch nur die zweite Abtretung angezeigt, so wird der Schuldner auch dann von seiner Leistungspflicht befreit, wenn er an denjenigen leistet, dem die Forderung zum zweiten Mal abgetreten ist (§ 408 BGB); der übergangene Zessionar muß sich an den Zedenten halten.

V. Schutzbestimmungen für den Schuldner: 1. Der Schuldner kann mit einer Forderung, die ihm gegen den Zedeten zustand, auch gegenüber dem Zessionar aufrechnen (§ 406 BGB), es sei denn, der Schuldner hat die Gegenforderung erworben, nachdem er von der F. Kenntnis hatte, oder die Gegenforderung ist später als die abgetretene Forderung und erst nach Kenntnis des Schuldners von der F. fällig geworden. – 2.

Leistet der Schuldner in Unkenntnis der F. an den alten Gläubiger, so ist dies auch gegenüber dem neuen Gläubiger wirksam (§ 407 BGB). – 3. Zeigt der Gläubiger dem Schuldner die Abtretung der Forderung an, muß er dem Schuldner gegenüber die F. auch dann gegen sich gelten lassen, wenn sie nicht oder nicht wirksam erfolgt ist (§ 409 BGB). – 4. Der Schuldner kann von dem neuen Gläubiger Nachweis über die erfolgte F. durch Aushändigung einer vom bisherigen Gläubiger ausgestellten Urkunde verlangen. Solange dies nicht geschieht, ist a) der Schuldner zur Verweigerung der Leistung berechtigt, b) eine Kündigung oder Mahnung des neuen Gläubigers unwirksam, wenn der Schuldner sie aus diesem Grund unverzüglich zurückweist (§ 410 BGB). Vorlegung einer Urkunde ist jedoch nicht notwendig, wenn der alte Gläubiger dem Schuldner die Abtretung angezeigt hat.

VI. Pflichten des Zedenten gegenüber dem Zessionar: 1. Der Zedent hat dem Zessionar auf Verlangen eine *öffentlich beglaubigte Urkunde* (→öffentliche Beglaubigung) über die F. auszustellen. Die Kosten hat der Zessionar zu tragen und vorzuschießen (§ 403 BGB). – 2. Der Zedent muß dem Zessionar die zur Geltendmachung der Forderung nötige *Auskunft* erteilen und die zum →Beweis der Forderung dienenden, in seinem Besitz befindlichen Urkunden aushändigen (§ 402 BGB).

VII. Lohnabtretung: Die Abtretung von Lohnansprüchen ist nur insoweit möglich, als der Anspruch des Arbeitnehmers gegen den Arbeitgeber einer →Lohnpfändung unterliegt (§ 400 BGB). In demselben Umfang kann der Lohnanspruch auch nur verpfändet werden (§ 1274 II BGB). – *Steuerliche Behandlung:* Auch bei unentgeltlicher und entgeltlicher F. besteht Steuerpflicht des Arbeitnehmers mit vollem Arbeitslohn.

VIII. Abtretung von Ansprüchen aus einem Versicherungsvertrag: In bestimmten Versicherungszweigen vor ihrer endgültigen Feststellung ohne ausdrückliche Genehmigung des Versicherers nicht gestattet. Die Versicherungsbedingungen sind jeweils zu prüfen. – *Sonderregelung für die F. bei der Lebensversicherung:* Der Zessionar tritt in alle Rechte des →Versicherungsnehmers ein. Liegt eine unwiderrufliche →Bezugsberechtigung (Begünstigung) vor, dann ist eine F. nur mit Zustimmung des unwiderrufliche Bezugsberechtigten möglich. Der Versicherungsnehmer bleibt Prämienzahler. Wegen der →Inhaberklausel im Versicherungsschein muß er diesen an den Zessionar geben. Mit der F. erwirbt der Zessionar nach herrschender Meinung auch Gestaltungsrechte, z. B. das Recht zur Umwandlung der Versicherung.

Förderungsauftrag, *genossenschaftlicher F.*, Verpflichtung der (eingetragenen) →Genossenschaft, den Erwerb oder die Wirtschaft ihrer Mitglieder mittels gemeinschaftlichen Geschäftsbetriebes zu fördern (§ 1 GenG). F. markiert zweckgebundene Gesellschaftsform der eG und ist wesensbestimmendes Merkmal der Genossenschft. Er gilt als Handlungsmaxime der Genossenschaftsleitung. Teilweise Schwierigkeiten in der Operationalisierung, da F. nicht objektivierbar und vom Ermessen der Mitglieder abhängig ist.

Forderungseffekt, Begriff der Finanzwissenschaft, Umstrukturierung und Volumenänderung der privaten Forderungen, die durch Defizitfinanzierung und die damit verbundene Schuldenaufnahme bzw. Überschußbildung und die damit verbundene Schuldentilgung entstehen. Der F. gibt den Einfluß der Fiskalpolitik (→Fiscal policy) auf die private Investitionstätigkeit an und wirkt über rein liquiditätsmäßige Vorgänge; daher ist er von güterwirtschaftlichen Einflüssen der Fiskalpolitik (→pump priming, →Lerner-Effekt) zu unterscheiden.

Forderungsgarantie, →Garantievertrag, durch den der Gewährleistende die Gewähr für den Bestand oder die Einbringlichkeit einer Forderung übernimmt. Mit der →Bürgschaft verwandt, bedarf aber im Gegensatz zu dieser keiner Form.

Forderungskauf, Kauf einer Forderung. Der →Kaufvertrag ist vom Verkäufer durch Abtretung der Forderung (→Forderungsabtretung) zu erfüllen. Der Verkäufer haftet für rechtlichen Bestand der Forderung, nicht für Beitreibbarkeit (§ 437 BGB). Abweichende Vereinbarungen zulässig. Übernimmt der Verkäufer die Haftung für Zahlungsunfähigkeit des Schuldners, so ist i. d. R. nur Zahlungsfähigkeit im Zeitpunkt der Abtretung gemeint (§ 438 BGB).

Förderungsmaßnahmen, zusammenfassende Bezeichnung für die innner- und außerbetriebliche →berufliche Fortbildung von Mitarbeitern. – 1. *Innerbetriebliche F.:* a) Veranstaltung von Schulungs- oder Ausbildungslehrgängen inner- oder außerhalb der Arbeitszeit (Unterricht in Stenographie oder Schreibmaschineschreiben, Sprachen, technischen Fächern, Werkstoffkunde; Ausbildungskurse in der Bedienung von Spezialbüromaschinen, Filmvorführgeräten, Schweißen, in der Meßtechnik u. a.); b) Anlernen und Umschulungsmaßnahmen; c) Konferenz-Schulung für betriebliche Führungskräfte (z. B. betr. Menschenführung oder Wirtschaftskontrolle); d) regelmäßige Filmvorführungen; e) Bezug von Fachbüchern, Fachzeitschriften (evtl. Freiabonnements); f) Bereitstellung sog. Abteilungs-Handbücher: Geschäftsgänge mit Formularsätzen, Organisationsskizzen, Probefällen u. ä. – 2. Unterstützung *außerbetrieblicher* Schulungs- oder Ausbildungsmaßnahmen durch ganze oder teilweise Kostenübernahme,

Gewährung von Sonderurlaub oder Freizeiten sowie von Erfolgsprämien: a) Sonderkurse, Kurse für Stenographie u. Maschineschreiben, Lehrgänge der Industrie- und Handelskammern, der Arbeitgeber- und Innungsverbände, der Gewerkschaften und dgl.; b) Lehrgänge der Fernschulen; c) Besuch von Kursen und →Berufsakademien im dritten Ort. – Vgl. auch →Leistungsförderung, →Personalentwicklung.

Forderungspapiere, →Wertpapiere, die in erster Linie Forderungsrechte, insbes. Geldforderungen verbriefen (→Inhaberschuldverschreibung, →Wechsel, →Scheck), im Gegensatz zu den Mitgliedschaftspapieren (z. B. →Aktie) und sachenrechtlichen Papieren (z. B. →Hypothekenbrief).

Foderungspfändung, →Pfändungs- und Überweisungsbeschluß.

Forderungsrecht, obligatorisches Recht, das sich nur gegen eine bestimte Person richtet (z. B. Geldforderungen, Ansprüche aus Kaufvertrag, Mietvertrag, ungerechtfertigter Bereicherung, unerlaubter Handlung). – *Gegensatz:* →absolute Rechte.

Forderungsübergang, →Rechtsnachfolge.

Forderungsvermächtnis, →Vermächtnis durch das der Erblasser dem Vermächtnisnehmer eine ihm zustehende Forderung vermacht (§ 2173 BGB). – *Besteuerung:* F. unterliegt im Erbfall der →Erbschaftsteuer.

Forderungsverzicht, Erlaß einer Forderung. F. von Gesellschaften einer Kapitalgesellschaft auf Forderungen gegen die Gesellschaft erhöht den Wert der Gesellschaftsrechte und unterliegt der →Gesellschaftsteuer (§ 2 Ziffer 4 b KVStG).

Förderzins, →bergrechtliche Förderabgabe.

foreign direct investment (FDI), →Direktinvestitionen.

foreign exchange club (FOREX), →Association Cambiste Internationale.

foreign exchange futures, →financial futures.

FOREX, foreign exchange club, →Association Cambiste Internationale.

Forfaitierung, sprachlich abgeleitet von →à forfait. 1. *Charakterisierung:* Form der Außenhandelsfinanzierung, (vgl. auch →Ausfuhrfinanzierung), indem Wechsel oder Forderungen bei Vorliegen guter Sicherheiten ohne Rückgriff auf den Exporteur aufgekauft werden. Der Verkäufer befreit sich von jedem Risiko und haftet lediglich für den rechtlichen Bestand der Forderung. – 2. *Vorteile* für den Exporteur: a) Verbesserung der Liquidität durch Umwandlung der Forderung in bares Geld, b) Befreiung vom Kreditrisiko, c) Entlastung seiner Bilanzen von langfristigen Forderungen.

Forfeit, im kaufmännischen Sprachgebrauch Synonym für →Reugeld.

formale Inzidenz, Form der →Inzidenz. Die f.I. gibt die Einkommensverteilungsänderungen an, die vorliegen würden, wenn keine Überwälzungsvorgänge (→Überwälzung) stattfänden und der primäre Zahler bzw. Nutzer auch endgültiger Zahler und Nutzer wäre. – *Gegensatz:;* →effektive Inzidenz.

formaler Parameter, →Formalparameter.

formale Spezifikation. 1. *Begriff:* Im →Software Engineering eine Methode der →Spezifikation, bei der die Aufgaben eines →Moduls (schwieriger: eines →Softwaresystems) formal definiert werden, z. B. axiomatisch. – 2. *Vorteil:* Exakte Vorgabe für die →Implementierung; ausgehend von einer f. S. kann u. U. ein formaler Beweis geführt werden, daß die Implementierung mit der Spezifikation übereinstimmt. (→Programmverifikation). – 3. *Nachteil:* Nur für kleinere Aufgaben und von formal geschulten Informatikern einsetzbar, sehr aufwendig. – 4. *Bedeutung:* In der →Informatik intensive Forschungsaktivitäten; in der Praxis heute noch keine Bedeutung.

Formalisierung, →Theorie.

Formalparameter, *formaler Parameter,* →Parameter, der bei der Definition eines →Unterprogramms für einen Wert in dem Unterprogramm steht, der vom Unterprogramm an das aufrufende Programm oder in umgekehrter Richtung übergeben wird. – *Gegensatz:* →Aktualparameter.

Formalwissenschaft, Bezeichnung für wissenschaftliche Disziplinen, deren Gegenstand in der Realität nicht existierende Objekte sind. Handelt sich um Logik und Mathematik, teilweise auch →Systemtheorie einschließlich →Kybernetik. – *Bedeutung:* Die Wahrheit formalwissenschaftlicher Aussagen ist nur in logischer Hinsicht feststellbar. Anwendung formalwissenschaftlicher Tatbestände innerhalb der →Realwissenschaften, indem mathematische Ausdrucksformen zur Darstellung benutzt oder die Aussagen auf ihre Widerspruchsfreiheit geprüft werden (→Konsistenzpostulat).

Format, Aufbau einer strukturierten Nachricht. – Vgl. im einzelnen →Formatieren.

formatfrei, unstrukturierte Form einer Nachricht.

Formatieren. 1. Bei der →*Textverarbeitung:* Einen vorhandenen Text in eine bestimmte Gestalt (bezüglich Zeilenlänge, Seitenumbruch, benutzte Zeichensätze usw.) bringen; sein Layout (Format) festlegen. – 2. Bei →*Disketten,* →*Magnetbändern* und *Magnet-*

platten (Magnetplattenspeicher): Initialisierung vor dem ersten Gebrauch. Es werden Aufzeichnungsspuren und die Sektoren, in die diese eingeteilt sind, sowie eine Indexspur (für Angaben zur Kennzeichnung der Diskette und der auf ihre gespeicherten Dateien) angelegt. Dabei werden verschiedene (Aufzeichnungs-) Formate (vgl. auch →Diskette) benutzt; das bei einem →Computer verwendete Format hängt von seinem →Betriebssystem ab.

Formblätter. 1. *Kreditinstitute:* Verbindliche Muster für die Gliederung der Jahresbilanz und die Gewinn- und Verlustrechnung; Formblattvorschiften bestehen bei Kreditinstituten nach § 25a II KWG i. v. m. der Formblatt VO des Bundesministers der Justiz vom 20.12.1967 sowie § 330 HGB; insbes. vorgeschrieben für die →Bankbilanz. – 2. *Aktiengesellschaft:* F. können für die Erteilung von Weisungen des Aktionärs beim →Depotstimmrecht vorgeschrieben werden (§ 128 VI AktG.)

Formelflexibilität, *formula flexibilität,* Begriff der →Finanzwissenschaft im Bereich der →fiscal policy; ein Automatismus zur Bremsung von konjunkturellen Schwankungen, ähnlich der →built-in flexibility. Durch Gesetz werden Steuersatzvariationen und Staatsausgabenveränderungen festlegt, die in Kraft treten, sobald die Wachstumsrate des Volkseinkommens oder andere strategische Variablen um einen bestimmten Prozentsatz von einem vorher festgelegten Wert abweichen. – Das Konzept der F. ist als Reaktion auf die time →lags entwickelt worden: Sie soll die →diskretionäre Finanzpolitik ablösen, um eine höhere Durchschlagkraft der Konjunkturpolitik zu erreichen. – Die politische Durchsetzbarkeit der F. erscheint gering, da es schwierig ist, geeignete theoretische Konjunkturindikatoren (→Konjunkturbarometer) zu finden und das Haushaltsrecht von Regierung und Parlament beeinträchtigt wird.

formelle Gruppe, →Gruppe I 3 b).

formeller Führungsstil, →Führungsstil 5.

formelles Konsensprinzip, Grundsatz des Grundbuchrechts, der besagt, daß zur Eintragung in das →Grundbuch i. d. R. (Ausnahme z. B. bei Auflassung) einseitige Bewilligung des Betroffenen genügt (§ 19 GBO). – Vgl. auch →Konsenzprinzip, →materielles Konsenzprinzip.

Formeltarif, →Kurventarif 3.

Formkaufmann, →Kaufmann kraft Rechtsform i. S. des HGB, der diese Eigenschaft mit der Entstehung des Unternehmens erlangt, auch wenn kein Handelsgewerbe betrieben wird. Der F. ist notwendig →Vollkaufmann. – Zum F. *gehören:* a) Handelsgesellschaften mit eigener Rechtspersönlichkeit AG, KG, aA und GmbH; b) sonstige Gesellschaften mit eigener Rechtspersönlichkeit, die zwar keine Handeslgesellschaften, diesen aber im wesentlichten gleichgestellt sind (eingetragene Genossenschaften) und VVaG (§§ 16, 53 VAG; § 17 GenG). – *Nicht F. sind:* OHG und KG, da sie Handelsgewerbe voraussetzen (als Kleingewerbetreibender wird die OHG zur →Gesellschaft des bürgerlichen Rechts); stille Gesellschaft, die keine Handelsgesellschaft ist; Kartelle, Interessengemeinschaften, Konzerne usw., wenn nicht in der Form einer der zulässigen Handelsgesellschaft aufzogen; Vereine oder Gesellschaften des bürgerlichen Rechts.

förmliches Verwaltungsverfahren, ein durch Rechtsvorschrift angeordnetes besonderes →Verwaltungsverfahren mit der Mitwirkung von Zeugen und Sachverständigen, der Verpflichtung zur Anhörung von Beteiligten und dem Erfordernis der mündlichen Verhandlung.

Formosa, →Taiwan.

Formschreiben, Schriftstück mit Standardgestaltung und gleichbleibendem Themengerüst (z. B. Vordrucke; Schemabriefe).

formula flexibility, →Formelflexibilität, →flexibler Wechselkurs.

Formular, *Vordruck.* 1. *Begriff:* Formgebundenes Kommunikationsmittel mit zweckentsprechender Gestaltung (→Formulargestaltung) zum Führen der Arbeitsabläufe mit höherer Zuverlässigkeit und Sicherheit. – 2. *Arten:* a) handschriftliche F., b) Schreibmaschinen-F., c) computergerechte F. – 3. *Richtlinien zur Gestaltung:* a) *Entwurfsplanung:* Festhalten der aufzunehmenden Daten; Kürzungen und Streichungen vornehmen, wenn Doppelbelegung vorhanden; Prüfen der Notwendigkeit und Zweckgebundenheit des F.; Prüfen, ob handelsfertiger Bezug möglich. – b) *Entwurfsgestaltung:* Anwendung bestehender DIN-Normen, verständliche Bezeichnung wählen; Angaben auf Verständlichkeit, Kürze und Eindeutigkeit prüfen; gleiche Begriffe auf allen F.; Spalten numerieren; Spalten und Zeilen in der Reihenfolge der Eingabe oder Arbeitsgänge anordnen; Sortier- oder Ablagebegriffe zusätzlich in F.eck anbringen; Ankreuzen von Textstellen ermöglichen; wichtige Felder oder Spalten umrahmen; bei maschinenschriftlicher Ausfertigung Spalten- und Zeilenabstände berücksichtigen; kleinstmögliches DIN-Format wählen; handschriftliche F. in Blockform, maschinenschriftliche in Endlosformat (→Endlosformular); Papiergüte, Papierstärke, Archivierungsdauer wählen. – c) *Formularverwaltung:* Aufbewahrung in stirnseitig etikettierten Paketen; Formularverzeichnis anlegen; Formulargestaltungshandbuch anlegen.

Formulierung, technischer Begriff für Endfertigungsvorgänge in der chemischen Industrie, insbes. Abmischen und Abpacken auf die Abgabemengen (Packungsgrößen, Gebinde), die marktgängig sind.

Formvorschriften, Rechtsvorschriften, die die Gültigkeit eines →Rechtsgeschäfts von der Wahrung einer bestimmten Form abhängig machen. V.a. Grundstücksgeschäfte (→Grundstücksverkehr) sind formbedürftig, während Rechtsgeschäfte i.d.R., insbes. →Verträge, auch ohne bestimmte Form gültig sind. – *Vereinbarung* von Formzwang durch die Parteien möglich. – Vgl. auch →Schriftform, →öffentliche Beglaubigung, →öffentliche Beurkundung.

Formzwang, durch bestimmte →Formvorschriften zwingend angeordnete Form. Nichtbeachtung des vorgeschriebenen F. führt zur →Nichtigkeit des Rechtsgeschäfts (§ 125 BGB).

Forschung, →Forschung und Entwicklung.

Forschungskosten, Kosten, die mit der Forschungstätigkeit im Unternehmen und mit nach außen vergebenen Forschungsaufträgen verbunden sind. – *Erfassung in der Kostenrechnung:* Bei freier Forschung ist die Zurechnung auf Produkte oder Produktgruppen exakt kaum möglich; bei gebundener Forschung werden die F. häufig als →Sondereinzelkosten der Fertigung erfaßt. – Vgl. auch →Entwicklungskosten.

Forschungsorganisation, →Teilbereichsorganisation des organisatorischen Teilbereichs „Forschung". Die Ebene der →Hierarchie unterhalb der Leitung der Forschungsabteilung kann z.B. nach unterschiedlichen Ressourcen (etwa Laboratorien), nach Grundlagenforschung und angewandter Forschung oder nach unterschiedlichen Forschungsgegenständen gegliedert werden (→Segmentierung).

Forschung und Entwicklung (F&E). I. Charakterisierung: 1. *Ausgangslage:* Der zunehmende Wettbewerg auf nationaler und internationaler Ebene hat, und zwar in Wechselwirkung mit einem sich immer rascher vollziehenden →technischen Fortschritt, nicht nur zu Wirtschaftswachstum geführt, sondern übt auf die Wirtschaftsteilnehmer auch einen nicht unerheblichen *Innovationsdruck* aus. →Innovation ist das außer- und innerbetriebliche Durchsetzen von neuen Produkten und – technischen sowie organisatorischen – Verfahren. Mittel zum Gewinnen solcher Neuerungen sind außer unerlaubtem oder vertraglich vereinbartem Nachvollziehen (Kopieren/Lizenznahme) das *bewußte Erarbeiten neuer Erkenntnisse i.w.S.* (F&E).

2. *Begriff:* Um *Forschung und Entwicklung* handelt es sich, wenn die Suche nach neuen Erkenntnissen unter Anwendung wissenschaftlicher Methoden und in geplanter Form erfolgt. Als *Forschung* wird der generelle Erwerb neuer Kenntnisse, als *Entwicklung* deren erstmalige konkretisierende Anwendung und praktische Umsetzung bezeichnet; „neu" ist dabei individuell zu verstehen. Die neuen Kenntnisse, die Erfindungen, können sich sowohl auf Produkte als auch auf (Herstellungs-)Verfahren und Produkt- sowie Verfahrensanwendugen erstrecken. – Entbehrt Forschung noch eines realen Verwertungsaspekts, so handelt es sich um *Grundlagenforschung;* diese ist in maßgeblichem Umfang öffentliche Forschung, so an Universitäten und in besonderen Forschungsinstitutionen (z.B. Max Planck-Gesellschaft). Die *angewandte Forschung* ist dagegen bereits auf konkrete Anwendungsmöglichkeiten hin ausgerichtet; ihr widmen sich v.a. firmeneigene und überbetriebliche Forschungsinstitutionen der Wirtschaft. – Eine besondere Form des Konzipierens (von Produkten) vollzieht sich beim *Konstruieren* bzw. bei der *Konstruktion.* Im Gegensatz zur Entwicklung entbehrt dies meist des Merkmals der Neuigkeit, weil es sich vorwiegend auf ein kombinatives Anwenden bekannter Konstruktionsprinzipien beschränkt; die Grenzen können jedoch fließend sein. Das Konstruieren zielt zudem stehts nur auf ein Gestalten geometrisch exakt zu definierender Produkte hin.

3. *Probleme:* Beim Übergang der in F&E erarbeiteten Erkenntnisse von einer Phase zur nächsten, insbes. aber aus dem F&E-Bereich bzw. Konstruktionsbereich heraus in die erkenntnisverwertenden Bereiche (eigene Produktion, fremde Produktion bei – evtl. sogar ausländischen – Lizenznehmers) stellen sich Probleme des →*Technologietransfers.* Dies ist die – oft mit zahlreichen Interpretationsschwierigkeiten behaftete – Übermittlung konzeptuell gewonnener Informationen an die, meist anderen Denkschemata verhafteten Informationsverwerter.

II. Bedeutung: Zur Kennzeichnung der Bedeutung von F&E allgemein und speziell für die Wirtschaft dienen verschiedene *Kennzahlen.* Mit ihnen soll die *Intensität von F&E-Aktivitäten* gewisser Bereiche absolut oder relativiert zum Ausdruck gebracht werden; es können einsatz- oder ergebnisorientierte Angaben sein. Ihre Geltungsbereiche sind nach Regionen (Ländern), Branchen, Betriebsgrößen und Forschungsträgern differenziert. Aufschlüsse vermitteln zwischenbetriebliche, wirtschaftszweigtypisierende und internationale Vergleiche sowie Zeitvergleiche. – *Veröffentlichungen* finden sich in unterschiedlichen Statistiken, u.a. im Statistischen Jahrbuch für die Bundesrep. D., in den jährlichen Forschungsberichten der Bundesregierung, in der Wissenschaftsstatistik des Stifterverbandes für die Deutsche Wissenschaft, in Branchenveröffentlichungen und Firmenmitteilungen.

1. *Einsatzorientierte Kennzahlen von F&E-Aktivitäten:* Die F&E-Gesamtaufwendungen betrugen 1983 in der Bundesrep. D. 46,8 Mrd. DM. Bezogen auf das Bruttosozialprodukt ergibt sich eine Quote von 2,49% (1981), die ungefähr denjenigen Quoten anderer führender Industrienationen (USA: 2,52%, Japan: 2,40% jeweils 1981) entspricht. Die in den nationalen Bruttoinlandsausgaben enthaltenen F&E-Gesamtaufwendungen der Wirtschaft beliefen sich 1983 auf ca. 33 Mrd. DM (1965: 4,4 Mrd. DM), einem Betrag von 539 DM (75 DM) pro Kopf der Bevölkerung und 1,98% (0,97%) Anteil am Bruttosozialprodukt entsprechend. Die höchsten Forschungsaufwendungen wurden in der Elektrotechnischen Industrie (7,8 Mrd. DM), in der Chemischen Industrie (6,6 Mrd. DM) und in der Kraftfahrzeugindustrie (4,9 Mrd. DM) – Angaben für 1983 – getätigt. Forschungsquoten einzelner forschungsintensiver Firmen zwischen 8% und 12% ihrer Umsätze oder 15% und 20% ihrer Gesamtaufwendungen sind keine Seltenheit. Andere Bezugsbasen können auch die Beschäftigtenzahlen einer Unternehmung und deren Wertschöpfung sein.

2. *Ergebnisorientierte Kennzahlen von F&E-Aktivitäten:* Diese ist wegen der Inhomogenität von F&E-Leistungen ungleich schwieriger. Maßstäbe hierfür wären z.B. die Anzahl von getätigten Erfindungen oder hilfeweise Patentanmeldungen. Auch Verkürzungen der durchschnittlichen Entwicklungsdauer könnten F&E-Erfolge zum Ausdruck bringen sowie auch die Anzahl junger Produkte im Leistungsprogramm und deren Umsatzanteile. Schließlich sei auf das Linzenzvolumen und die Menge von Erfolgberichten in wissenschaftlichen Publikationsorganen verwiesen.

III. F&E als eine besondere Produktion: Die Schwierigkeiten eine Beurteilung der Effizienz von F&E resultieren großenteils aus den Besonderheiten der sich hier vollziehenden Leistungserstellungen. Es sind Produktionsprozesse sui generis, die sich auch als *Informationsgewinnungsvorgänge* deuten lassen ind: 1. Die *Einmaligkeit,* mit der jeweils ein Produkt „Erfindung", und zwar auf anfangs noch unbekannte Weise, erstellt werden soll und wird. 2. *Mehrfache Unsicherheiten,* die auf dem Weg dorthin wirksam werden, somit ist dieser stochastisch. Sie betreffen a) den Erfolg der F&E-Bemühungen, b) den Umfang der nötigen Aufwendungen an Zeit, Kapital und Güterverzehr (Kosten), c) die Input-Output-Relation und d) den wirtschaftlichen Aspekt einer – erfolgreichen – Eigen- und/oder Fremverwertung der Erfindung in naher und/oder fernerer Zukunft. Jede Art von Unsicherheit kann so groß werden, daß ein F&E-Projekt früher oder später aufgegeben (abgebrochen) oder vertagt wird. Technische Erfolgsquoten von nur 50 bis 60% und wirtschaftliche Erfolgsquoten von oft nur um 10% sind üblich. 3. *Kenntnisse, Intellekt und Kreativität des F&E-Personals* prägen die F&E-Prozesse mehr als die sonst markanten repetitiven Tätigkeiten. Daß die Mitarbeiter bei ihren Tätigkeiten durch supportive Ressourcen (Personal und Betriebsmittel einschl. EDV) unterstützt werden und gelegentlich auch selbst repetitive Arbeiten ausführen, wird durch diese Feststellung nicht ausgeschlossen.

IV. Gestalten von F&E-Prozessen: Trotz der angeführten Besonderheiten ist es möglich und nötig, F&E nicht seiner Eigendynamik und dem Zufall zu überlassen, sondern es – wegen erwiesener dispositiver Unterstützungserfolge – rational zu gestalten. Dies bedeutet, daß F&E-Prozesse, wenn auch objektspezifisch, geplant, organisiert und kontrolliert werden können und sollen. F&E zu betreiben, bedeutet daher das Konzipieren und Durchsetzen einer klaren *F&E-Politik* in Verbindung mit einem fachlich qualifizierten →*Technologie-Management,* dem ein vielseitiges Instrumentarium für strategische und operative Maßnahmen zur Verfügung steht.

1. *Planung:* Diese Phase umfaßt: a) Eindeutige *Zielplanung:* Die Ergebnisse müssen sich jeweils unter Berücksichtigung der zeitlichen Dimension in projektbezogenen Pflichtenheften und generell in den F&E-Programmen niederschlagen. b) *Mittelplanung:* Planung der Verfügbarkeiten benötigter Ressourcen i.S. von zu investierenden Geräten etc. und freizustellendem oder einzustellendem Personal, aber auch von einzusetzenden Budgets, stets bezüglich Volumina, Zweckbindung und Zeit; sie werden mit zunehmendem Projektfortschritt i.a. verläßlicher. c) *Projektplanung:* Planung der einzelnen Projekte, und zwar hinsichtlich ihres Entstehen, ihrer Beurteilung in jeweils unterschiedlichen Reifestadien und ihrer Abläufe (Arbeits-, Reihenfolge- und Terminplanungen). – Daß bei allen Planungen *Planrevisionen* häufiger erforderlich und in ihren Ausmaßen evtl. auch gewichtiger werden und akzeptiert werden müssen, liegt in der Eigenart von F&E-Aktivitäten begründet. – Neben den bekannten *Planungstechniken* gibt es weitere, mit denen den Spezifika von F&E bewußt entsprochen werden soll. Verwiesen sei nur auf besondere *Prognosemethoden* (→Prognose III) und unterschiedliche →*Kreativitätstechniken* (z.B. Brainstorming) zum Generieren von Ideen, auf Methoden zur technologischen Vorhersage (erwarteter Entwicklungsrichtungen) und Konzepte zur →Technikfolgenabschätzung, auch Technologiewirkungsanalysen genannt. Während diese Instrument auch besondere Methoden zur Projektbeurteilung Hilfen zur Projektauswahl sein sollen, kommen stochastische Netzplantechniken (→Netzplantechnik) bevorzugt für die operativen Ablaufplanungen in Betracht.

2. *Organisation:* In dieser Phase bieten sich ebenfalls Ansatzpunkte aufgabenspezifischer Problemlösungen. Erwähnt seien insbes. die unterschiedlichen Formen der Institutionalisierung von F&E-Aktivitäten, und zwar als unternehmungsautonome, als (unternehmungsübergreifende) Gemeinschafts- und als (kommerzielle) Auftragsforschung sowie innerbetriebliche Fragen wie die nach der Organisationsstruktur in einem F&E-Bereich und dessen Einbringung in die Unternehmenshierarchie. Bezüglich der Motivation der Mitarbeiter ist an die Einrichtung von Parallelhierarchien, individueller Arbeitszeitregelungen und spezieller – auch außerbetrieblich gültiger – freier Kommunikationsformen zu denken. Beantragungs- und Berichtsroutinen verlangen ebenso wie die frühest mögliche Versorgung mit wissenschaftlichen Informationen spezielle organisatorische Lösungen – Vgl. auch →Forschungsorganisationen, →Entwicklungsorganisationen.

3. *Kontrolle:* In diesem Zusammenhang sind insbes. an die besonderen Belange eines Berichtens über Ereignisse, Zwischenergebnisse, Fehlschläge, Verzögerungen usw. einerseits in unbürokratischer und andererseits doch wirkungsvoller Weise sowie an eine nach Projekten differenzierende und von Abrechnungszeiträumen ggf. absehende Kosten-(Aufwand-) und Budgetüberwachung, um nötigenfalls die Planansätze rechtzeitig revidieren oder andernfalls in die Abwicklung der F&E-Projekte regulierend eingreifen zu können, zu denken. Zu erwägen ist, ob einem Controller wenigstens Mitspracherechte im personalpolitisch sensiblen F&E-Bereich zuzustehen sind (vgl. auch →Controlling).

4. Die vielfältigen Hinweise auf rational orientierte Gestaltungsmöglichkeiten bezüglich F&E stützen die These *„The greatest invention of the nineteenth century was the invention of the method of invention“* (A.N. Whitehead, 1946).

Literatur: Brockhoff, Klaus, Forschungsprojekte und Forschungsprogramme: ihre Bewertung und Auswahl, Wiesbaden 1973; Kern, Werner/Schröder, Hans-Horst, Forschung und Entwickling in der Unternehmung, Reinbeck bei Hamburg 1977; Moll, H. H./Warnecke, H. J. (Hrsg.), RKW-Handbuch Forschung, Entwicklung, Konstruktion (F+E), Loseblattsammlung, 2. Bde., Berin 1976 (Stand 1986).

Prof. Dr. Werner Kern

Forstwirtschaft, planmäßige, auf den Anbau und Abschlag von Holz gerichtete Wirtschaftstätigkeit. Vgl. →Land- und Forstwirtschaft. – *Förderung* der F. nach dem →Bundeswaldgesetz vom 2.5.1975 (BGBl I 1037) wegen der Nutz-, Schutz- und Erholungsfunktionen des Waldes, gerichtet v.a. auf die Sicherung der allgemeinen Bedingungen für die Wirtschaftlichkeit von Investitionen zur Erhaltung und nachhaltigen Bewirtschaftung des Waldes. Dem gleichen Zweck dient das Gesetz über forstliches Saat- und Pflanzgut i.d.F. vom 26.7.1979 (BGBl I 1242). Durch die Bereitstellung ausgewählten und geprüften Vermehrungsgutes soll der Wald in seiner Ertragsfähigkeit und in seinen Wirkungen auf die Umwelt erhalten und verbessert werden. – Vgl. auch →Absatzförderungsfonds.

forstwirtschaftliches Vermögen, alle Teile einer wirtschaftlichen Vermögensmasse, die dme planmäßigen An- und Abbau von Holz als Hauptzweck dient (§ 45 BewG). – Vgl. auch →land- und forstwirtschaftliches Vermögen, →Einheitswert.

Fortbildung, →berufliche Fortbildung.

Fortbildungskosten, Ausgaben für den Besuch von Fortbildungslehrgängen, Vorträgen, für Fachliteratur u.ä.; Vgl. auch →Studienreisen. – F. der Steuerpflichtigen sind bei →Einkommensteuer als →Betriebsausgaben bzw. Werbungskosten abzugsfähig. – F. sind *zu unterscheiden* von →Berufsausbildungskosten und →Weiterbildungskosten.

fortgesetzte Gütergemeinschaft. 1. *Begriff:* Besondere Vermögensgemeinschaft z. Fortsetzung eines Güterstandes bei Tod eines Ehegatten; vgl. →Eheliches Güterrecht. Bei f.G. wird zwischen dem überlebenden Ehegatten und den gemeinschaftlichen →Abkömmlingen, die im Fall der gesetzlichen →Erbfolge als Erben berufen wären, die Gütergemeinschaft fortgesetzt (§ 1483 BGB). – 2. *Steuerrecht:* a) *Erbschaftsteuer:* Bei f.G. wird der Anteil des verstorbenen Ehegatten am Gesamtgut so behandelt, wie wenn er ausschließlich den anteilsberechtigten Abkömmlingen zugefallen wäre (§ 4 ErbStG). – b) *Einkommensteuer:* Einkünfte, die in das →Gesamtgut fallen, gelten als Einkünfte des überlebenden Ehegatten (§ 28 EStG), wenn dieser unbeschränkt steuerpflichtig ist. Eine Aufteilung der Gesamtguteinkünfte im Verhältnis der Anteilsberechtigungen auf die am Gesamtgut Beteiligten erfolgt.

fortgesetzte Handlung, strafrechtlicher Begriff. Mehrere äußerlich trennbare Tätigkeitsakte, die sich gegen dasselbe oder ein gleichartiges Rechtsgut richten, jedoch durch einen einheitlichen Gesamtvorsatz zu einem Ganzen verbunden sind. Es handelt sich strafrechtlich um eine einzige Tat, die in verschiedenen Akten begangen ist. Die →Verjährung beginnt mit der Begehung des letzten Aktes. *Ausgeschlossen* ist eine f.H. bei Verletzung höchstpersönlicher Rechtsgüter wie beispielsweise Leben, Körper und Gesundheit.

fortlaufende Notierung, →variabler Markt.

fortlaufender Kurs, →Kurs 2a) (2).

Fortran, *formula translating system.* 1. *Begriff:* Prozentuale →Programmiersprache; 1956 von Mitarbeitern der Firma IBM unter Leitung von J. W. Backus entwickelt mit dem Ziel, mathematische Berechnungen mit dem Computer zu vereinfachen. – 2. *Einsatzgebiete/*

Verbreitung: Im mathematischen, technischen und naturwissenschaftlichen Bereich die am weitesten verbreitete Programmiersprache. – 3. *Vorteil:* Weltweit umfangreiche mathematische Programmbibliotheken verfügbar. – 4. *Nachteil:* Veraltete Sprachstruktur. – 5. *Standardisierung:* Mehrere Versionen von IBM entwickelt (Fortran II, Fortran IV); Ansi-Standards (→ANSI) von 1966 (Fortran 66) und 1977 (Fortran 77); breite Akzeptanz des letzteren.

Fortschreibung. I. Statistik: Fortlaufende Verzeichnung von Veränderungen an →Bestandsmassen durch Saldierung der Ergebnisse der letzten →Erhebung mit Zugängen u. Abgängen. Selbst bei voller materieller und begrifflicher Entsprechung der in Verbindung gebrachten Einheiten und größtmöglicher Vollständigkeit der statistischen Aufzeichnungen sind die F.-Ergebnisse durch spätere Kontrollerhebung zu prüfen und gegebenenfalls zu berichtigen. Veränderungen der Massen, die durch Wandlung individueller →Merkmale entstehen, können dabei nicht fortgeschrieben werden (etwa Höhe des Aktienkapitals, der Bilanzsummen u.ä. bei der Statistik der Aktiengesellschaften; Zahl der Aufsichtsdratsmitglieder, der Tochter- und Beteiligungsgesellschaften u.ä.).

II. Lager- und Anlagenbuchführung: Vgl. →Skontration, →laufende Inventur.

III. Steuerrecht: F. von →*Einheitswerten:* 1. Im Falle einer nach dem letzten →Feststellungszeitpunkt eingetretenen und für die Besteuerung bedeutsamen Änderung der tatsächlichen Verhältnisse: a) bei Änderung im Wert eines Gegenstands als →*Wertfortschreibung;* b) bei Änderung in der nach bewertungsrechtlichen Grundsätzen bestimmten Art eines Gegenstands als →*Artfortschreibung;* c) bei Änderung in der Zurechnung (Eigentumsverhältnisse) eines Gegenstands als →*Zurechnungsfortschreibung.* – 2. Zur Beseitigung eines Fehlers der letzten Feststellung als →*Berichtigungsfortschreibung.* – Die F.-Arten bestehen selbständig nebeneinander, können aber miteinander verbunden werden. – Vgl. auch →Fortschreibungszeitpunkt.

IV. Elektronische Datenverarbeitung: Vgl. →Dateifortschreibung.

Fortschreibungsmethode, →Skontration.

Fortschreibungszeitpunkt. 1. *Begriff* des Steuerrechts: Zeitpunkt, zu dem in bestimmten Fällen →Fortschreibung erfolgen muß: a) Beginn des Kalenderjahrs, das auf die Änderung folgt, in den Fällen einer Änderung der tatsächlichen Verhältnisse (→Fortschreibung II 1). – b) Beginn des Kalenderjahrs, in dem der Fehler dem Finanzamt bekannt wird, bei →Berichtigungsfortschreibung (→Fortschreibung II 2); bei einer Erhöhung des Einheitswerts jedoch frühestens der Beginn des Kalenderjahrs, in dem der →Feststellungsbescheid erteilt wird (§ 22 IV BewG). – Maßgebend sind die Verhältnisse im F. – 2. *Besonderheiten:* Abweichende Stichtage für die Zugrundelegung der Bestands- und/oder Wertverhältnisse nach §§ 27, 35 II, 54, 59, 106, 112 BewG bleiben unberührt.

Fortsetzungskrankheit, →Lohnfortzahlung I 3.

Fortwälzung von Steuern, →Steuerüberwälzung mittels Preisbildung am Markt; Übertragung der Steuerlast auf den Abnehmer der Ware mittels Preisaufschlag, z.B. →Umsatzsteuer, →Verbrauchsteuern. – *Gegensatz:* →Rücküberwälzung von Steuern.

fot, free on truck, fast mit →ab Werk identische Handelsklausel (→Incoterms). Ähnlich →for.

Fotoapparateversicherung, Versicherung von Schäden und Verlusten an Fotoapparaten (auch Schmalfilmkameras) nebst sämtlichem Zubehör während des Gebrauchs, der Reise und aller Aufenthalte in oder außerhalb der Wohnung durch Unfall des Transportmittels, durch höhere Gewalt, →Brandschaden, Blitz, →Explosionen aller Art, →Einbruchdiebstahl, →Beraubung, räuberischen Überfall, Leitungswasser sowie →Bruchschäden und Beschädigung.

Fotographie, →Lichtbildwerk.

Fotokopie. I. Allgemeines: Methode der Vervielfältigung und Ablichtung von Schriftstücken, Akten, Buchseiten etc. mit Urkundencharakter. – *Arten:* a) Normalpapierkopierer mit beweglichem oder feststehendem Vorlagenglas; b) Digitalkopierer mit Vergrößerungs- und Verkleinerungsautomatik (Zoomen), Sortierung, Fehlerdiagnose. – *Verfahren:* Mit Fiberglas-Objektiven (ohne Linsen) arbeitende Geräte in Klappschalenbauweise zur leichten Entfernung von störenden Einzelblättern.

II. Urheberrecht: Die F. urheberrechtlich geschützter Werke ist nur zum persönlichen und sonstigen eigenen Gebrauch zulässig; dient die F. gewerblichen Zwecken, ist dem Urheber eine angemessene Vergütung zu zahlen (§§ 53, 54 UrhRG).

fow, free on waggon, fast mit →for identische Handelsklausel (→Incoterms). Der Käufer ist verpflichtet, die zu liefernde Ware dem Handelsbrauch entsprechend (örtliche Bestimmungen der Eisenbahnverwaltung) in Waggons zu verladen.

F.P.A., *free from particular average,* vom Institut of London Underwriters herausgegebene Mindestdeckung der →Institute Cargo Clauses, die seit 1.1.1982 in revidierter Fassung Anwendung findet. – Bei der *cif-Lieferklausel* ist F.P.A. immer noch die vorgeschriebene Mindestdeckung (→Importschutzversicherung), weil der cif-Klauseltext der →Incoterms noch nicht geändert wurde. Sie versichert nur Elementarschadenereignisse (z. B. Schiffsuntergang, Brand, Explosion). – Die deutsche →Strandungsfalldeckung gilt ihr als materiell gleichwertig.

Fracht. 1. *Entgelt* für den Transport von Gütern. – 2. Zu transportierende Güter (*Frachtgut*).

Frachtbasis, *Frachtparität,* geographischer Ausgangspunkt der Frachtberechnung für alle Lieferungen eines Gutes, berücksichtigt von allen Unternehmen, die an einem entsprechenden Übereinkommen über die Frachtberechnung beteiligt sind. Dem Käufer werden die Frachtkosten für die Entfernung zwischen F. und Empfangsort berechnet, ohne Rücksicht darauf, von welchem Ort geliefert wird, wie hoch demnach die wirkliche Fracht ist. Die Bevorzugung eines bestimmten Lieferanten wegen der →Transportkosten ist damit ausgeschlossen. – F. *in der Bundesrep. D.:* Siegen in der Stahlindustrie für Handelsfeinbleche, Essen für die übrigen Bleche sowie für Kohle, Oberhausen für andere Walzwerkerzeugnisse.

Frachtbörse, →Börse III 2.

Frachtbrief, Begleitpapier im Frachtgeschäft (Güterverkehr), das als Beurkundung des →Frachtvertrages anzusehen ist. – 1. *Allgemeine Bestimmungen* bezüglich der Handhabung von F. in § 426 HGB: (1) Der →Frachtführer (derjenige, der die Beförderung von Gütern zu Lande, auf Flüssen oder sonstigen Binnengewässern gewerbsmäßig durchführt) kann die Ausstellung eines F. vom Absender verlangen. (2) Der Absender haftet dem Frachtführer für die Richtigkeit und die Vollständigkeit der in den F. aufgenommenen Angaben. (3) Der F. soll bestimmte Angaben enthalten, wie Ort und Tag der Ausstellung, Name und Wohnort des Frachtführers, Name des Empfängers, Ort der Ablieferung usw. – 2. *Spezielle Bestimmungen* bezüglich der F. in verkehrsträgerspezifischen Gesetzen: a) Für die *Eisenbahn* finden nationale Regelungen (nationaler Frachtbrief, Inlandsfrachtbrief in der →Eisenbahn-Bau- und Betriebsordnung (EBO). § 55 EBO schreibt zwingend vor, daß der Absender jeder Sendung einen F. nach dem im Tarif festgesetzten Muster beifügt. Internationale Regelungen (internationaler F.) im CIM →Übereinkommen über den internationalen Eisenbahnverkehr. – b) Für den *gewerblichen Güterfernverkehr* mit Kraftwagen in der Bundesrep. D. Regelung in der Kraftverkehrsordnung (KVO): Der F. muß bei allen Fahrten mitgeführt werden (§ 10 KVO) und ist der Überwachungsinstitution (BAG) auf Verlangen zur Prüfung vorzulegen. – 3. Im internationalen Straßengüterverkehr *internationaler F.* gemäß dem Übereinkommen über den Beförderungsvertrag im internationalen Straßengüterverkehr (CMR). Das von der IRU entwickelte CMR-Frachtbriefmuster ist den EG-Vorschriften angepaßt und wird i. a. angewandt.

Frachtenausschüsse, vom Bundesminister für Verkehr durch Rechtsverordnung zu errichtende Ausschüsse, die in der Binnenschiffahrt die Tarife für zu befördernde Güter fixieren (§ 21 BSch VG). – *Organisation:* F. bestehen aus dem eigentlichen F. und einem erweiterten F. Zusammensetzung der F. aus zwei gleich starken Gruppen von ehrenamtlichen, nicht an Aufträge und Weisung gebundenen Vertretern der Schiffahrt und der Verlader. Die Vertreter werden auf Vorschlag der Verbände der Binnenschiffahrt bzw. der Verbände der Industrie, des Handels, des Handwerks, der Schiffsspedition und der Agrarwirtschaft für drei Jahre von der Ausichtsbehörde in die F. berufen und wählen aus ihrem Kreis einen Vorsitzenden. Die F. bilden auf Anordnung oder mit Genehmigung der Aufsichtsbehörde: (1) Frachtenkommissionen für Tagesgeschäfte, (2) Bezirksausschüsse, (3) gemeinsame Ausschüsse und (4) Fachausschüsse (§ 27 BSchVG). – *Genehmigungspflicht:* Der Bundesminister für Verkehr muß die Beschlüsse der F. über Entgelte für Verkehrsleistungen genehmigen. – *Gebietliche Zuständigkeit* geregelt durch VO über die gebietliche Zuständigkeit der F. in der Binnenschiffahrt vom 8.8.1963 (BGBl. II, 1151).

frachtfrei ... (benannter Bestimmungsort), Handelsklausel (→Incoterms). Der Verkäufer trägt zwar die Kosten der Beförderung (Fracht) bis zum Bestimmungsort, die Gefahr jedoch nur bis zu dem Zeitpunkt der Übergabe der Ware an den ersten Frachtführer. Das schließt nicht aus, daß der Verkäufer unter Umständen für eine ordnungsgemäße Versicherung der Ware zu sorgen hat, wie z. B. bei der sehr bedeutenden Klausel →cif. Anders bei der Freiklauseln (→free). Es gibt demzufolge zwei frachtfrei-Klauseln: (1) *frachtfrei* (freight or carrige paid to...DCP); (2) *frachtfrei versichert* (freight carriage rand insurance paid to...CIP).

Frachtführer. I. Begriff: Kaufmann, der es „gewerbsmäßig übernimmt, die Beförderung von Gütern zu Lande oder auf Flüssen oder sonstigen Binnengewässern auszuführen" (§ 425 HGB). F. ist daher jeder Betrieb des Schienen-, Straßen-, Leitungs- und Binnenschiffsverkehrs, der Güter im →Fremdverkehr transportiert. – Nach den Regelungen der →International Air Tansport Association (IATA) gilt diese Begriffsbestimmung grundsätzlich auch für den →Luftverkehr *(Luftfrachtführer).* – Bei der Güterbeförderung zur See entspricht dem F. der *Verfrachter* (§§ 407, 559 HGB).

II. Pflichten: 1. *Sorgfältige Ausführung* der Beförderung, insbes. rechtzeitig Beginn und Vollendung (§ 428 HGB). – 2. *Aufbewahrung des Gutes* von der Übernahme bis zur Ablieferung an den Empfänger (§ 429 I HGB); bei Kostbarkeiten, Kunstschätzen, Geld und Wertpapieren haftet F. nur bei Beschaffenheits- oder Wertangabe bei der Übergabe zur Beförderung (Deklaration; § 429 II HGB). – 3. *Folgen der Anweisungen des* Absenders bzw. des Empfängers (§ 433 HGB). – 4. *Haftung:* Der F. haftet auf *Schadenersatz* bei Verletzung dieser Pflichten, wenn er nicht beweist, daß der Schaden durch die Sorgfalt eines ordentlichen F. nicht abgewendet werden konnte (§ 429 I HGB). – a) F. haftet für das →*Verschulden* seiner *Leute* oder anderer Personen, die er zur Beförderung zuzieht (z. B. Unter- und Zwischenfrachtführer), wie für eigenes Verschulden (§ 431 HGB), z. B. auch für Büroangestellte, die mit der Beförderung unmittelbar nichts zu tun hatten. – b) Der *Umfang* der Ersatzpflicht ist bei Verlust des Gutes beschränkt auf den Ersatz des gemeinen →Handelswertes oder sonstiger gemeiner Werte bzw. bei Beschädigung auf Ersatz der Wertdifferenz (§ 430 HGB). – c) Bei →*Vorsatz* oder →*grober Fahrlässigkeit* muß der F. vollen →Schadenersatz leisten. Bei Versäumung der Lieferfrist keine Haftungsbeschränkung. – d) *Andere Haftungsregelung* wird meist vereinbart, indem →Allgemeine Geschäftsbedingungen Vertragsinhalt werden, z. B. →Allgemeine Deutsche Spediteurbedingungen, die für den Spediteur gelten, auch wenn er selbst als F. tätig wird, oder die →Beförderungsbedingungen für den Umzugsverkehr. – 5. *Erlöschen* der Pflichten: a) Der F. wird aus dem Frachtvertrag frei mit der Annahme des Gutes und der Bezahlung der Fracht samt Nebenkosten durch den Empfänger (§ 438 I HGB). Damit erlöschen alle Ansprüche gegen den F., soweit nicht (§ 438 II-V HGB): (1) Beschädigung oder Minderung des Gutes vor Annahme durch amtlich bestellte Sachverständige festgestellt sind; (2) äußerlich nicht erkennbare Mängel sich erst später zeigen und Empfänger unverzüglich nach Entdeckung, spätestens binnen einer Woche nach Annahme, amtliche Feststellung beantragt; (3) der F. einen Schaden durch Vorsatz oder grobe Fahrlässigkeit herbeigeführt hat. – b) Ansprüche gegen den F. aus Verletzung seiner Pflichten *verjähren,* ausgenommen bei Vorsatz, in einem Jahr (§ 439 HGB). Nach § 64 ADSp allerdings schon nach sechs Monaten, auch bei Vorsatz (so Bundesgerichtshof).

III. Rechte: 1. Der Absender muß dem F. das Gut nebst Begleitpapieren in ordentlichem Zustand *übergeben* (§ 427 HGB); der F. kann die Ausstellung eines Frachtbriefes verlagen (§ 426 HGB). – 2. Anspruch auf *Zahlung* der Fracht nach Ausführung der Beförderung (§ 641 BGB), meist nach Tarifen, und auf Ersatz der notwendigen Auslagen und Vorschüsse (§§ 669, 670 BGB). – 3. Der F. hat ein gesetzliches *Pfandrecht* am Gut wegen aller durch Frachtvertrag begründeten Forderungen, solang er das Gut in Besitz hat oder durch →Traditionspapiere darüber verfügen kann (Entstehung auch durch →gutgläubigen Erwerb möglich, § 366 III HGB). Das Pfandrecht dauert über die Ablieferung des Gutes hinaus fort, wenn der F. es binnen drei Tagen nach Ablieferung gerichtlich geltend macht und das Gut noch im Besitz des Empfängers ist (§ 440 I–III HGB). Ein weitergehendes Pfandrecht folgt aus § 50 ADSp. Bei mehreren gesetzlichen Pfandrechten (z. B. aus Fracht, Spedition und Lagervertag) schreibt § 443 HGB bestimmte Rangordnung vor.

IV. Rechtsstellung mehrerer F.: 1. *Selbständige Teilfrachtführer:* Der Absender schließt mit mehreren F. Frachtverträge für je eine bestimmte Teilstrecke ab, wobei jeder Teilfrachtführer für seine Strecke die Verantwortung allein trägt. – 2. *Unterfrachtführer:* Der Absender schließt nur mit einem F. ab, der einen anderen F. als Gehilfen zur Beförderung nimmt. Der F. (Hauptfrachtführer) haftet für den Unterfrachtführer (§§ 432 I, 431 HGB). – 3. *Samtfrachtführer:* Mehrere F. führen aufgrund eines vom Absender mit dem ersten F. für die ganze Strecke abgeschlossenen Frachtvertrags die Beförderung für nur je eine Teilstrecke durch, indem das Gut mit dem ausgestellten durchgehenden Frachtbrief jeweils an einen anderen F. übergeben wird. Alle F. haften als →Gesamtschuldner (§ 432 HGB). Der letzte F. muß im Interesse seiner Vormänner einschließlich des Absenders deren Forderungen mit einziehen und auch deren Pfandrecht ausüben, sonst wird er selbst ersatzpflichtig.

Frachtgeschäft, Beförderung von Gütern gegen Entgelt durch →Frachtführer aufgrund eines Frachtvertrags. Das F. gehört zu den →Beförderungsgeschäften. Auch wenn ein →Kaufmann, der nicht Frachtführer ist, im Betrieb seines Handelsgewerbes ein F. abschließt, gelten die Vorschriften des HGB über das F. (II 425, 451 HGB).

Frachtkosten, Teil der →Logistikkosten eines Unternehmens, die für die Inanspruchnahme extern erbrachter Transportleistungen (Speditionsverkehr, öffentliche Verkehrsmittel) anfallen. – 1. *Kostenrechnung:* F. sind für Schiffs-, Luft-, Bahn- und Lastwagenfrachten nach Eingangs- und Ausgangsfrachten getrennt zu erfassen. Eingangsfrachten sind als Teil des Einstandwerts möglichst als →Einzelkosten auszuweisen. Verauslagte Frachten, die zurückerstattet werden, berühren die Kostenrechnung nicht. – 2. *Bilanzierung:* F. sind →Anschaffungskosten. – 3. *Umsatzsteuer:* F. sind Teil des →Entgelts. Als

Nebenleistung sind sie mit der Hauptleistung zu versteuern (→Lieferungen und sonstige Leistungen III).

Frachtladefaktor, →Ladefaktor.

Frachtparität, →Frachtbasis.

Frachtrate, →Frachtsatz.

Frachtsatz. 1. *Güterverkehr:* Der auf eine Gewichtseinheit (i. d. R. 100 kg, bei Stückgut bis 1000 kg) bezogene Beförderungspreis. – 2. *Seeverkehr:* Es wird von Frachtraten gesprochen. – 3. *Personenverkehr:* Der auf eine Entfernungseinheit (1 km) bezogene Beförderungspreis wird als *Tarifsatz* bezeichnet.

Frachtsatzzeiger, Heft A des →Deutschen Eisenbahn-Gütertarifs, Teil II. – *Inhalt:* Ausgerechnete Frachten in DM für Stückgut bis 1000 kg; Frachtsätze in Pf für Stückgutsendungen über 1000 kg; Frachtsätze für Güter der Klassen A–C von Wagenladungen; Frachtsätze für Güter der Wagenladungsklassen Gk und I, II, III bis V; Tafel der Privatwagenabschläge für den Verkehr der DB und der in den Tarif einbezogenen →nichtbundeseigenen Eisenbahnen.

Frachtstundung, Stundung von Forderungen aus Verkehrsdienstleistungen, insbes. der →Fracht. Regelmäßige Kunden von Betrieben des Schienen- und Straßengüterverkehrs können ihre Verbindlichkeiten in F.sverfahren mit festen Konditionen, Fristen und bargeldloser Abwicklung regulieren (vgl. →Deutsche Verkehrs-Kredit-Bank AG, →Deutsche Transportbank GmbH).

Frachtvertrag, Vertrag des →Frachtführers mit dem Absender über die Beförderung von Gütern. Der F. ist →Werkvertrag (§§ 631 ff. BGB) mit Sonderregeln in §§ 425 bis 452 HGB. – 1. *Inhalt:* Wesentlicher Inhalt muß die Beförderung des Gutes sein, sie muß Hauptleistung sein, es genügt die Beförderung innerhalb der Ortschaft. Transportmittel sind gleichgültig: auch Gepäckträger und Dienstleute schließen einen F. Die Güter müssen dem Frachtführer zur Beförderung anvertraut sein: der Schleppvertrag bei der Binnenschiffahrt ist daher kein F., sondern nur Werkvertrag. – 2. *Abschluß* zwischen Absender (Besteller des Werkvertrags) und dem Frachtführer (Werkunternehmer); nicht beteiligt ist der Empfänger des Gutes, der mit dem Absender identisch sein kann. Für den Empfänger entstehen aber durch den F. Anwartschaften und Rechte, ggfs. auch Pflichten. – *Einzelheiten:* Vgl. →Frachtführer. – 3. *Sonderregeln* gelten im →Seefrachtgeschäft, z. T. auch im →Flußfrachtgeschäft und →Bahnfrachtgeschäft. – 4. *Beschränkungen gem. AWV:* a) Gemäß § 44 II AWV bedarf es ab einem Befürwortungsentgelt von über 1000 DM einer Genehmigung für Gebietsansässige, die als Stellvertreter, Vermittler oder in ähnlicher Weise beim Abschluß von Frachtverträgen zur Beförderung einzelner Güter (Stückgüter) durch Seeschiffe fremder Flagge zwischen einem Gebietsfremden, der nicht in einem Land der →Länderliste F1 oder F2 ansässig ist, um einen weiteren Gebietsfremden mitwirken. b) Schließt ein Gebietsansässiger mit einem Gebietsfremden, der in einem Land ansässig ist, das nicht der →Länderliste F1 oder F2 angehört, einen zur Beförderung einzelner Stücke (Stückgüter) durch ein Seeschiff fremder Flagge ab, dann bedarf dies gemäß § 46, I AWG der Genehmigung, wenn das Beförderungsentgelt 1000 DM übersteigt.

Frachtvorlage, Auslagen eines Verkehrsbetriebes, insbes. einer →Spedition, beim Ein- oder Ausgang von Gütern für Forderungn Dritter an seinen Kunden (z. B. Frachten, Lagergelder, Nachnahmen, Zölle, Steuern, Versicherungsprämien).

Fracht-Zonen, →Zonentarif.

Frachtzuschlag, →Nebengebühren.

fractional programming, →Quotientenoptimierung.

Frage, →Befragung, →Eisbrecher, →Filterfrage, →Kontrollfrage.

Fragebogen, Grundlage für statistische →Erhebungen, insbes. bei Personengesamtheiten; Arbeitsmittel bei →Befragung. Im F. sind schematisch die eindeutig bestimmten →Erhebungseinheiten und Erhebungsmerkmale (→Merkmal) verankert. Fehlerfreie Ausfüllung ist durch Erläuterungn oder Mustereintragung anzustreben und zu überprüfen. (→Kontrollfrage). – *Arten:* 1. *Individual-F.:* Auszufüllen von jeder in die Untersuchung einbezogenen Person. 2. *Kollektiv-F.:* zu beantworten von den für eine Sach- oder Personengruppe Verantwortlichen (z. B. Unternehmer bei Maschinenzählung; Haushaltsvorstand für Familie bei der Volkszählung). – *Brauchbarkeit* des Fragenschemas ist durch vorherige Probeerhebung (→Pretest) und →Aufbereitung zu prüfen. – Vgl. auch →computergestützte Datenerhebung.

Fragerecht des Arbeitgebers, →Personalfragebogen, →Offenbarungspflicht.

Fragestunde des Bundestages, →Anfragen.

Fraktion, Vereinigung von mindestens 5 v. H. der Mitglieder des Bundestags, die derselben →Partei oder solchen Parteien angehören, die aufgrund gleichgerichteter politischer Ziele in keinem Land miteinander in Wettbewerb stehen. Sonst bedarf die Anerkennung als F. der Zustimmung des Bundestags. – F. können Gäste aufnehmen, die bei der Feststellung der Stärke nicht mitzählen. – Die Stellenanteile in den →Bundestagsausschüssen bestimmen sich nach der Fraktionsstärke (§§ 10 ff. Geschäftsordnung des Deutschen Bundestags).

Frame. 1. *Begriff:* Form der →Wissensrepräsentation; Wissen über ein Objekt wird durch Zusammenfassung seiner Eigenschaften in einem „Rahmen" dargestellt. Von M. Minsky entwickelt. Es enthält Aspekte der →deklarativen Wissenrepräsentation und der →prozeduralen Wissensrepräsentation. Es kann als eine Übertragung der Ideen der objektorientierten Programmierung (→Programmiersprachen) und die →künstliche Intelligenz aufgefaßt werden. – 2. *Bestandteile:* a) *Name des F.*, b) *Fächer (Slots)*, die die mit dem zu beschreibenden Objekt assoziierten Informationen aufnehmen. Ein Slot hat einen Namen, der ihn identifiziert, und „Slot-Values", d.h. die möglichen Werte, die er annehmen kann. Zu diesen Werten können auch ein Standardwert, Zeiger zu anderen F., Mengen von →Regeln oder →Prozeduren, die bei Aufruf Werte liefern (vgl. auch →Dämon), gehören. – 3. *Erzeugung:* Aus einem „Ur-F.", d.h. einer allgemeinen Definition des F., wird durch die Belegung der Slots mit jeweils zulässigen Werten ein konkreter F. (Instanz des Ur-F.) erzeugt.

Franchise, *Franchising.* I. Handelsbetriebslehre: 1. *Begriff:* System der →Vertriebsbindung, ähnlich den Vertragshändlern oder den kooperierenden Gruppen: Ein F.-Geber (Hersteller) sucht F.-Nehmer (Händler), die als selbständige Unternehmer mit eigenem Kapitaleinsatz Waren/Dienste unter einem einheitlichen Marketingkonzept anbieten. Rechte und Pflichten sind vertraglich geregelt. – 2. *F.-Geber:* a) *Vorteile:* Rasche Marktausdehnung mit selbständig initiativ werdenden Unternehmern, die jedoch im Rahmen des F.-Vertrages gebunden sind. Kein Kapitalrisiko für Ladenerwerb und Ladenausbau. – b) *Aufgaben:* Entwurf und Ausbau des Marketingkonzepts, Warenauswahl, Kalkulationsvorschläge, überregionale Werbung unter einheitlichem Zeichen, Beteiligung an der regionalen Werbung, Bereitstellung von Dekorationsmaterial und Messediensten, Personalschulung, Verkaufsberatung, meist mit →Gebietsschutz für den F.-Nehmer. – 3. *F.-Nehmer:* a) *Vorteile:* Teilhabe am Know-how und am Marktimage des F.-Gebers, Aufgabenentlastung bei vielen Entscheidungen der Sortiments-, Preis- und Kommunikationspolitik. – b) *Aufgaben:* Abnahme von Mindestmengen, Sortimentsbeschränkung hinsichtlich Konkurrenzprodukten, Einhaltung des vorgegebenen Preisniveaus, Unterstützung der überregionalen Werbung durch eigene Aktionen. – 4. *Verbreitung:* F.-Systeme gibt es im Automobilhandel, in der Getränkebranche, in der Distribution von Mineralölprodukten, bei Baumärkten und Schnellgaststätten.

II. Versicherungswesen: Hauptsächlich in der →Transportversicherung übliche, durch →Bagatellklausel abgesicherte Vereinbarung über Haftungseintritt der Versicherung erst beim Überschreiten einer bestimmten Schadenhöhe (→Selbstbeteiligung des Versicherten). Dadurch wird z.B. im Frachtgeschäft der Versicherte angehalten, Verpakkung und Transport so sorgfältig vorzunehmen, daß keine kleineren Schäden auftreten. Berechnung der F. unterschiedlich, in der Warentransportversicherung z.B. vom Einzelstück oder von einer größeren Einheit (Serie). – *Formen:* a) *Abzugsfranchise:* Der Versicherungsnehmer trägt an jedem von der Versicherung gedeckten Schaden einen Teil (prozentual oder bis zum im Vertrag vereinbarten Betrag) selbst. – b) *Integralfranchise:* Schäden bis zu einer bestimmten Höhe trägt der Versicherungsnehmer selbst, darüber hinausgehende Schäden ersetzt der Versicherer voll; selten vorkommend.

Franc-Zone, *zone franc.* I. Begriff: Die F.-Z. faßt unabhängige Länder zu einer Währungszone zusammen, die einzigartig ist. Die Einrichtungen haben sich seit ihrer Gründung 1939 weiterentwickelt, die währungspolitischen Grundzüge blieben jedoch unverändert. *Angehörige der F.-Z.* sind außer Frankreich (Mutterland) mit den Departements in Übersee (Guadeloupe, Guyana, Martinique, Réunion, Saint-Pierre-et-Miquelon) Neu-Kaledonien, Franz.-Polynesien, Wallis und Futuna, Mayotte (Insel mit Sonderstatus), die afrikanischen Staaten, Volksrepublik Benin, Burkina Faso, Elfenbeinküste, Nigeria, Senegal, Togo, Mali, Volksrepublik Kongo, Kamerun, Republik Zentralafrika, Gabun, Äquatorial-Guinea, Tschad sowie die Bundes- und islamische Republik der Komoren und das Fürstentum Monaco. – *Ziel* dieser währungspolitischen und wirtschaftlichen Einrichtung ist Währungssicherheit und Wirtschaftswachstum. Die Länder der F.-Z., sind die einzigen südafrikanischen Länder, die über eine frei konvertierbare Währung verfügen: ein bedeutsamer Entwicklungsfaktor.

II. Einrichtungen der F.-Z.: 1. *Institutioneller Rahmen:* Die afrikanischen Staaten sind in zwei Währungsgemeinschaften unterteilt: a) *Westafrikanische Währungsunion (UMOA):* Mitgliedsländer sind Benin, Burkina-Faso, Elfenbeinküste, Mali, Nigeria, Senegal und Togo. Sie wird von einer „Konferenz der Regierungschefs" (die mindestens einmal im Jahr stattfindet) und einem Ministerrat, der die Währungs- und Kreditpolitik sowie die mögliche Änderung der Parität beschließt, geleitet. – Die *Zentralbank der westafrikanischen Staaten (BCEAO)* ist eine internationale und öffentliche Einrichtung, deren Statuten in den Vertrag von 1973 eingegliedert wurden, mit Sitz in Dakar. Die BCEAO ist die einzige →Notenbank der Union; sie nimmt folgende Aufgaben wahr: Vorrecht der Notenausgabe, Neudiskontierung, Wettbewerb in den Staaten, Verwalten der nationalen Gelder. Sie ist am Kapital der westafrikanischen Bank für Entwicklung (BIAD) beteiligt. – b) *Bank der zentralafrikanischen Staaten (BEAC):* Mitgliedsländer sind Kamerun, Republik Zentralafrika, Kongo, Gabun, Äquatorial-Guinea und Tschad. Geleitet durch ein „Währungskomitee", (abstimmendes Organ, das sich aus den sechs Finanzministern zusammensetzt) und ein „Comité Monétaire Mixte" (ein gemischtes Währungskomitee, an welchem der französische Finanzminister teilnimmt). Beide Organe üben Autorität aus auf die überregionale öffentliche Zentralbank, die ihren Sitz in Yuanda hat. – Im Verwaltungsrat beider Zentralbanken sitzen neben den afrikanischen zwei bis drei französische Vertreter.

2. *Funktionsweise:* a) Die wichtigsten *Regeln für den Funktionsablauf* sind folgende: (1) Die Währungen sind untereinander *unbegrenzt konvertierbar.* Im Rahmen einer bestimmten Überwachung wird durch den automatischen Umtausch in französische Francs für die afrikanischen Francs die ausländische Konvertierbarkeit garantiert; dies bedeutet für die afrikanischen Länder eine weltweite Tauschfreiheit, die im Vergleich zu anderen Ländern der Dritten Welt wesentlich größer ist. (2) Die Währungen sind untereinander zu *festgesetzten Paritäten* konvertierbar und nicht zu Wechselkursen auf dem Tauschmarkt. (3) Die Staaten halten sich an die *gleichen Bestimmungen* bezüglich der finanziellen Verbindungen mit dem Ausland. (4) Die Zentralbanken behalten ihre *Auslandsguthaben in französischen Francs* (nicht ausschließlich); sie legen dadurch gemeinsam ihre Devisenquelle an. – b) Das *Zusammenlegen der Reserven* ist einer der Grundsätze einer Währungszone. Dies wird durch das Buchungskonto, auf dem die Zentralbanken einen Teil ihrer Reserven gegen Vergütung hinterlegen, gesichert. Sie können heutzutage maximal 35% davon zurückhalten (außer Sonderziehungsrechte (SZR) und Teile des Rückhalts des Internationalen Währungsfonds), z. B. als Einlage auf einem Konto bei der Bank für internationalen Zahlungsausgleich. Die gemeinsamen Guthaben, die in französischen Franc festliegen, haben den Vorteil einer Wechselgarantie in Bezug auf die SZR; dies kommt zur Möglichkeit, einen Teil der Reserven in anderen Devisen festzulegen, hinzu, begünstigt durch wechselseitige Kurse und die Zinssätze der Bank Frankreichs.

III. Bedeutung: 1. Die F.-Z. ist ein *Währungsgebiet und erweiterter Bankraum,* d. h. a) es gilt die gleiche Tauschvorschrift; damit sind Geldtransfers innerhalb der Zone im Prinzip frei; b) (interne) französische Bankkredite sind verfügbar; c) das Bankennetz Frankreichs findet sich verlängert in den Mitgliedsländern der Zone; d) für Industrielle und Kaufleute besteht die Möglichkeit, die Süd-Süd-Verbindungen sowie die Nord-Süd-Verbindungen zu nutzen, um ihre Aktivitäten zu vergrößern. Diese Vorteile können durch folgende Mißstände beeinträchtigt werden: a) Die vorhandenen französischen Banken, die noch durch eine eher traditionelle Einrichtung geleitet werden, haben den Ruf, sich auf ihren erworbenen Rechten auszuruhen und so von relativ schwacher Wirksamkeit (relative Geschwindigkeit der Geldtransfers) im Vergleich zu den angelsächsischen Banken in anderen afrikanischen Ländern zu sein. b) Es besteht eine starke Aktivität auf dem Schwarzmarkt in den Grenzbezirken zu den anderen afrikanischen Ländern; entsprechend problematisch sind Marktstudien und die Führung des Verteilungsnetzes. – 2. Die Mitgliedsländer der F.-Z. weisen *klarere Investitionsbedingungen* auf als andere Entwicklungsländer: a) Die Rechtsordnung in den Unternehmen ist im wesentlichen jene des französischen Wirtschaftsrechts. b) Das satzungsmäßige Kapital (erforderliches Minimum) der Handelsgesellschaften ist meistens sehr gering. c) Aufgrund der F.-Z. gibt es keine Gewinnrückfuhrprobleme (Gewinne sind frei). d) Kein Risiko des Nichttransfers von fälligen Summen (Währungen sind konvertierbar). e) Bezüglich des Imports von Anlagegütern gibt es keine Beschränkung für Waren, die aus Frankreich kommen (es werden sogar Einfuhrgenehmigungen für andere Länder benötigt). – 3. Die F.-Z. genießt Vorteile von *Sonderkrediten:* Es existieren Sonderkredite der Zentralbank für wirtschaftliche Zusammenarbeit (Paris), in Form von Darlehen, Unternehmensbeteiligungen (durch die PROPARCO, Zweigstelle der Zentralbank für wirtschaftliche Zusammenarbeit) und vorteilhaften „gemischten" Ratenkrediten, Hilfen in Form von Krediten der technischen und kulturellen Zusammenarbeit (Regierungsdarlehen) sowie sichere Gewährleistung durch die Compagnie Française d'Assurance pour le Commerce Extérieur oder den Fiskus. – 4. Die Handelsbeziehungen werden durch die Zugehörigkeit der Mitgliedsländer der F.-Z. zu *verschiedenen Zollgemeinschaften* begünstigt: a) *Wirtschaftliche Gemeinschaft Westafrikas (CEAO),* abgefaßt durch die EWG: Eine gewinnbringende Vereinigung, bestehend aus Senegal, Elfenbeinküste, Mali, Burkina-Faso, Nigeria, Mauretanien; keine internen Zollrechte; vielfältige internationale Finanzierungen. b) *Wirtschaftsgeeinschaft der zentralafrikanischen Staaten (CDEAC),* bestehend aus Kamerun, dem Tschad, Kongo, Gabun, der Republik Zentralafrika und Äquatorial-Guinea. Die Währungseinheit stellt einen wesentlichen Trumpf zum Gelingen der regionalen wirtschaftlichen Integration dar. – 5. Die *militärische Sicherheit* wird durch Frankreich gewährleistet.

IV. Beurteilung: Die *Zugehörigkeit Frankreichs zur Europäischen Gemeinschaft* erhöht das Interesse der Franc-Länder, da hiermit der Handel der afrikanischen Länder mit dem gemeinsamen Markt ermöglicht wird. – Die Rentabilität zahlreicher Investitionen hängt von den Exportchancen, dem Preis der importierten Produkte und in großem Umfang auch von den Tauschkonditionen ab; eine *stabile Währungszone* ist folglich ein Vertrauensfaktor, da diese es ermöglicht, sich gegen finanzielle Risiken zu schützen und die mittelfristige Planung stark zu vereinfachen. Es ist klar erkennbar, daß der Tätigkeitsbereich für die am internationalen Handel Beteiligten sich in den Ländern mit frei konvertrierbarer Währung sehr klar und deutlich von jenem in Ländern mit nicht konvertierbarer Währung unterscheidet. Die Gewißheit der Konvertierbarkeit stärkt. – Die währungspolitische Sicherheit wird durch eine Einrichtung der *bilateralen Entwicklungshilfe* (Frankreich widmet den Gegenwert von 0,5% seines Bruttosozialprodukts, nicht hinzugerechnet die Gebiete und Departments in Übersee) und *multilateralen Hilfe* (Abkommen von Lomé, ein spezieller Afrika-Fonds) vervollkommnet. – Aus oben genannten Gründen ist die F.-Z. ein dynamisches, im Wachstum befindliches Gebiet; dies wird anhand des Wiedereintritts Malis (1984), des Eintritts von Äquatorial-Guinea (1985) sowie des voraussichtlichen Eintritts von Guinea/Canakry und Guinea Bissau, deutlich.

Prof. Dr. Sabine M.-L. Urban

Frankfurter Börse. 1. *Entwicklung:* Im 16. Jh. aus der Frankfurter Messe entstanden, seit der Zeit Rothschilds führende deutsche Wertpapierbörse, bis nach dem Krieg 1870/71 Berlin das Übergewicht bekam. Nach dem Zweiten Weltkrieg löste die F. B. die Berliner Börse ab. Die F. B. dient dem Abschluß von Handelsgeschäften in Wertpapieren, Wechseln, Zahlungsmitteln jeder Art, Münzen und Edelmetallen. – 2. *Organisation:* a) Der *Börsenvorstand* besteht aus mindestens 19, höchstens 22 Mitgliedern, davon mindestens zwei Kursmakler, zwei freie Makler und zwei Angestelltenvertreter. Zu den Obliegenheiten des Börsenvorstandes gehört insbes. die Beschlußfassung über die Zulassung von Personen oder Firmen zum Börsenbesuch, soweit die Entscheidung nicht einem besonderen Ausschuß übertragen ist, das Festlegen der Geschäftsbedingungen und deren Einhaltung, Handhabung der Ordnung in den Börsenräumen, Erlaß von Bestimmungen über die Abwicklung des Börsenverkehrs, Mitwirkung bei der der Maklerkammer übertragenen Kursfeststellung, Regelungen für Streitigkeiten aus Börsengeschäften, soweit sie nicht unter die Zuständigkeit des Schiedsgerichts fallen. – b) *Börsenbesucher:* Es werden drei Gruppen unterschieden: (1) Personen, die dauernd und mit der Befugnis zur selbständigen Teilnahme am Börsenhandel zugelassen sind (selbständige Börsenbesucher); (2) Personen, die mit der Befugnis im Namen und für Rechnung des Geschäftsherrn am Börsenhandel teilzunehmen befristet zugelassen sind (Angestellte); (3) Personen, die ohne Berechtigung zur Teilnahme am Börsenhandel zugelassen sind (z. B. Berichterstatter der Presse und des Rundfunks, Hilfskräfte der Banken und Makler). – An der F. B. besteht ein aus den Börsenbesuchern ernanntes *Ehrengericht,* das *Schiedsgericht* und ein *Gutachterausschuß* zur Entscheidung von Streitigkeiten über die Lieferbarkeit von Wertpapieren. – 3. *Börsenhandel:* Die *Zulassung von Wertpapieren* zum Börsenhandel wird von einer besonderen Zulassungsstelle entschieden, die aus mindestens 20 Mitgliedern besteht, von denen die Hälfte nicht berufsmäßig am Börsenhandel beteiligt sein darf. – Es werden *Einheitskurse* und für eine Reihe von Papieren *fortlaufende Kurse* durch die Makler festgestellt und im Kursblatt veröffentlicht. – Der Start des neuen →*geregelten Marktes,* der im Niveau unter der amtlichen Notiz angesiedelt ist, erfolgte 1987. – *Kursbekanntgabe:* Die an der *Devisenbörse* festgestellten Devisenkurse werden ebenfalls im Amtlichen Kursblatt der Frankfurter Wertpapierbörse veröffentlicht. – Am 18. Juni 1968 nahm die F. B. den amtlichen *Handel in Edelmetallen* auf: damit wurde Frankfurt neben London, Paris und Zürich eines der Goldhandelszentren Europas.

Frankfurter Schule, Kurzbezeichnung für die von Max Horkheimer und Theodor W. Adorno in Frankfurt begründete Tradition einer „kritischen Theorie“; Fortentwicklung insbes. durch Jürgen Habermas. Als methodisches Instrument zur Analyse gesellschaftlicher Entwicklungen und Zusammenhänge gilt den Vertretern der F. Sch. die →Dialektik. – *Bedeutung:* Größere Aufmerksamkeit erregte die Diskussion zwischen Vertretern der F. Sch. und des →Kritischen Rationalismus als sog. „Positivismusstreit in der deutschen Soziologie“ (1969). Im Mittelpunkt standen Probleme der sozialwissenschaftlichen Theoriebildung und die Werturteilsfrage (→Wertfreiheitspostulat).

Frankiermaschinen, Hilfsmittel der Bürotechnik bei der Postabfertigung zur Arbeitsbeschleunigung und Kontrolle. Erforderlich sorgfältige Vorsortierung der Briefsachen nach Gebührensätzen. Ausstattung der F. mit Zählereinrichtung. – 1. *Systeme:* a) *Markenkleber:* Verwendung der üblichen →Postwertzeichen. Einrichtungen zum automatischen Anfeuchten, Abschneiden und Aufkleben von Markenrollen. – b) *Freistempler* (Barfrankierungs-Maschinen) ersetzen die Freimarken durch dreiteiligen Stempelaufdruck: beliebig einstellbarer Gebührenstempel, Tagesstempel, Absenderangabe im Werbeeinsatzstück. Sperre durch Registrierautomat, sobald der Stempel den Wert des an das

Postamt vorausgezahlten Geldbetrages erreicht hat. Zulässig für alle Postgebühren, die durch Postwertzeichen entrichtet werden können. F. auch als Wechselsteuerstempler verwendbar. – 2. *Arten:* a) *Francotyp-Apparat:* Standortfest, bei dem die Postsachen einzeln aufgelegt und durch Kurbeldrehung gestempelt werden. Die bei der Post gekauften Wertkarten werden vom Benutzer selbst in den Apparat eingeführt. – b) *Postalia-Gerät:* Wird wie ein Bügeleisen über die Sendungen hinweggeführt und stempelt sie dabei, bis die vorher auf dem Postamt eingestellte Vorgabe verbraucht ist,

franko, *franco,* bedeutet, daß die Transportkosten vom Absender bezahlt worden sind. V.a. bei Postsendungen gebräuchlich, wobei das Porto vom Absender bezahlt ist. – F. im Zusammenhang mit einer Ortsangabe gleichbedeutend mit „frei" (→free).

franko Courtage, Klausel bei Börsengeschäften; bedeutet, daß der Makler auf →Courtage verzichtet.

Frankreich, Republik, grenzt im W an den Atlantischen Ozean, im NO an Belgien und Luxemburg, im O an die Bundesrep. D., die Schweiz und Italien, im S an das Mittelmeer, Spanien und Andorra. – *Fläche:* 547026 km^2 (mit Korsika, ohne Überseedépartements). – *Einwohner* (E): (1985) 55,1 Mill. (100,7 E/km^2); 79% der Bevölkerung leben in den Städten. – *Hauptstadt:* Paris (Agglomeration 8.7 Mill. E. Stadt 2,2 Mill. E; 1982), weitere wichtige Städte: Lyon (Agglomeration 1,2 Mill. E; Stadt 869887 E), Marseille (Agglomeration 1,1 Mill. E, Stadt 869887 E) sowie weitere 32 Großstädte. – F. setzt sich zusammen aus 22 Regionen, 96 Départements, 322 Arrondissements, 3208 Kantonen und knapp 38000 Gemeinden. Fünf Überseedépartements: Französisch-Guayana, Guadeloupe, Martinique, Réunion, Saint-Pierre und Miquelon. Vier Überseeterritorien: Mahoré, Französisch-Polynesien, Neukaledonien, Wallis und Futuna. – *Amtssprache:* Französisch.

Wirtschaft: *Landwirtschaft:* 31.3 Mill. ha landwirtschftliche Nutzfläche, davon 18.7 Mill. ha Ackerland, 12,6 Mill. ha Dauergrünland. 14,6 Mill. ha Waldfläche. Anzahl der landwirtschaftlichen Betriebe und der landwirtschaftlichen Arbeitskräfte (1983: 1,4 Mill., ca. 8% aller Beschäftigten) rückäufig; Anteil am BSP (1984) 4%. Vielseitige Landwirtschaft; bedeutende Agrarexporte; Haupterzeugnisse (1984: Weizen (33,0 Mill. t), Zuckerrüben (28.8 Mill. t), Gerste (11,5 Mill. t), Mais (10,5 Mill. t), Weintrauben (7,7 Mill. t). Bedeutende Viehzucht und Milchwirtschaft. – *Fischfang* (1982: 0.78 Mill. t): Schellfische, Heringe, Sardinen, Makrelen. – *Bodenschätze:* bedeutende Eisenerzvorkommen (Lothringen), Steinkohle (Douai, Valenciennes, Le Creusot, St. Etienne), Bauxit (Les Baux). Steinkohleförderung und Eisenerzproduktion jedoch stark rückläufig. Dagegen nimmt die Erdölförderung (Parentis, Lacq, Pechelbronn) eine wachsende Stellung ein. Braunkohle und Kalivorkommen (Mühlhausen), Superphosphate, Erdgas. Verstärkt gesucht wird nach Uranerz, das zur Versorgung der zahlreichen französischen Atomkraftwerke benötigt wird. – *Industrie:* Bedeutende Eisen-, Stahl- (Lothringen traditionelles Zentrum), Aluminiumerzeugung (Toulon). Die Stahlindustdrie und der Schiffbau stecken in einer tiefen Strukturkrise. Die Metallverarbeitung, der Maschinenbau und die Elektroindustrie sind hochentwikkelt (größtes Zentrum dieser Industrien ist der Pariser Raum. Obgleich F. in der Telekommunikation und im Transportwesen, der Automobilindustrie, der Luft- und Raumfahrttechnik Spitzenpositionen einnimmt, ist es insgesamt in einen technologischen Rückstand gegenüber den USA, Japan und z.T. auch der Bundesrep. D. geraten. Zu den dynamischen Zweigen gehört die chemische Industrie (Marseille, Rhône-Tal, Elsaß, Seine-Tal). Zentren der Textilindustrie in Lille, Roubaix, Lyon. – *Fremdenverkehr:* Zentren an der Riviera, am Atlantik, in den Alpen. – *BSP:* (1985, geschätzt) 526,6 Mill. US-$ (9550 US-$ je E). – *Inflationsrate:* durchschnittlich 5,9%. – *Export:* (1986) 119435 Mill. US-$, v.a. Maschinen und Fahrzeuge, Eisen, Stahl, chemische Produkte, Textilien, Getreide, Wein, Obst. – *Import:* (1986) 128836 Mill. US-$, v.a. Energierohstoffe, Maschinen, chemische Produkte, Konsumgüter. – *Handelspartner:* Bundesrep. D., BENELUX-Länder, Italien, USA, Großbritannien, Schweiz, Spanien, Japan, UdSSR, Algerien.

Verkehr: Paris ist Mittelpunkt des strahlenförmigen Land- und Luftverkehrs. Das *Eisenbahnnetz* wird nicht mehr weiter ausgebaut (1983: 34600 km), sehr leistungsfähig. Hochgeschwindigkeitsstrecke Paris - Lyon (270 km/h) ist die schnellste Bahnverbindung der Erde (Train à Grande Vitesse, TGV). *Gesamtstraßennetz:* (1982) 801400 km, davon 5300 km Autobahnen, 28100 km Haupt- und Regionalstraßen. F. verfügt mit (1983) 6476 km über das längste *Binnenwasserstraßennetz* in W-Europa. – Wichtigste *Seehäfen:* Marseille, Le Havre, Bordeaux, Nantes. Bedeutender kontinentaler und interkontinentaler *Luftverkehr,* über 30 *Flughäfen,* wichtigste: Paris - Orly und Roissy - Charles de Gaulle (Paris); staatliche *Fluggesellschaft* Air France. Ausgedehntes Netz von Erdöl- und Erdgaspipelines.

Mitgliedschaften: UNO, BIZ, CCC, ECE, EG, ESA, EWS, NATO (1966 aus dem integrierten Militärsystem ausgetreten), OECD, UNCTAD, WEU, Europarat u.a.

Währung: 1 Französischer Franc (FF) = 100 Centimes (c).

französische Buchführung, Form der →doppelten Buchführung. Kennzeichnend: starke Gliederung des →Grundbuches, die jeder Betrieb nach seinem Bedarf erweitern kann, z.B. Kasseneingangsbuch, Kassenausgangsbuch, Wechselbuch, Postscheckbuch, Wareneinkaufs- und Warenverkaufsbuch. Zwischen Grundbücher und Hauptbuch wird, wie bei der →deutschen Buchführung, ein Sammelbuch (Sammeljournal) eingeschaltet. Für den Übertrag in das Sammelbuch kommen oft nur die Endsummen der Spezialgrundbücher in Betracht (z.B. Wareneinkaufsbuch: Warenkonto an Kontokorrentkonto). Durch die Zerlegung des Grundbuches ist starke Arbeitsteilung und gute Kontrolle möglich.

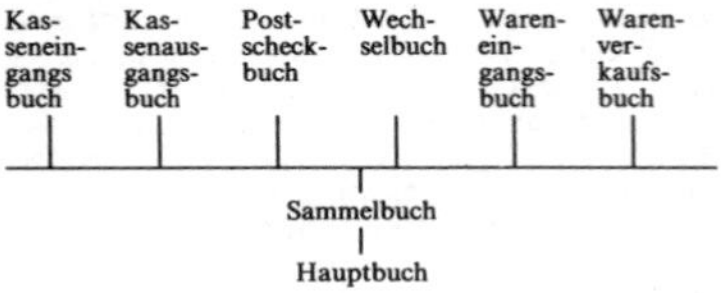

Französisch-Guayana, →Frankreich.

Französisch-Polynesien, →Frankreich.

Fratar-Methode, im Rahmen der →Verkehrsplanung als →Wachstumsfaktorenmodell angewendete Methode, die analog zur →Detroit-Methode die Analyseverkehrsverteilung mittels multiplikativer Verknüpfung der Zuwachsfaktoren des Quell- und Zielverkehrs, aber zellenspezifischer Gewichtung, in eine Prognoseverkehrsverteilung transformiert.

Frauenhofer-Gesellschaft zur Förderung der angewandten Forschung e.v. (FhG), Sitz in München. – *Aufgaben:* Angewandte Forschung und Entwicklung; Beratung und Information Interessierter. – *Forschungsinstitute:* Frauenhofer Institut für Angewandte Festkörperphysik (Freiburg), Frauenhofer-Institut für Festkörpertechnologie (München), Frauenhofer-Institut für Mikrostrukturtechnik (Berlin), Frauenhofer-Institut für Mikroelektronische Schaltungen und Systeme (Duisburg), Frauenhofer-Arbeitsgruppe for Integrierte Schaltungen (Erlangen); Frauenhofer-Institut für Informations- und Datenverarbeitung (Karlsruhe), Frauenhofer-Institut für Produktionstechnik und Automatisierung (Stuttgart), Frauenhofer-Institut für Produktionsanlagen und Konstruktionstechnik (Berlin), Frauenhofer-Institut für Arbeitswissenschaft und Organisation (Stuttgart), Frauenhofer-Institut für Transporttechnik und Warendistribution (Dortmund), Frauenhofer-Institut für Physikalische Meßtechnik (Freiburg), Technologie-Entwicklungsguppe Stuttgart – Institutszentrum Stuttgart; Frauenhofer-Institut für Produktionstechnologie (Aachen), Frauenhofer-Institut für Lasertechnik (Aachen), Frauenhofer-Institut für Betriebsfestigkeit (Darmstadt), Frauenhofer-Institut für zerstörungsfreie Prüfverfahren (Saarbrücken), Frauenhofer-Institut für Werkstoffmechanik (Freiburg), Frauenhofer-Institut für Kurzzeitdynamik (Freiburg), Frauenhofer-Institut für Angewandte Materialforschung (Bremen), Frauenhofer-Institut für Silicatforschung (Würzburg), Frauenhofer-Institut für Hydroakustik (Ottobrunn); Frauenhofer-Institut für Treib- und Explosivstoffe (Pfinztal/Berghausen), Frauenhofer-Institut für Grenzflächen- und Bioverfahrenstechnik (Stuttgart), Frauenhofer-Institut für Lebensmitteltechnologie und Verpackung (München), Frauenhofer-Institut für Solare Energiesysteme (Freiburg), Frauenhofer-Institut für Bautechnik (Stuttgart), Frauenhofer-Institut für Holzforschung (Braunschweig); Frauenhofer-Institut für Toxikologie und Aerosolforschung (Hannover), Frauenhofer-Institut für Umweltchemie und Ökotoxikologie (Schmallenberg/Grafschaft), Frauenhofer-Institut für Atmosphärische Umweltforschung (Garmisch-Partenkirchen); Frauenhofer-Institut für Systemtechnik und Innovationsforschung (Karlsruhe), Frauenhofer-Institut für Naturwissenschaftlich-Technische Trendanalysen (Euskirchen), Patentstelle für Deutsche Forschung (München), Erfinderzentrum Norddeutschland (Hannover), Informationszentrum Raum and Bau (Stuttgart), Historische Frauenhofer-Glashütte (Benediktbeuern).

Frauenhofer-Institute, →Frauenhofer-Gesellschaft für angewandte Forschung e.V.

Frauenschutz. I. F r a u e n a r b e i t s s c h u t z: Neben →Mutterschutz besondere Art des →Arbeitsschutzes; Rechtsquelle im wesentlichen Arbeitszeitordnung (AZO). – 1. *Absolutes Verbot der Frauenarbeit* für Bergbau, Kokereien sowie bei der Beförderung von Roh- und Werkstoffen bei Bauten aller Art. Erweiterung des Verbots auf andere besonders gesundheitsgefährdende Arbeiten möglich (§ 16 AZO). – Die Beschäftigung von Frauen im Personen - und Güterverkehr ist *eingeschränkt* durch VO vom 2.12.1971 (BGBl I 1957). – 2. Die *Vorschriften der AZO* über den Achtstundentag und seine Ausnahmen (→Arbeitszeit) gelten grundsätzlich auch für Frauen. *Einschränkungen:* a) Mit Vor- und Abschlußarbeiten dürfen Frauen höchstens eine Stunde über die für den Betrieb oder die Betriebsabteilung zulässige Dauer der Arbeitszeit hinaus beschäftigt werden. b) Bei Anwendung aller Ausnahmevorschriften darf die tägliche Arbeitszeit nicht mehr als zehn Stunden betragen. c) An den Tagen vor Sonn- und Feiertagen. c) An den Tagen vor Sonn- und Feiertagen darf die Arbeitszeit acht Stunden nicht überschreiten. Gilt jedoch nicht für bestimmte Gewerbezweige, bei denen an den fraglichen Tagen Frauenarbeit besonders üblich und daher nicht entbehrt werden kann (z. B. im Friseurhandwerk und Gaststättengewerbe). – 3. Bei einer Arbeitszeit von mehr als 4 1/2 Stunden müssen angemessenen *Ruhepausen* innerhalb der Arbeitszeit gewährt werden; bei mehr als sechs bis zu acht Stunden mindestens eine halbe Stunde. – 4. *Nachtarbeit* von 20 bis 6 Uhr ist für Arbeitnehmerinnen verboten. Ihre Beschäftigung muß an Tagen vor Sonn- und Feiertagen um 17 Uhr enden (§ 19 I AZO). – 5. *Ausnahmeregelungen:* Von den Vorschriften über Höchstarbeitszeit, Nachtruhe, Frühschluß vor Sonn- und Feiertagen und Ruhepausen können die Gewerbeaufsichtsämter beim Nachweis eines dringenden Bedürfnisses im Einzelfall zeitlich begrenzte Ausnahmen zulassen.

II. F. im Einzelarbeitsvertragsrecht: Vgl. →Gleichbehandlung.

III. Hausarbeitstag: Die Gewährung von Hausarbeitstagen ausschließlich an Frauen, wie sie aufgrund der Hausarbeitstagsgesetze einiger Bundesländer (Bremen, Hamburg, Niedersachsen, Nordrhein-Westfalen) vorgesehen sind (Fortgeltung nach Art. 125 Nr. 2 GG als partielles Bundesrecht), ist wegen Verstoßes gegen Art. 3 GG vom Bundesverfassungsgericht für verfassungswidrig erklärt worden. Bevor der Gesetzgeber keine Neuregelung geschaffen hat, steht Männern kein Hausarbeitstag zu, es sei denn, daß der Arbeitgeber freiwillige Hausarbeitstage gewährt.

free (Ort), als Handelsklausel (→Incoterms) meist in Verbindung mit einem Verschiffungshafen. Der Verkäufer ist verpflichtet, die Ware am vereinbarten Ort und zur vereinbarten Zeit zur Verfügung zu stellen und alle Kosten und Gefahren bis zur Übergabe zu tragen. Die Übergabe erfolgt meist am Ort, d. h. am Güterbahnhof (→for), Schiffsbahnhof, an Bord des Schiffes (→fob), längsseits des Schiffes (→fas), auf dem Lastkraftwagen (→fot) usw. – *Ähnlich:* den mit „ab" beginnenden Handelsklauseln (→ab Werk, →ab Kai, →ab Schiff). – *Anders:* Frachtfrei-Klauseln (→frachtfrei).

free alongside ship, →fas.

free delivered (= frei geliefert in...), gleichbedeutend mit Frei-Klauseln (→free).

free from particular average, →F.P.A.

free of capture and seizure, →F.C.S.

free of charge, →foc.

free of damage, →fod.

free on board, →fob.

free on quay, →foq.

free on rail, →for.

free on truck, →fot.

free on waggon, →fow.

Free-rider-Verhalten, *Trittbrettfahrerverhalten,* Begriff der Finanzwissenschaft für die aus dem →Rationalprinzip abgeleitete Annahme über das Verhalten des einzelnen Wirtschaftssubjekts bei der Entscheidung über Bereitstellung und Finanzierung öffentlicher bzw. kollektiver Güter (→öffentliche Güter) sowie deren Nutzung. Bei öffentlichen Gütern kann i. a. das einzelne Wirtschaftssubjekt nicht oder nicht vollständig von der Nutzung einmal bereitgestellter Güter ausgeschlossen werden (→Ausschlußprinzip); es wird bei der Entscheidung über Bereitstellung und Finanzierung dieser Güter seine wahren Präferenzen verschleiern, um nicht zur Finanzierung herangezogen zu werden, wenn es davon ausgehen kann, daß die Güter auch ohne seinen Beitrag bereitgestellt werden. – Vgl. auch →externe Effekte.

Freiaktie, *Zusatzaktie.* 1. Aktie *ohne eigentliche Gegenleistung* nach Art der früheren Freikuxe. Die Ausgabe solcher F. ist nach deutschem Aktienrecht unzulässig. – 2. Von →Aktiengesellschaften an →Aktionäre *gegen Aufrechnung von Forderungen* auf Zahlung des ihnen zustehenden Anteils am Bilanzgewinn oder an Rücklagen hingegebene →Gratisaktien. Erwerb derartiger F. ist Ersterwerb von Gesellschaftsrechten und unterliegt der →Gesellschaftsteuer. – 3. *Kapitalerhöhung aus Gesellschaftsmitteln* durch Ausgabe von F. nach §§ 207 ff. AktG zulässig, soweit durch Gesellschaftsbeschluß →Rücklagen in Nennkapital umgewandelt werden. Die Zuteilung der F. löst bei den Bezugsberechtigten keine *Steuern* von Einkommen und Ertrag und bei der das Kapital erhöhenden Gesellschaft keine →Kapitalverkehr- (→Gesellschaft-) Steuer aus. Bei späterer Kapitalherabsetzung innerhalb von 5 Jahren gelten aber die rückgezahlten Beträge bis zum Betrag der früheren Kapitalerhöhungen als steuerpflichtige Gewinnbezüge der Anteilsinhaber. Vgl. →Kapitalerhöhung aus Gesellschaftsmitteln.

Freibenutzung, →freie Benutzung.

Freibeträge, Begriff des Steuerrechts für einen von der Besteuerung freibleibenden Betrag (*anders:* →Freigrenze).

I. Einkommensteuer (Lohnsteuer): 1. *Grundfreibetrag:* In den →Tarif eingebauter F. von 4536 DM (→Einkommensteuertarif). – 2. F. bei →Einkünfteermittlung: a) F. für →*Veräußerungsgewinne;* b) Einkünfte aus nichtselbständiger Arbeit: →*Arbeitnehmer-Freibetrag* von 480 DM (entfällt ab 1989); →*Weihnachts-Freibetrag* von 600 DM (entfällt ab 1898); →*Versorgungs-Freibetrag* von 40%, höchstens 4800 DM; c) Einkünfte aus Kapitalvermögen: →*Sparer-Freibetrag* von 300 DM (600 DM bei Zusammenveranlagung von Ehegatten). – 3. F. bei →Einkommensermittlung: a) →Altersentlastungsbetrag (§ 24a EStG); b) Einkünfte aus *Land- und Forstwirtschaft* werden nur berücksichtigt, soweit sie 2000 DM, bei Zusammenveranlagung von Ehegatten 4000 DM, übersteigen (§ 13 III EStG); c) F. bei →*freien Berufen* in Höhe von 5% der Einnahmen, höchstens jedoch 1200 DM jährlich (§ 18 IV EStG); d) →*Ausbildungsfreibetrag* (§ 33a II EStG); e) →*Altenheim-Freibetrag* von 1200 DM (§ 33a III EStG); f) →*Altersfreibetrag* von 720 DM (§ 32 VIII EStG); g) →*Haushaltsfreibetrag* von 4536 DM (§ 32 VII EStG); h) →*Kinderfreibetrag* von 1242 DM (§ 32 VI EStG). – 4. F. beim *Lohnsteuerabzug:* Eintragung auf der Lohnsteuerkarte von Amts wegen oder auf Antrag (Einzelheiten vgl., →Lohnsteuerkarte); vgl. auch →Lohnsteuer-Ermäßigungsverfahren.

II. Körperschaftsteuer: 1. F. für →kleinere Körperschaften von 5000 DM, höchstens in Höhe des →Einkommens (§ 24 KStG). – 2. F. für →landwirtschaftliche Betriebsgenossenschaften von 30000 DM, höchstens in Höhe des Einkommens (§ 25 KStG).

III. Vermögensteuer: F. für natürliche Personen (§ 5 VStG): 1. Für den *Steuerpflichtigen* in Höhe von 70000 DM. – 2. Weitere 70000 DM für die mit ihm zusammen veranlagte *Ehefrau.* – 3. 70000 DM für eheliche sowie ehelich erklärte *Kinder,* nichteheliche Kinder, Stief-, Adoptiv- und Pflegekinder, die das 18. Lebensjahr noch nicht vollendet haben. – 4. *Außerdem* kann F. von 10000 DM gewährt werden jedem über 60 Jahre alten Steuerpflichtigen oder voraussichtlich bei mindestens 3 Jahren Erwerbsunfähigkeit i.S. des § 265 LAG, wenn das Gesamtvermögen nicht höher ist als 150000 DM. Der F. erhöht sich bei über 65 Jahre alten Steuerpflichtigen auf 50000 DM, wenn außerdem die zustehenden Versorgungsbeträge den Jahreswert von 4800 DM nicht übersteigen. Weitere F. für bestimmte Vermögensgegenstände (vgl. →Betriebsvermögen).

IV. Gewerbesteuer: Bei der Berechnung des Gewerbesteuer-Meßbetrages nach dem Gewerbeertrag bleiben bei Einzelgewerbetreibenden und Personengesellschaften 36000 DM des →Gewerbeertrags (§ 11 GewStG), bei der Ermittlung des Gewerbekapitals bei allen Unternehmensformen: 120000 DM (§ 13 I GewStG) steuerfrei. Besonderer F. für →Dauerschulden.

V. Erbschaftsteuer: 1. Die *persönlichen Freibeträge* (§ 16 ErbStG) betragen bei unbeschränkter Steuerpflicht bei Erwerb a) des Ehegatten 250000 DM, der übrigen Personen der Steuerklasse I 90000 DM, c) der Personen der Steuerklasse II 50000 DM, d) der Personen der Steuerklasse III 10000 DM, e) der Personen der Steuerklasse IV 3000 DM und bei beschränkter Steuerpflicht f) 2000 DM. – 2. *Neben* den F. aus 1. erhalten der überlebende Ehegatte für jeden Erwerb und Kinder i.S.d. Steuerklasse I für Erwerbe von Todes wegen die folgenden *besonderen Versorgungsfreibeträge,* die um den Kapitalwert der aus Anlaß des Todes des Erblassers zustehenden, nicht der Erbschaftssteuer unterliegenden Versorgungsbezüge zu kürzen sind (§ 17 ErbStG): a) 250000 DM für den Ehegatten, b) 50000 DM für Kinder bis zu 5 Jahren, c) 40000 DM für Kindfer zwischen 5 und 10 Jahren, d) 30000 DM für Kinder zwischen 10 und 15 Jahren, e) 20000 DM für Kinder zwischen 15 und 20 Jahren, f) 10000 DM für Kinder zwischen 20 und 27 Jahren. Übersteigt der steuerpflichtige Erwerb bei Kindern unter Berücksichtigung frührerer Erwerbe 150000 DM, so vermindert sich der F. gem. b) bis f) um den 150000 DM übersteigenden Betrag.

VI. Umsatzsteuer: *Kürzungsbeträge* für bestimmte →Kleinunternehmer und für Unternehmer im Rahmen der →Förderung der Wirtschaft Berlins (West).

Freibezirk, →Freihafen.

freibleibend, *ohne Obligo,* Klausel in →Vertragsangeboten, durch die der Anbietende die Bindung an sein Angebot ausschließt. – Vgl. auch →Freizeichnungsklausel.

freibleibende Offerte, →Offerte b).

Freiburger Schule, →Ordoliberalismus.

freie Benutzung, Begriff des Urheberrechts für ein →Werk, das sich von der Vorlage so weit gelöst hat, daß es als eine völlig selbständige Neuschöpfung anzusehen ist. Unterliegt dem Urheberrecht seines →Urhebers. Es darf ohne Zustimmung des Urhebers des benutzten (ursprünglichen) Werkes verwertet werden; dies gilt nicht für die Benutzung eines Werkes der Musik, durch welche eine Melodie erkennbar dem Werk entnommen wird (§ 24 UrhRG). – *Gegensatz*: →Bearbeitung.

freie Berufe, selbständige Berufstätigkeit, die i.d.R. wissenschaftliche oder künstlerische Vorbildung voraussetzt. – *Steuerrechtliche Behandlung:* 1. *Einkommensteuer:* Nach § 18 I Nr. 1 EStG gehören zur freiberuflichen Tätigkeit: a) die selbständig ausgeübte wissenschaftliche, künstlerische, schriftstellerische, unterrichtende oder erzieherische Tätigkeit; b) die selbständige Beurfstätigkeit der Ärzte, Zahnärzte, Tierärzte, Rechtsanwälte, Notare, Patentanwälte, Vermessungsingenieure, Ingenieure, Architekten, Handelschemiker, Wirtschaftsprüfer, Steuerberater, beratenden Volks- und Betriebswirte, vereidigten Buchprüfer (vereidigten Bücherrevisoren), Steuerbevollmächtigten, Heilpraktiker, Dentisten, Krankengymnasten, Journalisten, Bildberichterstatter, Dolmetscher, Übersetzer, Lotsen und ähnlicher Berufe. Abgrenzung der einen „ähnlichen Beruf“ Ausübenden gegen Gewerbetreibende meist schwierig. Maßgebend ist die Ähnlichkeit mit einem der in der Gesetzesvorschrift genannten Berufe. – Ein Angehöriger eines f. B. ist auch dann freiberuflich tätig, wenn er sich der Mithilfe fachlich vorgebildeter Arbeitskräfte bedient, aber aufgrund eigener Fachkenntnisse leitend und eigenverantwortlich tätig wird; Vertretung durch andere bei vorübergehender Verhinderung steht nicht entgegen. – Vgl. auch →Freibeträge I. – 2. *Bewertungsgesetz:* F. B. sind für Zwecke der Einheitsbewertung (→Einheitswert)den gewerblichen Betrieben gleichgestellt (§ 96 BewG, vgl. →Betriebsvermögen). Das gilt nicht für selbständige, künstlerische und wissenschaftliche Tätigkeit, die sich auf forschende und schriftstellerische Arbeiten, Lehr-, Vortrags- und Prüfungstätigkeit beschränkt. – 3. *Gewerbesteuer:* Angehörige der F. B. betreiben kein Gewerbe, sind daher nicht Kaufleute und unterliegen nicht der Gewerbesteuerpflicht, die dagegen für selbständige Handelsvertreter, Industriepropagandisten, Werbeberater und sonstige Werbefachleute besteht, die nicht Angehörige der f. B., sondern Gewerbetreibende sind. – 4. *Umsatzsteuer:* Freiberufler unterliegen i. d. R. als →Unternehmer der *Umsatzsteuer;* ihre Leistungen sind z. T. steuerbefreit (z. B. Umsätze aus der Tätigkeit als Arzt oder Zahnarzt, § 4 Nr. 14 UStG).

freie Güter, Güter, die in hinreichendem Umfang vorhanden sind, um die →Bedürfnisse aller Individuen einer Volkswirtschaft zu einem gegebenen Zeitpunkt zu befriedigen. In einer →Marktwirtschaft hat ein f. G. einen Preis von Null; Beispiel: Luft.

freie Liquiditätsreserven, nach überwiegender Auffassung, insbes. der kredittheoretischen Geldlehre, die Grundlage der Geld- und Kreditschöpfung. F. L. sind jener Teil des →Liquiditätssaldos über den die Banken frei verfügen können. Sie werden von den Banken in verschiedener Form *gehalten:* (1) *Überschußreserve,* (2) in Form von →*Geldmarktpapieren* und (3) im Rahmen der offenen Refinanzierungskontingente als →*Rediskontkontingente.* Die f. L. bestehen demnach aus aktuellem Zentralbankgeld (Überschußreserve) und potentiellem Zentralbankgeld, also jenen Aktiva, die jederzeit in aktuelles Zentralbankgeld umwandelbar sind.

freie Marktwirtschaft, →privatwirtschaftliche Marktwirtschaft.

freie Mitarbeiter, Personen, die nicht im Rahmen eines festen Beschäftigungsverhältnisses, sondern aufgrund einzelner aufeinanderfolgender Aufträge tätig werden. Je nach dem Grade ihrer Abhängigkeit gelten sie als →Arbeitnehmer oder (zumeist) →arbeitnehmerähnliche Personen. Nach § 12 a TVG können für f. M. →Tarifverträge geschlossen werden.

freie Pufferzeit, →Ereignispuffer 2b), →Vorgangspuffer 2b.

freier Makler, *Privatmakler,* Vermittler von Börsengeschäften (Vermittlungsmakler, Kassamakler); Ausführung von Aufträgen i. a. nur, wenn ein Gegenkontrahent vorhanden ist. F. M. sind frei von den Verpflichtungen, die den Kursmaklern auferlegt sind. →Selbsteintritt unter Vorbehalt der späteren Aufgabe des Gegenkontrahenten (→Aufgabemakler) ist statthaft. – *Gegensatz:* Amtlicher →Kursmakler.

freier Marktzutritt, Begriff der →Preistheorie; besteht, wenn ein Anbieter ohne institutionelle (Lizenzen, Konzessionen oder Berufsqualifikationen) oder ökonomische Kosten der Produktionsaufnahme Schranken auf einem Markt sein Produkt anbieten kann.

freier Puffer, →Ereignispuffer 2b), →Vorgangspuffer 2b).

freier Rückwärtspuffer, →Ereignispuffer 2d), →Vorgangspuffer 2d).

freie Rücklagen, nach altem Aktienrecht zu bildende offene Rücklage bei AGs, die neben der gesetzlichen Rücklage ausgewiesen wurde. Seit Inkrafttreten des →Bilanzrichtliniengesetzes werden die offenen Rücklagen bei Kapitalgesellschaften unterteilt in →Kapitalrücklage und →Gewinnrücklagen.

freie Rückwärtspufferzeit, →Ereignispuffer 2d), →Vorgangspuffer 2d).

freier Verkehr, →Freiverkehr.

freier Verwaltungsakt, →Verwaltungsakt, den eine Behörde vornehmen *kann;* das Tätigwerden steht jedoch in ihrem freien Ermessen. – *Gegensatz:* →gebundener Verwaltungsakt.

freier Warenname, →Freizeichen.

freie Stücke, Wertpapierstücke, die bezüglich ihrer Weiterveräußerung keiner Sperrverpflichtung unterliegen. – *Gegensatz:* →Sperrstücke.

freie Variable, →kanonisches lineares Gleichungssystem, →kanonisches lineares Optimierungssystem.

freie Wahl des Arbeitsplatzes, →Arbeitsplatzwechsel.

freie Währung, →Währungssystem I 2.

freie Wirtschaftslehre, von S. Gesell gegründete Lehre, die Störungen der Konjunktur durch die Einführung von Freigeld (→Schwundgeld) und Freiland (Abschaffung des Eigentums an Grund und Boden bei Abführung der Grundrente an den Staat) beseitigen will.

Freigabe. I. Konkursrecht: Erklärung des Konkursverwalters gegenüber dem →Gemeinschuldner über die Aufhebung der Zugehörigkeit eines Gegenstandes zur →Konkursmasse. Der Gegenstand wird freies Vermögen des Gemeinschuldners. Die F. steht im pflichtmäßigen Ermessen des Konkursverwalters (z. B. bei Gegenständen, die sich als unverwertbar erwiesen haben oder infolge ihrer Belastung für die Masse einen Gewinn nicht erwarten lassen; →Absonderung). Schmälert der Konkursverwalter schuldhaft die Konkursmasse, ist er schadenersatzpflichtig (§ 82 KO).

II. Zollrecht: Überlassung der Ware durch die Zollstelle an den Zollbeteiligten zur freien Verfügung. Mit der F. geht die eingeführte Ware aus dem zollrechtlich gebundenen in den →Freiverkehr über. Die Zollstelle gibt das Zollgut frei, wenn sie festgestellt hat, daß ein Zoll oder andere Eingangsabgaben nicht zu erheben sind (→Zollfreistellung) oder, wenn Abgaben zu erheben sind (→Verzollung), der geschuldete Abgabenbetrag gezahlt, aufgeschoben oder gestundet ist. F. von Zollgut auch vor Abgabenzahlung usw. möglich, wenn der Zollbeteiligte sicher erscheint und die →Zollbeschau beendet oder davon abgesehen worden ist. Bei vorzeitiger F. entsteht die Zollschuld mit der F. (§ 38 ZG).

freight, carriage and insurance paid to..., →frachtfrei.

freight or carriage paid to..., →frachtfrei.

Freigrenze, Bezeichnung des Steuerrechts für Beträge, die dann steuerfrei bleiben, wenn der Grenzbetrag nicht überschritten wird. Im Gegensatz zu →Freibeträgen ist bei Überschreiten des Grenzbetrags der gesamte Betrag steuerpflichtig. – 1. *Einkommensteuer:* a) F. bei →Spekulationsgeschäften: Spekulationsgewinne unterliegen der →Einkommensteuer nur, wenn der Gesamtgewinn im Kalenderjahr 1000 DM erreicht (§ 23 IV EStG). b) Bei →Einkünften aus Leistungen (→sonstige Einkünfte). Einkommensteuerfrei, wenn sie 500 DM nicht erreichen. – 2. a) F. bei der *Vermögensteuer:* (1) für unbeschränkt steuerpflichte Körperschaften, Personenvereinigungen und Vermögensmassen, soweit das →Gesamtvermögen, (2) für →beschränkt Steuerpflichtige, soweit das →Inlandsvermögen nur bis zu 20000 DM beträgt. – b) F. nach dem *Bewertungsgesetz* für einzelne Vermögensgegenstände des →sonstigen Vermögens (z. B. Schmuck) 10000 DM je zusammenveranlagter Person; im einzelnen: § 110 BewG.

Freigut, im Zollrecht Bezeichnung für alle Waren, die sich im →freien Verkehr des Inlands befinden, also nicht als →Zollgut im →Zollverkehr. – *Zollgut wird F.:* a) durch zollamtliche →Freigabe, b) bei Befreiung von der →Gestellung durch die vom Hauptzollamt genehmigte Anschreibung der Ware im Betrieb des →Zollbeteiligten, c) durch den nach den Zollbestimmungen vorgesehenen Übergang aus einem besonderen Zollverkehr in den freien Verkehr (§ 5 AZO). Unter bestimmten Voraussetzungen werden gewisse Waren bereits bei der Einfuhr F., ohne erst Zollgut zu werden. Die in Frage kommenden Waren und Voraussetzungen sind in § 6 AZO aufgeführt.

Freigutumwandlung, →Freigut.

Freigutveredelung, zollbegünstigte Veredelung von eingeführten Waren oder diesen nach Menge und Beschaffenheit entsprechenden Waren des freien Verkehrs im Zollgebiet, die in das Zollausland ausgeführt werden sollen. Die unveredelt eingeführten Waren (→Zollgut) werden auf Antrag durch Zollabfertigung zur F. vom Zoll freigestellt und dem Veredeler zum →freien Verkehr überlassen. Der Veredeler hat innerhalb einer zollamtlich festgesetzten Frist als Ersatz für die zur F. abgefertigte eingeführte Ware entsprechende veredelte Ware (→Ersatzgut) zu gestellen. Es steht ihm frei, das zu gestellende Ersatzgut aus den ursprünglich abgefertigten eingeführten Waren des freien Verkehrs herzustellen. Wird das Ersatzgut nicht fristgerecht gestellt, so entsteht eine Zollschuld, die sich nach der Menge, Beschaffenheit und dem →Zollwert der ursprünglich zur F. abgefertigten Ware bemißt (§§ 48 u. 50 ZG, 104–109 AZO). – Vgl. auch →Veredelungsverkehr.

Freigutverkehr, zusammenfassende Bezeichnung für →Freigutveredelung, aktive →Veredelung und Freigutumwandlung (→Freigut). Es handelt sich bei F. um zollamtlich überwachte Verfahren (→Zollgut, →Freigut).

Freihafen, vom →Zollgebiet ausgeschlossene Teile von Seehäfen, die dem Umschlag und der Lagerung von Waren für Zwecke des Außenhandels sowie dem Schiffsbau dienen. F. unterliegt der →Zollhoheit des Bundes. Grundsätzlich dürfen im F. ohne zollrechtliche Beschränkungen Waren gehandelt, ein-, aus-, umgeladen, befördert, gelagert und auch der üblichen Lagerbehandlung unterzogen sowie Schiffe gebaut, umgebaut, ausgebessert und abgewrackt werden. – Einschränkungen und Überwachungsmaßnahmen wegen der fiskalischen Zollinteressen und der Schutzinteressen der inländischen Wirtschaft nicht nur an der Außengrenze des F., sondern auch im Innern, insbes. betreffend eine Reihe gewerblicher Tätigkeiten, den Warenverbrauch und -gebrauch, das Betreten des F. und die Errichtung oder Änderung von Bauten (Zollbestimmungen über F. §§ 59–66 ZG, 135–143 AZO). *Umsatzsteuer:* Umsätze in dem F. gelten grundsätzlich als im →Außengebiet erbracht und unterliegen nicht der deutschen Umsatzsteuer, es sei denn, es handelt sich um Leistungen an Endverbraucher (§ 1 II, III UStG).

Freihafengrenze, die einen →Freihafen begrenzende Zollgrenze (→Zollgebiet) sowie die Grenze gegenüber anderen →Zollfreigebieten. Die F. darf nur an den Übergängen und zu den Zeiten überschritten werden, die zollamtlich für den jeweiligen Verkehr oder Personenkreis zugelassen sind (§ 142 I AZO).

Freihafen-Veredelungsverkehr, zollrechtlicher Begriff für Veredelung von Waren, die aus dem →freien Verkehr des →Zollgebiets zu einen →Freihafen ausgeführt und veredelt wieder eingeführt werden. – Vgl. auch →Veredelungsverkehr.

Freihandel. I. Außenwirtschaftstheorie/-politik: Künstliche Handelsrestriktion (wie →Zölle, →Kontingente) bzw. außenhandelspolitische Intervention. Die reale →Außenwirtschaftstheorie zeigt, daß F. durch Realisierung von →Handelsgewinnen *zur Wohlfahrtssteigerung* in den handeltreibenden Ländern führt (vgl. auch →internationale Arbeitsteilung). Deshalb ist Verwirklichung des F. Ziel internationaler Abkommen (GATT, EG, EFTA). Auch wenn unter bestimmten Bedingungen F. negative Wohlfahrts- bzw. Entwicklungswirkungen ergeben kann, sind die in vielen Ländern praktizierten Beschränkungen des F. nicht zu rechtfertigen (→Protektionismus).

II. Börsenwesen: Effektengeschäft auf dem →freien Markt; vgl. im einzelnen →Freiverkehr I.

Freihandelsabkommen mit der EWG, →EWG I 1 b) (2).

Freihandelsgebiet, →Freihandelszone.

Freihandelszone, *Freihandelsgebiet,* Form der wirtschaftlichen →Integration zwiscxhen Volkswirtschaften. Bei der Bildung einer F. werden →Zölle und sonstige Handelsrestriktionen zwischen den beteiligten Ländern abgeschafft. d.h., daß sie untereinander →Freihandel betreiben. Nach außen werden die nationalen Außenzölle weiter aufrecht erhalten, was Handelsverzerrungen bzw. Handelsablenkungseffekte und Produktionsverlagerungen induzieren kann. – Zur Unterscheidung zwischen zollfreien Importen der F. und zollbelasteten Importen aus Drittländern, die über ein anderes Land der F. mit abweichendem Außenzoll eingeführt werden (→Transithandel), bestehen *Ursprungskontrollen,* die den Güteraustausch innerhalb der F. behindern. – Die Bestimmungen des →GATT lassen F. ausdrücklich als Ausnahmen von der →Meistbegünstigung zu (Art. XXIV). Eine der bedeutendsten der gegenwärtig bestehenden F. ist die →EFTA.

freihändiger Rückkauf, Tilgung von Schuldverschreibungen durch Käufe des Emittenten an der Börse, wenn Tageskurse niedriger als Rückzahlungskurse sind und die Anleihebedingungen den f. R. vorsehen.

freihändiger Verkauf, →Selbsthilfeverkauf, →Pfandverwertung.

freihändige Vergabe, →öffentliche Auftragsvergabe 3.

frei Haus, Handelsklausel (→Incoterms), durch die der Verkäufer verpflichtet wird, alle Kosten bis zur Ablieferung der Ware am letzten Bestimmungsort zu tragen. Die Pflicht zur Verzollung der Ware ist damit für den Verkäufer nur mit dem Zusatz „duty paid“ gegeben.

Freiheitsstrafe, Strafe, die mit Freiheitsentzug verbunden ist. F. ist zeitig, wenn das Gesetz nicht lebenslange F. androht. Die zeitige F. beträgt ein Monat bis fünfzehn Jahre (§ 38 StGB). F. wird für →Vergehen und →Verbrechen verhängt. – Der Begriff der F. ist 1970 an die Stelle von Haft, Gefängnis und Zuchthaus getreten. – Vgl. auch →Strafvollzug.

Freilager, →Freihafen.

Freimachung, Form der Gebührenentrichung für die Beförderung von →Postsendungen. – *Arten:* 1. Postwertzeichen, bei Briefsendungen mit Ausnahme der Massendrucksachen und Wurfsendungen; 2. durch Absenderfreistemplung, oder mit Anmeldeschein →Postfreistempelung; 3. durch Bareinzahlung bei Massendrucksachen, Wurfsendungen, Paketsendungen, Postanweisungen und Zahlkraten; 4. Paketsendungen der Paketselbstbucher durch Abbuchung der Gebühren vom Postscheckkonto; 5. Brief- und Paktetsendungen mit EDV-Anlagen. – Vgl. auch →Barfreimachung, →Freimachungszwang, →Nachgebühr.

Freimachungszwang, Freimachung ist für die Beförderung von →Postsendungen vorgeschrieben. Ausgenommen sind gewöhnliche Briefe, Postkarten und Pakete. Unterliegt eine Sendung dem F., sind auch Gebühren für besondere Versendungsformen vorab zu leisten.

Freischreibungserklärung, eine öffentlich beurkundete Erklärung, in der bei Verpfändung eines →Rektapapiers der Eigentümer (Verpfänder) dem Pfandgläubiger den gemäß § 1277 BGB erforderlichen vollstreckbaren Titel auf Duldung der Zwangsvollstreckung an die Hand gibt, damit dieser, falls der

Verpfänder seinen Verpflichtungen nicht nachkommt, ohne Klage und ohne daß ihm durch →Forderungsabtretung das verbriefte Recht übertragen ist, Befriedigung aus dem Pfand suchen kann. – Vgl. auch →vollstreckbare Urkunde.

Freistellungsanspruch des Arbeitnehmers, →Haftung I 2.

Freistellungsbescheid, →Steuerbescheid, durch den ein →Steuerpflichtiger voll oder teilweise von einer Steuer freigestellt wird (§ 155 I AO). Interne Aktenvermerke der Finanzverwaltung (NV-Verfügungen), die feststellen, daß eine Veranlagung nicht durchzuführen ist, sind keine F.

Freistellungsmethode, Begriff des Außensteuerrechts für eine Methode zur Vermeidung der →Doppelbesteuerung, wonach der →Wohnsitzstaat oder →Quellenstaat auf das ihm zustehende Besteuerungsrecht durch Freistellung der Einkünfte oder Vermögensteile vollständig oder unter →Progressionsvorbehalt verzichtet. – Vgl. im einzelnen →Methoden zur Vermeidung der Doppelbesteuerung, →Schachtelprivileg III.

Freiverkehr, *freier Verkehr.* I. Börsenwesen: 1. *Begriff:* Handel mit Wertpapieren, die nicht zum →amtlichen Handel zugelassen sind; Teilmarkt der Effektenbörse. – 2. *Arten:* a) *geregelter F.* (gem. Börsenzulassungsgesetz vom 16.12.1986 soll dieser durch den zum 1.5.1987 errichteten →*geregelten Markt* bis Mitte 1988 abgelöst werden; b) *ungeregelter F.* (auch als *Telefonverkehr* bezeichnet). – Vgl. im einzelnen →Börse III 4 c) (2) und (3).

II. Zollrecht: Verkehr von Waren, die sich im Gegensatz zu den im →Zollverkehr gebundenen Waren (→Zollgut) im zollrechtlich ungebundenen, also im freien Inlandsverkehr befinden (→Freigut). Zollgut kann nur unter den in den Zollbestimmungen festgelegten Voraussetzungen in den f. V. übergehen. Freigut kann in den zollrechtlich gebundenen Verkehr gelangen und damit Zollgut werden durch Abfertigung zu einem besonderen Zollverkehr oder durch Gestellung zur →Freigutveredlung.

freiwillige Erziehungshilfe, Maßnahme im Rahmen der →Jugendhilfe. 1. *Aufgabe:* F. E. ist einem Jugendlichen zu gewähren, der das 17. Lebensjahr noch nicht vollendet hat und dessen leibliche, geistige oder seelische Entwicklung gefährdet oder geschädigt ist, wenn diese Maßnahme zur Abwendung der Gefahr oder zur Beseitigung des Schadens geboten ist und die Personensorgeberechtigten bereit sind, die Durchführung der Maßnahmen zu unterstützen (§ 62 JWG). Gegenüber der →Erziehungsbeistandschaft weitergehende Maßnahme. – 2. *Gewährung auf Antrag; Anordnung* der f. E. ist auch im Jugendstrafverfahren möglich (§ 12 JGG). *Durchführung* i.d.R. in einer geeigneten Familie oder in einem Heim unter Überwachung des Landesjugendamtes. – 3. Die f.E. *endet* mit der Volljährigkeit des Jugendlichen oder durch Aufhebung der e. E., wenn der Zweck erreicht ist, oder auf Antrag des Personensorgeberechtigten (§ 75 JWG).

freiwillige Gerichtsbarkeit. 1. *Begriff:* Vorsorgende Rechtspflege; Zweig der ordentlichen Gerichtsbarkeit. Die F.G. umfaßt u.a. Vormundschafts-, Personenstands-, Nachlaß- und Teilungssachen, Registersachen (Handels-, Vereins-, Schiffs- und Güterrechtsregister, Grundbuch) und das Urkundenwesen. – 2. *Zivilprozesse* sind in den der f. G. zugewiesenen Angelegenheiten nicht möglich, der Rechtsweg zur ordentlichen Zivilgerichtsbarkeit ist nicht gegeben. – 3. *Rechtsgrundlagen:* Bundesrechtlich das Gesetz über die Angelegenheiten der freiwilligen Gerichtsbarkeit vom 17.5.1898 (FGG) mit späteren Änderungen. Ergänzende Vorschriften sind u.a. in BGB, HGB, GBO und Landesgesetzen über die f.G. enthalten. *Allgemeine Verfahrensvorschriften* (§§ 1–34 FGG): Das Verfahren unterscheidet sich wesentlich von dem des Zivilprozesses, ist insbes. formloser und beweglicher. a) Es verlangt →Parteifähigkeit der „Beteiligten", erweitert aber die →Prozeßfähigkeit in verschiedener Hinsicht. b) Einleitung des f.G.-Verfahrens vielfach von Amts wegen; das Gericht hat auch von Amts wegen zur Wahrheitsfindung Ermittlungen anzustellen und ggf. →Beweise zu erheben, ohne dabei an die →Beweismittel der ZPO gebunden zu sein. c) Das Verfahren ist schriftlich und nicht öffentlich und führt zur Entscheidung durch →Beschluß (Verfügung, Anordnung), der i.a. bei veränderter Sachlage eine neue abweichende Entscheidung zuläßt. – 4. *Zuständiges Gericht:* →Amtsgericht. – 5. *Rechtsmittel:* Gegen die *Entscheidung des Amtsgerichts* →Beschwerde schriftlich oder zu Protokoll der Geschäftstelle des Amts- oder übergeordneten Landgerichts durch denjenigen, dessen Recht durch den anzufechtenden Beschluß beeinträchtigt oder dessen Antrag abgelehnt ist. Gegen die Entscheidung des Landgerichts ist die sog. weitere Beschwerde, die nur auf unrichtige Gesetztesanwendung gestützt werden kann, gegeben. Die Beschwerdeschrift muß, sofern die weitere Beschwerde nicht zu Protokoll erklärt wird, von einem Rechtsanwalt oder Notar unterzeichnet sein und führt zur Entscheidung durch das Oberlandesgericht. – In *Familien- und Kindschaftssachen* Beschwerde beim Oberlandesgericht. – Soweit in Ausnahmefällen nur eine →*sofortige Beschwerde* zugelassen ist, muß sie binnen zwei Wochen seit Bekanntmachung der anzufechtenden Entscheidung eingelegt werden. – 6. In der Diskussion befindet sich eine umfassende *Neuregelung,* in deren Mittelpunkt die Festlegung eines Beteiligtenbegriffs und die

Einführung der mündlichen Verhandlung steht.

freiwillige Höherversicherung, →Höherversicherung.

freiwillige Kette. 1. *Begriff:* In ihrem Ursprung die vertikale →Kooperation einer Großhandlung mit ausgewählten Einzelhändlern (Anschlußkunden) und gleichzeitig die horizontale Kooperation solcher Großhändler, um das Absatzgebiet der f. K. über den regionalen Bereich einer Großhandlung ausdehnen zu können. Ein Ergebnis der horizontalen Kooperation des Großhandels ist i. d. R. die Errichtung einer nationalen Zentrale, so daß die f. K. ebenso wie die →Einkaufsgenossenschaften dreistufig organisiert sind. – 2. *Hauptziele:* Erreichung höherer →Mengenrabatte und günstigerer Konditionen durch Auftragsbündelung sowie Sicherung und Rationalisierung der Marktbeziehungen zwischen Großhandlung und ihren Anschlußkunden. Ausdehnung der Tätigkeit der zentralen Organisationen durch Übernahme von Funktionen aus den Bereichen Buchführung, Kostenrechnung, Datenverarbeitung sowie v. a. des einheitlichen Absatzmarketing. Ferner: Modernisierung des Vertriebsstellennetzes durch →Mitgliederselektion, Versuch der Kompensation eventueller Wettbewerbsnachteile gegenüber →Filialunternehmungen durch Gründung von →Regiebetrieben und Einführung von neuen Partnerschaftsmodellen (→Kooperationskaufmann). Dadurch andererseits Verlust an Selbständigkeit und damit bisheriger Stärken der f. K., wie Ideenreichtum, Originalität, Initiative sowie intrinsische Motivation. – Vgl. auch →Full-Service-Kooperation.

freiwillige Leistungen eines Gesellschafters, Leistungen eines Gesellschafters außerhalb seiner Verpflichtung aus Gesetz oder Gesellschaftsvertrag. – F. L. an eine inländische Kapitalgesellschaft unterliegen der →Gesellschaftssteuer, wenn das Entgelt in der Gewährung erhöhter →Gesellschaftsrecht besteht oder wenn die Leistungen geeignet sind, den Wert der Gesellschaftsrechte zu erhöhen (§ 2 I Nr. 3 und 4 KVStG).

freiwilliges soziales Jahr, →soziales Jahr.

freiwillige Versicherung. I. Gesetzliche Sozialversicherung: Zwei Formen: a) freiwilliger Beitritt zur Versicherung; b) freiwillige Fortsetzung einer Pflichtversicherung.

1. *Krankenversicherung.* a) *F. V. ohne vorherige Pflichtversicherung* möglich: (1) für krankenversicherungsfreie Beschäftigte (z. B. geringfügig Beschäftigte, Beamte, Werkstudenten); (2) für Familienangehörige des Arbeitgeber, die ohne eigentliches Arbeitsverhältnis und ohne Entgelt bei ihm beschäftigt werden; (3) für Gewerbetreibende und andere Betriebsunternehmer; (4) für Personen, die berufsbildende Schulen oder sonstige Bildungseinrichtungen, Abendgymnasien oder Kollegs besuchen; (5) für Personen, die sich bei der Zentralstelle für die Vergabe von Studienplätzen um einen Studienplatz beworben haben; (6) unter bestimmten Voraussetzungen für Personen, die eine Rente aus der Rentenversicherung der Arbeiter oder Angestellten beziehen; (7) unter bestimmten Voraussetzungen für Schwerbehinderte i. S. des § 1 des Schwerbehindertengesetztes innerhalb drei Monaten nach Feststellung der Schwerbehinderung; (8) für überlebende oder geschiedene Ehegatten eines Versicherten innerhalb eines Monats nach dem Tod des Versicherten oder der Rechtskraft des Scheidungsurteils; (9) für Peronen, für die der Anspruch aus →Familienhilfe erlischt, Antragsfrist ein Monat; (10) für Angestellte, die erstmals eine Beschäftdigung aufnehmen und wegen Überschreitens der Jahresarbeitsverdienstgrenze nicht versicherungspflichtig sind, ohne Rücksicht auf die Höhe des Einkommens innerhalb drei Monaten nach Aufnahme der Beschäftigung (§§ 176, 176a, 176b, 176c RVO). – b) *F. V. im Anschluß an eine Pflichtversicherung* wenn der Berechtigte vor dem Ausscheiden aus der Versicherungspflicht in den vorangegangenen 12 Monaten mindestens 26 Wochen oder unmittelbar vorher mindestens 6 Wochen versichert war. Der Antrag zur f. V. muß innerhalb von einem Monat nach dem Ausscheiden gestellt werden. – c) *F. V. für Heimkehrer, Heimatvertriebene, Flüchtlinge und Aussiedler* innerhalb einer bestimmten Frist möglich. Für diese Personenkreise gelten Sondervorschriften.

2. *Angestelltenversicherung oder Arbeiterrentenversicherung:* Berechtigter *Personenkreis* (§ 1227 I Nr. 9, § 1233 RVO, § 21 Nr. 11, § 10 AVG): a) *Selbständige Erwerbstätige* können als Pflichtversicherte auf Antrag beitreten. Der Antrag auf Beitritt muß innerhalb von zwei Jahren nach Aufnahme der selbständigen Tätigkeit gestellt werden. Beiträge sind entsprechend dem Einkommen zu entrichten. Die Beiträge gelten als Pflichtbeiträge, nicht als freiwillige Beiträge. – b) *Alle Bürger nach Vollendung des 16. Lebensjahres,* wenn sie nicht in der Rentenversicherung versicherungspflichtig sind. Das gilt v. a. für Hausfrauen und auch für Selbständige, die nicht eine Pflichtversicherung auf Antrag aufnehmen wollen. F. V. auch möglich für Deutsche im Sinn des Grundgesetzes, die im Ausland leben. Aufnahme der f. V. auch ohne vorherige Pflichtversicherung möglich. Für Beamte und vergleichbare (versicherungsfreie) Personen ist die f. V. nur möglich, wenn diese schon für 60 Kalendermonate Beiträge entrichtet haben. Umfang und Höhe der Beitragsentrichtung kann vom Versicherten selbst entschieden werden. Bei erstmaliger Versicherung steht dem Versicherten die Wahl zwischen der Rentenversicherung der Arbeiter oder der der Angestellten frei. Rentenleistungen aus frei-

willigen Beiträgen werden nur dann jährlich angepaßt, wenn (1) die freiwilligen Beiträge jeweils in einem zusammenhängenden Zeitraum von drei Kalenderjahren entrichtet werden und (2) jedes Kalenderjahr mit Beiträgen in Höhe von zwölf Mindestbeiträgen belegt ist (auf die Anzahl der Beiträge kommt es dabei nicht an). Liegt →Berufsunfähigkeit oder →Erwerbsunfähigkeit vor, kann die f. V. nur zur Anrechnung der Beiträge für das →Altersruhegeld und die →Hinterbliebenenrente erfolgen (§ 1227 I Nr. 9, § 1233 RVO und § 2 I Nr. 11, § 10 AVG). – c) *Vertriebene* und *Flüchtlinge,* die vor der Vertreibung, der Flucht oder der Evakuierung als Selbständige erwerbstätig waren und binnen drei Jahren nach diesen Ereignissen eine versicherungspflichtige Beschäftigung oder Tätigkeit aufgenommen haben, können sich freiwillig versichern und sogar Beiträge für die Zeit vor Vollendung des 65. Lebensjahres bis zum 1.1.1924 zurück nachentrichten (Art. 2 § 52 ArVNG, Art. 2 § 50 AnVNG).

3. *Knappschaftliche Rentenversicherung:* Wer weder nach dem Reichsknappschaftsgesetz noch nach der Reichsversicherungsordnung, dem Angestelltenversicherungsgesetz oder dem Handwerkerversicherungsgesetz rentenversicherungspflichtig ist und während mindestens 60 Kalendermonaten Beiträge für eine knappschaftlich versicherungspflichtige Beschäftigung entrichtet hat, kann die Versicherung entsprechend seiner zuletzt ausgeübten Beschäftigung in der →Arbeiterrentenversicherung oder in der →Angestelltenrentenversicherung freiwillig fortsetzen (§ 33 RKG).

4. *Unfallversicherung:* F. V. für Unternehmer und ihre im Unternehmen tätigen Ehegatten bei der zuständigen Berufsgenossenschaft möglich, soweit diese nicht bereits kraft Gesetzes oder Satzung versichert sind (§ 545 RVO).

5. *Arbeitslosenversicherung:* F. V. nicht möglich.

II. Versorgungsanstalt des Bundes und der Länder (VBL): 1. F. V. *möglich,* wenn: a) die Pflichtversicherung endet und der Versicherte keinen Anspruch auf Versorgungsrente hat oder der Anspruch auf Versorgungs- oder Versichertenrente erlischt; b) die Wartezeit von 60 Kalendermonaten Pflichtbeiträge zur VBL erfüllt ist; c) der Antrag innerhalb von drei Monaten nach dem letzten Pflichtbeitrag bei der Versorgungsanstalt gestellt wird; d) eine erneute Pflichtversicherung bei der Versorgungsanstalt oder einer Zusatzversorgungseinrichtung nicht besteht; e) der Versicherungsfall noch nicht eingetreten ist; f) noch kein Antrag auf Versorgungsrente gestellt ist. – 2. *Beendigung:* Die f. V. kann von dem Versicherten jederzeit schriftlich gekündigt werden; sie endet ferner bei einer erneuten Pflichtversicherung bei der Versorgungsanstalt oder einer sonstigen Zusatzversorgungseinrichtung.

Freizeichen, *freier Warenname,* unterscheidungskräftiges Zeichen, das für bestimmte Waren, für die es die beteiligten Verkehrskreise kennen, von einer größeren Anzahl voneinander abhängigen Unternehmen benutzt wird. – *Gegensatz:* →Marke.

Freizeichnungsklausel. 1. *Bürgerliches Recht:* Begriff mit verschiedenen Bedeutungen: a) Klauseln, durch die Bindung an ein →Vertragsangebot ausgeschlossen wird (ohne Obligo, freibleibend). b) Klauseln, durch die auch in →Allgemeinen Geschäftsbedingungen die einem Teil obliegende Haftung, insbes. die →Sachmängelhaftung und die Haftung für →Erfüllungsgehilfen, ausgeschlossen wird. – 2. *Wechselrecht:* Vgl. →Angstklausel.

Freizeit, Zeit außerhalb der →Arbeitszeit, über die der einzelne selbst (frei) entscheiden kann, um es für Nichtstun sowie für kulturelle, wirtschaftliche, kommunikative, soziale, religiöse und politische Tätigkeiten allein oder mit anderen zu verwenden. Zu unterscheiden: Tagesfreizeit (Feierabend, Rest des Tages), Wochenfreizeit (Wochenende, arbeitsfreie Wochentage), Jahresfreizeit (Urlaub, Ferien), Freizeit der Lebensphase (Freisemester, Sabbatjahr, Mutterschaftsurlaub), Altersfreizeit (Rentenzeit, Ruhezeit), Zwangsfreizeit (Invalidität, Kurzarbeit, Arbeitslosigkeit). – Beschäftigung in der F. ist Ausdruck des →Freizeitverhaltens des einzelnen. – F. ist als soziologisches Phänomen Gegenstand der →Freizeitpolitik.

Freizeitgestaltung, Entscheidung des einzelnen über die Verbringung seiner →Freizeit. Die F. unterliegt zahlreichen Einflüssen, etwa der Medien, Werbung, Mode, Ideologien, Politik, Pädagogik, aber auch persönlichen Veranlagungen und Neigungen. Sie ist abhängig von materiellen und immatriellen Mitteln (Infrastruktur, Informationen, Kommunikationsmöglichkeiten). Wesentlicher Faktor der F. sind die Vereine, denen etwa 40% der Bevölkerung angehören, sowie andere Gruppen und Institutionen (Kirchen, Bildungsstätten, Bürgerhäuser usw). – Vgl. auch →Freizeitverhalten.

Freizeitpolitik, neuer Fachpolitikbereich, der als Querschnittsaufgabe Anteile von Wirtschaftspolitik, Sozialpolitik, Raumordnungs-, Boden-, Bau- und Verkehrspolitik, Kultur-, Familien-, Jugend- und Sozialpolitik umfaßt. Gegenstand von F. sind u.a.: Räumliche Erfordernisse und Auswirkungen von Freizeit und Erholung; Freizeit- und Erholungsprobleme im Wohnumfeld und in der Stadt; Fremdenverker, Erhöhung des Wohn- und Freizeitwertes in umweltbeeinträchtigenden Wohnquartieren; Probleme des Freizeit- und Erholungsverkehrs, Probleme des Freizeitwohnens; Förderung des Breiten- und Freizeitsports; Kulturarbeit; Jugendpflege, Altenarbeit, Förderung des Freizeitvereinswesens, Anlage von Spielplätzen, F. stellt damit einen Investitionsförderungsantrieb von beachtlicher Größenordnung dar.

Freizeittätigkeit, ohne berufliche und/oder arbeitsähnliche Absicht freiweillig ausgeführte Aktivität; Teilaspekt des →Freizeitverhaltens. F. umfaßt insbes. Freizeitsport (63% der Bevölkerung) mit Spaziergang (27%), Baden (20%), Wandern (11%), Radfahren (15%), Jogging (6%); Gartenarbeit (13%); Leistungs- und Breitensport (12%); Hobbies (80%) mit Lesen (27%), Handarbeiten (23%), Musik hören (11%), Werken (10%), künstlerischen Tätigkeiten (6%). Die Nutzung von elektronischen Medien wie Rundfunk, Fernsehen, Tonträgern findet sowohl als F., als arbeitsbegleitende Tätigkeit, aber auch als selbständige (Informations-) Tätigkeit statt und hat einen erheblichen Anteil am täglichen Zeitbudget. – Die F. Urlaubsreise (mehr als die Hälfte der Deutschen über 14 Jahren ein- oder mehrmals im Jahr) ist abhängig von der Einkommenssituation und entsprechend schwankend. Einem Aufwärtstrend unterliegen seit Jahren arbeitsähnliche wertschöpferische F. wie Selbstwerk (Do-it-yourself), Selbstversorgung, Nachbarschaftshilfen, aber auch die Selbsthilfe in gesundheitlichen, sozialen, ökologischen, politischen und kulturellen Bereichen.

Freizeitverhalten, Sammelbegriff für →Freizeitgestaltung und →Freizeittätigkeit, u.a. abhängig von Alter, Familienstand/Stellung im Lebenszyklus, Geschlecht, Bildungsstand, Sozialer Herkunft, Einkommen, Beruf, berufliche Stellung und Belastung, Wohnung, Wohnort, Lage des Wohnortes, Klima, Wetter-, gesamtwirtschaftlicher und politischer Lage. F. gewinnt zunehmend an Bedeutung für die gesamte Lebensführung, die Einstellung zur Arbeit („Wertwandel") sowie das Konsumverhalten.

Freizügigkeit. I. Grundgesetz: Recht (→Grundrecht), Aufenthalt und Wohnsitz frei zu bestimmen und jederzeit zu ändern. Nach Art. 11 GG genießen alle Deutschen im Bundesgebiet F., die nur durch Gesetz und nur für besondere Fälle beschränkt werden darf. – Besondere Reglung für Staatsangehörige eines Mitgliedstaates der EG: Aufenthaltsgesetz/EWG i.d.F. vom 31.1.1980 (BGBl I 116).

II. Versicherungswesen: 1. Bezeichnung dafür, daß bestimmte Versicherungsobjekte auf mehreren Versicherunghgrundstükken als versichert gelten, d.h. jeweils dort, wo sie sich gerade befinden. – 2. Gelegentlich Ausdruck für die Möglichkeit, innerhalb eines →Versicherungsvertrages einzelne Positionen wertmäßig auszugleichen, um →Unterversicherung zu vermeiden (Summenausgleich).

Fremdbedarfsdeckung, Beschreibungsmerkmal von Unternehmungn bzw. Betrieben, insbes. zur Abgrenzung von Haushalten, wo zum Zweck der →Eigenbedarfsdeckung gewirtschaftet wird. – Vgl. auch →Betriebswirtschaftslehre.

Fremdbedienung, klassische →Bedienungsform des Warenangebots im Facheinzelhandel: Der Verkäufer präsendtiert die Ware, berät den Kunden und tätigt den Verkaufsabschluß (Rechnungserstellung, Inkasso).

Fremdbesitzer, Besitzer einer Sache (→Besitz), der für einen anderen besitzt, also nicht Eigentümer ist, z.B. der Mieter, Pächter, Entleiher, Pfandgläubiger, Nießbraucher. – *Gegensatz:* →Eigenbesitzer.

Fremdbezug. 1. *I.w.S.:* Beschaffung von Gütern und Dienstleistungen, die nicht im eigenen Unternehmen hergestellt werden (→Eigenproduktion). – 2. *I.e.S.:* Bezug von Einzelteilen oder Produktion von anderen Unternehmen. – 3. *Entscheidungsproblem:* Eigenproduktion oder F. (→make or buy).

Fremdbezugskosten, Kosten des Bezugs von Sach- und/oder Dienstleistungen von Unternehmensexternen. F. werden in der Kostenartenrechnung nach →Kostenarten getrennt (z.B. Materialkosten, Versicherungskosten, Beratungskosten) erfaßt und sind – anders als die Kosten eigener betrieblicher Kapazitäten – i.d.R. kurzfristig abbaubar (→Abbaufähigkeit von Kosten).

Fremddepot, →Anderdepot.

fremde Gelder, die einer Bank anvertrauten Gelder ihrer Kunden, d.h. alle →Einlagen der Kreditinstitute und Kunden auf Kontokorrent-, Termin- und Sparkonten.

fremde Mittel, →Fremdkapital.

Fremdenpaß, Peronalausweis für einen Ausländer, der sich nicht durch einen →Paß oder Paßersatz ausweisen kann (§4 AusländerG).

Fremdentscheidung, →Entscheidung mit im Vergleich zur →Selbentscheidung geringem Entscheidungsspielraum für das entscheidende Individuum, da Entscheidungsaufgabe und zugehörige Ausführungsaufgabe aufgrund fremder →Entscheidungsprämissen personell getrennt sind. Eine Person oder Gruppe kann Macht in bezug auf die Entscheidungsprämissen ausüben. – *Ausprägungen:* a) Bei *dezentraler Führungsorganisation* gilt die →Entscheidungsdezentralisation, b) bei *zentraler Führungsorganisation* werden mit den Aufgaben nur die Weisungsrechte an die nachgeordneten Stellen übertragen, während die Entscheidungsrechte der zentralen Führungsspitze vorbehalten bleiben und somit die nachgeordneten Stellen F. treffen (→Entscheidungszentralisation). – Vgl. auch →Zentralisation, →Dezentralisation, →Delegation.

Fremdenverkehr. 1. Häufig synonyme Bezeichnung für →Tourismus. – 2. Bestandteil des Tourismus: Nutzung angebotener Einrichtungen und Eigenschaften eines Ortes oder einer Region durch Personen (Fremde), die aus privaten oder beruflichen Gründen zu vorübergehendem Aufenthalt angereist sind.

Fremdenverkehrsstatistik, →Reiseverkehrsstatistik.

fremde Wirtschaftsgebiete, alle Gebiete außerhalb des →Wirtschaftsgebietes mit Ausnahme des Währungsgebiets der Mark der Deutschen Demokratischen Republik; für das Verbringen von Sachen und Elektrizität gelten die Zollausschlüsse an der deutsch-schweizerischen Grenze als Teil fremder Wirtschaftsgebiete (§4 I und III AWG). – Im *nichtrechtlichen Sprachgebrauch* auch als *Auslandsmarkt* bezeichnet.

fremde Wirtschaftsgüter, Begriff des Steuerrechts für nicht in Grundbesitz bestehende Wirtschaftsgüter, die dem Betrieb dienen, aber im Eigentum eines Mitunternehmers oder eines Dritten stehen. F.W. werden bei Berechnung des →Gewerbekapitals zur Ermittlung der →Gewerbesteuer dem →Einheitswert des gewerblichen Betriebs hinzugerechnet; soweit die Wirtschaftsgüter zum Gewerbekapital des Überlassenden gehören, nur dann, wenn ein Betrieb oder ein Teilbetrieb überlassen wird und die →Teilwerte der überlassenen Wirtschaftsgüter 2,5 Mill. DM übersteigen. – Vgl. →Miet- und Pachtzinsen.

Fremdfinanzierung. 1. *Begriff:* Maßnahmen zur Beschaffung finanzieller Mittel, die im Kapitalüberlassungsvertrag erfolgsunabhängige Zins- und Tilgungszahlungen zu bestimmten Zeitpunkten zusichern und daher dem Unternehmen nur begrenzte Zeit zur Verfügung stehen (→Finanzierung, →Finanzentscheidungen). Die Kapitalgeber sind →Gläubiger. – 2. *Arten:* F. kann nach verschiedenen Gesichtpunkten untergliedert werden, so nach dem Kreditgeber, der →Fristigkeit, der Form der →Besicherung oder der Ausgestaltung des Anspruchs der Gläubiger. Üblich ist die Unterscheidung nach der Fristigkeit: a) *kurzfristige F.* liegt vor bei einer Überlassungsdauer bis zu 90 Tagen; b) *mittelfristige F.* bei einer Überlassungsdauer zwischen 90 Tagen und vier Jahren; c) *langfristige F.* bei einer Überlassungsdauer von vier Jahren und mehr. – Vgl. auch →Kreditfinanzierung, →Marktfinanzierung.

Fremdgeschäft, Geschäftsform im Handel. Geschäfte im fremden Namen und für fremde Rechnung; getätigt von →Einkaufskontoren des Großhandels und von Zentralen →kooperativen Gruppen, die bei der Geschäftsanbahnung mitwirken und bei der Geschäftsabwicklung nur teilweise eingeschaltet sind. *Geschäftsanbahnung* mittels hausinterner Ausstellungen und Musterungen sowie Rundschreiben, Ordersätzen oder sonstigen Lieferantenempfehlungen. *Geschäftsabwicklung* mittels Empfehlungs-, Zentralregulierungs-, Delkredere- oder Abschlußgeschäft. Der Warenstrom wird als →Streckengeschäft in Ausnahmefällen als →Lagergeschäft abgewickelt. – *Gegensatz:* →Eigengeschäft.

Fremdgrundschuld, eine zugunsten eines Dritten eingetragene →Grundschuld. – *Gegensatz:* →Eigentümergrundschuld.

Fremdhypothek, →Hypothek.

Fremdinstandhaltungskosten, Teil der →Fremdleistungskosten. Kosten für von Unternehmensexternen bezogene Wartungs-, Inspektions- und Instandsetzungstätigkeiten. F. fallen überwiegend für Spezialreparaturen, Maschinenreinigung und vorbeugende Instandhaltung an.

Fremdinvestition, →Investition in fremden Unternehmen. – *Gegensatz:* →Eigeninvestition.

Fremdkapital, *Kreditkapital, Schulden.* 1. *Begriff:* Bezeichnung für die in der →Bilanz ausgewiesenen Schulden der Unternehmung (Verbindlichkeiten und →Rückstellungen mit Verbindlichkeitencharakter) gegenüber Dritten, die rechtlich entstanden oder wirtschaftlich verursacht sind. – *Gegensatz:* →Eigenkapital.– 2. *Ausweis:* a) *Einzelunternehmen und Personengesellschaften* haben ihr F. gesondert auszuweisen und hinreichend (Mindestgliederung „Verbindlichkeiten“ und „Rückstellungen“) aufzugliedern (§247 I HGB). b) Für *Kapitalgesellschften* besteht eine detaillierte Aufgliederungspflicht (§266 III HGB). – Vgl. im einzelnen →Verbindlichkeiten – 3. *Wirtschaftliche Bedeutung:* F. dient der →Finanzierung des Unternehmensvermögens. Der F.-Geber ist an der Unternehmung nicht beteiligt, er ist Gläubiger (vgl. jedoch Wandelschuldverschreibungen), der einen Anspruch auf Rück- bzw. Auszahlung (Tilgung) und ggf. Zinszahlung hat. Das F. wird der Unternehmung durch den F.-Geber langfristig (→Anleihen, →Hypotheken etc). bzw. mittel- oder kurzfristig zur Verfügung gestellt oder entsteht aus dem Umsatzprozeß (z.B. Verpflichtungen aus →Ertragssteuern, Pensionsverpflichtungen u.ä.). – Zur *Substitution* von F. durch Leihe oder Miete von Sachwerten vgl. →Leasing. – 4. *Beurteilung:* Vgl. →Fremdfinanzierung, →Finanzierungsgrundsätze, →Finanzierungsregeln – 5. *Steuerliche Behandlung:* Vgl. →Schulden.

Fremdkapitalzinsen, Kosten für einem Unternehmen kurzfristig oder langfristig zur Verfügung gestelltes →Fremdkapital. F. lassen sich ohne Probleme als →Kostenart in der Kostenartrechnung erfassen, erhebliche Probleme bestehen jedoch bei der Zurechnung auf

Kostenstellen und Kostenträger. – Vgl. auch →kalkulatorische Zinsen.

Fremdkompensation, Einschaltung z.B. eines Handelshauses in ein →Kompensationsgeschäft, um die Kompensationsware zu vermarkten. – Vgl. auch →Dreiecksgeschäft.

Fremdleistungskosten. 1. *Im engeren Sinn:* Kosten des Bezugs von Dienstleistungn von Unternehmensexternen, z.B. Kosten für Miete und Pacht, für bezogene Energie, Patente, Versicherungen usw. – 2. *Im weiteren Sinn:* →Fremdbezugskosten.

Fremdrenten, Renten der gesetzlichen Unfall- und Rentenversicherung, die ganz oder teilweise aufgrund von Versicherungszeiten gezahlt werden, die nach dem Fremdrentengesetz (FRG) i.d.F. vom 25.2.1960 (BGBl I 95) mit späteren Änderungen anrechenbar sind.

Fremdrentengesetz (FRG), Gesetz vom 25.2.1960 (BGBl I 93). Regelung der Anrechenbarkeit von Versicherungszeiten in der gesetzlichen →Rentenversicherung und der Entschädigung von →Arbeitsunfall oder →Berufkrankheit in der gesetzlichen →Unfallversicherung außerhalb des Bundesgebietes für die Vertriebenen und Flüchtlinge. – 1. *Personenkreis:* Das FRG findet Anwendung auf anerkannte Vertriebene i.S. des Bundesvertriebenengesetz (BVG), im Bundesgebiet lebende Deutsche i.S. des Art. 116 I GG und frühere Deutsche i.S. des Art. 116 II GG, wenn sie infolge des Krieges den zuständigen Versicherungsträger nicht mehr in Anspruch nehmen können; auch auf heimatlose Ausländer und Hinterbliebene des berechtigten Personenkreises bezüglich der Gewährung von Hinterbliebenenleistungen. – 2. *Inhalt:* In der gesetzlichen Rentenversichung werden zurückgelegte Beitragszeiten bei einem nichtdeutschen oder nach dem 3.6.1945 bei einem außerhalb des Bundesgebietes befindlichen deutschen Träger der gesetzlichen Rentenversichung berücksichtigt. Beschäftigungszeiten stehen i.d.R. Beitragszeiten gleich (§ 16 FRG); nicht aber Beschäftigungszeiten in der DDR. Für die Anrechnung genügt die Glaubhaftmachung der Tatsachen. Bei Glaubhaftmachung werden nur 5/6 der Versicherungszeit angerechnet, bei vollem Nachweis 6/6. Die Anrechnung der Höhe nach folgt nach Tabellenwerten (Anlagen zu § 22 FRG) entsprechend den durchschnittlichen Arbeitsentgelten vergleichbarer (bundes-) deutscher Versicherter. Ersatz- und Ausfallzeiten werden ebenfalls angerechnet.

fremdsprachige Firma, in der Bundesrep. D. nicht verbotene, jedoch nur begrenzt zulässige Bezeichnung der →Firma. Unzulässig, wenn Öffentlichkeit durch die Firmenbezeichnung nicht über den Namen des Unternehmers unterrichtet wird. Es müssen eine allgemein bekannte Sprache und allgemein verständliche Worte verwandt werden. Doppelsprachige Firmen und fremde Schriftzeichen sind nicht erlaubt. – Die gesetzlich *vorgeschriebenen →Firmenzusätze* müssen deutsch sein.

Fremdverkehr, Verkehr durch selbständige Verkehrsbetriebe für ihre Kunden. – *Gegensatz:* →Eigenverkehr.

Fremdvermutung, →Wertpapierverwahrung III 2.

Fremdversicherung, →Versicherung für fremde Rechnung.

Fremdwährungskonto, →Währungskonto.

Fremdwährungsschuld, →Valutaschuld.

Fremdwährungsversicherung, *Valutaversicherung,* →Versicherungsvertrag, bei dem →Prämien und Leistungen zur Sicherung des →Versicherungsnehmers gegen inländische Währungsschwankungen an eine ausländische Währung geknüpft sind. – 1. *Arten:* a) *Echte F.:* Die →Versicherungssumme lautet auf ausländische Währung und nimmt an deren Schicksal teil. – b) *Unechte F.:* Prämie und →Versicherungssumme werden in Beziehung gesetzt zu einer anderen Währung (Devisenkurs), dem Wert einer bestimmten Menge Goldes oder anderer Waren (Fremdwährungsklausel, Kursklausel). – 2. *Vorkommen:* a) *→Lebensversicherung:* (1) Versicherungsvertrag in ausländischer Währung zwischen inländischen Versicherungsnehmersn und ausländischen Versicherungsunternehmen. In der Bundesrep. D. grundsätzlich nur als →Korrespondenzversicherung zulässig (§ 105 VAG). Für den Bereich der EG ist diese Einschränkung jedoch strittig. (2) Versicherungsvertrag zwischen inländischen Versicherungsnehmern und inländischen Versicherungsunternehmen, die beiderseitigen Leistungen sind in der vereinbarten ausländischen Währung zu erbringen. Die Deckungsrückstellung wird in der betreffenden Fremdwährung angelegt. Der →Deckungstock enthält selbständige Fremdwährungsabteilungen. – b) *→Transportversicherung:* Im internationalen Handel möglich, gelegentlich staatlich erzwungen. Zulässigkeit von F. hängt von der Devisengesetzgebung ab.

Frequenz, Anzahl von abgeschlossenen →Konjunkturzyklen während eines vorgegebenen Zeitraumes. Eine hohe F. ist gleichbedeutend mit kurzwelligen Konjunkturschwankungen von wenigen Monaten oder Jahren, während eine niedrige F. langwellige Konjunkturschwankungen (z.B. Kondratieff-Zyklus) anzeigt.

Friedenspflicht, Pflicht zur Unterlassung von →Arbeitskämpfen. – 1. *Absolute F.:* Sie verbietet jeden Arbeitskampf; sie gilt für →Arbeitgeber und →Betriebsrat (→Betriebsfrieden), zwischen den Tarifvertragsparteien nur, wenn es (ungewöhnlich) in einem →Tarifvertrag besonders vereinbart ist. – 2. *Relative F.:* Jeder Tarifvertrag beinhaltet während seiner Laufzeit eine F., d.h. das Verbot von Arbeitskämpfen über die im Tarifvertrag geregelten Angelegenheiten.

Friedrich-Ebert-Stiftung, Sitz in Bonn. – *Aufgaben:* Politische Bildung, internationale Zusammenarbeit, finanzielle Förderung deutscher und ausländischer Studenten sowie Förderung wissenschaftlicher Forschung. – *Angegliederte Institute:* Julius-Leber-Akademie (Ahrensburg), Alfred-Nau-Heimvolkshochschule (Bergneustadt), Heimvolkshochschule Saarbrücken, Kurt-Schuhmacher-Bildungszentrum (Bad Münstereifel), Fritz-Erler-Akademie (Freudenstadt), Gustav-Heinemann-Akademie (Freudenberg). Karl-Marx-Haus (Studienzentrum) (Trier), Jugendbildungsstätte Wasgauhaus (Vorderweidenthal), Georg-von-Wollmar-Akademie e.V. (Schloß Appenstein, Kochel am See), Gesellschaft für politische Bildung e.V. Heimvolkshochschule Haus Frankenwarte (Würzburg).

Friedrich Flick Förderungsstiftung, Sitz in Düsseldorf. – *Aufgaben:* Förderung des wissenschaftlichen Nachwuchses sowie der Wissenschaft insgesamt.

Friedrich-Naumann-Stiftung, Sitz in Königswinter. – *Aufgaben:* Politische Bildung, wissenschaftliche Forschungsarbeiten. – *Angegliedertes Institut:* Theodor-Heuss-Akademie (Gummersbach).

friktionelle Arbeitslosigkeit, →Arbeitslosigkeit II 4.

Frisieren der Bilanz, umgangssprachliche Bezeichnung für beschönigende Bewertung und falsche Gliederung verschiedener Positionen in einer →Bilanz, die über die Lage des Unternehmens täuschen sollen. F. gilt als →Bilanzdelikt.

Frist, Zeitraum, innerhalb dessen eine Handlung vorgenommen werden muß. Soweit nicht anderes bestimmt oder vereinbart ist, gelten §§ 187–193 BGB: 1. Ist für den Anfang einer F. ein Ereignis oder ein in den Lauf eines Tages fallender Zeitpunkt maßgebend, so wird der Tag des Ereignisses oder des Zeitpunktes nicht mitgerechnet. – 2. Eine nach Wochen, Monaten, Jahren oder Bruchteilen von Jahren (Halbjahr, Vierteljahr) bestimmte F. endet mit dem gleichbenannten Wochen- oder Monatstag (vier Wochen also nicht gleich ein Monat). – 3. Fehlt bei einer nach Monaten bestimmten F. in dem letzten Monat der dem Anfangstag entsprechende Tag, so endigt die F. mit dem Letzten dieses Monats, z.B. endet die einmonatige Frist zur Einlegung der →Berufung gegen ein vom 28. bis 31.1. zugestelltes Urteil am 28.2. (bzw. 29.2.). – 4. Fällt der letzte Tag der F. auf einen Samstag, Sonntag oder gesetzlichen Feiertag, so läuft die F. für die Abgabe der Willenerklärung, der Prozeßhandlung, die Zahlungsfrist usw. erst am nächstfolgenden Werktag ab, der kein Sonnabend ist (§ 193 BGB). – 5. Ein halber Monat ist gleich 15 Tage, die bei längeren F. immer zuletzt zuzuzählen sind. – 6. F.-Verlängerung wird vom Ablauf der vorigen F. berechnet. – 7. Braucht ein Zeitraum nicht zusammenhängend zu verlaufen, wird der Monat zu 30, das Jahr zu 365 Tagen gerechnet. – 8. Unter Anfang des Monats wird der erste, unter Mitte der fünfzehnte, unter Ende der letzte Tag des Monats verstanden. – 9. Bei Handelsgeschäften entscheidet über Begriffe wie „Frühjahr" oder „Herbst" der →Handelsbrauch des Erfüllungsorts; unter „acht Tagen" versteht die →Verkehrssitte, entgegen § 359 HGB, meist eine Woche.

Fristenkongruenz, *Fristenparallelität,* Zustand, wenn sich die Überlassungsdauer des Kapitals und der Kapitaldienst der →Nutzungsdauer des finanzierten Investitionsobjekts und dessen Einzahlungsrythmus entsprechen. – Vgl. auch →Fristentransformation.

Fristenparallelität, →Fristenkongruenz.

Fristentransformation, Zustand, wenn bei der Kapitalbindung (→Investition) gezielt von der Überlassungsdauer des Kapitals abgewichen wird. – *Instrumente der F.:* a) Finanzierungsmarkt; b) Wertpapiere und Teilschuldverschreibungen, die Kreditverträge zwischen Partnern ermöglichen, deren Bindungspräferenzen nicht übereinstimmen. – Vgl. auch →Revolving-System, →Fristenkongruenz.

Fristigkeit. I. Unternehmensplanung: 1. *Begriff:* Planzeit, d.h. der Zeitraum, für den der →Plan aufgestellt wurde. – 2. Zu *unterscheiden:* a) *Kurzfristige Planung:* Primär eine quantitative Planung. Sie soll einen möglichst optimalen Einsatz von Menschen, Sachmitteln und Informationen zur Erreichung konkreter Ziele sicherstellen. F. eines kurzfristigen Plans beträgt i.a. bis zu einem Jahr. – b) *Mittelfristige Planung:* Bindeglied zwischen der Langfristplanung und der kurzfristigen Disposition. Sie umfaßt drei Aufgabenbereiche: Zieldefinitionen für das Gesamtunternehmen und seine Bereiche, Ableitung von Maßnahmen und robusten Schritten zur Zielverwirklichung sowie die Budgetierung für die Teilperioden des kurzfristigen Plans. F. eines mittelfristigen Plans beträgt i.a. ein bis fünf Jahre. – c) *Langfristige Planung:* Anpassung der bestehenden Determinanten vor dem Hintergrund der zu erwartenden internen und externen Veränderungen: neue Ziele, neue Abläufe, neue Potentiale usw. F. eines langfristigen Plans beträgt i.a. mehr als fünf Jahre. – Vgl. auch →Planungsperiode, →Planungshorizont, →Unternehmensplanung II 2 b).

II. Finanzplanung: Zeitdauer der Überlassung finanzieller Mittel bzw. der Bindung finanzieller Mittel (→Investition). – Vgl. auch

→Finanzierung, →Fristenkongruenz, →Fristentransformation.

Fristigkeitsproblem, →Bindungsdauer, →Disponierbarkeit, →Dynamisierung des Rechnungswesens.

fristlose Kündigung, Regelfall der →außerordentlichen Kündigung, durch die das Arbeitsverhältnis *sofort* beendet werden soll.

Fritz Thyssen Stiftung, Sitz in Köln. – *Aufgaben:* Förderung der Wissenschaft, v.a. auf den Gebieten der Geisteswissenschaften, internationale Beziehungen, Staat, Wirtschaft und Gesellschaft sowie Medizin und Naturwissenschaften.

FRN, Abk. für →floating rate note.

Front-end-Prozessor, →Vorrechner.

Front-end-Rechner, →Vorrechner.

Frostschadenversicherung. 1. Teil der →*Leitungswasserversicherung*: a) an den Zu- oder Ableitungsrohren der Wasserversorgung oder den Rohren der Warmwasser- oder Dampfheizung im versicherten Gebäude, mit Ausnahme der Ableitungsrohre auch außerhalb, begrenzt auf das Versicherungsgrundstück; b) an Badeeinrichtungen, Waschbekken, Spülklosetts, Wasserhähnen, Geruchsverschlüssen, Wassermessern, Heizkörpern, Heizkessern, Boilern oder vergleichbaren Anlagen der Warmwasser- oder Dampfheizung. – 2. Im Bereich der →*Elementarschadenversicherung* bei landwirtschaftlichen Erzeugnissen (Frühjahres- und Spätherbstschäden). In der Bundesrep. D. *ungebräuchlich*, in den USA und Entwicklungsländern (dort mit staatlicher Hilfe) verbreitet.

Fruchtbarkeitstafel, *Geburtentafel,* Methode zur Messung der auf eine tatsächliche oder fiktive Frauengeneration bzw. einen tatsächlichen oder fiktiven Ehejahrgang bezogener Geburtenhäufigkeit (→Fertilitätsmaße). Die F. enthält absolute Werte bzw. Ergebnisse und zeigt den zeitlichen Ablauf der Geburten auf. – Es kann zwischen ehelichen und nichtehelichen Kindern sowie nach der Ordnungsnummer der Kinder (1., 2., 3. Kind usw) unterschieden werden.– Sterbefälle, Ehescheidungen, →Wanderungen der Elterngenerationen oder Ehejahrgänge werden nicht immer berücksichtigt.

Fruchtbarkeitsziffer, →Fertilitätsmaße.

Früchte, Begriff des bügerlichen Rechts (§ 99 BGB). – 1. Erzeugnisse einer Sache (z.B. Ei des Huhns) und die sonstige Ausbeute, welche aus der Sache ihrer Bestimmung gemäß gewonnen wird. – 2. Erträge, welche ein Recht seiner Bestimmung gemäß gewährt (z.B. Dividenden, Zinsen). – 3. Erträge, welche eine Sache oder ein Recht vermöge eines Rechtsverhältnisses gewährt (z.B. Mietzinsen).

Frühaufklärung, →strategische Frühaufklärung, →operative Frühaufklärung.

früher erster Termin, im Zivilprozeß neben dem →schriftlichen Vorverfahren zur umfassenden Vorbereitung des →Haupttermins, damit in diesem der Prozeß möglichst beendet werden kann. Wird das Verfahren beispielsweise nicht durch →Urteil (auch Versäumnis- oder Anerkenntnisurteil), →Vergleich oder →Klagerücknahme sowie Klageverzicht abgeschlossen, so hat das Gericht alle Anordnungen (z.B. Zeugen laden) zur Vorbereitung des Haupttermins zu treffen (§ 275 ZPO).

Früherkennung, →operative Frühaufklärung, →strategische Frühaufklärung.

Früherkennungssystem, →operative Früherkennung.

Frühindikatoren, →Konjunkturindikatoren, →operative Frühaufklärung, →strategische Frühaufklärung.

Frühkapitalismus, →Kapitalismus.

frühsozialistische Konzepte, →Sozialismus II 1, →utopischer Sozialismus.

Frühstückskartell, kartellrechtliche Vereinbarung in Form mündlicher Absprachen (→Kartell). Nach § 1 GWB unzulässig (→Kartellgesetz VII 1).

Frühwarnsysteme. 1. *Begriff/Charakterisierung:* Spezielle Art von Informationssystemen, die ihren Benutzern latente, d.h. verdeckt bereits vorhandene Gefährdungen in Form von Reizen, Impulsen oder Informationen mit zeitlichem Vorlauf vor deren Eintritt signalisieren. – *Besonderheiten gegenüber anderen Informationssystemen:* a) Bestimmte (neuartige) Erscheinungen sowie Veränderungen/Entwicklungen bekannter Variablen in den beobachteten Bereichen werden als Anzeigen i.S. von Indikatoren oder Signalen für latente Bedrohungen frühzeitig wahrgenommen und analysiert. b) Im Falle (neuartiger) Erscheinungen oder gravierender Veränderungen bekannter Variablen (z.B. bei signifikanten Abweichungen von vorgegebenen Grenzen oder für zulässig gehaltenen Entwicklungen) werden für den/die Benutzer verständliche Frühwarninformationen ausgestossen. c) Benutzern wird wegen des zeitlichen Vorlaufs solcher Informationen die Chance zur Ergreifung präventiver Maßnahmen mit dem Ziel der Abwehr oder Minderung signalisierter Bedrohungen eingeräumt. – 2. *Entwicklung:* F. sind aus unterschiedlichsten Bereichen (z.B. militärischem Bereich) bekannt. Die Übertragung der Idee der Frühwarnung auf spezifisch ökonomische Problemstellungen erfolgte am Ende der 60er Jahre und zunächst im *gesamtwirtschaftlichen Bereich;* z.B. sind in der Bundesrep. D., Frankreich, Japan, Schweiz und USA Indikatorsysteme mit Frühwarneigenschaften entwickelt worden, die insbes. konjunkturelle Entwicklung rechtzeitig signalisieren sollten. – Im *einzelwirtschaftlichen Bereich* läßt sich die Beschäftigung mit F. bis in den Anfang der 70er Jahre zurückverfolgen. Seither sind vielfältige Ausgestaltungsformen v. F. im einzelwirtschaftlichen Bereich entwickelt worden (vgl. 3.). – 3. *Ausgestaltungsformen und Anwendbarkeit von einzelwirtschaftlich orientierten F.*: a) *Ausgestaltungsformen:* Generell hat sich eine Differenzierung in eigen- und fremdorientierte F. ergeben. – (1) *Eigenorientierte* F. richten sich auf die Früherkennung von Chancen und Bedrohungen bei ihren Benutzern/Trägern selbst aus. Es lassen sich bisher drei Generationen erkennen: *hochrechnungsorientierte F.*, indikatororientierte F. und *strategische* F. (→operative Frühaufklärung; strategische Frühaufklärung). – (2) *Fremdorientierte F.* konzentrieren sich speziell auf die Früherkennung von Bedrohungen bei Marktpartnern (Kunden; Lieferanten, Konkurrenten). Praxisrelevanz (wenn auch umstritten) haben fremdorientierte F. in denjenigen Ansätzen erlangt, die speziell aus der Sicht von Gläubigern (insbes. Banken) Eigenkapitalgebern oder potentiellen Anlegern mittels der über die (fremde) Unternehmung verfügbaren und zumeist vergangenheitsorientierten Daten Erkenntnisse über deren zukünftige Entwicklung ableiten wollen. Dies geschieht hauptsächlich mit Hilfe sog. Insolvenzprognosen aus Jahresabschlußzahlen. – Im einzelnen vgl. Übersicht Sp. 1925/1926. – Neben betrieblichen F., die nur von einer Unternehmung getragen und genutzt werden, haben *überbetriebliche* F. Bedeutung erlangt, die als Träger mehrere Unternehmungen gleich oder unterschiedlicher Branchen haben, ergänzt durch eine neutrale Institution (z. B. privates oder staatliches Forschungsinstitut), die als Zentrale des Systems fungiert. – b) *Anwendbarkeit:* Die Anwendbarkeit speziell von einzelwirtschaftlich orientierten F. wird durch die Praxis bestätigt. Dennoch ist ihre Erforschung keineswegs abgeschlossen. Vielmehr ergeben sich deutliche Entwicklungstendenzen in Aufbau und Anwendung solcher Systeme, insbes. im Hinblick auf eine Fortsetzung der Erforschung und Erprobung zuverlässiger Frühwarnindikatoren, eine stärkere Integration von Elementen strategischer und operativer Frühwarnsysteme sowie eine stärkere Nutzung überbetrieblicher F.

Frühwarnung, →strategische Frühaufklärung.

Frustration, psychologischer Begriff, der in allgemeinster Verwendung das Erlebnis einer tatsächlichen oder vermeintlichen Benachteiligung, eines Zukurzkommens oder einer Zurücksetzung ausdrückt. Der Begriff wird neuerdings mehr und mehr eingegrenzt auf jenen Erlebniszustand, der bei Behinderung einer Bedürfnisbefriedigung auftritt. – Verschiedenartige *Reaktionen auf F.*; sie reichen vom konstruktiven Lösungsversuch zur Überwindung des Hindernisses über die Resignation bis zur Aggression. – Vgl. auch →Motivation.

FTC, Abk. für →Federal Trade Commission.

FTS, Abk. für →fahrerloses Transportsystem.

FTZ, →Fernmeldetechnisches Zentralamt.

FTZ-Zulassung, durch das Fermeldetechnische Zentralamt (FTZ) in Darmstadt erteilte Genehmigung zum Betrieb einer Anlage (insbes. für Telekommunikationsgeräte; →Telekommunikation), die dazu geeignet ist, elektromagnetische Wellen im Hochfrequenzbereich abzustrahlen.

Fügen, →Produktionstechnik II 3 (4).

Führer. 1. *Formeller F.:* Leiter einer →Gruppe, der seine Aufgaben und Kompetenzen aus der Hierarchie zugewiesen erhält (ernannte Führung). Seine Autorität leitet sich zwangsläufig aus der vorgegebenen Rangordnung ab. – 2. *Informeller F.:* Leiter einer informellen Gruppe. Er nimmt die Führerrolle ein, weil eine gruppenspezifische Rollenverteilung ihm diese Rolle zuteilt. Seine Autorität resultiert aus Persönlichkeitsmerkmalen. – Vgl. auch →Führung, →Führungsstil, →Führungsverhalten.

Führerschein, amtlicher Nachweis; Bescheinigung dafür, daß dem Führer eines Kraftfahrzeuges aufgrund seiner in amtlicher Prüfung nachgewiesenen Eignung die →Fahrerlaubnis erteilt worden ist (Ausweispapier). Der F. ist mitzuführen, zuständigen Beamten auf Verlangen vorzuzeigen. Einführung fälschungssicherer F. ist vorgesehen. – Für den *zwischenstaatlichen Verkehr* zum Teil →internationaler F. erforderlich.

Führerscheinentzug, →Fahrerlaubnis II, →Fahrverbot.

Führerscheinklausel, Klausel in der →Kraftverkehrsversicherung und →Rechtschutzversicherung, nach der der Versicherer von der Leistungspflicht frei ist, wenn der Führer des Fahrzeugs bei Eintritt des Versicherungsfalls nicht die vorgeschriebene Fahrerlaubnis besitzt.

Fuhrmannshandel, Handelstätigkeit (Güterein- und -verkauf) eines Transportbetriebes zum vorherrschenden Zweck der Gewinnerzielung durch die Transporte der Güter im →Eigenverkehr. Bei Vortäuschung des Eigentumserwerbs an den Gütern ist der F. in der Bundesrep. D. *unechter Werkverkehr*.

Fuhrpark. 1. *Begriff:* Gesamtheit der Fahrzeuge und der zur Transportausführung und Fahrzeugunterhaltung erforderlichen Einrichtungen eines Betriees oder einer anderen Organisation mit zugehörigem Personal. – 2.

Übersicht: Frühwarnsysteme – Ausgestaltungsformen im einzelwirtschaftlichen Bereich

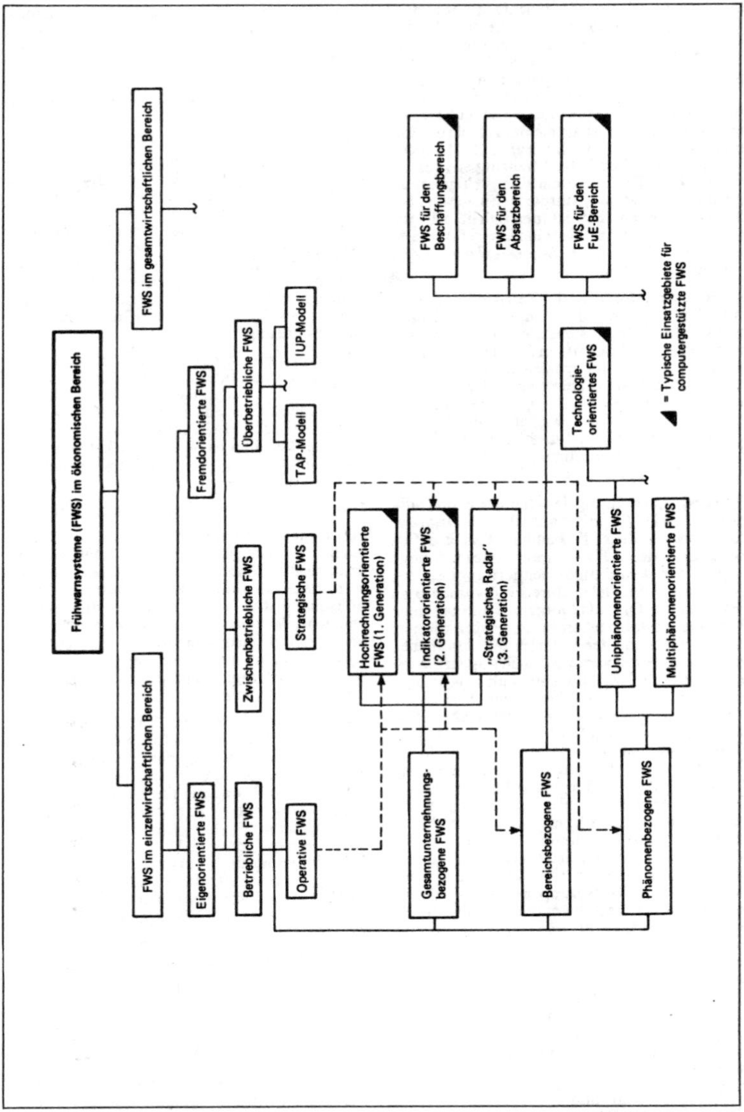

Quelle: Krystek, U., Unternehmungskrisen: Beschreibung, Vermeidung und Bewältigung überlebenskritischer Prozesse in Unternehmungen, Wiesbaden 1987.

Buchhaltung: Konto für diejenigen abnutzbaren beweglichen Anlagewerte, die dem Transport dienen, wie Eisenbahnwagen und Lokomotiven, Personenkraftwagen, Lastkraftwagen, Schlepper, Zugmaschinen usw. →Abschreibung: In der Handelsbilanz wird der Gesamtwert, wenn die tatsächliche Nutzungsdauer länger ist als die der Abschreibung zugrunde gelegte, häufig auf 1 DM abgeschrieben; die steuerliche Absetzungen müssen sich nach § 7 EStG richten. Für geringwertige Wirtschaftsgüter im Fuhrpark (Einzelwert bis 800 DM) besteht Bewertungsfreiheit, ist also Sofortabsetzung im Anschaffungsjahr statthaft (§ 6 II EStG). – 3. *Kostenrechnung:* Vgl. →Fuhrparkkosten.

Fuhrparkkosten, für die Bereitstellung und Bereithaltung sowie den Einsatz des →Fuhrparks anfallende Kosten, die einen bedeutsamen Teil der →Logistikkosten ausmachen. F. werden entweder auf speziellen →Kostenstellen erfaßt und von diesen gemäß den erbrachten Transportleistungen auf →Kostenträger und/oder andere Kostenstellen weiterverrechnet oder gehen zumeist undifferenziert in die Kosten einzelner Fertigungs- oder Verwaltungsstellen ein.

Führung, Ausrichtung des Handelns von Individuen und Gruppen auf die Realisation vorgegebener Ziele. F. beinhaltet soziale Beziehungen der Über- und Unterordnung. Neben der Handlungsorientierung auf die Erreichung von Zielen durch Individuen und Gruppen in Organisationen, Unternehmen, Betrieben usw. bestehen weiter F.sfunktionen in der Motivation der Mitarbeiter (Untergebenen) und in der Sicherung des Gruppenzusammenahltes. – F. wird allgemein als *psychologische und soziale Fähigkeit einer Person im Umgang mit Menschen* betrachtet. Neben Persönlichkeitseigenschaften des Vorgesetzten haben jedoch weitere Faktoren wie die fachliche Autorität, die situativen Bedingungen, der Einsatz von →Führungstechniken und die sozialen Beziehungen eine entscheidende Bedeutung für eine erfolgreiche F., die dadurch zu einem sehr komplexen sozialen Prozeß wird. – F.skompetenz ist durch die formelle Organisation definiert und abgegrenzt (*formelle F.*). In Arbeitsgruppen kann sich eine *informelle F.* erhausbilden; diese erfolgt durch Mitarbeiter ohne formelle F.sposition, die jedoch aufgrund ihrer Persönlichkeit und Erfahrung besonders geachtet werden, und daher Einfluß ausüben können. Für die Durchsetzungsmöglichkeiten der formellen Führer können sie daher unter Umständen zu einem besonderen Problem werden. – Vgl. auch →Autorität, →Führungsstil, →Führungstechniken, →Führungstheorien, →Führungssituation, →Motivation.

Führung durch Delegation, →management by delegation.

Führung durch Systemsteuerung, →management by system.

Führung durch Zielvereinbarung, →management by objectives.

Führung im Ausnahmefall, →management by exception.

Führungsaufsicht, Anordnung durch Gericht im Strafverfahren neben der Verurteilung zu →Freiheitsstrafe oder kraft Gesetzes bei Aussetzung eines Vollzuges. – *Wirkung:* Der Verurteilte untersteht einer →Aufsichtsstelle und zugleich i. d. R. einem Bewährungshelfer. Beide haben dem Veruteilten helfend und betreuend zur Seite zu stehen. Das Gericht kann dem Verurteilten hinsichtlich seiner Lebensführung Anweisungen erteilen (§§ 68 ff. StGB). – Vgl. auch →Strafaussetzung zur Bewährung.

Führungsdual, in der Sozialpsychologie eine Führungskonstellation, bei der die Führungspunktion im wesentlichen auf zwei →Gruppenmitgleider verteilt sind, deren Führungsverhalten nach Leistungs- bzw. Gruppenorientiertheit unterschieden werden kann; die aus dem Alltag bekannte Unterscheidung in tüchtige und beliebte Führer.

Führungsebenen, →Führungshierarchie.

Führungseigenschaften, Merkmale erfolgreicher Führungskräfte. Zu den F. gehören tendenziell: Höhere Intelligenz, mehr Selbstvertrauen, Dominanz, Befähigung zur Situationsdiagnostik und Verhaltensflexibilität. Die Korrelation zwischen diesen Merkmalen und dem Führungserfolg ist jedoch nur schwach positiv und streut von Untersuchung zu Untersuchung. – Vgl. auch →psychologische Testverfahren.

Führungsentscheidung, Entscheidung, die nach Gutenberg durch folgende *Merkmale* gekennzeichnet ist: a) F. haben Bedeutung für die Vermögens- und Ertragslage der Unternehmung; b) F. sind auf das Unternehmen als Ganzes gerichtet; c) F. sind nicht delegierbar (→Delegation). – *Beispiele:* Entscheidungen im Rahmen der →Unternehmenspolitik, Koordinierung der →organisatorischen Teilbereiche, geschäftliche Maßnahmen von außergewöhnlicher betrieblicher Bedeutsamkeit, Besetzung von Führungspositionen.

Führungsgrundsätze, Verhaltensrichtlinien für mit Führungsaufgaben betraute →Führungskräfte. F. können generell (organisationsweite Gültigkeit) oder schichtenspezifisch (abteilungs- oder gruppenweite Gültigkeit) gelten. Meist werden in F. generell Rechte und Pflichten von Vorgesetzten, Kompetenzabgrenzungen, Kommunikationswege usw. geregelt. Abgeleitet sind die F. aus der Unternehmensphilosophie und dem →Unternehmensleitbild (vgl. auch →strategisches Management, →Unternehmenspolitik).

Führungshierarchie. 1. *Begriff:* Die →Hierarchie der Handlungsträger mit →Weisungsbefugnis (→Entscheidungshierarchie). – 2. *Stufen (Managementebenen, Führungsebenen):* →Top Management, →Middle Management, →Lower Management; verbreitete, infolge uneinheitlicher Grenzziehungen und situativer Abhängigkeiten aber nur bedingt aussagekräftige Einteilung. Während bei einer zumindest dreistufigen F. das Top- und das Lower Management mit der obersten und der untersten Führungsebene gleichgesetzt werden können, umfaßt der Bereich des Middle Management je nach der Leitungstiefe der F. eine oder mehrere Führungsebenen. – 3. *Bezeichnung von Handlungsträgern* in Abhängigkeit von ihrer Einordnung in der F. z. B. als →Abteilungsleiter, →Hauptabteilungsleiter, →Direktor und →Generaldirektor.

Führungsinformationssystem (FIS), *Management-Informationssystem (MIS),* in der →betrieblichen Datenverarbeitung ein →Softwaresystem, das der Unternehmensführung Informationen zur Vorbereitung strategischer oder taktischer Entscheidungen liefert. Diese werden aus Daten des →computergestützten Administrationssystems und →computergestützten Dispositionssystems verdichtet. – F. bilden die Grundlage für die →*computergestützte Unternehmensplanung*. – Vgl. auch →decision support system.

Führungsklausel, Begriff der →Mitversicherung. Sind z. B. bei der Versicherung eines großen Betriebs mehrere Versicherer an einem Vertrag beteiligt, so übernimmt einer die Führung; nur mit diesem verkehrt der Versicherungsnehmer. Der führende Versicherer fertigt den Versicherungsschein sowie etwaige Nachträge rechtsverbindlich für alle beteiligten Gesellschaften aus; er erhält eine Führungs- bzw. Arbeitsprovision. – 1. *Sachversicherung:* Der Führende ist grundsätzlich nur zur Entgegennahme von Anzeigen und Willenserklärungen des Versicherungsnehmers für die Beteiligten bevollmächtigt; vor Änderung des Versicherungsumfanges, der Regulierung großer Schäden und der Führung eines Prozesses (→Prozeßführungsklausel) im Namen der Beteiligten ist er zu einer Direktionsverständigung verpflichtet. – 2. *Transportversicherung:* Der führende Versicherer besitzt wegen der kurzzeitigen Risiken meist weiterreichende Vollmachten und ist nur zur Änderung wesentlicher Vertragsbestandteile, z. B. zur Erhöhung der Höchst-Versicherungssumme, zum Einschluß des Kriegsrisikos und zur Änderung der Kündigungsbestimmungen nicht berechtigt.

Führungskonzepte, →Führungstechniken.

Führungskräfte, Personen oder Personengruppen, die Willensbildung und Willensdurchsetzung gegenüber anderen Personen wahrnehmen unter Übernahme der hiermit verbundenen Verantwortung (*mit Entscheidungs- und Anforderungsbefugnissen ausgestattete F.*). Aufgrund rechtlicher oder organisatorischer Regelungen besitzen F. die Befugnis anderen Personen Weisungen zu erteilen, denen diese Personen zu folgen verpflichtet sind. Bei der internen Führung, die laufend in der Unternehmung tätig ist, werden entsprechend der organisatorischen Gliederung mehrere Führungsebenen unterschieden. I. w. S. gehören auch *Führungsgehilfen* (z. B. Mitarbeiter in Stabstellen) zur Institution der Führung. – Der Geschäftsführung oder dem Vorstand als Kern der oberen internen Führung sind weitere, externe Willensbildungs- und Willensdurchsetzungszentren vorgeschaltet, in denen die an der Unternehmung *interessierten Gruppen* vertreten sein können. Hierbei handelt es sich um die Gesellschafterversammlung (Hauptversammlung) und den Beirat (Aufsichtsrat).

Führungskräfteschulung, →Personalentwicklung.

Führungslehre. 1. *Begriff:* Lehre, die auf die zusammengefaßte, pädagogisch auswertbare Darstellung aller zum Verständnis des Führungsprozesses erforderlichen Tatsachen zielt. Als theoretisch-wissenschaftliche Basis braucht die F. die →Führungstheorie. – 2. Die *konkrete Ausbildung* der F. hängt aufs engste zusammen mit der Entwicklung von Vorstellungen über Reaktionsweisen und Reaktionsmöglichkeiten des Menschen; die F. stellt menschliches Handeln in den Zusammenhang von Aufgabe, Gruppenumwelt und →Organisation. Dabei ist stes ein spezifisches Bild vom Menschen die Grundlage der Verhaltenserklärung und damit der Führung. – 3. Die *konkrete Entwicklung* der F. reicht von rationalen Ansätzen in der Scientific-Management-Lehre über gruppenpsychologische Erklärungen bis zum →Menschenbild der modernen Management-Philosophie. Seit kurzem: vierdimensionaler Führungsstil (Dreyer). Vgl. das untenstehende Schaubild „Entwicklungsstufen der Führungslehre“; – Vgl. auch →Führungsstil, →Führungstechniken, →Weg-Ziel-Ansatz der Führung.

Führungsmodelle. I. Allgemeines: 1. *Begriff:* Modelle zur Unterstützung der Führung als Managementfunktion. Normative Denkmodelle, die Aussagen dazu treffen, wie die Funktion „Führung“ unter bestimmten Bedingungen im Unternehmen ausgeübt werden sollte. – 2. *Bedeutung:* F. werden teilweise sehr kritisch betrachtet; einige haben aktuell im Zusammenhang mit der Führungsphilosophie eines →strategischen Managements Beachtung gefunden, in der Annahme, sich über F. dem Phänomen der →Unternehmenskultur konzeptionell nähern zu können.

II. Wichtige Einzelmodelle: 1. *Theorie Z.:* Sie basiert auf einem durch Ouchi

Entwicklungsstufen der Führungslehre

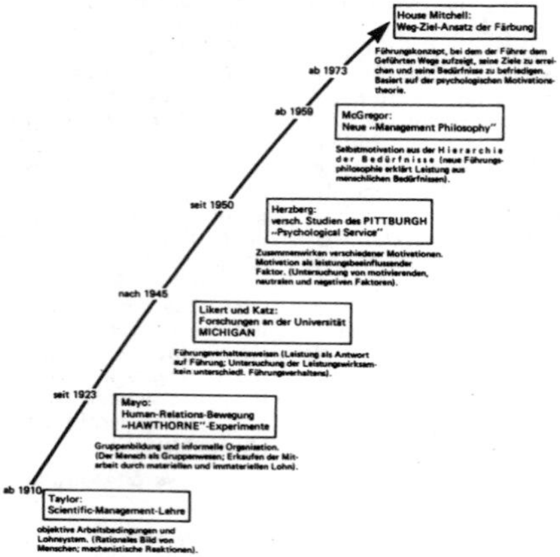

(1981) durchgeführten Vergleich der Führung in amerikanischen und japanischen Unternehmen mit dem Ergebnis, daß die erfolgreichen amerikanischen Unternehmen in ihrem Führungsstil den japanischen sehr nahe kommen. Unternehmen vom Typ Z zeichnen sich durch eine etablierte und homogene Unternehmenskultur aus. Ouchi schlägt darauf aufbauend ein 13-Stufen(Organisations-)Entwicklungsmodell zu einer Organisation vom Typ Z für die weniger erfolgreichen amerikanischen Unternehmen vor. Dabei zielt er ab auf Umorientierung der Aufmerksamkeit auf die menschlichen Beziehungen in der gesamten Organisationsgemeinschaft.

2. *7F-Modell:* Das von McKinsey (Pascale und Athos, 1981) entwickelte F. weist auf die Notwendigkeit hin, daß es zur Erreichung der Unternehmensziele folgende 7F optimal zu nutzen und aufeinander abzustimmen gilt: Führungsstrategie, Führungsfähigkeiten, Führungssystem, Führungsstil, Führungsstruktur, Führungsziele/Leitmotive sowie das Ziel- und Wertesystem der Führungskräfte. Dabei gibt es keine allgemeinverbindliche Lösung; vielmehr muß jedes Unternehmen ein eigenes und nur für sich selbst „optimales" 7F-Profil entwickeln.

3. *Strategische Erfolgsposition:* Das von Pümpin (1982) entwickelte F. betont die Notwendigkeit der Abstimmung von Strategie, Kultur und Führungssystemen (vgl. auch →Misfit-Analyse). Unter Erfolgsposition ist eine in einer Unternehmung durch den Erwerb von Fähigkeiten bewußt geschaffene Voraussetzung zu verstehen, die es diesem ermöglichen soll, im Vergleich zur Konkurrenz überdurchschnittliche Ergebnisse zu erzielen. Sie darf von der Konkurrenz nicht ohne weiteres kopierbar sein und muß auf Voraussetzungen basieren, die von hoher Zukunftsträchtigkeit sind (→strategische Grundhaltung). Um ihren langfristigen Erfolg zu sichern, müssen alle führungsrelevanten Systeme auf den Ausbau der strategischen Erfolgsposition ausgerichtet werden: Machtzentren, Mitarbeiterentwicklung, Berichtswesen, Strategien, Planung, Disposition, Organisation, Führungsstil, Managementeinsatz und Arbeitsmethodik.

Führungsprozeß, Prozeß der zweckgerichteten Verhaltensbeeinflußung (direkt oder indirekt) des Geführten bzw. der Geführten durch den Führenden. Es handelt sich um eine wechselseitige, asymetrische Beziehung zwischen Führenden und Geführten; asymetrisch, da das Ausmaß des Einflusses des Geführten gering ist. F. ist i. e. S. der Prozeß der Willensdurchsetzung, i. w. S. der Willensbildung (einschl. Zielsetzung), Willensdurchsetzung und Willenssicherung.

Führungsrichtlinien, Richtlinien, nach denen Führungskräfte bei der Kontrolle der Arbeit nachgeordneter Mitarbeiter zu verfahren haben. F. unterliegen nicht dem Mitbestimmungsrecht des →Betriebsrats, da es insoweit nur um die Feststellung des Arbeitsergebnisses geht, nicht um die Beurteilung der Leistung, die zu diesem Arbeitsergebnis geführt hat. – *Anders:* →Beurteilungsgrundsätze.

Führungssituation, Zustand, in dem sich Führung abspielt. F. umfaßt alle sachlichen und sozialen Bedingungen, die für das Führungsverhalten zu einem gegebenen Zeitpunkt von Bedeutung sind, wie etwa das Gruppenziel, die Gruppenstruktur, die Aufgabenstellung, die Bedürfnisse und Einstellungen der →Gruppenmitglieder, die Erwartungen fremder →Gruppen, der institutionelle Rahmen usw.

Führungsspanne, →Leitungsspanne.

Führungsstil. I. Begriff: Idealtypische Art und Weise des Umgangs von Vorgesetzten mit einzelnen Untergebenen und Gruppen. Global lassen sich F. danach unterscheiden, ob sie primär durch eine Orientierung auf die Aufgabe bzw. Leistung oder auf die Mitarbeiter gekennzeichnet sind.

II. Arten (nach dem Grad der Einflußverteilung zwischen dem Führenden und den Geführten): 1. *Autokratischer F.:* Führung in unumschränkter Selbstherrschaft, ohne Mitberücksichtigung oder Mitbeteiligung der Untergebenen. – 2. *Autoritärer F., obrigkeitlicher F.:* Beruht auf einem Befehls- und Gehorsamkeitsverhältnis zwischen dem Führenden und den Untergebenen. – 3. *Bürokratischer F.:* Gekennzeichnet durch Versachlichung, zugleich Aufsplitterung der Führung auf viele spezialisierte Kompetenzträger, die im Instanzenweg in mehrere Führungsebenen hierarchisch gegliedert sind. Führungsanweisungen und Erledigung von Aufgaben laufen nach unpersönlichen, streng vorgeschriebenen Regeln; eine direkte Kooperation und Information der Untergebenen untereinander oder Umgehung der Instanzenwege ist formell nicht vorgesehen, wodurch dieser F. sehr an Flexibilität einbüßt. – 4. *Demokratischer F.:* Beteiligt die Untergebenen aktiv an Entscheidungen. Gemeinsam werden die allgemeinen Schritte zur Erreichung des Gruppenziels geplant, wobei der Vorgesetzte ggf. alternative Vorgehensweisen vorschlägt und mit seinen Untergebenen bespricht. Der Führer beteiligt sich an den Handlungen der →Gruppe und fügt sich ihr ein. – 5. *Formeller F.:* In der formellen →Organisation des Betriebes vorausgeplanter F. Der tatsächlich angewandte kann davon abweichen; auch kann es neben den formell vorgesehenen Führern informelle Führer geben, die von erheblichem Einfluß für die Betriebsrealität sein können. Am stärksten formell festgelegt ist der F. in Bürokratien. – 6. *Kooperativer F.:* Die Untergebenen werden als echte Mitarbeiter behandelt. Eng verwandt dem demokratischen F. Wesentliches Merkmal ist, daß die Führenden einen Teil ihrer Kompetenzen an die Untergebenen abtreten, wobei de Delegationsbereiche nach sachlichen, nicht nach persönlichen Gesichtpunkten festzulegen sind. – 7. *Laissez-faire F.:* Läßt den Untergebenen weitgehend Verhaltensfreiheit. Der Vorgesetzte vermittelt ein bestimmtes Wissen auf Anfragen hin, nimmt sonst aber nicht an deren Tätigkeiten teil. Entscheidungen bleiben einzelnen oder der Gruppe überlassen, mit sehr geringer Beteiligung des Führers. Da der Führende nicht mit seinen Untergebenen zusammenarbeitet und wenig Interesse zeigt, ist deren Arbeitsleistung meist sehr gering. – 8. *Liberalistischer F.:* Die Untergebenen haben weitgehende Handlungs- und Entscheidungsfreiheit. Überzeugt vom Eigenwert des Individuums soll der einzelne frei sein vom Zwang autoritärer F. – 9. *Patriarchalischer F.:* Eine zu Ende des 19. und zu Beginn des 20. Jh. vielfach vorzufindende Führungsform. Leitbild des p.F. ist die Autorität des Vaters in der Familie, das nach Herauslösung der Unternehmung aus dem Unternehmerhaushalt im Zuge der industriellen Revolution als Idealvorstellung der gesellschaftlichen und betrieblichen Ordnung erhalten blieb. Der Patriarch führt in dem Bewußtsein, Unmündige unter sich zu wissen, die in keiner Weise an der Führung beteiligt werden können, für die er aber auch soziale Verantwortung mitträgt. Der patriarchalische F. greift deshalb vielfach in die Privatsphäre der Geführten ein; er ist autoritär, erkennt aber eine umfassende soziale Verantwortung an. In seiner stärksten Ausprägung kennt der patriarchalische F. nur eine Instanz mit ungeteilter Gesamtkompetenz, den Patriarchen selbst. Weder Zwischeninstanzen noch Stäbe werden aufgebaut. Die Geführten haben unmittelbaren Zugang zur Spitze. Ihre Verpflichtung beschränkt sich auf Gehorsam gegenüber allen Detailanordnungen. – 10. *Charismatischer F.:* Durch eine als außergewöhnlich empfundene Qualität einer Persönlichkeit zustandekommende Führung. Diese außergewöhnliche Qualität wird als übernatürlich (übermenschlich, nicht jedem zugänglich), gottgesandt oder vorbildlich gewertet.

III. Beurteilung: Die genannten F. sind Idealtypen, d. h. in der Realität in reiner Form nicht vorfindbar. Modifikationen und Mischungen von F. entstehen durch die Persönlichkeit als Vorgesetzten und die Stärke seiner Positionsmacht, die Situation bzw. die Situationen, in denen geführt wird, sowie die Ansprüche, Qualifikationen, Erfahrungen und Kompetenzen der Mitarbeiter und die Art der sozialen Beziehungen in der Gruppe. Situation und Mitarbeiter verlangen von Vorgesetzten daher eine ständige Ermittlung der Situation und entsprechende Anpassung seines F. – Vgl. auch →Autorität, →Führung, →Führungstechnik, →Führungstheorie, →Führungssituation.

Führungstechniken, *Führungskonzepte,* Vorgehensweisen und Maßnahmen der Führung zur Realisierung der vorgegebenen Ziele, der Gestaltung der →Führungssituation und der Behandlung der Untergebenen. *Konkrete F.* beziehen sich auf (1) die Formen von Anweisungen, (2) die Durchführung von Kontrolle, (3) den Einsatz positiver und negativer Kritik, (4) die Vorbereitung von Entscheidungen, (5) die Behandlung von Beschwerden, (6) die Information der Untergebenen und (7) die Delegation von Aufgaben und Verantwortung. Diese F. werden im Rahmen unterschiedlicher →Führungsstile und allgemeiner →Managementtechniken als Führungsmittel in unterschiedlicher Ausformung angewendet. – Vgl. auch →Führungsstil.

Führungstheorien, einheitliche Systeme von Begriffen und Aussagen, in denen die Ergebnisse der Forschung zum Problembereich der →Führung zusammengefaßt werden. F. beanspruchen für sich, daß sich aus ihnen Prognosen für die Wirkungen eines bestimmten →Führungsverhaltens ableiten lassen; sie sind damit Grundlagen von Führungslehren und stehen in enger Beziehung zum Wandel der Anforderungen an Führung. – *Bekannte F.:* →Eigenschaftstheorie der Führung, →Situationstheorie der Führung, →Interaktionstheorie der Führung, Kollektivtheorie, Persönlichkeitstheorie, →Theorie des Reifegrades, →Leader-match-Konzept.

Führungsverhalten. 1. Bekannteste Beschreibungsdimensionen: *Mitarbeiterorientierung (consideration):* Praktische Besorgtheit, Wertschätzung gegenüber den Geführten, Zugänglichkeit der Führenden; *Leistungsorientierung (initiating structure):* Zielpräzisierung, Kontrolle, Antreiben. Beide sind tendenziell unabhängig voneinander und insofern auf der Verhaltensebene kombinierbar. – Hohe consideration kann den über hohe initiating structure vermittelten Leistungsdruck tendenzeill abpuffern. – 2. *Beurteilung:* Generalisierende Aussagen zur Wirksamkeit von consideration und initiating structure auf →Arbeitszufriedenheit und Leistung sind kaum möglich. – Vgl. auch →Situationstheorie der Führung, →Führungsstil.

Führungszeugnis. 1. Von dem *Unternehmer* auf Wunsch des Arbeitnehmers auch über Führung und Leistung auszustellendes →Zeugnis. – 2. *Polizeiliches* Zeugnis über die im Bundeszentralregister eingetragenen Vorstrafen bzw. über ihr Nichtvorhandensein.

Führungsziele, intendierte Verhaltensbeeinflussung der Mitarbeiter zur Erreichung der →Unternehmungsziele.

Fuhrunternehmer, Begriff des Straßenverkehrsrecht für den →Halter eines Fahrzeugs, mit dem er gewerbsmäßig gegen Entgelt die Beförderung von Personen oder Gütern für eigene Rechnung betreibt. Der F. braucht nicht Eigentümer des Fahrzeugs zu sein.

Fuhrwerke, Landfahrzeuge, die mit tierischer Zugkraft bewegt werden und nicht an Schienen gebunden sind. F. müssen nach § 31 StVZO so gebaut und ausgerüstet sein, daß ihr verkehrsüblicher Betrieb eine Gefährdung oder Schädigung Dritter im →Straßenverkehr ausschließt. Benutzung der Autobahn ist verboten.

Fullarton, John, 1780–1849, englischer Bankier und später Nationalökonom, der zusammen mit Torrens der Hauptgegner der →Currency-Theorie und Hauptverfechter der →Banking-Theorie war. – *Hauptwerk:* „The Regulation of Currencies" 1844.

Full-Service-Kooperation. 1. *Begriff:* Aus der →Einkaufsgenossenschaft entstandene Betriebsform des Einzelhandels. Die Zentralorganisationen übernehmen nicht nur das →Zentralregulierungsgeschäft und →Delkrederegeschäft, sondern tätigen neben →Empfehlungsgeschäften und →Abschlußgeschäften vermehrt auch →Eigengeschäfte. Damit übernehmen sie ein eigenständiges Risiko der Absetzbarkeit der Waren. Z.T. erhöhen die Zentralen das Absatzrisiko durch Errichtung eigener Produktionsstätten, deren Produkte prinzipiell nur über die Mitglieder verkauft werden sollen. Sie entwickeln auch →Handelsmarken bzw. verpacken lose gekaufte Ware in eigenen Verpackungsbetrieben. – 2. *Weitere,* teils von organisatorisch ausgegliederten Betrieben wahrgenommene *Aufgaben* der Zentrale: Anmietung von Grundstücken bzw. Gebäuden; Durchführung von Standortanalysen; Finanzierung von Warengeschäften, Bauvorhaben, Existenzgründungen; Schulung der Mitglieder; Übernahme von statistischen Erfassungen, Kostenrechnung und Kalkulation, Betriebs- und Finanzbuchhaltung sowie Bilanzerstellung und Steuerberatung. Wachsende Kompetenzen im Handelsmarketing: Einsatz von Marketinginstrumenten, um die Einzelhändler zur Abnahme der eingekauften Produkte und zu deren bevorzugter Förderung beim Verkauf zu bewegen einschl. Beratung bei Ladengestaltung und Warenplazierung, strenge Vorauswahl beschaffbarer Produkte (Listung in →Ordersätzen), Kalkulationshinweisen und Kontrollen des Verkaufs – zumindest global – über den Service der →kurzfristigen Erfolgsrechnungen. Entwurf zentraler Sonderangebots-, Werbe- und Verkaufsförderungsaktionen. – 3. *Entwicklung:* Ob durch Installation von →Scannern und die Stufen Groß- und Einzelhandel umfassenden, geschlossenen →Warenwirtschaftssystemen die Kooperation noch enger, die Selbständigkeit noch begrenzter wird, ist eine zur Zeit noch offene Frage. Die Entwicklung der F.-S.-K. zu →Filialunternehmungen ist durch Gründung von →Regiebetrieben schon realisiert. Kooperationskaufleute sind durch vertragliche Bindungen in ihrer Freiheit der Sortimentsbildung noch weiter eingeschränkt als die traditionellen Mitglieder von F.-S.-K. Die zukünftige Entwicklung ist davon abhängig, inwieweit es gelingt, dezentrale Fachkompetenzen so zur Ausschöpfung der lokalen Marktpotentiale einzusetzen und gleichzeitig so zu koordinieren, daß die Wettbewerbsfähigkeit der F.-S.-K. gestärkt wird. Hierbei wird es nicht unwichtig sein, durch →Mitgliederselektion einen rationell zu beliefernden Kreis von Einzelhändlern zu gewinnen, die durch ihre Erfolge auf dem Markt gleichzeitig den übergeordneten Gruppeninteressen dienen.

full set, *voller Satz,* vollständiger, im Original vorliegender (nicht als Copy bezeichneter) Formularsatz, z.B. beim →Konnossement. Im Konnossement ist eigens angegeben, wieviel (Original-)Stücke ausgestellt wurden und daher zu einem f.s. gehören.

functional finance, Auffassung, nach der die →Finanzpolitik ausschließlich konjunkturpolitische Ziele gemäß der →finanzpolitischen Stabilisierungsfunktion verfolgt; von A.P. Lerner pointiert vertreten. – Vgl. auch →fiscal policy.

Fund, Auffinden und Inbesitznahme einer verlorenen Sache (§§965–982 BGB). Der Finder ist zur Anzeige und Ablieferung an den Verlierer bzw. die Polizeibehörde (Fundbüro) verpflichtet; er hat Anspruch auf →Finderlohn. – Ist der *Verlierer nicht zu ermitteln,* erwirbt der Finder nach Ablauf von sechs Monaten seit der Anzeige das Eigentum an der gefundenen Sache. – Beim F. in Räumen öffentlicher Behörden oder in öffentlichen Verkehrsmitteln muß der Finder die Sache bei der Behörde usw. abliefern, hat jedoch keine Rechte. – Vgl. auch →Fundsachen bei der Post.

fundamentale Atienanalyse, Methode der Aktienanalyse, auf ausschließlich unternehmensbezogene Kurs-Einflußgrößen bezogen. Ausgangspunkt bildet die These, daß der Börsenkurs in Schwingungen um den inneren bzw. objektiven Wert einer Unternehmung oszilliert; die Diskrepanz ergibt sich aus der relativ langsamen Anpassungsgeschwindigkeit der Kurse an neue Informationen infolge divergierender Meinungen und Wertbestimmungen der Börsianer. In der F. werden unterschieden: (1) Quantitative Faktoren: statistisch erfaßbare und auswertbare Informationen über eine Unternehmung (z.B. Geschäftsstruktur, Ertragslage, Kostenstruktur); (2) qualitative Faktoren: Know-how, Innovationsfähigkeit, Zukunftschancen der Produkte und Qualität des Managements. Daraus wird der innere bzw. objektive Wert einer Unternehmung ermittelt. Im Vergleich zum aktuellen Börsenkurs impliziert er ein Kauf- (Börsenkurs kleiner als innerer Wert) oder Verkaufssignal (Börsenkurs größer als innerer Wert). – Vgl. auch →technische Aktienanalyse.

F & E, →Forschung und Entwicklung.

fundieren. 1. *I. w. S.:* Sicherstellung von Zins- und Tilgungsdienst durch bestimmte Einnahmequellen. – 2. *I. e. S.:* Überführung (kurzfristiger) →schwebender Schulden in (langfristige) →fundierte Schulden; auch die Ablösung von Bankkrediten durch Emission von Obligationen oder Aktien, letztgenanntes wird auch als *refundieren* bezeichnet.

fundierte Schulden, langfristig am Kapitalmarkt plazierte Schulden der öffentlichen Hand (→öffentliche Kreditaufnahme). – *Gegensatz:* →schwebende Schulden.

fundiertes Einkommen, Begriff der →Steuertheorie. Das auf Vermögen beruhende →Einkommen. F.E. eignet sich nach der Fundustheorie für besondere Besteuerung aus folgenden Gründen: (1) F.E. fließt frei von Risiken wie Krankheit, Arbeitslosigkeit und Kräfteverschleißt dem Steuerpflichtigen regelmäßig zu; der Bezieher braucht deshalb – anders als der Erwerbstätige – keine Rücklagen zu bilden. (2) F.E. läßt die Arbeitskraft seines Beziehers oftmals ganz frei, so daß er – jedenfalls solange er im erwerbstätigen Alter steht – aus der Sicherhiet seiner Vermögenssubstanz zusätzliche Einkünfte erarbeiten kann. – *Gegensatz:* →unfundiertes Einkommen.

Fundierungsschuldverschreibung, →Young-Anleihe.

Fundsachen bei der Post. 1. *F. aus Postsendungen:* a) F. im Wert bis 25 DM werden je nach Anfall monatlich oder vierteljährlich versteigert. b) F. von höherem Wert, Zeugnisse, Urkunden usw. werden den Zentralen Ermittlungsstellen für Briefsendungen bzw. der Zentralen Ermittlungsstelle für Paketsendungen zugeführt, wo sie in bestimmten Zeitabständen ebenfalls versteigert werden. c) Gefundene Barbeträge und Versteigerungserlöse werden Empfangsberechtigten ausgehändigt, sofern sie sich nachträglich melden. – 2. *F. aus Räumen mit Publikumsverkehr, Postfahrzeugen, Briefkästen, Fernsprechzellen usw.:* Werden durch Aushang bekanntgegeben und nach gewisser Zeit versteigert. Verjährungsfrist beträgt drei Jahre für Ansprüche auf den gefundenen Betrag oder den Versteigerungserlös.

Fundustheorie, Theorie zur Begründung von →fundiertem Einkommen. Durch inflationäre Geld- und Vermögensentwertung sowie Ausgestaltung der sozialen Sicherheit weitgehend überholt.

fünfjährige Finanzplanung, →mehrjährige Finanzplanung.

Fünf Weise, →Sachverständigenrat zur Begutachtung der gesamtwirtschaftlichen Entwicklung (SVR).

Fungibilien, →vertretbare Sachen i.S. des BGB.

Fungibilität, Marktgängigkeit von Sachen und Rechten. F. liegt vor, wenn die Sachen oder Rechte bei gleichbleibender Beschaffenheit nach Zahl, Maß oder Gewicht im Handelsverkehr bestimmt werden und durch jede andere Sache bzw. jedes andere Recht der gleichen Gattung und Menge ersetzt werden können. Die F. einer Ware ist Voraussetzung für ihren börsenmäßigen Handel (→Börsengeschäfte). Fungible Rechte, die Ansprüche aus verbrieften Kapitalformen verkörpern, heißen →Effekten.

Funk, drahtlose Übermittlung von Nachrichten von und zu beweglichen Objekten, an mehrere Empfänger gleichzeitig (Ton- und Fernsehrundfunk), zu weit entfernt liegenden Punkten der Erde (z. B. Kurzwellen- und Satellitenfunk), zwischen festen Punkten im näheren Bereich (z. B. Richtfunk). F. umfaßt →beweglichen Funk, →festen Funk, Rundfunk (Ton- und Fernsehrundfunk), Ortungsfunk. – Zu unterscheiden: a) *öffentlicher F.:* Der Funkverkehr wird über Funkeinrichtungen der Deutschen Bundespost abgewickelt; b) *nichtöffentlicher F.:* Der Funkverkehr wird nur über private Funkanlagen abgewickelt.

Funkamt, Dienststelle der →Deutschen Bundespost, beauftragt mit der Unterhaltung des Funkverkehrs. Frühere Funkstrecken für Ferngespräche sind weitgehend auf Seekabel und Nachrichtensatelliten übertragen worden. Nur noch ein F. in Hamburg, – Vgl. auch →Fernmeldeamt.

Funkspot, *Radiospot, radio commercial,* über das Medium Hörfunk verbreitete Mitteilung mit erkennbar werblicher Aussage (→Funkwerbung). – *Gestaltungselemente* sind Sprache (Rhetorik), Musik, Gesang, Geräusche und Effekte; die Informationsübertragung ist einkanalig, d. h. nur akustisch und damit von geringerer Aufmerksamkeitsbindung des Hörers als bei →Fernsehspots. Geeignet für klare, inkomplizierte, akustisch gut darstellbare Werbebotschaften und Imagewerbung. – *Gestaltungsalternativen:* (1) verbale Durchsage, (2) verbal-tonale Durchsage, (3) tonale Durchsage, (4) Hörszene, (5) Life-Durchsage. – *Übertragung* einzeln, in Werbeblöcken oder als Life-Ansage.

Funktelefon, Funkgeräte in Fahrzeugen (Kraftfahrzeuge, Eisenbahnen usw)., mittels derer Gespräche mit Teilnehmern des öffentlichen →Telefonnetzes möglich sind, z. B. Autotelefon. Verbindung durch Selbstwahl. Funkgeräte müssen von der Post zugelassen sein. – Abwicklung über zwei Netze: a) *F. im B-Netz:* Gesprächsverbindung durch Funkfeststationen, die je eine bestimmte Funkzelle versorgen. Anruf über die Kennzahl der Funkzelle. – b) *F. im C-Netz:* Beim Verlassen eines Funkvermittlungsbereichs wird das Gespräch unterbrochen und im neuen automatisch wieder aufgebaut. Teilnehmer an diesem F. erhalten Berechtigungskarte mit ihrer Funktelefonnummer.

Funktion. I. Organisationstheorie: Eine Teilaufgabe zur Erreichung des Unternehmungsziels. – *Beispiele:* Beschaffung, Produktion, Absatz, Verwaltung. – F. als Grundlage der Organisationsstruktur: Vgl. →Funktionalorganisation.

II. Mathematik: Vorschrift, nach der jedem Element einer Menge (Urbildmenge) genau ein Element einer zweiten Menge (Bildmenge) zugeordnet wird. Sie wird mathematisch meist durch eine Gleichung beschrieben. Beispiel: $y=x^2$, d. h., jeder reellen →Zahl x wird ihr Quadrat zugeordnet, also: 2→4; 3→9; 0,5→0,25; ... Allgemeine sympolische Darstellung der Funktionsgleichung: $y=f(x)$.

III. Elektronische Datenverarbeitung: Bei der →Codierung ein →Unterprogramm, das als Ergebnis genau einen Wert zur Verfügung stellt (z. B. das Resultat einer Berechnung). Die benötigten Eingangsgrößen werden i. a. als →Parameter an die F. übergeben. Ausgangsgröße ist der Funktionswert selbst.

funktionale Abstraktion, *prozeduale Abstraktion,* →Modularisierungsprinzip, bei dem ein Modul dadurch entsteht, daß von der Realisierung eines →Algorithmus abstrahiert wird (→Abstraktion, →Datenabstraktion).

funktionale Kontorechnung, eine besondere Form der doppelten Buchhaltung, begründet von Walter Thoms. 1. Grundlage der f.K. ist die *„Theorie der ökonomischen Kinetik“,* die davon ausgeht, daß sich die Buchungsvorgänge gliedern in: (1) Einnahmen und Ausgaben, das sind Zahlungsvorgänge; sie bilden zusammen den *Geldverkehr (liquiditätswirksam).* (2) Kapital- und Vermögensbewegungen, das sind Gütervorgänge; sie bilden zusammen die *Güterbewegung (investitionswirksam).* (3) Kosten und Erträgnisse, das sind Arbeitsvorgänge; sie bilden zusammen den *Arbeitsprozeß (erfolgswirksam).* – 2. Wenn sich etwas bewegt, kann es bei den ökonomischen Größen: Kapital, Vermögen, Geld, Kosten und Erträgnis nur Mehrung und Minderung geben. Jede *Bewegung* (Kapitalminderung, Kapitalmehrung, Vermögensmehrung, Vermögensminderung, Einnahmen, Ausgaben, Kostenmehrung, Kostenminderung, Erträgnisminderung, Erträgnismehrung) hat 5 korrespondierende Bewegungen, die Funktionsbewegungen zu den entsprechenden Bestands-(veränderungs-)bewegungen sind. Insgesamt gibt es also 25 Arten ökonomischer Bewegungen, genau so viele, wie das deutsche Alphabet Buchstaben hat, „ABC der ökonomischen Kinetik“. *Beispiel:* der 5 Möglichkeiten der Kapitalminderung: 1) Kapitalminderung – Kapitalmehrung, z. B. Lieferant erhält Akzept; 2) Kapitalminderung – Vermögensminderung, z. B. Lieferant erhält Wertpapier; 3) Kapitalminderung – Ausgaben, z. B. Lieferant erhält Geld; 4) Kapitalminderung – Kostenminderung, z. B. Lieferant erhält Material zurück; 5) Kapitalminderung – Erträgnismehrung, z. B. Lieferung auf Anzahlung. – 3. Der *Kontenabschluß* erbringt neue buchhalterische (kontologische) Bilanzen: (1) Kapitalbewegungsbilanzen, (2) Vermögensbewegungsbilanzen, (3) Geldverkehrsbilanzen, (4) Kostenbewegungsbilanzen, (5) Erträgnisbewegungsbilanzen. Dazu kommt das Bewegungs- und Wirkungsbilanzgefüge, eine Zusammenfassung aller Bewegungs- und Wirkungsbilanzen.

funktionale Qualität, Gesamtheit aller Eigenschaften eines Gutes, die die technische und wirtschaftliche Eignung zur Erfüllung der beim Abnehmer gestellten Aufgaben bestimmten. Die *Gesamt-Qualität* eines Investitionsgutes wird in Abhängigkeit von dem Grad der gesamten Aufgabenerfüllung beurteilt; sie ergibt sich aus der f.Q., der →Integralqualität und der →Dauerqualität (Pfeiffer).

Funktionalismus, spezielle Ausprägung des →methodologischen Kollektivismus. F. wird v. a. in der Soziologie, aber auch in Teilen der Betriebswirtschaftslehre vertreten. Systemen bzw. Institutionen wird ein allgemeines *Überlebensziel* zugeschrieben; analysiert werden die verschiedenen Teilsysteme (z. B. der Forschungs- und Entwicklungsbereich eines Unternehmens) im Hinblick auf ihre speziellen Funktionen im Zusammenhang mit dem Überleben des Gesamtsystems (z. B. Sicherung von Anpassungsnotwendigkeiten an geänderte Umweltbedingungen).

Funktionalorganisation, *funktionale Organisationstruktur, Funktionsorganisation, Funktionsgliederung.* 1. *Begriff:* Organisationsmodell (→Organisationsstruktur), bei dem die →Kompetenz aufgrund handlungsorientierter →Segmentierung nach →Funktionen (wie Beschaffung, Produktion, Absatz und Verwaltung) gegliedert wird. Bei reiner F. entstehen somit auf der zweiten Hierarchieebene →organisatorische Teilbereiche, in denen jeweils die Kompetenz für eine Funktion umfassend d. h. bezüglich sämtlicher Produkte der Unternehmung zusammengefaßt ist (vgl. untenstehende Abbildung). – 2. *Beurteilung der organisatorischen Effizienz:* a) *Ressourcennutzung:* In der Tendenz bessere Ressourcennutzung im Vergleich zur →Spartenorganisation und insbes. zur →Regionalorganisation durch höhere Auslastung und Vorteile der →Spezialisierung und →Größendegression. – b) *Interdependenzprofil* (Profil der für die Ausrichtung der Teilhandlungen auf die übergeordneten Unternehmungsziele relevanten Interdependenzen): Durch die zwangsläufige Existenz von gegenseitigen Abhängigkeiten der organisatorischen Teilbereiche aufgrund ihrer innerbetrieblichen Leistungsverflechtungen charakterisiert. Marktinterdependenzen können demgegenüber nur (ausnahmsweise) zwischen Beschaffungs- und Absatzbereich (Lieferant = Kunde) auftreten, während die allein die Beschaffungs- bzw Absatzseite betreffenden Marktverbundenheiten in einem (Beschaffungs- bzw. Absatz-)Bereich berücksichtigt werden. In der F. resultieren somit die Koordinationsanforderungen zur Hauptsache aus den internen Interdependenzen. – c) *Fähigkeit zur rechtzeitigen Reaktion auf Umweltveränderungen* (→Dispositionsfähigkeit): Während die Koordinationsanforderungen bei geringem Diversifikationsgrad und stabiler Umwelt der Unternehmung die Dispositionsfähigkeit nicht notwendigerweise beeinträchtigen, stellen sie mit steigender Heterogenität des Produktprogramms und wachsender Umweltdynamik eine rechtzeitige, die spezifischen Belage der einzelnen Produkte und Märkte ausreichend berücksichtigende Reaktion auf Änderung und Umwelt zunehmend in Frage. Eine Modifizierung der F. in Richtung einer →mehrdimensionalen Organisationsstruktur oder der Übergang zu einer reinen Sparten- oder Regionalorganisation kann somit geboten sein.

Funktionalreform, die im Zusammenhang mit der →kommunalen Gebietsreform durchgeführte Neuabgrenzung der kommunalen Aufgaben zwischen Gemeinden und Gemeindeverbänden.

Funktionalstrategie, der Teil eines →strategischen Programms, der Aussagen zu den hinsichtlich der betriebswirtschaftlichen Funktionen Beschaffung, Absatz, Produktion, Distribution usw. zu fahrenden Strategien trifft. – Fünfte Stufe eines →Strategienfächers.

Grundmodell der Funktionalorganisation

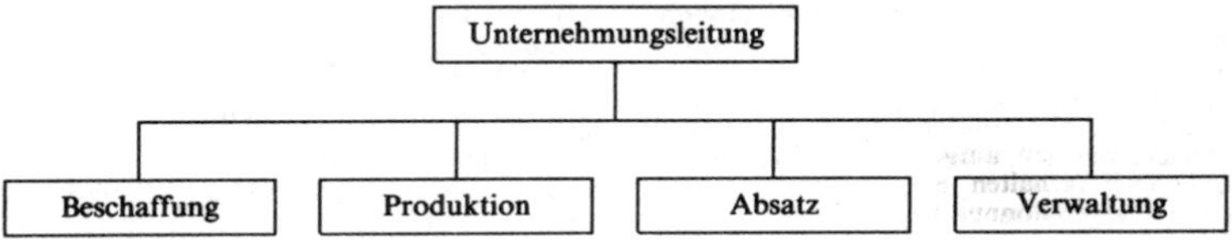

Funktionenbudget, nach Sachgebieten gegliederter →Haushaltsplan. In der Bundesrep. D. unüblich (Gliederung nach dem →Ressortprinzip). Das F. erscheint in Form der →Funktionenübersicht als ein Anhang im Haushaltsplan. Es besitzt keine Verbindlichkeit; soll vielmehr der in der Theorie entwickelten →politischen Programmfunktion des Haushalts Ausdruck geben.

Funktionendiagramm. 1. *Begriff:* Spezielles aufbauorientiertes →Organigramm in Matrixform. – 2. *Elemente:* a) Aufgaben (aus Aufgabengliederungsplan), b) Aufgabenträger (aus Aufgabenverteilungsplan). – 3. *Funktionen:* Die einzelnen Beziehungen des Aufgabenträgers zu einer Aufgabe. F. gibt in der Vertikalen die Gesamtfunktion eines Aufgabenträgers und in der Horizontalen die einzelnen Funktionen an, die zur Erledigung einer Einzelaufgabe notwendig sind.

Funktionenplan. 1. *Begriff:* Teil der 1969 eingeführten neuen Systematik der öffentlichen Haushaltspläne (→Haushaltssystematik) neben dem →Gruppierungsplan. Der F. gliedert die Einnahmen und Ausgaben einzelner Titel nach funktionalen Gesichtspunkten. Eine funktionale Kennziffer ermöglicht es, jeden Ansatz im →Haushaltsplan dem F. zuzuweisen. – 2. *Gliederungskennziffern:* 0 allgemeine Dienst; 1 Bildungswesen, Wissenschaft, Forschung, kulturelle Angelegenheiten; 2 soziale Sicherung, soziale Kriegsfolgeaufgaben, Wiedergutmachung; 3 Gesundheit, Sport, Erholung; 4 Wohnungswesen, Raumordnung, kommunale Gemeinschaftsdienste; 5 Ernährung, Landwirtschaft, Forsten; 6 Energie und Wasserwirtschaft, Gewerbe, Dienstleistungen; 7 Verkehrs- und Nachrichtenwesen; 8 Wirtschaftsunternehmen, allgemeine Grund-, Kapital- und Sondervermögen; 9 allgemeine Finanzwirtschaft. – 3. *Bedeutung* für die →politische Programmfunktion eines Haushalts, da sie eine Art Staatsaufgabenkatalog darstellt. – Vgl. auch →Funktionenbudget, →Funktionenübersicht.

Funktionenübersicht, eine nach dem →Funktionenplan aufgebaute Übersicht über Einnahmen, Ausgaben und →Verpflichtungsermächtigungen eines Haushaltsjahres, die dem →Haushaltsplan als Anlage beizufügen ist. F. und →Gruppierungsübersicht bilden den →Haushaltsquerschnitt.

Funktionsform ökonometrischer Modellgleichungen. Die Festlegung der F. ö. M. ist eine Aufgabe der →Spezifikation eines ökonometrischen Modells. Nach der F. ö. M. *unterscheidet* man *lineare* und *nichtlineare* Modelle. – Idealerweise sollte die F. durch die ökonomische Theorie vorgegeben sein. Tatsächlich werden wegen ihrer rechen- und schätztechnischen Vorzüge häufig *lineare Gleichungen* benützt; die Bevorzugung linearer Gleichungen ist oft nicht so einschneidend, da nur Linearität in den Parametern zu fordern ist. *Nichtlineare Gleichungen* können u. U. durch *Transformation* (z. B. Logarithmierung) linearisiert oder durch lineare Gleichungen *angenähert* werden. Die Fortschritte in der Computertechnologie und die Entwicklung iterativer numerischer Methoden zur Lösung nichtlinearer Gleichungssysteme führen zu vermehrter Anwendung nichtlinearer Gleichungen.

Funktionsgliederung, →Funktionalorganisation.

Funktionsholding, eine →Holdinggesellschaft, die eine eigene unter § 8 I 1–6 AStG fallende Tätigkeit (sog. →aktive Tätigkeit) ausübt und in wirtschaftlichem Zusammenhang mit dieser Tätigkeit auf Dauer eine wesentliche Beteiligung an einer ausländischen Gesellschaft hält, „die ihre Bruttoerträge ausschließlich oder fast ausschließlich aus solchen Tätigkeiten bezieht" (§ 8 II AStG).

Funktionsintegration. 1. *Begriff:* a) *I. w. S.* Integration mehrerer Funktionen an einem betrieblichen Arbeitsplatz. b) *I. e. S.:* (1) Integration (aus Sicht der →Elektronischen Datenverarbeitung) der früher getrennten Funktionen →Datenerfassung, Sachbearbeitung und Datenverarbeitung; (2) Integration mehrerer betriebswirtschaftlicher Teilfunktionen an einem Arbeitsplatz (z. B. Teile von →Vorgangsketten). – 2. *Voraussetzung:* →Datenintegration, →Dialogbetrieb.

Funktionsmanagementorganisation. 1. *Begriff:* Konzept einer →mehrdimensionalen Organisationsstruktur, bei der eine gegebene Grundstruktur durch die organisatorische Verankerung einer bestimmten (wichtigen) →Funktion ergänzt wird. – 2. *Formen:* a) Die Institutionalisierung dieser Funktion kann auf einen →organisatorischen Teilbereich beschränkt oder teilbereichsübergreifend angelegt sein; b) die Institutionalisierung kann in Form von →Stäben *(Stabs-Funktionsmanagement)* oder →organisatorische Einheiten *(Matrix-Funktionsmanagement)* erfolgen. – 3. Bei der *Auswahl* der sich hieraus ergebenden Gestaltungsalternativen sind die angestrebte Reichweite für die Berücksichtigung der Funktion im arbeitsteiligen Entscheidungsprozeß der Unternehmung und die spezifischen Vor- und Nachteile der →Stab-Linienorganisation und der →Matrixorganisation abzuwägen. – 4. *Beispiele* für die Verankerung konkreter Funktionen: (1) Controllingmanagementorganisation (organisatorische Verankerung des →Controllings), (2) Logistikmanagementorganisation (organisatorische Verankerung der →Logistik), (3) Personalmanagementorganisation (organisatorische Verankerung der personalwirtschaftlichen Funktion), (4) Riskmanagementorganisation (organisatorische Verankerung des →Riskmanagements).

Funktionsmeistersystem, von Taylor entwickeltes →Leitungssystem, bei dem eine →Stelle mehreren →Instanzen unterstellt wird. Taylor sieht vier für die Planung zuständige *Funktionsmeister des Büros (clerks)* vor: Arbeitsverteiler, Unterweisungsbeamter, Zeitmeister, Kostenmeister sowie vier für die Arbeitsdurchführung zuständige *Funktionsmeister der Werkstatt (bosses):* Verrichtungsmeister, Geschwindigkeitsmeister, Prüfmeister, Instandhaltungsmeister. – Für die *Beurteilung* der →organisatorischen Effizienz des F. gelten die generellen Vor- und Nachteile eines →Mehrliniensystems analog.

funktionsorientierte Programmiersprache, →Programmiersprache II 2b).

funktionsorientiertes Modul. 1. *Begriff:* Ein →Modul, das nach dem Prinzip der →funktionalen Abstraktion gebildet wird. Das Modul implementiert einen *Algorithmus* (→Implementierung 4.); das erwartete Ergebnis der Implementierung wird in der →Schnittstelle spezifiziert. – 2. *→Abstraktion:* Besteht darin, daß die Benutzung des Moduls (→Benutzer 1.), d.h. die Inanspruchnahme der in der Schnittstelle spezifizierten Leistungen, möglich ist, ohne daß die Art und Weise, wie der Algorithmus realisiert wird, bekannt sein muß. – 3. *Beispiel:* Modul namens *k-wurzel* zur Berechnung der Kubikwurzel aus einer Zahl *x;* Schnittstelle spezifiziert das Argument *x* und das gewünschte Ergebnis *k-wurzel;* die *Realisierung* der Wurzelberechnung ist für den Benutzer ohne Interesse. – 4. *Umsetzung:* F.M. können in den gängien prozeduralen →Programmiersprachen durch →Unterprogramme gut dargestellt werden.

Funktionsprinzip, →Vernichtungsprinzip.

Funktionsrabatt, *Stufenrabatt,* pauschalierter Leistungsrabatt für sämtliche von einer Handelsstufe wahrgenommenen Funktionen bei der →Distribution von Waren. *Strittig* ist stets die Höhe des F., wenn sich die übernommenen →Handelsfunktionen nicht quantitativ messen und in beiderseitigem Einvernehmen bewerten lassen. – *Beispiel:* F. an Großhändler für die Lagerhaltung in bestimmtem Umfang.

Funktionstaste, Taste einer →Tastatur, die nicht zum Eintippen eines Zeichens (in ein →Bildschirmgerät) dient, sondern direkt eine Verarbeitungsfunktion auslöst.

Funktionsträger, →Handlungsträger.

Funktionsunterprogramm, →Funktion.

Funktionswertanalyse, →Wertanalyse.

Funkwerbung, *Hörfunkwerbung, Rundfunkwerbung,* →elektronische Werbung mittels →Funkspots; Wirtschaftswerbung zu festgelegten Werbezeiten in öffentlich-rechtlichen regionalen Programmen, einigen kommerziellen nationalen (Satelliten-) Programmen und (in Zukunft verstärkt) auf Breitbandnetz basierenden lokalen Programmen. Bei den öffentlich-rechtlichen Programmen gehört die F. zu den fakulativen Aufgabenbereichen, d.h. ihnen ist freigestellt, ob, in welchem Umfange und wann sie Werbezeiten plazieren. – *Normalform der F.* sind Funkspots von 30–60 Sek. Länge. →Reichweite, Umfang wie zeitliche Plazierung (→Plazierungsvorschrift) dieses Werbeangebots variieren zum Teil sehr stark, so daß nur aufgrund fundierter →Mediaanalysen Werbeentscheidungen gefällt werden dürfen. – *Bedeutung:* F. ist, entgegen früherer Vorstellungen, ein einflußstarkes Werbemedium, dessen Botschaften gut in Erinnerung bleiben und bei dem →Intermediaselektion vergleichsweise nur geringe Kosten verursacht. Heute dient die F. deshalb häufig als Basismedium einer →Werbekampagne und wird komplementär mit →Fernsehwerbung und →Printwerbung eingesetzt; es kann zu →Reichweitenüberschneidung kommen. – Vgl. auch →Fernsehwerbung.

furlong, angelsächsische Längeneinheit. 1 furlong = 201,168 m.

Fürsorge, jetzt →Sozialhilfe.

Fürsorgeerziehung, Maßnahme im Rahmen der →*Jugendhilfe.* 1. *Zweck:* F. wird angeordnet für einen Minderjährigen, der das 17. Lebensjahr noch nicht vollendet hat, wenn sie erforderlich ist, weil der Minderjährige zu verwahrlosen droht oder verwahrlost ist (§ 64 JWG). – 2. *Anordnung* durch Vormundschaftsgericht auf Antrag des Jugendamts oder des Personensorgeberechtigten (§ 65 JWG) oder auch durch Jugendgericht im Jugendstrafverfahren (§§ 9, 12 JGG). Bei Gefahr im Verzug auch *vorläufige F.* durch das Vormundschaftsgericht. F. darf nur angeordnet werden, wenn keine andere ausreichende Erziehungsmaßnahme (→Erziehungsbeistandschaft, →freiwillige Erziehungshilfe) gewährt werden kann. – 3. *Durchführung* i.d.R. in einer geeigneten Familie oder in einem Heim; Landesjugendamt bestimmt den Aufenthaltsort (§ 71 JWG). Die Personensorge der Sorgeberechtigten wird durch die F. weitgehend eingeschränkt, aber nicht gänzlich aufgehoben. – 4. Die F. *endet* mit der Volljährigkeit des Jugendlichen oder mit der Erreichung des Zwecks durch Aufhebung, wenn andere →Erziehungshilfen ausreichen.

Fürsorgepflicht, Pflicht zur Wahrung schutzwürdiger Interessen des →Arbeitnehmers; rechtliche Verpflichtung des Arbeitgebers neben Lohnzahlungspflicht (→Arbeitsvertrag, →Arbeitsverhältnis). Die F. umfaßt eine Anzahl von vertraglichen Nebenpflichten, die sich z.T. bereits aus der Anwendung des Grundsatzes von →Treu und Glauben (§ 242

BGB) auf das Arbeitsverhältnis ergeben. – 1. *Schutzpflichten:* a) Der Arbeitgeber hat Betrieb, Betriebsmittel und Arbeitsablauf so zu gestalten, daß der Arbeitnehmer vor *Gefahren für Leben und Gesundheit,* soweit dies nach den Umständen und nach der Art der Leistung möglich ist, geschützt ist (§ 618 I BGB, § 62 I HGB), vgl. auch →Arbeitsschutz, →Gesundheitsschutz. – b) Der Arbeitgeber muß den Arbeitnehmer auch vor *Beeinträchtigungen seiner Persönlichkeit* schützen. Nach dem Bundesdatenschutzgesetz besteht z. B. eine Verpflichtung zur Sicherung personenbezogener Daten des Arbeitnehmers gegen Datenmißbrauch (→Datenschutz). – c) Die F. bezieht sich auf die *eingebrachten Sachen des Arbeitnehmers* (Fahrzeug, Kleidung usw.). Soweit Arbeitnehmer Kleidung wechseln müssen, sind ihnen verschließbare Schränke zur Verfügung zu stellen. Ob eine Pflicht des Arbeitgebers besteht, Parkplätze für Kraftfahrzeuge des Arbeitnehmers zu schaffen, richtet sich nach den Umständen des Einzelfalles. Solche Einrichtungen sind in jedem Fall verkehrssicher zu halten. – d) Die Berechnung und *Abführung der Lohnsteuer und der Sozialversicherungsbeiträge* ist nicht nur eine öffentlich-rechtliche Pflicht des Arbeitgebers, sondern muß im Rahmen des Arbeitsvertrages gegenüber dem Arbeitnehmer ordnungsgemäß vorgenommen werden. – 2. *Förderungspflichten:* a) Der Arbeitgeber ist i. d. R. verpflichtet, den Arbeitnehmer tatsächlich im Rahmen der vereinbarten Tätigkeit zu beschäftigen (→*Beschäftigungspflicht*). – b) Der Arbeitnehmer kann bei Beendigung des Arbeitsverhältnisses ein *schriftliches* →*Zeugnis* verlangen. – c) Nur unter außergewöhnlichen Umständen kommt eine *Pflicht zur Wiedereinstellung* nach Beendigung des Arbeitsverhältnisses in Betracht (→Verdachtskündigung). – 3. Der früher aus der F. hergeleitete Anspruch des Arbeitnehmers auf *Erholungsurlaub* ist heute gesetzlich geregelt (→Urlaub). – 4. Bei *Nichterfüllung der F.* kommen u. U. Schadenersatzansprüche des Arbeitnehmers in Betracht. Auch kann ein Leistungsverweigerungsrecht des Arbeitnehmers bestehen, solange nicht eine pflichtgemäße Organisation der Arbeit gegeben ist.

Fürsorgeprinzip, sozialpolitisches Konzept, orientiert am Grundsatz der Individualisierung der staatlichen Hilfeleistung und der →Subsidiarität, an den Bedürfnissen des individuell Notleidenden und dessen unzureichendem Schutz durch andere Sicherungssysteme. Die →Sozialhilfe basiert auf dem F. Damit soll gewährleistet sein, daß für jede Art von Notlage Hilfe geleistet werden kann. Das F. begründet einen Rechtsanspruch auf individuelle Hilfe (zum Lebensunterhalt und in besonderen Lebenslagen). Die Mittel stammen aus dem Steueraufkommen. – *Anders:* →Versorgungsprinzip, →Versicherungsprinzip.

Fusion. 1. *Allgemein:* Vgl. →Unternehmungszusammenschluß. – 2. *Handels- und Steuerrecht:* Vgl. →Verschmelzung. – 3. *Kartellrecht:* Vgl. →Fusionskontrolle.

Fusionsbilanz, Sonderbilanz (→Bilanz) bei der Verschmelzung (Fusion) zweier oder mehrerer AGs (KGaAs) (durch Aufnahme oder Neubildung), die die Aktiva und Passiva aller verschmolzenen Gesellschaften (übertragende und -nehmende Gesellschaften), ggf. unter Berücksichtigung eines Verschmelzungsverlusts oder -Gewinns (→Verschmelzung IX 3) übernimmt. Gesetzlich geregelt in §§ 339–358 a AktG. →Liquidation und Einzelvermögensübertragung sind ausgeschlossen. – Die F. ist von der übernehmenden Gesellschaft aufzustellen. Die übernehmende Gesellschaft ist an die in der (den) →Übertragungsbilanz(en) der übertragenden Gesellschaft(en) angesetzten Werte gebunden: Diese Wertansätze gelten als →Anschaffungskosten i. S. von § 252 I HGB (§ 348 AktG).

Fusionsgewinn, →Verschmelzung IX 3.

Fusionskontrolle, *Zusammenschlußkontrolle,* Kontrolle von Unternehmenszusammenschlüssen. Das Entstehen oder die Verstärkung einer marktbeherrschenden Stellung wird als zu erwarten vorausgesetzt. Vgl. näher →Kartellgesetz III. – Im *EG-Kartellrecht* ist keine F. vorgesehen (→Kartellgesetz XI).

Fuß, veraltete Längeneinheit. In den verschiedenen deutschen Ländern von unterschiedlicher Länge. Heute gleichbedeutend mit der angelsächsischen Einheit foot (→feet).

Fußgänger, Person, die eine →öffentliche Straße ohne körperliche Beziehung zu einem sonstigen Verkehrsmittel benutzt. F. gelten als →Verkehrsteilnehmer und haben die allgemeinen Verkehrsvorschriften zu beachten.

Fußgängerbereich, Einrichtung zur Verbesserung des Wohnumfeldes. Im F. herrscht als Regel Fußgängerverkehr, Fahrzeugverkehr ist Ausnahme. – Vgl. auch →verkehrsberuhigte Bereiche.

Fusti, Vergütung für Verunreinigung einer Ware. – Vgl. auch →Refaktie.

futures, →financial futures.

Futures Research, →Zukunftsforschung.

Futurologie, →Zukunftsforschung.

fuzzy logic, *vage Logik, unscharfe Logik,* Bereich der Logik, der im Zusammenhang mit der →künstlichen Intelligenz entwickelt wurde. Die f.l. ermöglicht die semantische Interpretation von Aussagen, die nicht als eindeutig wahr oder falsch eingestuft werden können (z. B. „Peter ist groß"). Die diskreten

Wahrheitswerte (wahr und falsch bzw. 1 und 0) werden durch einen stetigen Bereich (i.d.R. Intervall von 0 bis 1) ersetzt. Für Werte aus diesem Bereich werden aussagenlogische Operationen definiert. – *Klassen:* Vgl. →fuzzy set.

fuzzy set, *unscharfe Menge.* 1. *Begriff:* Menge, deren Elemente bestimmten Mengen zu verschiedenem Grad angehören bzw. die Aussage „ein Element x gehört zur Menge X" zu verschiedenem Grad wahr sein kann. – 2. *Entscheidung bei unscharfer Problembeschreibung:* Ziele sowie der Lösungsraum werden durch eine oder mehrere f.s. beschrieben. Nur diejenigen Handlungsalternativen gehören zur optimalen Lösung, die den Zielmengen und der Lösungsmenge angehören, d.h. die Schnittmenge aller Ziel- und Lösungsmengen stellt die „Entscheidung" eines solchen Problems dar. – Vgl. auch →fuzzy logic.

F-Verteilung, *Snedecor-Verteilung,* stetige theoretische →Verteilung, eingeführt durch R. A. Fisher (1924) und Snedecor (1937) als Prüfverteilung. Sind die →Zufallsvariablen X_1 bzw. X_2 χ^2-verteilt (→Chi-Quadrat-Verteilung) mit k_1 bzw. k_2 Freiheitsgraden und stochastisch unabhängig, so ist die aus ihnen abgeleitete Zufallsvariable

$$(X_1/k_1):(X_2/k_2)$$

F-verteilt mit k_1 und k_2 Freiheitsgraden. Die F.-V. ist i.d.R. eingipflig und linkssteil (→Schiefe). Für →Quantile der F.-V. existieren Tabellenwerke. – Wichtige *Anwendungsgebiete* sind →statistische Testverfahren, etwa die Prüfung der →Varianz einer normalverteilten Variablen oder der Vergleich von Varianzen bei normalverteilten Variablen (→Varianzanalyse).